ACCESO GRATIS *a la Lectura en la Nube*

Para visualizar el libro electrónico en la nube de lectura envíe junto a su nombre y apellidos una fotografía del código de barras situado en la contraportada del libro y otra del ticket de compra a la dirección:

ebooktirant@tirant.com

En un máximo de 72 horas laborales le enviaremos el código de acceso con sus instrucciones.

La visualización del libro en **NUBE DE LECTURA** excluye los usos bibliotecarios y públicos que puedan poner el archivo electrónico a disposición de una comunidad de lectores. Se permite tan solo un uso individual y privado

ESQUEMAS PROCESALES CIVILES Y PENALES PARA PROFESIONALES

Tomo XLVII

ESQUEMAS PROCESALES CIVILES Y PENALES PARA PROFESIONALES

Inmaculada Domínguez Oliveros

tirant lo blanch

Valencia, 2019

© INMACULADA DOMÍNGUEZ OLIVEROS

© TIRANT LO BLANCH
EDITA: TIRANT LO BLANCH
C/ Artes Gráficas, 14 - 46010 - Valencia
TELFS.: 96/361 00 48 - 50
FAX: 96/369 241 51
Email:tlb@tirant.com
www.tirant.com
Librería Virtual: www.tirant.es
DEPÓSITO LEGAL: V-1417-2019
ISBN: 978-84-1313-602-8
IMPRIME: Guada Impresores, S.L.
MAQUETA: Tink Factoría de Color

Si tiene alguna queja o sugerencia, envíenos un mail a: atencioncliente@tirant.com. En caso de no ser atendida su sugerencia, por favor, lea en *www.tirant.net/index.php/empresa/politicas-de-empresa* nuestro procedimiento de quejas.

Responsabilidad Social Corporativa: http://www.tirant.net/Docs/RSCTirant.pdf

A mi marido y mis hijos, Jesús y Claudia,
por darme todo sin esperar nada a cambio

Índice

Abreviaturas.. 13

Presentación... 15

EL PROCESO CIVIL

Textos legales 19

Últimas reformas.. 20

Ley 42/2015, de 5 de octubre, de reforma de la Ley 1/2000, de 7 de enero, de enjuiciamiento civil....................... 26

Principios de proceso civil 31

Presupuestos del proceso civil 32

1. LOS ACTOS DE COMUNICACIÓN JUDICIAL 33

2. LA ACUMULACIÓN DE ACCIONES.. 53

3. LA ACUMULACIÓN DE PROCESOS.. 57

4. ABSTENCIÓN DE JUECES Y MAGISTRADOS 71

5. LAS DILIGENCIAS PRELIMINARES... 79

6. LAS MEDIDAS CAUTELARES.. 85

7. JUICIO ORDINARIO 93

8. JUICIO VERBAL 105

9. LOS PROCESOS ESPECIALES 125

    9.1. LOS PROCESOS SOBRE CAPACIDAD, FILIACIÓN, MATRIMONIO Y MENORES 125

        9.1.1. Los procesos sobre capacidad de las personas 127

        9.1.2. Los procesos sobre filiación, paternidad y maternidad 143

        9.1.3. Los procesos matrimoniales y de menores 149

        9.1.4. Medidas relativas a la restitución o retorno de menores en los supuestos de sustracción internacional 170

        9.1.5. La oposición a las resoluciones administrativas en materia de protección de menores y del procedimiento para determinar la necesidad de asentimiento en la adopción 180

    9.2. DIVISIÓN JUDICIAL DE PATRIMONIOS 185

    9.3. EL PROCESO MONITORIO 204

    9.4. EL PROCESO CAMBIARIO 210

10. PROCESOS DE CUENTAS DE PROCURADOR Y ABOGADO 215

EL PROCESO PENAL

Textos legales 223

Últimas reformas 225

Ley Orgánica 13/2015, de 5 de octubre, de modificación de la ley de enjuiciamiento criminal para el fortalecimiento de las garantías procesales y la regulación de las medidas de investigación tecnológica 227

La Ley 41/2015 de modificación de la ley de enjuiciamiento criminal para la agilización de la justicia penal y el fortalecimiento de las garantías procesales 230

Principios del proceso penal 233

Presupuestos del proceso penal 234

1. LOS ACTOS DE COMUNICACIÓN JUDICIAL 235

2. PLAZOS DE INSTRUCCIÓN 245

3. INCIDENTE DE NULIDAD DE ACTUACIONES 249

4. MEDIDAS CAUTELARES 253

5. ESPECIALIDADES EN LOS DELITOS CONTRA LA HACIENDA PÚBLICA 277

6. MEDIDAS DE INVESTIGACIÓN LIMITATIVAS DE LOS DERECHOS RECONOCIDOS EN EL ART. 18 CE 281

7. LOS PROCEDIMIENTOS ORDINARIOS 309
    7.1. PROCEDIMIENTO ORDINARIO POR DELITOS GRAVES (SUMARIO) 310
    7.2. EL PROCEDIMIENTO ABREVIADO 326
    7.3. PROCEDIMIENTO DE ENJUICIAMIENTO RÁPIDO (JUICIOS RÁPIDOS) 345
    7.4. EL PROCEDIMIENTO POR DELITOS LEVES 354

8. PROCEDIMIENTOS ESPECIALES O CON ESPECIALIDADES 369
    8.1. PROCESO PENAL CONTRA MENORES 370
    8.2. PROCESO CONTRA UN SENADOR O UN DIPUTADO DE LAS CORTES GENERALES ... 383
    8.3. PROCEDIMIENTO POR DELITOS DE INJURIA Y CALUMNIA CONTRA PARTICULARES ... 386
    8.4. PROCEDIMIENTO POR DELITOS COMETIDOS POR MEDIO DE LA IMPRENTA, EL GRABADO U OTRO MEDIO MECÁNICO DE COMUNICACIÓN 390
    8.5. PROCESO ANTE EL TRIBUNAL DEL JURADO 394
    8.6. PROCESO POR ACEPTACIÓN DE DECRETO 408

8.7.   PROCESO DE DECOMISO AUTÓNOMO 412

8.8.   INTERVENCIÓN DE TERCERO AFECTADO POR DECOMISO 418

8.9.   PROCEDIMIENTO PARA LA EXTRADICIÓN 422

8.10. PROCEDIMIENTO CONTRA REOS AUSENTES 452

8.11. PROCEDIMIENTO DE *HABEAS CORPUS* 456

Abreviaturas

AN	Audiencia Nacional
AP	Audiencia Provincial
Art./s	Artículo/Artículos
AJO	Auto Apertura Juicio Oral
BOE	Boletín Oficial del Estado
CC	Código Civil Español
CP	Código Penal
CE	Constitución Española
DL	Decreto Legislativo
DOUE	Diario Oficial de la Unión Europea
FGE°	Fiscalía General del Estado
LAJ	Letrado de la Administración de Justicia
LEC	Ley de Enjuiciamiento Civil
LECrim	Ley de Enjuiciamiento Criminal
LEP	Ley de Extradición Pasiva
LO	Ley Orgánica
LOHC	Ley Orgánica reguladora del procedimiento de Habeas Corpus
LOPJ	Ley Orgánica del Poder Judicial
LOTJ	Ley Orgánica del Tribunal del Jurado

OEDE	Orden Europea de detención y entrega
REC	Recurso
RD	Real Decreto
TC	Tribunal Constitucional
TS	Tribunal Supremo
TSJ	Tribunal Superior de Justicia

Presentación

Los procesos civil y penal se regulan básicamente en la Ley de Enjuiciamiento Civil de 7 de enero de 2000 y en la Ley de Enjuiciamiento Criminal de 14 de septiembre de 1882.

Han transcurrido casi veinte años desde la entrada en vigor de la Ley de Enjuiciamiento Civil, aprobándose más de cuarenta leyes que la afectan.

Por lo que respecta a la Ley de Enjuiciamiento Criminal, se han producido desde el año 1882 numerosas reformas, sobre todo para adecuar el texto procesal a la Constitución.

Para ser más concretos, desde el año 1998, la LECrim se ha modificado en veintinueve ocasiones, siete de ellas han tenido lugar en el año 2015 y han supuesto una reforma de la LECrim en aspectos esenciales.

Ante la nueva realidad legislativa y al objeto de recoger en un solo texto, a través de una representación gráfica y estructurada, los distintos tramites y procedimientos de la jurisdicción civil y penal, se ha realizado una sencilla explicación de cada uno de los procesos existentes en dichos ordenes jurisdiccionales que se ve completado con una serie de esquemas que permiten entender el iter procesal de los diferentes procedimientos.

La finalidad de este trabajo es esquematizar, con un enfoque práctico y rigor jurídico, los distintos procedimientos judiciales actualizándolos a las últimas reformas legales, de forma que permita su fácil manejo y consulta por todos los operadores jurídicos, constituyendo una herramienta fundamental que facilita la comprensión y el conocimiento del Derecho Procesal.

EL PROCESO CIVIL

Textos legales

- Real Decreto-ley 7/2019, de 1 de marzo, de medidas urgentes en materia de vivienda y alquiler.
- Ley Orgánica 4/2018, de 28 de diciembre, de **reforma de la Ley Orgánica 6/1985, de 1 de julio, del Poder Judicial.**
- Ley Orgánica 3/2018, de 5 de diciembre, de **Protección de Datos Personales y garantía de los derechos digitales.**
- Ley 5/2018, de 11 de junio, de modificación de la Ley 1/2000, de 7 de enero, de Enjuiciamiento Civil, en relación a la **ocupación ilegal de viviendas.**
- Ley 3/2018, de 11 de junio, por la que se modifica la Ley 23/2014, de 20 de noviembre, de reconocimiento mutuo de resoluciones penales en la Unión Europea, para regular la **Orden Europea de Investigación.**
- Ley 4/2017, de 28 de junio, de **modificación de la Ley 15/2015,** de 2 de julio, de la jurisdicción voluntaria.
- Ley 42/2015, de 5 de octubre, **de Reforma de la Ley 1/2000, de 7 de enero,** de Enjuiciamiento Civil.
- Ley 15/2015, de 2 de julio, de la **Jurisdicción Voluntaria.**
- Ley Orgánica 8/2015, de 22 de julio, de **modificación del sistema de protección a la infancia y a la adolescencia.**
- Ley 26/2015, de 28 de julio, de modificación del **sistema de protección a la infancia y a la adolescencia.**
- Ley 29/2015, de 30 de julio, de **cooperación jurídica internacional en materia civil.**
- Ley Orgánica 7/2015, de 21 de julio, por la que se **modifica la Ley Orgánica del Poder Judicial.**
- Ley 19/2015, de 13 de julio, de medidas de reforma administrativa en el ámbito de la **Administración de Justicia y del Registro Civil.**
- Ley 35/2015, de 22 de septiembre, de reforma del sistema para la **valoración de los daños y perjuicios causados a las personas en accidentes de circulación.**
- Ley Orgánica 6/1985, de 1 de julio, del Poder Judicial (**LOP**).
- Ley 13/2009, de 3 de noviembre, de reforma de la legislación procesal para la implantación de la **nueva Oficina judicial.**
- Ley 37/2011, de 10 de octubre, de medidas de **agilización procesal.**
- Ley 38/2011, de 10 de octubre, de reforma de la Ley 22/2003, de 9 de julio, **Concursal.**
- Ley 20/2011, de 21 de julio, del **Registro Civil.**

Últimas reformas

Ley 15/2015, de 2 de julio, de la *Jurisdicción Voluntaria* (BOE 3 de julio de 2015 y corrección de errores publicada en BOE 2 de septiembre de 2015), modificada por la **Ley 4/2017, de 28 de junio**, de modificación de la Ley 15/2015, de 2 de julio, de la Jurisdicción Voluntaria (BOE 29 de junio de 2017).

La Ley 15/2015 introduce importantes novedades y supone una significativa *desjudicialización de los conflictos*, al atribuir la competencia para resolver buena parte de las materias reguladas a secretarios judiciales, notarios y registradores, según la materia objeto de la controversia.

Modifica los arts. 8.1, 395.1, 525.1, 608, 748, 749.1, 758 párrafo 2º, 769.1 y 2, 777, 4 y 10, 782.1, 790, 791.2 y 3, 792.1, 802.1 y Disposición final 22ª.

Añade un nuevo capítulo IV bis en el Título I del Libro IV, integrado por los arts. 778 quáter a 778 sexies, con el título "*Medidas relativas a la restitución o retorno de menores en los supuestos de sustracción internacional*".

Deroga los arts. 4, 10, 11, 63, 460 a 480, 977 a 1000, 1811 a 1879, 1901 a 1918, 1943 a 2174 de la Ley de Enjuiciamiento Civil aprobada por Real Decreto de 3 de febrero de 1881.

Con carácter general la Ley entró en vigor **el 23 de julio de 2015**. Sin embargo, no todas sus disposiciones lo han hecho en esa fecha.

El **15 de octubre de 2015** entró en vigor las disposiciones del *Título VII* que regulan las **subastas voluntarias celebradas por los Secretarios judiciales**, y las del Capítulo V del Título VIII de la Ley de 28 de mayo de 1862, del Notariado contenidas en la disposición final undécima, que establecen el *régimen de las subastas notariales 18181818*.

Las disposiciones del Capítulo III del Título II de esta Ley, reguladoras de la **adopción**, entrarán en vigor *cuando entre en vigor la Ley de Modificación del sistema de Protección a la infancia y a la adolescencia*.

Las modificaciones de los arts. 49, 51, 52, 53, 55, 56, 57, 58, 62, 65 y 73 del Código Civil contenidas en la Disposición final primera, así como las modificaciones de los artículos 58, 58 bis, disposición final segunda y disposición final quinta bis de la Ley 20/2011, de 22 de julio, del Registro Civil, incluidas en la disposición final cuarta, relativas a la **tramitación y celebración del matrimonio civil**, lo harán *en la fecha de la completa entrada en vigor de la Ley 20/2011, de 21 de julio, del Registro Civil*.

Las modificaciones del art. 7 del Acuerdo de Cooperación del **Estado con la Federación de Entidades Religiosas Evangélicas** de España, aprobado por la Ley 24/1992, de 10 de noviembre; las del art. 7 del Acuerdo de Cooperación del **Estado con la Federación de Comunidades Israelitas** de España, aprobado por la Ley 25/1992, de 10 de noviembre; y las del art. 7 del Acuerdo de Cooperación del **Estado con la Comisión Islámica** de España, aprobado por la Ley 26/1992, de 10 de noviembre, contenidas en las disposiciones finales quinta, sexta y séptima respectivamente, lo harán *en la fecha de la completa entrada en vigor de la Ley 20/2011, de 21 de julio, del Registro Civil.*

Las disposiciones de la Sección 1.ª del Capítulo II del título VII de la Ley de 28 de mayo de 1862, del Notariado, contenidas en la disposición final undécima, que establecen las normas reguladoras del **acta matrimonial y de la escritura pública de celebración del matrimonio,** *lo harán en la fecha de la completa entrada en vigor de la Ley 20/2011, de 21 de julio, del Registro Civil.*

Novedades mas relevantes

Respecto del matrimonio

- La edad para contraer matrimonio se eleva de los 14 a los 16 años.
- Los *Secretarios judiciales y Notarios serán competentes para la celebración* de matrimonios.
- La celebración del matrimonio *se hará constar mediante acta o escritura pública* que será firmada por aquél ante quien se celebre, los contrayentes y dos testigos.

Extendida el acta o autorizada la escritura pública, se remitirá por el autorizante copia acreditativa de la celebración del matrimonio al Registro civil competente para su inscripción, previa calificación por el encargado del mismo.

Respecto de la separación y divorcio

- Para los casos en que no existan hijos menores no emancipados o con la capacidad modificada judicialmente que dependan de sus progenitores, los cónyuges podrán *acordar su separación/divorcio de mutuo acuerdo mediante la formulación de un convenio regulador ante el LAJ o en escritura pública ante Notario,* en el que junto a la voluntad inequívoca de separarse/divorciarse, determinarán las medidas que hayan de regular los efectos derivados de la separación/divorcio.
- Los cónyuges deberán *intervenir en el otorgamiento de modo personal,* sin perjuicio de que deban estar asistidos por Letrado en ejercicio, prestando su consentimiento ante el Secretario Judicial o Notario.

- Los hijos mayores de edad o menores emancipados *deberán otorgar el consentimiento ante el secretario judicial o notario respecto de las medidas que les afecten por carecer de ingresos propios y convivir en el domicilio familiar.*

- Los efectos de la separación matrimonial/divorcio se producirán *desde la firmeza del decreto que así la declare o desde la manifestación del consentimiento de ambos cónyuges* otorgado en escritura pública. Se remitirá testimonio del decreto, o copia de la escritura pública al Registro Civil para su inscripción, sin que, hasta que tenga lugar, se produzcan plenos efectos frente a terceros de buena fe.

- Cuando los cónyuges formalicen los acuerdos ante el Secretario judicial o Notario y éstos consideren que, a su juicio, alguno de ellos pudiera ser dañoso o gravemente perjudicial para uno de los cónyuges o para los hijos mayores o menores emancipados afectados, lo advertirán a los otorgantes y darán por terminado el expediente. En este caso, los cónyuges sólo podrán acudir ante el Juez para la aprobación de la propuesta de convenio regulador.

En materia mercantil

Regula el procedimiento para la exhibición de libros; la convocatoria de juntas generales; el nombramiento y revocación de liquidador, auditor o interventor de una entidad o la reducción de capital social y la amortización o enajenación de las participaciones o acciones, entre otras.

Se regula la *reclamación a empresarios mediante un requerimiento notarial* de deudas líquidas, determinadas, vencidas, exigibles y documentadas, para que la paguen en los 20 días siguientes. El deudor podrá pagar, comparecer ante el notario y oponerse al pago, o no comparecer, o no alegar motivos de oposición.

La Ley 4/2017 modifica la redacción del art. 56 CC y del art. 58.5 de la Ley de Jurisdicción Voluntaria relativos a los requisitos de capacidad exigidos a los contrayentes al objeto de favorecer la celebración del matrimonio de personas con discapacidad y aplazaba, un año más, la entrada en vigor de la *Ley 20/2011, de 21 de julio, del Registro Civil.*

La Ley 5/2018 de modificación de la LEC ha modificado la disposición final décima de la Ley 20/2011 para ampliar la *vacatio* de la Ley 20/2011, de 21 de julio, del Registro Civil, hasta el 30 de junio de 2020.

Ley Orgánica 8/2015, de 22 de julio, de *modificación del sistema de protección a la infancia y a la adolescencia* (BOE de 23 de julio de 2015).

- Introduce los arts. 778 bis y 778 ter relativos al procedimiento de *autorización judicial de ingreso de un menor en un centro de protección específico de menores con problemas de conducta* y a la regulación de las *autorizaciones de entrada en domicilios y restantes lugares para la ejecución forzosa de medidas de protección de un menor.*

– Da nueva redacción a la Disposición Adicional Primera.

– Entró en vigor el **12 de agosto de 2015.**

Ley 26/2015, de 28 de julio, de *modificación del sistema de protección a la infancia y a la adolescencia* (BOE de 29 de julio de 2015).

– Modifica los arts. 76, 525, 779, 780 y 781.

– Entró en vigor el **18 de agosto de 2015.**

Ley 29/2015, de 30 de julio, de *cooperación jurídica internacional en materia civil* (BOE de 31 de julio de 2015).

– Modifica la numeración de las actuales disposiciones finales vigésima quinta a vigésima séptima, que pasan a ser la vigésima séptima, vigésima octava y vigésima novena respectivamente.

– Introduce dos nuevas disposiciones finales, que pasan a ser la vigésimo quinta y la vigésimo sexta Deroga los arts. 951 a 958 de la LEC de 1881.

– Entró en vigor el **20 de agosto de 2015.**

Ley Orgánica 7/2015, de 21 de julio, por la que se *modifica la Ley Orgánica del Poder Judicial* (BOE de 22 julio 2015) Modifica los arts. 45, 115, 116, 117, 118, 138, 140, 147, 212, 266, 403, 483, 510, 511 y 512.

– Entró en vigor el **1 de octubre de 2015.**

Ley 42/2015, de 5 de octubre, de *reforma de la Ley de Enjuiciamiento Civil* (BOE 6 de octubre de 2015).

– Modifica los arts. 14, 23, 24, 26, 31, 34, 35, 52, 64, 77, 80, 130, 135, 146, 147, 151, 152, 154, 155, 159, 161, 162, 164, 165, 167, 172, 175, 243, 255, 259, 260, 264, 265, 273, 274, 276, 278, 285, 320, 333, 336, 338, 339, 346, 382, 383, 415, 429, 437, 438, 440, 441, 442, 443, 446, 447, 514, 525, 540, 551, 552, 559, 560, 617, 641, 648, 649, 656, 660, 671, 715, 775, 794, 800, 809, 815, 816, 818 y 826.

– Entró en vigor el **7 de octubre de 2015,** salvo los arts. 648, 649, 656, 660 y 671, que lo harán el **15 de octubre de 2015.**

Ley 19/2015, de 13 de julio, de medidas de *reforma administrativa en el ámbito de la Administración de Justicia y del Registro Civil* (BOE de 14 de julio de 2015).

– Modifica los arts. 551, 636, 644, 645, 646, 647, 650, 652, 653 que se suprime, 657, 661, 667, 668, 669, 670, 673, 674, 682, 683, 685, 686, 688, 691 y 693.

– Entró en vigor el **15 de octubre de 2015.**

Ley 35/2015, de 22 de septiembre, de *reforma del sistema para la valoración de los daños y perjuicios causados a las personas en accidentes de circulación* (BOE 23 septiembre de 2015).

- Nueva redacción al art. 517.2.8°.
- Entró en vigor el **1 de enero de 2016**.

Ley 20/2011, de 21 de julio, del *Registro Civil* (BOE de 22 de julio de 2011).

- Modifica la rúbrica del capítulo V del título I del libro IV.
- Añade un nuevo art. 781 bis.
- Entrada en vigor de la reforma **30 de junio de 2017**.

Ley 5/2018, de 11 de junio, de modificación de la Ley 1/2000, de 7 de enero, de Enjuiciamiento Civil, en relación a la *ocupación ilegal de viviendas* (BOE de 12 de junio de 2018).

- Modifica los arts. 250.1.4, 437.3 bis, 441.1 bis y se añade un nuevo aptdo. 4 al art. 150 y un nuevo aptdo. 1 bis al art. 444 LEC.
- Entró en vigor el **2 de julio de 2018**.

En su **disposición adicional** prevé que las Comunidades Autónomas incorporen planes y protocolos para garantizar políticas públicas en materia de vivienda así como medidas de coordinación y cooperación, especialmente con los servicios sociales en el ámbito autonómico y local, al objeto de prevenir situaciones de exclusión residencial. El objeto de dicha coordinación y cooperación entre Administraciones publicas es dar respuesta adecuada e inmediata a aquellos casos de vulnerabilidad que se detecten en los procedimientos conducentes al lanzamiento de ocupantes de viviendas.

A tal fin se crearan registros que incorporen datos sobre el parque de viviendas sociales disponibles para atender a personas o familias en riesgo de exclusión.

Se crea un nuevo procedimiento sumario dentro del ámbito del juicio verbal, cuyo objetivo es garantizar la inmediata recuperación de la vivienda ocupada a sus legítimos poseedores.

Este procedimiento lo podrán interponer:

- Personas físicas que sean propietarias o poseedoras legítimas por otros títulos.
- Entidades sin ánimo de lucro con derecho a poseer una vivienda.
- Entidades públicas propietarias o poseedoras legítimas de vivienda social.

Quedan fuera del ámbito de aplicación → los Bancos, las inmobiliarias u otros grandes tenedores de viviendas.

En su **disposición final primera** modifica la disposición final décima de la Ley 20/2011, de 21 de julio, del Registro Civil, que pasará a tener la siguiente redacción:

"Entrada en vigor.

La presente ley entrará en vigor el 30 de junio de 2020, excepto las disposiciones adicionales séptima y octava y las disposiciones finales tercera y sexta, que entrarán en vigor el día siguiente al de su publicación en el "Boletín Oficial del Estado", y excepto los artículos 49.2 y 53 del mismo texto legal, que entrarán en vigor el día 30 de junio de 2017."

Es decir, que la nueva redacción del art. 781 bis de la LEC sobre Oposición a las resoluciones y actos de la Dirección General de los Registros y del Notariado en materia de Registro Civil no entrará en vigor hasta el **30 de junio de 2020**.

Ley 3/2018, de 11 de junio, por la que se modifica la Ley 23/2014, de 20 de noviembre, de reconocimiento mutuo de resoluciones penales en la Unión Europea, para regular la *Orden Europea de Investigación* (BOE de 12 de junio de 2018).

- Entrada en vigor el 2 de julio de 2018.
- Afecta al art. 588, sobre embargo de cuentas abiertas en entidades de crédito y a la disposición final 27ª LEC.

Ley Orgánica 3/2018, de 5 de diciembre, de Protección de Datos Personales y garantía de los derechos digitales (BOE 6 de diciembre de 2018).

- Su Disposición final séptima modifica el art. 15. bis de la LEC, sobre la intervención en procesos de defensa de la competencia y de protección de datos.
- Entrada en vigor **al día siguiente de la publicación**.

Ley 42/2015, de 5 de octubre, de reforma de la Ley 1/2000, de 7 de enero, de enjuiciamiento civil

Entrada en vigor

Entra en vigor el día siguiente al de su publicación en el BOE.

Las previsiones relativas a la **obligatoriedad de todos los profesionales de la justicia y órganos y oficinas judiciales y fiscales**, que aún no lo hagan, de **emplear los sistemas telemáticos** existentes en la Administración de Justicia para la presentación de escritos y documentos y la realización de actos de comunicación procesal en los términos de la ley procesal y de la Ley 18/2011, de 5 de julio, reguladora del uso de las tecnologías de la información y la comunicación, entraron en vigor el **1 de enero de 2016**, respecto de los procedimientos que se inicien a partir de esta fecha.

Las previsiones relativas al **archivo electrónico de apoderamientos** *apud acta* y al **uso por los interesados que no sean profesionales de la justicia de los sistemas telemáticos** existentes en la Administración de Justicia para la presentación de escritos y documentos y la realización de actos de comunicación procesal en los términos anteriormente indicados, entrarán en vigor el **1 de enero de 2017**.

Las modificaciones de los arts. 648, 649, 656, 660 y 671 de la Ley 1/2000, de 7 de enero, de Enjuiciamiento Civil, entraron en vigor el 15 de octubre de 2015.

Régimen transitorio

Los procesos de juicio verbal y los demás que resulten afectados y que estuvieran en trámite al tiempo de la entrada en de la Ley 42/2015 se continuarán sustanciando, hasta que recaiga resolución definitiva, conforme a la legislación procesal anterior.

Las modificaciones del art. 815 y del apartado 1 del art. 552, último párrafo, serán de aplicación a **los procesos monitorios y de ejecución que se inicien tras la entrada en vigor de la Ley 42/2015**.

Los actos procesales de comunicación y la realización de tareas de auxilio y colaboración de los procesos que estuvieran en trámite a la entrada en vigor de la Ley 42/2015 **continuarán realizándose por la oficina judicial salvo** que la parte expresamente solicite que sean realizados por su procurador.

Las solicitudes de **justicia gratuita presentadas con anterioridad** a la entrada en vigor de Ley 42/2015 seguirán tramitándose y se resolverán con arreglo a la normativa anterior.

Principales novedades

- *Tecnologías de la información y la comunicación.*

  Finalidad → la comunicación electrónica sea la **forma habitual de actuar** en la Administración de Justicia.

  A partir del **1 de enero de 2016** todos los profesionales de la justicia y órganos judiciales y fiscalías estarán **obligados a emplear los sistemas telemáticos** existentes en la Administración de Justicia para la presentación de escritos y documentos y la realización de actos de comunicación procesal.

  Se establecen normas generales para la presentación de escritos y documentos por medios telemáticos, lo que se podrá hacer "*todos los días del año, durante las veinticuatro horas*", aplicándose el mismo régimen para los escritos perentorios, con independencia del sistema utilizado de presentación (art. 135.1 LEC).

  Se desarrollan las garantías que deben reunir los justificantes que acrediten la presentación de los documentos y se realizan las adaptaciones precisas en cuanto al traslado de copias de los documentos presentados, así como al valor probatorio de los mismos.

  Los datos de **correo electrónico y de número de teléfono** podrán ser utilizados para la localización del demandado.

  Los actos de comunicación se podrán realizar en la dirección electrónica habilitada por el destinatario o por medio de otro sistema telemático.

  Se realizarán los actos de comunicación a través del Servicio de Dirección Electrónica Habilitada para los colectivos que resulten obligados y para aquellos otros ciudadanos que, sin estarlo, opten por dicho sistema.

  Se hará habitual en la Administración de Justicia la recepción electrónica de las notificaciones que hasta ahora se recibían en papel.

  Además, se podrá informar mediante aviso por **SMS al teléfono móvil** de la persona interesada de que se le ha de practicar una notificación.

  En materia de representación se incluyen nuevos medios para el otorgamiento del **apoderamiento *apud acta* mediante comparecencia electrónica.**

- *Procuradores de los Tribunales* (arts. 23, 24, 25, 26 y 152 LEC).

Corresponde al procurador la realización de todas aquellas actuaciones que resulten necesarias para el impulso y la buena marcha del proceso.

Se refuerza el elenco de atribuciones y obligaciones de los procuradores respecto de la realización de los actos de comunicación a las personas que no son su representado.

La reforma parte de la dualidad actual del sistema manteniendo las posibilidades de su realización, bien por los funcionarios del Cuerpo de Auxilio Judicial, bien por el procurador de la parte que así lo solicite, a su costa, y en ambos casos bajo la dirección del secretario judicial. Pero exige que, en todo escrito por el que se inicie un procedimiento judicial, de ejecución o instancia judicial, el solicitante haya de expresar su voluntad al respecto, entendiendo que, de no indicar nada, se practicarán por los funcionarios del Cuerpo de Auxilio judicial.

No obstante, este régimen no será aplicable al Ministerio Fiscal ni en aquellos procesos seguidos ante cualquier jurisdicción en los que rija lo dispuesto en el artículo 11 de la Ley 52/1997, de 27 de noviembre, de Asistencia Jurídica al Estado e Instituciones Públicas.

Cuando la comparecencia en juicio deba hacerse por medio de procurador, este deberá ser *"Licenciado en Derecho, Graduado en Derecho u otro título universitario de Grado equivalente, habilitado para ejercer su profesión en el tribunal que conozca del juicio"*.

Se atribuye a los procuradores la *"capacidad de certificación"* y *" dispondrán de las credenciales necesarias"* para realizar todos los actos de comunicación, lo que les permitirá su práctica con el mismo alcance y efectos que los realizados por los funcionarios del Cuerpo de Auxilio Judicial y, con ello, se les exime de la necesidad de verse asistidos por testigos.

Los procuradores deberán actuar necesariamente de *"forma personal e indelegable"*, con pleno sometimiento a los requisitos procesales que rigen cada acto, bajo la estricta dirección del Secretario judicial y control judicial, previéndose expresamente que *"su actuación será impugnable ante el secretario judicial"* y que contra el decreto resolutivo de esta impugnación se podrá interponer, a su vez, recurso de revisión ante el Tribunal.

El APODERAMIENTO A FAVOR DEL PROCURADOR habrá de estar autorizado *"por notario o ser conferido apud acta por comparecencia personal ante el secretario judicial de cualquier oficina judicial o por comparecencia electrónica en la correspondiente sede judicial"*.

La copia electrónica del poder notarial de representación, informática o digitalizada, se acompañará al primer escrito que el procurador presente.

El otorgamiento *apud acta* por comparecencia personal o electrónica deberá ser efectuado al mismo tiempo que la presentación del primer escrito o, en su caso, antes de la primera actuación, sin necesidad de que a dicho otorgamiento concurra el procurador.

Este apoderamiento podrá igualmente acreditarse mediante la certificación de su inscripción en el archivo electrónico de apoderamientos *apud acta* de las oficinas judiciales.

En materia de representación se incluyen nuevos medios para el otorgamiento del apoderamiento *apud acta* mediante comparecencia electrónica, así como para acreditarla en el ámbito exclusivo de la Administración de Justicia, mediante su inscripción en el archivo electrónico de apoderamientos *apud acta* que se crea al efecto.

- *Modificación de la regulación del juicio verbal.*

  Se introduce la figura de la contestación escrita a la demanda.

  Se introduce la posibilidad de acordar en el juicio verbal un trámite de conclusiones, que permitirá a ambas partes hacer sus alegaciones al término de la vista.

  Las partes podrán pedir que se resuelva el pleito sin necesidad de celebrar la vista, por lo que los autos podrán darse por conclusos si el Tribunal acepta la solicitud.

- *Legitimación de los herederos de los abogados para reclamar honorarios.*

  "*...Igual derecho que los abogados tendrán sus herederos respecto a los créditos de esta naturaleza que aquéllos les dejaren. No será preceptiva la intervención de abogado ni procurador*" (art. 35.1 LEC).

- *Modificación de la regulación del proceso monitorio.*

  Con el objetivo de garantizar al consumidor una protección efectiva de sus intereses, el juez, previa dación de cuenta del secretario judicial, verificará la existencia de cláusulas abusivas en los contratos celebrados con consumidores o usuarios.

  Podrá, por este motivo, declarar de oficio el carácter abusivo de la cláusula en cuestión En ese caso, esta cláusula no podrá ser invocada en ningún otro juicio posterior.

  Se da cumplimiento a la sentencia del Tribunal de Justicia de la Unión Europea de 14 de junio de 2012, en el asunto C-618 Banco Español de Crédito, en la que se declaró que la normativa española no era acorde con el derecho comunitario en materia de protección de los consumidores, al no permitir que el juez que conoce una demanda en un proceso monitorio examine de oficio el carácter abusivo de una cláusula sobre intereses de demora contenida en un contrato.

- *Nuevo régimen de prescripciones en el Código Civil.*

Se acorta el plazo de prescripción de acciones personales que no tengan establecido un plazo de prescripción específico. El plazo para ejercerlas pasa de 15 años a 5 años.

La Disposición Final Primera afecta al art. 1964 CC que queda redactado de la siguiente manera "*1. La acción hipotecaria prescribe a los veinte años.*

2. Las acciones personales que no tengan plazo especial prescriben a los cinco años desde que pueda exigirse el cumplimiento de la obligación. En las obligaciones continuadas de hacer o no hacer, el plazo comenzará casa vez que se incumplan".

La Disposición Transitoria Quinta establece expresamente que el tiempo de prescripción de las acciones personales que no tengan señalado término especial de prescripción, nacidas antes de la fecha de entrada en vigor de esta Ley, se regirá por lo dispuesto en el artículo 1.939 del Código Civil. Este precepto, a su vez, dispone que "*la prescripción comenzada antes de la publicación de este código se regirá por las leyes anteriores al mismo; pero si desde que fuere puesto en observancia transcurriese todo el tiempo en él exigido para la prescripción, surtirá ésta su efecto, aunque por dichas leyes anteriores se requiriese mayor lapso de tiempo*".

Principios de proceso civil

1. **Principio de Audiencia o contradicción.**

   Nadie puede ser condenado sin ser oído y vencido en juicio.

2. **Principio de igualdad de las partes.**

   Todas las partes del proceso tienen los mismos derecho, posibilidades y cargas (arts. 1.1 y 14 CE).

3. **Principio dispositivo y de aportación de parte.** (art. 19 a 22 LEC).

   La actividad jurisdiccional solo puede iniciarse ante petición de partes (demanda, no incoación de oficio) También las partes son las únicas que pueden ponerle fin (desistimiento, allanamiento o renuncia).

   Son las partes las que han de aportar los hechos al proceso.

4. Principio *Iuria Novit Curia*.

Presupuestos del proceso civil

El órgano judicial tiene el deber de conocer la norma (art. 218.1. II LEC).

1. **Subjetivos**

   a) Del Órgano Judicial.

      – Jurisdicción (art. 117 CE y art. 2 LOPJ).

      – Competencia (objetiva, funcional y territorial → Sumisión).

   b) De las partes → Han de existir y estar determinadas (arts. 6 a 18 LEC).

      Capacidad para ser parte → Aptitud para ser titular de derechos, cargas y obligaciones.

      Capacidad procesal → Aptitud para realizar válidamente actos procesales, para comparecer en juicio (aquellos que estén en pleno ejercicio de sus derechos civiles).

      Legitimación → es el tema de fondo que debe resolverse en la sentencia Postulación → Abogado (salvo art. 31.2 LEC) y Procurador (art. 23.1 LEC).

2. **Objetivos**

   a) Que no exista **litispendencia** ante otro Tribunal → Proceso pendiente sobre misma cuestión litigiosa.

   b) Que no exista **cosa juzgada** → Firmeza + Invariabilidad.

   c) Que no exista sometimiento a **arbitraje**.

3. **Procedimentales**

   Que el procedimiento este legalmente establecido.

1. Los actos de comunicación judicial

Los actos de comunicación son aquellos que lleva a cabo el órgano judicial con las partes procesales, peritos, testigos o terceras personas, para que realicen alguna actuación procesal o darles conocimiento de una resolución o actuación.

La reforma de la LEC *pretende incentivar a las partes, en concreto a la parte actora, en la utilización de los procuradores para la práctica de las comunicaciones* obligando a la parte a una declaración expresa de voluntad sobre quién deberá practicar los actos de comunicación (art. 152.1 LEC).

Pero esta *incentivación no pretende socavar las competencias de los Servicios Comunes* sino hacer reflexionar a la parte sobre si para el caso en concreto le es más útil la práctica por Procuradores, ya que, si bien ha aumentado el número de diligencias practicados por Procuradores en estos años (desde la aprobación de la Ley 13/09), sigue siendo una competencia practicada de forma residual por desconocimiento de los ciudadanos.

Debe tenerse en cuenta de que la reforma trata de *fomentar las comunicaciones practicadas por medios electrónicos* donde al día de hoy sólo los procuradores cuentan con la tecnología y los medios para poder ser practicadas.

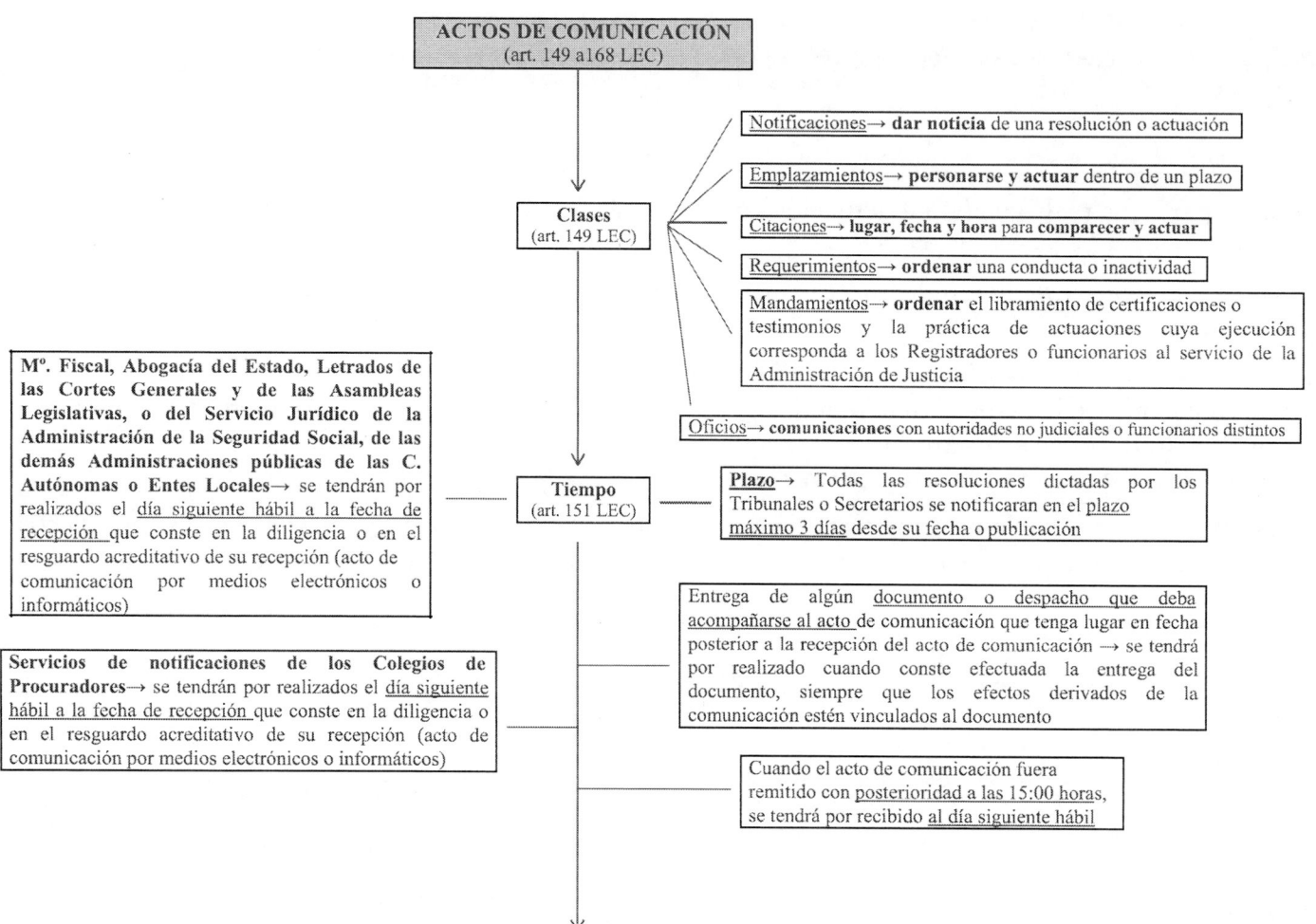

ACTOS DE COMUNICACIÓN
(art. 149 a168 LEC)

Clases
(art. 149 LEC)

Notificaciones→ **dar noticia** de una resolución o actuación

Emplazamientos→ **personarse y actuar** dentro de un plazo

Citaciones→ **lugar, fecha y hora** para **comparecer y actuar**

Requerimientos→ **ordenar** una conducta o inactividad

Mandamientos→ **ordenar** el libramiento de certificaciones o testimonios y la práctica de actuaciones cuya ejecución corresponda a los Registradores o funcionarios al servicio de la Administración de Justicia

Oficios→ **comunicaciones** con autoridades no judiciales o funcionarios distintos

Mº. Fiscal, Abogacía del Estado, Letrados de las Cortes Generales y de las Asambleas Legislativas, o del Servicio Jurídico de la Administración de la Seguridad Social, de las demás Administraciones públicas de las C. Autónomas o Entes Locales→ se tendrán por realizados el día siguiente hábil a la fecha de recepción que conste en la diligencia o en el resguardo acreditativo de su recepción (acto de comunicación por medios electrónicos o informáticos)

Servicios de notificaciones de los Colegios de Procuradores→ se tendrán por realizados el día siguiente hábil a la fecha de recepción que conste en la diligencia o en el resguardo acreditativo de su recepción (acto de comunicación por medios electrónicos o informáticos)

Tiempo
(art. 151 LEC)

Plazo→ Todas las resoluciones dictadas por los Tribunales o Secretarios se notificaran en el plazo máximo 3 días desde su fecha o publicación

Entrega de algún documento o despacho que deba acompañarse al acto de comunicación que tenga lugar en fecha posterior a la recepción del acto de comunicación → se tendrá por realizado cuando conste efectuada la entrega del documento, siempre que los efectos derivados de la comunicación estén vinculados al documento

Cuando el acto de comunicación fuera remitido con posterioridad a las 15:00 horas, se tendrá por recibido al día siguiente hábil

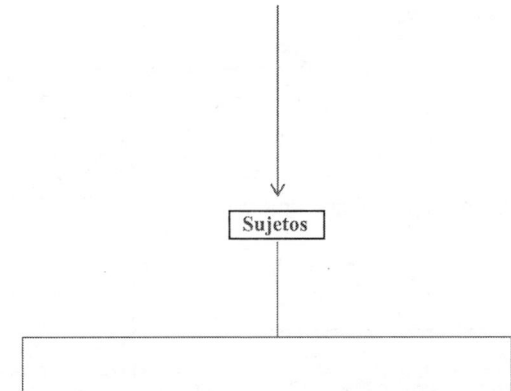

Sujetos

Ante cualquier jurisdicción en que sean parte la Administración General del Estado, los Organismos autónomos o los órganos constitucionales → los actos de comunicación directamente con el **Abogado del Estado** en la sede oficial de la respectiva Abogacía del Estado
= Entidades públicas empresariales u otros Organismos públicos representados y defendidos por el **Abogado del Estado**
Nulas las notificaciones, citaciones, emplazamientos y demás actos de comunicación procesal que no cumplan esos requisitos
(art. 11 de la Ley 52/1997, de 27 de noviembre, de Asistencia Jurídica al Estado e Instituciones Públicas)

A todos los que sean parte en el proceso
A las personas que, según los mismos autos, puedan verse afectadas por la resolución que ponga fin al procedimiento
A los terceros en los casos en que lo prevea la Ley
Cuando la notificación de la resolución contenga fijación de fecha para el lanzamiento de quienes ocupan una vivienda, se dará traslado a los servicios públicos competentes en materia de política social por si procediera su actuación, siempre que se hubiera otorgado el consentimiento por los interesados (art. 150 LEC y art. 270 LOPJ)

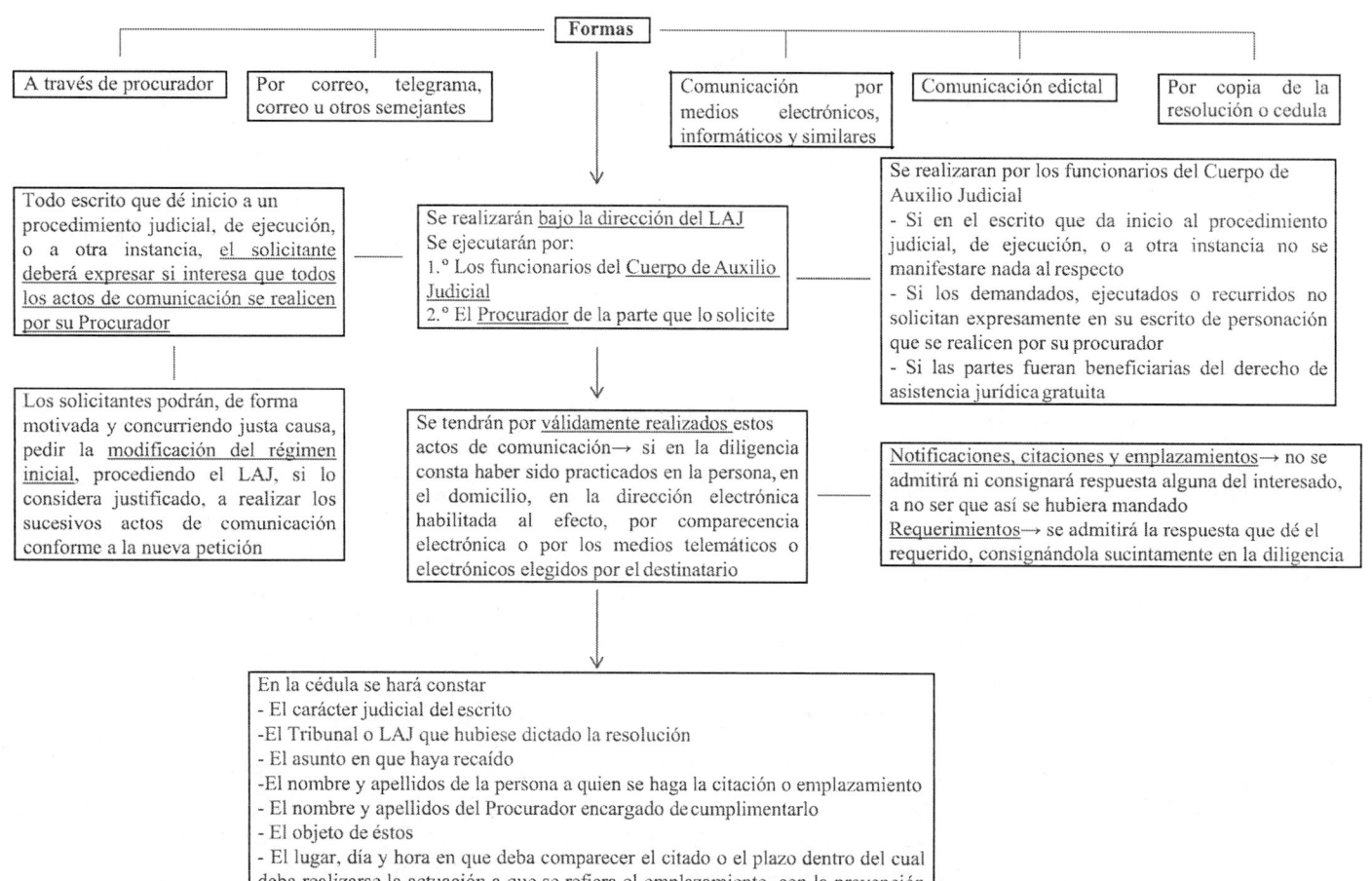

Formas

A través de procurador

Por correo, telegrama, correo u otros semejantes

Comunicación por medios electrónicos, informáticos y similares

Comunicación edictal

Por copia de la resolución o cedula

Todo escrito que dé inicio a un procedimiento judicial, de ejecución, o a otra instancia, el solicitante deberá expresar si interesa que todos los actos de comunicación se realicen por su Procurador

Se realizarán bajo la dirección del LAJ
Se ejecutarán por:
1.º Los funcionarios del Cuerpo de Auxilio Judicial
2.º El Procurador de la parte que lo solicite

Se realizaran por los funcionarios del Cuerpo de Auxilio Judicial
- Si en el escrito que da inicio al procedimiento judicial, de ejecución, o a otra instancia no se manifestare nada al respecto
- Si los demandados, ejecutados o recurridos no solicitan expresamente en su escrito de personación que se realicen por su procurador
- Si las partes fueran beneficiarias del derecho de asistencia jurídica gratuita

Los solicitantes podrán, de forma motivada y concurriendo justa causa, pedir la modificación del régimen inicial, procediendo el LAJ, si lo considera justificado, a realizar los sucesivos actos de comunicación conforme a la nueva petición

Se tendrán por válidamente realizados estos actos de comunicación→ si en la diligencia consta haber sido practicados en la persona, en el domicilio, en la dirección electrónica habilitada al efecto, por comparecencia electrónica o por los medios telemáticos o electrónicos elegidos por el destinatario

Notificaciones, citaciones y emplazamientos→ no se admitirá ni consignará respuesta alguna del interesado, a no ser que así se hubiera mandado
Requerimientos→ se admitirá la respuesta que dé el requerido, consignándola sucintamente en la diligencia

En la cédula se hará constar
- El carácter judicial del escrito
- El Tribunal o LAJ que hubiese dictado la resolución
- El asunto en que haya recaído
- El nombre y apellidos de la persona a quien se haga la citación o emplazamiento
- El nombre y apellidos del Procurador encargado de cumplimentarlo
- El objeto de éstos
- El lugar, día y hora en que deba comparecer el citado o el plazo dentro del cual deba realizarse la actuación a que se refiera el emplazamiento, con la prevención de los efectos que, en cada caso, la ley establezca

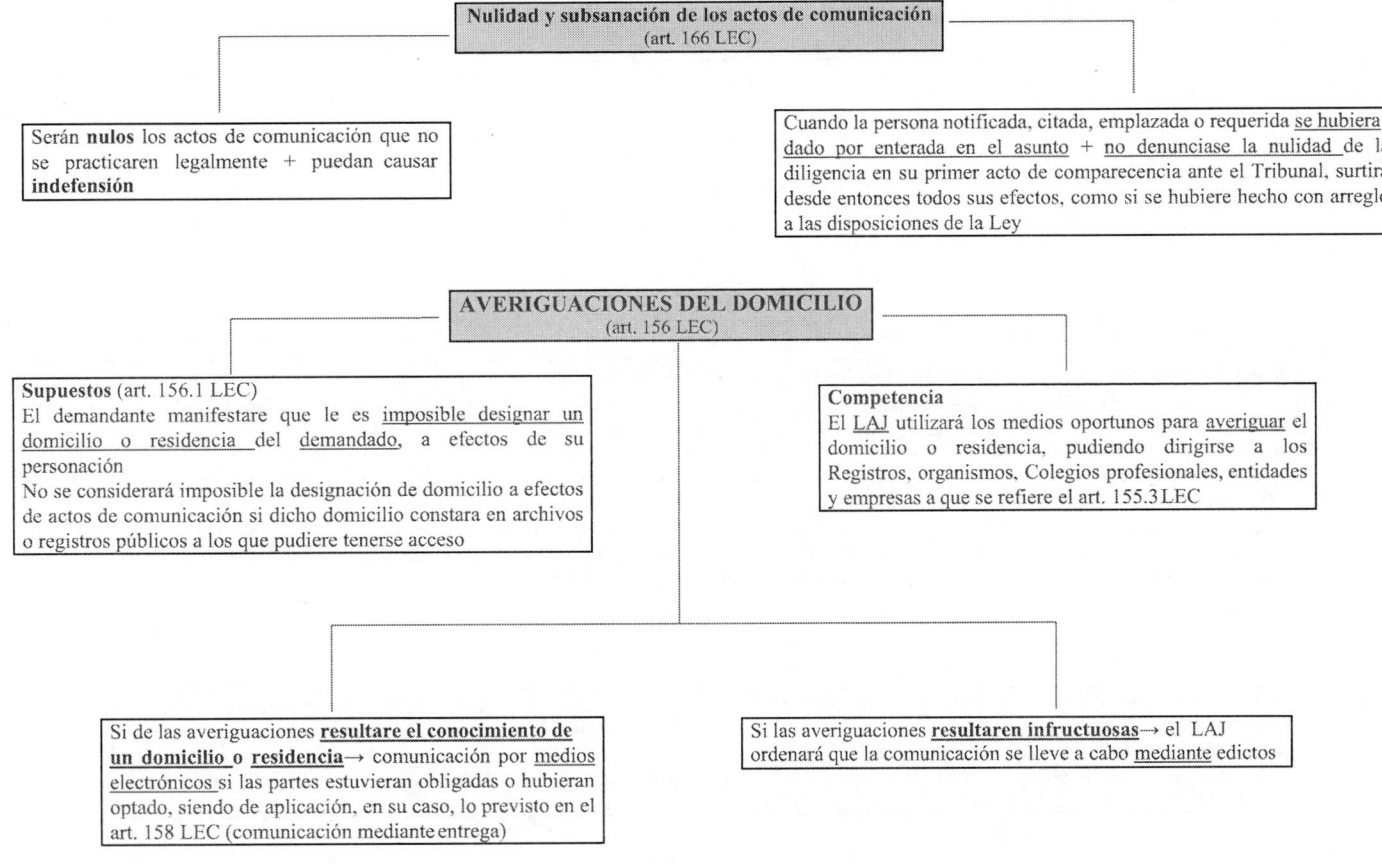

Nulidad y subsanación de los actos de comunicación
(art. 166 LEC)

Serán **nulos** los actos de comunicación que no se practicaren legalmente + puedan causar **indefensión**

Cuando la persona notificada, citada, emplazada o requerida se hubiera dado por enterada en el asunto + no denunciase la nulidad de la diligencia en su primer acto de comparecencia ante el Tribunal, surtirá desde entonces todos sus efectos, como si se hubiere hecho con arreglo a las disposiciones de la Ley

AVERIGUACIONES DEL DOMICILIO
(art. 156 LEC)

Supuestos (art. 156.1 LEC)
El demandante manifestare que le es imposible designar un domicilio o residencia del demandado, a efectos de su personación
No se considerará imposible la designación de domicilio a efectos de actos de comunicación si dicho domicilio constara en archivos o registros públicos a los que pudiere tenerse acceso

Competencia
El LAJ utilizará los medios oportunos para averiguar el domicilio o residencia, pudiendo dirigirse a los Registros, organismos, Colegios profesionales, entidades y empresas a que se refiere el art. 155.3 LEC

Si de las averiguaciones **resultare el conocimiento de un domicilio o residencia**→ comunicación por medios electrónicos si las partes estuvieran obligadas o hubieran optado, siendo de aplicación, en su caso, lo previsto en el art. 158 LEC (comunicación mediante entrega)

Si las averiguaciones **resultaren infructuosas**→ el LAJ ordenará que la comunicación se lleve a cabo mediante edictos

REGISTRO CENTRAL DE REBELDES CIVILES
(art. 157 LEC)

Objeto (art. 157.1 LEC)
Averiguar el domicilio de un demandado

Supuestos (art. 157.1 , 2 y 4 LEC)
- **Cuando las averiguaciones del domicilio resulten infructuosas** →El LAJ ordenará que se comunique el nombre del demandado y los demás datos de identidad al Registro Central de Rebeldes Civiles, que existirá con sede en el Ministerio de Justicia, con indicación de la fecha de la resolución de comunicación edictal del demandado, para proceder a su inscripción
- Cualquier Secretario que deba averiguar el domicilio de un demandado podrá dirigirse al Registro Central de Rebeldes Civiles para comprobar si el demandado consta en dicho registro y si los datos que en él aparecen son los mismos de que dispone. En tal caso, mediante diligencia de ordenación, podrá acordar directamente la comunicación edictal del demandado
-Cualquier Tribunal que necesite conocer el domicilio actual del demandado en un procedimiento, que se encuentre en ignorado paradero con posterioridad a la fase de personación, podrá dirigirse al Registro Central de Rebeldes Civiles para que se practique la oportuna anotación tendente a que le sea facilitado el domicilio donde puedan dirigírsele las comunicaciones judiciales si este dato llegara a conocimiento del citado Registro

Cualquier órgano judicial, a instancia del interesado o por iniciativa propia, que tuviera conocimiento del domicilio de una persona que figure inscrita en el Registro Central de Rebeldes Civiles deberá solicitar la **cancelación de la inscripción comunicando el domicilio** al que se le pueden dirigir las comunicaciones judiciales
El Registro remitirá a las Oficinas judiciales en que conste que existe proceso contra dicho demandado, el domicilio indicado por éste a efecto de comunicaciones, resultando válidas las practicadas a partir de ese momento en ese domicilio

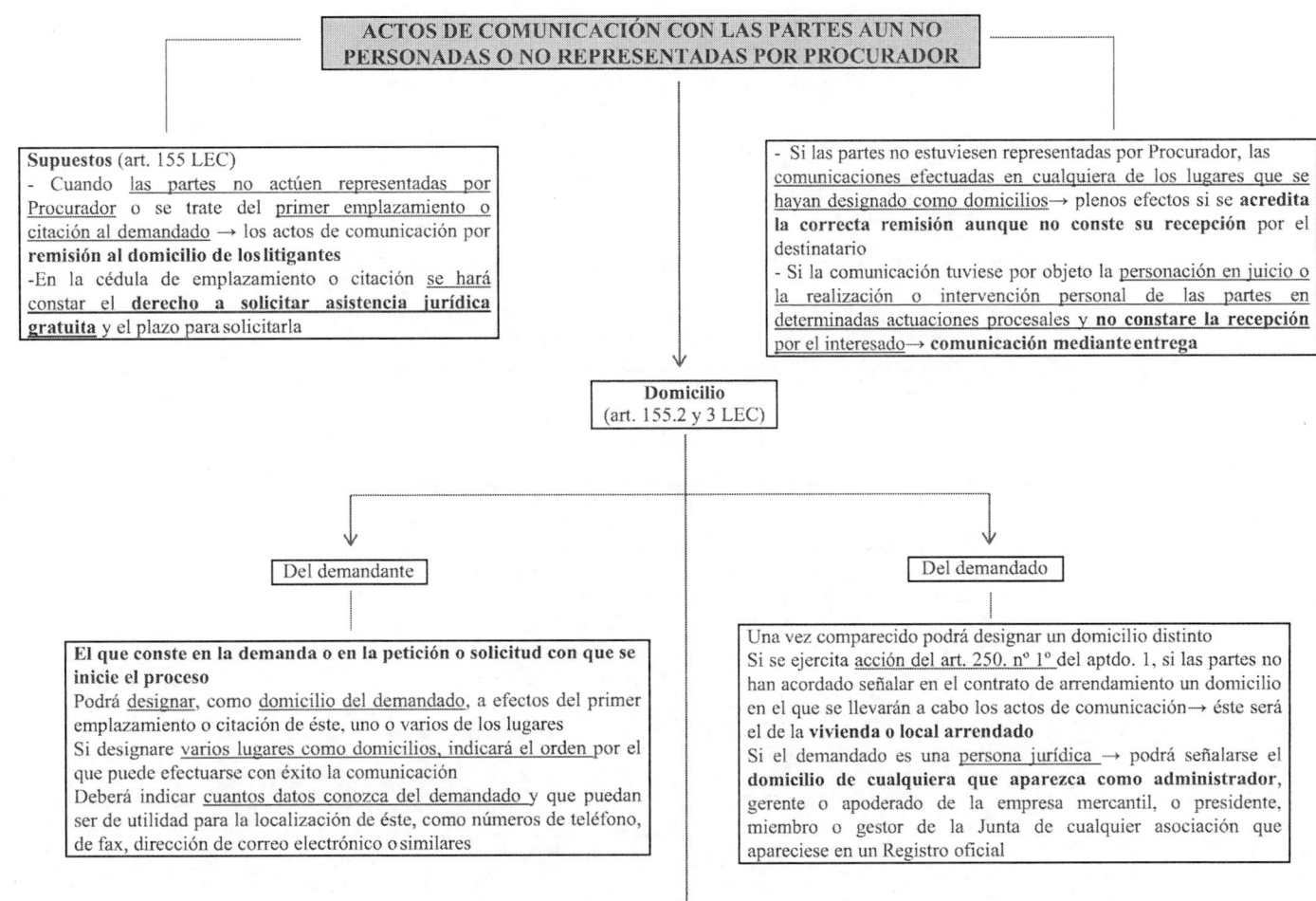

ACTOS DE COMUNICACIÓN CON LAS PARTES AUN NO PERSONADAS O NO REPRESENTADAS POR PROCURADOR

Supuestos (art. 155 LEC)
- Cuando las partes no actúen representadas por Procurador o se trate del primer emplazamiento o citación al demandado → los actos de comunicación por **remisión al domicilio de los litigantes**
-En la cédula de emplazamiento o citación se hará constar el **derecho a solicitar asistencia jurídica gratuita** y el plazo para solicitarla

- Si las partes no estuviesen representadas por Procurador, las comunicaciones efectuadas en cualquiera de los lugares que se hayan designado como domicilios→ plenos efectos si se **acredita la correcta remisión aunque no conste su recepción** por el destinatario
- Si la comunicación tuviese por objeto la personación en juicio o la realización o intervención personal de las partes en determinadas actuaciones procesales y **no constare la recepción** por el interesado→ **comunicación mediante entrega**

Domicilio
(art. 155.2 y 3 LEC)

Del demandante

Del demandado

El que conste en la demanda o en la petición o solicitud con que se inicie el proceso
Podrá designar, como domicilio del demandado, a efectos del primer emplazamiento o citación de éste, uno o varios de los lugares
Si designare varios lugares como domicilios, indicará el orden por el que puede efectuarse con éxito la comunicación
Deberá indicar cuantos datos conozca del demandado y que puedan ser de utilidad para la localización de éste, como números de teléfono, de fax, dirección de correo electrónico o similares

Una vez comparecido podrá designar un domicilio distinto
Si se ejercita acción del art. 250. nº 1º del aptdo. 1, si las partes no han acordado señalar en el contrato de arrendamiento un domicilio en el que se llevarán a cabo los actos de comunicación→ éste será el de la **vivienda o local arrendado**
Si el demandado es una persona jurídica → podrá señalarse el **domicilio de cualquiera que aparezca como administrador**, gerente o apoderado de la empresa mercantil, o presidente, miembro o gestor de la Junta de cualquier asociación que apareciese en un Registro oficial

Podrá **designarse como domicilio**:
- El que aparezca en el padrón municipal
- El que conste oficialmente a otros efectos
- El que aparezca en Registro oficial→ cuando se tratare de empresas y otras entidades
-El que aparezca en publicaciones de Colegios profesionales→ cuando se tratare de personas que ejerzan profesión para la que deban colegiarse obligatoriamente
- El lugar en que se desarrolle actividad profesional o laboral no ocasional

Cambio de domicilio

Cuando las partes cambiasen su domicilio durante el proceso, lo comunicarán inmediatamente a la Oficina judicial

Las partes deberán comunicar los cambios relativos a su número de teléfono, fax, dirección de correo electrónico o similares, siempre que estos últimos estén siendo utilizados como instrumentos de comunicación con la Oficina judicial

SERVICIO COMÚN PROCESAL DE ACTOS DE COMUNICACIÓN
(art. 163 LEC)

En las poblaciones donde esté establecido, el Servicio Común Procesal de Actos de Comunicación practicará los actos de comunicación que hayan de realizarse por la Oficina judicial, excepto los que resulten encomendados al Procurador, por haberlo solicitado así la parte a la que represente

COMUNICACIONES CON TESTIGOS, PERITOS Y OTRAS PERSONAS QUE NO SEAN PARTE
(art. 159 LEC)

Las comunicaciones se remitirán a sus destinatarios por correo, telegrama u otros medios semejantes

Estas personas deberán comunicar a la Oficina judicial cualquier cambio de domicilio que se produzca durante la sustanciación del proceso
En la primera comparecencia que efectúen se les informará de esta obligación

La remisión se hará al domicilio que designe la parte interesada, pudiendo realizarse, las averiguaciones del art. 156
Estas comunicaciones serán diligenciadas por el Procurador de la parte que las haya propuesto, si así lo hubiera solicitado

Cuando conste en autos el fracaso de la comunicación mediante remisión o las circunstancias del caso lo aconsejen, atendidos el objeto de la comunicación y la naturaleza de las actuaciones que de ella dependan, el LAJ ordenará que se proceda a la comunicación por medio de copia de la resolución o de la cédula, conforme art. 161 LEC

ACTOS DE COMUNICACIÓN POR MEDIO DE PROCURADOR

Supuestos (art. 153 LEC)
La comunicación con las partes personadas en el juicio se hará a través de su Procurador cuando éste las represente

Lugar (art. 154.1 LEC)
-En la sede del Tribunal o
-En el servicio común de recepción organizado por el Colegio de Procuradores

Forma (art. 154.2 LEC)
-La remisión y recepción de los actos de comunicación con los Procuradores en el servicio común de recepción→ se realizará por los **medios telemáticos o electrónicos** + **resguardo acreditativo** de su recepción
- Si hubiera de realizarse el acto en soporte papel→ **se remitirá al servicio, por duplicado, la copia de la resolución o la cédula,** de las que el Procurador recibirá un ejemplar y firmará otro, que será devuelto a la oficina judicial por el propio servicio

El Procurador **acreditará, bajo su responsabilidad**, la identidad y condición del receptor del acto de comunicación, cuidando de que en la copia quede constancia fehaciente de la recepción, de su fecha y hora y del contenido de lo comunicado (art. 152.1, ultimo párrafo LEC)
El Procurador que incurriere en **dolo, negligencia o morosidad** en los actos de comunicación cuya práctica haya asumido o **no respetare las formalidades legales** + **perjuicio a tercero**→ responsable de los daños y perjuicios ocasionados y podrá ser sancionado (art. 168.2 LEC)

El Procurador **firmará** las notificaciones, emplazamientos, citaciones y requerimientos de todas clases que deban hacerse a su poderdante en el curso del pleito, incluso las de sentencias y las que tengan por objeto alguna actuación que deba realizar personalmente el poderdante

ACTOS DE COMUNICACIÓN POR MEDIOS ELECTRÓNICOS, INFORMÁTICOS ....

Sujetos (art. 152 LEC y art. 273.2)
- Los obligados al empleo de los sistemas telemáticos o electrónicos
- Los que sin estar obligados, opten por el uso de esos medios→ quienes no estén representadas por Procurador podrán elegir en todo momento
No se practicarán por medios electrónicos cuando el acto vaya acompañado de elementos que no sean susceptibles de conversión en formato electrónico o así lo disponga la Ley

Condición (art. 162 LEC)
Que esté garantizada la autenticidad de la comunicación y de su contenido y quede constancia fehaciente de la remisión y recepción íntegras y del momento en que se hicieron, o cuando los destinatarios opten por estos medios, los actos de comunicación se efectuarán por aquellos, con el resguardo acreditativo de su recepción que proceda

Sujetos Obligados (art. 273.1 y 3 LEC)
-Todos los profesionales de la justicia→ presentación de escritos, iniciadores o no, y demás documentos
-Las personas jurídicas
-Las entidades sin personalidad jurídica
-Quienes ejerzan una actividad profesional + colegiación obligatoria para los trámites y actuaciones que realicen en ejercicio de dicha actividad profesional
-Los notarios y registradores
-Quienes representen a un interesado que esté obligado a relacionarse electrónicamente con la Administración de Justicia
-Los funcionarios de las Administraciones Públicas para los trámites y actuaciones que realicen por razón de su cargo

Los profesionales y destinatarios obligados a utilizar estos medios, así como los que opten por los mismos, deberán **comunicar** a las oficinas judiciales el hecho de disponer de los medios antes indicados y la dirección electrónica habilitada a tal efecto
Se constituirá en el Mº. de Justicia un **registro accesible electrónicamente de los medios indicados y las direcciones correspondientes** a los organismos públicos y profesionales obligados a su utilización

Forma de presentación (art.273.4 LEC)
- Los escritos y documentos presentados por este medio **indicarán el tipo y número de expediente y año** al que se refieren e irán <u>debidamente</u> **foliados** mediante un índice electrónico que permita su debida localización y consulta
-La presentación se realizará empleando **firma electrónica reconocida**
-**ÚNICAMENTE** de los escritos y documentos que se presenten vía telemática o electrónica que den lugar <u>al primer emplazamiento, citación o requerimiento del demandado o ejecutado</u>, se deberá aportar en **soporte papel, en los 3 días siguientes, tantas copias literales cuantas sean las otras partes**

Incumplimiento requisitos

El LAJ concederá un plazo máximo de **5 días para su subsanación**
<u>No subsanación</u>⟶ Se tendrán por no presentados a todos los efectos
(art. 273.5 LEC)

Recepción

No se practicarán actos de comunicación a los profesionales por vía electrónica durante los días del **mes de agosto**, salvo que sean hábiles para las actuaciones que corresponda

Cuando **la autenticidad** de resoluciones, documentos, dictámenes o informes presentados o transmitidos por estos medios <u>**sólo pudiera ser reconocida o verificada mediante su examen directo o por otros procedimientos**</u>, podrán, ser presentados en soporte electrónico mediante imágenes digitalizadas de los mismos, en la forma prevista en los **arts. 267 y 268 LEC**
Si alguna de las partes, el Tribunal en los procesos de familia, incapacidad o filiación, o el Mº. Fiscal, así lo solicitasen, habrán de aportarse aquéllos **en su soporte papel original**, en el plazo o momento procesal que a tal efecto se señale

Constando la **correcta remisión del acto** de comunicación por dichos medios técnicos, <u>salvo los practicados a través de los servicios de notificaciones organizados por los Colegios de Procuradores,</u> **si transcurrieran tres días sin que el destinatario acceda a su contenid**o→ comunicación efectuada legalmente desplegando plenos efectos

Excepción

Que el destinatario <u>**justifique la falta de acceso al vsistema de notificaciones**</u> durante ese periodo
Si la falta de acceso se debiera a **causas técnicas** y éstas persistiesen en el momento de ponerlas en conocimiento→ <u>acto de comunicación mediante entrega de copia de la resolución</u>
La notificación se entenderá <u>válidamente recibida en el momento en que conste la posibilidad de acceso al sistema</u>
En caso de producirse el **acceso transcurrido dicho plazo pero antes de efectuada la comunicación mediante entrega** → válidamente realizada la comunicación en la fecha que conste en el resguardo acreditativo de su recepción

Cualquier otro caso, se entiende válidamente recibida cuando conste la posibilidad de acceso al sistema

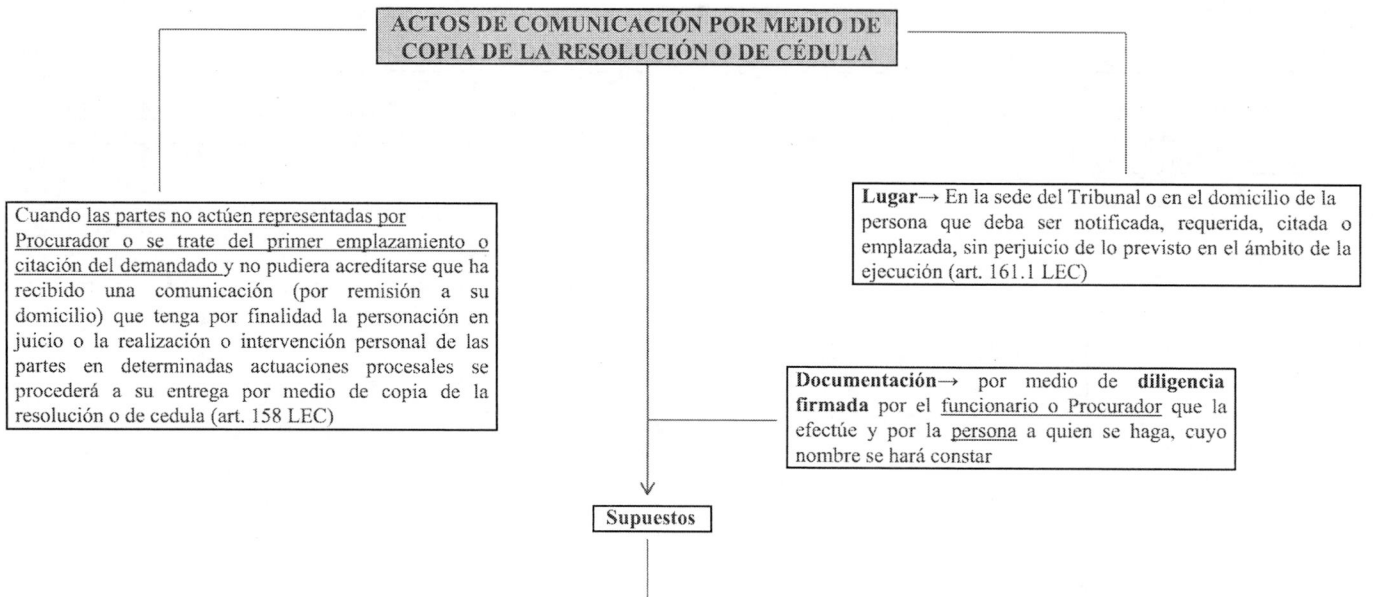

**ACTOS DE COMUNICACIÓN POR MEDIO DE
COPIA DE LA RESOLUCIÓN O DE CÉDULA**

Cuando las partes no actúen representadas por Procurador o se trate del primer emplazamiento o citación del demandado y no pudiera acreditarse que ha recibido una comunicación (por remisión a su domicilio) que tenga por finalidad la personación en juicio o la realización o intervención personal de las partes en determinadas actuaciones procesales se procederá a su entrega por medio de copia de la resolución o de cedula (art. 158 LEC)

Lugar→ En la sede del Tribunal o en el domicilio de la persona que deba ser notificada, requerida, citada o emplazada, sin perjuicio de lo previsto en el ámbito de la ejecución (art. 161.1 LEC)

Documentación→ por medio de **diligencia firmada** por el funcionario o Procurador que la efectúe y por la persona a quien se haga, cuyo nombre se hará constar

Supuestos

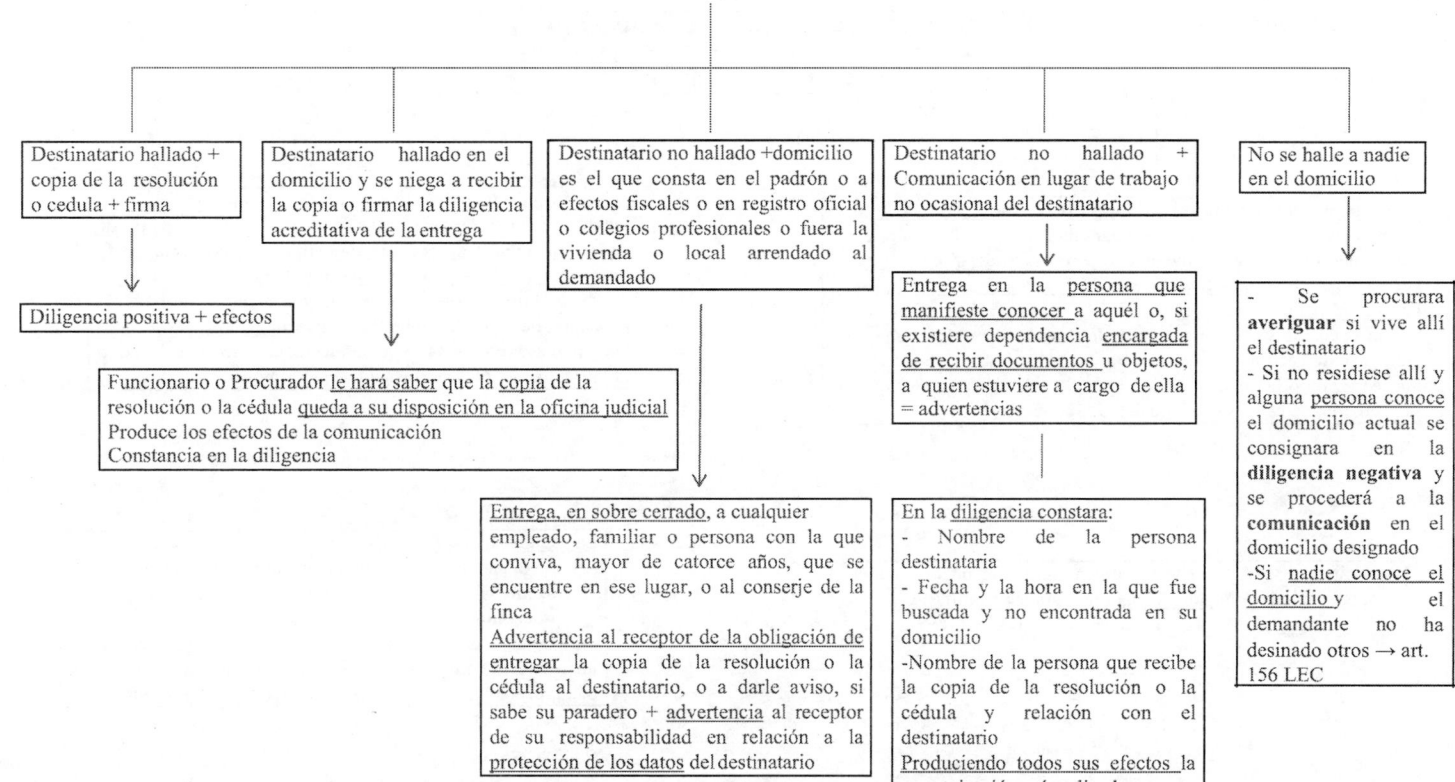

Destinatario hallado + copia de la resolución o cedula + firma

Destinatario hallado en el domicilio y se niega a recibir la copia o firmar la diligencia acreditativa de la entrega

Destinatario no hallado +domicilio es el que consta en el padrón o a efectos fiscales o en registro oficial o colegios profesionales o fuera la vivienda o local arrendado al demandado

Destinatario no hallado + Comunicación en lugar de trabajo no ocasional del destinatario

No se halle a nadie en el domicilio

Diligencia positiva + efectos

Funcionario o Procurador le hará saber que la copia de la resolución o la cédula queda a su disposición en la oficina judicial
Produce los efectos de la comunicación
Constancia en la diligencia

Entrega en la persona que manifieste conocer a aquél o, si existiere dependencia encargada de recibir documentos u objetos, a quien estuviere a cargo de ella = advertencias

- Se procurara averiguar si vive allí el destinatario
- Si no residiese allí y alguna persona conoce el domicilio actual se consignara en la diligencia negativa y se procederá a la comunicación en el domicilio designado
-Si nadie conoce el domicilio y el demandante no ha desinado otros → art. 156 LEC

Entrega, en sobre cerrado, a cualquier empleado, familiar o persona con la que conviva, mayor de catorce años, que se encuentre en ese lugar, o al conserje de la finca
Advertencia al receptor de la obligación de entregar la copia de la resolución o la cédula al destinatario, o a darle aviso, si sabe su paradero + advertencia al receptor de su responsabilidad en relación a la protección de los datos del destinatario

En la diligencia constara:
- Nombre de la persona destinataria
- Fecha y la hora en la que fue buscada y no encontrada en su domicilio
-Nombre de la persona que recibe la copia de la resolución o la cédula y relación con el destinatario
Produciendo todos sus efectos la comunicación así realizada

ACTOS DE COMUNICACIÓN POR MEDIO CORREO, TELEGRAMA U OTROS SIMILARES
(art. 160 LEC)

Cuando proceda la remisión de la copia de la resolución o de la cédula por correo certificado o telegrama con acuse de recibo, o por cualquier otro medio semejante que permita dejar en los autos constancia fehaciente de haberse recibido la notificación, de la fecha de la recepción, y de su contenido→ el **LAJ dará fe en los autos de la remisión y del contenido de lo remitido**, y unirá a aquéllos, **el acuse de recibo o el medio** a través del cual quede constancia de la recepción o la documentación aportada por el procurador que así lo acredite, de haber procedido éste a la comunicación

A instancia de parte y a costa de quien lo interese, podrá ordenarse que la **remisión se haga de manera simultánea a varios lugares** de los previstos en el aptdo. 3 del art. 155

Cuando el destinatario tuviere su domicilio en el partido donde radique la sede del Tribunal, **y no se trate de comunicaciones de las que dependa la personación o la realización o intervención personal en las actuaciones**, podrá remitirse, por correo, telegrama u otros similares, la cédula de emplazamiento para que el destinatario comparezca en dicha sede a efectos de ser notificado o requerido o de dársele traslado de algún escrito

La cédula expresará
-El objeto para el que se requiere la comparecencia del emplazado
- El procedimiento y el asunto a que se refiere
-Advertencia de que, si el emplazado no comparece, sin causa justificada, dentro del plazo señalado, se tendrá por hecha la comunicación de que se trate o por efectuado el traslado

COMUNICACIÓN EDICTAL
(art. 164 LEC)

Supuestos (art. 164 LEC)
-Tras averiguaciones no pudiere conocerse el domicilio del destinatario
-No pudiere hallarse al destinatario ni efectuarse la comunicación con todos sus efectos
-Averiguaciones infructuosas + Registro Central de Rebeldes Civiles

En el caso de que se vean **afectados menores**, en la comunicación o publicación deberán omitirse los datos personales, nombres y apellidos, domicilio, o cualquier otro dato o circunstancia que directa o indirectamente pudiera permitir su identificación

En los procesos de **desahucio de finca urbana o rústica** por falta de pago de rentas o cantidades debidas o por expiración legal o contractual del plazo y en los procesos de reclamación de estas rentas o cantidades debidas cuando no pudiere hallársele ni efectuarle la comunicación al arrendatario en los domicilios designados ni hubiese comunicado de forma fehaciente con posterioridad al contrato un nuevo domicilio al arrendador, al que éste no se hubiese opuesto, se procederá, sin más trámites, a fijar la **cédula de citación o requerimiento en el tablón de anuncios de la oficina judicial**

Lo acordará el **LAJ** haciendo constar la concurrencias de los supuestos

Forma
-Copia de la resolución o la cédula en el tablón de anuncios de la oficina judicial, de conformidad con la Ley 18/2011, de 5 de julio, reguladora del uso de las tecnologías de la información y la comunicación en la Administración de Justicia
-En el BOP, en el de la C. Autónoma, en el BOE o en un diario de difusión nacional o provincial, solo a **instancia de parte, y a su costa**

Tal publicidad podrá ser sustituida, en los términos que reglamentariamente se determinen, por la utilización de otros medios telemáticos, informáticos o electrónicos

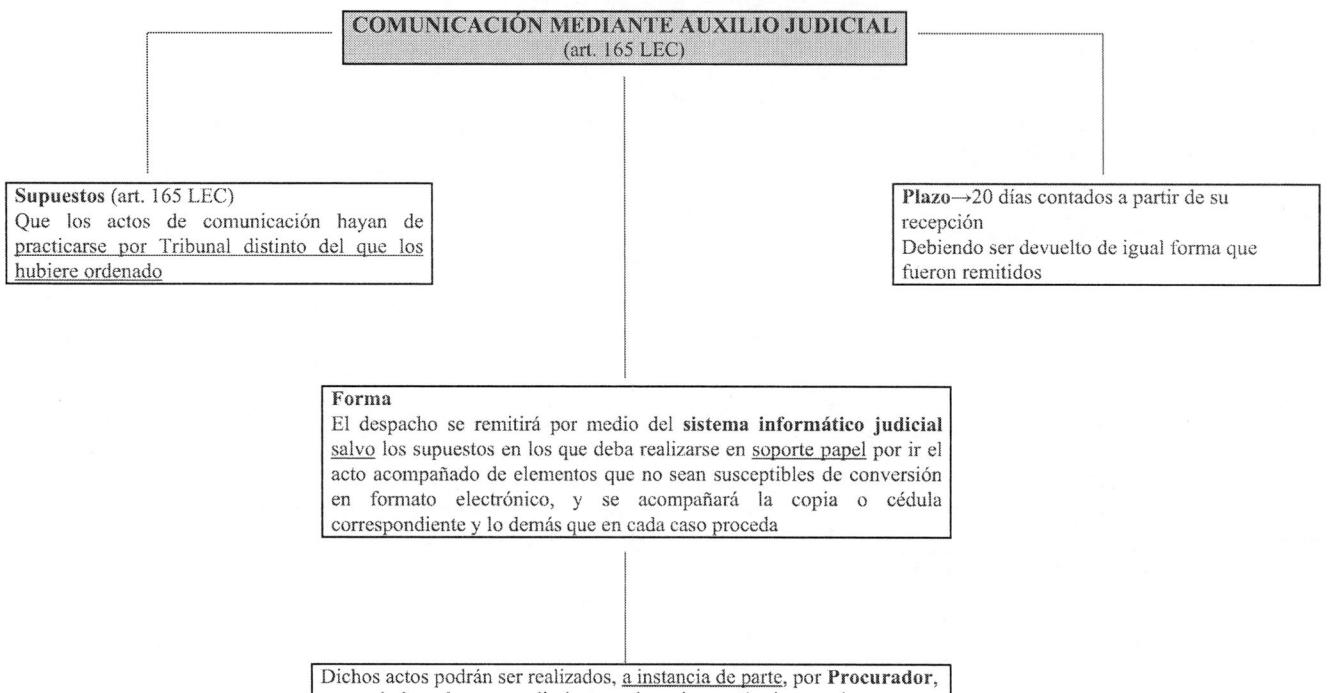

COMUNICACIÓN MEDIANTE AUXILIO JUDICIAL
(art. 165 LEC)

Supuestos (art. 165 LEC)
Que los actos de comunicación hayan de practicarse por Tribunal distinto del que los hubiere ordenado

Plazo→20 días contados a partir de su recepción
Debiendo ser devuelto de igual forma que fueron remitidos

Forma
El despacho se remitirá por medio del **sistema informático judicial** salvo los supuestos en los que deba realizarse en soporte papel por ir el acto acompañado de elementos que no sean susceptibles de conversión en formato electrónico, y se acompañará la copia o cédula correspondiente y lo demás que en cada caso proceda

Dichos actos podrán ser realizados, a instancia de parte, por **Procurador**, encargándose de su cumplimiento en los mismos términos y plazos

REMISIÓN DE OFICIOS Y MANDAMIENTOS
(art. 167 LEC)

Los **mandamientos y oficios se remitirán directamente por el LAJ** que los expida a la autoridad o funcionario a que vayan dirigidos, **debiendo** utilizarse los medios previstos en el art. 162 (**medios electrónicos, informáticos u otros similares**)

A instancia de parte se podrán diligenciar **personalmente** los mandamientos y oficios

La parte a cuya instancia se libren los oficios y mandamientos habrá de satisfacer los gastos que requiera su cumplimiento

2. La acumulación de acciones

La acumulación de acciones supone el ejercicio conjunto, de dos o más acciones, en un único proceso, lo que conlleva una única sentencia con tantos pronunciamientos como acciones se hayan sometido al conocimiento del órgano judicial en cuestión, pues así se cumplirá con los requisitos de exhaustividad y congruencia al que está sometido el proceso civil (GUZMÁN FLUJA, 2001).

La acumulación de acciones se regula en los arts. 71 a 73 de la LEC, refiriéndose el primero a la acumulación objetiva, el segundo a la acumulación subjetiva de acciones y el tercero a los requisitos de la acumulación.

Por lo que respecta a la finalidad, la Audiencia Provincial de Huelva, Sección 3ª, en auto de 4 de mayo de 2012 (ROJ: AAP H 699/2012) establece que "(...) *la acumulación debe aceptarse en aras de superiores principios con amparo constitucional y de economía procesal y evitación de sentencias contradictorias*".

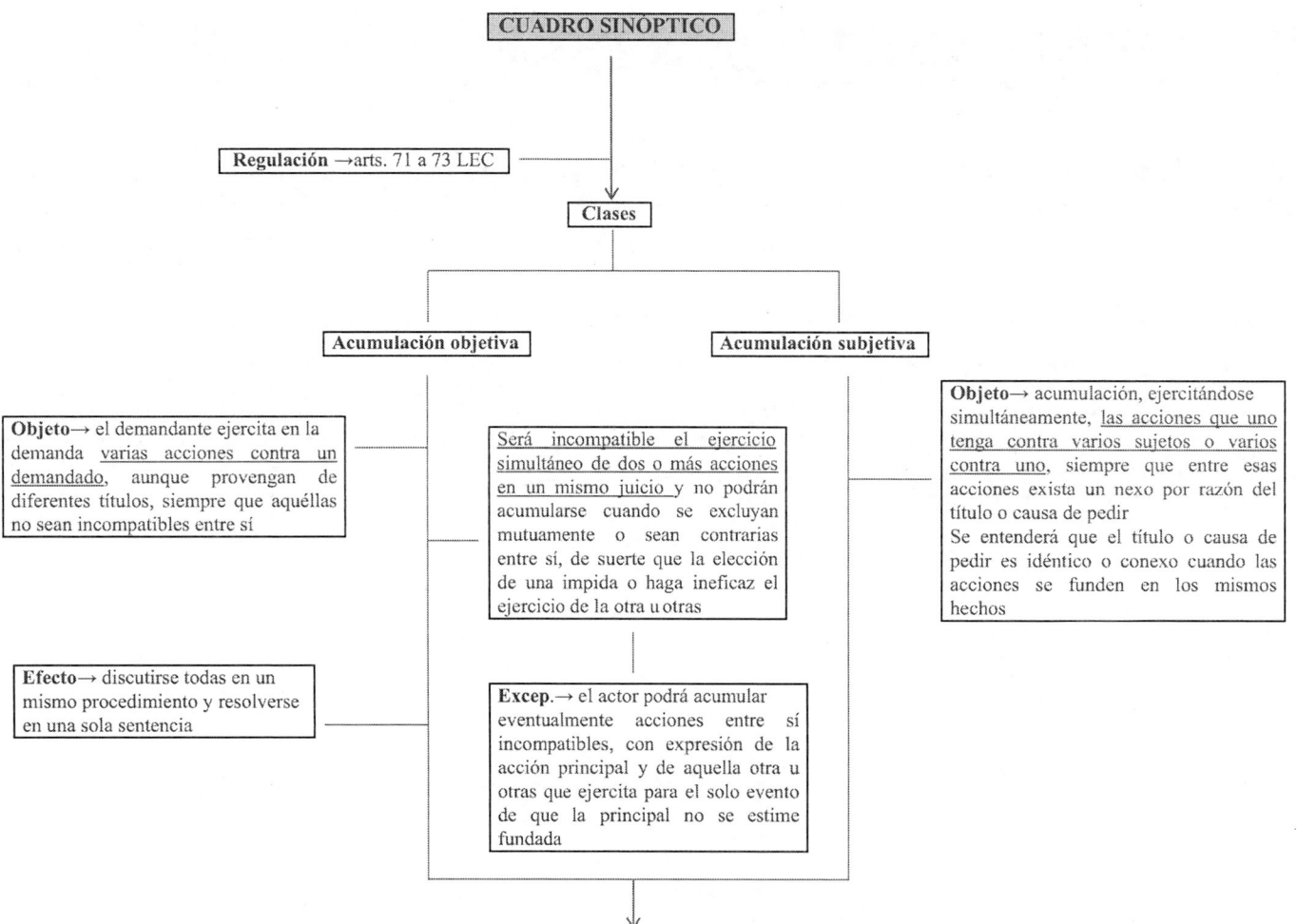

CUADRO SINÓPTICO

Regulación →arts. 71 a 73 LEC

Clases

Acumulación objetiva   **Acumulación subjetiva**

Objeto→ el demandante ejercita en la demanda varias acciones contra un demandado, aunque provengan de diferentes títulos, siempre que aquéllas no sean incompatibles entre sí

Será incompatible el ejercicio simultáneo de dos o más acciones en un mismo juicio y no podrán acumularse cuando se excluyan mutuamente o sean contrarias entre sí, de suerte que la elección de una impida o haga ineficaz el ejercicio de la otra u otras

Objeto→ acumulación, ejercitándose simultáneamente, las acciones que uno tenga contra varios sujetos o varios contra uno, siempre que entre esas acciones exista un nexo por razón del título o causa de pedir
Se entenderá que el título o causa de pedir es idéntico o conexo cuando las acciones se funden en los mismos hechos

Efecto→ discutirse todas en un mismo procedimiento y resolverse en una sola sentencia

Excep.→ el actor podrá acumular eventualmente acciones entre sí incompatibles, con expresión de la acción principal y de aquella otra u otras que ejercita para el solo evento de que la principal no se estime fundada

Requisitos

1.º Que el Tribunal que deba entender de la acción principal posea jurisdicción y competencia por razón de la materia o por razón de la cuantía para conocer de la acumulada o acumuladas

A la acción que haya de sustanciarse en juicio ordinario podrá acumularse la acción que, por sí sola, se habría de ventilar, por razón de su cuantía, en juicio verbal

2.º Que las acciones acumuladas no deban, por razón de su materia, ventilarse en juicios de diferente tipo

3.º Que la ley no prohíba la acumulación en los casos en que se ejerciten determinadas acciones en razón de su materia o por razón del tipo de juicio que se haya de seguir

Se acumularán en una misma demanda distintas acciones cuando así lo dispongan las leyes, para casos determinados

Acumulación indebida de acciones

El LAJ requerirá al actor, antes de proceder a admitir la demanda, para que subsane el defecto en el plazo de 5 días, manteniendo las acciones cuya acumulación fuere posible

Transcurrido el término sin que se produzca la subsanación, o si se mantuviera la circunstancia de no acumulabilidad entre las acciones que se pretendieran mantener por el actor→ dará cuenta al Tribunal para que por el mismo se resuelva sobre la admisión de la demanda

3. La acumulación de procesos

La acumulación de procesos es la unificación en un solo proceso y la terminación por una sola sentencia, de varias pretensiones que, en un inicio, se sustanciaban en procesos distintos.

Se regula en los arts. 74 a 78 LEC y en su Exposición de Motivos dispone respecto de dicha figura procesal: *"En cuanto a la acumulación de procesos, se aclaran los presupuestos que la hacen procedente, así como los requisitos y los óbices procesales de este instituto, simplificando el procedimiento en cuanto resulta posible. Además, la Ley incluye normas para evitar un uso desviado de la acumulación de procesos: no se admitirá la acumulación cuando el proceso o procesos ulteriores puedan evitarse mediante la excepción de litispendencia o si lo que se plantea en ellos pudo suscitarse mediante acumulación inicial de acciones, ampliación de la demanda o a través de la reconvención"*.

Por lo que respecta a su finalidad, la LEC indica que lo que se pretende es que se tramiten los diversos procesos cuya acumulación se pretende en un solo procedimiento y su terminación en una sola sentencia (art. 74 LEC).

LEGITIMACIÓN (art. 75 LEC)

Por quien sea parte en cualquiera de los procesos cuya acumulación se pretende.

De oficio por el Tribunal, siempre que se esté en alguno de los casos previstos en la LEC.

SUPUESTOS (art. 76 LEC)

La acumulación de procesos se acordara siempre que:

1. La sentencia que haya de recaer en uno de los procesos pueda producir efectos prejudiciales en el otro.

2. Entre los objetos de los procesos de cuya acumulación se trate exista tal conexión que, de seguirse por separado, pudieren dictarse sentencias con pronunciamientos o fundamentos contradictorios, incompatibles o mutuamente excluyentes.

Procederá la acumulación en los siguientes casos:

1. Cuando se trate de procesos incoados para la *protección de los derechos e intereses colectivos o difusos que las leyes reconozcan a consumidores y usuarios*, susceptibles de acumulación conforme a lo dispuesto en el aptdo. 1.1.º del art.76 y en el art. 77, cuando la diversidad de procesos no se hubiera podido evitar mediante la acumulación de acciones o la intervención prevista en el art. 15.

2. Cuando el objeto de los procesos a acumular fuera la *impugnación de acuerdos sociales* adoptados en una misma Junta o Asamblea o en una misma sesión de órgano colegiado de administración.

En este caso se acumularán todos los procesos incoados en virtud de demandas en las que se soliciten la declaración de nulidad o de anulabilidad de dichos acuerdos, siempre que las mismas hubieran sido presentadas en un periodo de tiempo no superior a cuarenta días desde la presentación de la primera de las demandas.

3. Cuando se trate de procesos en los que se sustancie la *oposición a resoluciones administrativas en materia de protección de un mismo menor*, tramitados conforme al art. 780, siempre que en ninguno de ellos se haya iniciado la vista.

En todo caso, en los lugares donde hubiere más de un Juzgado que tuviera asignadas competencias en materia mercantil, en los casos de los n.º 1º y 2º, o en materia civil, en el caso del n.º 3º, las demandas que se presenten con posterioridad a otra se repartirán al Juzgado al que hubiere correspondido conocer de la primera.

PROCESOS ACUMULABLES (art. 77 LEC)

Salvo lo dispuesto en el art. 555 LEC (acumulación de procesos de ejecución), sólo procederá la acumulación de procesos declarativos que se sustancien por los mismos trámites o cuya tramitación pueda unificarse sin pérdida de derechos procesales, siempre que concurra alguna de las causas expresadas.

Se entenderá que *no hay pérdida de derechos procesales* cuando se acuerde la acumulación de un juicio ordinario y un juicio verbal, que proseguirán por los trámites del juicio ordinario, ordenando el Tribunal en el auto por el que acuerde la acumulación, y de ser necesario, retrotraer hasta el momento de contestación a la demanda las actuaciones del juicio verbal que hubiere sido acumulado, a fin de que siga los trámites previstos para el juicio ordinario.

Cuando los *procesos estuvieren pendientes ante distintos Tribunales* → no cabrá su acumulación si el tribunal del proceso más antiguo careciere de competencia objetiva por razón de la materia o por razón de la cuantía para conocer del proceso o procesos que se quieran acumular.

No procederá la acumulación cuando la competencia territorial del Tribunal que conozca del proceso más moderno tenga en la Ley carácter inderogable para las partes.

Para que sea admisible la acumulación de procesos será preciso que éstos *se encuentren en primera instancia*, y que en ninguno de ellos haya finalizado el juicio a que se refiere el art. 433 LEC.

IMPROCEDENCIA DE LA ACUMULACIÓN DE PROCESOS (art. 78 LEC)

No procederá la acumulación de procesos:

- Cuando el riesgo de sentencias con pronunciamientos o fundamentos contradictorios, incompatibles o mutuamente excluyentes pueda evitarse mediante la excepción de litispendencia.

- Cuando la parte no justifique que, con la primera demanda o, en su caso, con la ampliación de ésta o con la reconvención, no pudo promoverse un proceso que comprendiese pretensiones y cuestiones sustancialmente iguales a las suscitadas en los procesos distintos, cuya acumulación se pretenda.

Si los procesos cuya acumulación se pretenda fueren promovidos por el mismo demandante o por demandado reconviniente, solo o en litisconsorcio, se entenderá, salvo justificación cumplida, que pudo promoverse un único proceso y no procederá la acumulación.

Lo anterior no es de aplicación a los procesos, susceptibles de acumulación conforme a los arts. 76 y 77, incoados para la protección de los derechos e intereses colectivos o difusos que las leyes reconozcan a consumidores y usuarios, cuando la diversidad de esos procesos, ya sean promovidos por las asociaciones, entidades o grupos legitimados o por consumidores o usuarios determinados, no se hubiera podido evitar mediante la acumulación de acciones o la intervención prevista en el art. 15 LEC.

PROCESO EN EL QUE SE HA DE PEDIR O ACORDAR DE OFICIO LA ACUMULACIÓN (art. 79 LEC)

La acumulación de procesos *se solicitará siempre al Tribunal que conozca del proceso más antiguo*, al que se acumularán los más modernos Si se incumplirse este requisito, el LAJ dictará decreto inadmitiendo la solicitud.

Corresponderá, según lo dispuesto en el art. 75, al *Tribunal que conozca del proceso más antiguo, ordenar de oficio la acumulación.*

La antigüedad se determinará por la fecha de la presentación de la demanda, debiendo presentarse con la solicitud de acumulación el documento que acredite dicha fecha.

Si las *demandas se hubiesen presentado el mismo día*, se considerará más antiguo el proceso que se hubiera repartido primero.

Si, por pender ante distintos Tribunales o por cualquiera otra causa, no fuera posible determinar cuál de las demandas fue repartida en primer lugar, la solicitud podrá pedirse en cualquiera de los procesos cuya acumulación se pretende.

ESPECIALIDADES JUICIO VERBAL (art. 80 LEC)

Cuando la acumulación se refiera a procesos que están pendientes ante el mismo Tribunal se regulará por los arts. 81 a 85 LEC.

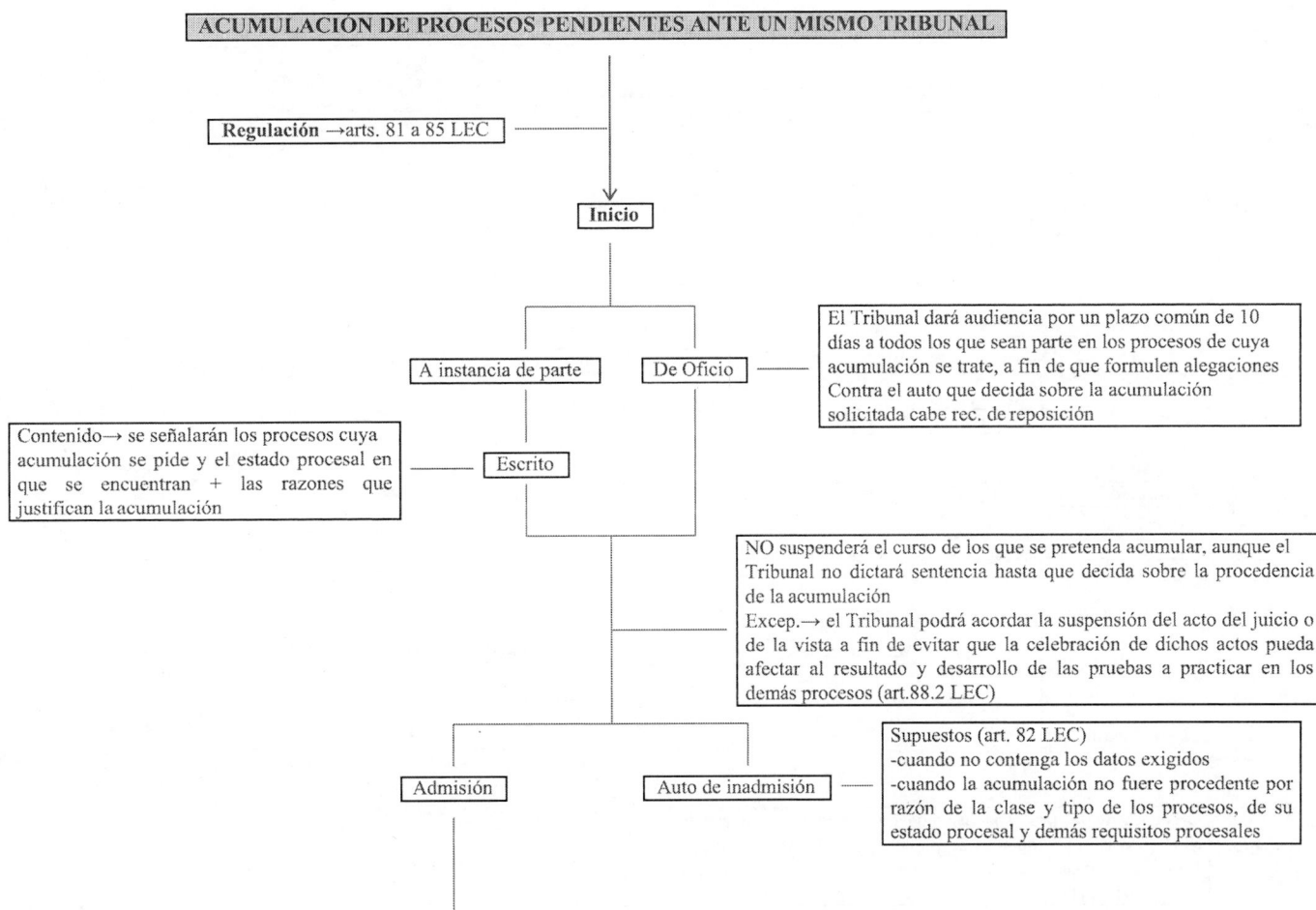

ACUMULACIÓN DE PROCESOS PENDIENTES ANTE UN MISMO TRIBUNAL

Regulación →arts. 81 a 85 LEC

Inicio

A instancia de parte

De Oficio

El Tribunal dará audiencia por un plazo común de 10 días a todos los que sean parte en los procesos de cuya acumulación se trate, a fin de que formulen alegaciones
Contra el auto que decida sobre la acumulación solicitada cabe rec. de reposición

Contenido→ se señalarán los procesos cuya acumulación se pide y el estado procesal en que se encuentran + las razones que justifican la acumulación

Escrito

NO suspenderá el curso de los que se pretenda acumular, aunque el Tribunal no dictará sentencia hasta que decida sobre la procedencia de la acumulación
Excep.→ el Tribunal podrá acordar la suspensión del acto del juicio o de la vista a fin de evitar que la celebración de dichos actos pueda afectar al resultado y desarrollo de las pruebas a practicar en los demás procesos (art.88.2 LEC)

Admisión

Auto de inadmisión

Supuestos (art. 82 LEC)
-cuando no contenga los datos exigidos
-cuando la acumulación no fuere procedente por razón de la clase y tipo de los procesos, de su estado procesal y demás requisitos procesales

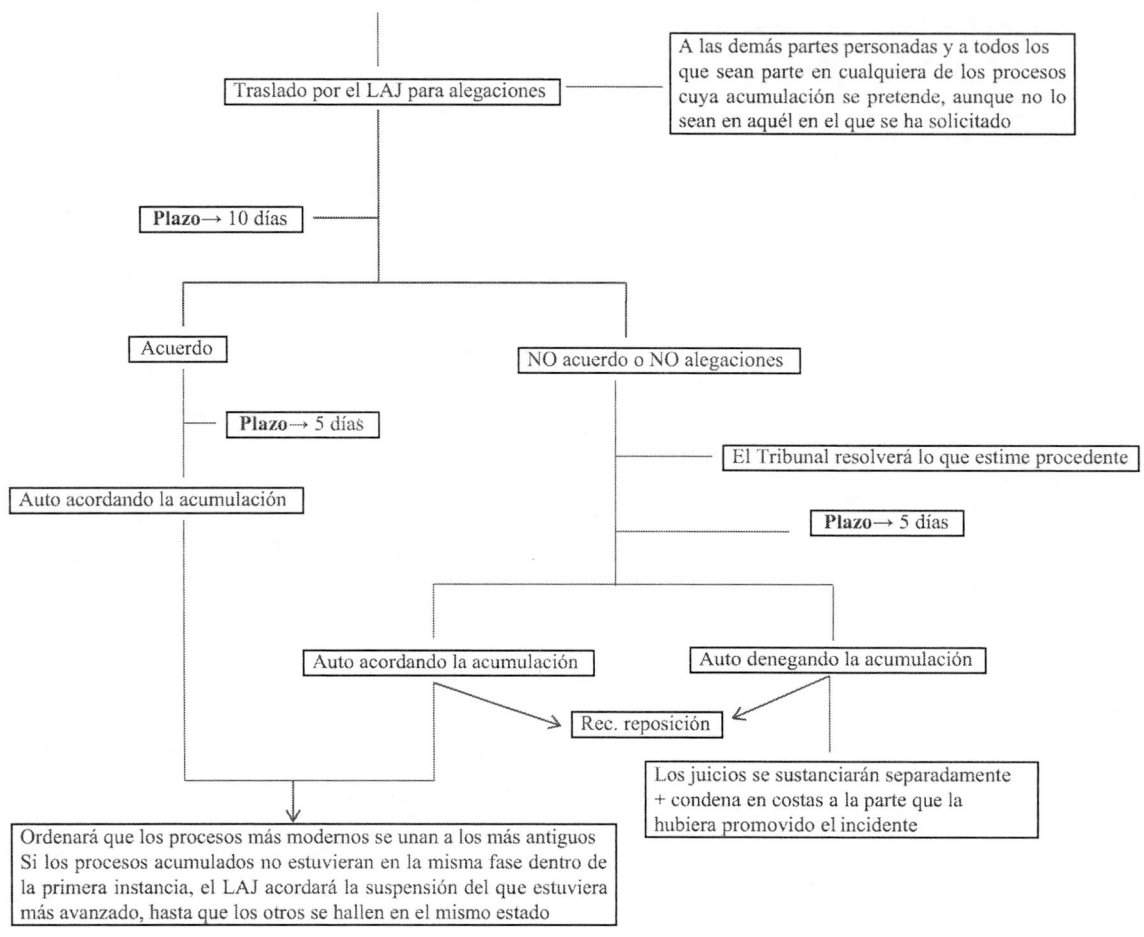

Traslado por el LAJ para alegaciones

A las demás partes personadas y a todos los que sean parte en cualquiera de los procesos cuya acumulación se pretende, aunque no lo sean en aquél en el que se ha solicitado

Plazo→ 10 días

Acuerdo

NO acuerdo o NO alegaciones

Plazo→ 5 días

El Tribunal resolverá lo que estime procedente

Auto acordando la acumulación

Plazo→ 5 días

Auto acordando la acumulación

Auto denegando la acumulación

Rec. reposición

Los juicios se sustanciarán separadamente + condena en costas a la parte que la hubiera promovido el incidente

Ordenará que los procesos más modernos se unan a los más antiguos Si los procesos acumulados no estuvieran en la misma fase dentro de la primera instancia, el LAJ acordará la suspensión del que estuviera más avanzado, hasta que los otros se hallen en el mismo estado

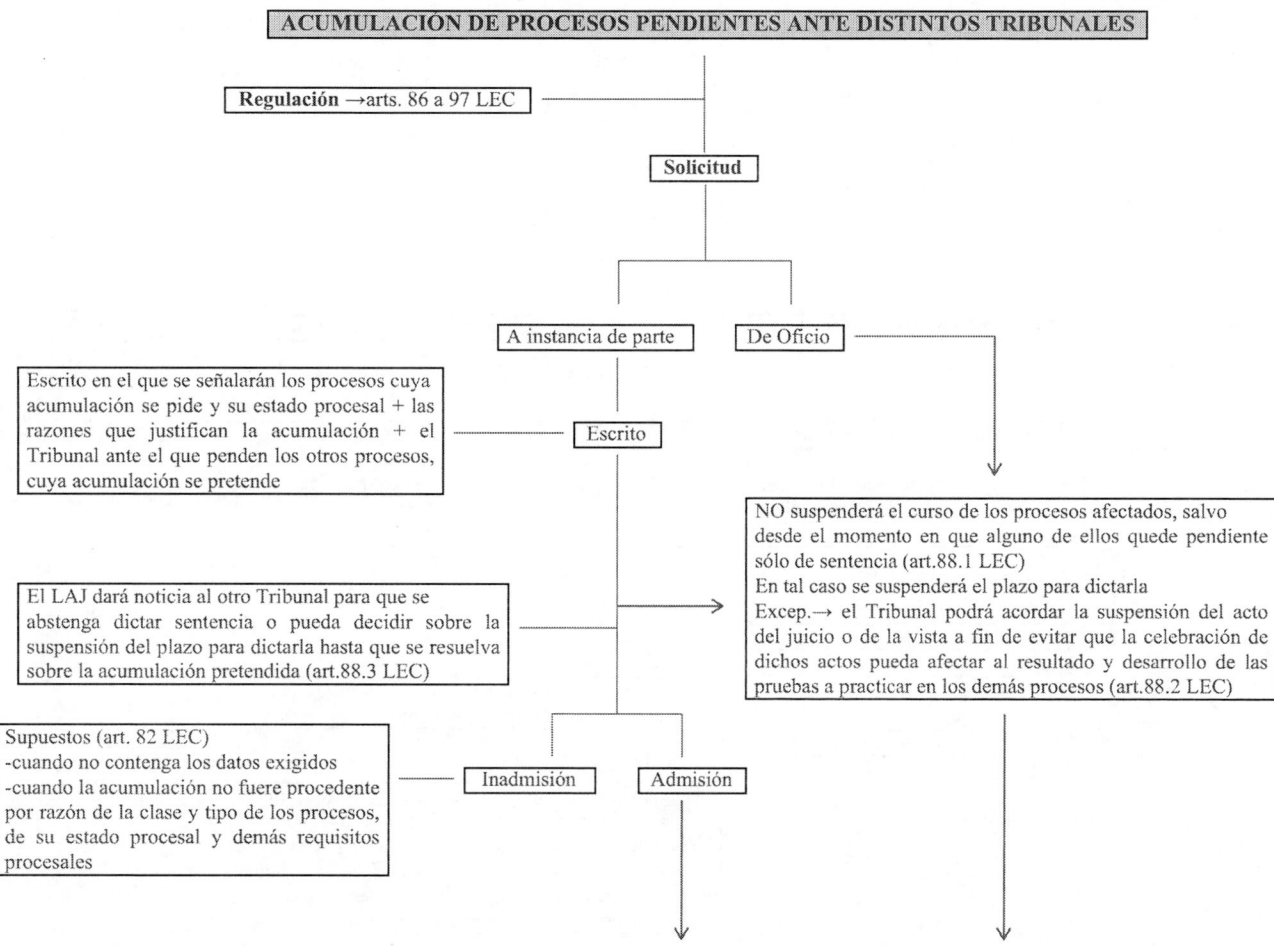

ACUMULACIÓN DE PROCESOS PENDIENTES ANTE DISTINTOS TRIBUNALES

Regulación →arts. 86 a 97 LEC

Solicitud

A instancia de parte — De Oficio

Escrito en el que se señalarán los procesos cuya acumulación se pide y su estado procesal + las razones que justifican la acumulación + el Tribunal ante el que penden los otros procesos, cuya acumulación se pretende — **Escrito**

El LAJ dará noticia al otro Tribunal para que se abstenga dictar sentencia o pueda decidir sobre la suspensión del plazo para dictarla hasta que se resuelva sobre la acumulación pretendida (art.88.3 LEC)

NO suspenderá el curso de los procesos afectados, salvo desde el momento en que alguno de ellos quede pendiente sólo de sentencia (art.88.1 LEC)
En tal caso se suspenderá el plazo para dictarla
Excep.→ el Tribunal podrá acordar la suspensión del acto del juicio o de la vista a fin de evitar que la celebración de dichos actos pueda afectar al resultado y desarrollo de las pruebas a practicar en los demás procesos (art.88.2 LEC)

Supuestos (art. 82 LEC)
-cuando no contenga los datos exigidos
-cuando la acumulación no fuere procedente por razón de la clase y tipo de los procesos, de su estado procesal y demás requisitos procesales — **Inadmisión** — **Admisión**

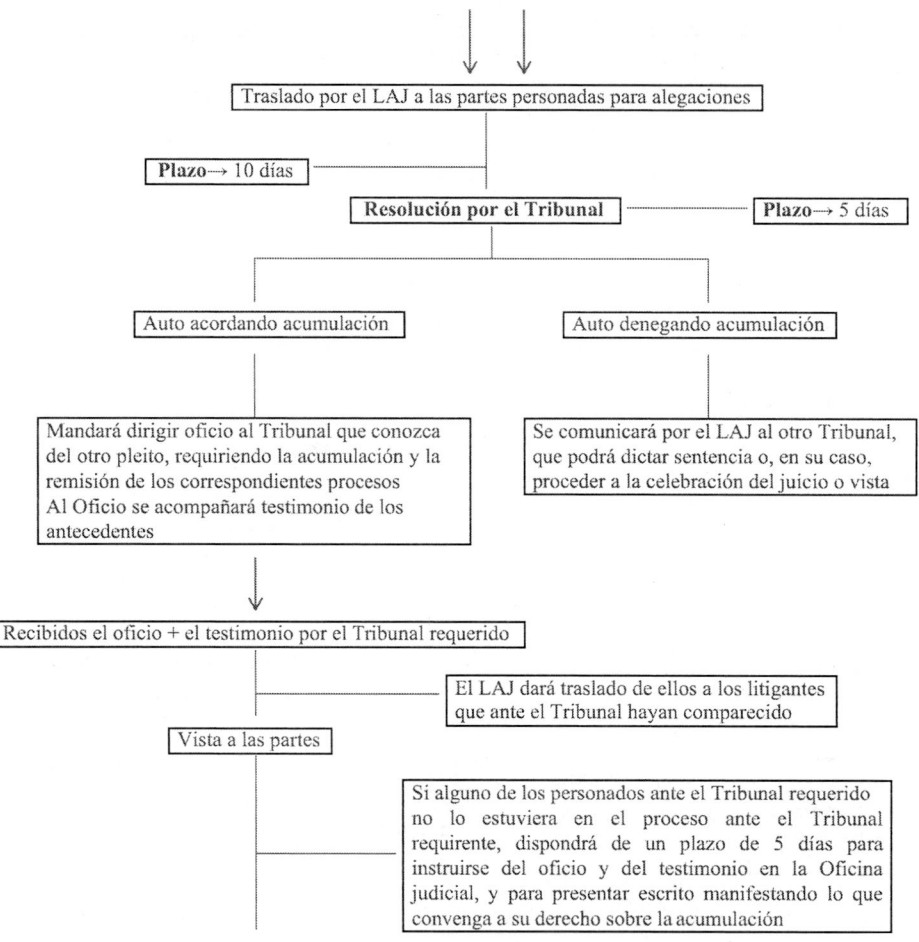

Traslado por el LAJ a las partes personadas para alegaciones

Plazo→ 10 días

Resolución por el Tribunal ┄┄┄┄┄ **Plazo**→ 5 días

Auto acordando acumulación

Auto denegando acumulación

Mandará dirigir oficio al Tribunal que conozca del otro pleito, requiriendo la acumulación y la remisión de los correspondientes procesos
Al Oficio se acompañará testimonio de los antecedentes

Se comunicará por el LAJ al otro Tribunal, que podrá dictar sentencia o, en su caso, proceder a la celebración del juicio o vista

Recibidos el oficio + el testimonio por el Tribunal requerido

El LAJ dará traslado de ellos a los litigantes que ante el Tribunal hayan comparecido

Vista a las partes

Si alguno de los personados ante el Tribunal requerido no lo estuviera en el proceso ante el Tribunal requirente, dispondrá de un plazo de 5 días para instruirse del oficio y del testimonio en la Oficina judicial, y para presentar escrito manifestando lo que convenga a su derecho sobre la acumulación

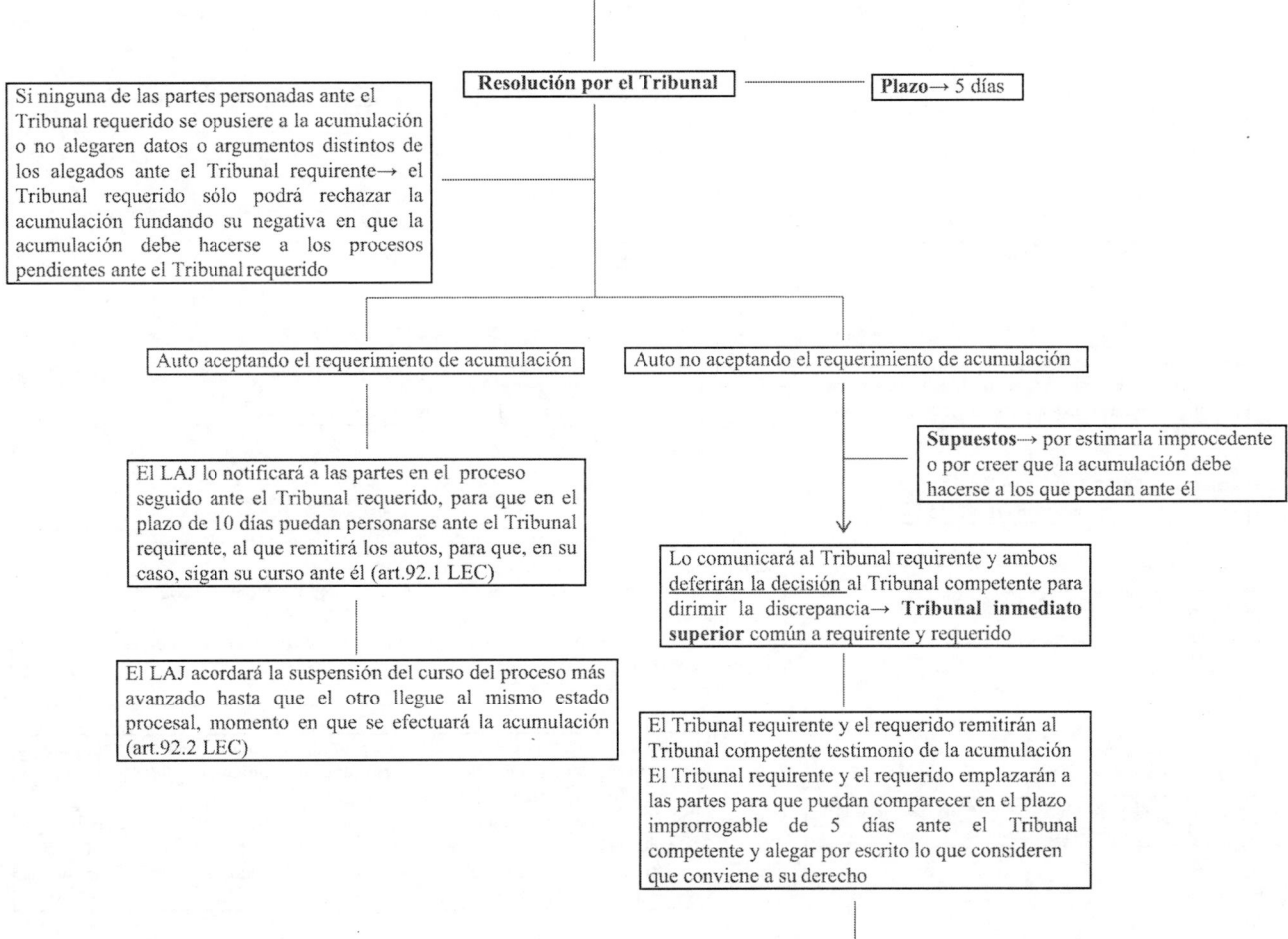

Resolución por el Tribunal ------- Plazo→ 5 días

Si ninguna de las partes personadas ante el Tribunal requerido se opusiere a la acumulación o no alegaren datos o argumentos distintos de los alegados ante el Tribunal requirente→ el Tribunal requerido sólo podrá rechazar la acumulación fundando su negativa en que la acumulación debe hacerse a los procesos pendientes ante el Tribunal requerido

Auto aceptando el requerimiento de acumulación

Auto no aceptando el requerimiento de acumulación

Supuestos→ por estimarla improcedente o por creer que la acumulación debe hacerse a los que pendan ante él

El LAJ lo notificará a las partes en el proceso seguido ante el Tribunal requerido, para que en el plazo de 10 días puedan personarse ante el Tribunal requirente, al que remitirá los autos, para que, en su caso, sigan su curso ante él (art.92.1 LEC)

Lo comunicará al Tribunal requirente y ambos deferirán la decisión al Tribunal competente para dirimir la discrepancia→ **Tribunal inmediato superior** común a requirente y requerido

El LAJ acordará la suspensión del curso del proceso más avanzado hasta que el otro llegue al mismo estado procesal, momento en que se efectuará la acumulación (art.92.2 LEC)

El Tribunal requirente y el requerido remitirán al Tribunal competente testimonio de la acumulación
El Tribunal requirente y el requerido emplazarán a las partes para que puedan comparecer en el plazo improrrogable de 5 días ante el Tribunal competente y alegar por escrito lo que consideren que conviene a su derecho

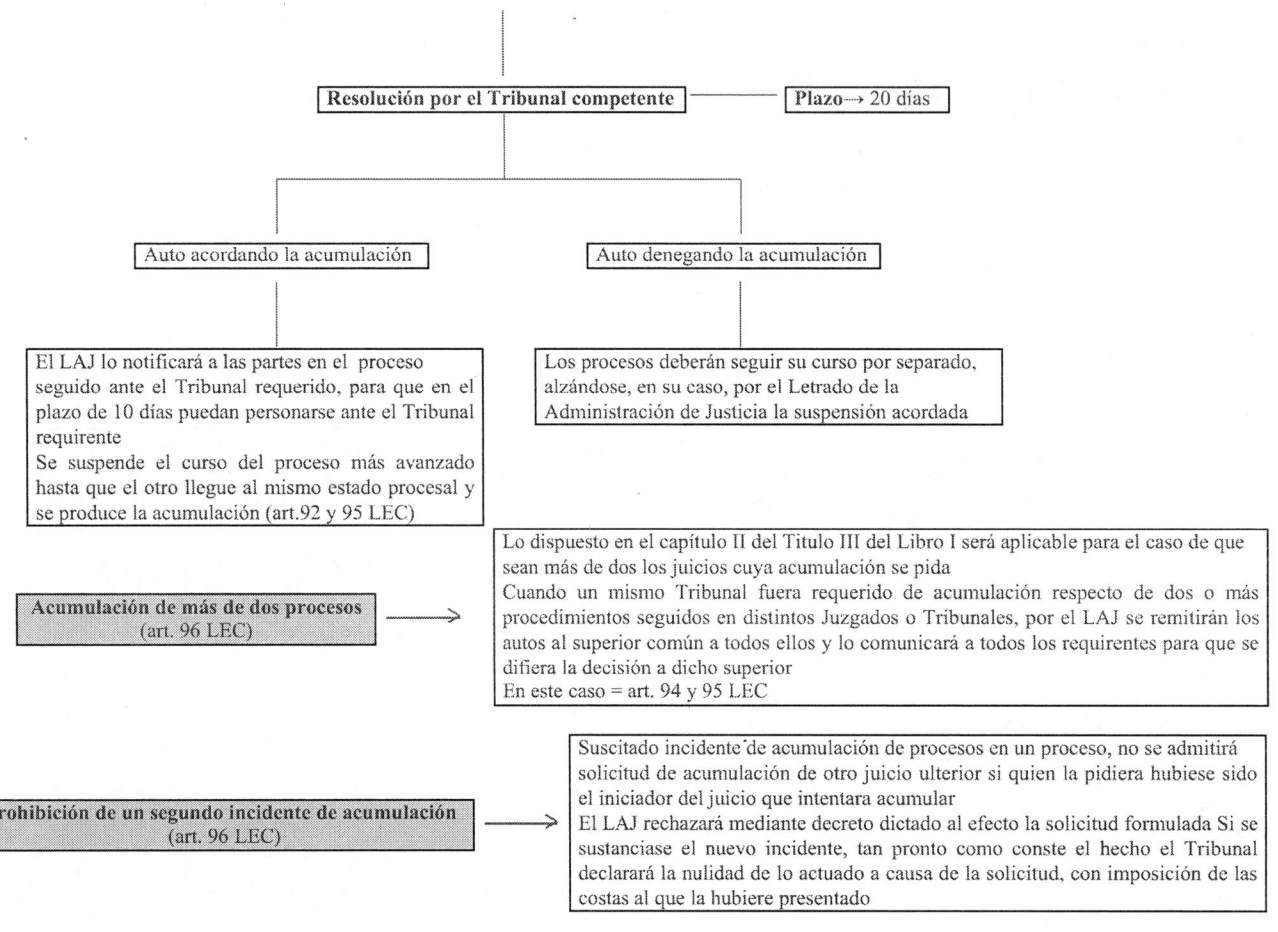

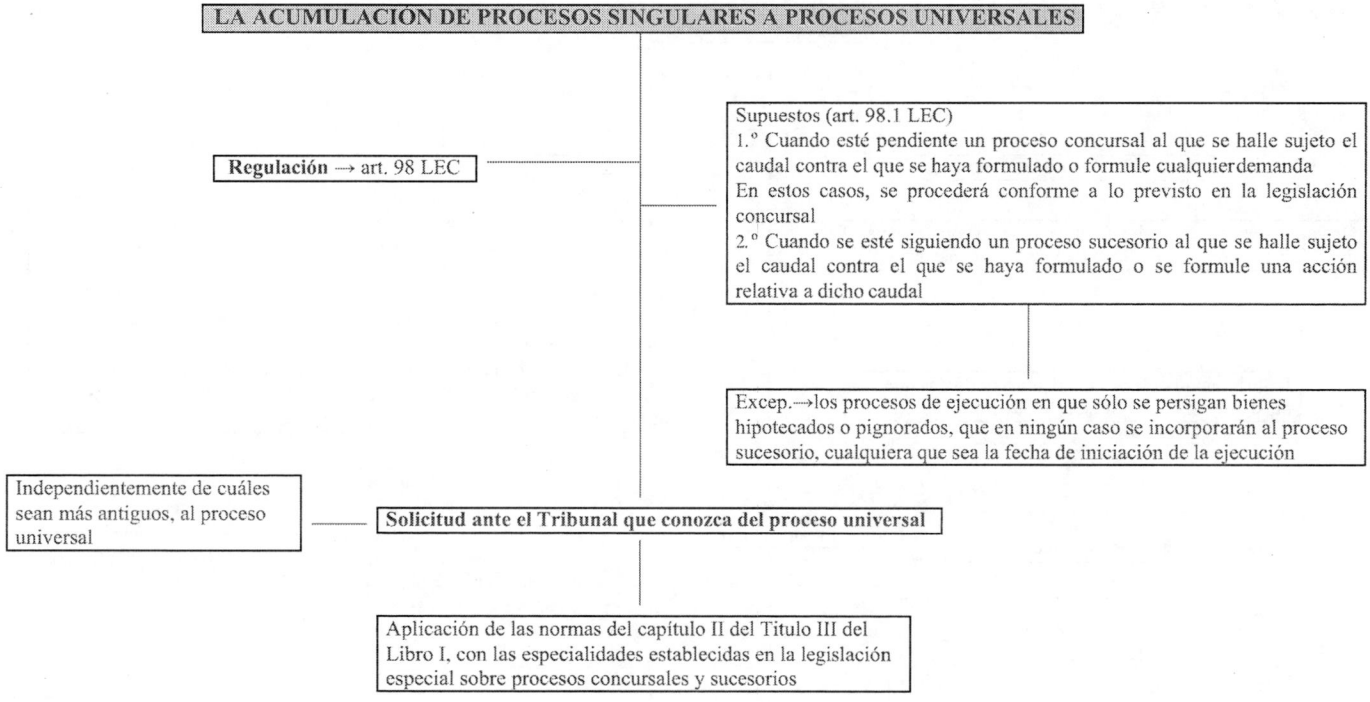

LA ACUMULACIÓN DE PROCESOS SINGULARES A PROCESOS UNIVERSALES

Regulación ⟶ art. 98 LEC

Supuestos (art. 98.1 LEC)
1.º Cuando esté pendiente un proceso concursal al que se halle sujeto el caudal contra el que se haya formulado o formule cualquier demanda
En estos casos, se procederá conforme a lo previsto en la legislación concursal
2.º Cuando se esté siguiendo un proceso sucesorio al que se halle sujeto el caudal contra el que se haya formulado o se formule una acción relativa a dicho caudal

Excep.⟶los procesos de ejecución en que sólo se persigan bienes hipotecados o pignorados, que en ningún caso se incorporarán al proceso sucesorio, cualquiera que sea la fecha de iniciación de la ejecución

Independientemente de cuáles sean más antiguos, al proceso universal

Solicitud ante el Tribunal que conozca del proceso universal

Aplicación de las normas del capítulo II del Título III del Libro I, con las especialidades establecidas en la legislación especial sobre procesos concursales y sucesorios

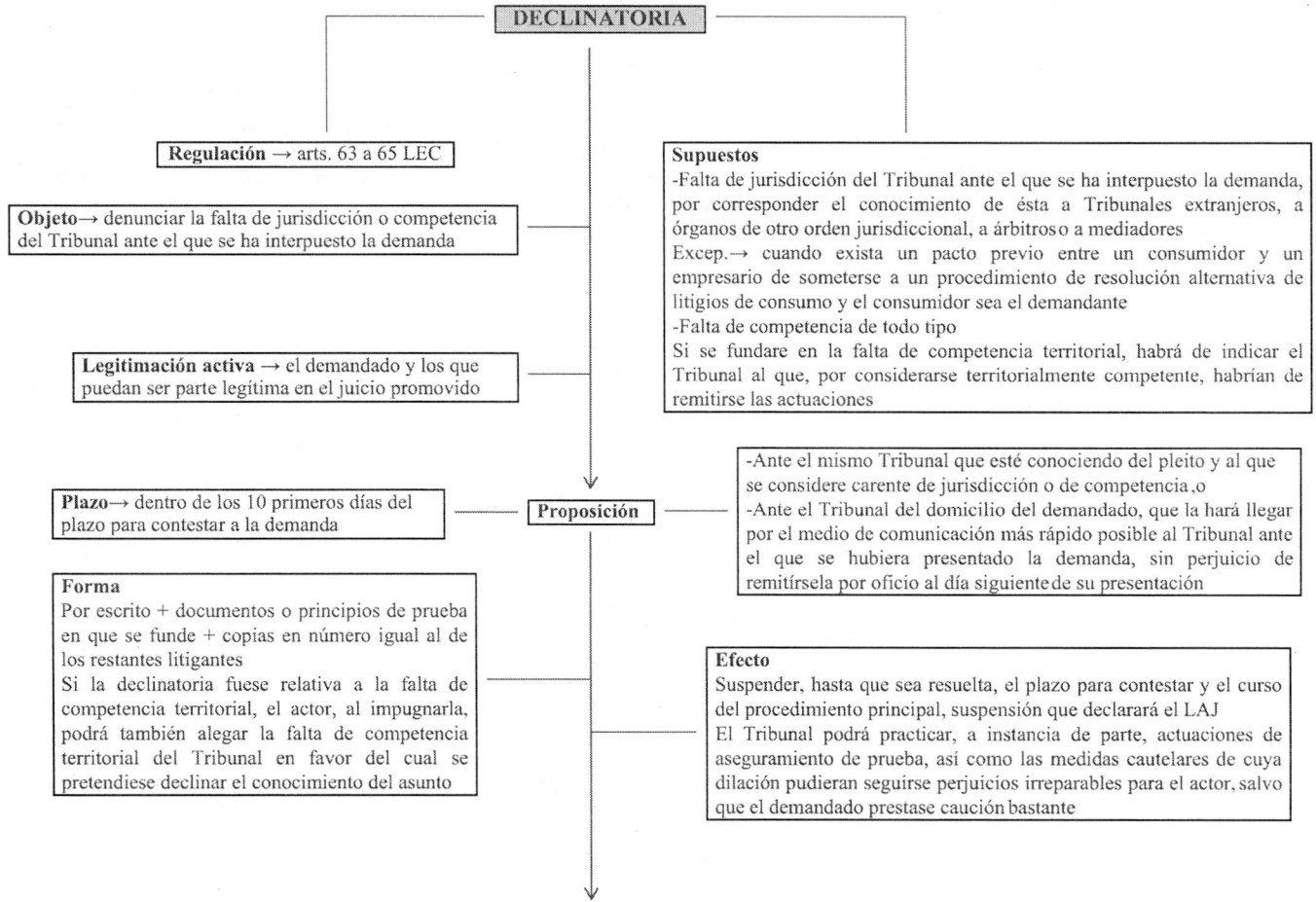

DECLINATORIA

Regulación → arts. 63 a 65 LEC

Objeto→ denunciar la falta de jurisdicción o competencia del Tribunal ante el que se ha interpuesto la demanda

Legitimación activa → el demandado y los que puedan ser parte legítima en el juicio promovido

Supuestos
-Falta de jurisdicción del Tribunal ante el que se ha interpuesto la demanda, por corresponder el conocimiento de ésta a Tribunales extranjeros, a órganos de otro orden jurisdiccional, a árbitros o a mediadores
Excep.→ cuando exista un pacto previo entre un consumidor y un empresario de someterse a un procedimiento de resolución alternativa de litigios de consumo y el consumidor sea el demandante
-Falta de competencia de todo tipo
Si se fundare en la falta de competencia territorial, habrá de indicar el Tribunal al que, por considerarse territorialmente competente, habrían de remitirse las actuaciones

Plazo→ dentro de los 10 primeros días del plazo para contestar a la demanda

Proposición

-Ante el mismo Tribunal que esté conociendo del pleito y al que se considere carente de jurisdicción o de competencia, o
-Ante el Tribunal del domicilio del demandado, que la hará llegar por el medio de comunicación más rápido posible al Tribunal ante el que se hubiera presentado la demanda, sin perjuicio de remitírsela por oficio al día siguiente de su presentación

Forma
Por escrito + documentos o principios de prueba en que se funde + copias en número igual al de los restantes litigantes
Si la declinatoria fuese relativa a la falta de competencia territorial, el actor, al impugnarla, podrá también alegar la falta de competencia territorial del Tribunal en favor del cual se pretendiese declinar el conocimiento del asunto

Efecto
Suspender, hasta que sea resuelta, el plazo para contestar y el curso del procedimiento principal, suspensión que declarará el LAJ
El Tribunal podrá practicar, a instancia de parte, actuaciones de aseguramiento de prueba, así como las medidas cautelares de cuya dilación pudieran seguirse perjuicios irreparables para el actor, salvo que el demandado prestase caución bastante

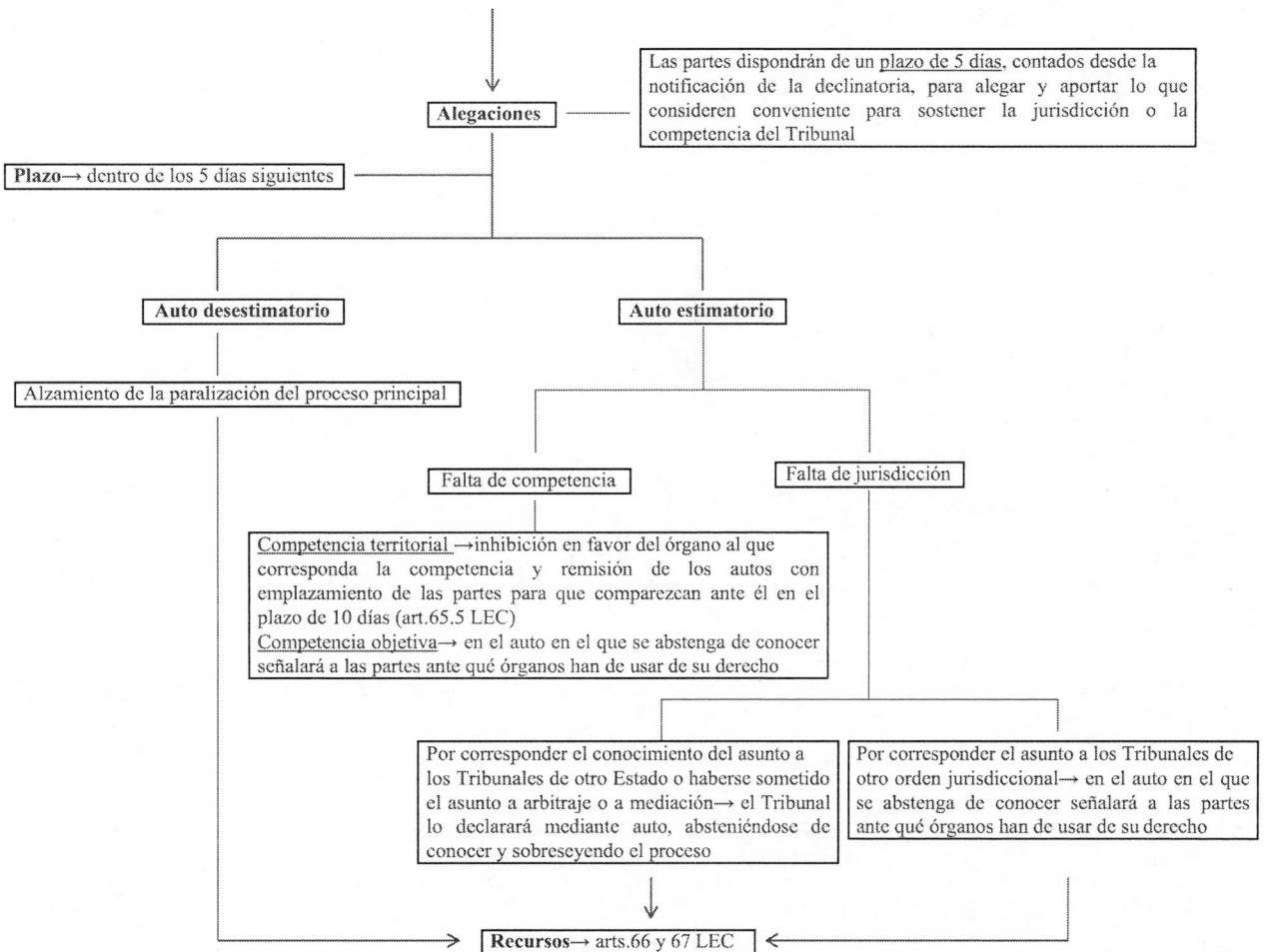

4. Abstención de jueces y magistrados

El régimen legal de abstención/recusación opera a modo de instrumento de legitimación de la función jurisdiccional (como recuerdan las SSTC 43 y 44/09, preserva *"la confianza de la ciudadanía en el comportamiento neutral de los juzgadores"*), con lo que viene a reforzar la apariencia de imparcialidad (SSTC 229/03, 116/2006, 24 de abril; 164/2008, 15 de diciembre, 44/2009, 12 de febrero; ATS de 15 de abril de 2011).

El sistema legal español de abstención/recusación no autoriza la apreciación de causas distintas de las enumeradas en la ley ni prevé una cláusula abierta final.

Así lo proclama el art. 99.2 LEC y refrenda, por vía indirecta, la LOPJ al sancionar como falta muy grave la inobservancia a sabiendas del deber de abstención y al calificar de falta grave la abstención injustificada (arts. 417, 8ª y 418, 15ª). Y así lo viene declarando la doctrina tanto del Tribunal Constitucional (SSTC 69/2001, de 17 de marzo y 157/1993, de 6 de mayo citadas en el ATC 61/2003, de 19 de febrero; ATC 26/2007, de 5 de febrero, STC 60/2008, de 26 de mayo) como del Tribunal Supremo (AATS de 15 de abril de 2011, 25 de junio de 2013).

CAUSAS (art. 219 LOPJ)

1ª   El vínculo matrimonial o situación de hecho asimilable y el parentesco por consanguinidad o afinidad dentro del cuarto grado con las partes o el representante del Mº Fiscal.

2ª   El vínculo matrimonial o situación de hecho asimilable y el parentesco por consanguinidad o afinidad dentro del segundo grado con el letrado o el procurador de cualquiera de las partes que intervengan en el pleito o causa.

3ª   Ser o haber sido defensor judicial o integrante de los organismos tutelares de cualquiera de las partes, o haber estado bajo el cuidado o tutela de alguna de éstas.

4ª   Estar o haber sido denunciado o acusado por alguna de las partes como responsable de algún delito o falta, siempre que la denuncia o acusación hubieran dado lugar a la incoación de procedimiento penal y éste no hubiera terminado por sentencia absolutoria o auto de sobreseimiento.

5ª   Haber sido sancionado disciplinariamente en virtud de expediente incoado por denuncia o a iniciativa de alguna de las partes.

6ª   Haber sido defensor o representante de alguna de las partes, emitido dictamen sobre el pleito o causa como letrado, o intervenido en él como fiscal, perito o testigo.

7ª   Ser o haber sido denunciante o acusador de cualquiera de las partes.

8ª   Tener pleito pendiente con alguna de éstas.

9ª   Amistad íntima o enemistad manifiesta con cualquiera de las partes.

10ª   Tener interés directo o indirecto en el pleito o causa.

11ª   Haber participado en la instrucción de la causa penal o haber resuelto el pleito o causa en anterior instancia.

12ª   Ser o haber sido una de las partes subordinado del Juez que deba resolver la contienda litigiosa.

13ª   Haber ocupado cargo público, desempeñado empleo o ejercido profesión con ocasión de los cuales haya participado directa o indirectamente en el asunto objeto del pleito o causa o en otro relacionado con el mismo.

14ª   En los procesos en que sea parte la Administración pública, encontrarse el Juez o Magistrado con la autoridad o funcionario que hubiese dictado el acto o informado respecto del mismo o realizado el hecho por razón de los cuales se sigue el proceso en alguna de las circunstancias mencionadas en las causas 1.ª a 9.ª, 12.ª, 13.ª y 15.ª del art. 219.

15ª   El vínculo matrimonial o situación de hecho asimilable, o el parentesco dentro del segundo grado de consanguinidad o afinidad, con el Juez o Magistrado que hubiera dictado resolución o practicado actuación a valorar por vía de recurso o en cualquier fase ulterior del proceso.

16ª   Haber ocupado el Juez o Magistrado cargo público o administrativo con ocasión del cual haya podido tener conocimiento del objeto del litigio y formar criterio en detrimento de la debida imparcialidad.

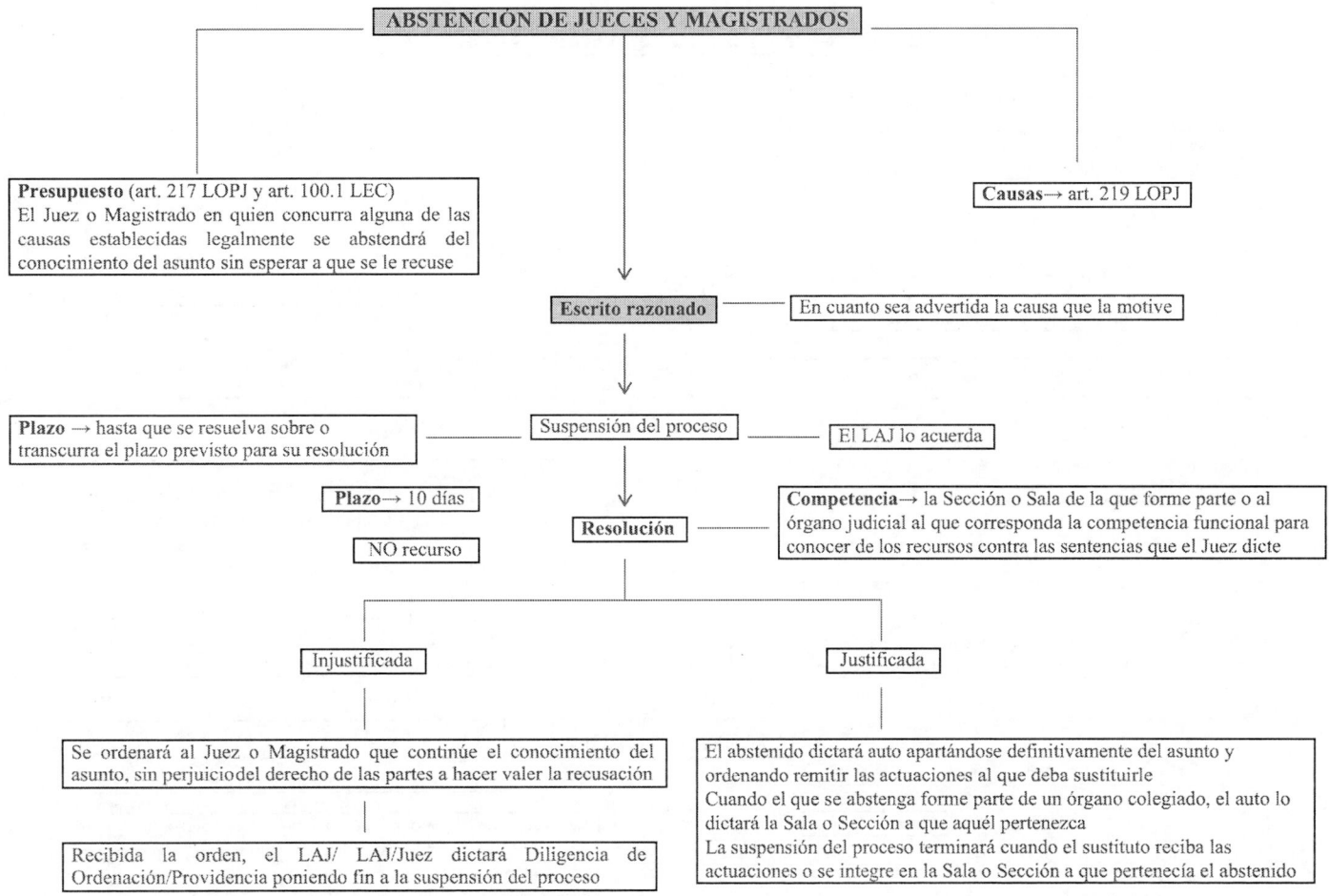

ABSTENCIÓN DE JUECES Y MAGISTRADOS

Presupuesto (art. 217 LOPJ y art. 100.1 LEC)
El Juez o Magistrado en quien concurra alguna de las causas establecidas legalmente se abstendrá del conocimiento del asunto sin esperar a que se le recuse

Causas→ art. 219 LOPJ

Escrito razonado — En cuanto sea advertida la causa que la motive

Plazo → hasta que se resuelva sobre o transcurra el plazo previsto para su resolución

Suspensión del proceso — El LAJ lo acuerda

Plazo→ 10 días

NO recurso

Resolución

Competencia→ la Sección o Sala de la que forme parte o al órgano judicial al que corresponda la competencia funcional para conocer de los recursos contra las sentencias que el Juez dicte

Injustificada

Justificada

Se ordenará al Juez o Magistrado que continúe el conocimiento del asunto, sin perjuicio del derecho de las partes a hacer valer la recusación

El abstenido dictará auto apartándose definitivamente del asunto y ordenando remitir las actuaciones al que deba sustituirle
Cuando el que se abstenga forme parte de un órgano colegiado, el auto lo dictará la Sala o Sección a que aquél pertenezca
La suspensión del proceso terminará cuando el sustituto reciba las actuaciones o se integre en la Sala o Sección a que pertenecía el abstenido

Recibida la orden, el LAJ/ LAJ/Juez dictará Diligencia de Ordenación/Providencia poniendo fin a la suspensión del proceso

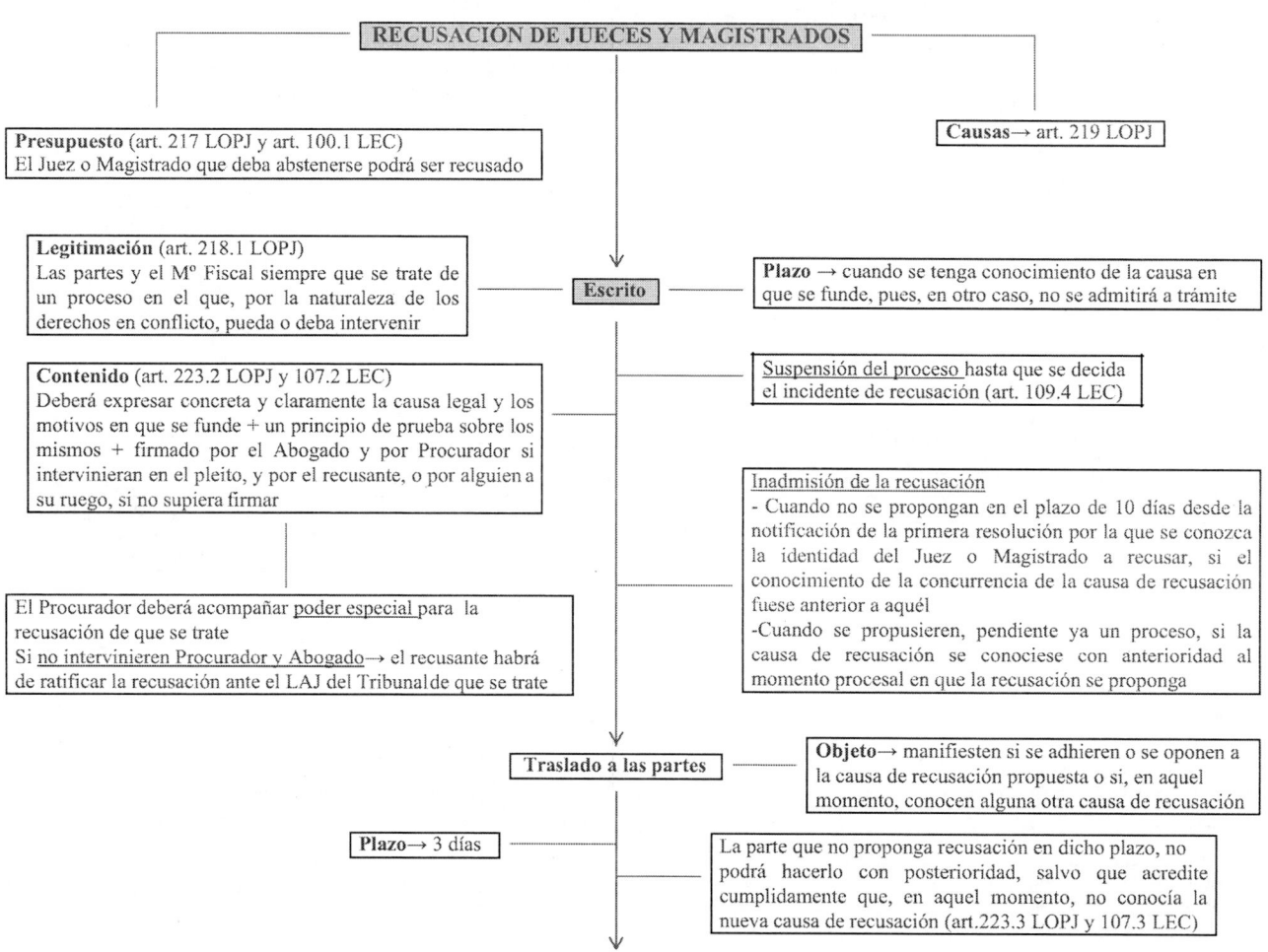

RECUSACIÓN DE JUECES Y MAGISTRADOS

Presupuesto (art. 217 LOPJ y art. 100.1 LEC)
El Juez o Magistrado que deba abstenerse podrá ser recusado

Causas→ art. 219 LOPJ

Legitimación (art. 218.1 LOPJ)
Las partes y el Mº Fiscal siempre que se trate de un proceso en el que, por la naturaleza de los derechos en conflicto, pueda o deba intervenir

Escrito

Plazo → cuando se tenga conocimiento de la causa en que se funde, pues, en otro caso, no se admitirá a trámite

Contenido (art. 223.2 LOPJ y 107.2 LEC)
Deberá expresar concreta y claramente la causa legal y los motivos en que se funde + un principio de prueba sobre los mismos + firmado por el Abogado y por Procurador si intervinieran en el pleito, y por el recusante, o por alguien a su ruego, si no supiera firmar

Suspensión del proceso hasta que se decida el incidente de recusación (art. 109.4 LEC)

Inadmisión de la recusación
- Cuando no se propongan en el plazo de 10 días desde la notificación de la primera resolución por la que se conozca la identidad del Juez o Magistrado a recusar, si el conocimiento de la concurrencia de la causa de recusación fuese anterior a aquél
-Cuando se propusieren, pendiente ya un proceso, si la causa de recusación se conociese con anterioridad al momento procesal en que la recusación se proponga

El Procurador deberá acompañar poder especial para la recusación de que se trate
Si no intervinieren Procurador y Abogado→ el recusante habrá de ratificar la recusación ante el LAJ del Tribunal de que se trate

Traslado a las partes

Objeto→ manifiesten si se adhieren o se oponen a la causa de recusación propuesta o si, en aquel momento, conocen alguna otra causa de recusación

Plazo→ 3 días

La parte que no proponga recusación en dicho plazo, no podrá hacerlo con posterioridad, salvo que acredite cumplidamente que, en aquel momento, no conocía la nueva causa de recusación (art.223.3 LOPJ y 107.3 LEC)

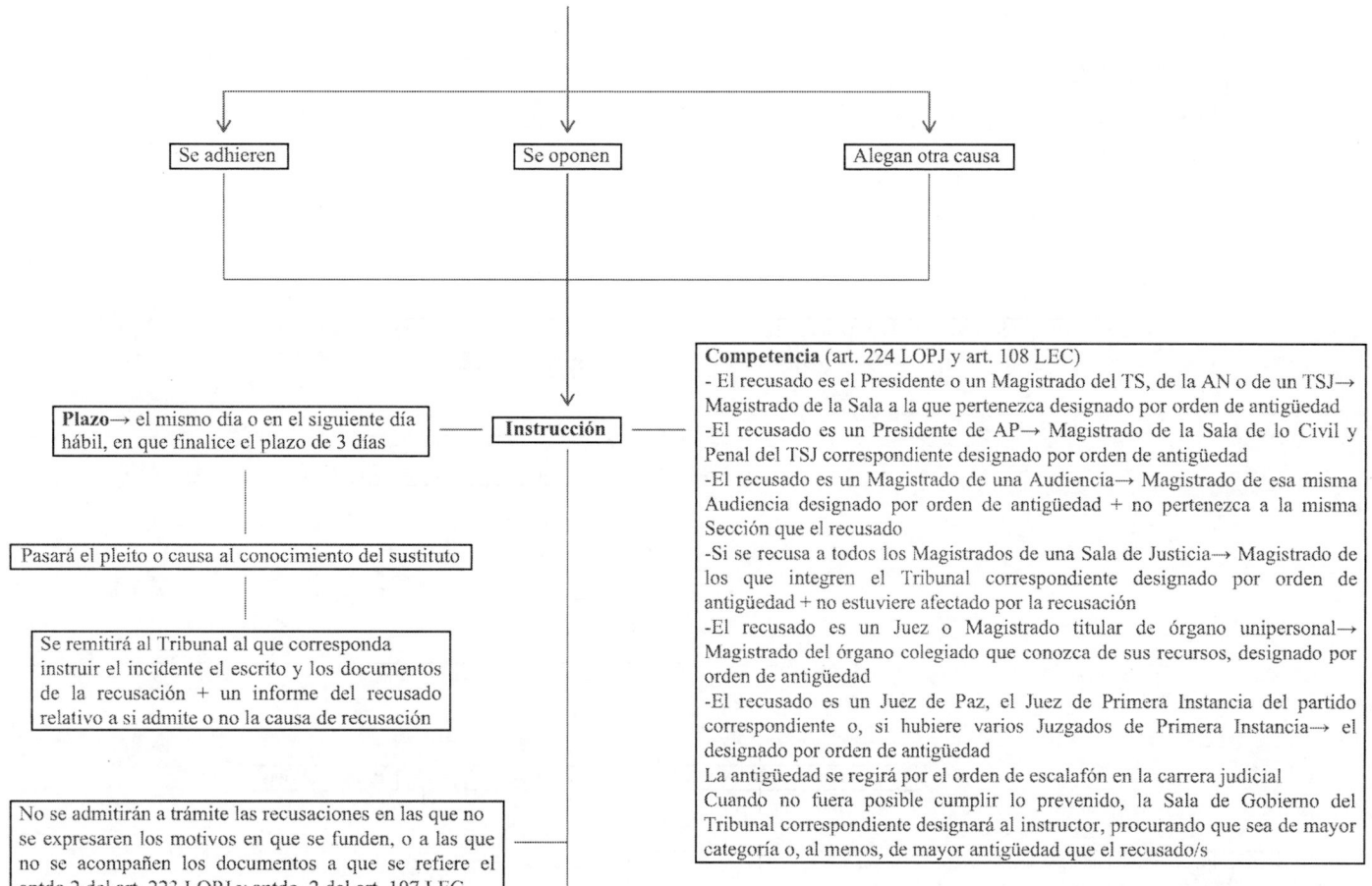

Se adhieren — Se oponen — Alegan otra causa

Instrucción

Plazo→ el mismo día o en el siguiente día hábil, en que finalice el plazo de 3 días

Pasará el pleito o causa al conocimiento del sustituto

Se remitirá al Tribunal al que corresponda instruir el incidente el escrito y los documentos de la recusación + un informe del recusado relativo a si admite o no la causa de recusación

No se admitirán a trámite las recusaciones en las que no se expresaren los motivos en que se funden, o a las que no se acompañen los documentos a que se refiere el aptdo 2 del art. 223 LOPJ y aptdo. 2 del art. 107 LEC

Competencia (art. 224 LOPJ y art. 108 LEC)
- El recusado es el Presidente o un Magistrado del TS, de la AN o de un TSJ→ Magistrado de la Sala a la que pertenezca designado por orden de antigüedad
-El recusado es un Presidente de AP→ Magistrado de la Sala de lo Civil y Penal del TSJ correspondiente designado por orden de antigüedad
-El recusado es un Magistrado de una Audiencia→ Magistrado de esa misma Audiencia designado por orden de antigüedad + no pertenezca a la misma Sección que el recusado
-Si se recusa a todos los Magistrados de una Sala de Justicia→ Magistrado de los que integren el Tribunal correspondiente designado por orden de antigüedad + no estuviere afectado por la recusación
-El recusado es un Juez o Magistrado titular de órgano unipersonal→ Magistrado del órgano colegiado que conozca de sus recursos, designado por orden de antigüedad
-El recusado es un Juez de Paz, el Juez de Primera Instancia del partido correspondiente o, si hubiere varios Juzgados de Primera Instancia→ el designado por orden de antigüedad
La antigüedad se regirá por el orden de escalafón en la carrera judicial
Cuando no fuera posible cumplir lo prevenido, la Sala de Gobierno del Tribunal correspondiente designará al instructor, procurando que sea de mayor categoría o, al menos, de mayor antigüedad que el recusado/s

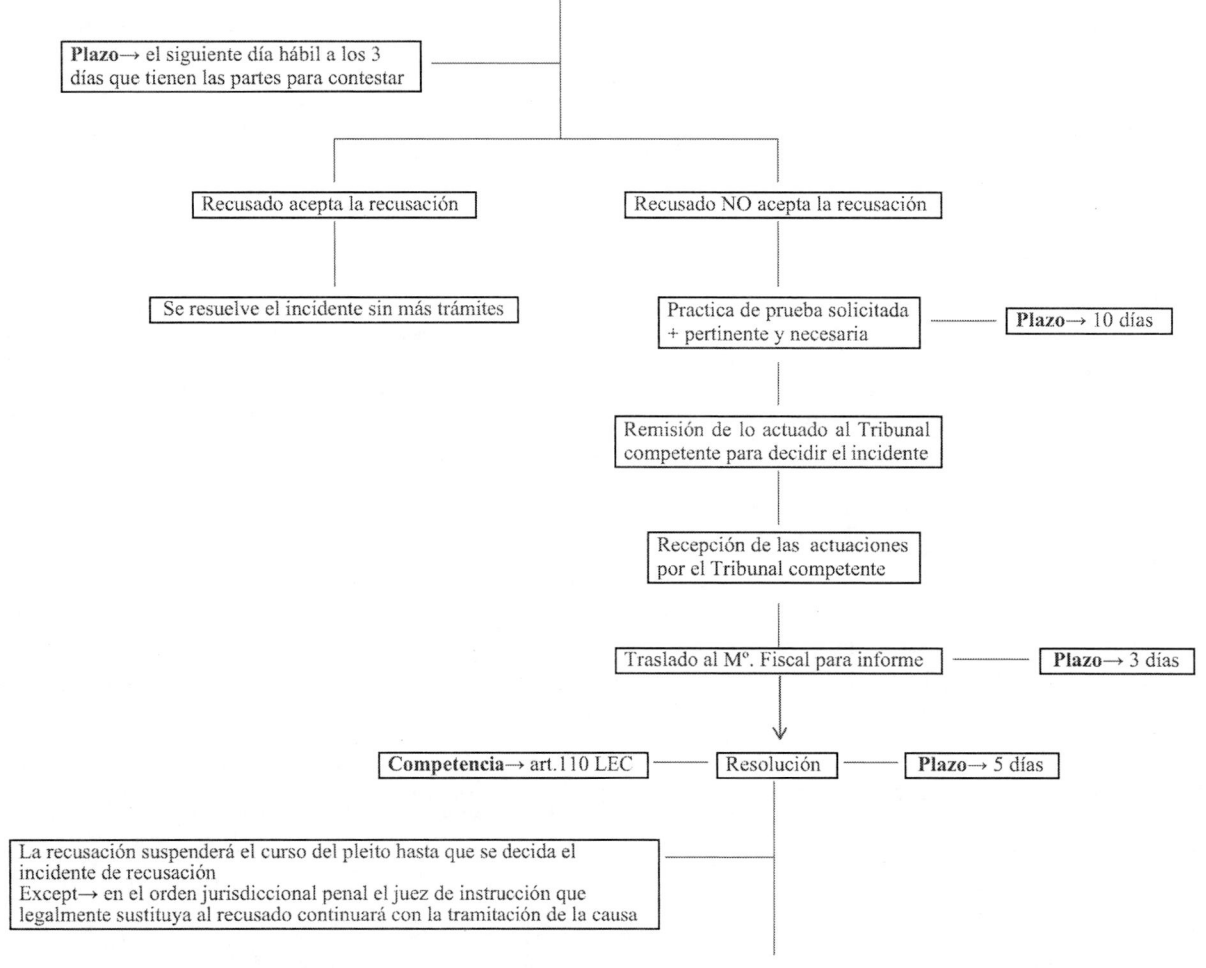

Plazo→ el siguiente día hábil a los 3 días que tienen las partes para contestar

Recusado acepta la recusación

Recusado NO acepta la recusación

Se resuelve el incidente sin más trámites

Practica de prueba solicitada + pertinente y necesaria — **Plazo**→ 10 días

Remisión de lo actuado al Tribunal competente para decidir el incidente

Recepción de las actuaciones por el Tribunal competente

Traslado al Mº. Fiscal para informe — **Plazo**→ 3 días

Competencia→ art.110 LEC — Resolución — **Plazo**→ 5 días

La recusación suspenderá el curso del pleito hasta que se decida el incidente de recusación
Except→ en el orden jurisdiccional penal el juez de instrucción que legalmente sustituya al recusado continuará con la tramitación de la causa

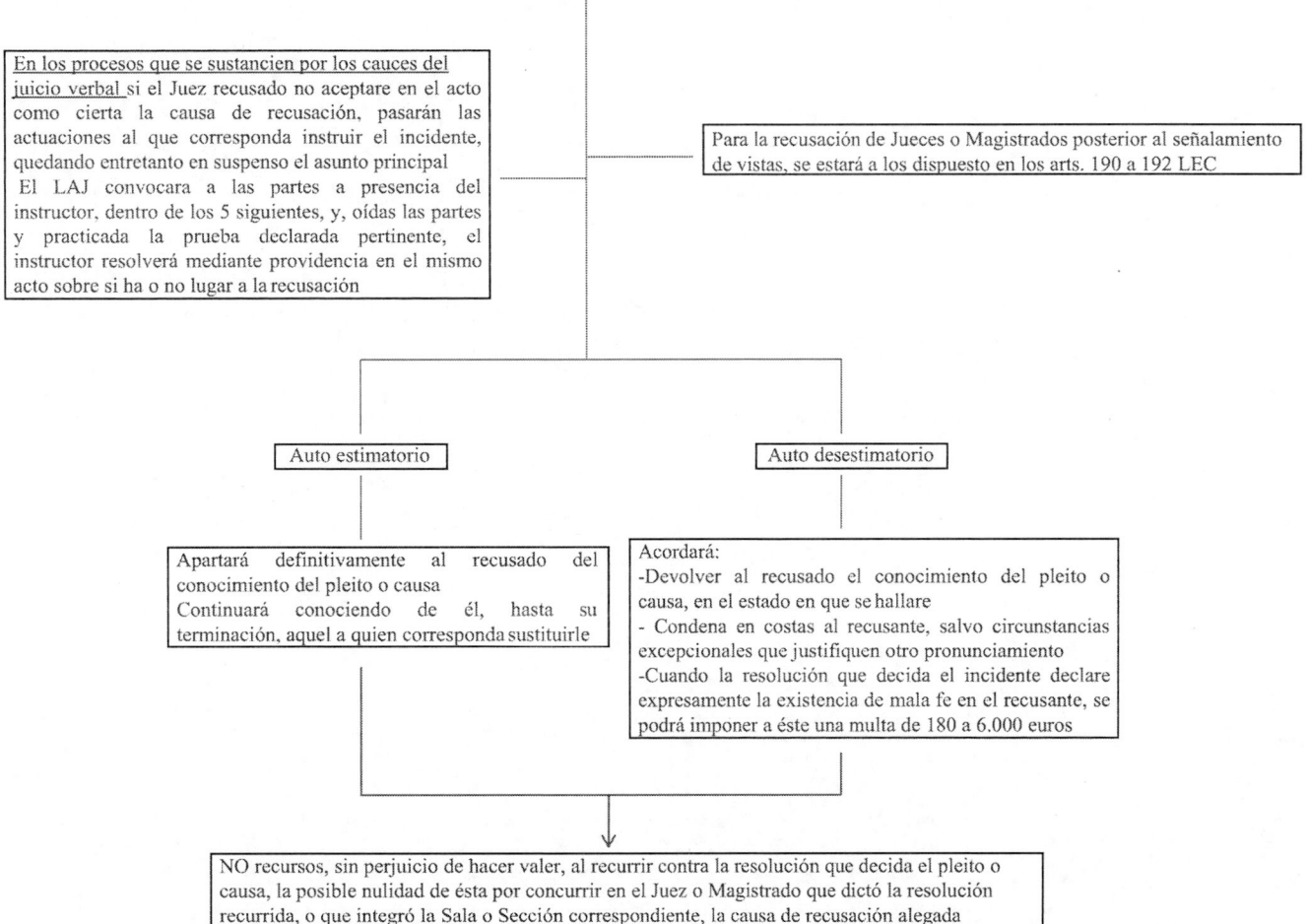

En los procesos que se sustancien por los cauces del juicio verbal si el Juez recusado no aceptare en el acto como cierta la causa de recusación, pasarán las actuaciones al que corresponda instruir el incidente, quedando entretanto en suspenso el asunto principal
El LAJ convocara a las partes a presencia del instructor, dentro de los 5 siguientes, y, oídas las partes y practicada la prueba declarada pertinente, el instructor resolverá mediante providencia en el mismo acto sobre si ha o no lugar a la recusación

Para la recusación de Jueces o Magistrados posterior al señalamiento de vistas, se estará a los dispuesto en los arts. 190 a 192 LEC

Auto estimatorio

Auto desestimatorio

Apartará definitivamente al recusado del conocimiento del pleito o causa
Continuará conociendo de él, hasta su terminación, aquel a quien corresponda sustituirle

Acordará:
-Devolver al recusado el conocimiento del pleito o causa, en el estado en que se hallare
- Condena en costas al recusante, salvo circunstancias excepcionales que justifiquen otro pronunciamiento
-Cuando la resolución que decida el incidente declare expresamente la existencia de mala fe en el recusante, se podrá imponer a éste una multa de 180 a 6.000 euros

NO recursos, sin perjuicio de hacer valer, al recurrir contra la resolución que decida el pleito o causa, la posible nulidad de ésta por concurrir en el Juez o Magistrado que dictó la resolución recurrida, o que integró la Sala o Sección correspondiente, la causa de recusación alegada

5. Las diligencias preliminares

Las diligencias preliminares se definen como un conjunto de actuaciones judiciales dirigidas a aclarar las cuestiones que pudieran surgir antes del nacimiento de un proceso principal, integrando un procedimiento preparatorio común que tiene por objeto lograr la información sobre el fundamento mismo de la acción proyectada con el fin de facilitar el desarrollo de un proceso posterior (AAP de Zamora, de 8 de enero de 2003; STS 20 junio 1986; ATS 11 noviembre 2002; AAP Cádiz (Sección 2ª) 1 septiembre 2011).

Las diligencias preliminares tienen como finalidad la de facilitar al futuro demandante datos y documentos necesarios para poder constituir una futura relación jurídico procesal.

CLASES

Las clases de diligencias preliminares están *tasadas en la LEC*, de modo que cualquier diligencia que se solicite debe subsumirse en alguna de las enumeradas en el art. 256.1 o tratarse de una solicitud de diligencia y averiguación para proteger determinados derechos en los términos que regule una ley civil especial. En este último caso, en todo lo no previsto en las leyes especiales, se aplicarán supletoriamente los arts. 256 a 262 LEC (art. 263 de la LEC).

El art. 256 LEC enumera las siguientes diligencias preliminares:

1) **La averiguación de la personalidad de una parte:** se realizará mediante petición de que la persona a quien se dirigiría la demanda declare, bajo juramento decisorio o promesa de decir verdad, sobre algún hecho relativo a su capacidad, representación o legitimación, cuyo conocimiento sea necesario para el pleito, o exhiba los documentos en los que conste dicha capacidad, representación o legitimación.

2) **La exhibición de cosa:** se realizará mediante solicitud de que la persona a la que se pretende demandar exhiba la cosa que tenga en su poder y a la que haya de referir el juicio.

3) **La exhibición de documentos sucesorios:** por petición del que se considere heredero, coheredero o legatario, de exhibición, por quien lo tenga en su poder, del acto de última voluntad del causante de la herencia o legado.

4) **La exhibición de documentos entre socios y comuneros:** por petición de un socio o comunero para que se le exhiban los documentos y cuentas de la sociedad o comunidad, dirigida a éstas o al consocio o codueño que los tenga en su poder.

5) **La exhibición de contrato de seguro de responsabilidad civil:** por petición por quien se considere perjudicado de que se exhiba el contrato de seguro por quien lo tenga en su poder cuando el hecho pudiera estar cubierto por un seguro de responsabilidad civil.

5.bis) **Por la petición de la historia clínica al centro sanitario o profesional que la custodie,** en las condiciones y con el contenido que establece la ley, en referencia a los artículos 16 y siguientes de la Ley 3/2001, de 28 de mayo, reguladora del consentimiento informado y de la historia clínica de los pacientes, modificada por Ley 3/2005, de 7 de marzo.

6) Por petición de quien pretenda iniciar un proceso para **la defensa de los intereses colectivos de consumidores y usuarios** al objeto de concretar a los **integrantes del grupo de afectados** cuando, no estando determinados, sean fácilmente determinables. A tal efecto el tribunal adoptará las medidas oportunas para la averiguación de los integrantes del grupo, de acuerdo a las circunstancias del caso y conforme a los datos suministrados por el solicitante, incluyendo el requerimiento al demandado para que colabore en dicha determinación.

7) Mediante la solicitud, formulada por quien pretenda ejercitar una **acción por infracción de un derecho de propiedad industrial o de un derecho de propiedad intelectual** cometida mediante actos que no puedan considerarse realizados por meros consumidores finales de buena fe y sin ánimo de obtención de beneficios económicos o comerciales, de diligencias de obtención de **datos sobre el posible infractor, el origen y redes de distribución de las obras, mercancías o servicios que infringen un derecho de propiedad intelectual o de propiedad industrial.**

8) Por petición de quien pretenda ejercitar una acción por infracción de un derecho de propiedad industrial o de un derecho de propiedad intelectual cometida mediante actos desarrollados a escala comercial, **de la exhibición de los documentos bancarios, financieros, comerciales o aduaneros, producidos en un determinado tiempo y que se presuman en poder de quien sería demandado como responsable.**

La solicitud deberá acompañarse de un principio de prueba de la realidad de la infracción que podrá consistir en la presentación de una muestra de los ejemplares, mercancías o productos en los que materialice aquella infracción. El solicitante podrá pedir que el Secretario extienda testimonio de los documentos exhibidos si el requerido no estuviera dispuesto a desprenderse del documento para su incorporación a la diligencia practicada. Igual solicitud podrá formular en relación con lo establecido en el último párrafo del número anterior.

9) Por petición de las diligencias y averiguaciones que, para la protección de determinados derechos, prevean las correspondientes leyes especiales.

10) Por petición, de quien pretenda ejercitar una acción por infracción de un derecho de propiedad industrial o de un derecho de propiedad intelectual, para que **se identifique al prestador de un servicio de la sociedad de la información sobre el que concurran indicios razonables de que está poniendo a disposición o difundiendo de forma directa o indirecta,** contenidos, obras o prestaciones objeto de tal derecho sin que se cumplan los requisitos establecidos por la legislación de propiedad industrial o de propiedad intelectual, considerando la existencia de un nivel apreciable de audiencia en España de dicho prestador o un volumen, asimismo apreciable, de obras y prestaciones protegidas no autorizadas puestas a disposición o difundidas.

11) Mediante la solicitud, formulada por el titular de un derecho de propiedad intelectual que pretenda ejercitar una acción por infracción del mismo, de **que un prestador de servicios de la sociedad de la información aporte los datos necesarios para llevar a cabo la identificación de un usuario de sus servicios, con el que mantengan o hayan mantenido en los últimos doce meses relaciones de prestación de un servicio, sobre el que concurran indicios razonables de que está poniendo a disposición o difundiendo de forma directa o indirecta,** contenidos, obras o prestaciones objeto de tal derecho sin que se cumplan los requisitos establecidos por la legislación de propiedad intelectual, y mediante actos que no puedan considerarse realizados por meros consumidores finales de buena fe y sin ánimo de obtención de beneficios económicos o comerciales, teniendo en cuenta el volumen apreciable de obras y prestaciones protegidas no autorizadas puestas a disposición o difundidas.

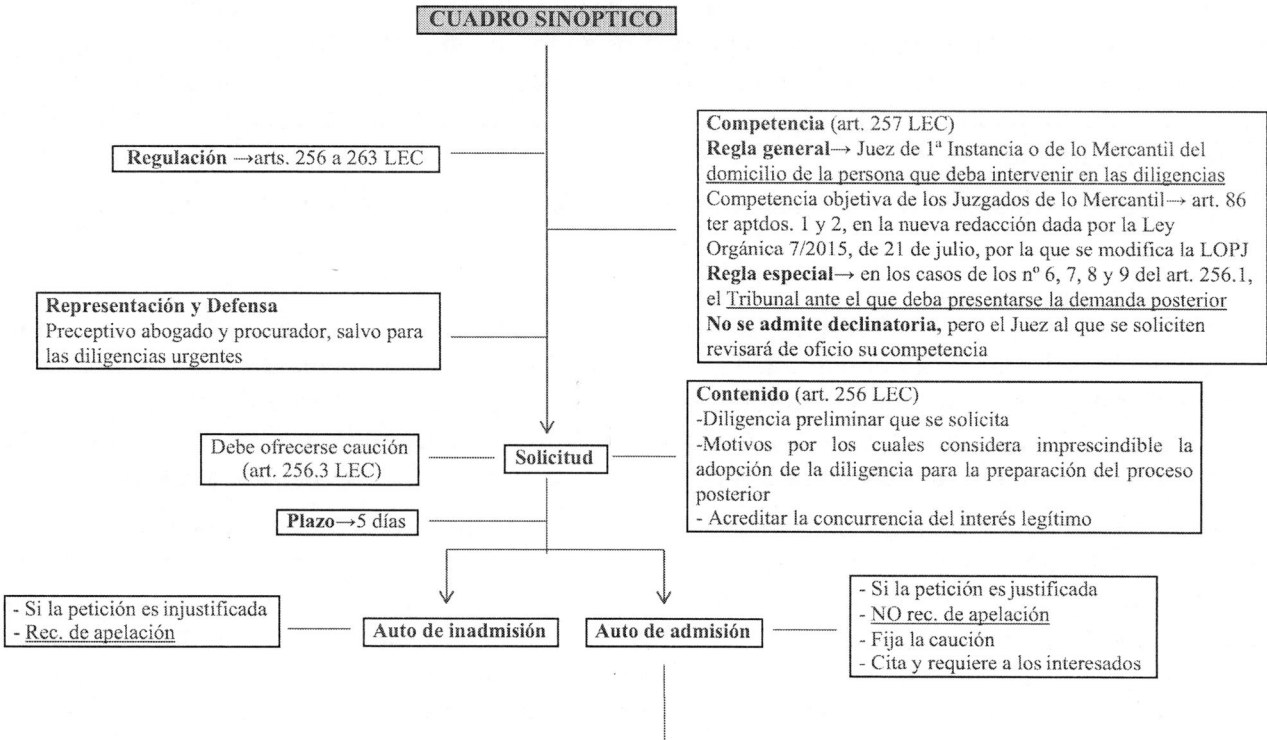

CUADRO SINÓPTICO

Regulación →arts. 256 a 263 LEC

Competencia (art. 257 LEC)
Regla general→ Juez de 1ª Instancia o de lo Mercantil del domicilio de la persona que deba intervenir en las diligencias
Competencia objetiva de los Juzgados de lo Mercantil→ art. 86 ter aptdos. 1 y 2, en la nueva redacción dada por la Ley Orgánica 7/2015, de 21 de julio, por la que se modifica la LOPJ
Regla especial→ en los casos de los nº 6, 7, 8 y 9 del art. 256.1, el Tribunal ante el que deba presentarse la demanda posterior
No se admite declinatoria, pero el Juez al que se soliciten revisará de oficio su competencia

Representación y Defensa
Preceptivo abogado y procurador, salvo para las diligencias urgentes

Contenido (art. 256 LEC)
-Diligencia preliminar que se solicita
-Motivos por los cuales considera imprescindible la adopción de la diligencia para la preparación del proceso posterior
- Acreditar la concurrencia del interés legítimo

Debe ofrecerse caución (art. 256.3 LEC)

Solicitud

Plazo→5 días

- Si la petición es injustificada
- Rec. de apelación

Auto de inadmisión

Auto de admisión

- Si la petición es justificada
- NO rec. de apelación
- Fija la caución
- Cita y requiere a los interesados

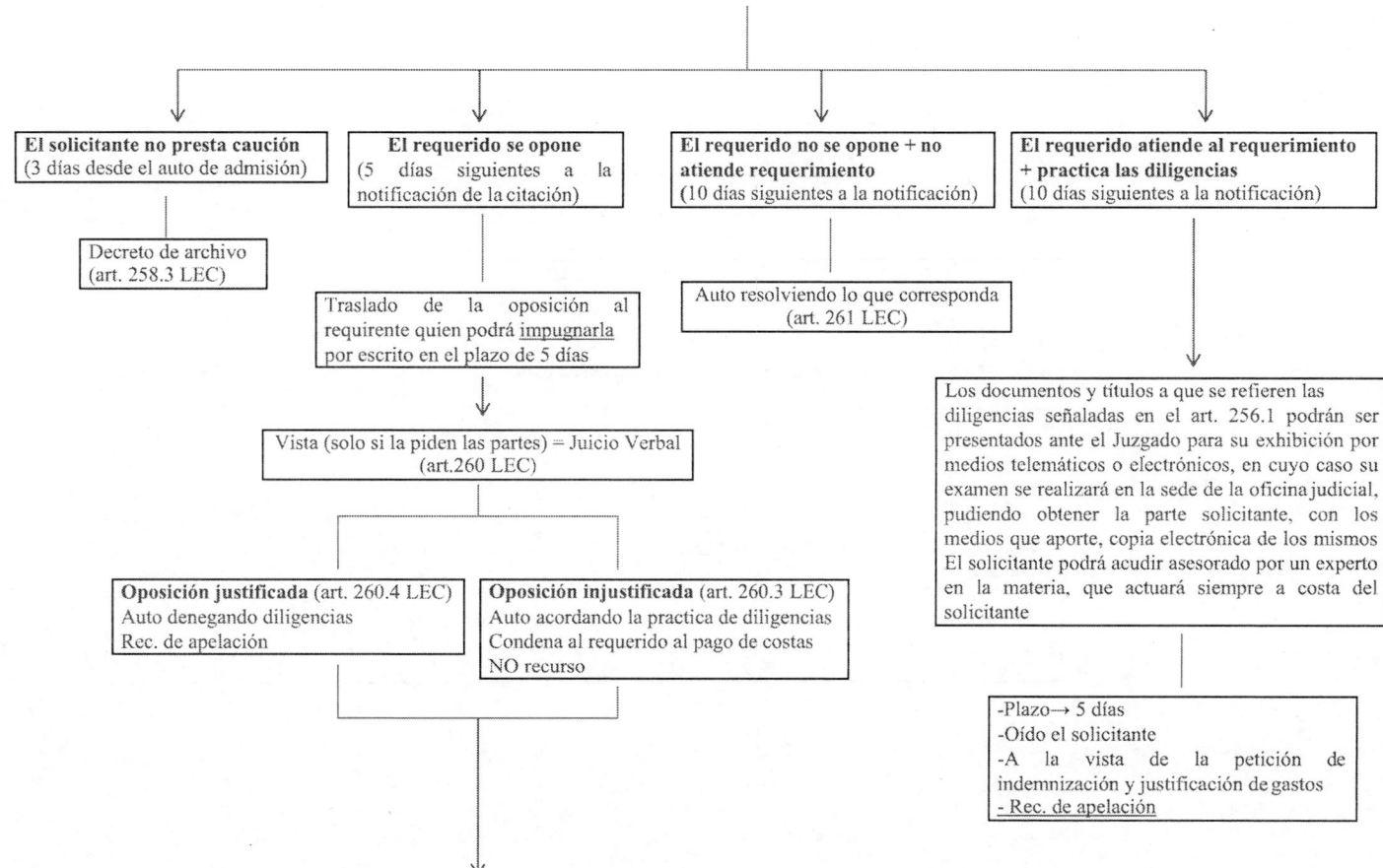

El solicitante no presta caución
(3 días desde el auto de admisión)

El requerido se opone
(5 días siguientes a la notificación de la citación)

El requerido no se opone + no atiende requerimiento
(10 días siguientes a la notificación)

El requerido atiende al requerimiento + practica las diligencias
(10 días siguientes a la notificación)

Decreto de archivo
(art. 258.3 LEC)

Traslado de la oposición al requirente quien podrá impugnarla por escrito en el plazo de 5 días

Auto resolviendo lo que corresponda
(art. 261 LEC)

Los documentos y títulos a que se refieren las diligencias señaladas en el art. 256.1 podrán ser presentados ante el Juzgado para su exhibición por medios telemáticos o electrónicos, en cuyo caso su examen se realizará en la sede de la oficina judicial, pudiendo obtener la parte solicitante, con los medios que aporte, copia electrónica de los mismos El solicitante podrá acudir asesorado por un experto en la materia, que actuará siempre a costa del solicitante

Vista (solo si la piden las partes) = Juicio Verbal
(art.260 LEC)

Oposición justificada (art. 260.4 LEC)
Auto denegando diligencias
Rec. de apelación

Oposición injustificada (art. 260.3 LEC)
Auto acordando la practica de diligencias
Condena al requerido al pago de costas
NO recurso

-Plazo→ 5 días
-Oído el solicitante
-A la vista de la petición de indemnización y justificación de gastos
- Rec. de apelación

```
                          │
                          │
                          ▼
        ┌─────────────────────────────────────┐
        │  Auto sobre la aplicación de la caución │
        │            (art. 262 LEC)              │
        └─────────────────────────────────────┘
                          │
                          │
```

┌──┐
│ Cuando se hayan practicado las diligencias acordadas o el Tribunal │
│ las deniegue por considerar justificada la oposición   │
│ Plazo→ 5 días   │
│ Oído el solicitante   │
│ A la vista de la petición de indemnización y justificación de gastos │
│ Rec. de apelación sin efectos suspensivos   │
└──┘

┌──┐
│ Cuando, aplicada la caución quedare remanente, no se devolverá al solicitante de │
│ las diligencias hasta que transcurra el plazo de un mes   │
│ (art. 262.2 LEC)   │
│ La caución se perderá, en favor de dichas personas, si, transcurrido un mes desde la │
│ terminación de las diligencias, dejare de interponerse la demanda, sin justificación │
│ suficiente, a juicio del Tribunal (art. 256.3 LEC)   │
└──┘

6. Las medidas cautelares

Las medidas cautelares son los medios de garantía que "*aseguran la efectividad de la tutela judicial que pudiera otorgarse en la sentencia estimatoria que se dictare*" (art. 721.1 LEC).

Tienen como fundamento la necesidad de asegurar los riesgos de inefectividad ejecutiva de una futura sentencia estimatoria de la pretensión deducida por la parte demandante que puedan sucederse durante la litispendencia.

TIPOS

Numerus Apertus → Las medidas cautelares que pueden adoptarse son las específicas, enumeradas en el art. 727 LEC, u otras recogidas en la cláusula abierta del aptdo. 11º del citado art. 727 (aquellas que se estimen necesarias para asegurar la efectividad de la tutela judicial que pudiere otorgarse en la sentencia estimatoria que recayere en el juicio).

Aquellas otras medidas que prevén expresamente las Leyes especiales, pudiendo citarse las recogidas en:

Ley 49/1960, de 21 de julio, de Propiedad Horizontal, en su art. 7 (cese actividad prohibida), art. 18 (suspensión de acuerdos impugnados) y art. 21 (embargo preventivo automático sin caución en caso de oposición al monitorio en reclamación de cuota de gastos generales y contribución al fondo de reserva).

Ley Orgánica 1/1982, de 5 de mayo, de Protección Civil del Derecho al Honor, a la Intimidad Personal y Familiar y a la Propia Imagen → art. 9.

Ley 11/1986, de 20 de marzo, de Patentes → art. 133 y siguientes.

Real Decreto Legislativo 1/1996, de 12 de abril, por el que se aprueba el texto refundido de la Ley de Propiedad Intelectual → arts. 138 y siguientes.

Ley 14/2014, de 24 de julio, de Navegación Marítima → art. 470 a 479 (embargo preventivo de buques).

El embargo de un buque debe fundarse en un crédito marítimo definido en el art. 1 del Convenio Internacional sobre el Embargo Preventivo de Buques bastando que se alegue el derecho o créditos reclamados, la causa que los motive y la embargabilidad del buque, aportando garantía en cantidad suficiente para responder de los daños, perjuicios y costas que puedan ocasionarse.

DERECHO TRANSITORIO

Las medidas cautelares que se soliciten, tras la entrada en vigor de esta Ley, en los procesos iniciados antes de su vigencia, se regirán por lo dispuesto en la presente Ley.

Las medidas cautelares *ya adoptadas antes de entrar en vigor* esta Ley se regirán por las disposiciones de la legislación anterior, pero se podrá pedir y obtener su revisión y modificación con arreglo a la presente Ley.

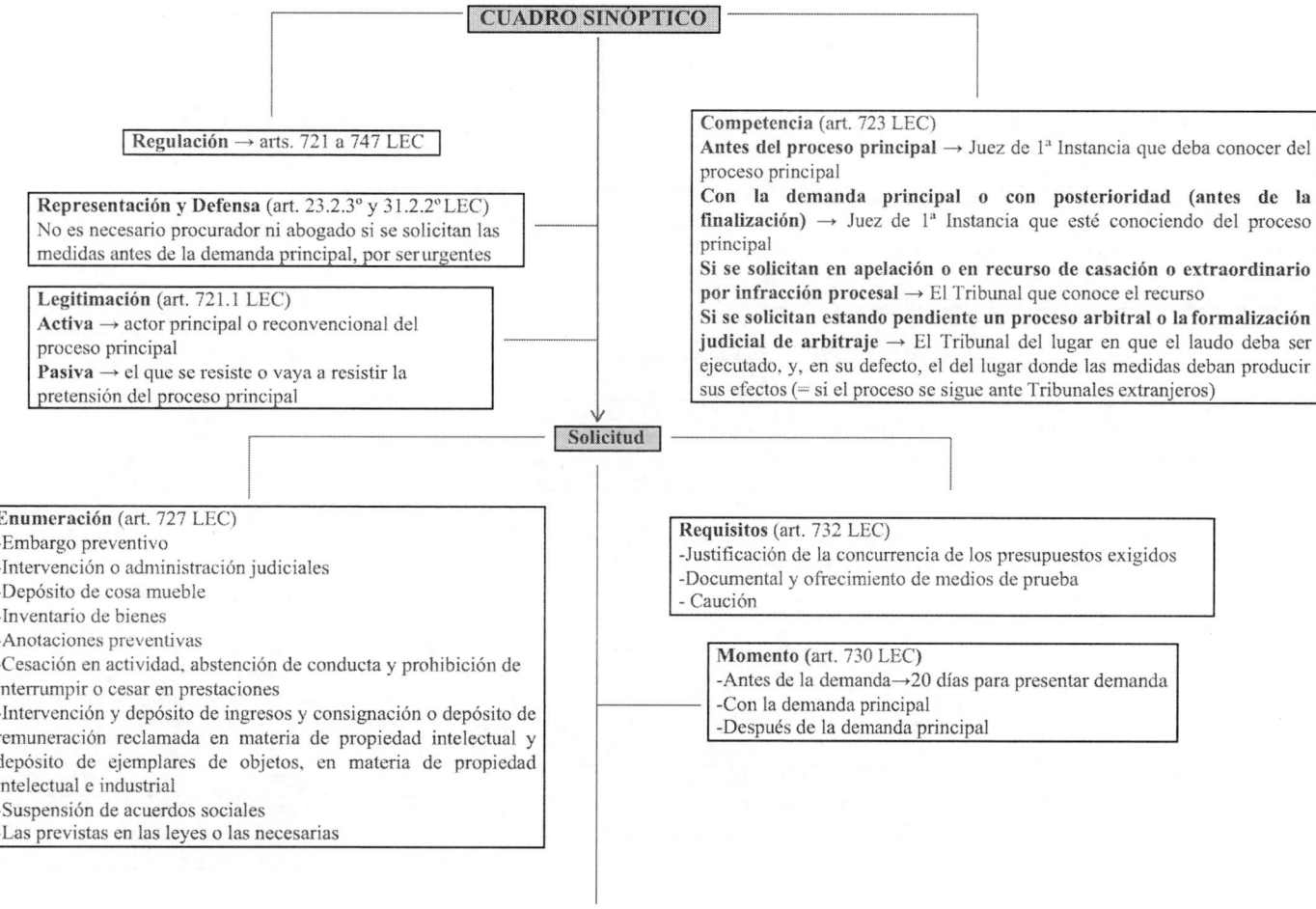

CUADRO SINÓPTICO

Regulación → arts. 721 a 747 LEC

Representación y Defensa (art. 23.2.3º y 31.2.2º LEC)
No es necesario procurador ni abogado si se solicitan las medidas antes de la demanda principal, por ser urgentes

Legitimación (art. 721.1 LEC)
Activa → actor principal o reconvencional del proceso principal
Pasiva → el que se resiste o vaya a resistir la pretensión del proceso principal

Competencia (art. 723 LEC)
Antes del proceso principal → Juez de 1ª Instancia que deba conocer del proceso principal
Con la demanda principal o con posterioridad (antes de la finalización) → Juez de 1ª Instancia que esté conociendo del proceso principal
Si se solicitan en apelación o en recurso de casación o extraordinario por infracción procesal → El Tribunal que conoce el recurso
Si se solicitan estando pendiente un proceso arbitral o la formalización judicial de arbitraje → El Tribunal del lugar en que el laudo deba ser ejecutado, y, en su defecto, el del lugar donde las medidas deban producir sus efectos (= si el proceso se sigue ante Tribunales extranjeros)

Solicitud

Enumeración (art. 727 LEC)
-Embargo preventivo
-Intervención o administración judiciales
-Depósito de cosa mueble
-Inventario de bienes
-Anotaciones preventivas
-Cesación en actividad, abstención de conducta y prohibición de interrumpir o cesar en prestaciones
-Intervención y depósito de ingresos y consignación o depósito de remuneración reclamada en materia de propiedad intelectual y depósito de ejemplares de objetos, en materia de propiedad intelectual e industrial
-Suspensión de acuerdos sociales
-Las previstas en las leyes o las necesarias

Requisitos (art. 732 LEC)
-Justificación de la concurrencia de los presupuestos exigidos
-Documental y ofrecimiento de medios de prueba
- Caución

Momento (art. 730 LEC)
-Antes de la demanda→20 días para presentar demanda
-Con la demanda principal
-Después de la demanda principal

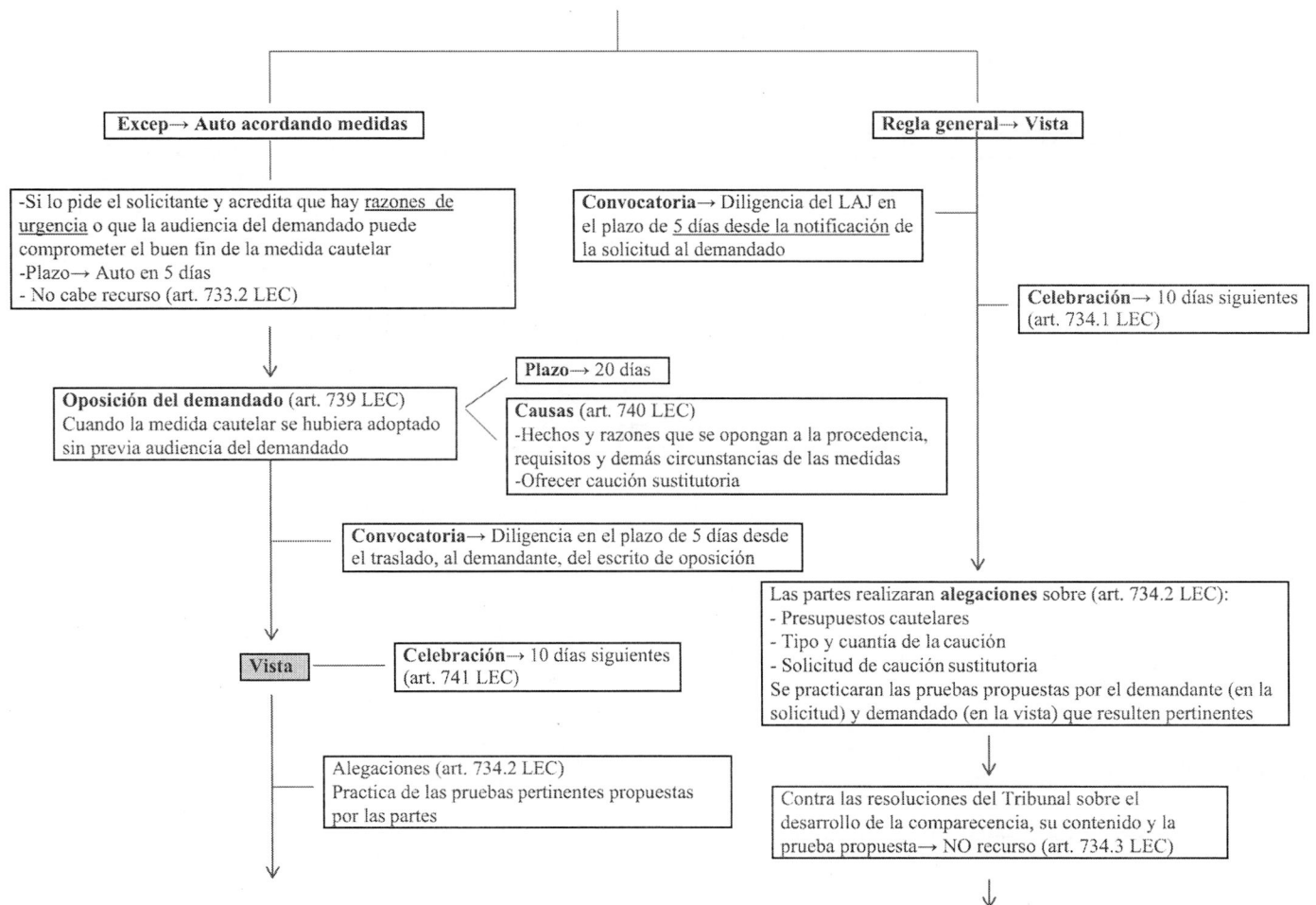

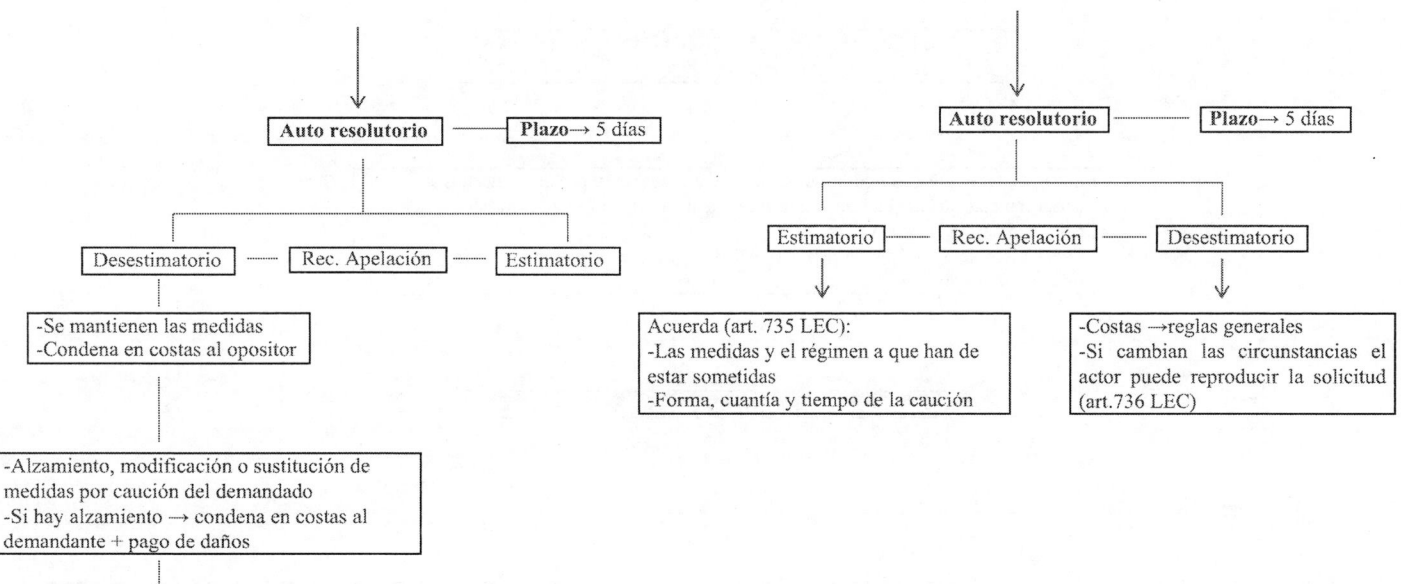

Auto resolutorio ········ **Plazo→** 5 días

Desestimatorio ····· Rec. Apelación ····· Estimatorio

-Se mantienen las medidas
-Condena en costas al opositor

-Alzamiento, modificación o sustitución de
medidas por caución del demandado
-Si hay alzamiento → condena en costas al
demandante + pago de daños

Una vez firme el auto que estime la oposición, se
procederá, a petición del demandado, a la
determinación de los daños y perjuicios que hubiera
producido la medida cautelar revocada
Determinados, se requerirá de pago al solicitante de la
medida, procediéndose de inmediato, si no los pagare,
a su exacción forzosa (art. 742 LEC)

Auto resolutorio ········ **Plazo→** 5 días

Estimatorio ····· Rec. Apelación ····· Desestimatorio

Acuerda (art. 735 LEC):
-Las medidas y el régimen a que han de
estar sometidas
-Forma, cuantía y tiempo de la caución

-Costas →reglas generales
-Si cambian las circunstancias el
actor puede reproducir la solicitud
(art.736 LEC)

MODIFICACIÓN DE LAS MEDIDAS CAUTELARES
(art. 743 LEC)

Las medidas cautelares podrán ser modificadas alegando y probando hechos y circunstancias que no pudieron tenerse en cuenta al tiempo de su concesión o dentro del plazo para oponerse a ellas

La solicitud de modificación será sustanciada y resuelta, **convocando a las partes a una Vista** que se celebrara conforme a lo previsto en los arts. 734 y siguientes

ALZAMIENTO DE LAS MEDIDAS CAUTELARES

Tras sentencia no firme (art. 744 LEC)
- Absuelto el demandado, el LAJ ordenará el alzamiento de las medidas cautelares adoptadas si el recurrente no solicitase su mantenimiento o la adopción de alguna medida cautelar distinta en el momento de interponer recurso contra la sentencia
- Si el recurrente solicita el mantenimiento o la adopción de otra medida cautelar→ El Tribunal oirá al demandado absuelto, antes de remitir los autos al órgano competente para resolver el recurso, resolviendo lo procedente sobre la solicitud
-Si la estimación de la demanda fuere parcial, el Tribunal, con audiencia de la parte contraria, decidirá mediante auto sobre el mantenimiento, alzamiento o modificación de las medidas cautelares acordadas

Tras sentencia absolutoria firme (art. 745 LEC)
-Se alzarán de oficio por el Secretario todas las medidas cautelares adoptadas y se procederá conforme a lo dispuesto en el art. 742 respecto de los daños y perjuicios que hubiere podido sufrir el demandado
- Lo mismo se ordenará en los casos de renuncia a la acción o desistimiento de la instancia

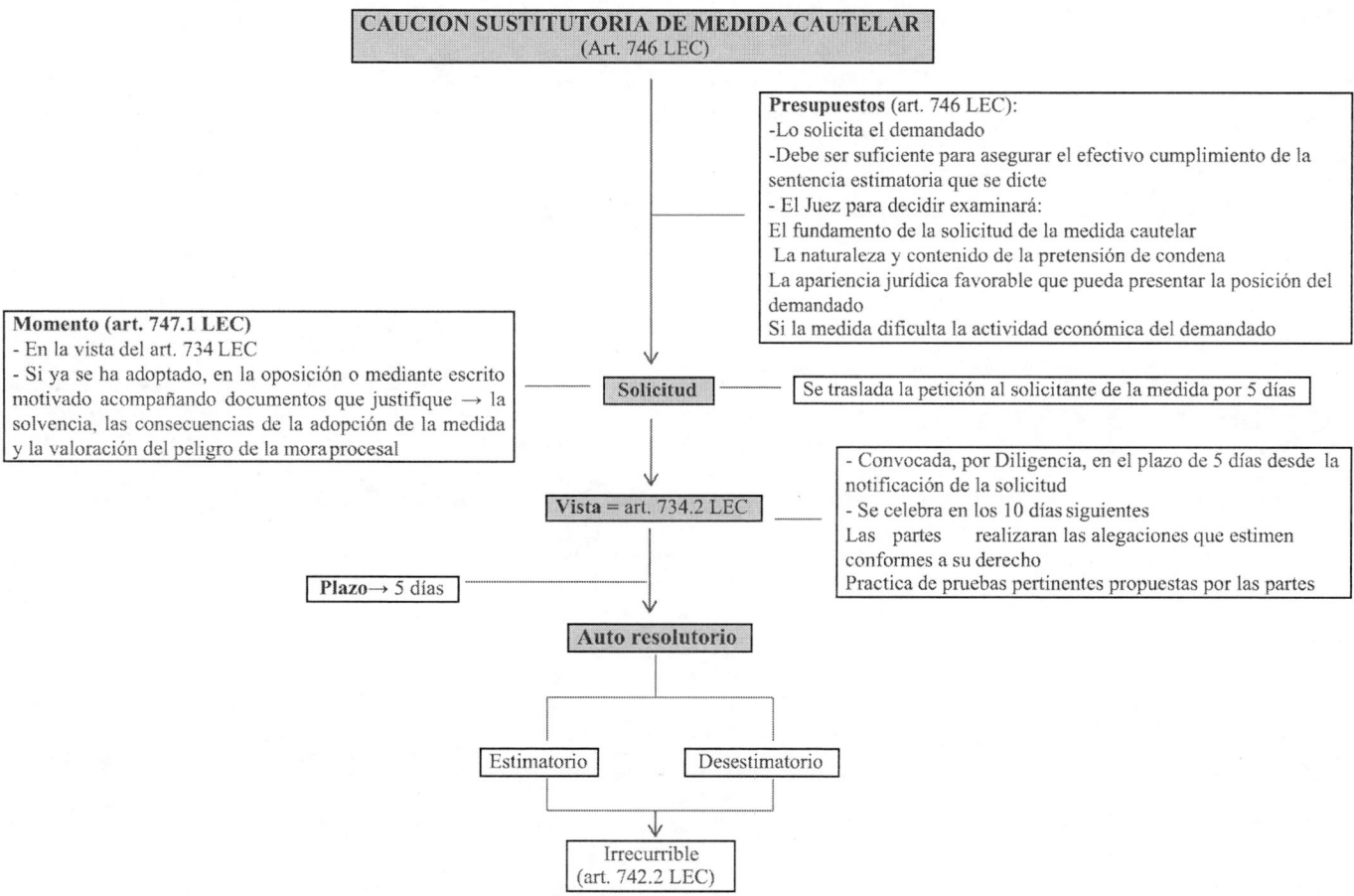

CAUCION SUSTITUTORIA DE MEDIDA CAUTELAR
(Art. 746 LEC)

Presupuestos (art. 746 LEC):
-Lo solicita el demandado
-Debe ser suficiente para asegurar el efectivo cumplimiento de la sentencia estimatoria que se dicte
- El Juez para decidir examinará:
El fundamento de la solicitud de la medida cautelar
La naturaleza y contenido de la pretensión de condena
La apariencia jurídica favorable que pueda presentar la posición del demandado
Si la medida dificulta la actividad económica del demandado

Momento (art. 747.1 LEC)
- En la vista del art. 734 LEC
- Si ya se ha adoptado, en la oposición o mediante escrito motivado acompañando documentos que justifique → la solvencia, las consecuencias de la adopción de la medida y la valoración del peligro de la mora procesal

Solicitud — Se traslada la petición al solicitante de la medida por 5 días

Vista = art. 734.2 LEC
- Convocada, por Diligencia, en el plazo de 5 días desde la notificación de la solicitud
- Se celebra en los 10 días siguientes
Las partes realizaran las alegaciones que estimen conformes a su derecho
Practica de pruebas pertinentes propuestas por las partes

Plazo→ 5 días

Auto resolutorio

Estimatorio   Desestimatorio

Irrecurrible
(art. 742.2 LEC)

7. Juicio ordinario

Las normas reguladoras de los procesos civiles declarativos ordinarios se contienen en el Libro II de la LEC (arts. 248-516).

Tras establecer las disposiciones comunes a todo proceso declarativo, se dedica el Título II (arts. 399-436) a regular el llamado "*Juicio ordinario*".

Son dos los criterios generales para la determinación del ámbito objetivo del Juicio Ordinario:

– La cuantía.

– La materia.

No obstante, según el art. 248.3 LEC, las normas de determinación de la cuantía sólo se aplicarán en defecto de norma por razón de la materia.

Añadiendo, el art. 249 LEC, la relación de todas aquellas pretensiones que se deciden en el juicio ordinario cualquiera que sea su cuantía.

Se deciden por el Juicio Ordinario todas las demandas relativas a las materias contenidas en el art. 249.1 LEC, cualquiera que sea su cuantía, y finalmente, las demandas cuya cuantía supere los 6.000 € y aquellas cuyo interés económico resulte imposible de calcular, ni siquiera de modo relativo.

ÁMBITO (art. 249 LEC)

Se decidirán en el juicio ordinario, cualquiera que sea su cuantía:

1º Las demandas relativas a derechos honoríficos de la persona.

2° Las que pretendan la tutela del derecho al honor, a la intimidad y a la propia imagen, y las que pidan la tutela judicial civil de cualquier otro derecho fundamental, salvo las que se refieran al derecho de rectificación.

En estos procesos, será siempre parte el M° Fiscal y su tramitación tendrá carácter preferente.

3° Las demandas sobre impugnación de acuerdos sociales adoptados por Juntas o Asambleas Generales o especiales de socios o de obligacionistas o por órganos colegiados de administración en entidades mercantiles.

4° Las demandas en materia de competencia desleal, defensa de la competencia, en aplicación de los arts. 81 y 82 del Tratado de la Comunidad Europea o de los arts. 1 y 2 de la Ley de Defensa de la Competencia, propiedad industrial, propiedad intelectual y publicidad, siempre que no versen exclusivamente sobre reclamaciones de cantidad, en cuyo caso se tramitarán por el procedimiento que les corresponda en función de la cuantía que se reclame.

No obstante, se estará a lo dispuesto en el punto 12 del apartado 1 del art. 250 de la LEC cuando se trate del ejercicio de la acción de cesación en defensa de los intereses colectivos y de los intereses difusos de los consumidores y usuarios en materia de publicidad.

5° Las demandas en que se ejerciten acciones relativas a condiciones generales de contratación en los casos previstos en la legislación sobre esta materia, salvo lo dispuesto en el punto 12.° del apartado 1 del art. 250.

6° Las que versen sobre cualesquiera asuntos relativos a arrendamientos urbanos o rústicos de bienes inmuebles, salvo que se trate de reclamaciones de rentas o cantidades debidas por el arrendatario o del desahucio por falta de pago o por extinción del plazo de la relación arrendaticia, o salvo que sea posible hacer una valoración de la cuantía del objeto del procedimiento, en cuyo caso el proceso será el que corresponda a tenor de las reglas generales de esta Ley.

7° Las que ejerciten una acción de retracto de cualquier tipo.

8° Cuando se ejerciten las acciones que otorga a las Juntas de Propietarios y a éstos la Ley de Propiedad Horizontal, siempre que no versen exclusivamente sobre reclamaciones de cantidad, en cuyo caso se tramitarán por el procedimiento que corresponda.

Se decidirán también en el juicio ordinario las demandas cuya cuantía excedan de 6.000 € y aquéllas cuyo interés económico resulte imposible de calcular, ni siquiera de modo relativo.

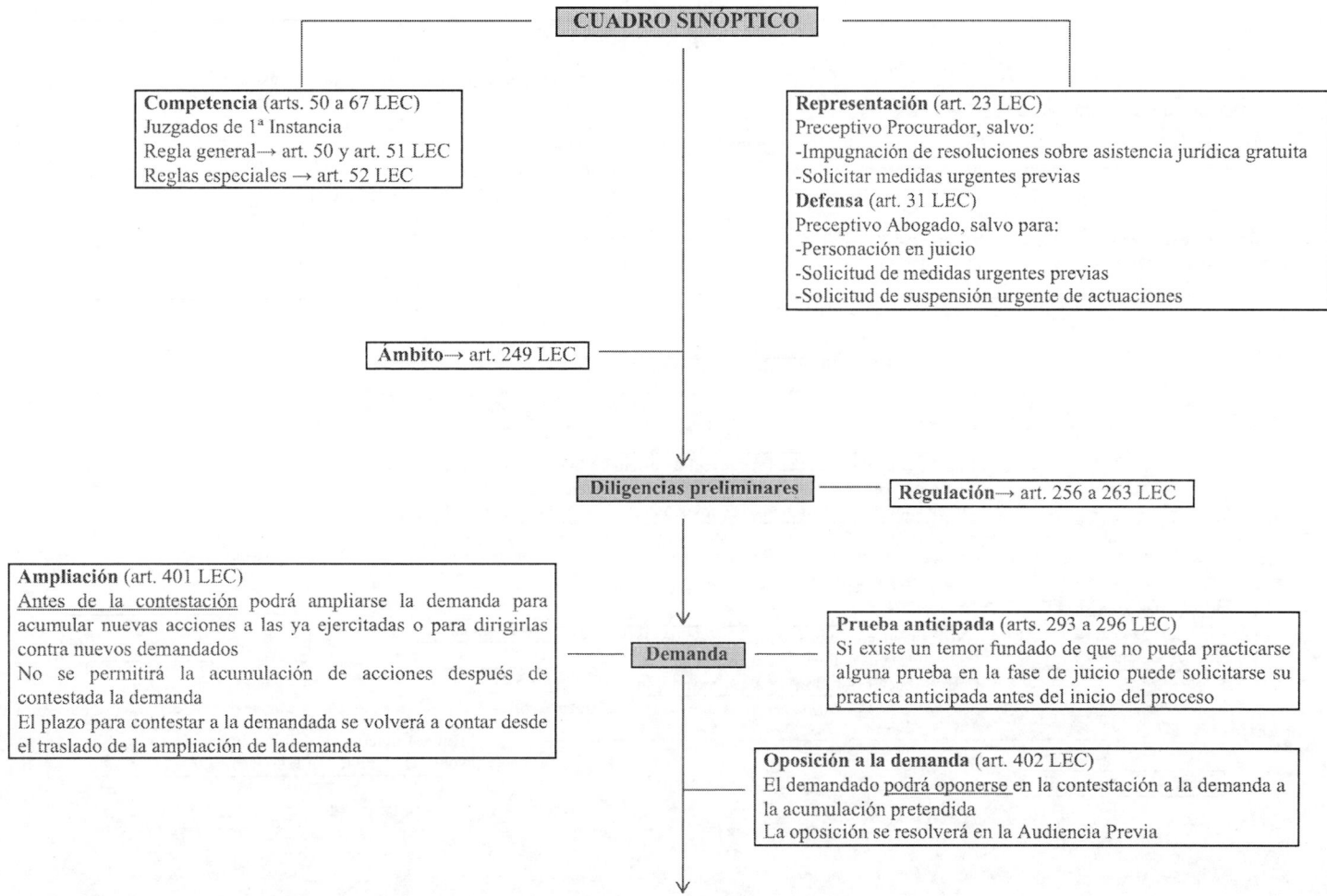

CUADRO SINÓPTICO

Competencia (arts. 50 a 67 LEC)
Juzgados de 1ª Instancia
Regla general→ art. 50 y art. 51 LEC
Reglas especiales → art. 52 LEC

Representación (art. 23 LEC)
Preceptivo Procurador, salvo:
-Impugnación de resoluciones sobre asistencia jurídica gratuita
-Solicitar medidas urgentes previas
Defensa (art. 31 LEC)
Preceptivo Abogado, salvo para:
-Personación en juicio
-Solicitud de medidas urgentes previas
-Solicitud de suspensión urgente de actuaciones

Ámbito→ art. 249 LEC

Diligencias preliminares　**Regulación**→ art. 256 a 263 LEC

Ampliación (art. 401 LEC)
Antes de la contestación podrá ampliarse la demanda para acumular nuevas acciones a las ya ejercitadas o para dirigirlas contra nuevos demandados
No se permitirá la acumulación de acciones después de contestada la demanda
El plazo para contestar a la demandada se volverá a contar desde el traslado de la ampliación de la demanda

Demanda

Prueba anticipada (arts. 293 a 296 LEC)
Si existe un temor fundado de que no pueda practicarse alguna prueba en la fase de juicio puede solicitarse su practica anticipada antes del inicio del proceso

Oposición a la demanda (art. 402 LEC)
El demandado podrá oponerse en la contestación a la demanda a la acumulación pretendida
La oposición se resolverá en la Audiencia Previa

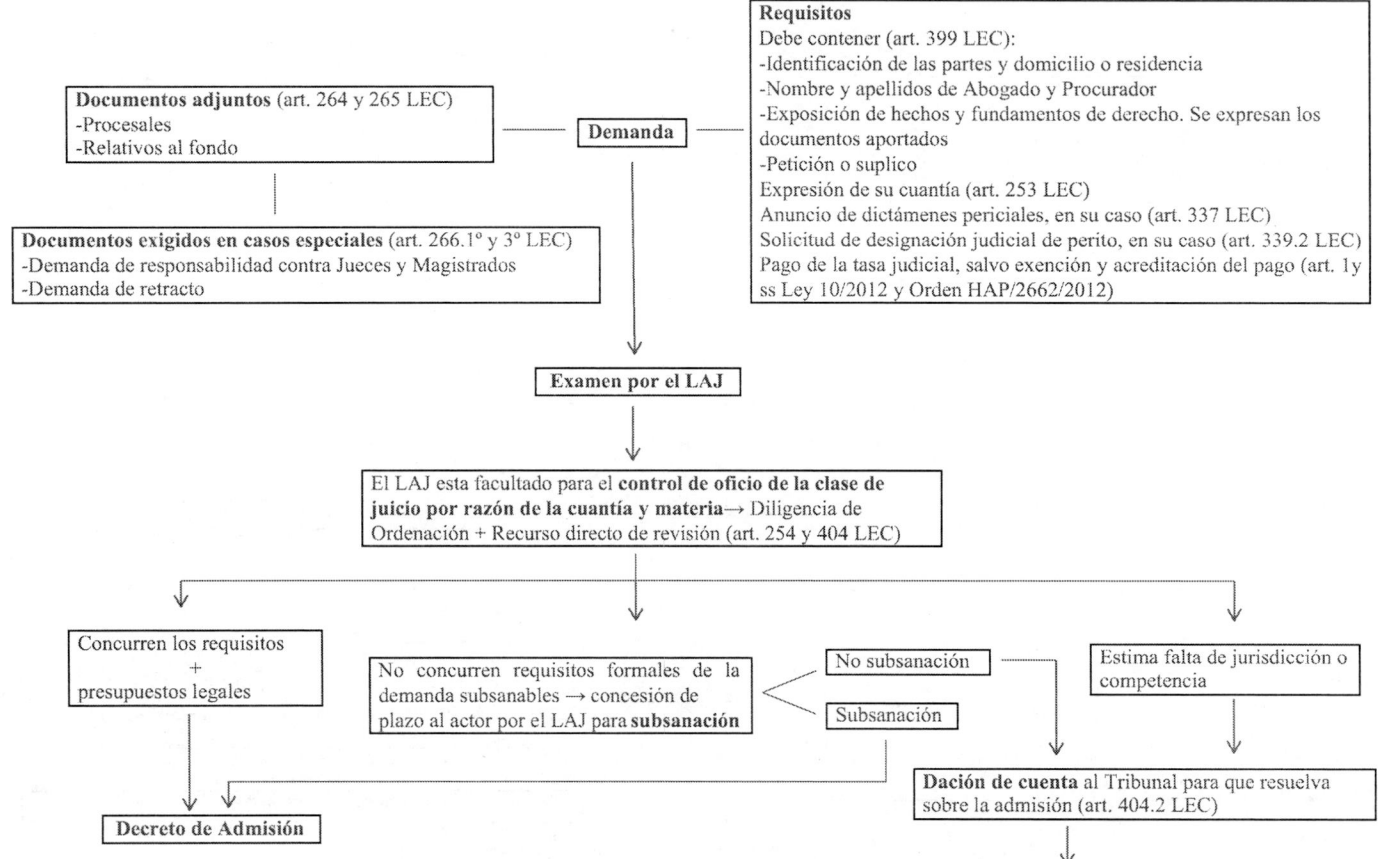

Documentos adjuntos (art. 264 y 265 LEC)
-Procesales
-Relativos al fondo

Documentos exigidos en casos especiales (art. 266.1º y 3º LEC)
-Demanda de responsabilidad contra Jueces y Magistrados
-Demanda de retracto

Demanda

Requisitos
Debe contener (art. 399 LEC):
-Identificación de las partes y domicilio o residencia
-Nombre y apellidos de Abogado y Procurador
-Exposición de hechos y fundamentos de derecho. Se expresan los documentos aportados
-Petición o suplico
Expresión de su cuantía (art. 253 LEC)
Anuncio de dictámenes periciales, en su caso (art. 337 LEC)
Solicitud de designación judicial de perito, en su caso (art. 339.2 LEC)
Pago de la tasa judicial, salvo exención y acreditación del pago (art. 1 y ss Ley 10/2012 y Orden HAP/2662/2012)

Examen por el LAJ

El LAJ esta facultado para el **control de oficio de la clase de juicio por razón de la cuantía y materia**→ Diligencia de Ordenación + Recurso directo de revisión (art. 254 y 404 LEC)

Concurren los requisitos
+
presupuestos legales

No concurren requisitos formales de la demanda subsanables → concesión de plazo al actor por el LAJ para **subsanación**

No subsanación

Subsanación

Estima falta de jurisdicción o competencia

Decreto de Admisión

Dación de cuenta al Tribunal para que resuelva sobre la admisión (art. 404.2 LEC)

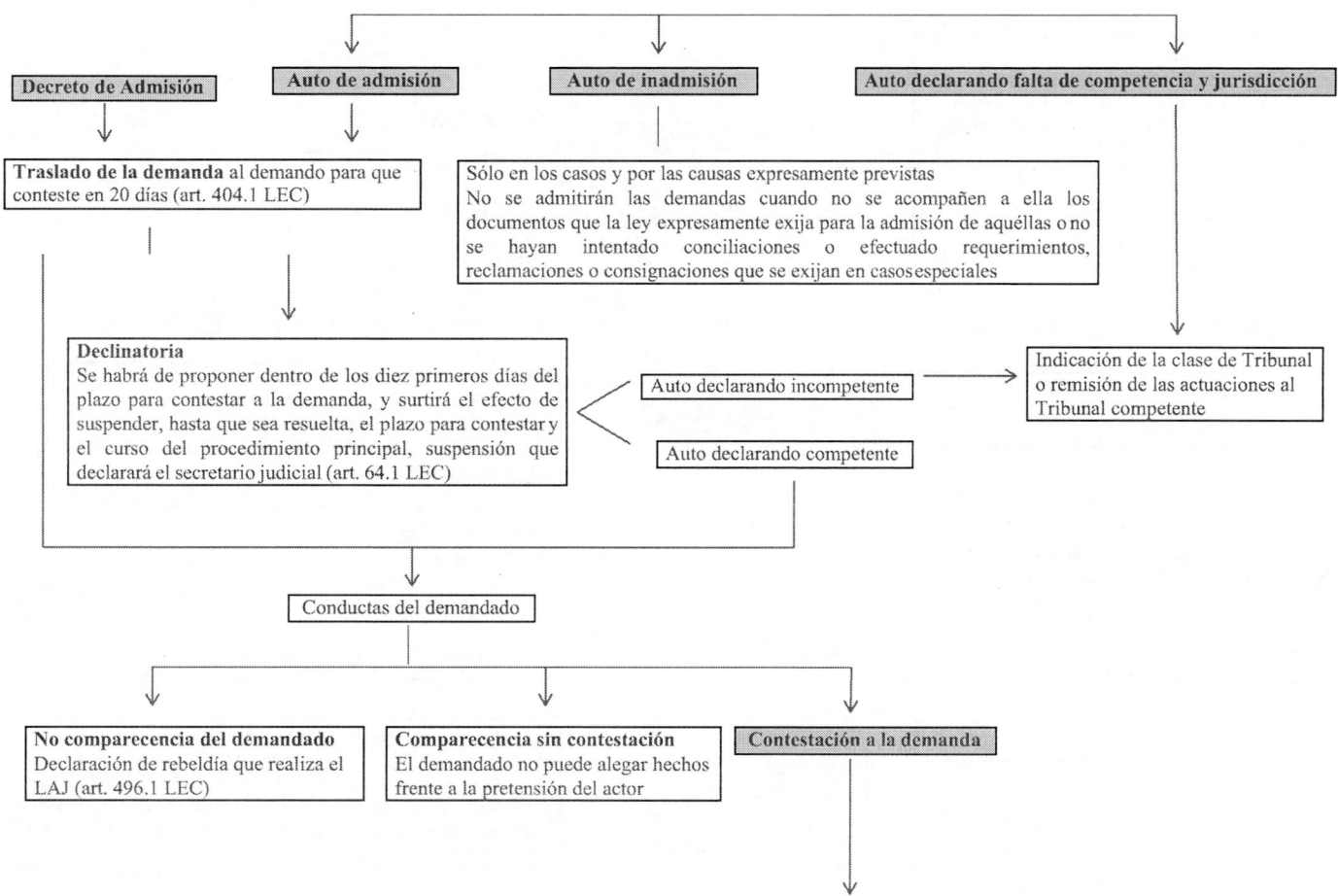

Decreto de Admisión

Auto de admisión

Auto de inadmisión

Auto declarando falta de competencia y jurisdicción

Traslado de la demanda al demando para que conteste en 20 días (art. 404.1 LEC)

Sólo en los casos y por las causas expresamente previstas
No se admitirán las demandas cuando no se acompañen a ella los documentos que la ley expresamente exija para la admisión de aquéllas o no se hayan intentado conciliaciones o efectuado requerimientos, reclamaciones o consignaciones que se exijan en casos especiales

Declinatoria
Se habrá de proponer dentro de los diez primeros días del plazo para contestar a la demanda, y surtirá el efecto de suspender, hasta que sea resuelta, el plazo para contestar y el curso del procedimiento principal, suspensión que declarará el secretario judicial (art. 64.1 LEC)

Auto declarando incompetente

Auto declarando competente

Indicación de la clase de Tribunal o remisión de las actuaciones al Tribunal competente

Conductas del demandado

No comparecencia del demandado
Declaración de rebeldía que realiza el LAJ (art. 496.1 LEC)

Comparecencia sin contestación
El demandado no puede alegar hechos frente a la pretensión del actor

Contestación a la demanda

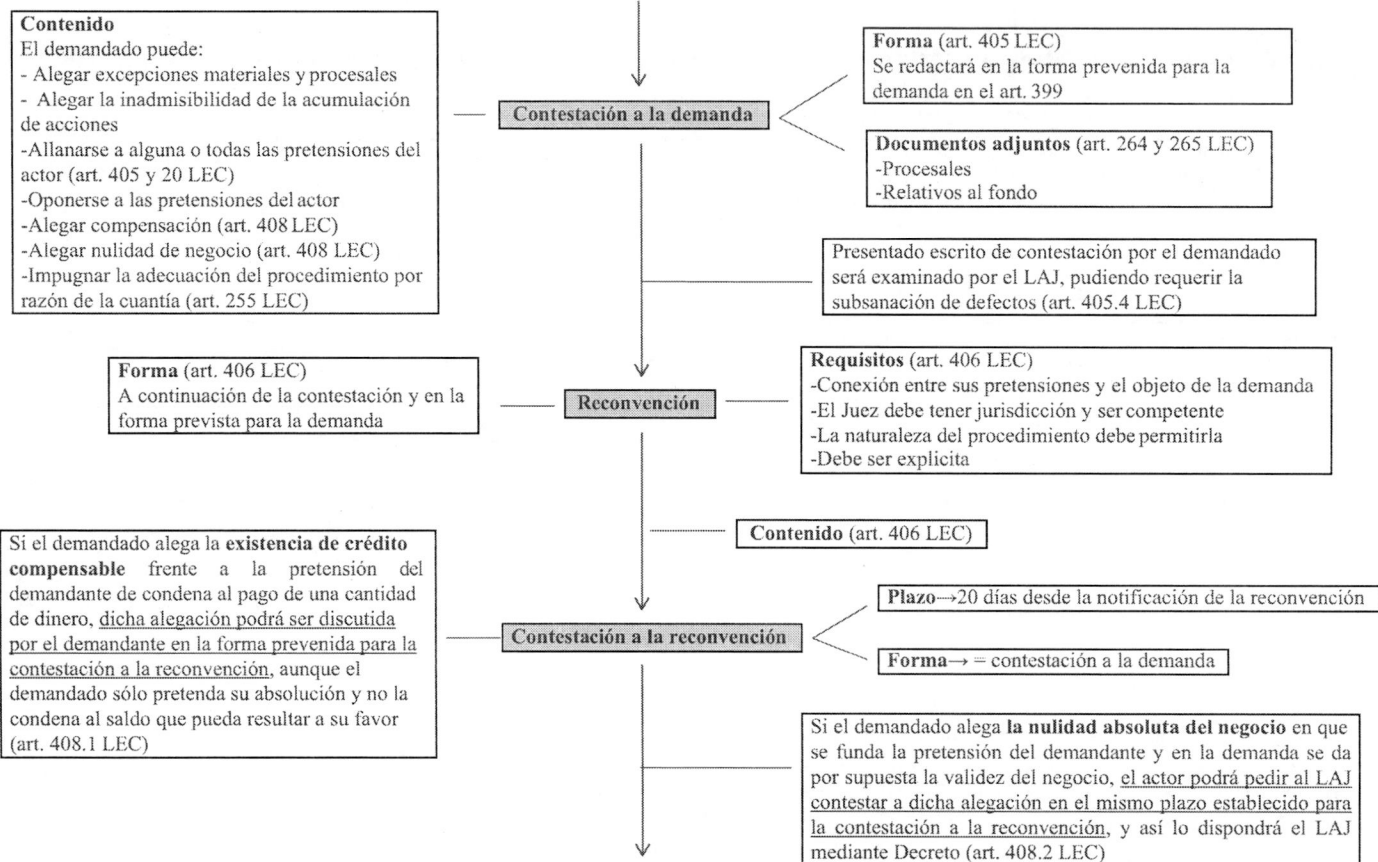

Contenido
El demandado puede:
- Alegar excepciones materiales y procesales
- Alegar la inadmisibilidad de la acumulación de acciones
-Allanarse a alguna o todas las pretensiones del actor (art. 405 y 20 LEC)
-Oponerse a las pretensiones del actor
-Alegar compensación (art. 408 LEC)
-Alegar nulidad de negocio (art. 408 LEC)
-Impugnar la adecuación del procedimiento por razón de la cuantía (art. 255 LEC)

Contestación a la demanda

Forma (art. 405 LEC)
Se redactará en la forma prevenida para la demanda en el art. 399

Documentos adjuntos (art. 264 y 265 LEC)
-Procesales
-Relativos al fondo

Presentado escrito de contestación por el demandado será examinado por el LAJ, pudiendo requerir la subsanación de defectos (art. 405.4 LEC)

Forma (art. 406 LEC)
A continuación de la contestación y en la forma prevista para la demanda

Reconvención

Requisitos (art. 406 LEC)
-Conexión entre sus pretensiones y el objeto de la demanda
-El Juez debe tener jurisdicción y ser competente
-La naturaleza del procedimiento debe permitirla
-Debe ser explícita

Contenido (art. 406 LEC)

Si el demandado alega la **existencia de crédito compensable** frente a la pretensión del demandante de condena al pago de una cantidad de dinero, dicha alegación podrá ser discutida por el demandante en la forma prevenida para la contestación a la reconvención, aunque el demandado sólo pretenda su absolución y no la condena al saldo que pueda resultar a su favor (art. 408.1 LEC)

Contestación a la reconvención

Plazo→20 días desde la notificación de la reconvención

Forma→ = contestación a la demanda

Si el demandado alega **la nulidad absoluta del negocio** en que se funda la pretensión del demandante y en la demanda se da por supuesta la validez del negocio, el actor podrá pedir al LAJ contestar a dicha alegación en el mismo plazo establecido para la contestación a la reconvención, y así lo dispondrá el LAJ mediante Decreto (art. 408.2 LEC)

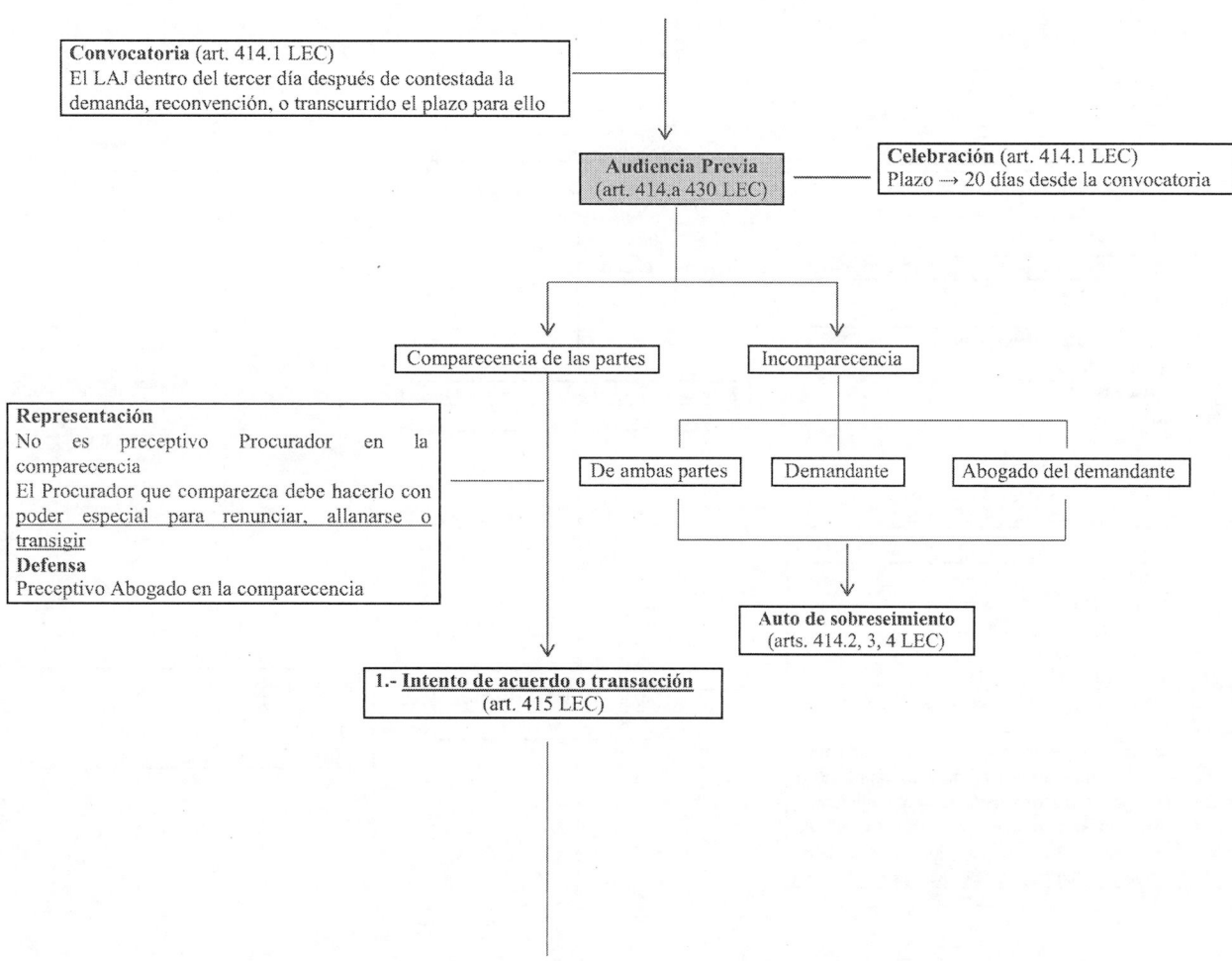

Convocatoria (art. 414.1 LEC)
El LAJ dentro del tercer día después de contestada la
demanda, reconvención, o transcurrido el plazo para ello

Audiencia Previa
(art. 414.a 430 LEC)

Celebración (art. 414.1 LEC)
Plazo → 20 días desde la convocatoria

Comparecencia de las partes

Incomparecencia

Representación
No es preceptivo Procurador en la
comparecencia
El Procurador que comparezca debe hacerlo con
poder especial para renunciar, allanarse o
transigir
Defensa
Preceptivo Abogado en la comparecencia

De ambas partes

Demandante

Abogado del demandante

Auto de sobreseimiento
(arts. 414.2, 3, 4 LEC)

1.- Intento de acuerdo o transacción
(art. 415 LEC)

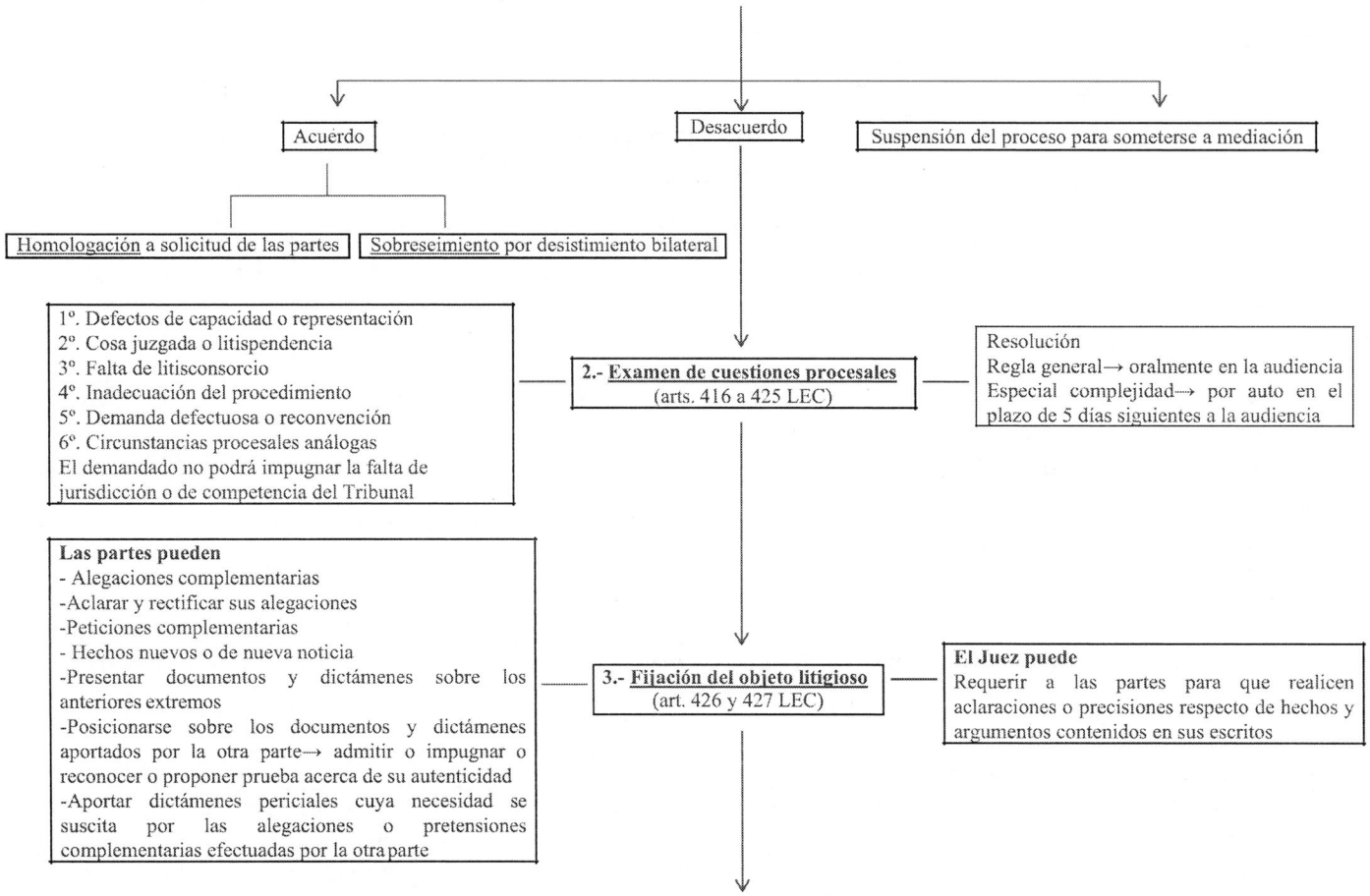

Acuérdo

Desacuerdo

Suspensión del proceso para someterse a mediación

Homologación a solicitud de las partes   Sobreseimiento por desistimiento bilateral

1º. Defectos de capacidad o representación
2º. Cosa juzgada o litispendencia
3º. Falta de litisconsorcio
4º. Inadecuación del procedimiento
5º. Demanda defectuosa o reconvención
6º. Circunstancias procesales análogas
El demandado no podrá impugnar la falta de
jurisdicción o de competencia del Tribunal

2.- Examen de cuestiones procesales
(arts. 416 a 425 LEC)

Resolución
Regla general→ oralmente en la audiencia
Especial complejidad→ por auto en el
plazo de 5 días siguientes a la audiencia

Las partes pueden
- Alegaciones complementarias
-Aclarar y rectificar sus alegaciones
-Peticiones complementarias
- Hechos nuevos o de nueva noticia
-Presentar documentos y dictámenes sobre los
anteriores extremos
-Posicionarse sobre los documentos y dictámenes
aportados por la otra parte→ admitir o impugnar o
reconocer o proponer prueba acerca de su autenticidad
-Aportar dictámenes periciales cuya necesidad se
suscita por las alegaciones o pretensiones
complementarias efectuadas por la otra parte

3.- Fijación del objeto litigioso
(art. 426 y 427 LEC)

El Juez puede
Requerir a las partes para que realicen
aclaraciones o precisiones respecto de hechos y
argumentos contenidos en sus escritos

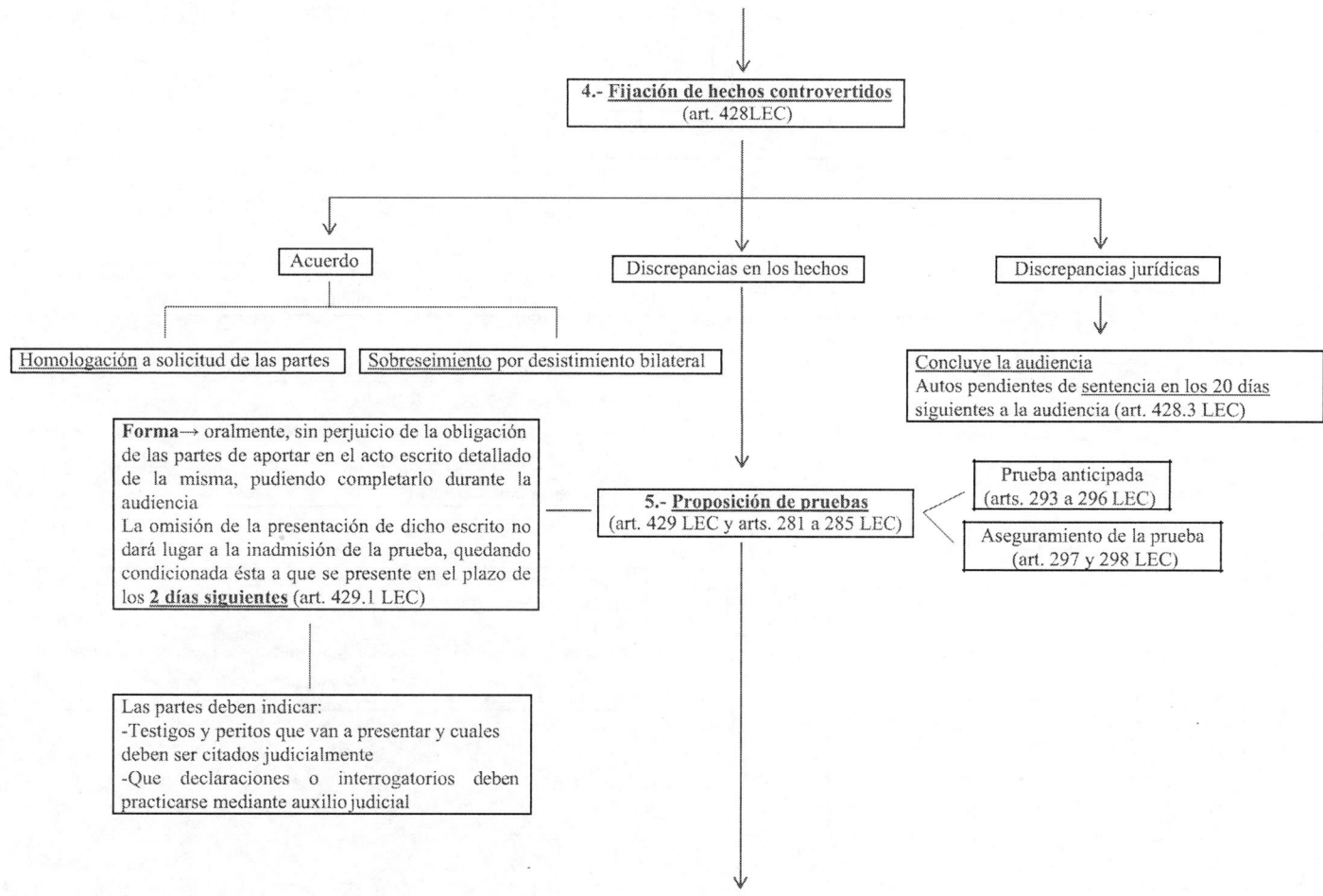

4.- Fijación de hechos controvertidos
(art. 428LEC)

Acuerdo

Discrepancias en los hechos

Discrepancias jurídicas

Homologación a solicitud de las partes

Sobreseimiento por desistimiento bilateral

Concluye la audiencia
Autos pendientes de sentencia en los 20 días
siguientes a la audiencia (art. 428.3 LEC)

Forma⟶ oralmente, sin perjuicio de la obligación
de las partes de aportar en el acto escrito detallado
de la misma, pudiendo completarlo durante la
audiencia
La omisión de la presentación de dicho escrito no
dará lugar a la inadmisión de la prueba, quedando
condicionada ésta a que se presente en el plazo de
los **2 días siguientes** (art. 429.1 LEC)

5.- Proposición de pruebas
(art. 429 LEC y arts. 281 a 285 LEC)

Prueba anticipada
(arts. 293 a 296 LEC)

Aseguramiento de la prueba
(art. 297 y 298 LEC)

Las partes deben indicar:
-Testigos y peritos que van a presentar y cuales
deben ser citados judicialmente
-Que declaraciones o interrogatorios deben
practicarse mediante auxilio judicial

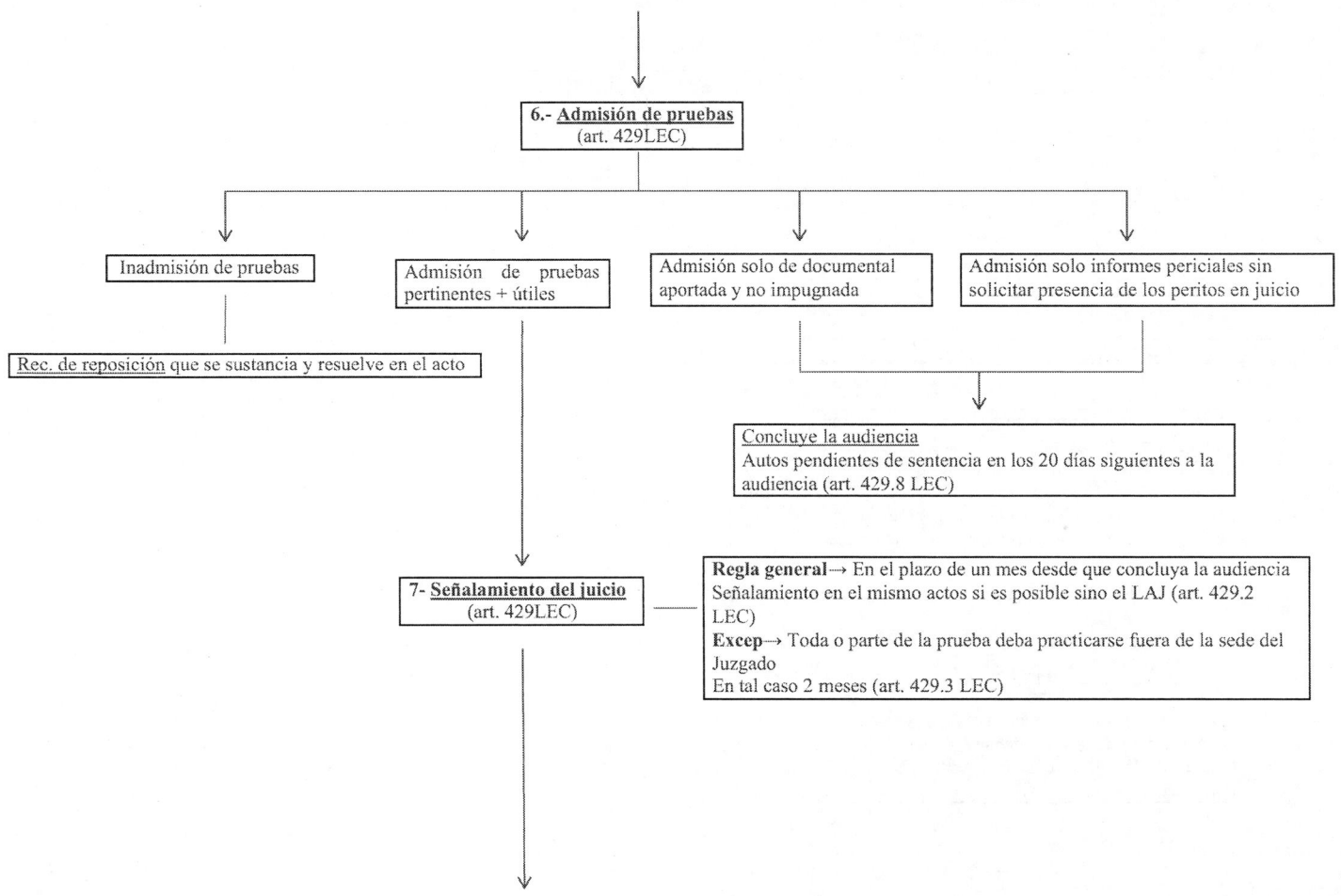

6.- Admisión de pruebas
(art. 429LEC)

Inadmisión de pruebas

Admisión de pruebas pertinentes + útiles

Admisión solo de documental aportada y no impugnada

Admisión solo informes periciales sin solicitar presencia de los peritos en juicio

Rec. de reposición que se sustancia y resuelve en el acto

Concluye la audiencia
Autos pendientes de sentencia en los 20 días siguientes a la audiencia (art. 429.8 LEC)

7- Señalamiento del juicio
(art. 429LEC)

Regla general→ En el plazo de un mes desde que concluya la audiencia Señalamiento en el mismo actos si es posible sino el LAJ (art. 429.2 LEC)
Excep→ Toda o parte de la prueba deba practicarse fuera de la sede del Juzgado
En tal caso 2 meses (art. 429.3 LEC)

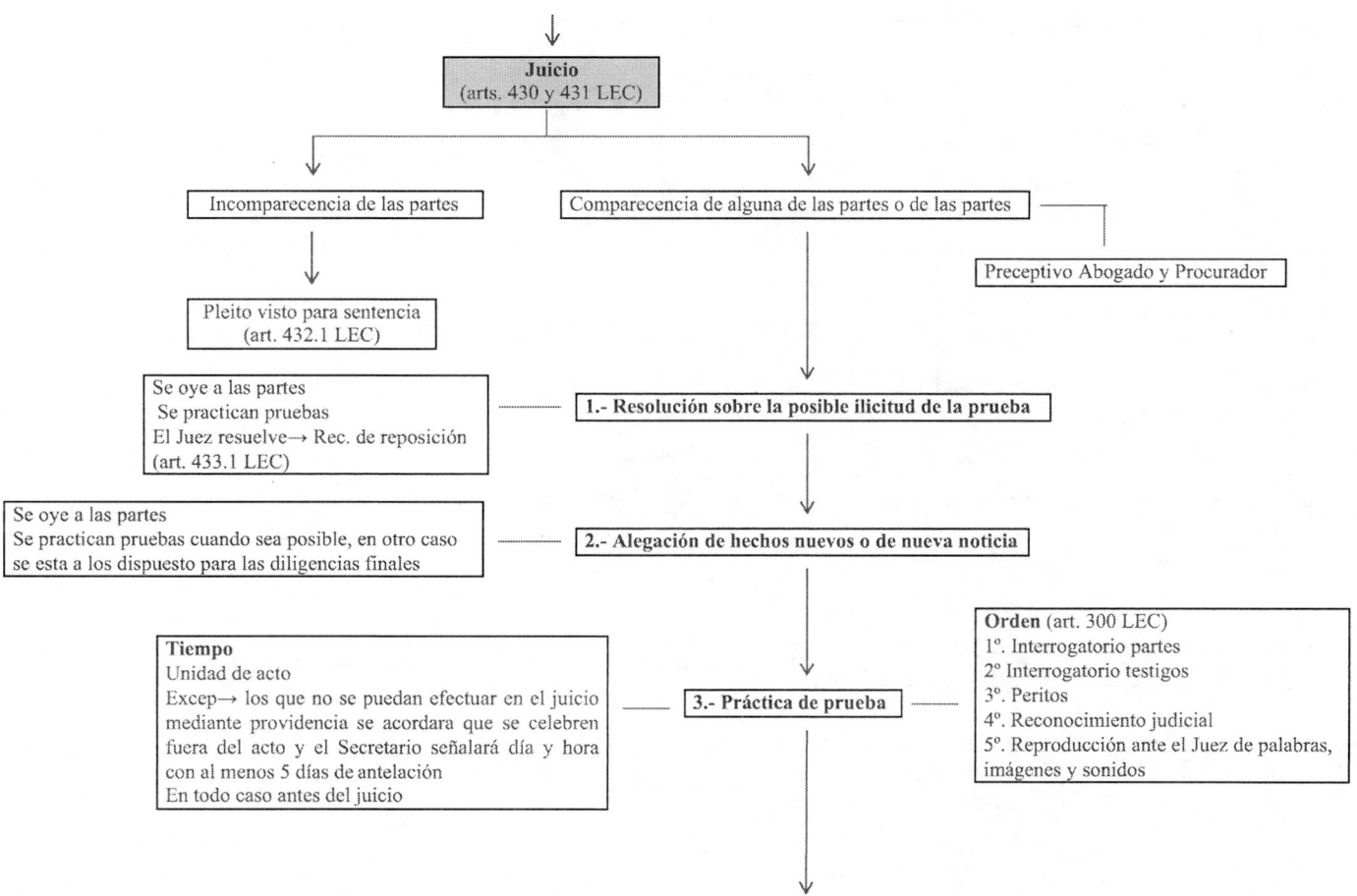

Juicio
(arts. 430 y 431 LEC)

Incomparecencia de las partes

Comparecencia de alguna de las partes o de las partes

Preceptivo Abogado y Procurador

Pleito visto para sentencia
(art. 432.1 LEC)

Se oye a las partes
Se practican pruebas
El Juez resuelve→ Rec. de reposición
(art. 433.1 LEC)

1.- Resolución sobre la posible ilicitud de la prueba

Se oye a las partes
Se practican pruebas cuando sea posible, en otro caso
se esta a los dispuesto para las diligencias finales

2.- Alegación de hechos nuevos o de nueva noticia

Tiempo
Unidad de acto
Excep→ los que no se puedan efectuar en el juicio
mediante providencia se acordara que se celebren
fuera del acto y el Secretario señalará día y hora
con al menos 5 días de antelación
En todo caso antes del juicio

3.- Práctica de prueba

Orden (art. 300 LEC)
1º. Interrogatorio partes
2º Interrogatorio testigos
3º. Peritos
4º. Reconocimiento judicial
5º. Reproducción ante el Juez de palabras,
imágenes y sonidos

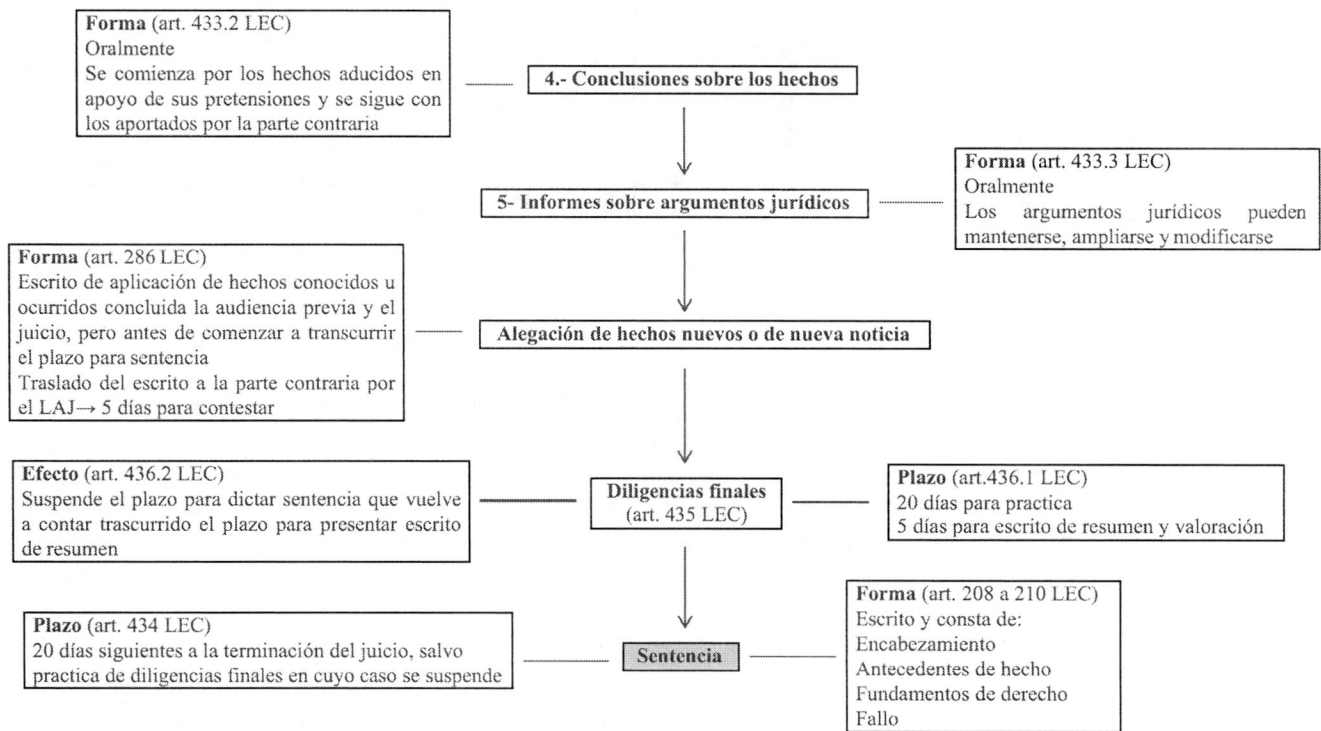

Forma (art. 433.2 LEC)
Oralmente
Se comienza por los hechos aducidos en apoyo de sus pretensiones y se sigue con los aportados por la parte contraria

4.- Conclusiones sobre los hechos

5- Informes sobre argumentos jurídicos

Forma (art. 433.3 LEC)
Oralmente
Los argumentos jurídicos pueden mantenerse, ampliarse y modificarse

Forma (art. 286 LEC)
Escrito de aplicación de hechos conocidos u ocurridos concluida la audiencia previa y el juicio, pero antes de comenzar a transcurrir el plazo para sentencia
Traslado del escrito a la parte contraria por el LAJ→ 5 días para contestar

Alegación de hechos nuevos o de nueva noticia

Efecto (art. 436.2 LEC)
Suspende el plazo para dictar sentencia que vuelve a contar trascurrido el plazo para presentar escrito de resumen

Diligencias finales
(art. 435 LEC)

Plazo (art.436.1 LEC)
20 días para practica
5 días para escrito de resumen y valoración

Plazo (art. 434 LEC)
20 días siguientes a la terminación del juicio, salvo practica de diligencias finales en cuyo caso se suspende

Sentencia

Forma (art. 208 a 210 LEC)
Escrito y consta de:
Encabezamiento
Antecedentes de hecho
Fundamentos de derecho
Fallo

8. Juicio verbal

El juicio verbal se regula en los arts. 437 y ss. LEC.

El primero de los cambios que la Ley 42/2015 introduce reside en la forma de iniciar el proceso.

Hasta ahora, el art. 437 LEC indicaba que el juicio verbal debía principiar por una demanda sucinta, que contenía los datos de las partes y un *petitum* que fijaba con claridad y precisión lo pedido.

Tras la reforma, se inicia por *demanda*, con el contenido y forma propios del *juicio ordinario*, **siendo también de aplicación lo dispuesto para dicho juicio en materia de preclusión de alegaciones y litispendencia.**

Por lo que en aplicación del art. 400 LEC, obligará a agotar en la demanda todos los hechos y fundamentos de que se dispongan, o precluirá su oportunidad de alegarlos.

ÁMBITO (art. 250 LEC)

1º Las que versen sobre reclamación de cantidades por impago de rentas y cantidades debidas y las que, igualmente, con fundamento en el impago de la renta o cantidades debidas por el arrendatario, o en la expiración del plazo fijado contractual o legalmente, pretendan que el dueño, usufructuario o cualquier otra persona con derecho a poseer una finca rústica o urbana dada en arrendamiento, ordinario o financiero o en aparcería, recuperen la posesión de dicha finca.

2º Las que pretendan la recuperación de la plena posesión de una finca rústica o urbana, cedida en precario, por el dueño, usufructuario o cualquier otra persona con derecho a poseer dicha finca.

3º Las que pretendan que el Tribunal ponga en posesión de bienes a quien los hubiere adquirido por herencia si no estuvieren siendo poseídos por nadie a título de dueño o usufructuario.

4º Las que pretendan la tutela sumaria de la tenencia o de la posesión de una cosa o derecho por quien haya sido despojado de ellas o perturbado en su disfrute.

Podrán pedir la inmediata recuperación de la plena posesión de una vivienda o parte de ella, siempre que se hayan visto privados de ella sin su consentimiento, la persona física que sea propietaria o poseedora legítima por otro título, las entidades sin ánimo de lucro con derecho a poseerla y las entidades públicas propietarias o poseedoras legítimas de vivienda social.

5º Las que pretendan que el Tribunal resuelva, con carácter sumario, la suspensión de una obra nueva.

6º Las que pretendan que el Tribunal resuelva, con carácter sumario, la demolición o derribo de obra, edificio, árbol, columna o cualquier otro objeto análogo en estado de ruina y que amenace causar daños a quien demande.

7º Las que, instadas por los titulares de derechos reales inscritos en el Registro de la Propiedad, demanden la efectividad de esos derechos frente a quienes se oponga a ellos o perturben su ejercicio, sin disponer de título inscrito que legitime la oposición o la perturbación.

8º Las que soliciten alimentos debidos por disposición legal o por otro título.

9º Las que supongan el ejercicio de la acción de rectificación de hechos inexactos y perjudiciales.

10º Las que pretendan que el Tribunal resuelva, con carácter sumario, sobre el incumplimiento por el comprador de las obligaciones derivadas de los contratos inscritos en el Registro de Venta a Plazos de Bienes Muebles y formalizados en el modelo oficial establecido al efecto, al objeto de obtener una sentencia condenatoria que permita dirigir la ejecución exclusivamente sobre el bien o bienes adquiridos o financiados a plazos.

11º Las que pretendan que el Tribunal resuelva, con carácter sumario, sobre el incumplimiento de un contrato de arrendamiento financiero, de arrendamiento de bienes muebles, o de un contrato de venta a plazos con reserva de dominio, siempre que estén inscritos en el Registro de Venta a Plazos de Bienes Muebles y formalizados en el modelo oficial establecido al efecto, mediante el ejercicio de una acción exclusivamente encaminada a obtener la inmediata entrega del bien al arrendador financiero, al arrendador o al vendedor o financiador en el lugar indicado en el contrato, previa declaración de resolución de éste, en su caso.

12º Las que supongan el ejercicio de la acción de cesación en defensa de los intereses colectivos y difusos de los consumidores y usuarios.

13º Las que pretendan la efectividad de los derechos reconocidos en el art. 160 del CC. En estos casos el juicio verbal se sustanciará con las peculiaridades dispuestas en el capítulo I del título I del libro IV de esta ley.

2. Se decidirán también en el juicio verbal las demandas cuya cuantía no exceda de seis mil euros y no se refieran a ninguna de las materias previstas en el art. 249.1 LEC.

No cabe reconvención del demandado en todos aquellos juicios que deban finalizar por sentencia sin efectos de cosa juzgada: que serán los establecidos en el art. 447.2, 3 y 4 LEC.

En los demás juicios verbales se admitirá la reconvención siempre que no determine la improcedencia del juicio verbal y exista conexión entre las pretensiones de la reconvención y las que sean objeto de la demanda principal.

Admitida la reconvención se regirá por las normas previstas en el juicio ordinario, salvo el plazo para su contestación que será de diez días.

La acumulación objetiva de acciones no se admite, salvo excepciones (art. 437.4 LEC).

1ª La acumulación de acciones *basadas en unos mismos hechos,* siempre que proceda, en todo caso, el juicio verbal.

2ª La acumulación de la *acción de resarcimiento de daños y perjuicios a otra acción que sea prejudicial* de ella.

3ª La acumulación de las acciones en reclamación de rentas o cantidades análogas vencidas y no pagadas, cuando se trate de juicios de desahucios de finca por falta de pago o por expiración legal o contractual del plazo, con independencia de la cantidad que se reclame. Asimismo, también podrán acumularse las *acciones ejercitadas contra el fiador o avalista solidario previo requerimiento de pago no satisfecho.*

4ª En los procedimientos de separación, divorcio o nulidad y en los que tengan por objeto obtener la eficacia civil de las resoluciones o decisiones eclesiásticas, *cualquiera de los cónyuges podrá ejercer simultáneamente la acción de división de la cosa común respecto de los bienes que tengan en comunidad ordinaria indivisa.*

Si hubiere diversos bienes en régimen de comunidad ordinaria indivisa y uno de los cónyuges lo solicitare, el tribunal puede considerarlos en conjunto a los efectos de formar lotes o adjudicarlos.

Podrán acumularse las acciones que uno tenga contra varios sujetos o varios contra uno siempre que se cumplan los requisitos establecidos en el art. 72 y en el aptado. 1 del art. 73.

Contra las resoluciones del Tribunal sobre admisión o inadmisión de pruebas *sólo cabrá recurso de reposición*, que se sustanciará y resolverá en el acto, y si se desestimare, la parte podrá formular protesta a efecto de hacer valer sus derechos, en su caso, en la segunda instancia (art. 446 LEC).

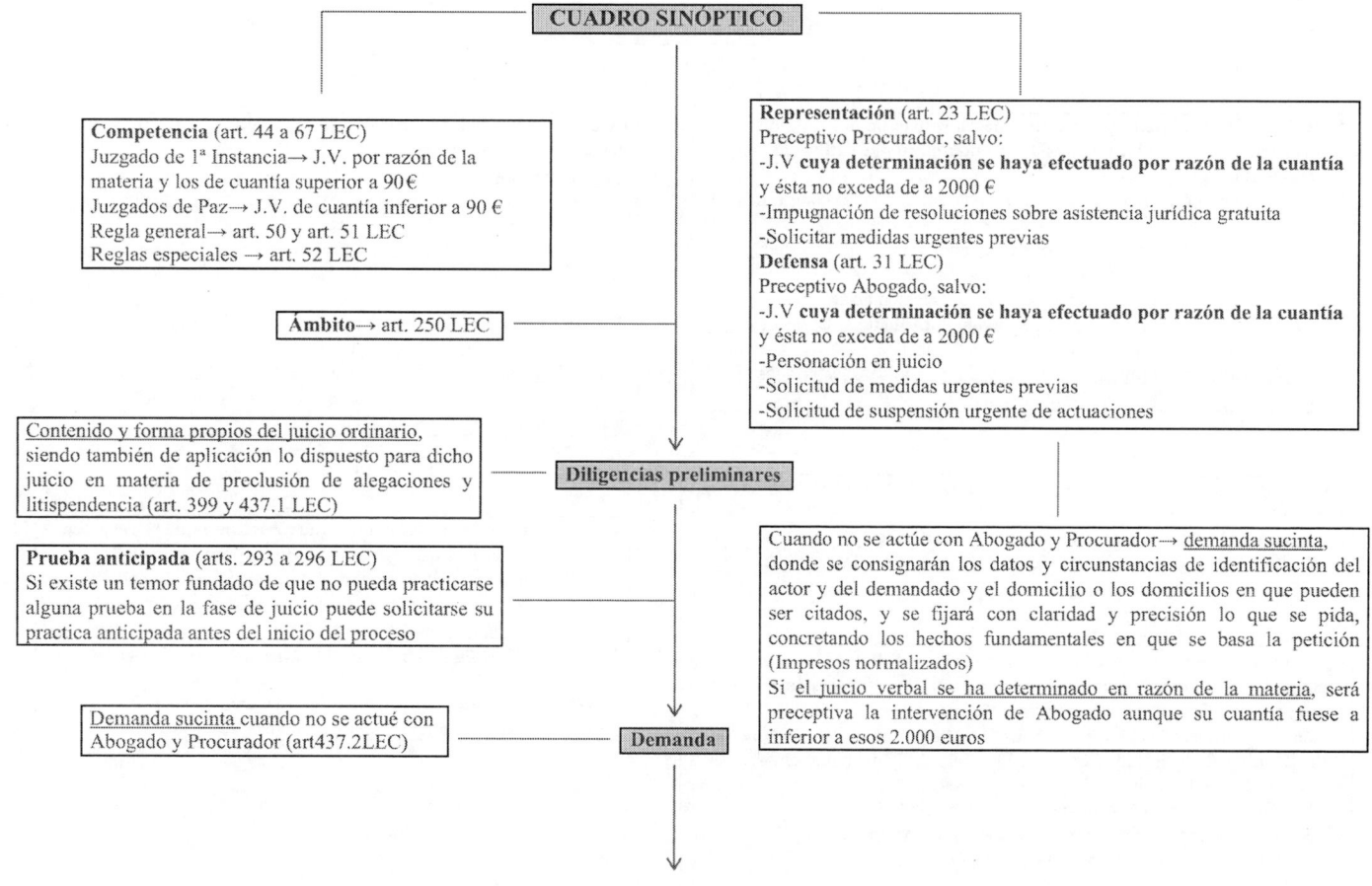

CUADRO SINÓPTICO

Competencia (art. 44 a 67 LEC)
Juzgado de 1ª Instancia→ J.V. por razón de la materia y los de cuantía superior a 90€
Juzgados de Paz→ J.V. de cuantía inferior a 90 €
Regla general→ art. 50 y art. 51 LEC
Reglas especiales → art. 52 LEC

Ámbito→ art. 250 LEC

Representación (art. 23 LEC)
Preceptivo Procurador, salvo:
-**J.V cuya determinación se haya efectuado por razón de la cuantía** y ésta no exceda de a 2000 €
-Impugnación de resoluciones sobre asistencia jurídica gratuita
-Solicitar medidas urgentes previas
Defensa (art. 31 LEC)
Preceptivo Abogado, salvo:
-**J.V cuya determinación se haya efectuado por razón de la cuantía** y ésta no exceda de a 2000 €
-Personación en juicio
-Solicitud de medidas urgentes previas
-Solicitud de suspensión urgente de actuaciones

Contenido y forma propios del juicio ordinario, siendo también de aplicación lo dispuesto para dicho juicio en materia de preclusión de alegaciones y litispendencia (art. 399 y 437.1 LEC)

Diligencias preliminares

Prueba anticipada (arts. 293 a 296 LEC)
Si existe un temor fundado de que no pueda practicarse alguna prueba en la fase de juicio puede solicitarse su practica anticipada antes del inicio del proceso

Cuando no se actúe con Abogado y Procurador→ demanda sucinta, donde se consignarán los datos y circunstancias de identificación del actor y del demandado y el domicilio o los domicilios en que pueden ser citados, y se fijará con claridad y precisión lo que se pida, concretando los hechos fundamentales en que se basa la petición (Impresos normalizados)
Si el juicio verbal se ha determinado en razón de la materia, será preceptiva la intervención de Abogado aunque su cuantía fuese a inferior a esos 2.000 euros

Demanda sucinta cuando no se actué con Abogado y Procurador (art437.2LEC)

Demanda

Especialidades

Especialidades del juicio de desahucio de finca urbana por falta de pago de las rentas o cantidades debidas al arrendador, o por expiración legal o contractual del plazo

El demandante podrá anunciar en la demanda que asume el compromiso de condonar al arrendatario todo o parte de la deuda y de las costas, con expresión de la cantidad concreta, condicionándolo al desalojo voluntario de la finca dentro del plazo que se indique por el arrendador, que no podrá ser inferior al plazo de 15 días desde que se notifique la demanda

Podrá interesarse en la demanda que se tenga por solicitada la ejecución del lanzamiento en la fecha y hora que se fije por el juzgado

No se admitirá la demanda si el arrendador no indicare las circunstancias concurrentes que puedan permitir o no la enervación del desahucio

Especialidades de las demandas que pretendan retener o recobrar la posesión

No se admitirán la demanda que pretenda retener o recobrar la posesión si se interponen transcurrido el plazo de un año a contar desde el acto de la perturbación o el despojo

(art. 439.1 LEC)

Interpuesta la demanda el LAJ llamará a **los testigos** propuestos por el demandante y, según sus declaraciones, **el Tribunal dictará auto en el que denegará u otorgará,** sin perjuicio de mejor derecho, **la posesión solicitada,** llevando a cabo las actuaciones que repute conducentes a tal efecto

El auto se **publicara** por edictos, que se insertarán en un lugar visible de la sede del tribunal, en el BOP y en uno de los periódicos de mayor circulación, a costa del demandante instando a los interesados a comparecer y reclamar mediante contestación a la demanda en el plazo de 40 días

Si nadie comparece→ Se confirma al demandante en la posesión

Si comparecen→ LAJ citará para la celebración de vista

(art. 441.1 LEC)

Especialidades de las demandas que pretendan la efectividad de derechos reales inscritos

No se admitirán la demanda cuando:

-No exprese las medidas que se consideren necesarias para asegurar la eficacia de la sentencia que recayere

- No señale la caución que ha de prestar el demandado para responder de los frutos percibidos indebidamente, de los daños y perjuicios y de las costas del juicio, salvo renuncia expresa

-No acompañe certificación literal del Registro de la Propiedad que acredite la vigencia, del asiento que legitima al demandante

Admitida la demanda, el Tribunal adoptará las medidas solicitadas que fuesen necesarias para asegurar en todo caso el cumplimiento de la sentencia que recayere (art. 441.3 LEC)

Especialidades de las demandas que pretendan que se resuelva, con carácter sumario, la suspensión de una obra nueva

El Tribunal, antes incluso de que se dé traslado para la contestación a la demanda, dirigirá inmediata orden de suspensión al dueño o encargado de la obra, que podrá ofrecer caución para continuarla, así como la realización de las obras indispensables para conservar lo ya edificado

El Tribunal podrá disponer que se lleve a cabo reconocimiento judicial, pericial o conjunto, antes de la vista (art. 441.2 LEC)

Especialidades en la tutela en materia de ventas a plazo de bienes muebles y arrendamientos financieros

No se admitirá la demanda (art. 439.4 LEC):

-No acompañe la acreditación del requerimiento de pago al deudor, con diligencia expresiva del impago y de la no entrega del bien

-No acompañe la certificación de la inscripción de los bienes en el Registro de Venta a Plazos de Bienes Muebles, si se trata de bienes susceptibles de inscripción en el mismo

Admitida la demanda en materia de ventas a plazo de bienes muebles, el Tribunal ordenará la exhibición de los bienes a su poseedor, bajo apercibimiento de incurrir en desobediencia a la autoridad judicial, y su inmediato embargo preventivo, que se asegurará mediante depósito

Admitida la demanda en materia de arrendamientos financieros el Tribunal ordenará el depósito del bien cuya entrega se reclame

No se exigirá caución al demandante para la adopción de estas medidas cautelares, **ni se admitirá oposición del demandado** a las mismas (art. 441.4 LEC)

Tampoco se admitirán solicitudes de **modificación o de sustitución de las medidas por caución**

El LAJ emplazará al demandado por 5 días para que se persone en las actuaciones, por medio de Procurador, al objeto de contestar a la demanda por alguna de las causas del art. 444.3

Si el demandado no contesta o lo hace amparado en causa no prevista en dicho artículo→ **sentencia estimatoria de las pretensiones en el acto**

Si el demandado contestara a la demanda→ **El LAJ citará a las partes para la vista**

Si el demandado no asistiera a la vista o asistiera pero no mantuviera su oposición o fundara ésta en causa no comprendida→ **Sentencia estimatoria de las pretensiones** del actor, sin más tramites + multa de hasta la quinta parte del valor de la reclamación, con un mínimo de 180 €

Contra la sentencia que se dicte en los casos de ausencia de oposición no se dará recurso alguno

Especialidades cuando se pretenda la tutela sumaria de la tenencia o de la posesión de una cosa o derecho por quien haya sido despojado de ellas o perturbado en su disfrute (arts.150.4, 250.1.4° y 437 a 447 Modif. Ley 5/2018, de 11 de junio)

Podrán pedir la inmediata recuperación de la plena posesión de una vivienda o parte de ella, siempre que se hayan visto privados de ella sin su consentimiento, la persona física que sea propietaria o poseedora legítima por otro título, las entidades sin ánimo de lucro con derecho a poseerla y las entidades públicas propietarias o poseedoras legítimas de vivienda social (art. 250. 1, 4° LEC)

Cuando en la demanda se solicite **la recuperación de la posesión** de una vivienda o parte de ella <u>podrá dirigirse genéricamente contra los desconocidos ocupantes de la misma</u>, **sin perjuicio de la notificación que de ella se realice a quien en concreto se encontrare en el inmueble al tiempo de llevar a cabo dicha notificación**. A la demanda <u>deberá acompañar el título en que el actor funde su derecho a poseer</u> (art. 437.3 bis LEC)

La notificación de la demanda se hará a quien se encuentre <u>habitando el inmueble</u>. Se podrá hacer además a <u>los ignorados ocupantes de la vivienda</u>. A efectos de proceder a la identificación del receptor y demás ocupantes, quien realice el acto de comunicación podrá ir acompañado de los agentes de la autoridad

Si ha sido posible la identificación del receptor o demás ocupantes, se dará traslado a los servicios públicos competentes en materia de política social por si procediera su actuación, siempre que se hubiera otorgado el consentimiento por los interesados

Si el demandante hubiera solicitado **la inmediata entrega de la posesión de la vivienda**, en <u>el decreto de admisión de la demanda se requerirá a sus ocupantes para que aporten, en el plazo de cinco días desde la notificación de aquella, **título que justifique su situación posesoria**</u>

Si no se aportara justificación suficiente, el Tribunal ordenará mediante <u>auto la inmediata entrega de la posesión de la vivienda al demandante</u>, siempre que el título que se hubiere acompañado a la demanda fuere bastante para la acreditación de su derecho a poseer. Contra el auto que decida sobre el incidente <u>no cabrá recurso</u> alguno y se llevará a efecto contra cualquiera de los ocupantes que se encontraren en ese momento en la vivienda

En la misma resolución en que se acuerde la entrega de la posesión de la vivienda al demandante y el desalojo de los ocupantes, se ordenará comunicar tal circunstancia, siempre que se hubiera otorgado el consentimiento por los interesados, a los servicios públicos competentes en materia de política social, para que, en el plazo de siete días, puedan adoptar las medidas de protección que en su caso procedan

(art. 441.1 bis LEC)

Si el demandado/s no contestaran a la demanda en el plazo legalmente previsto, se procederá de inmediato a dictar sentencia

La oposición del demandado podrá fundarse exclusivamente en la existencia de título suficiente frente al actor para poseer la vivienda o en la falta de título por parte del actor

La sentencia estimatoria de la pretensión permitirá su ejecución, previa solicitud del demandante, sin necesidad de que transcurra el plazo de 20 días previsto en el art. 548 (art. 444.1 bis LEC)

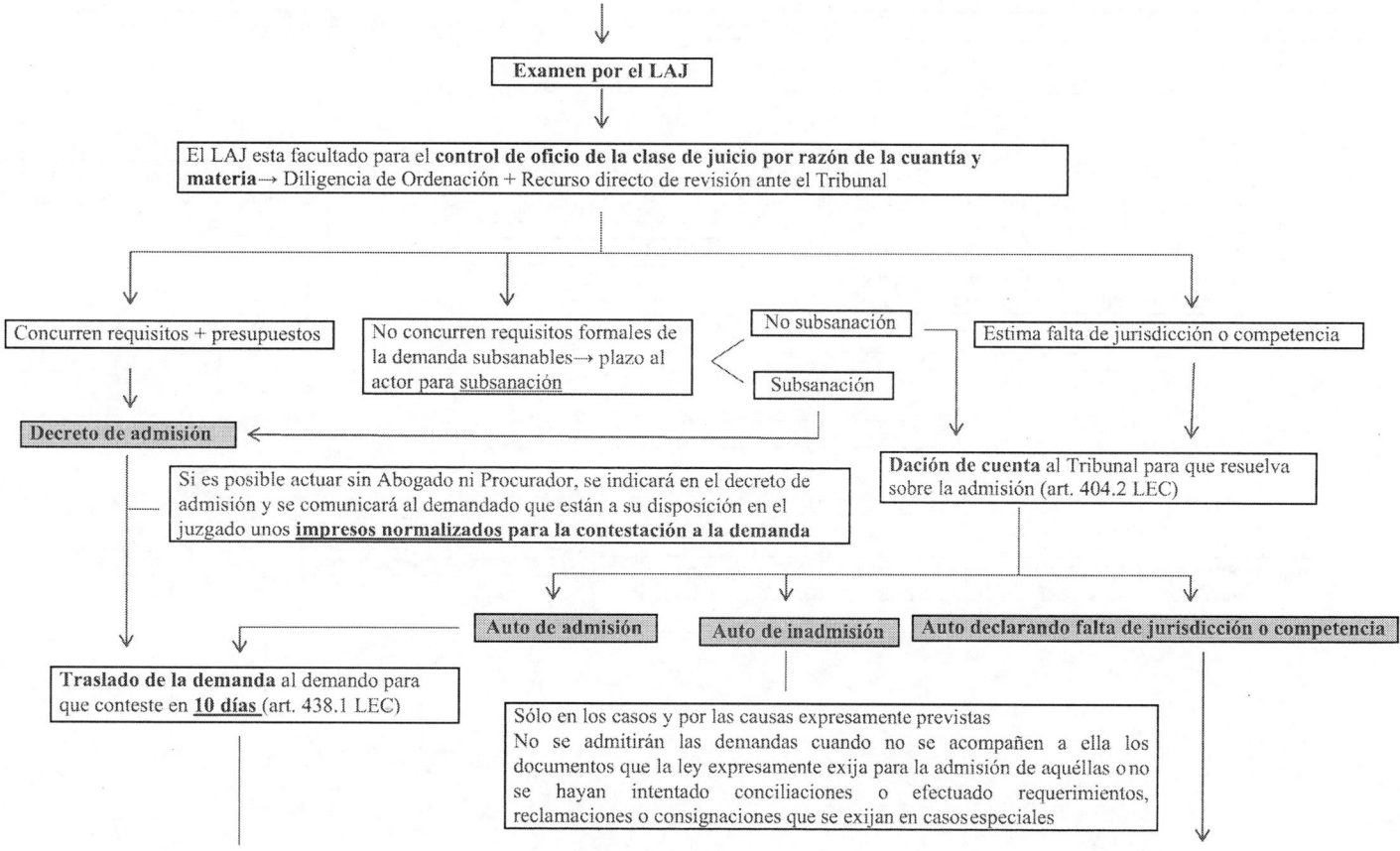

Examen por el LAJ

El LAJ esta facultado para el **control de oficio de la clase de juicio por razón de la cuantía y materia**→ Diligencia de Ordenación + Recurso directo de revisión ante el Tribunal

Concurren requisitos + presupuestos

No concurren requisitos formales de la demanda subsanables→ plazo al actor para subsanación

No subsanación

Subsanación

Estima falta de jurisdicción o competencia

Decreto de admisión

Dación de cuenta al Tribunal para que resuelva sobre la admisión (art. 404.2 LEC)

Si es posible actuar sin Abogado ni Procurador, se indicará en el decreto de admisión y se comunicará al demandado que están a su disposición en el juzgado unos **impresos normalizados para la contestación a la demanda**

Auto de admisión

Auto de inadmisión

Auto declarando falta de jurisdicción o competencia

Traslado de la demanda al demando para que conteste en **10 días** (art. 438.1 LEC)

Sólo en los casos y por las causas expresamente previstas
No se admitirán las demandas cuando no se acompañen a ella los documentos que la ley expresamente exija para la admisión de aquéllas o no se hayan intentado conciliaciones o efectuado requerimientos, reclamaciones o consignaciones que se exijan en casos especiales

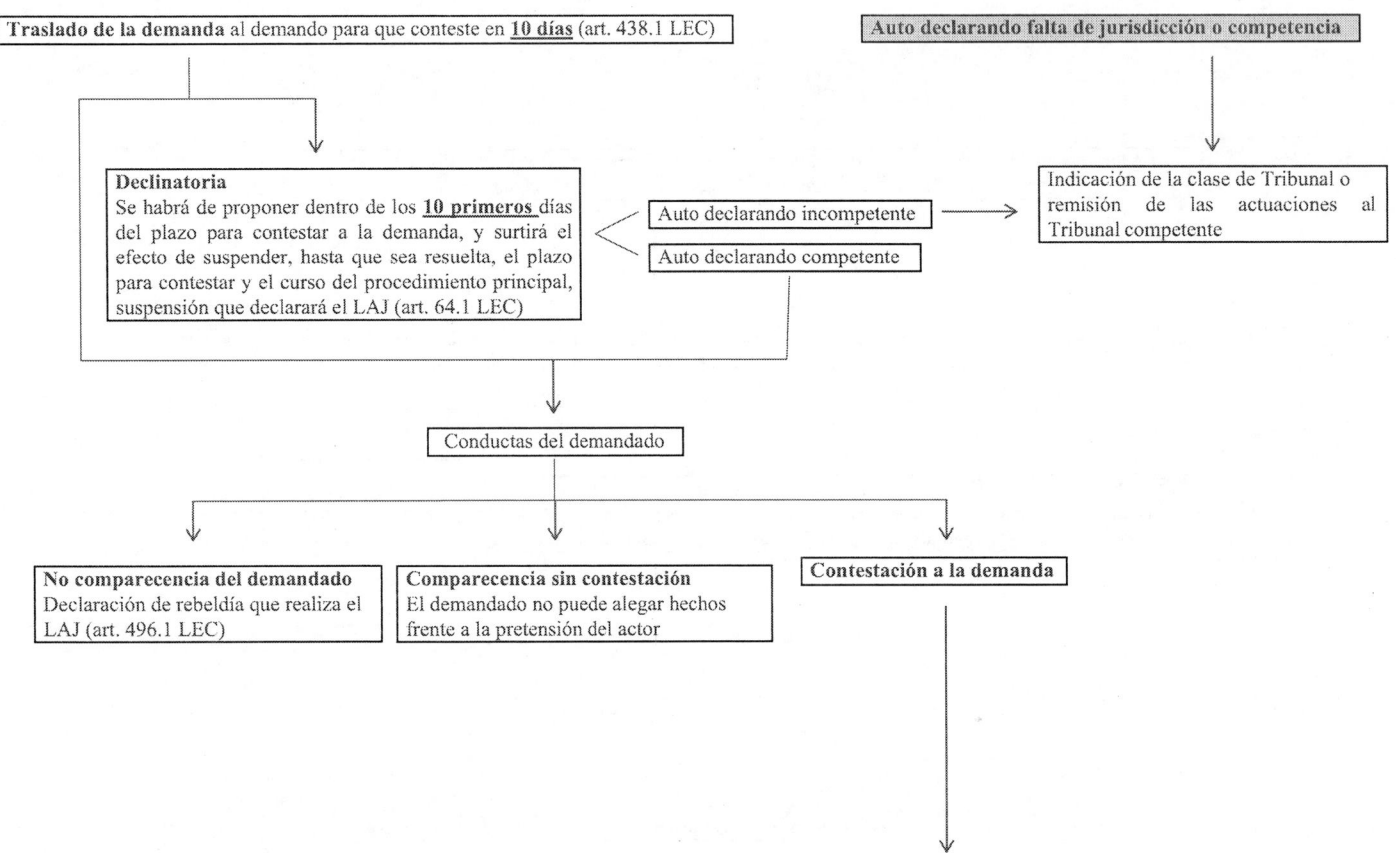

Traslado de la demanda al demando para que conteste en **10 días** (art. 438.1 LEC)

Auto declarando falta de jurisdicción o competencia

Declinatoria
Se habrá de proponer dentro de los **10 primeros** días del plazo para contestar a la demanda, y surtirá el efecto de suspender, hasta que sea resuelta, el plazo para contestar y el curso del procedimiento principal, suspensión que declarará el LAJ (art. 64.1 LEC)

Auto declarando incompetente

Auto declarando competente

Indicación de la clase de Tribunal o remisión de las actuaciones al Tribunal competente

Conductas del demandado

No comparecencia del demandado
Declaración de rebeldía que realiza el LAJ (art. 496.1 LEC)

Comparecencia sin contestación
El demandado no puede alegar hechos frente a la pretensión del actor

Contestación a la demanda

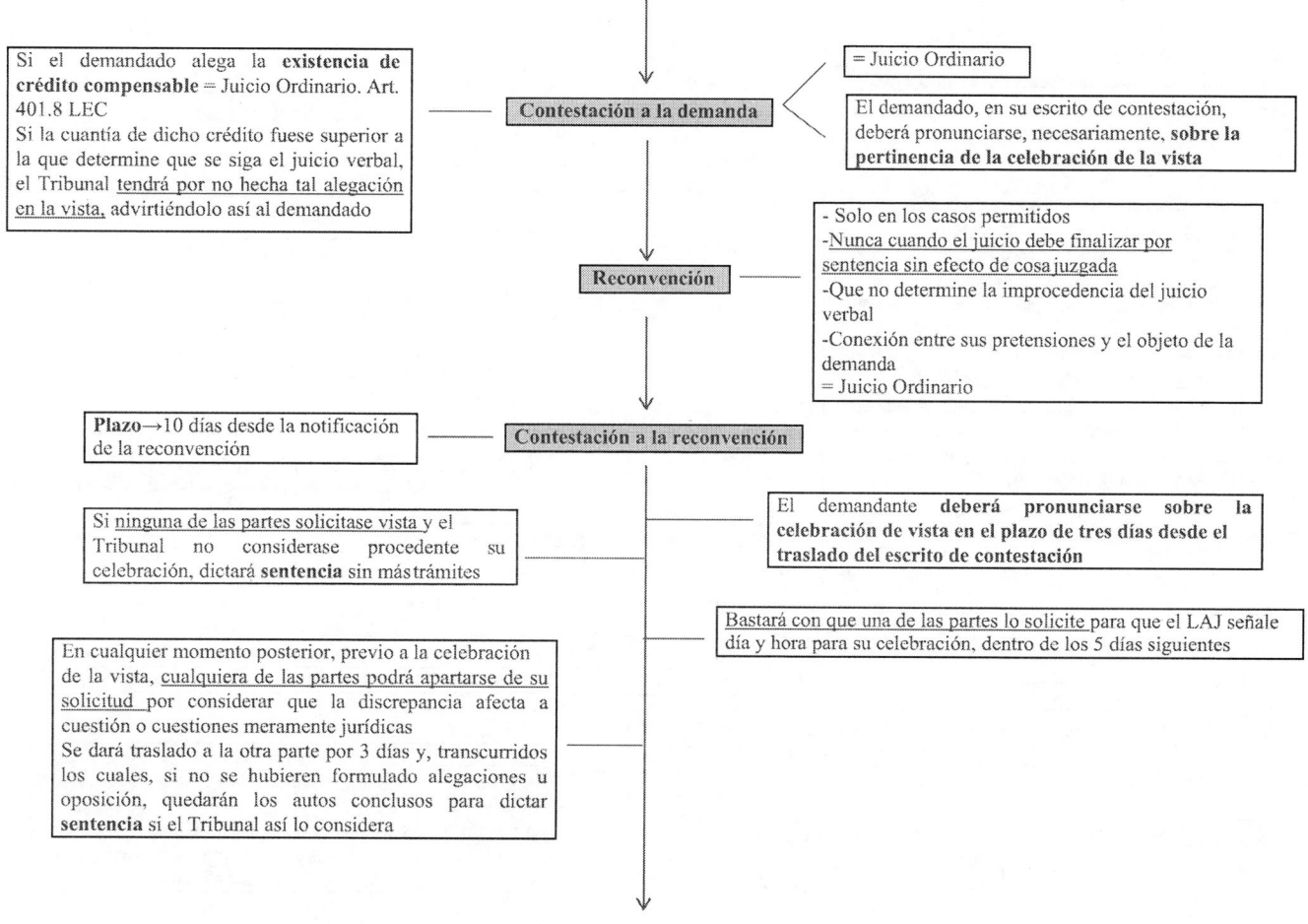

Si el demandado alega la **existencia de crédito compensable** = Juicio Ordinario. Art. 401.8 LEC
Si la cuantía de dicho crédito fuese superior a la que determine que se siga el juicio verbal, el Tribunal tendrá por no hecha tal alegación en la vista, advirtiéndolo así al demandado

Contestación a la demanda

= Juicio Ordinario

El demandado, en su escrito de contestación, deberá pronunciarse, necesariamente, **sobre la pertinencia de la celebración de la vista**

Reconvención

- Solo en los casos permitidos
- Nunca cuando el juicio debe finalizar por sentencia sin efecto de cosa juzgada
- Que no determine la improcedencia del juicio verbal
- Conexión entre sus pretensiones y el objeto de la demanda
= Juicio Ordinario

Plazo→10 días desde la notificación de la reconvención

Contestación a la reconvención

Si ninguna de las partes solicitase vista y el Tribunal no considerase procedente su celebración, dictará **sentencia** sin más trámites

El demandante **deberá pronunciarse sobre la celebración de vista en el plazo de tres días desde el traslado del escrito de contestación**

Bastará con que una de las partes lo solicite para que el LAJ señale día y hora para su celebración, dentro de los 5 días siguientes

En cualquier momento posterior, previo a la celebración de la vista, cualquiera de las partes podrá apartarse de su solicitud por considerar que la discrepancia afecta a cuestión o cuestiones meramente jurídicas
Se dará traslado a la otra parte por 3 días y, transcurridos los cuales, si no se hubieren formulado alegaciones u oposición, quedarán los autos conclusos para dictar **sentencia** si el Tribunal así lo considera

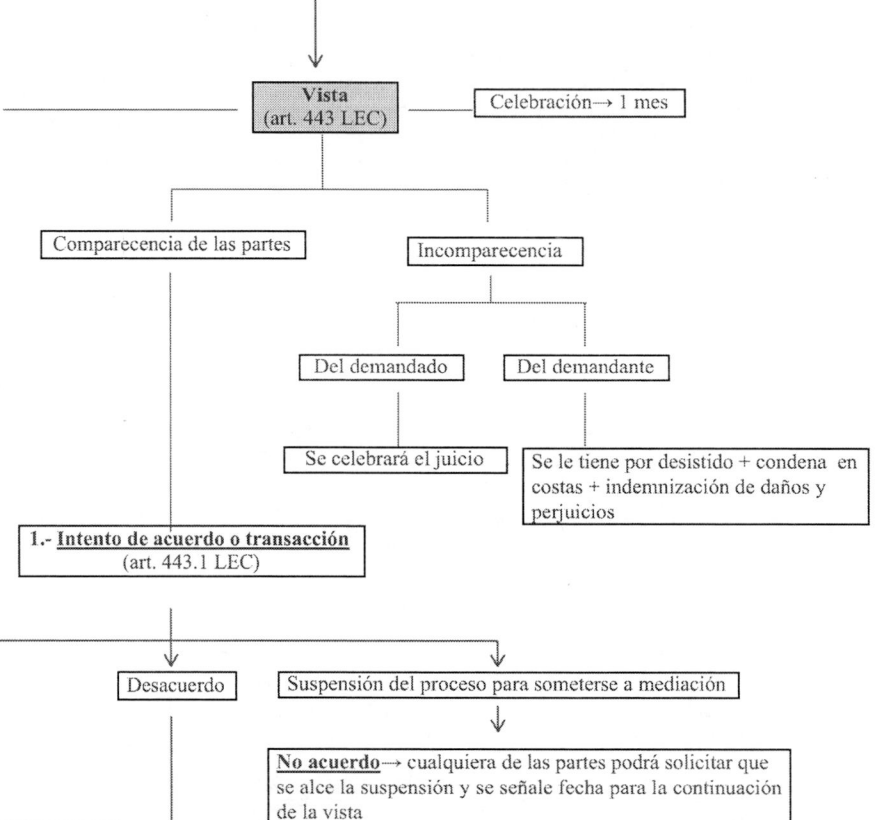

Citación (art. 440 LEC)
- Por el LAJ en los 5 días siguientes y contendrá:
- Hora y día de celebración
- Posibilidad de las partes de recurrir a la <u>negociación y mediación</u>
- No se suspenderá la vista por la inexistencia del demandado y las consecuencias de la no comparecencia de las partes
- Las partes deben concurrir con los medios de prueba
- <u>Que en los 5 días siguientes a la recepción de la citación las partes deben indicarlas personas que, por no poderlas presentar ellas mismas, han de ser citadas por el LAJ a la vista para que declaren en calidad de parte, testigos o peritos.</u> También pueden pedir respuestas escritas de personas jurídicas y entidades publicas
- En el caso de **tutela de derechos inscritos** se apercibirá al demandado de que <u>si no comparece, se dictará sentencia acordando las actuaciones que, para la efectividad del derecho inscrito hubiere solicitado el actor</u>. La misma sentencia si comparece a la visita pero no presta caución
- En el caso de **desahucio** <u>requerimiento al demandado para que en 10 días</u> desaloje, pague o si pretende enervar pague la totalidad o ponga a disposición judicial o notarial o, comparezca y se oponga + día de la vista día del lanzamiento

Vista (art. 443 LEC)

Celebración → 1 mes

Comparecencia de las partes

Incomparecencia

Del demandado

Del demandante

Se celebrará el juicio

Se le tiene por desistido + condena en costas + indemnización de daños y perjuicios

1.- Intento de acuerdo o transacción (art. 443.1 LEC)

Acuerdo

Desacuerdo

Suspensión del proceso para someterse a mediación

<u>Homologación</u> a solicitud de las partes

<u>Sobreseimiento</u> por desistimiento bilateral

No acuerdo → cualquiera de las partes podrá solicitar que se alce la suspensión y se señale fecha para la continuación de la vista
Acuerdo → deberán comunicarlo al Tribunal para que decrete el archivo del procedimiento, sin perjuicio de solicitar previamente su homologación judicial

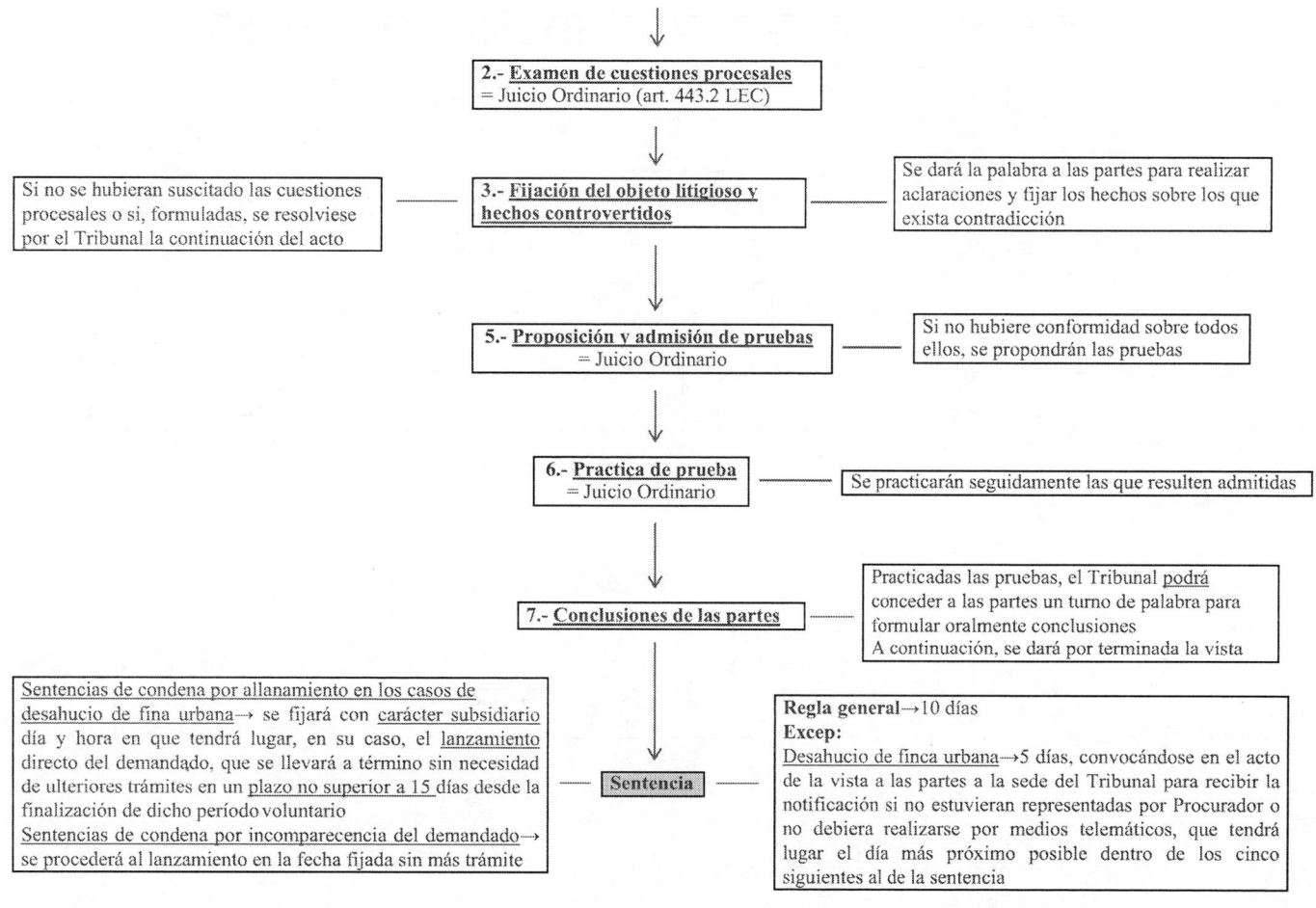

2.- Examen de cuestiones procesales
= Juicio Ordinario (art. 443.2 LEC)

Si no se hubieran suscitado las cuestiones procesales o si, formuladas, se resolviese por el Tribunal la continuación del acto

3.- Fijación del objeto litigioso y hechos controvertidos

Se dará la palabra a las partes para realizar aclaraciones y fijar los hechos sobre los que exista contradicción

5.- Proposición y admisión de pruebas
= Juicio Ordinario

Si no hubiere conformidad sobre todos ellos, se propondrán las pruebas

6.- Practica de prueba
= Juicio Ordinario

Se practicarán seguidamente las que resulten admitidas

7.- Conclusiones de las partes

Practicadas las pruebas, el Tribunal podrá conceder a las partes un turno de palabra para formular oralmente conclusiones
A continuación, se dará por terminada la vista

Sentencias de condena por allanamiento en los casos de desahucio de fina urbana⟶ se fijará con carácter subsidiario día y hora en que tendrá lugar, en su caso, el lanzamiento directo del demandado, que se llevará a término sin necesidad de ulteriores trámites en un plazo no superior a 15 días desde la finalización de dicho período voluntario
Sentencias de condena por incomparecencia del demandado⟶ se procederá al lanzamiento en la fecha fijada sin más trámite

Sentencia

Regla general⟶10 días
Excep:
Desahucio de finca urbana⟶5 días, convocándose en el acto de la vista a las partes a la sede del Tribunal para recibir la notificación si no estuvieran representadas por Procurador o no debiera realizarse por medios telemáticos, que tendrá lugar el día más próximo posible dentro de los cinco siguientes al de la sentencia

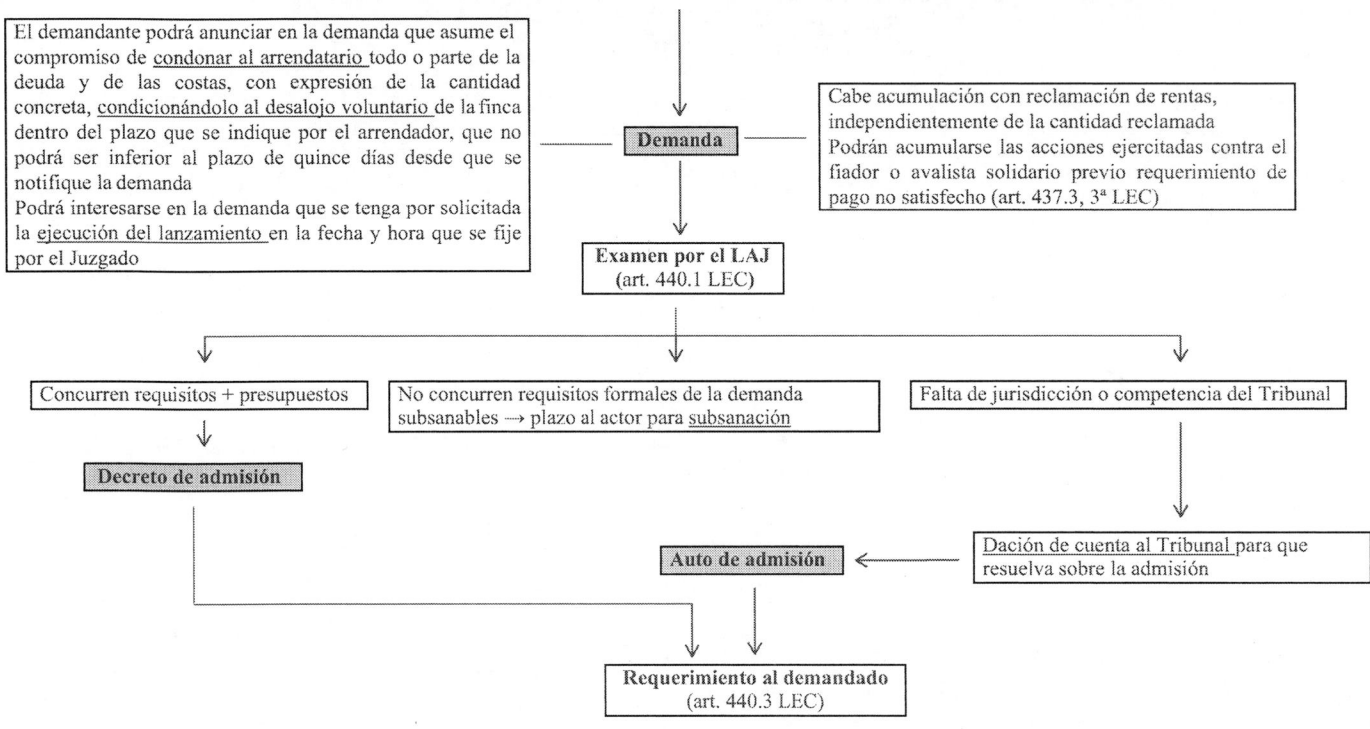

ESPECIALIDADES DEL JUICIO VERBAL DE DESAHUCIO POR FALTA DE PAGO

El demandante podrá anunciar en la demanda que asume el compromiso de condonar al arrendatario todo o parte de la deuda y de las costas, con expresión de la cantidad concreta, condicionándolo al desalojo voluntario de la finca dentro del plazo que se indique por el arrendador, que no podrá ser inferior al plazo de quince días desde que se notifique la demanda
Podrá interesarse en la demanda que se tenga por solicitada la ejecución del lanzamiento en la fecha y hora que se fije por el Juzgado

Demanda

Cabe acumulación con reclamación de rentas, independientemente de la cantidad reclamada
Podrán acumularse las acciones ejercitadas contra el fiador o avalista solidario previo requerimiento de pago no satisfecho (art. 437.3, 3ª LEC)

Examen por el LAJ
(art. 440.1 LEC)

Concurren requisitos + presupuestos

No concurren requisitos formales de la demanda subsanables → plazo al actor para subsanación

Falta de jurisdicción o competencia del Tribunal

Decreto de admisión

Auto de admisión

Dación de cuenta al Tribunal para que resuelva sobre la admisión

Requerimiento al demandado
(art. 440.3 LEC)

Objeto
- Pague y desaloje
- Desaloje sin mas el inmueble
-Enerve la acción
- Formule oposición

Requerimiento al demandado
(art. 440.3 LEC)

Plazo⟶ 10 días

En el requerimiento se expresara:
-Día y hora para la vista, si se celebrase
-Fecha de lanzamiento, si no hay oposición
-En caso de ofrecimiento del compromiso de condonación de
rentas, la aceptación= Allanamiento
- De solicitar asistencia jurídica el demandado debe hacerlo en los
3 días siguientes a la practica del requerimiento
-Falta de oposición supondrá la prestación de su consentimiento a
la resolución del contrato de arrendamiento
-Apercibimiento de que, de no realizar ninguna de las actuaciones
citadas, se procederá a su inmediato lanzamiento

Se apercibirá al demandado de que **no comparecer a la vista**, se
declarará el **desahucio sin más trámites y que queda citado para
recibir la notificación de la sentencia que se dicte el sexto día
siguiente al señalado para la vista.**
En la resolución que se dicte teniendo por opuesto al demandado se
fijará día y hora para que tenga lugar, en su caso, el lanzamiento, que
deberá verificarse antes de treinta días desde la fecha señalada para la
vista, advirtiendo al demandado que, si la sentencia fuese condenatoria y
no se recurriera, se procederá al lanzamiento en la fecha fijada, sin
necesidad de notificación posterior

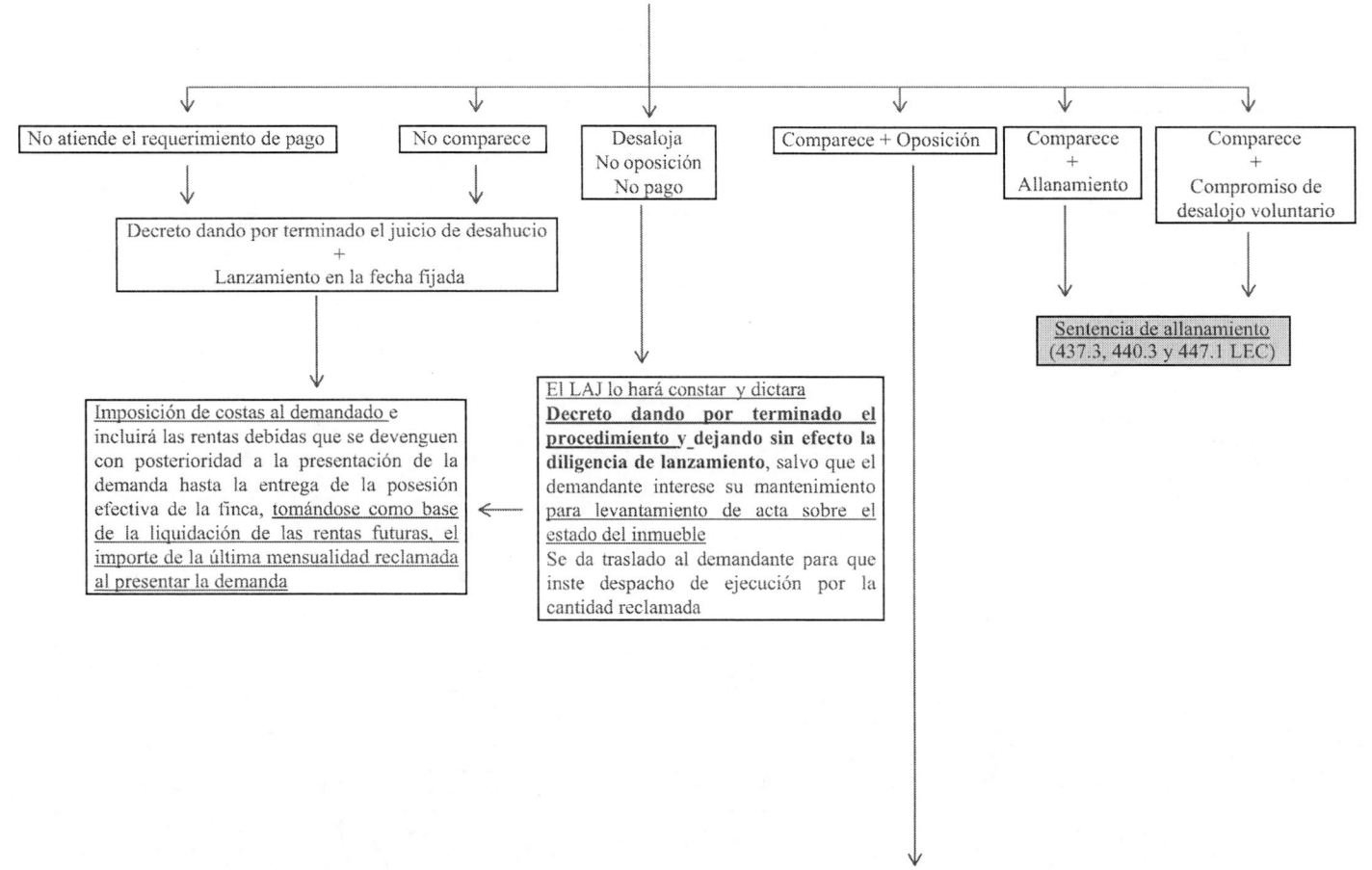

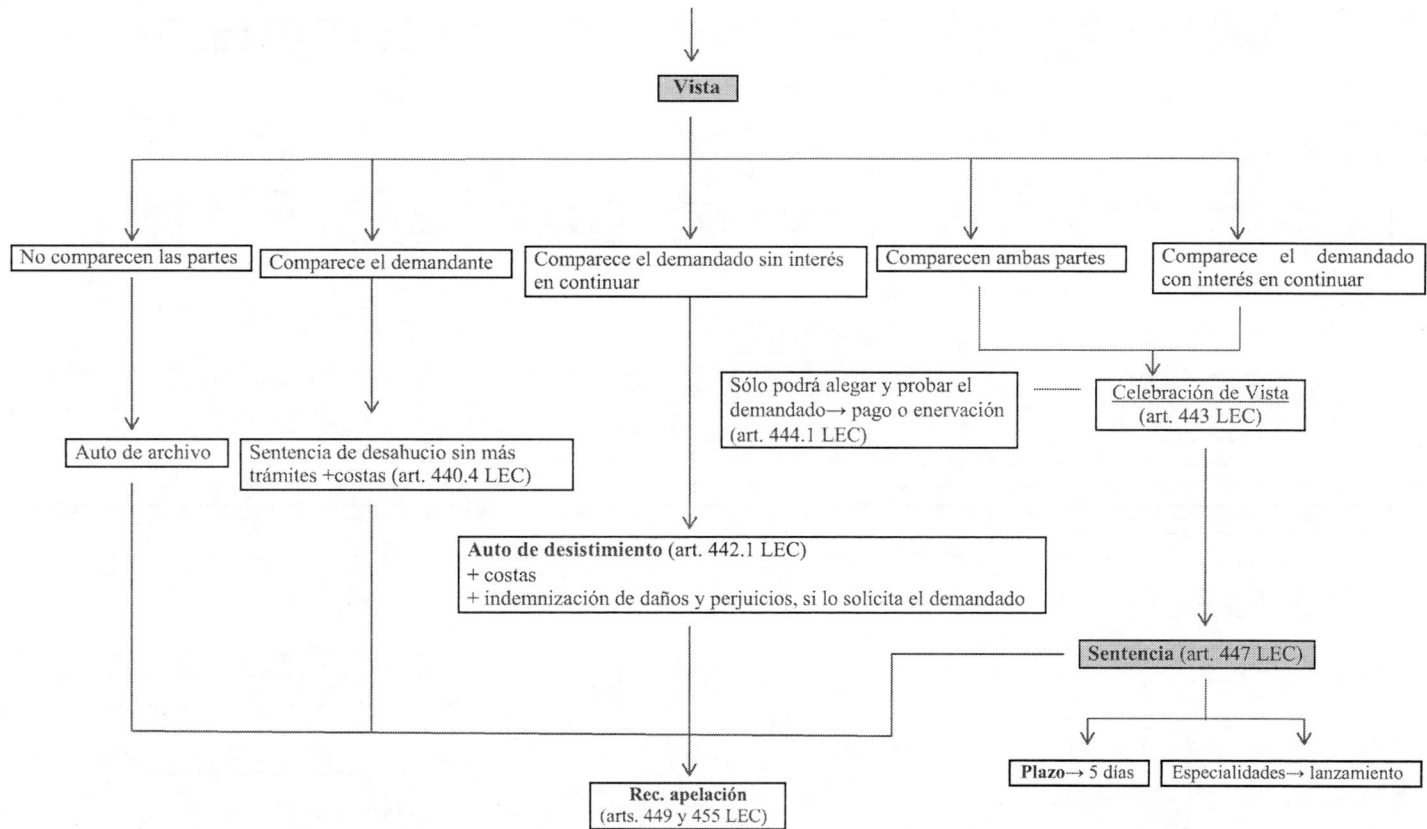

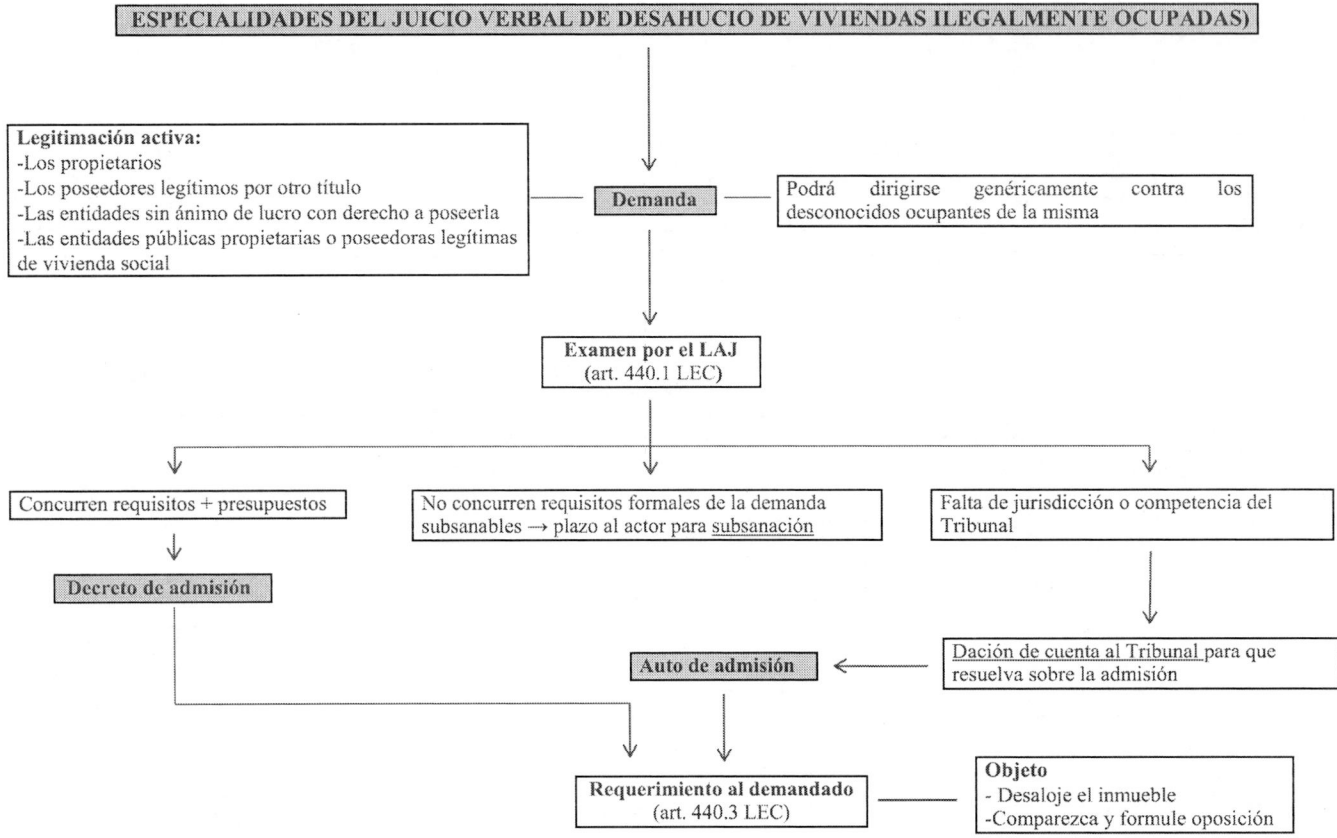

ESPECIALIDADES DEL JUICIO VERBAL DE DESAHUCIO DE VIVIENDAS ILEGALMENTE OCUPADAS)

Legitimación activa:
-Los propietarios
-Los poseedores legítimos por otro título
-Las entidades sin ánimo de lucro con derecho a poseerla
-Las entidades públicas propietarias o poseedoras legítimas de vivienda social

Demanda

Podrá dirigirse genéricamente contra los desconocidos ocupantes de la misma

Examen por el LAJ
(art. 440.1 LEC)

Concurren requisitos + presupuestos

No concurren requisitos formales de la demanda subsanables → plazo al actor para subsanación

Falta de jurisdicción o competencia del Tribunal

Decreto de admisión

Dación de cuenta al Tribunal para que resuelva sobre la admisión

Auto de admisión

Requerimiento al demandado
(art. 440.3 LEC)

Objeto
- Desaloje el inmueble
-Comparezca y formule oposición

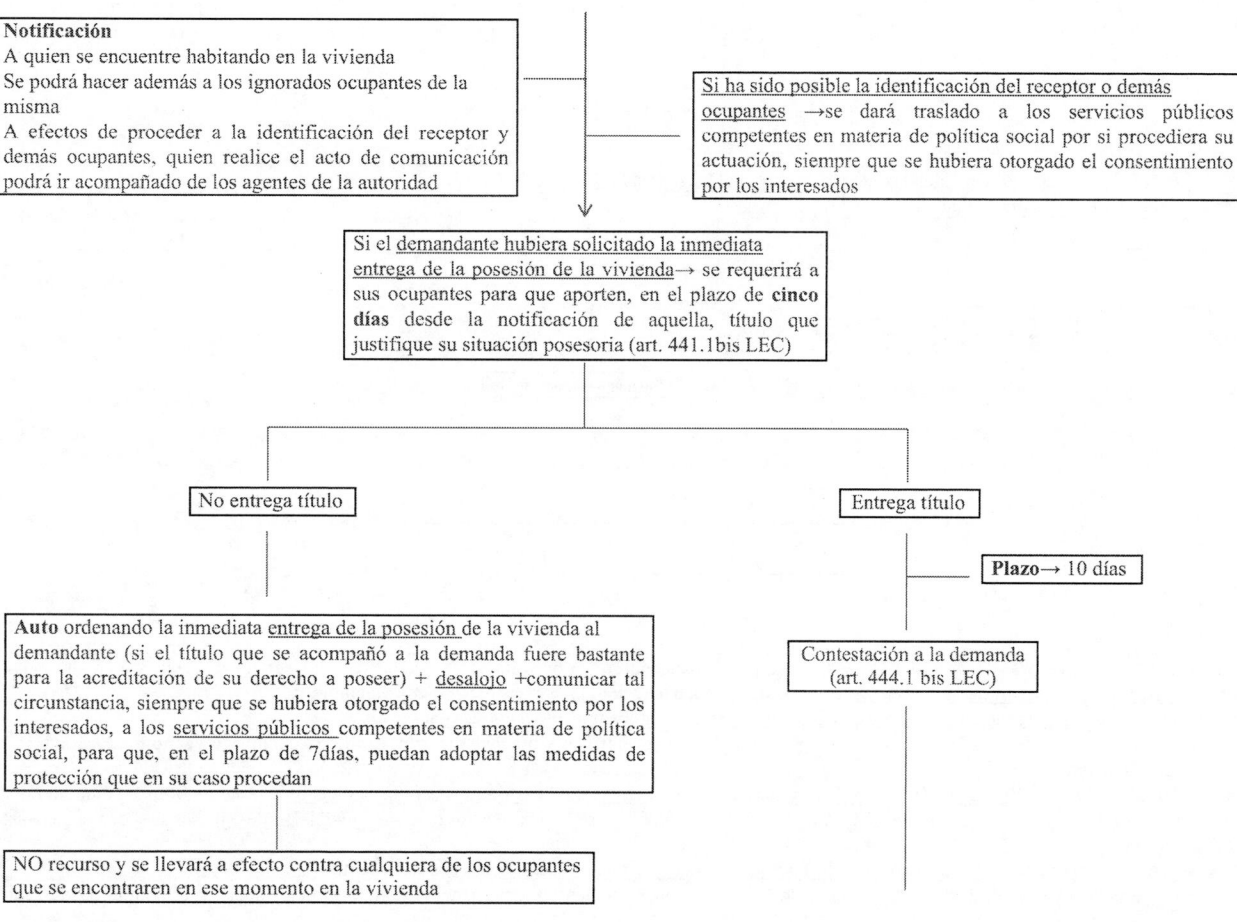

Notificación

A quien se encuentre habitando en la vivienda

Se podrá hacer además a los ignorados ocupantes de la misma

A efectos de proceder a la identificación del receptor y demás ocupantes, quien realice el acto de comunicación podrá ir acompañado de los agentes de la autoridad

Si ha sido posible la identificación del receptor o demás ocupantes →se dará traslado a los servicios públicos competentes en materia de política social por si procediera su actuación, siempre que se hubiera otorgado el consentimiento por los interesados

Si el demandante hubiera solicitado la inmediata entrega de la posesión de la vivienda→ se requerirá a sus ocupantes para que aporten, en el plazo de **cinco días** desde la notificación de aquella, título que justifique su situación posesoria (art. 441.1bis LEC)

No entrega título

Entrega título

Plazo→ 10 días

Auto ordenando la inmediata entrega de la posesión de la vivienda al demandante (si el título que se acompañó a la demanda fuere bastante para la acreditación de su derecho a poseer) + desalojo +comunicar tal circunstancia, siempre que se hubiera otorgado el consentimiento por los interesados, a los servicios públicos competentes en materia de política social, para que, en el plazo de 7días, puedan adoptar las medidas de protección que en su caso procedan

Contestación a la demanda (art. 444.1 bis LEC)

NO recurso y se llevará a efecto contra cualquiera de los ocupantes que se encontraren en ese momento en la vivienda

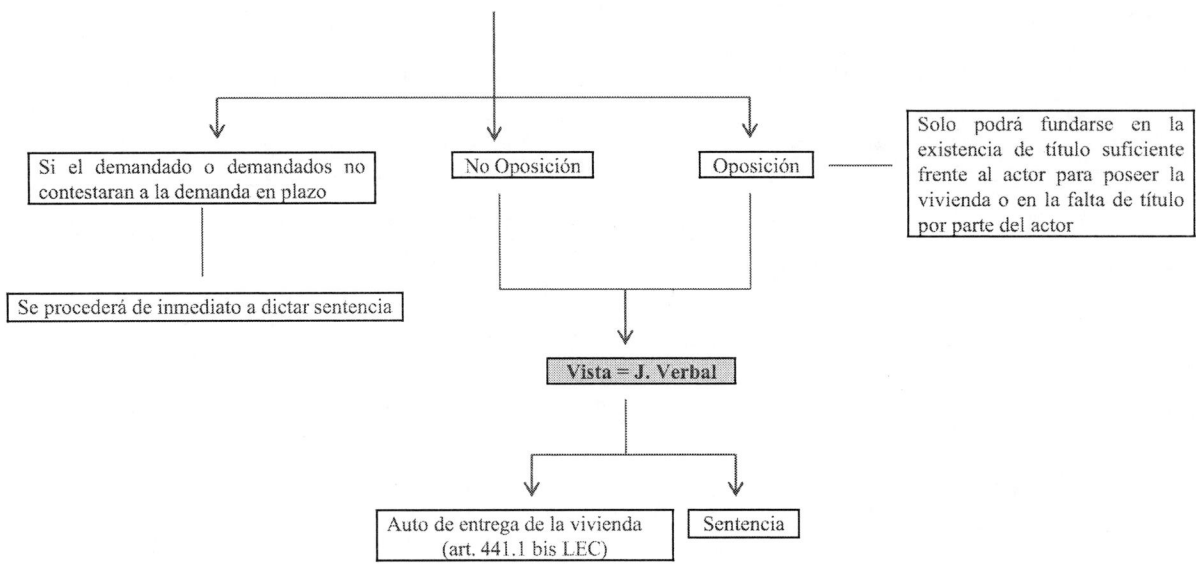

En los casos del nº1º del artículo 250.1 de la LEC, se informará al demandando de la posibilidad de que acuda a los servicios sociales, y en su caso, de la posibilidad de autorizar la cesión de sus datos a estos, a efectos de que puedan apreciar la posible situación de vulnerabilidad
A los mismos efectos, se comunicará, de oficio por el Juzgado, la existencia del procedimiento a los servicios sociales
En caso de que los servicios sociales confirmasen que el hogar afectado se encuentra en situación de vulnerabilidad social y/o económica, se notificará al órgano judicial inmediatamente
Recibida dicha comunicación, el LAJ suspenderá el proceso hasta que se adopten las medidas que los servicios sociales estimen oportunas, durante un plazo máximo de suspensión de 1 mes a contar desde la recepción de la comunicación de los servicios sociales al órgano judicial, o de 3 meses si el demandante es una persona jurídica
Adoptadas las medidas o transcurrido el plazo → se alzará la suspensión y continuará el procedimiento por sus trámites
 En estos supuestos, la cédula de emplazamiento al demandado habrá de contener datos de identificación de los servicios sociales a los que puede acudir el ciudadano

9. Los procesos especiales

En el derecho procesal civil junto con los procesos declarativos existen los procesos civiles especiales.

La LEC dedica su Libro IV, a lo que denomina "Los Procesos Especiales", y lo divide en tres Títulos, en el primero de ellos regula los procesos sobre capacidad, filiación, matrimonio y menores; y en el segundo, la división judicial de patrimonios (división de la herencia y la liquidación del régimen económico matrimonial); finalmente, en el tercero regula el proceso monitorio y cambiario.

9.1. LOS PROCESOS SOBRE CAPACIDAD, FILIACIÓN, MATRIMONIO Y MENORES

Son aquellos que versan sobre:

1º La capacidad de las personas y de declaración de prodigalidad 2º Filiación, paternidad y maternidad.

3º Nulidad del matrimonio, separación y divorcio y los de modificación de medidas adoptadas en ellos.

4º Exclusivamente sobre guarda y custodia de hijos menores o sobre alimentos reclamados por un progenitor contra el otro en nombre de los hijos menores.

5º Reconocimiento de eficacia civil de resoluciones o decisiones eclesiásticas en materia matrimonial.

6º Medidas relativas a la restitución de menores en los supuestos de sustracción internacional.

7º La oposición a las resoluciones administrativas en materia de protección de menores.

8º La necesidad de asentimiento en la adopción.

Nueva redacción del **art. 748 de la LEC** por Ley 15/2015, de 2 de julio, de la Jurisdicción Voluntaria.

EXCLUSIÓN DE LA PUBLICIDAD (art. 754 LEC)

Los Tribunales, *mediante providencia*, de oficio o a instancia de parte, podrán decidir que los actos y vistas se celebren a puerta cerrada y que las actuaciones sean reservadas, siempre que las circunstancias lo aconsejen y aunque no se esté en ninguno de los casos del art. 138.2 LEC.

INTERVENCIÓN DEL MINISTERIO FISCAL (art. 749 LEC)

En los procesos sobre *la capacidad de las personas,* (antes incapacitación) *en los de nulidad matrimonial, en los de sustracción internacional de menores y en los de determinación e impugnación de la filiación* será siempre parte el Ministerio Fiscal, aunque no haya sido promotor de los mismos ni deba, conforme a la Ley, asumir la defensa de alguna de las partes.

El Ministerio Fiscal velará durante todo el proceso por la salvaguarda del interés superior de la persona afectada.

En los demás procesos a que se refiere este título será preceptiva la intervención del Ministerio Fiscal, siempre que alguno de los interesados en el procedimiento *sea menor, incapacitado o esté en situación de ausencia legal.*

El art. 749.1 LEC ha sido modificado por la Ley 15/2015, de 2 de julio, de la Jurisdicción Voluntaria. Artículo 6.1.6º; artículo 3.6 Estatuto Orgánico del Ministerio Fiscal. Circular 1/2001, de 5 de abril de 2001, de la Fiscalía General del Estado, sobre intervención del Fiscal en los procesos civiles.

INDISPONIBILIDAD DEL OBJETO DE PROCESO (art. 751 LEC)

No surtirán efecto la renuncia, el allanamiento ni la transacción.

El *desistimiento requerirá la conformidad del Ministerio Fiscal, excepto* en los casos siguientes:

1° En los procesos de declaración de prodigalidad, así como en los que se refieran a filiación, paternidad y maternidad, siempre que *no existan menores,* **incapacitados** *o ausentes* interesados en el procedimiento.

2° En los procesos de nulidad matrimonial por minoría de edad, cuando el cónyuge que contrajo matrimonio siendo menor ejercite, después de llegar a la *mayoría de edad,* la acción de nulidad.

3° En los procesos de nulidad matrimonial por *error, coacción o miedo grave.*

4° En los procesos de *separación y divorcio.*

Las pretensiones que se formulen en estos procesos y que tengan por objeto materias sobre las que las partes puedan disponer libremente, podrán ser objeto de renuncia, allanamiento, transacción o desistimiento.

9.1.1. Los procesos sobre capacidad de las personas

La incapacidad es la declaración jurisdiccional de que una persona física no posee la plena capacidad de obrar, ya que padece una enfermedad o deficiencia persistente de carácter físico o psíquico que la impiden gobernarse por sí misma.

Según el art.199 CC nadie puede ser declarado incapaz sino por sentencia judicial en virtud de las causas establecidas en la ley.

Constituye norma fundamental en el régimen de la incapacitación lo dispuesto en el art. 200 CC a cuyo tenor *"son causas de incapacitación las enfermedades o deficiencias persistentes de carácter físico o psíquico que impidan a la persona gobernarse por sí misma"*, distinguiéndose, por lo tanto, como causas de incapacidad las enfermedades de las deficiencias, físicas o psíquicas, que en cualquier caso han de ser unas y otras de *carácter persistente* y producir como efecto un *impedimento a la persona para gobernarse por sí misma*, suponiendo las "deficiencias" en principio, un deterioro o impedimento, psíquico o físico, de carácter previsiblemente estable.

Bajo la genérica denominación "*De los procesos sobre la capacidad de las personas*" regula la LEC, en los artículos 756 a 763, diversas pretensiones que pueden constituir el objeto del proceso. No se trata de procesos independientes, sino de un mismo cauce para distintas pretensiones.

Su regulación legal viene a suponer que se trata de un *estado excepcional para la persona*, pues la capacidad se presume siempre, presunción que regirá mientras no se destruya mediante prueba en contrario, siendo doctrina reiterada del Tribunal Supremo, el que a toda persona ha de reputársele capaz, mientras no se demuestre lo contrario mediante prueba concluyente (T.S. 1ª SS. de 26 mayo 1969, y 10 febrero 1986), de ahí que una decisión judicial, habrá de estar fundada inexorablemente en alguna de las causas establecidas por la ley, cuya certeza plena lleve al tribunal a la convicción total sobre la carencia de aptitud del sujeto para autogobernarse, precisando la prueba requerida por la norma constatar la existencia de enfermedades o deficiencias persistentes que impidan a la persona para regirse por sí misma, y revelen, en definitiva, la necesidad de someter a aquélla a los mecanismos de guarda y protección previstos de tutela ó de curatela.

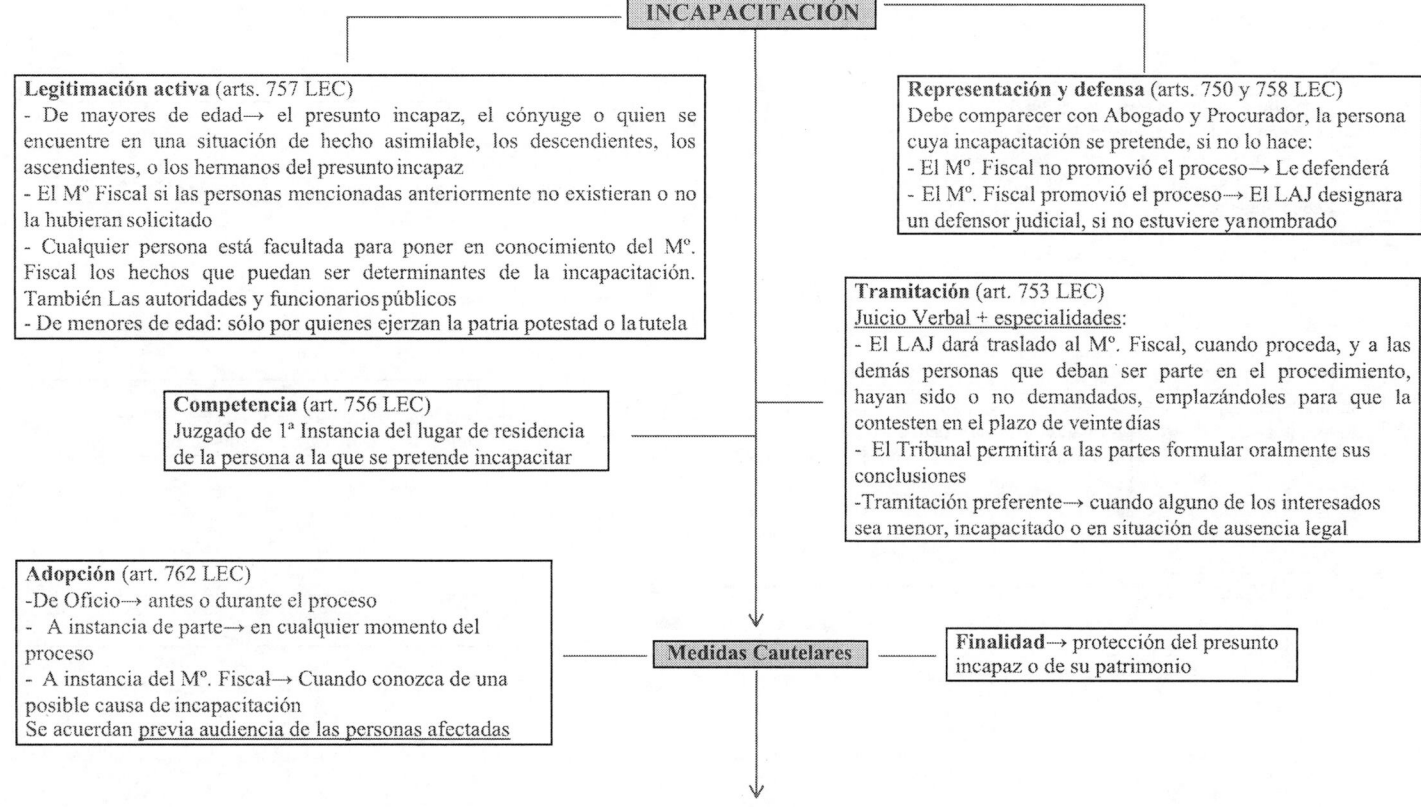

INCAPACITACIÓN

Legitimación activa (arts. 757 LEC)
- De mayores de edad→ el presunto incapaz, el cónyuge o quien se encuentre en una situación de hecho asimilable, los descendientes, los ascendientes, o los hermanos del presunto incapaz
- El Mº Fiscal si las personas mencionadas anteriormente no existieran o no la hubieran solicitado
- Cualquier persona está facultada para poner en conocimiento del Mº. Fiscal los hechos que puedan ser determinantes de la incapacitación. También Las autoridades y funcionarios públicos
- De menores de edad: sólo por quienes ejerzan la patria potestad o la tutela

Representación y defensa (arts. 750 y 758 LEC)
Debe comparecer con Abogado y Procurador, la persona cuya incapacitación se pretende, si no lo hace:
- El Mº. Fiscal no promovió el proceso→ Le defenderá
- El Mº. Fiscal promovió el proceso→ El LAJ designara un defensor judicial, si no estuviere ya nombrado

Competencia (art. 756 LEC)
Juzgado de 1ª Instancia del lugar de residencia de la persona a la que se pretende incapacitar

Tramitación (art. 753 LEC)
Juicio Verbal + especialidades:
- El LAJ dará traslado al Mº. Fiscal, cuando proceda, y a las demás personas que deban ser parte en el procedimiento, hayan sido o no demandados, emplazándoles para que la contesten en el plazo de veinte días
- El Tribunal permitirá a las partes formular oralmente sus conclusiones
-Tramitación preferente→ cuando alguno de los interesados sea menor, incapacitado o en situación de ausencia legal

Adopción (art. 762 LEC)
-De Oficio→ antes o durante el proceso
- A instancia de parte→ en cualquier momento del proceso
- A instancia del Mº. Fiscal→ Cuando conozca de una posible causa de incapacitación
Se acuerdan previa audiencia de las personas afectadas

Medidas Cautelares

Finalidad→ protección del presunto incapaz o de su patrimonio

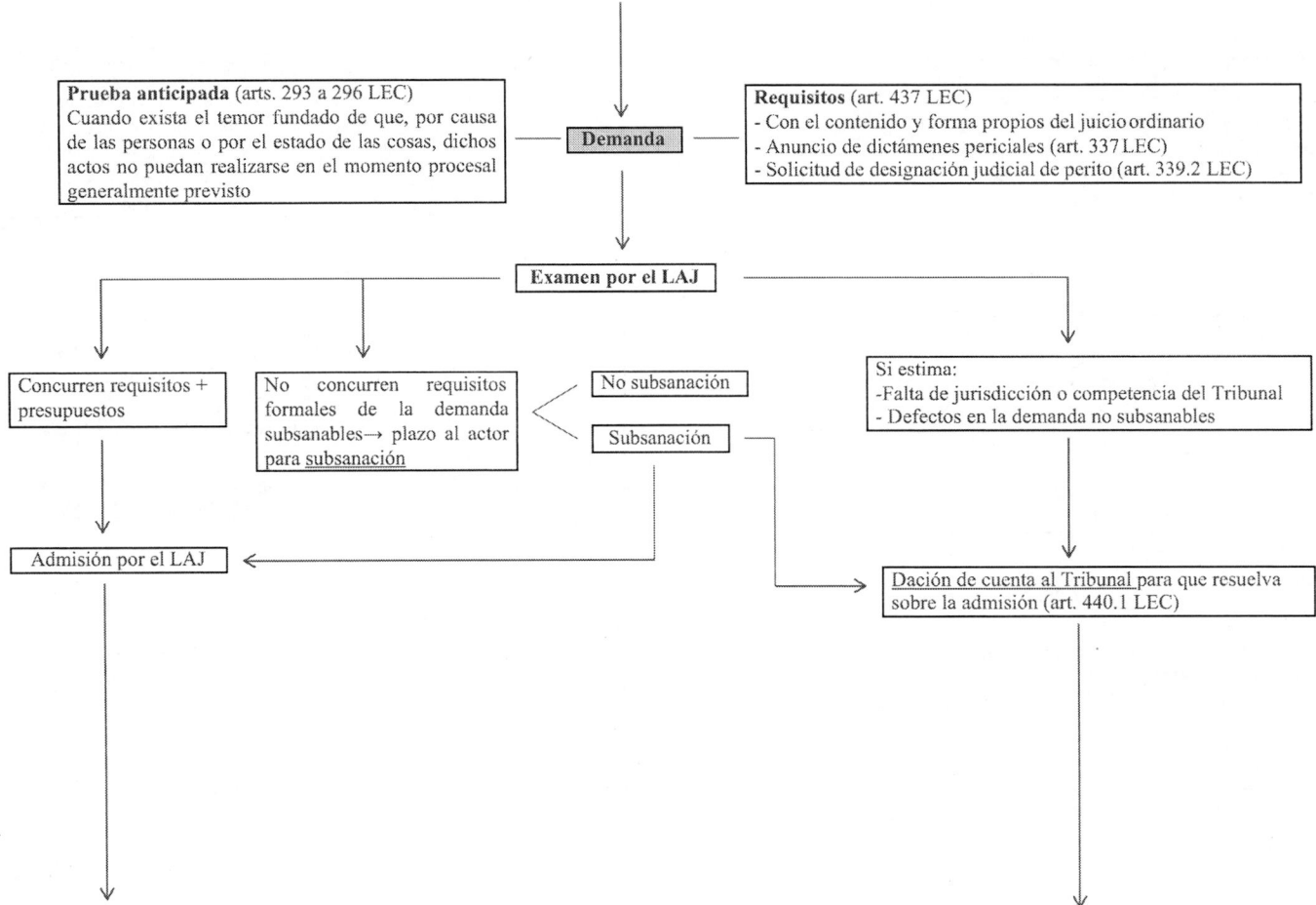

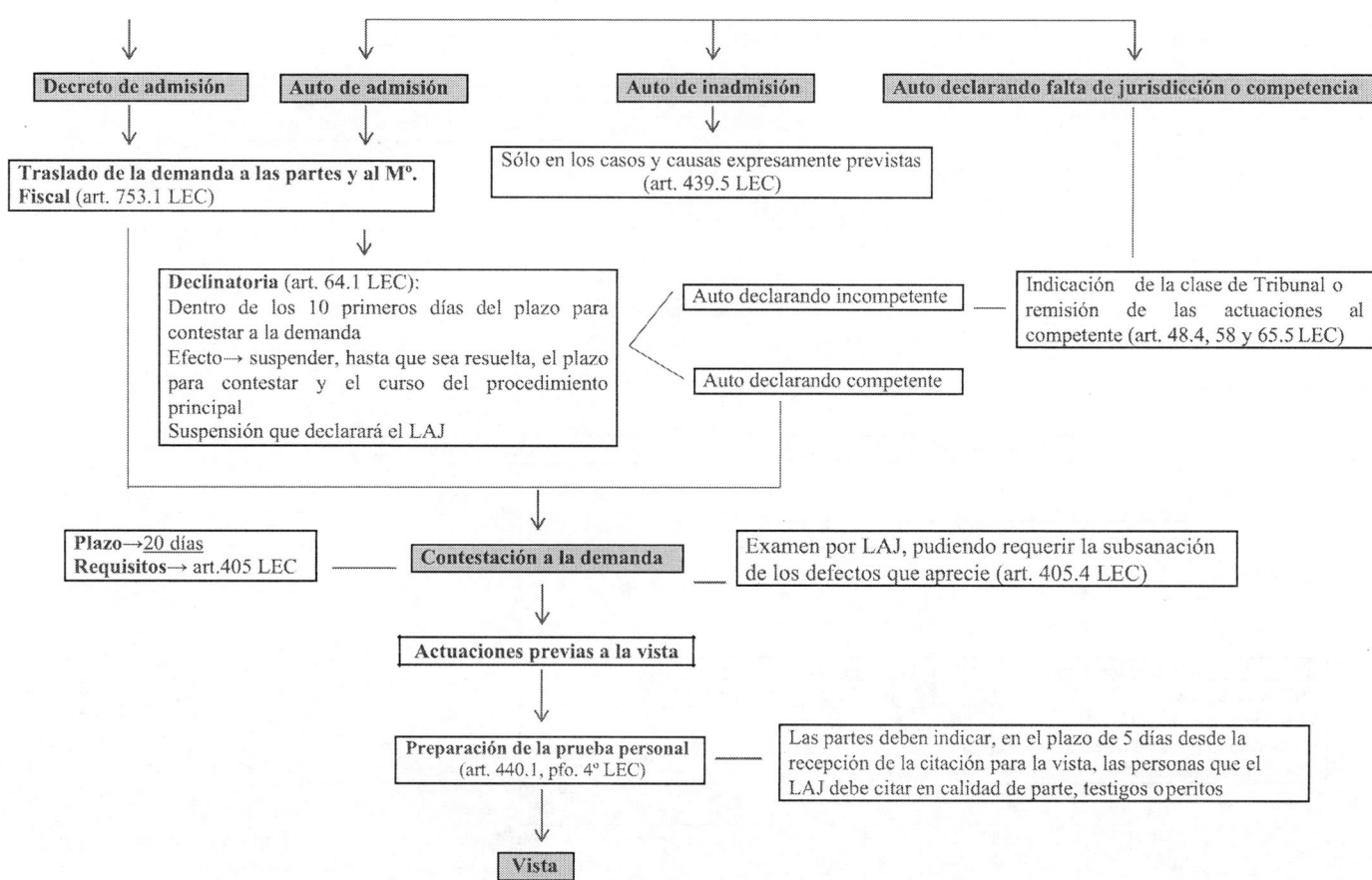

Decreto de admisión

Auto de admisión

Auto de inadmisión

Auto declarando falta de jurisdicción o competencia

Traslado de la demanda a las partes y al Mº. Fiscal (art. 753.1 LEC)

Sólo en los casos y causas expresamente previstas (art. 439.5 LEC)

Declinatoria (art. 64.1 LEC):
Dentro de los 10 primeros días del plazo para contestar a la demanda
Efecto→ suspender, hasta que sea resuelta, el plazo para contestar y el curso del procedimiento principal
Suspensión que declarará el LAJ

Auto declarando incompetente

Auto declarando competente

Indicación de la clase de Tribunal o remisión de las actuaciones al competente (art. 48.4, 58 y 65.5 LEC)

Plazo→20 días
Requisitos→ art.405 LEC

Contestación a la demanda

Examen por LAJ, pudiendo requerir la subsanación de los defectos que aprecie (art. 405.4 LEC)

Actuaciones previas a la vista

Preparación de la prueba personal (art. 440.1, pfo. 4º LEC)

Las partes deben indicar, en el plazo de 5 días desde la recepción de la citación para la vista, las personas que el LAJ debe citar en calidad de parte, testigos o peritos

Vista

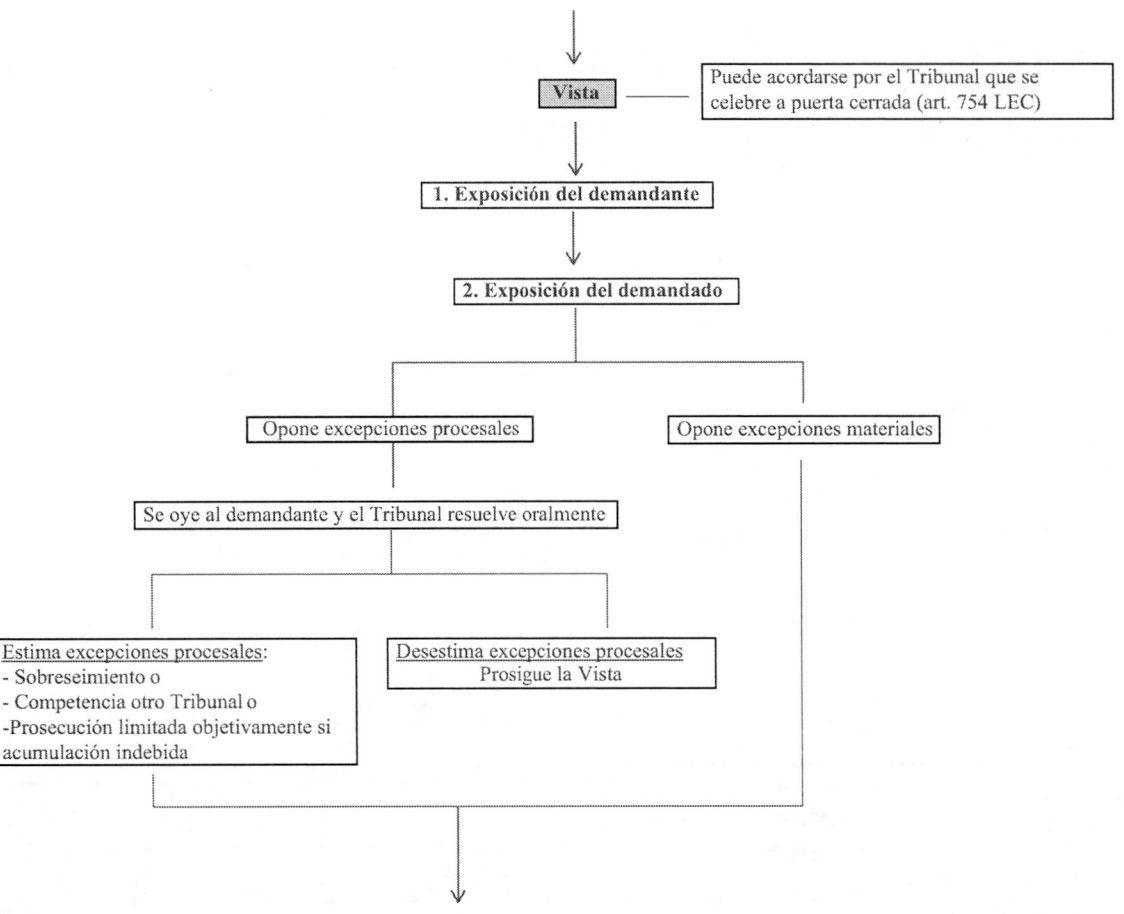

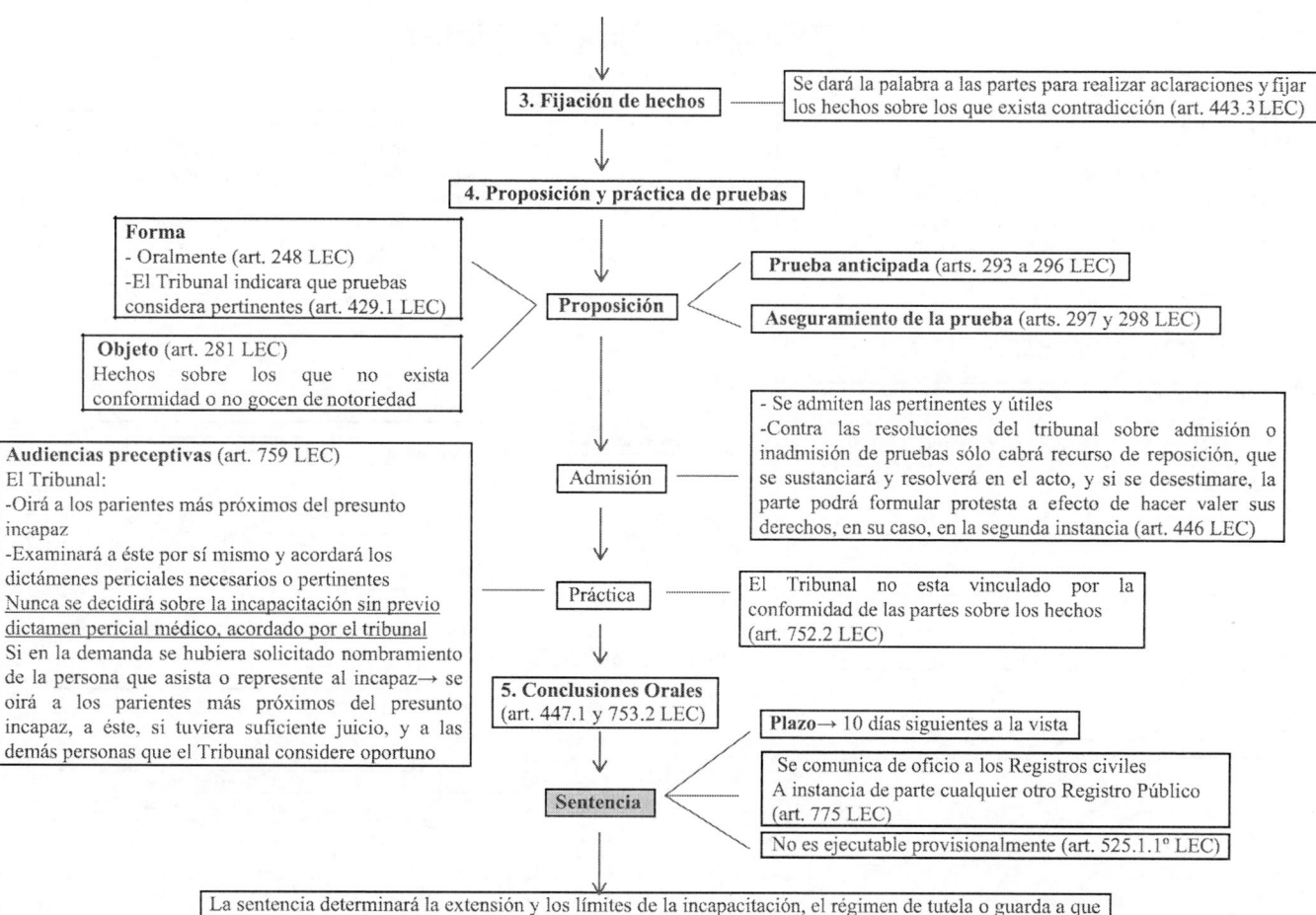

3. Fijación de hechos ---- Se dará la palabra a las partes para realizar aclaraciones y fijar los hechos sobre los que exista contradicción (art. 443.3 LEC)

4. Proposición y práctica de pruebas

Forma
- Oralmente (art. 248 LEC)
-El Tribunal indicara que pruebas considera pertinentes (art. 429.1 LEC)

Proposición

Prueba anticipada (arts. 293 a 296 LEC)

Aseguramiento de la prueba (arts. 297 y 298 LEC)

Objeto (art. 281 LEC)
Hechos sobre los que no exista conformidad o no gocen de notoriedad

Audiencias preceptivas (art. 759 LEC)
El Tribunal:
-Oirá a los parientes más próximos del presunto incapaz
-Examinará a éste por sí mismo y acordará los dictámenes periciales necesarios o pertinentes
Nunca se decidirá sobre la incapacitación sin previo dictamen pericial médico, acordado por el tribunal
Si en la demanda se hubiera solicitado nombramiento de la persona que asista o represente al incapaz→ se oirá a los parientes más próximos del presunto incapaz, a éste, si tuviera suficiente juicio, y a las demás personas que el Tribunal considere oportuno

Admisión

- Se admiten las pertinentes y útiles
-Contra las resoluciones del tribunal sobre admisión o inadmisión de pruebas sólo cabrá recurso de reposición, que se sustanciará y resolverá en el acto, y si se desestimare, la parte podrá formular protesta a efecto de hacer valer sus derechos, en su caso, en la segunda instancia (art. 446 LEC)

Práctica ---- El Tribunal no esta vinculado por la conformidad de las partes sobre los hechos (art. 752.2 LEC)

5. Conclusiones Orales (art. 447.1 y 753.2 LEC)

Plazo→ 10 días siguientes a la vista

Sentencia

Se comunica de oficio a los Registros civiles
A instancia de parte cualquier otro Registro Público (art. 775 LEC)

No es ejecutable provisionalmente (art. 525.1.1º LEC)

La sentencia determinará la extensión y los límites de la incapacitación, el régimen de tutela o guarda a que haya de quedar sometido el incapacitado, y, en su caso, sobre la necesidad de internamiento (art. 760 LEC)

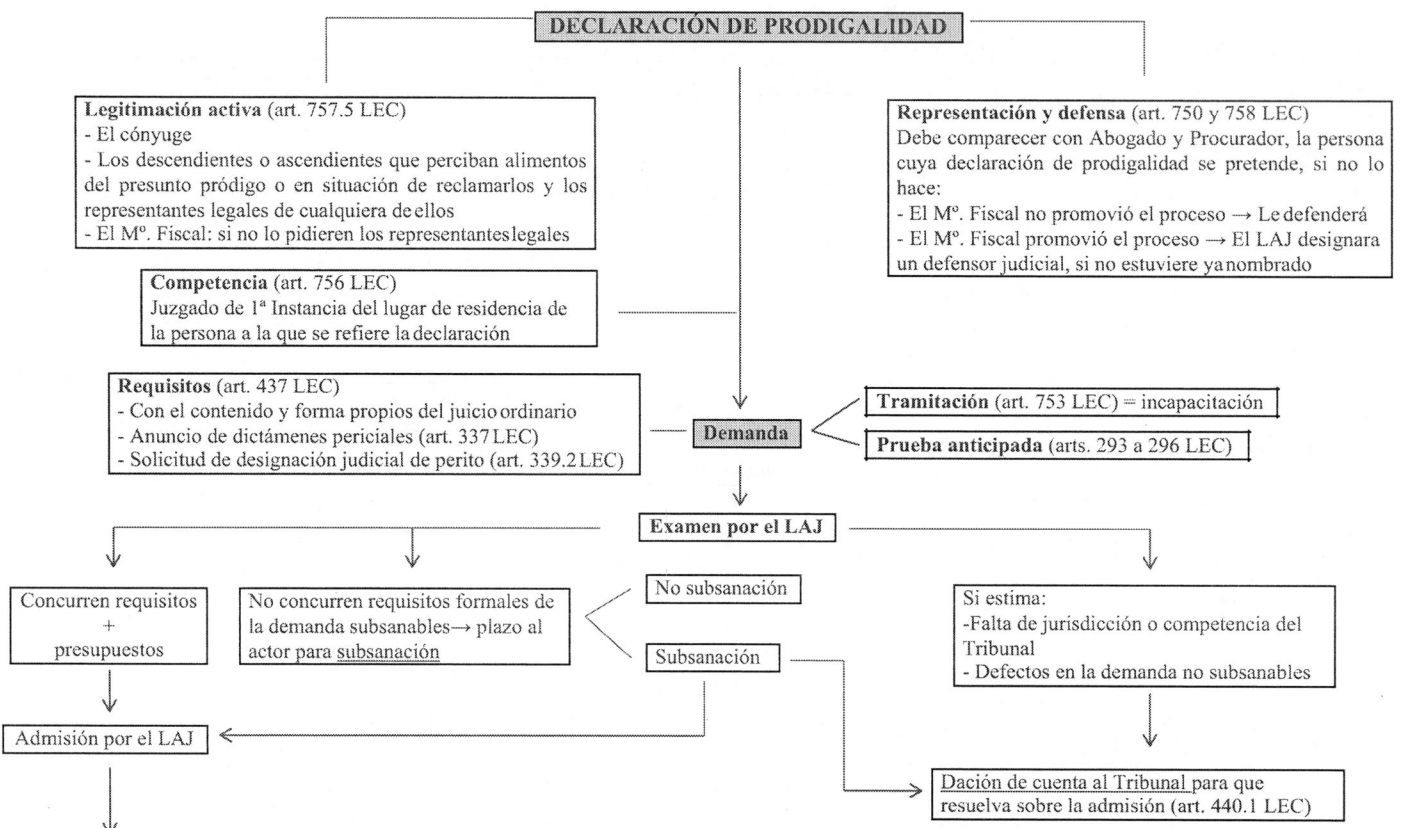

DECLARACIÓN DE PRODIGALIDAD

Legitimación activa (art. 757.5 LEC)
- El cónyuge
- Los descendientes o ascendientes que perciban alimentos del presunto pródigo o en situación de reclamarlos y los representantes legales de cualquiera de ellos
- El Mº. Fiscal: si no lo pidieren los representantes legales

Representación y defensa (art. 750 y 758 LEC)
Debe comparecer con Abogado y Procurador, la persona cuya declaración de prodigalidad se pretende, si no lo hace:
- El Mº. Fiscal no promovió el proceso → Le defenderá
- El Mº. Fiscal promovió el proceso → El LAJ designara un defensor judicial, si no estuviere ya nombrado

Competencia (art. 756 LEC)
Juzgado de 1ª Instancia del lugar de residencia de la persona a la que se refiere la declaración

Requisitos (art. 437 LEC)
- Con el contenido y forma propios del juicio ordinario
- Anuncio de dictámenes periciales (art. 337 LEC)
- Solicitud de designación judicial de perito (art. 339.2 LEC)

Demanda

Tramitación (art. 753 LEC) = incapacitación

Prueba anticipada (arts. 293 a 296 LEC)

Examen por el LAJ

Concurren requisitos + presupuestos

No concurren requisitos formales de la demanda subsanables → plazo al actor para subsanación

No subsanación

Subsanación

Si estima:
-Falta de jurisdicción o competencia del Tribunal
- Defectos en la demanda no subsanables

Admisión por el LAJ

Dación de cuenta al Tribunal para que resuelva sobre la admisión (art. 440.1 LEC)

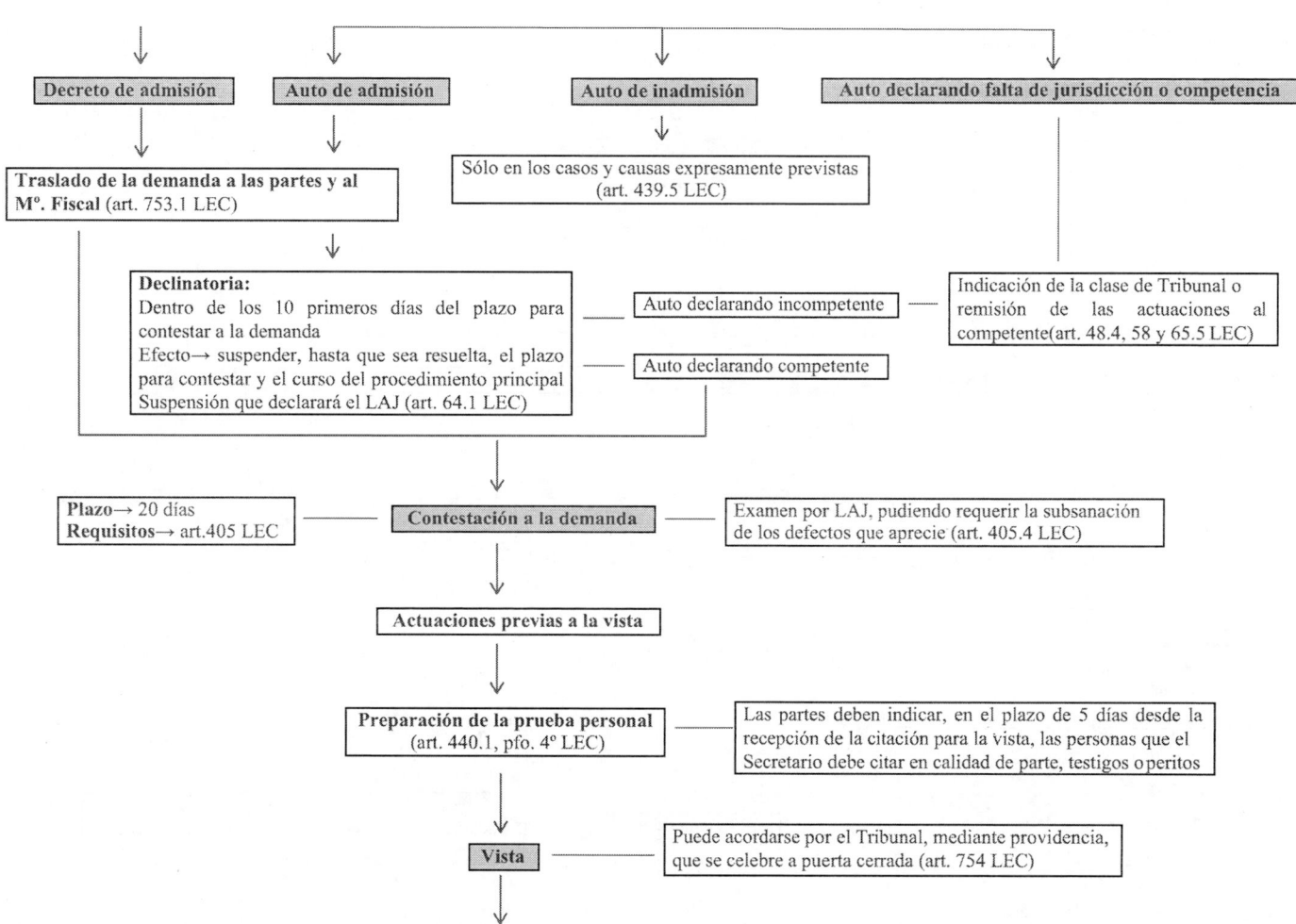

Decreto de admisión

Auto de admisión

Auto de inadmisión

Auto declarando falta de jurisdicción o competencia

Traslado de la demanda a las partes y al M°. Fiscal (art. 753.1 LEC)

Sólo en los casos y causas expresamente previstas (art. 439.5 LEC)

Indicación de la clase de Tribunal o remisión de las actuaciones al competente(art. 48.4, 58 y 65.5 LEC)

Declinatoria:
Dentro de los 10 primeros días del plazo para contestar a la demanda
Efecto→ suspender, hasta que sea resuelta, el plazo para contestar y el curso del procedimiento principal
Suspensión que declarará el LAJ (art. 64.1 LEC)

Auto declarando incompetente

Auto declarando competente

Plazo→ 20 días
Requisitos→ art.405 LEC

Contestación a la demanda

Examen por LAJ, pudiendo requerir la subsanación de los defectos que aprecie (art. 405.4 LEC)

Actuaciones previas a la vista

Preparación de la prueba personal
(art. 440.1, pfo. 4° LEC)

Las partes deben indicar, en el plazo de 5 días desde la recepción de la citación para la vista, las personas que el Secretario debe citar en calidad de parte, testigos operitos

Vista

Puede acordarse por el Tribunal, mediante providencia, que se celebre a puerta cerrada (art. 754 LEC)

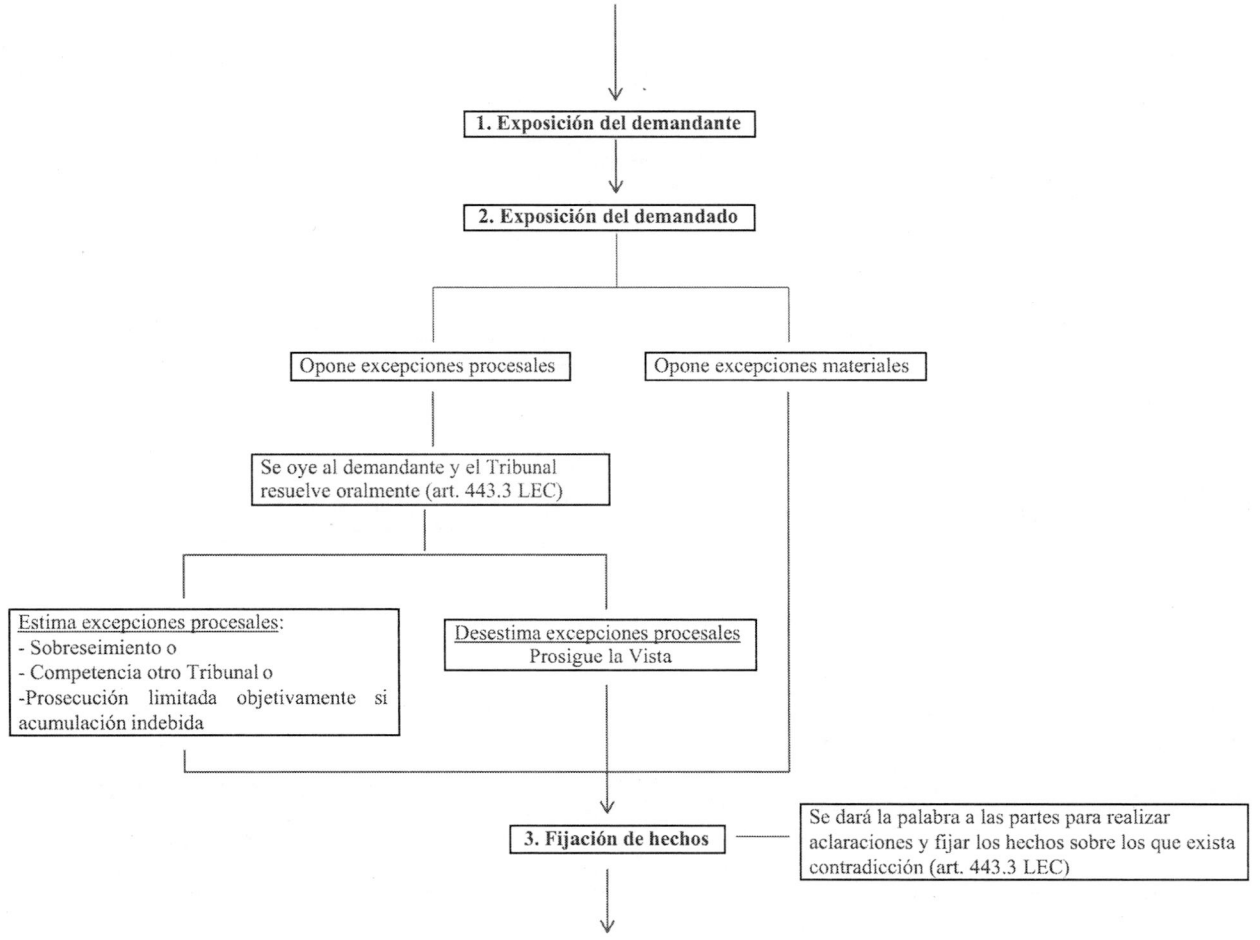

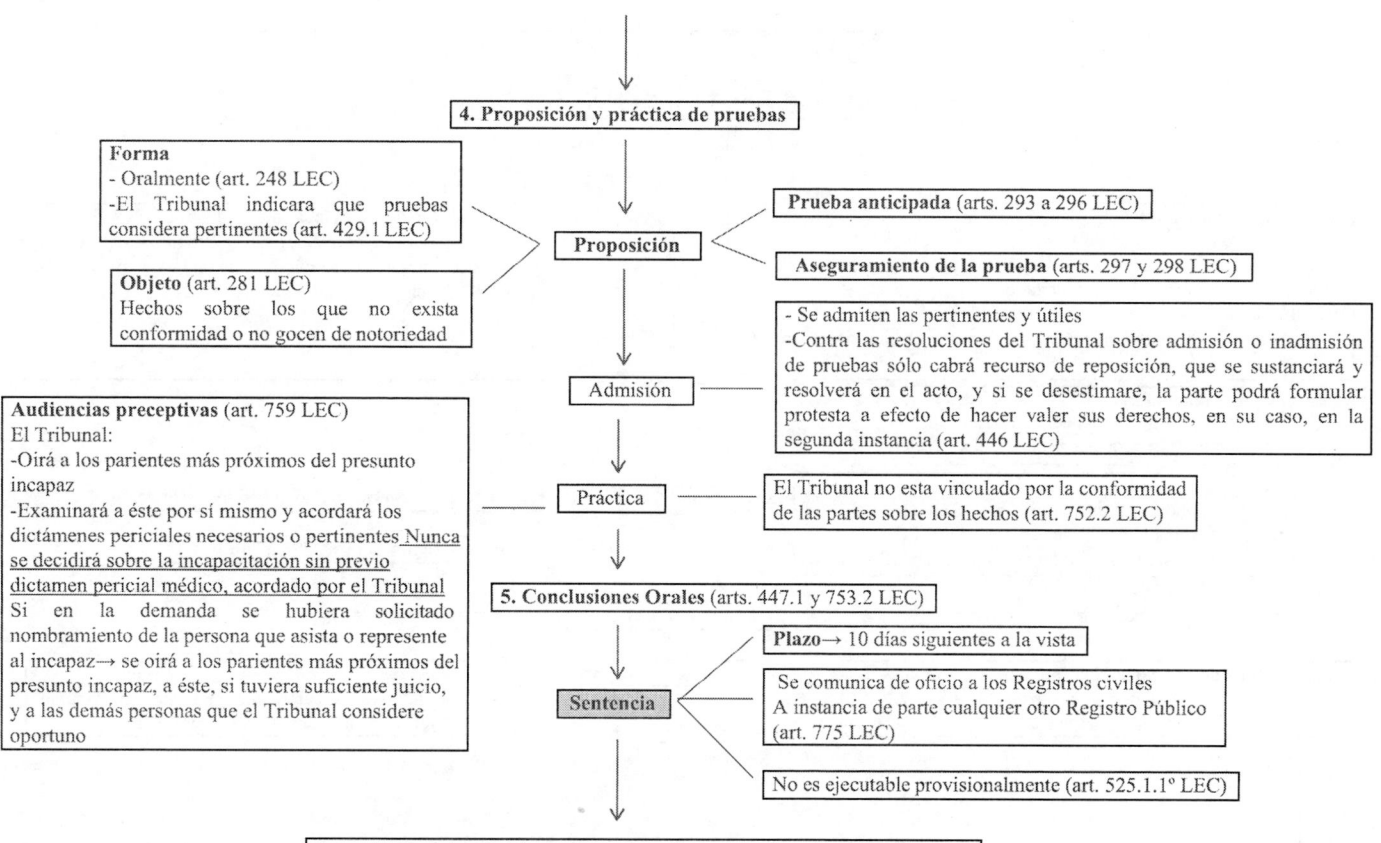

4. Proposición y práctica de pruebas

Forma
- Oralmente (art. 248 LEC)
-El Tribunal indicara que pruebas considera pertinentes (art. 429.1 LEC)

Objeto (art. 281 LEC)
Hechos sobre los que no exista conformidad o no gocen de notoriedad

Proposición

Prueba anticipada (arts. 293 a 296 LEC)

Aseguramiento de la prueba (arts. 297 y 298 LEC)

Admisión

- Se admiten las pertinentes y útiles
-Contra las resoluciones del Tribunal sobre admisión o inadmisión de pruebas sólo cabrá recurso de reposición, que se sustanciará y resolverá en el acto, y si se desestimare, la parte podrá formular protesta a efecto de hacer valer sus derechos, en su caso, en la segunda instancia (art. 446 LEC)

Audiencias preceptivas (art. 759 LEC)
El Tribunal:
-Oirá a los parientes más próximos del presunto incapaz
-Examinará a éste por sí mismo y acordará los dictámenes periciales necesarios o pertinentes Nunca se decidirá sobre la incapacitación sin previo dictamen pericial médico, acordado por el Tribunal
Si en la demanda se hubiera solicitado nombramiento de la persona que asista o represente al incapaz→ se oirá a los parientes más próximos del presunto incapaz, a éste, si tuviera suficiente juicio, y a las demás personas que el Tribunal considere oportuno

Práctica

El Tribunal no esta vinculado por la conformidad de las partes sobre los hechos (art. 752.2 LEC)

5. Conclusiones Orales (arts. 447.1 y 753.2 LEC)

Sentencia

Plazo→ 10 días siguientes a la vista

Se comunica de oficio a los Registros civiles
A instancia de parte cualquier otro Registro Público (art. 775 LEC)

No es ejecutable provisionalmente (art. 525.1.1º LEC)

La sentencia determinará que actos el prodigo no puede realizar sin el consentimiento de la persona que debe asistirle
La persona que debe asistir al prodigo si en la demanda se solicito su nombramiento (arts. 760.2 y 3 LEC)

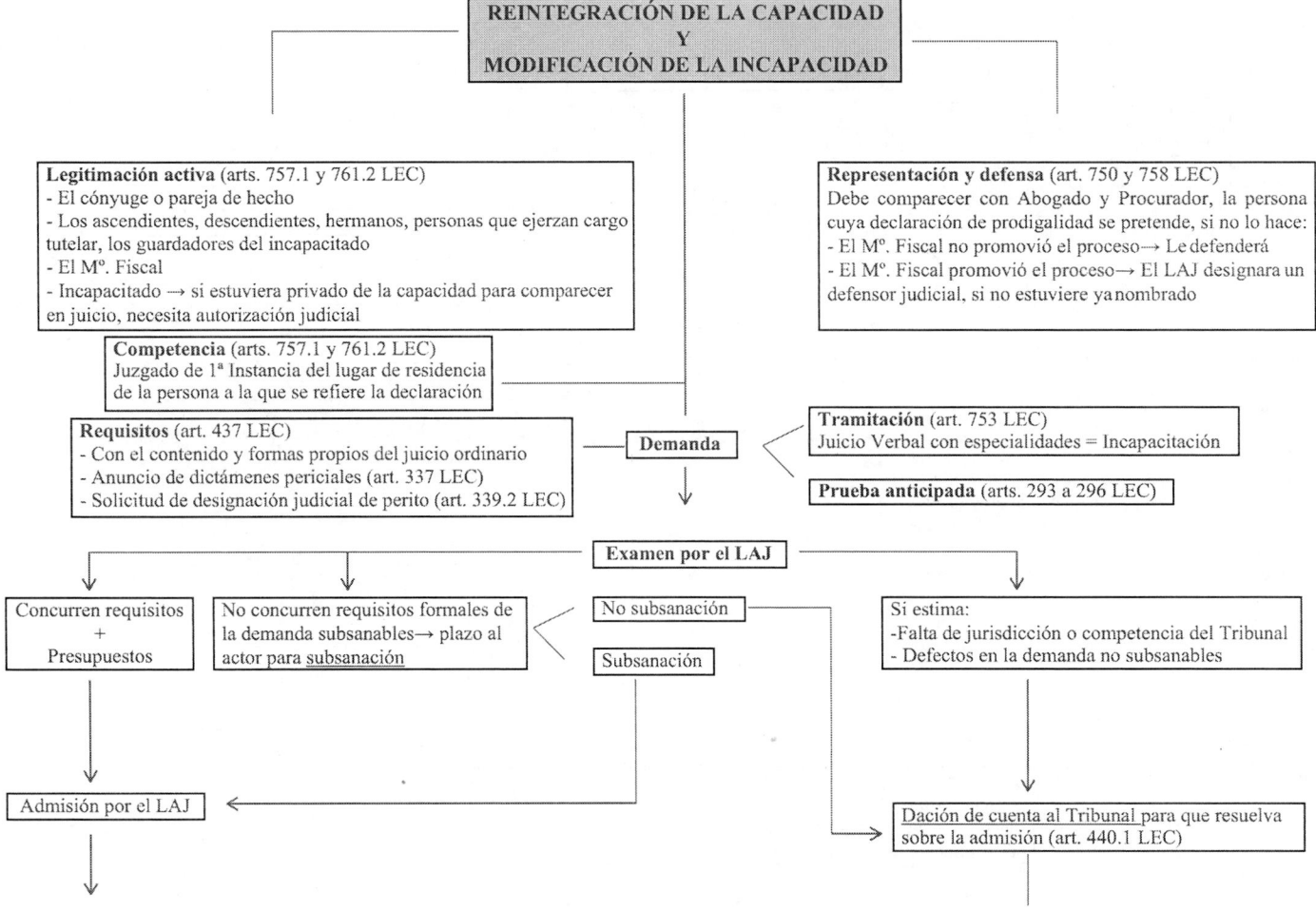

REINTEGRACIÓN DE LA CAPACIDAD
Y
MODIFICACIÓN DE LA INCAPACIDAD

Legitimación activa (arts. 757.1 y 761.2 LEC)
- El cónyuge o pareja de hecho
- Los ascendentes, descendientes, hermanos, personas que ejerzan cargo tutelar, los guardadores del incapacitado
- El Mº. Fiscal
- Incapacitado → si estuviera privado de la capacidad para comparecer en juicio, necesita autorización judicial

Representación y defensa (art. 750 y 758 LEC)
Debe comparecer con Abogado y Procurador, la persona cuya declaración de prodigalidad se pretende, si no lo hace:
- El Mº. Fiscal no promovió el proceso → Le defenderá
- El Mº. Fiscal promovió el proceso → El LAJ designara un defensor judicial, si no estuviere ya nombrado

Competencia (arts. 757.1 y 761.2 LEC)
Juzgado de 1ª Instancia del lugar de residencia de la persona a la que se refiere la declaración

Requisitos (art. 437 LEC)
- Con el contenido y formas propios del juicio ordinario
- Anuncio de dictámenes periciales (art. 337 LEC)
- Solicitud de designación judicial de perito (art. 339.2 LEC)

Demanda

Tramitación (art. 753 LEC)
Juicio Verbal con especialidades = Incapacitación

Prueba anticipada (arts. 293 a 296 LEC)

Examen por el LAJ

Concurren requisitos
+
Presupuestos

No concurren requisitos formales de la demanda subsanables → plazo al actor para subsanación

No subsanación

Subsanación

Si estima:
- Falta de jurisdicción o competencia del Tribunal
- Defectos en la demanda no subsanables

Admisión por el LAJ

Dación de cuenta al Tribunal para que resuelva sobre la admisión (art. 440.1 LEC)

1

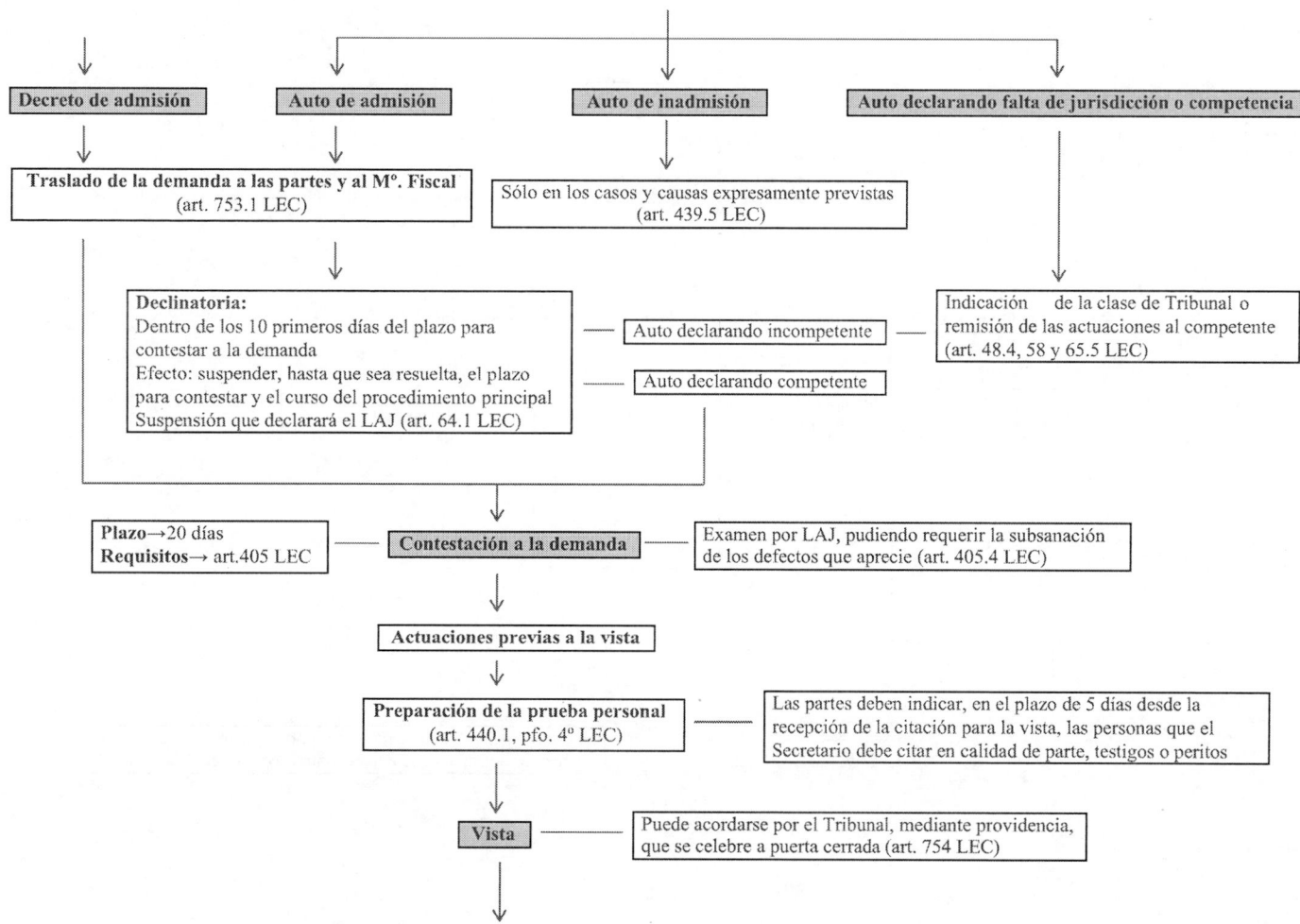

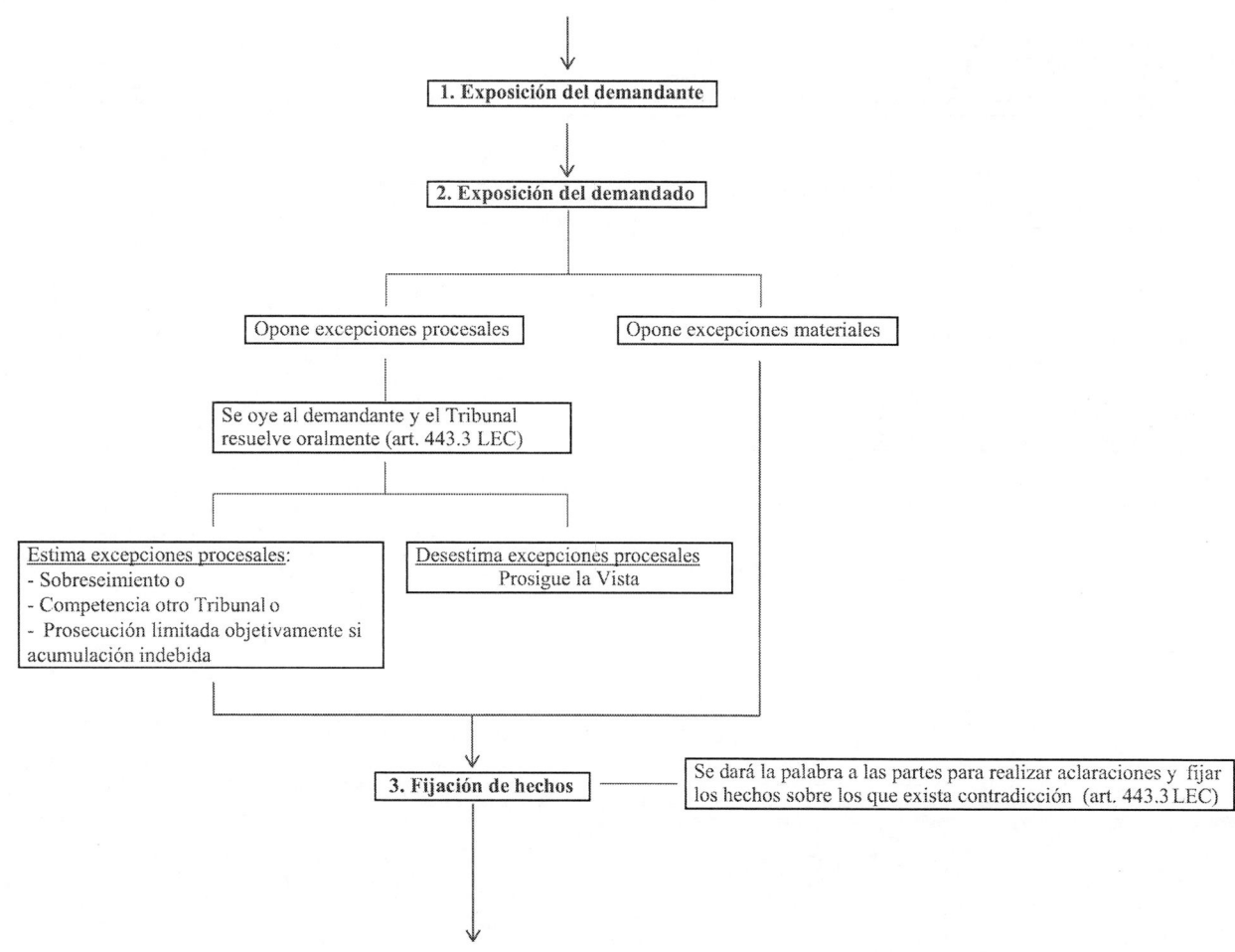

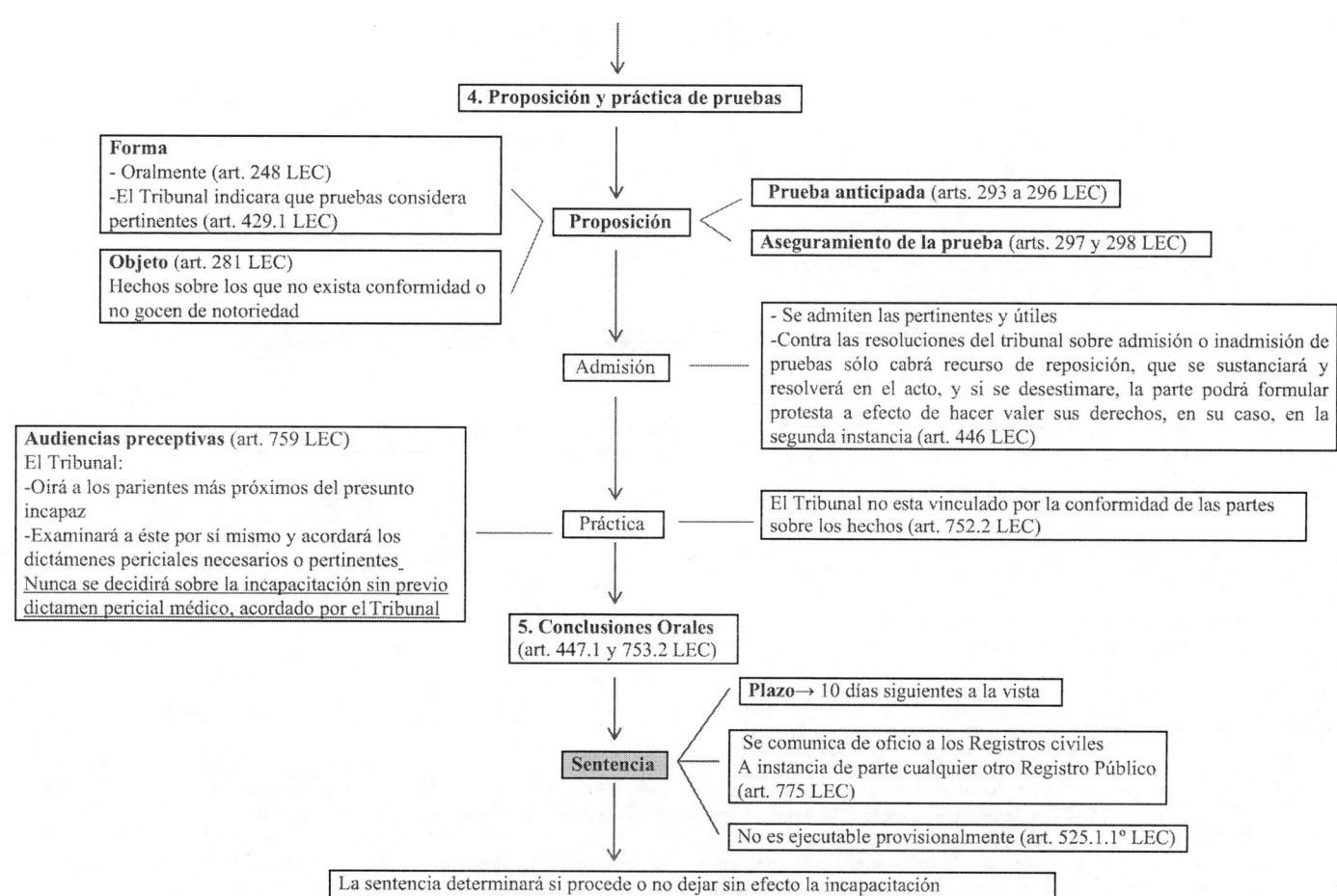

4. Proposición y práctica de pruebas

Forma
- Oralmente (art. 248 LEC)
-El Tribunal indicara que pruebas considera pertinentes (art. 429.1 LEC)

Objeto (art. 281 LEC)
Hechos sobre los que no exista conformidad o no gocen de notoriedad

Proposición

Prueba anticipada (arts. 293 a 296 LEC)

Aseguramiento de la prueba (arts. 297 y 298 LEC)

Admisión

- Se admiten las pertinentes y útiles
-Contra las resoluciones del tribunal sobre admisión o inadmisión de pruebas sólo cabrá recurso de reposición, que se sustanciará y resolverá en el acto, y si se desestimare, la parte podrá formular protesta a efecto de hacer valer sus derechos, en su caso, en la segunda instancia (art. 446 LEC)

Audiencias preceptivas (art. 759 LEC)
El Tribunal:
-Oirá a los parientes más próximos del presunto incapaz
-Examinará a éste por sí mismo y acordará los dictámenes periciales necesarios o pertinentes
Nunca se decidirá sobre la incapacitación sin previo dictamen pericial médico, acordado por el Tribunal

Práctica

El Tribunal no esta vinculado por la conformidad de las partes sobre los hechos (art. 752.2 LEC)

5. Conclusiones Orales
(art. 447.1 y 753.2 LEC)

Sentencia

Plazo→ 10 días siguientes a la vista

Se comunica de oficio a los Registros civiles
A instancia de parte cualquier otro Registro Público (art. 775 LEC)

No es ejecutable provisionalmente (art. 525.1.1º LEC)

La sentencia determinará si procede o no dejar sin efecto la incapacitación
Si deben o no modificarse la extensión y límites de la incapacitación (art. 761.3 LEC)

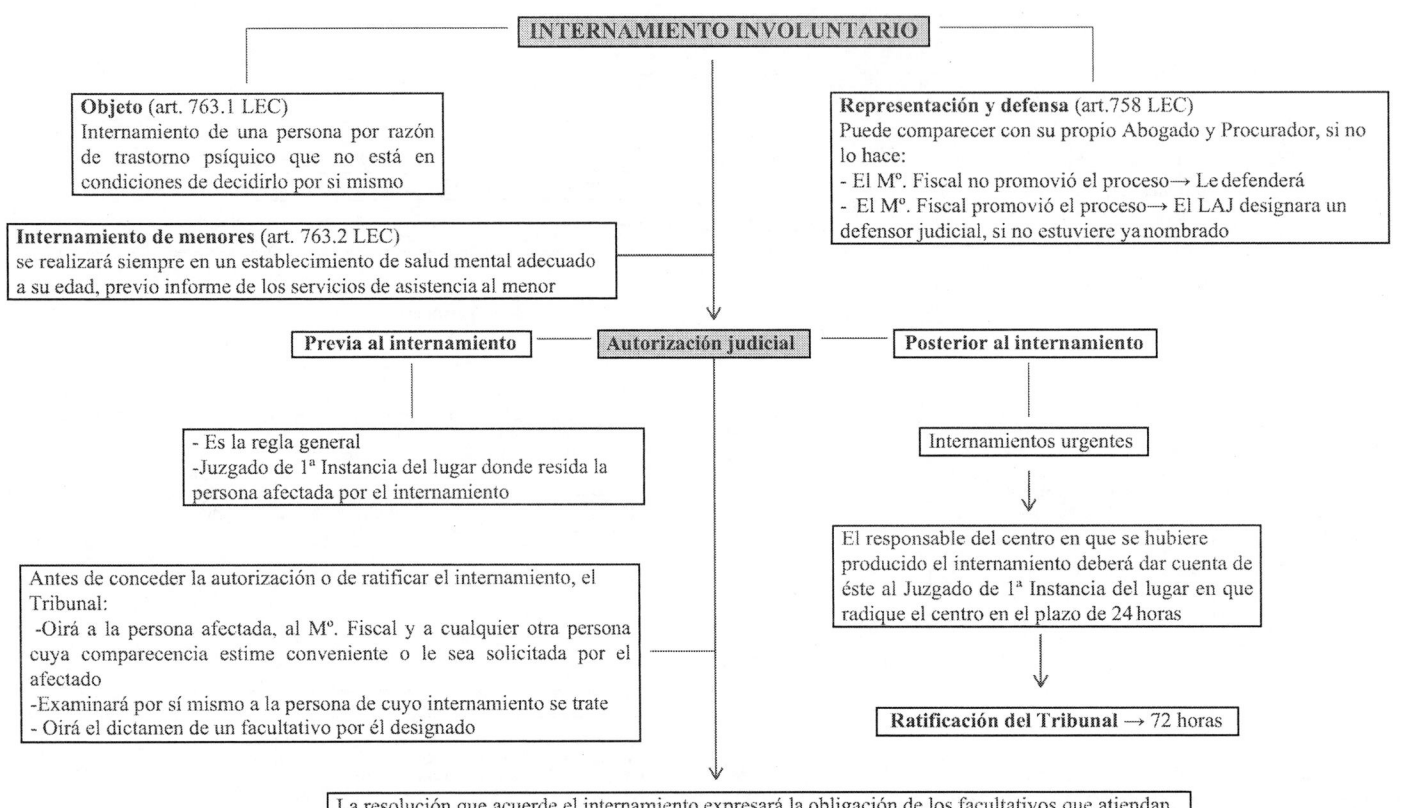

INTERNAMIENTO INVOLUNTARIO

Objeto (art. 763.1 LEC)
Internamiento de una persona por razón de trastorno psíquico que no está en condiciones de decidirlo por si mismo

Representación y defensa (art.758 LEC)
Puede comparecer con su propio Abogado y Procurador, si no lo hace:
- El Mº. Fiscal no promovió el proceso→ Le defenderá
- El Mº. Fiscal promovió el proceso→ El LAJ designara un defensor judicial, si no estuviere ya nombrado

Internamiento de menores (art. 763.2 LEC)
se realizará siempre en un establecimiento de salud mental adecuado a su edad, previo informe de los servicios de asistencia al menor

Previa al internamiento — **Autorización judicial** — **Posterior al internamiento**

- Es la regla general
-Juzgado de 1ª Instancia del lugar donde resida la persona afectada por el internamiento

Internamientos urgentes

Antes de conceder la autorización o de ratificar el internamiento, el Tribunal:
 -Oirá a la persona afectada, al Mº. Fiscal y a cualquier otra persona cuya comparecencia estime conveniente o le sea solicitada por el afectado
-Examinará por sí mismo a la persona de cuyo internamiento se trate
- Oirá el dictamen de un facultativo por él designado

El responsable del centro en que se hubiere producido el internamiento deberá dar cuenta de éste al Juzgado de 1ª Instancia del lugar en que radique el centro en el plazo de 24 horas

Ratificación del Tribunal → 72 horas

La resolución que acuerde el internamiento expresará la obligación de los facultativos que atiendan a la persona internada de informar periódicamente (cada 6 meses aproximadamente) al tribunal sobre la necesidad de mantener la medida
Cuando los facultativos que atiendan a la persona internada consideren que no es necesario mantener el internamiento, darán el alta al enfermo, y lo comunicarán inmediatamente al tribunal competente (art. 763.4 LEC)

9.1.2. *Los procesos sobre filiación, paternidad y maternidad*

Son procesos justificados en un *hecho natural* basado en la procreación y también en un *hecho jurídico* que afecta, con constancia legal, a la situación jurídica que una persona ocupa dentro de la familia y en el que se comprende la *filiación* a la que también se puede acudir por *determinación o impugnación de la paternidad y la maternidad sustituyendo* el principio de jerarquía en la filiación por el de igualdad de los hijos de conformidad con nuestro texto constitucional.

La LEC se justifica en los principios constitucionales de protección integral de los hijos, el de interés del hijo y el que posibilita la posible investigación de la paternidad y maternidad.

La LEC aborda, por primera vez, con arreglo a la *unidad de sistema* que postula en torno a los *procesos especiales*, la regulación de los procesos sobre filiación, paternidad y maternidad.

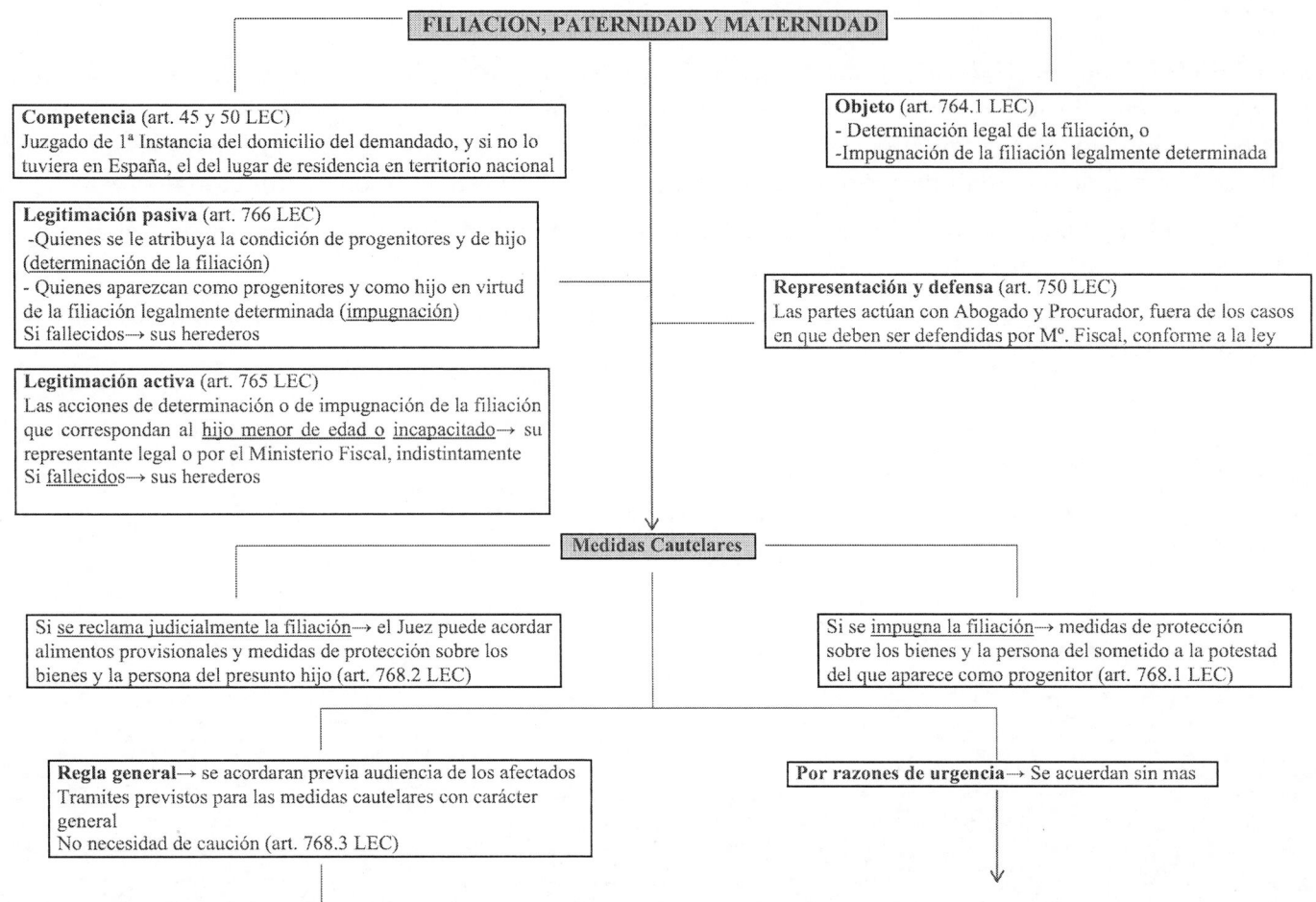

FILIACION, PATERNIDAD Y MATERNIDAD

Competencia (art. 45 y 50 LEC)
Juzgado de 1ª Instancia del domicilio del demandado, y si no lo
tuviera en España, el del lugar de residencia en territorio nacional

Objeto (art. 764.1 LEC)
- Determinación legal de la filiación, o
-Impugnación de la filiación legalmente determinada

Legitimación pasiva (art. 766 LEC)
 -Quienes se le atribuya la condición de progenitores y de hijo
(determinación de la filiación)
- Quienes aparezcan como progenitores y como hijo en virtud
de la filiación legalmente determinada (impugnación)
Si fallecidos→ sus herederos

Representación y defensa (art. 750 LEC)
Las partes actúan con Abogado y Procurador, fuera de los casos
en que deben ser defendidas por Mº. Fiscal, conforme a la ley

Legitimación activa (art. 765 LEC)
Las acciones de determinación o de impugnación de la filiación
que correspondan al hijo menor de edad o incapacitado→ su
representante legal o por el Ministerio Fiscal, indistintamente
Si fallecidos→ sus herederos

Medidas Cautelares

Si se reclama judicialmente la filiación→ el Juez puede acordar
alimentos provisionales y medidas de protección sobre los
bienes y la persona del presunto hijo (art. 768.2 LEC)

Si se impugna la filiación→ medidas de protección
sobre los bienes y la persona del sometido a la potestad
del que aparece como progenitor (art. 768.1 LEC)

Regla general→ se acordaran previa audiencia de los afectados
Tramites previstos para las medidas cautelares con carácter
general
No necesidad de caución (art. 768.3 LEC)

Por razones de urgencia→ Se acuerdan sin mas

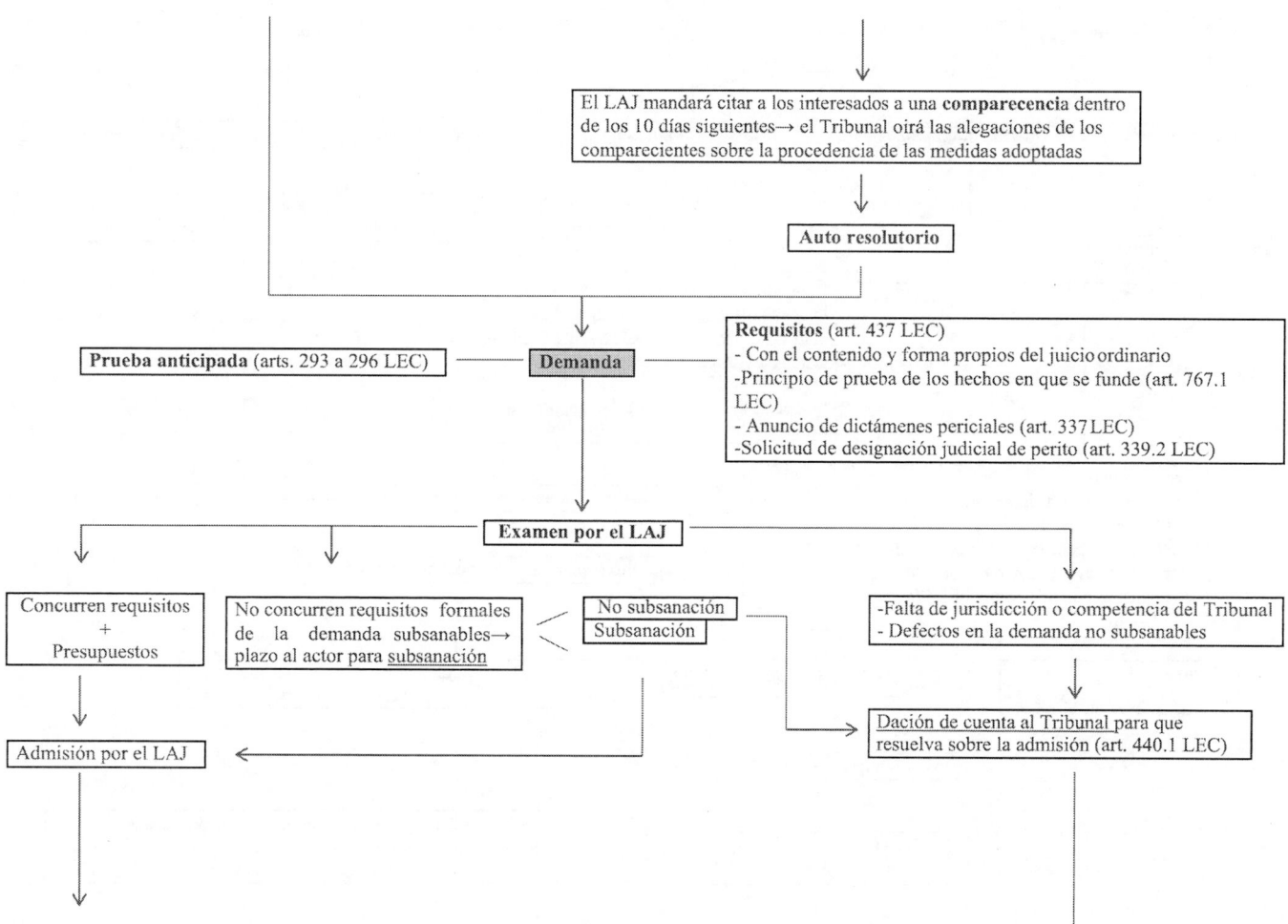

El LAJ mandará citar a los interesados a una **comparecencia** dentro de los 10 días siguientes→ el Tribunal oirá las alegaciones de los comparecientes sobre la procedencia de las medidas adoptadas

Auto resolutorio

Prueba anticipada (arts. 293 a 296 LEC)

Demanda

Requisitos (art. 437 LEC)
- Con el contenido y forma propios del juicio ordinario
- Principio de prueba de los hechos en que se funde (art. 767.1 LEC)
- Anuncio de dictámenes periciales (art. 337 LEC)
- Solicitud de designación judicial de perito (art. 339.2 LEC)

Examen por el LAJ

Concurren requisitos
+
Presupuestos

No concurren requisitos formales de la demanda subsanables→ plazo al actor para <u>subsanación</u>

No subsanación
Subsanación

-Falta de jurisdicción o competencia del Tribunal
- Defectos en la demanda no subsanables

Admisión por el LAJ

Dación de cuenta al Tribunal para que resuelva sobre la admisión (art. 440.1 LEC)

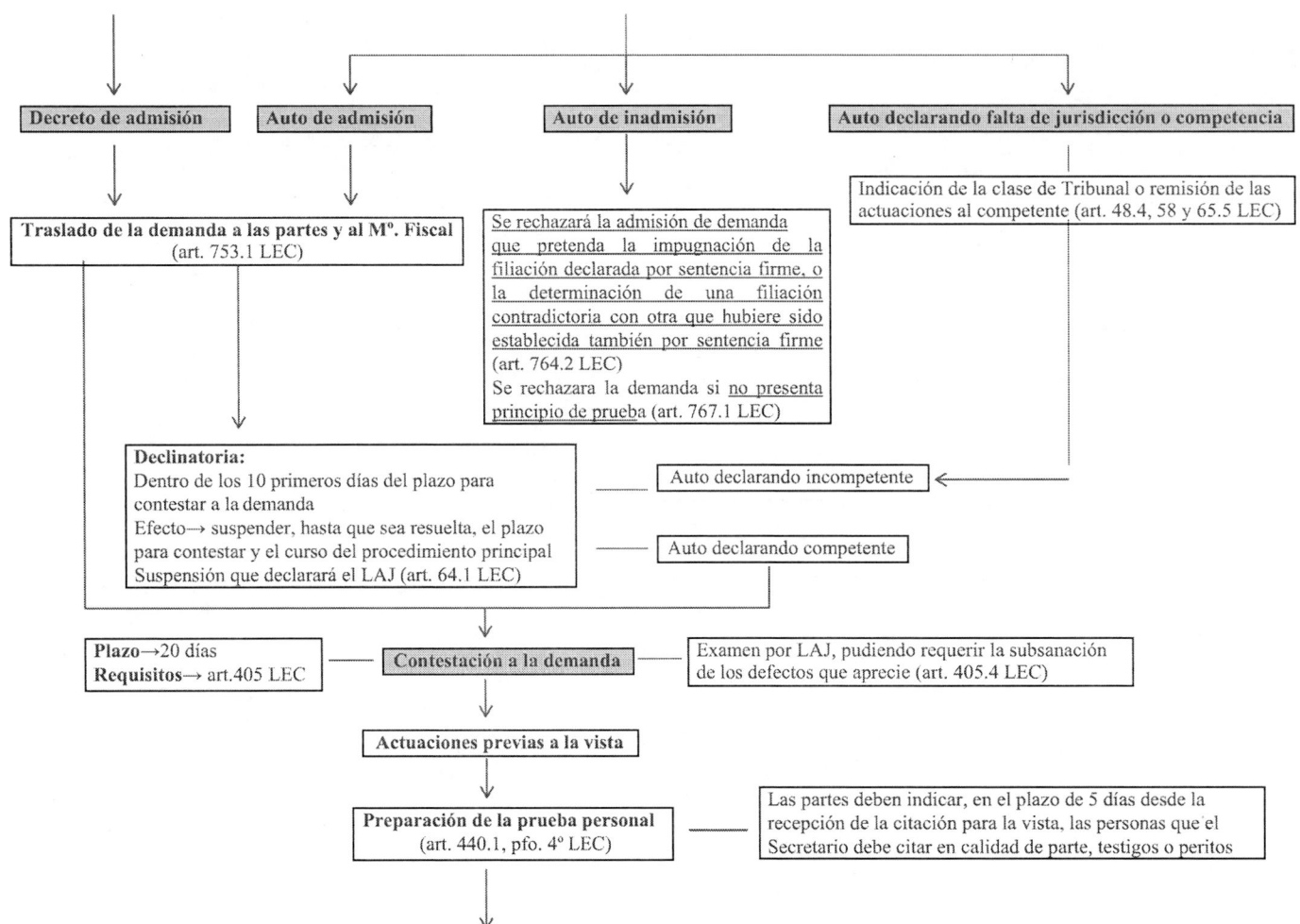

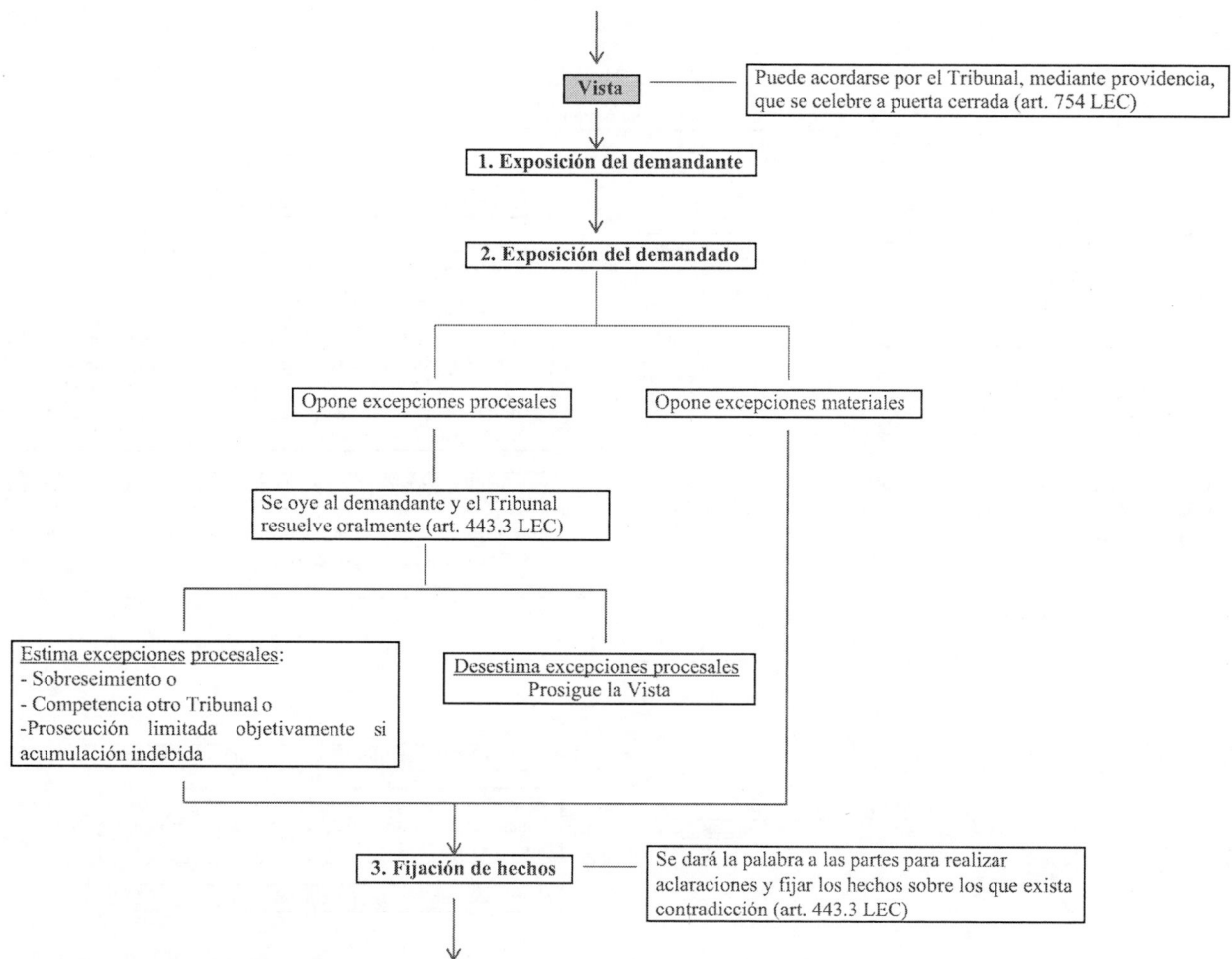

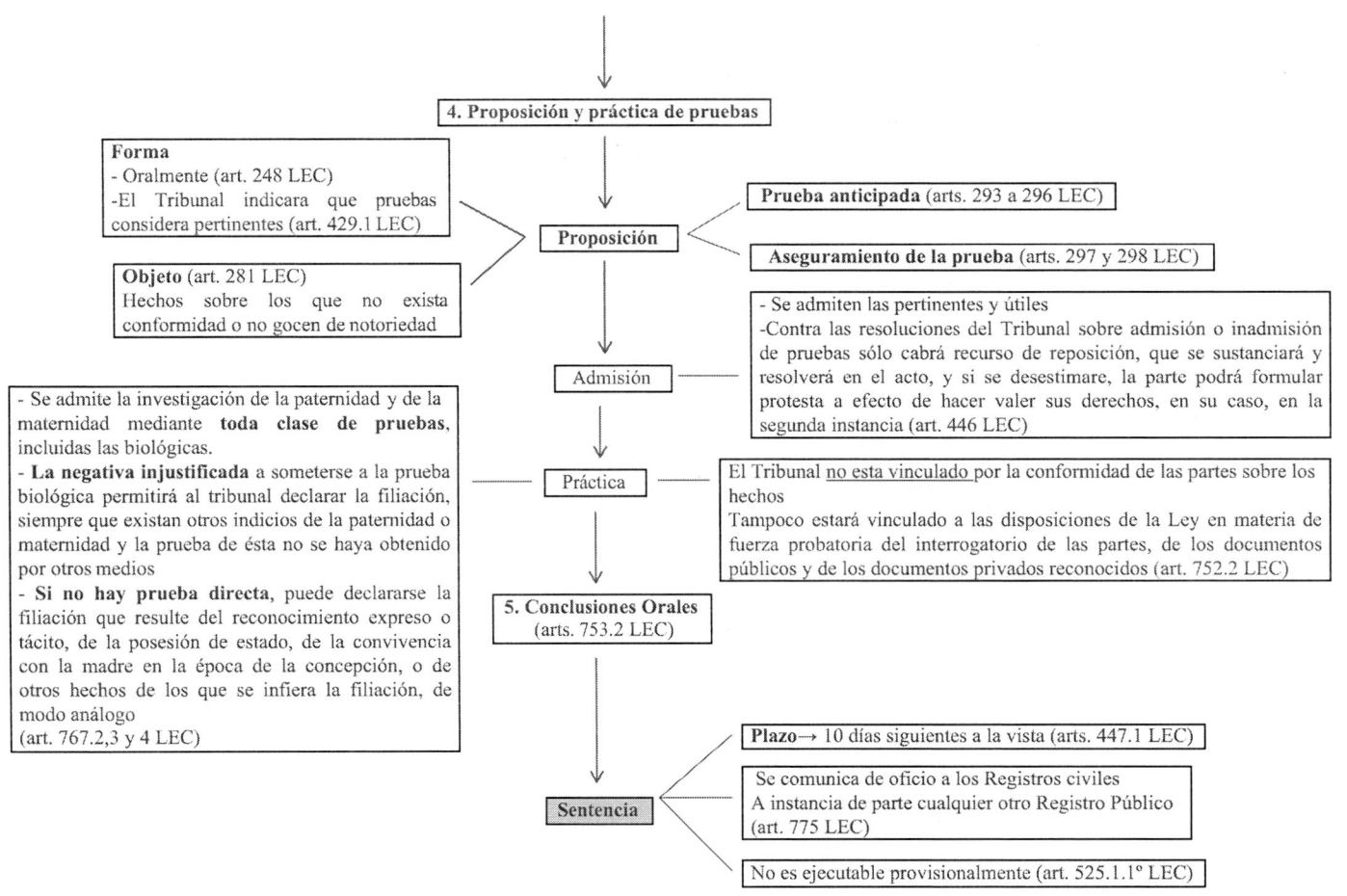

4. Proposición y práctica de pruebas

Forma
- Oralmente (art. 248 LEC)
-El Tribunal indicara que pruebas considera pertinentes (art. 429.1 LEC)

Objeto (art. 281 LEC)
Hechos sobre los que no exista conformidad o no gocen de notoriedad

Proposición

Prueba anticipada (arts. 293 a 296 LEC)

Aseguramiento de la prueba (arts. 297 y 298 LEC)

Admisión

- Se admiten las pertinentes y útiles
-Contra las resoluciones del Tribunal sobre admisión o inadmisión de pruebas sólo cabrá recurso de reposición, que se sustanciará y resolverá en el acto, y si se desestimare, la parte podrá formular protesta a efecto de hacer valer sus derechos, en su caso, en la segunda instancia (art. 446 LEC)

- Se admite la investigación de la paternidad y de la maternidad mediante **toda clase de pruebas**, incluidas las biológicas.
- **La negativa injustificada** a someterse a la prueba biológica permitirá al tribunal declarar la filiación, siempre que existan otros indicios de la paternidad o maternidad y la prueba de ésta no se haya obtenido por otros medios
- **Si no hay prueba directa**, puede declararse la filiación que resulte del reconocimiento expreso o tácito, de la posesión de estado, de la convivencia con la madre en la época de la concepción, o de otros hechos de los que se infiera la filiación, de modo análogo
(art. 767.2,3 y 4 LEC)

Práctica

El Tribunal no esta vinculado por la conformidad de las partes sobre los hechos
Tampoco estará vinculado a las disposiciones de la Ley en materia de fuerza probatoria del interrogatorio de las partes, de los documentos públicos y de los documentos privados reconocidos (art. 752.2 LEC)

5. Conclusiones Orales
(arts. 753.2 LEC)

Sentencia

Plazo→ 10 días siguientes a la vista (arts. 447.1 LEC)

Se comunica de oficio a los Registros civiles
A instancia de parte cualquier otro Registro Público
(art. 775 LEC)

No es ejecutable provisionalmente (art. 525.1.1º LEC)

9.1.3. *Los procesos matrimoniales y de menores*

COMPETENCIA (art. 796 LEC, modificación de los apartados 1 y 2 del art. 769 de la LEC por Ley 15/2015, de 2 de julio, de la Jurisdicción Voluntaria)

Regla general → Juzgado de Primera Instancia del lugar del *domicilio conyugal.*

- Si los *cónyuges residen en distintos partidos judiciales* → Juzgado del *último domicilio del matrimonio o el de residencia del demandado*, a elección del demandante.

- Si los *cónyuges no tuvieren domicilio ni residencia fijos* → Juzgado del *lugar en que se hallen o en el de su última residencia*, a elección del demandante y, si tampoco pudiere determinarse así la competencia, corresponderá ésta al *tribunal del domicilio del actor.*

- En los procesos que versen *exclusivamente sobre guarda y custodia de hijos menores o sobre alimentos reclamados por un progenitor contra el otro en nombre de los hijos menores* → Juzgado del lugar del último domicilio común de los progenitores.

Si los progenitores residen en distintos partidos judiciales → Juzgado del domicilio del demandado o el de la residencia del menor, a elección del demandante.

- En el procedimiento de *separación o divorcio de mutuo acuerdo* → Juzgado del último domicilio común o el del domicilio de cualquiera de los solicitantes.

El Tribunal examinará de oficio su competencia.

Son **nulos los acuerdos** de las partes que se opongan a lo dispuesto anteriormente.

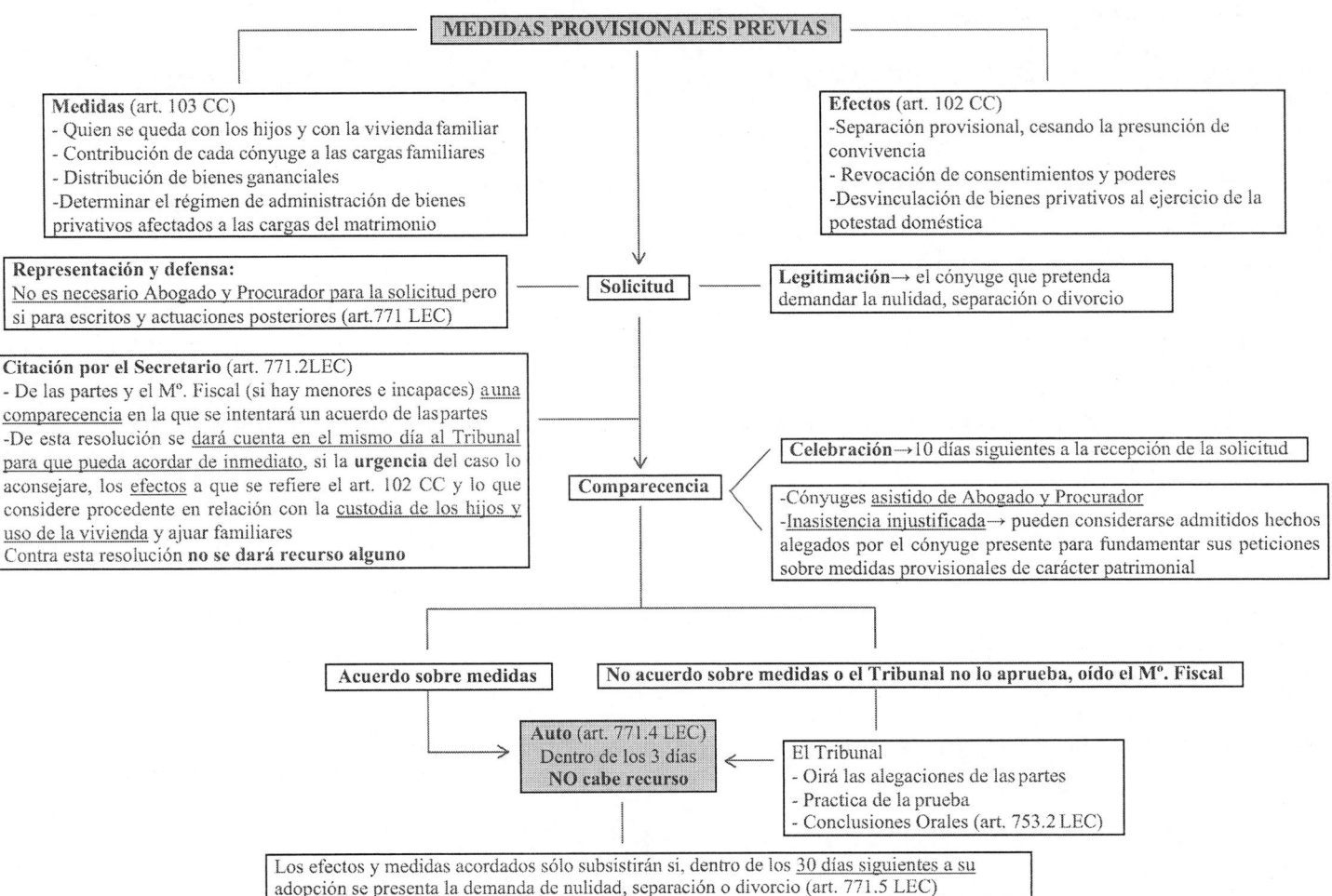

MEDIDAS PROVISIONALES PREVIAS

Medidas (art. 103 CC)
- Quien se queda con los hijos y con la vivienda familiar
- Contribución de cada cónyuge a las cargas familiares
- Distribución de bienes gananciales
- Determinar el régimen de administración de bienes privativos afectados a las cargas del matrimonio

Efectos (art. 102 CC)
- Separación provisional, cesando la presunción de convivencia
- Revocación de consentimientos y poderes
- Desvinculación de bienes privativos al ejercicio de la potestad doméstica

Representación y defensa:
No es necesario Abogado y Procurador para la solicitud pero sí para escritos y actuaciones posteriores (art. 771 LEC)

Solicitud

Legitimación→ el cónyuge que pretenda demandar la nulidad, separación o divorcio

Citación por el Secretario (art. 771.2 LEC)
- De las partes y el Mº. Fiscal (si hay menores e incapaces) a una comparecencia en la que se intentará un acuerdo de las partes
- De esta resolución se dará cuenta en el mismo día al Tribunal para que pueda acordar de inmediato, si la urgencia del caso lo aconsejare, los efectos a que se refiere el art. 102 CC y lo que considere procedente en relación con la custodia de los hijos y uso de la vivienda y ajuar familiares
Contra esta resolución **no se dará recurso alguno**

Celebración→10 días siguientes a la recepción de la solicitud

Comparecencia

- Cónyuges asistido de Abogado y Procurador
- Inasistencia injustificada→ pueden considerarse admitidos hechos alegados por el cónyuge presente para fundamentar sus peticiones sobre medidas provisionales de carácter patrimonial

Acuerdo sobre medidas

No acuerdo sobre medidas o el Tribunal no lo aprueba, oído el Mº. Fiscal

Auto (art. 771.4 LEC)
Dentro de los 3 días
NO cabe recurso

El Tribunal
- Oirá las alegaciones de las partes
- Practica de la prueba
- Conclusiones Orales (art. 753.2 LEC)

Los efectos y medidas acordados sólo subsistirán si, dentro de los 30 días siguientes a su adopción se presenta la demanda de nulidad, separación o divorcio (art. 771.5 LEC)

CONFIRMACIÓN O MODIFICACIÓN DE LAS MEDIDAS PROVISIONALES PREVIAS A LA DEMANDA, AL ADMITIRSE ÉSTA

Admitida la demanda, el Secretario unirá las actuaciones sobre adopción de medidas provisionales previas a los autos del proceso de nulidad, separación o divorcio, solicitándose, el correspondiente **testimonio**, si las actuaciones sobre las medidas se hubieran producido en Tribunal distinto del que conozca de la demanda (art.772 LEC)

Sólo cuando el Tribunal considere que procede completar o modificar las medidas previamente acordadas ordenará que se convoque a las partes a una comparecencia, que señalará el LAJ
Dicha **comparecencia se tramitará conforme al art. 771 LEC**
Contra **el auto que se dicte no se dará recurso alguno**

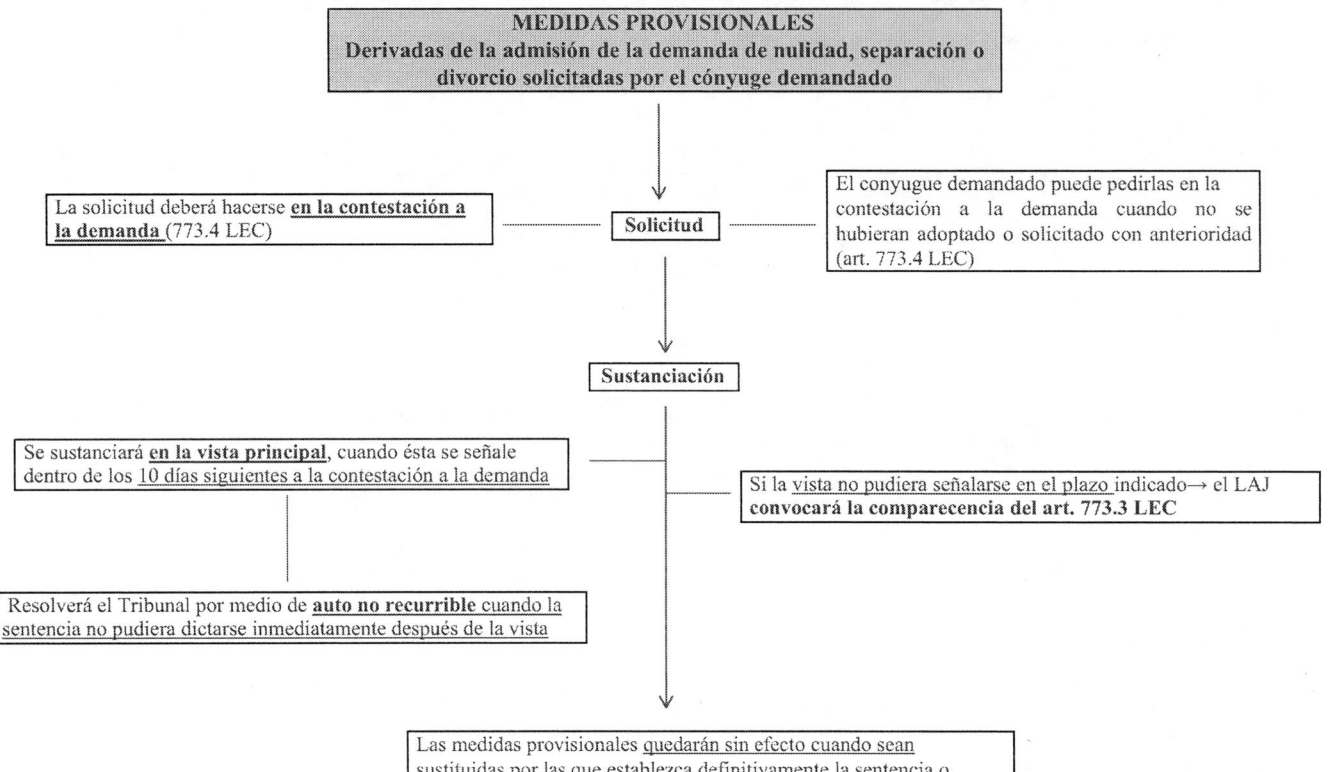

MEDIDAS PROVISIONALES
Derivadas de la admisión de la demanda de nulidad, separación o
divorcio solicitadas por el cónyuge demandado

Solicitud

La solicitud deberá hacerse **en la contestación a la demanda** (773.4 LEC)

El conyugue demandado puede pedirlas en la contestación a la demanda cuando no se hubieran adoptado o solicitado con anterioridad (art. 773.4 LEC)

Sustanciación

Se sustanciará **en la vista principal**, cuando ésta se señale dentro de los 10 días siguientes a la contestación a la demanda

Si la vista no pudiera señalarse en el plazo indicado→ el LAJ **convocará la comparecencia del art. 773.3 LEC**

Resolverá el Tribunal por medio de **auto no recurrible** cuando la sentencia no pudiera dictarse inmediatamente después de la vista

Las medidas provisionales quedarán sin efecto cuando sean sustituidas por las que establezca definitivamente la sentencia o cuando se ponga fin al procedimiento de otro modo (art. 773.5 LEC)

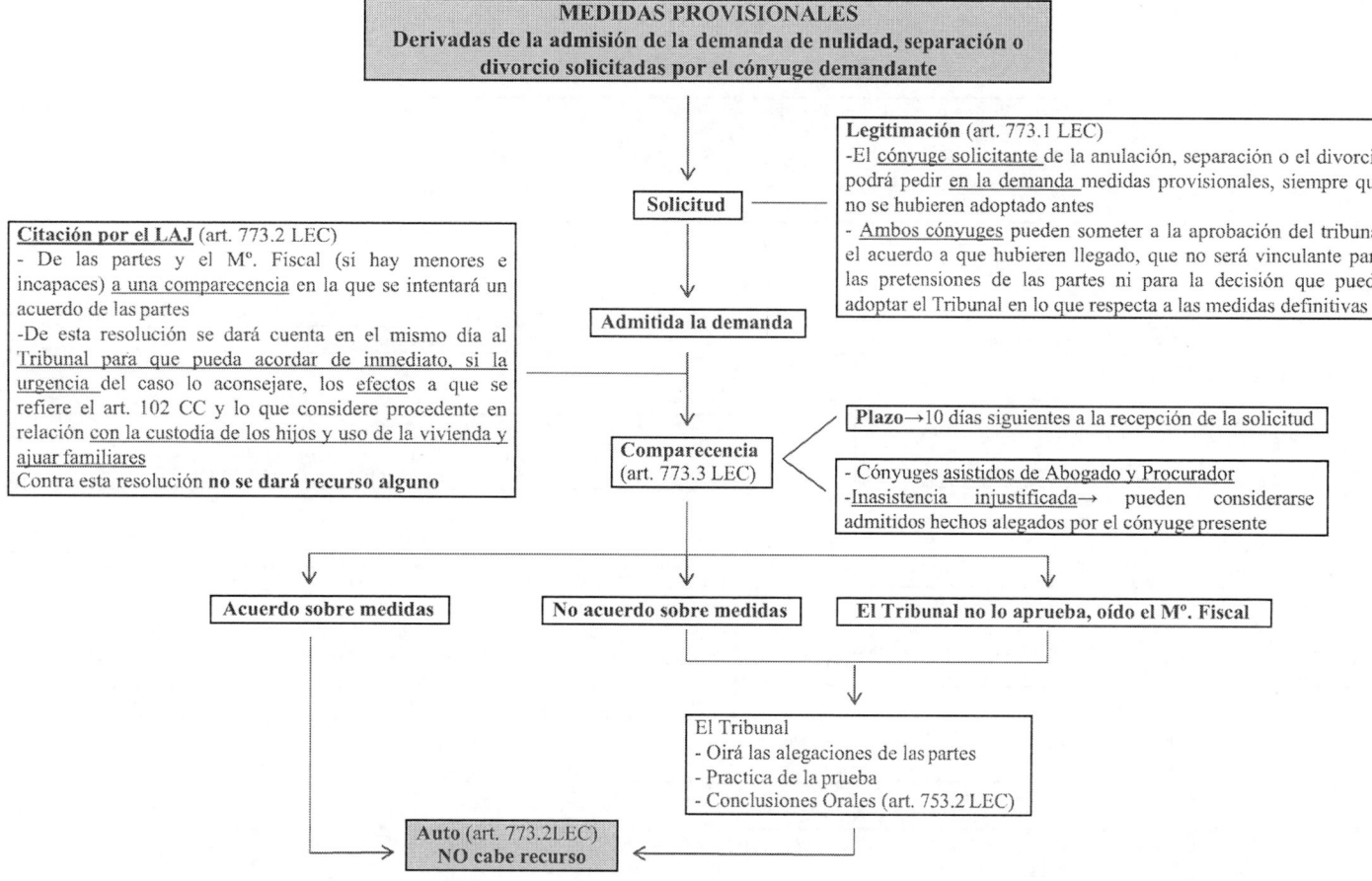

MEDIDAS PROVISIONALES
Derivadas de la admisión de la demanda de nulidad, separación o divorcio solicitadas por el cónyuge demandante

Legitimación (art. 773.1 LEC)
-El cónyuge solicitante de la anulación, separación o el divorcio podrá pedir en la demanda medidas provisionales, siempre que no se hubieren adoptado antes
- Ambos cónyuges pueden someter a la aprobación del tribunal el acuerdo a que hubieren llegado, que no será vinculante para las pretensiones de las partes ni para la decisión que pueda adoptar el Tribunal en lo que respecta a las medidas definitivas

Solicitud

Citación por el LAJ (art. 773.2 LEC)
- De las partes y el Mº. Fiscal (si hay menores e incapaces) a una comparecencia en la que se intentará un acuerdo de las partes
-De esta resolución se dará cuenta en el mismo día al Tribunal para que pueda acordar de inmediato, si la urgencia del caso lo aconsejare, los efectos a que se refiere el art. 102 CC y lo que considere procedente en relación con la custodia de los hijos y uso de la vivienda y ajuar familiares
Contra esta resolución **no se dará recurso alguno**

Admitida la demanda

Plazo→10 días siguientes a la recepción de la solicitud

Comparecencia
(art. 773.3 LEC)

- Cónyuges asistidos de Abogado y Procurador
-Inasistencia injustificada→ pueden considerarse admitidos hechos alegados por el cónyuge presente

Acuerdo sobre medidas

No acuerdo sobre medidas

El Tribunal no lo aprueba, oído el Mº. Fiscal

El Tribunal
- Oirá las alegaciones de las partes
- Practica de la prueba
- Conclusiones Orales (art. 753.2 LEC)

Auto (art. 773.2LEC)
NO cabe recurso

MEDIDAS DEFINITIVAS

- Régimen de guarda y custodia. Régimen de visitas
- Atribución del uso de la vivienda y ajuar familiar
- Fijar la contribución de cada cónyuge a las cargas del matrimonio y alimentos
- Liquidación del régimen económico matrimonial, en su caso
- Pensión a satisfacer por uno de los cónyuges, en su caso

Acuerdo entre cónyuges

En la Vista del juicio de nulidad, separación o divorcio:
- Los cónyuges podrán someter los acuerdos al Tribunal
- Y proponer prueba para justificar su procedencia
(art. 774.1 LEC)

En la sentencia sobre nulidad, separación o divorcio se resuelve sobre las medidas tanto si ya hubieran sido adoptadas, en concepto de provisionales, como si se hubieran propuesto con posterioridad (art. 774.3 LEC)

Desacuerdo entre cónyuges

En la Vista del juicio de nulidad, separación o divorcio:
Se practica la prueba útil y pertinente que los cónyuges o el Mº Fiscal propongan y la que el tribunal acuerde de oficio (art. 774.2 LEC)

En la sentencia sobre nulidad, separación o divorcio **se resuelve sobre las medidas que hayan de sustituir a las ya adoptadas** con anterioridad en relación con los hijos, la vivienda familiar, las cargas del matrimonio, disolución del régimen económico y las cautelas o garantías respectivas, estableciendo las que procedan si para alguno de estos conceptos no se hubiera adoptado ninguna (art. 774.4 LEC)

Los recursos que se interpongan contra la sentencia no suspenderán la eficacia de las medidas que se hubieren acordado en ésta
Si la impugnación afectara únicamente a los pronunciamientos sobre medidas, se declarará por el LAJ **la firmeza del pronunciamiento sobre la nulidad, separación o divorcio** (art. 774.5 LEC)

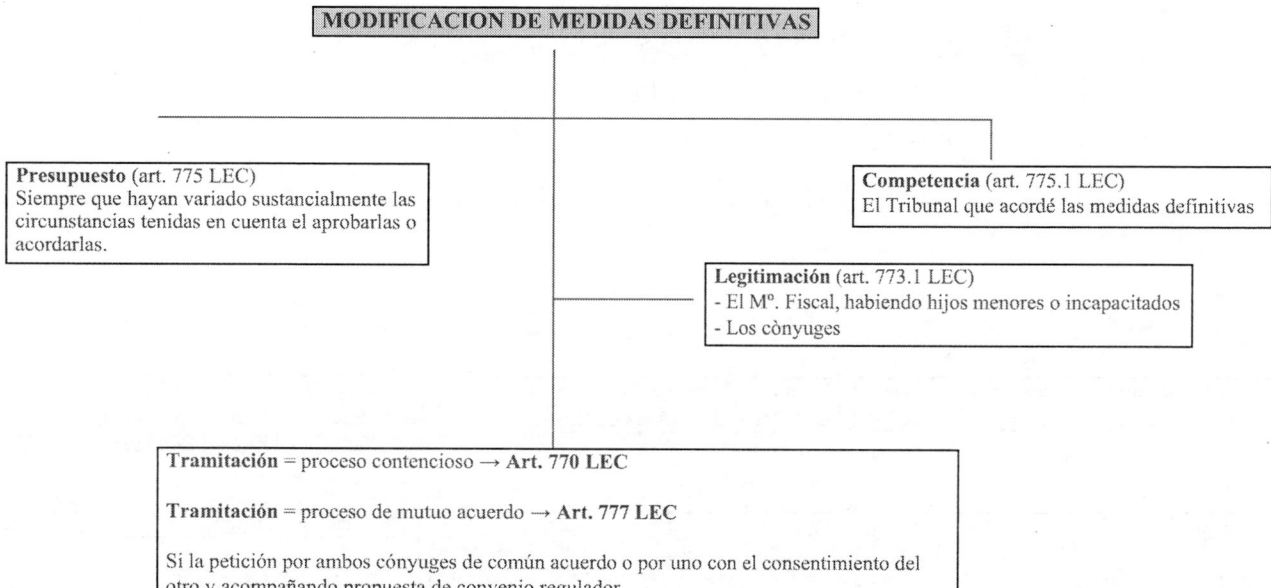

MODIFICACION DE MEDIDAS DEFINITIVAS

Presupuesto (art. 775 LEC)
Siempre que hayan variado sustancialmente las circunstancias tenidas en cuenta el aprobarlas o acordarlas.

Competencia (art. 775.1 LEC)
El Tribunal que acordé las medidas definitivas

Legitimación (art. 773.1 LEC)
- El Mº. Fiscal, habiendo hijos menores o incapacitados
- Los cònyuges

Tramitación = proceso contencioso → **Art. 770 LEC**

Tramitación = proceso de mutuo acuerdo → **Art. 777 LEC**

Si la petición por ambos cónyuges de común acuerdo o por uno con el consentimiento del otro y acompañando propuesta de convenio regulador

Las partes podrán solicitar, en la demanda o en la contestación, **la modificación provisional de las medidas definitivas concedidas en un pleito anterior**

Esta petición se sustanciará = **Medidas provisionales derivadas de la admisión de la demanda de nulidad, separación o divorcio → Art. 773 LEC**

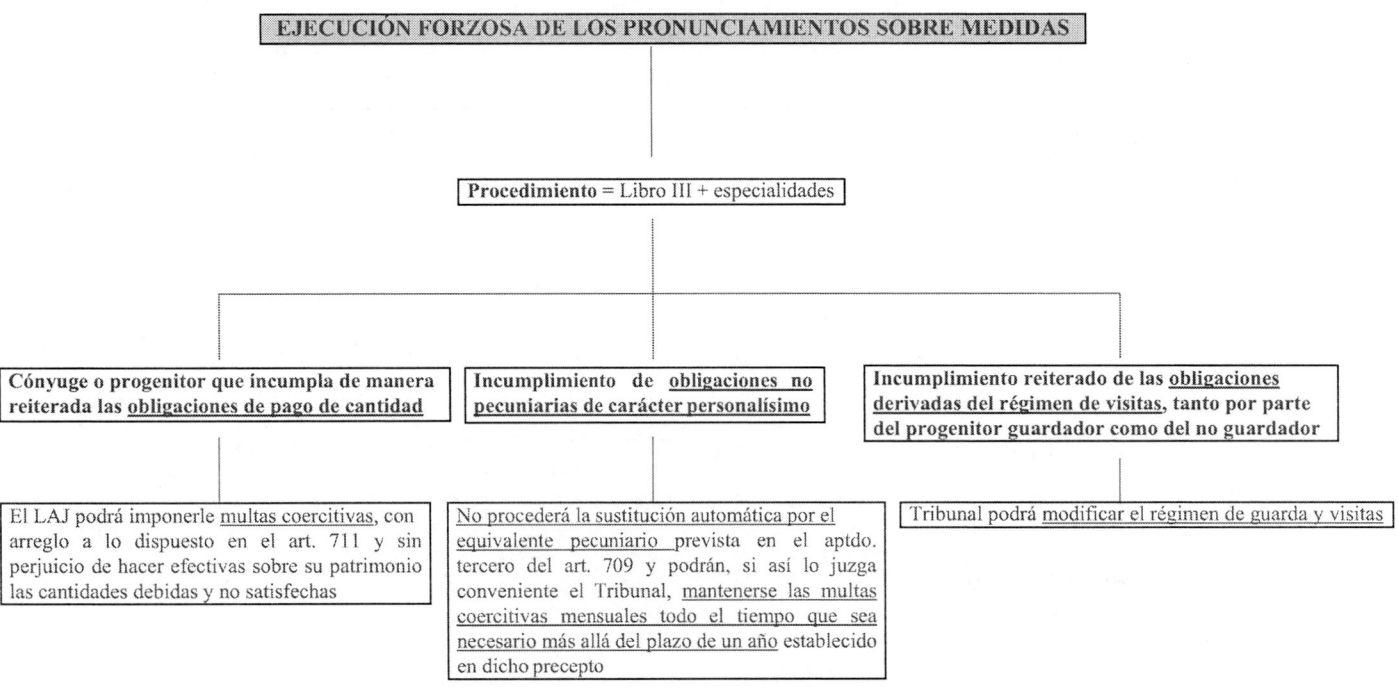

EJECUCIÓN FORZOSA DE LOS PRONUNCIAMIENTOS SOBRE MEDIDAS

Procedimiento = Libro III + especialidades

Cónyuge o progenitor que incumpla de manera reiterada las obligaciones de pago de cantidad

Incumplimiento de obligaciones no pecuniarias de carácter personalísimo

Incumplimiento reiterado de las obligaciones derivadas del régimen de visitas, tanto por parte del progenitor guardador como del no guardador

El LAJ podrá imponerle multas coercitivas, con arreglo a lo dispuesto en el art. 711 y sin perjuicio de hacer efectivas sobre su patrimonio las cantidades debidas y no satisfechas

No procederá la sustitución automática por el equivalente pecuniario prevista en el aptdo. tercero del art. 709 y podrán, si así lo juzga conveniente el Tribunal, mantenerse las multas coercitivas mensuales todo el tiempo que sea necesario más allá del plazo de un año establecido en dicho precepto

Tribunal podrá modificar el régimen de guarda y visitas

Cuando deban ser objeto de **ejecución forzosa** gastos extraordinarios, no expresamente previstos en las medidas definitivas o provisionales, deberá solicitarse previamente al despacho de ejecución la declaración de que la cantidad reclamada tiene la consideración de gasto extraordinario
Del escrito solicitando la declaración de gasto extraordinario se dará vista a la contraria y, en caso de oposición dentro de los 5 cinco días siguientes, el Tribunal convocará a las partes a una **vista** que se sustanciará con arreglo a lo dispuesto en los art. 440 y siguientes y que resolverá mediante auto

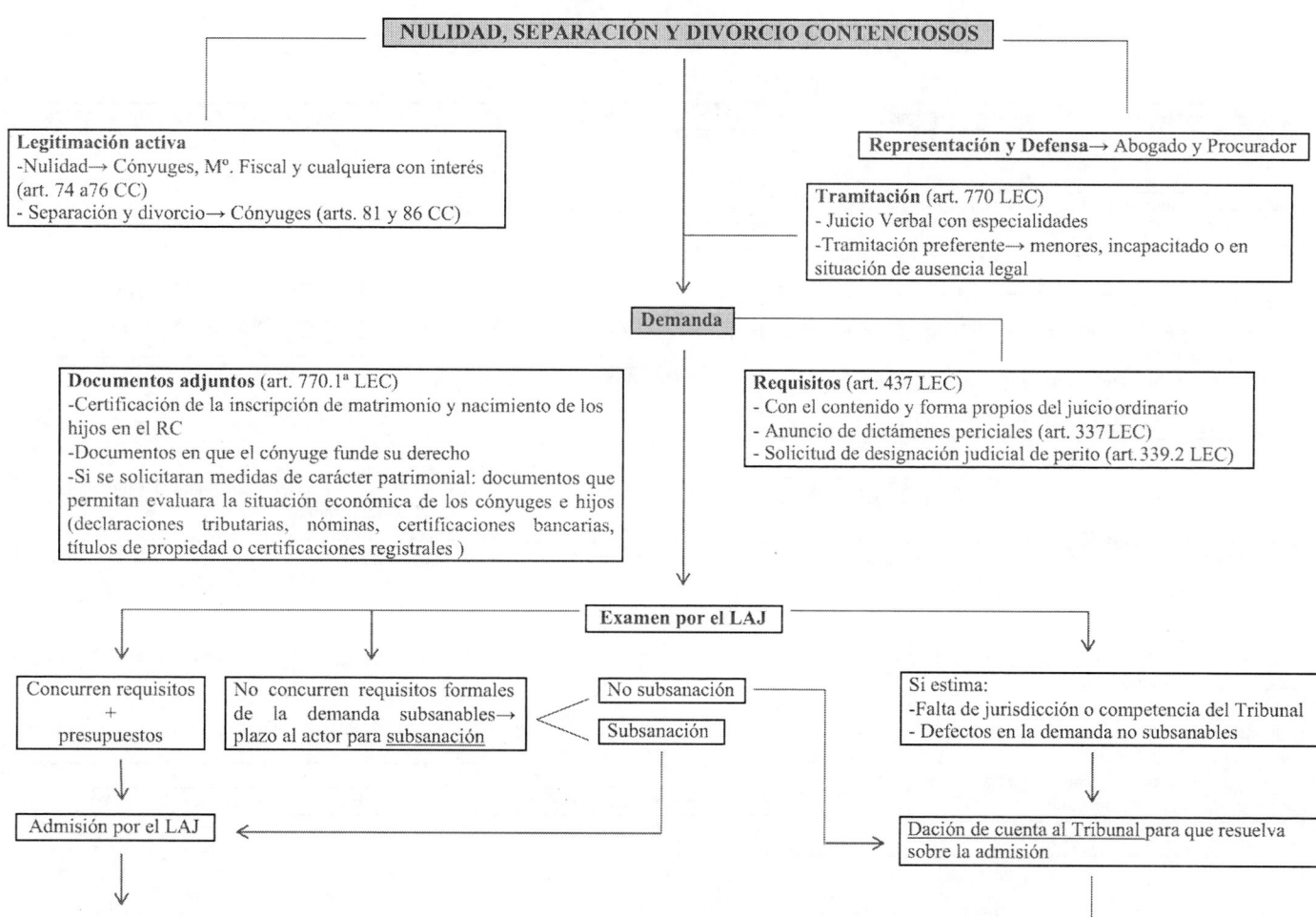

NULIDAD, SEPARACIÓN Y DIVORCIO CONTENCIOSOS

Legitimación activa
-Nulidad→ Cónyuges, Mº. Fiscal y cualquiera con interés (art. 74 a76 CC)
- Separación y divorcio→ Cónyuges (arts. 81 y 86 CC)

Representación y Defensa→ Abogado y Procurador

Tramitación (art. 770 LEC)
- Juicio Verbal con especialidades
-Tramitación preferente→ menores, incapacitado o en situación de ausencia legal

Demanda

Documentos adjuntos (art. 770.1ª LEC)
-Certificación de la inscripción de matrimonio y nacimiento de los hijos en el RC
-Documentos en que el cónyuge funde su derecho
-Si se solicitaran medidas de carácter patrimonial: documentos que permitan evaluara la situación económica de los cónyuges e hijos (declaraciones tributarias, nóminas, certificaciones bancarias, títulos de propiedad o certificaciones registrales)

Requisitos (art. 437 LEC)
- Con el contenido y forma propios del juicio ordinario
- Anuncio de dictámenes periciales (art. 337 LEC)
- Solicitud de designación judicial de perito (art. 339.2 LEC)

Examen por el LAJ

Concurren requisitos + presupuestos

No concurren requisitos formales de la demanda subsanables→ plazo al actor para subsanación

No subsanación

Subsanación

Si estima:
-Falta de jurisdicción o competencia del Tribunal
- Defectos en la demanda no subsanables

Admisión por el LAJ

Dación de cuenta al Tribunal para que resuelva sobre la admisión

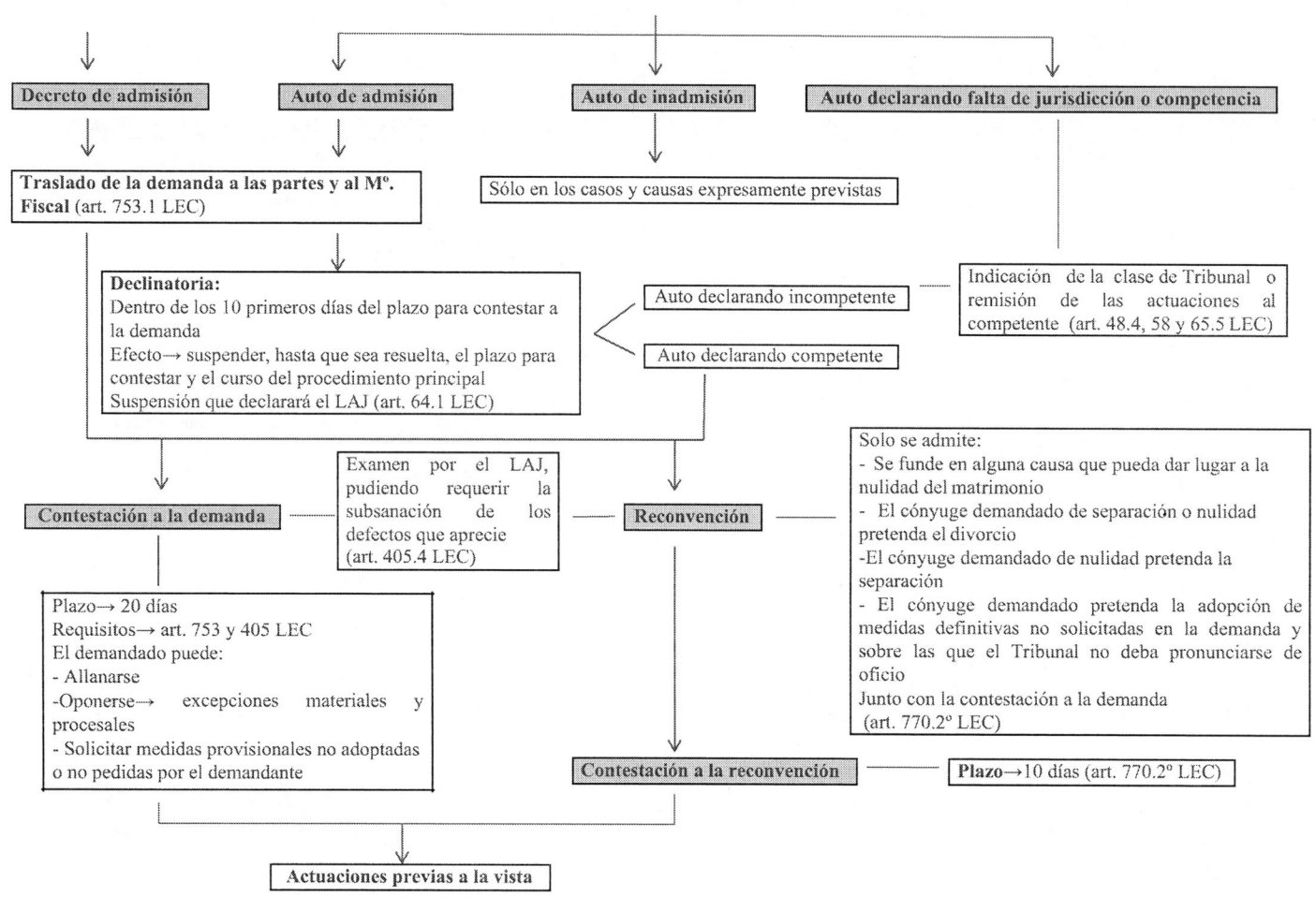

Decreto de admisión

Auto de admisión

Auto de inadmisión

Auto declarando falta de jurisdicción o competencia

Traslado de la demanda a las partes y al Mº. Fiscal (art. 753.1 LEC)

Sólo en los casos y causas expresamente previstas

Indicación de la clase de Tribunal o remisión de las actuaciones al competente (art. 48.4, 58 y 65.5 LEC)

Declinatoria:
Dentro de los 10 primeros días del plazo para contestar a la demanda
Efecto→ suspender, hasta que sea resuelta, el plazo para contestar y el curso del procedimiento principal
Suspensión que declarará el LAJ (art. 64.1 LEC)

Auto declarando incompetente

Auto declarando competente

Examen por el LAJ, pudiendo requerir la subsanación de los defectos que aprecie (art. 405.4 LEC)

Contestación a la demanda

Reconvención

Plazo→ 20 días
Requisitos→ art. 753 y 405 LEC
El demandado puede:
- Allanarse
-Oponerse→ excepciones materiales y procesales
- Solicitar medidas provisionales no adoptadas o no pedidas por el demandante

Solo se admite:
- Se funde en alguna causa que pueda dar lugar a la nulidad del matrimonio
- El cónyuge demandado de separación o nulidad pretenda el divorcio
-El cónyuge demandado de nulidad pretenda la separación
- El cónyuge demandado pretenda la adopción de medidas definitivas no solicitadas en la demanda y sobre las que el Tribunal no deba pronunciarse de oficio
Junto con la contestación a la demanda
(art. 770.2º LEC)

Contestación a la reconvención

Plazo→10 días (art. 770.2º LEC)

Actuaciones previas a la vista

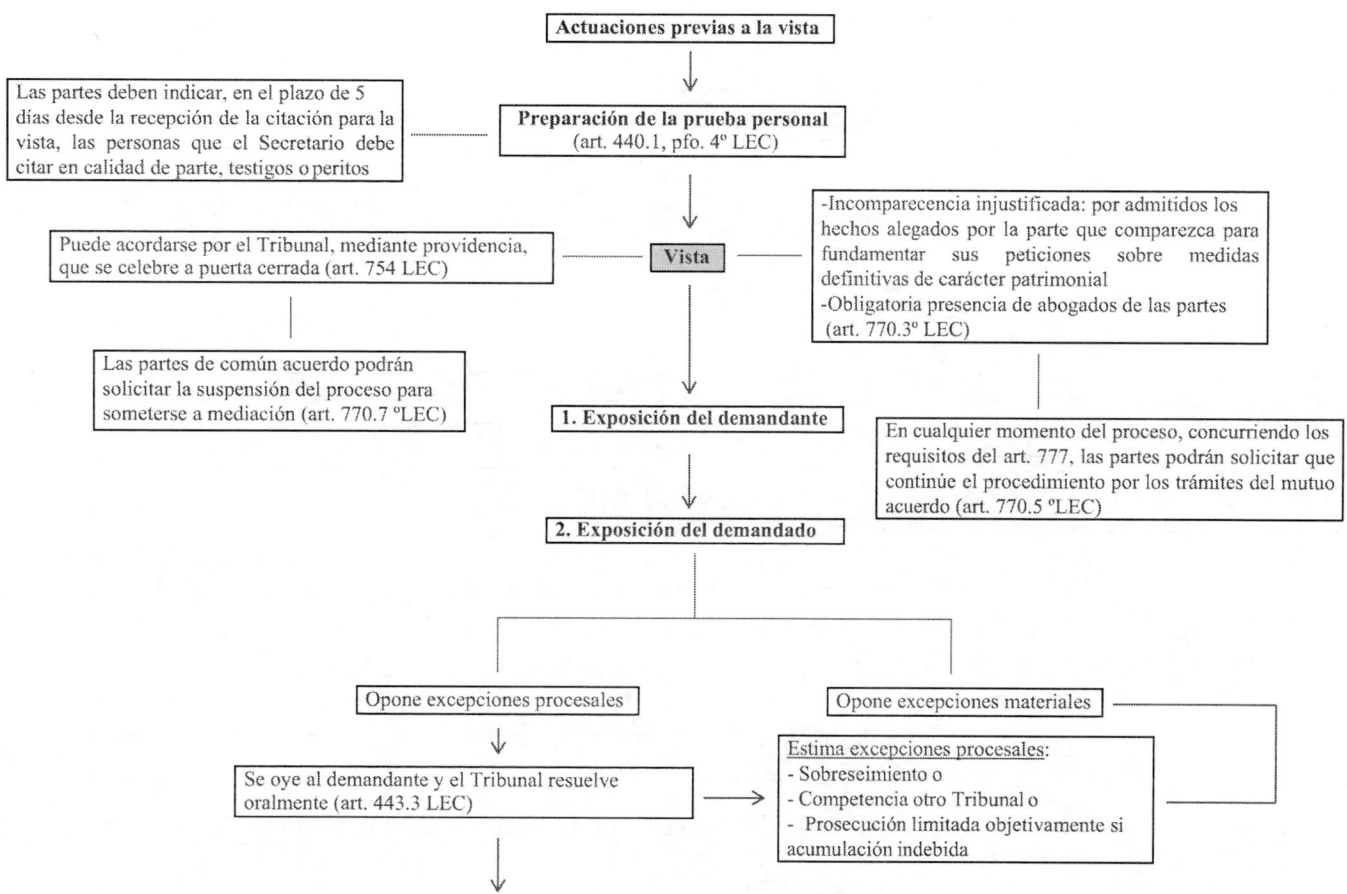

Actuaciones previas a la vista

Las partes deben indicar, en el plazo de 5 días desde la recepción de la citación para la vista, las personas que el Secretario debe citar en calidad de parte, testigos o peritos

Preparación de la prueba personal
(art. 440.1, pfo. 4° LEC)

-Incomparecencia injustificada: por admitidos los hechos alegados por la parte que comparezca para fundamentar sus peticiones sobre medidas definitivas de carácter patrimonial
-Obligatoria presencia de abogados de las partes (art. 770.3° LEC)

Puede acordarse por el Tribunal, mediante providencia, que se celebre a puerta cerrada (art. 754 LEC)

Vista

Las partes de común acuerdo podrán solicitar la suspensión del proceso para someterse a mediación (art. 770.7 °LEC)

1. Exposición del demandante

En cualquier momento del proceso, concurriendo los requisitos del art. 777, las partes podrán solicitar que continúe el procedimiento por los trámites del mutuo acuerdo (art. 770.5 °LEC)

2. Exposición del demandado

Opone excepciones procesales

Opone excepciones materiales

Se oye al demandante y el Tribunal resuelve oralmente (art. 443.3 LEC)

Estima excepciones procesales:
- Sobreseimiento o
- Competencia otro Tribunal o
- Prosecución limitada objetivamente si acumulación indebida

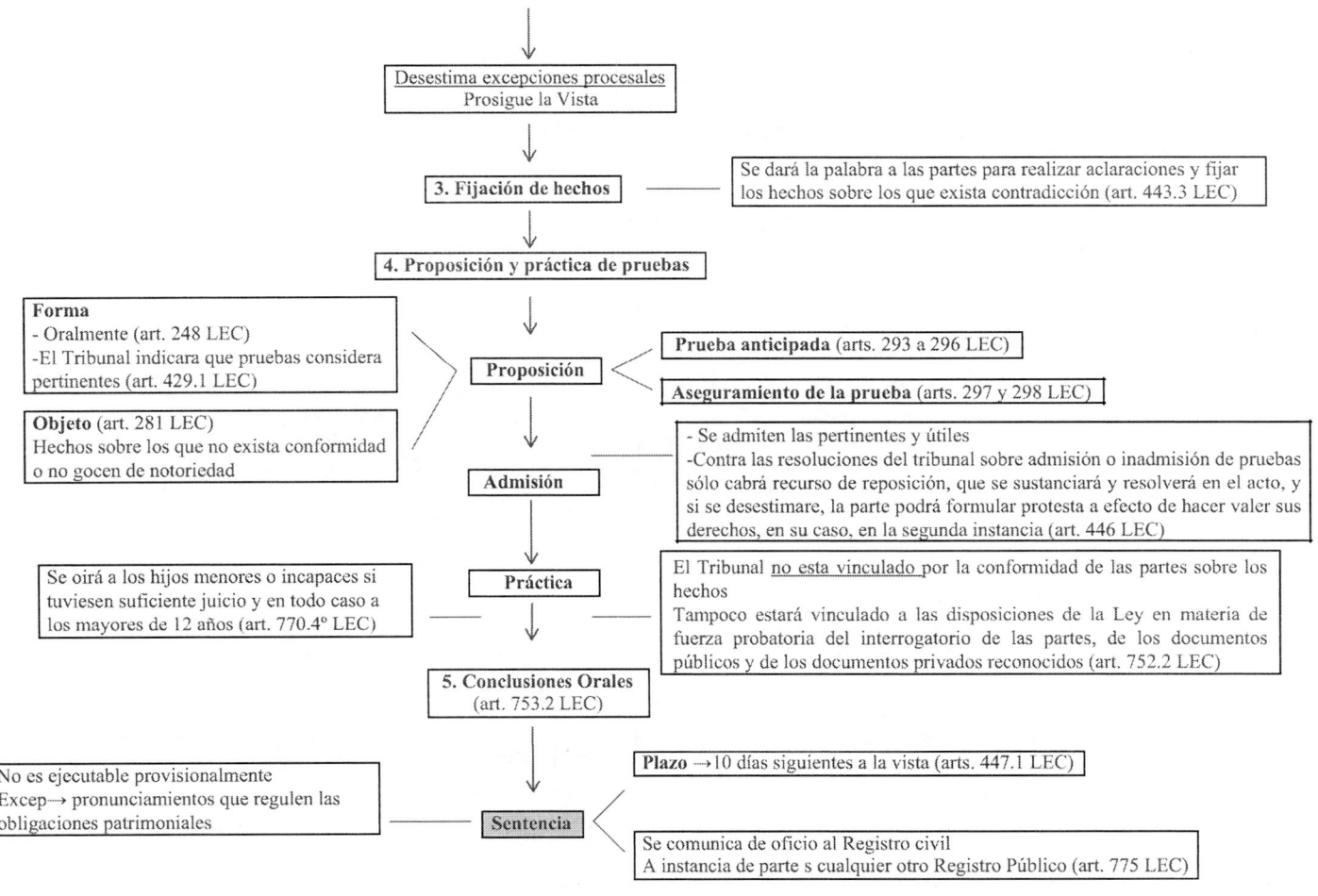

Desestima excepciones procesales
Prosigue la Vista

3. Fijación de hechos —— Se dará la palabra a las partes para realizar aclaraciones y fijar los hechos sobre los que exista contradicción (art. 443.3 LEC)

4. Proposición y práctica de pruebas

Forma
- Oralmente (art. 248 LEC)
- El Tribunal indicara que pruebas considera pertinentes (art. 429.1 LEC)

Objeto (art. 281 LEC)
Hechos sobre los que no exista conformidad o no gocen de notoriedad

Proposición —— **Prueba anticipada** (arts. 293 a 296 LEC)
                    Aseguramiento de la prueba (arts. 297 y 298 LEC)

Admisión —— - Se admiten las pertinentes y útiles
-Contra las resoluciones del tribunal sobre admisión o inadmisión de pruebas sólo cabrá recurso de reposición, que se sustanciará y resolverá en el acto, y si se desestimare, la parte podrá formular protesta a efecto de hacer valer sus derechos, en su caso, en la segunda instancia (art. 446 LEC)

Se oirá a los hijos menores o incapaces si tuviesen suficiente juicio y en todo caso a los mayores de 12 años (art. 770.4º LEC)

Práctica —— El Tribunal <u>no esta vinculado</u> por la conformidad de las partes sobre los hechos
Tampoco estará vinculado a las disposiciones de la Ley en materia de fuerza probatoria del interrogatorio de las partes, de los documentos públicos y de los documentos privados reconocidos (art. 752.2 LEC)

5. Conclusiones Orales
(art. 753.2 LEC)

Plazo →10 días siguientes a la vista (arts. 447.1 LEC)

No es ejecutable provisionalmente
Excep→ pronunciamientos que regulen las obligaciones patrimoniales

Sentencia —— Se comunica de oficio al Registro civil
A instancia de parte s cualquier otro Registro Público (art. 775 LEC)

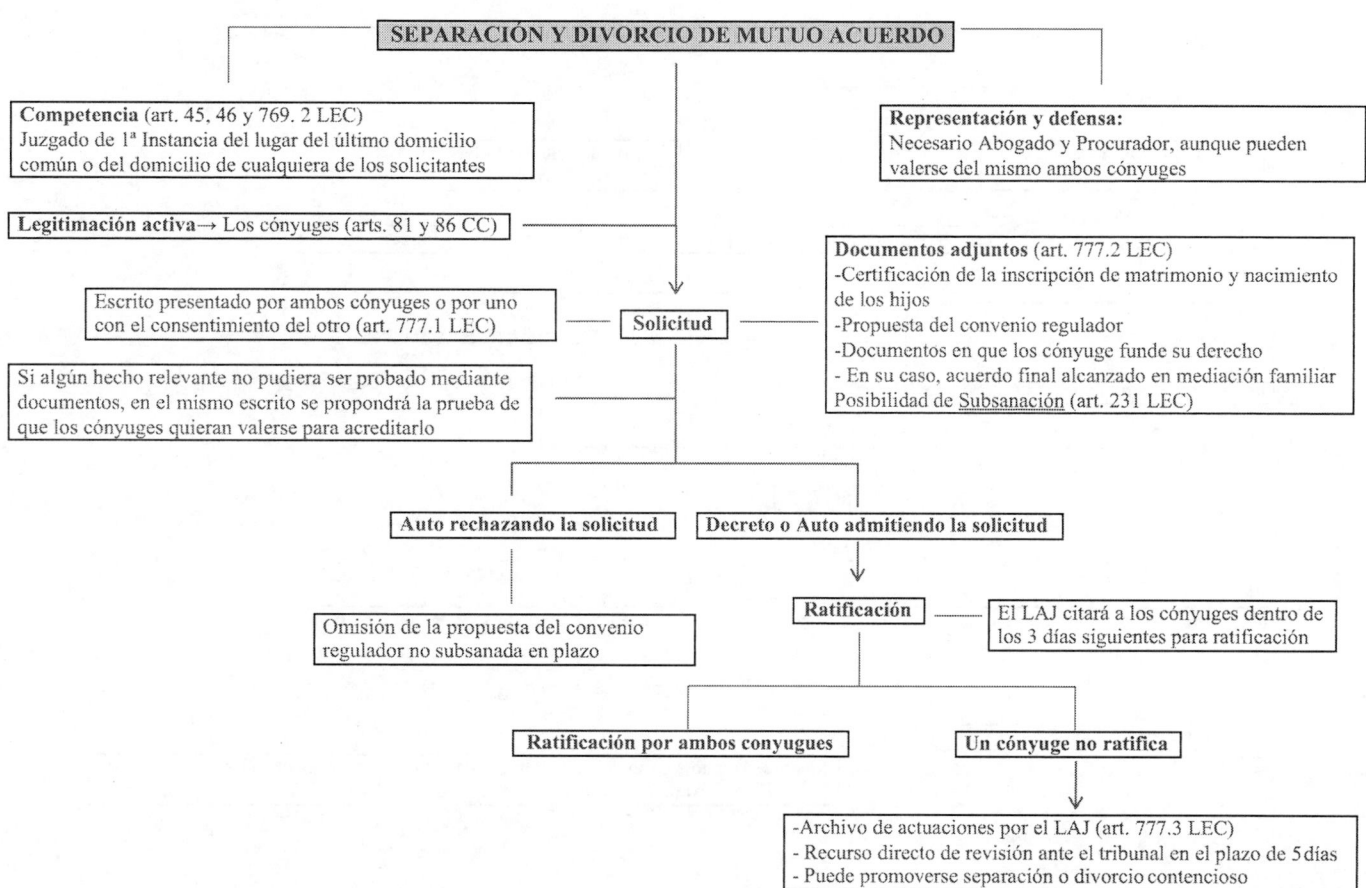

SEPARACIÓN Y DIVORCIO DE MUTUO ACUERDO

Competencia (art. 45, 46 y 769. 2 LEC)
Juzgado de 1ª Instancia del lugar del último domicilio común o del domicilio de cualquiera de los solicitantes

Representación y defensa:
Necesario Abogado y Procurador, aunque pueden valerse del mismo ambos cónyuges

Legitimación activa→ Los cónyuges (arts. 81 y 86 CC)

Escrito presentado por ambos cónyuges o por uno con el consentimiento del otro (art. 777.1 LEC)

Si algún hecho relevante no pudiera ser probado mediante documentos, en el mismo escrito se propondrá la prueba de que los cónyuges quieran valerse para acreditarlo

Solicitud

Documentos adjuntos (art. 777.2 LEC)
-Certificación de la inscripción de matrimonio y nacimiento de los hijos
-Propuesta del convenio regulador
-Documentos en que los cónyuge funde su derecho
- En su caso, acuerdo final alcanzado en mediación familiar
Posibilidad de Subsanación (art. 231 LEC)

Auto rechazando la solicitud

Decreto o Auto admitiendo la solicitud

Omisión de la propuesta del convenio regulador no subsanada en plazo

Ratificación

El LAJ citará a los cónyuges dentro de los 3 días siguientes para ratificación

Ratificación por ambos conyugues

Un cónyuge no ratifica

-Archivo de actuaciones por el LAJ (art. 777.3 LEC)
- Recurso directo de revisión ante el tribunal en el plazo de 5 días
- Puede promoverse separación o divorcio contencioso

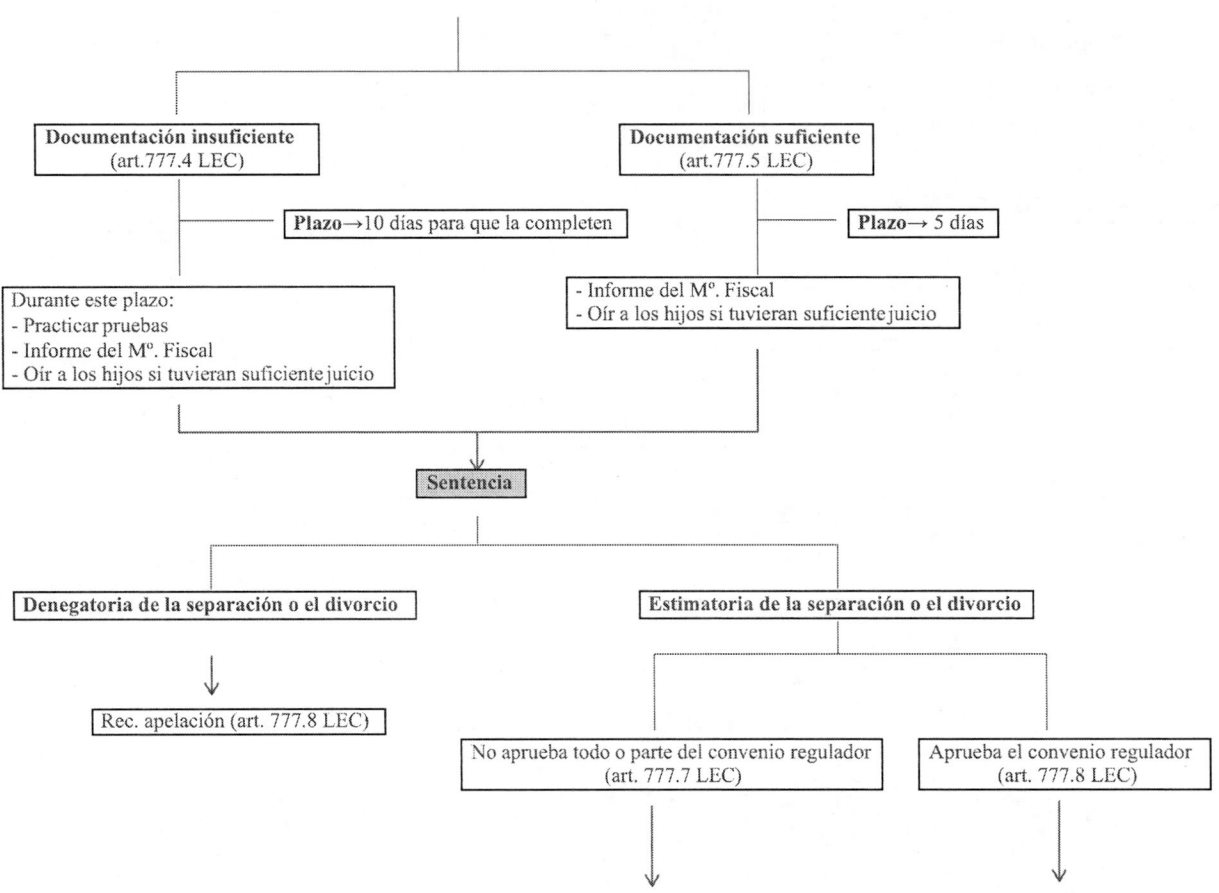

Documentación insuficiente
(art.777.4 LEC)

Documentación suficiente
(art.777.5 LEC)

Plazo→10 días para que la completen

Plazo→ 5 días

Durante este plazo:
- Practicar pruebas
- Informe del Mº. Fiscal
- Oír a los hijos si tuvieran suficiente juicio

- Informe del Mº. Fiscal
- Oír a los hijos si tuvieran suficiente juicio

Sentencia

Denegatoria de la separación o el divorcio

Estimatoria de la separación o el divorcio

Rec. apelación (art. 777.8 LEC)

No aprueba todo o parte del convenio regulador
(art. 777.7 LEC)

Aprueba el convenio regulador
(art. 777.8 LEC)

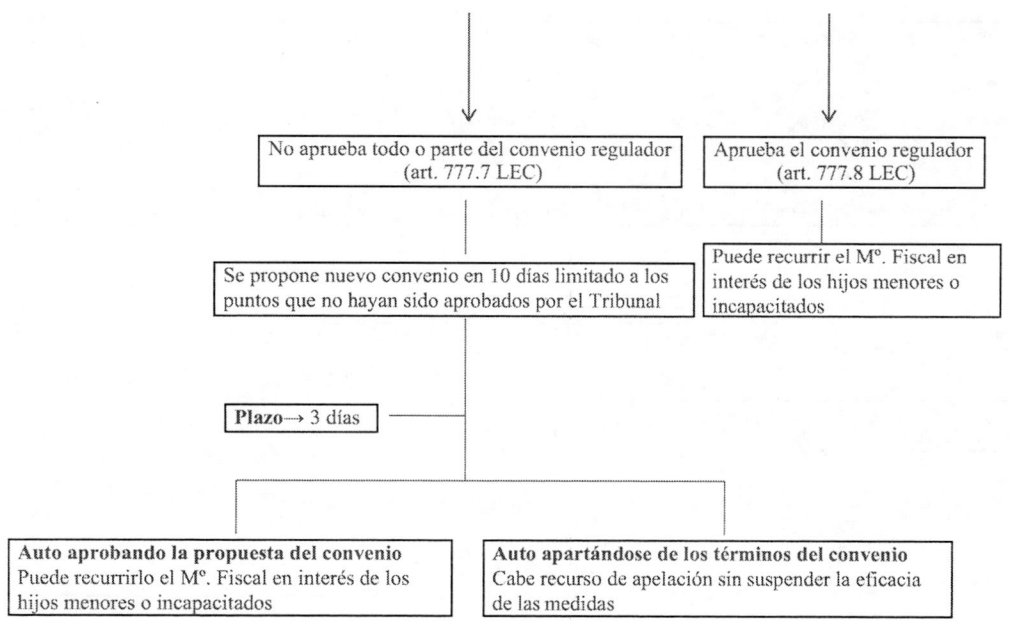

No aprueba todo o parte del convenio regulador (art. 777.7 LEC)

Aprueba el convenio regulador (art. 777.8 LEC)

Se propone nuevo convenio en 10 días limitado a los puntos que no hayan sido aprobados por el Tribunal

Puede recurrir el Mº. Fiscal en interés de los hijos menores o incapacitados

Plazo→ 3 días

Auto aprobando la propuesta del convenio
Puede recurrirlo el Mº. Fiscal en interés de los hijos menores o incapacitados

Auto apartándose de los términos del convenio
Cabe recurso de apelación sin suspender la eficacia de las medidas

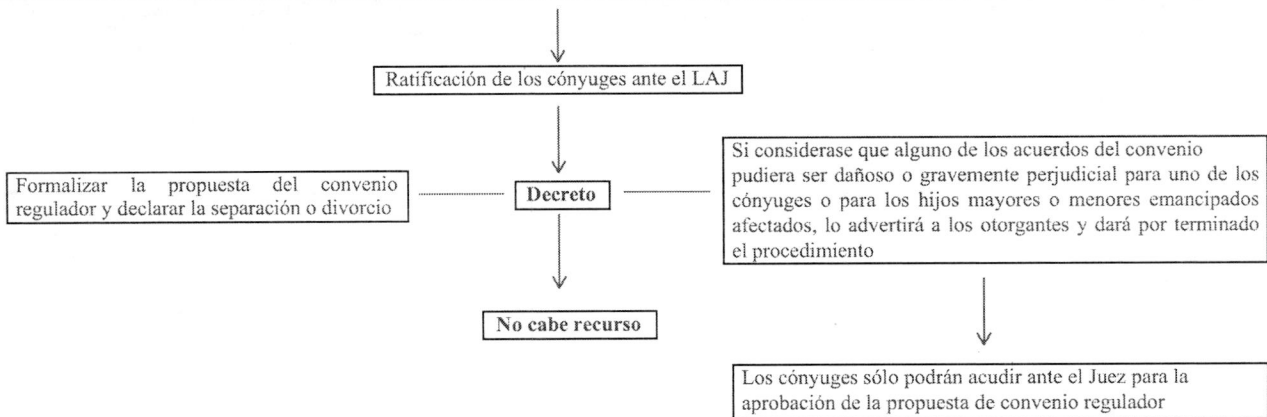

Competencia del Secretario judicial→ cuando **no hay hijos menores no emancipados o con la capacidad modificada judicialmente que dependan de sus progenitores**

"Si la competencia fuera del Secretario judicial por no existir hijos menores no emancipados o con la capacidad modificada judicialmente que dependan de sus progenitores, inmediatamente después de la ratificación de los cónyuges ante el Secretario judicial, este dictará decreto pronunciándose, sobre el convenio regulador"

Adición del apartado décimo del art. 777 por Ley 15/2015, de 2 de julio, de la Jurisdicción Voluntaria

Ratificación de los cónyuges ante el LAJ

Formalizar la propuesta del convenio regulador y declarar la separación o divorcio .... **Decreto** .... Si considerase que alguno de los acuerdos del convenio pudiera ser dañoso o gravemente perjudicial para uno de los cónyuges o para los hijos mayores o menores emancipados afectados, lo advertirá a los otorgantes y dará por terminado el procedimiento

No cabe recurso

Los cónyuges sólo podrán acudir ante el Juez para la aprobación de la propuesta de convenio regulador

LA MODIFICACIÓN DEL CONVENIO REGULADOR FORMALIZADA POR EL LAJ se sustanciará = cuando concurran los requisitos necesarios para ello

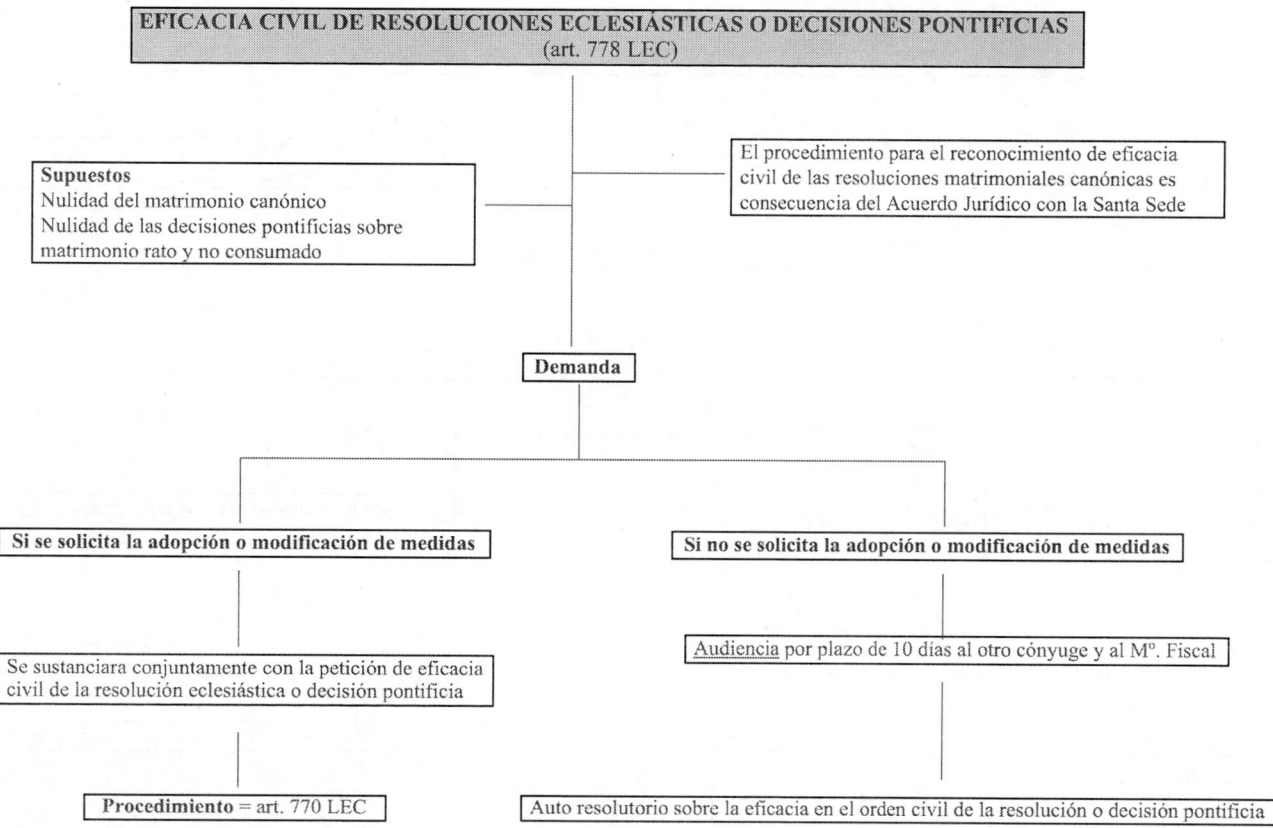

EFICACIA CIVIL DE RESOLUCIONES ECLESIÁSTICAS O DECISIONES PONTIFICIAS
(art. 778 LEC)

Supuestos
Nulidad del matrimonio canónico
Nulidad de las decisiones pontificias sobre
matrimonio rato y no consumado

El procedimiento para el reconocimiento de eficacia
civil de las resoluciones matrimoniales canónicas es
consecuencia del Acuerdo Jurídico con la Santa Sede

Demanda

Si se solicita la adopción o modificación de medidas

Se sustanciara conjuntamente con la petición de eficacia
civil de la resolución eclesiástica o decisión pontificia

Procedimiento = art. 770 LEC

Si no se solicita la adopción o modificación de medidas

Audiencia por plazo de 10 días al otro cónyuge y al Mº. Fiscal

Auto resolutorio sobre la eficacia en el orden civil de la resolución o decisión pontificia

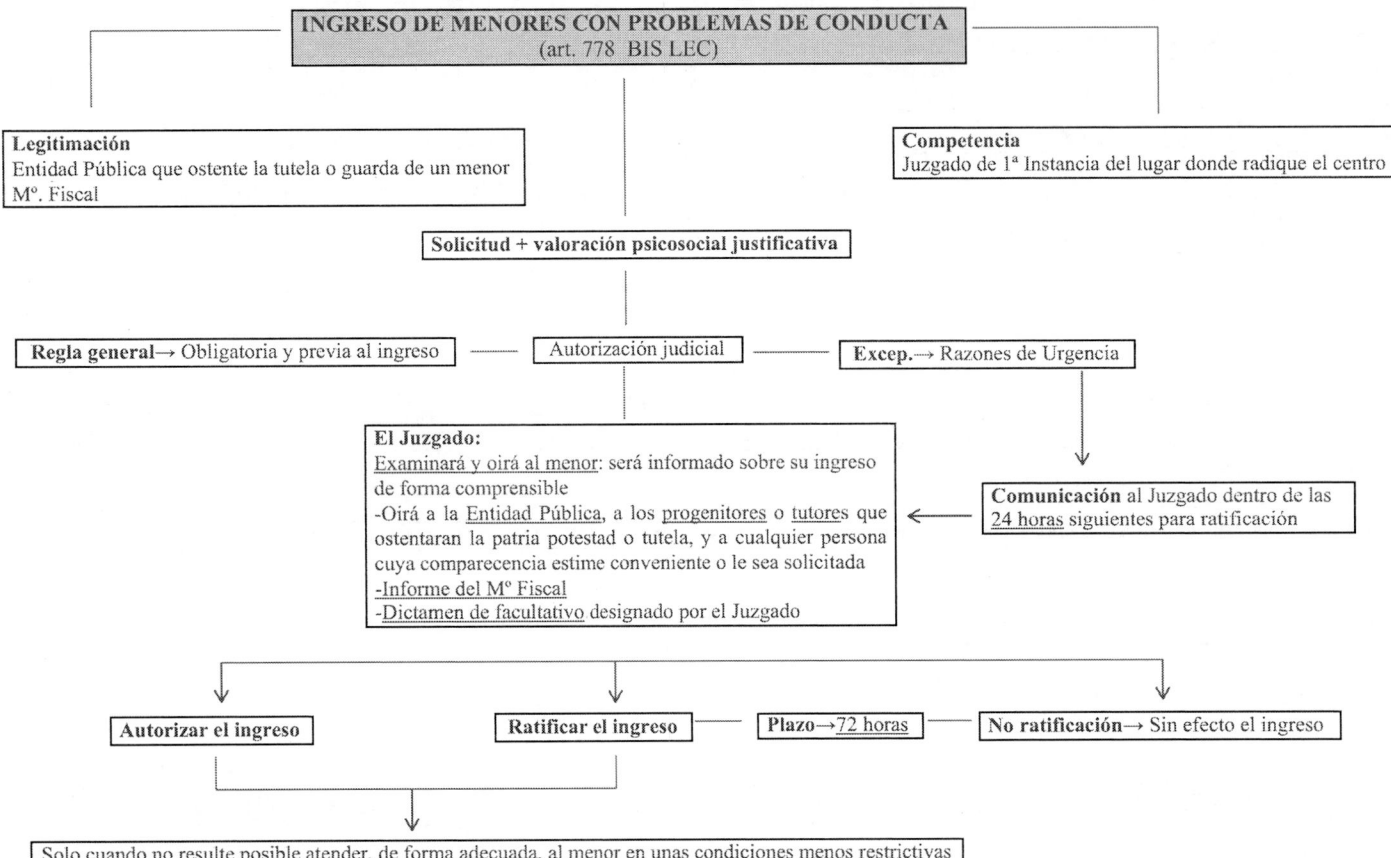

INGRESO DE MENORES CON PROBLEMAS DE CONDUCTA
(art. 778 BIS LEC)

Legitimación
Entidad Pública que ostente la tutela o guarda de un menor
Mº. Fiscal

Competencia
Juzgado de 1ª Instancia del lugar donde radique el centro

Solicitud + valoración psicosocial justificativa

Regla general→ Obligatoria y previa al ingreso

Autorización judicial

Excep.→ Razones de Urgencia

El Juzgado:
Examinará y oirá al menor: será informado sobre su ingreso de forma comprensible
-Oirá a la Entidad Pública, a los progenitores o tutores que ostentaran la patria potestad o tutela, y a cualquier persona cuya comparecencia estime conveniente o le sea solicitada
-Informe del Mº Fiscal
-Dictamen de facultativo designado por el Juzgado

Comunicación al Juzgado dentro de las 24 horas siguientes para ratificación

Autorizar el ingreso

Ratificar el ingreso

Plazo→72 horas

No ratificación→ Sin efecto el ingreso

Solo cuando no resulte posible atender, de forma adecuada, al menor en unas condiciones menos restrictivas

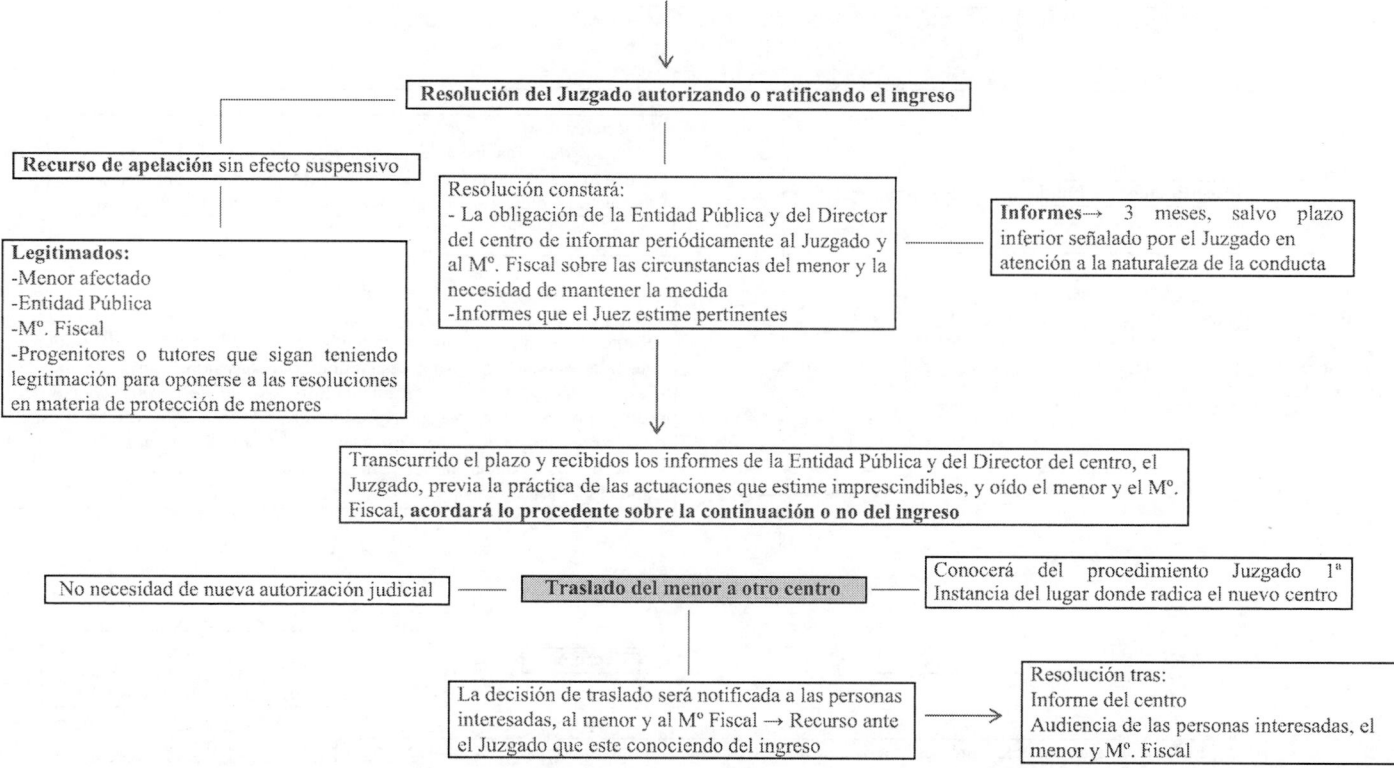

Resolución del Juzgado autorizando o ratificando el ingreso

Recurso de apelación sin efecto suspensivo

Legitimados:
-Menor afectado
-Entidad Pública
-Mº. Fiscal
-Progenitores o tutores que sigan teniendo legitimación para oponerse a las resoluciones en materia de protección de menores

Resolución constará:
- La obligación de la Entidad Pública y del Director del centro de informar periódicamente al Juzgado y al Mº. Fiscal sobre las circunstancias del menor y la necesidad de mantener la medida
-Informes que el Juez estime pertinentes

Informes → 3 meses, salvo plazo inferior señalado por el Juzgado en atención a la naturaleza de la conducta

Transcurrido el plazo y recibidos los informes de la Entidad Pública y del Director del centro, el Juzgado, previa la práctica de las actuaciones que estime imprescindibles, y oído el menor y el Mº. Fiscal, **acordará lo procedente sobre la continuación o no del ingreso**

No necesidad de nueva autorización judicial

Traslado del menor a otro centro

Conocerá del procedimiento Juzgado 1ª Instancia del lugar donde radica el nuevo centro

La decisión de traslado será notificada a las personas interesadas, al menor y al Mº Fiscal → Recurso ante el Juzgado que este conociendo del ingreso

Resolución tras:
Informe del centro
Audiencia de las personas interesadas, el menor y Mº. Fiscal

El cese será acordado por el órgano judicial competente, de oficio o a propuesta de la Entidad Pública o del Mº. Fiscal
Esta propuesta estará fundamentada en un informe psicológico, social y educativo

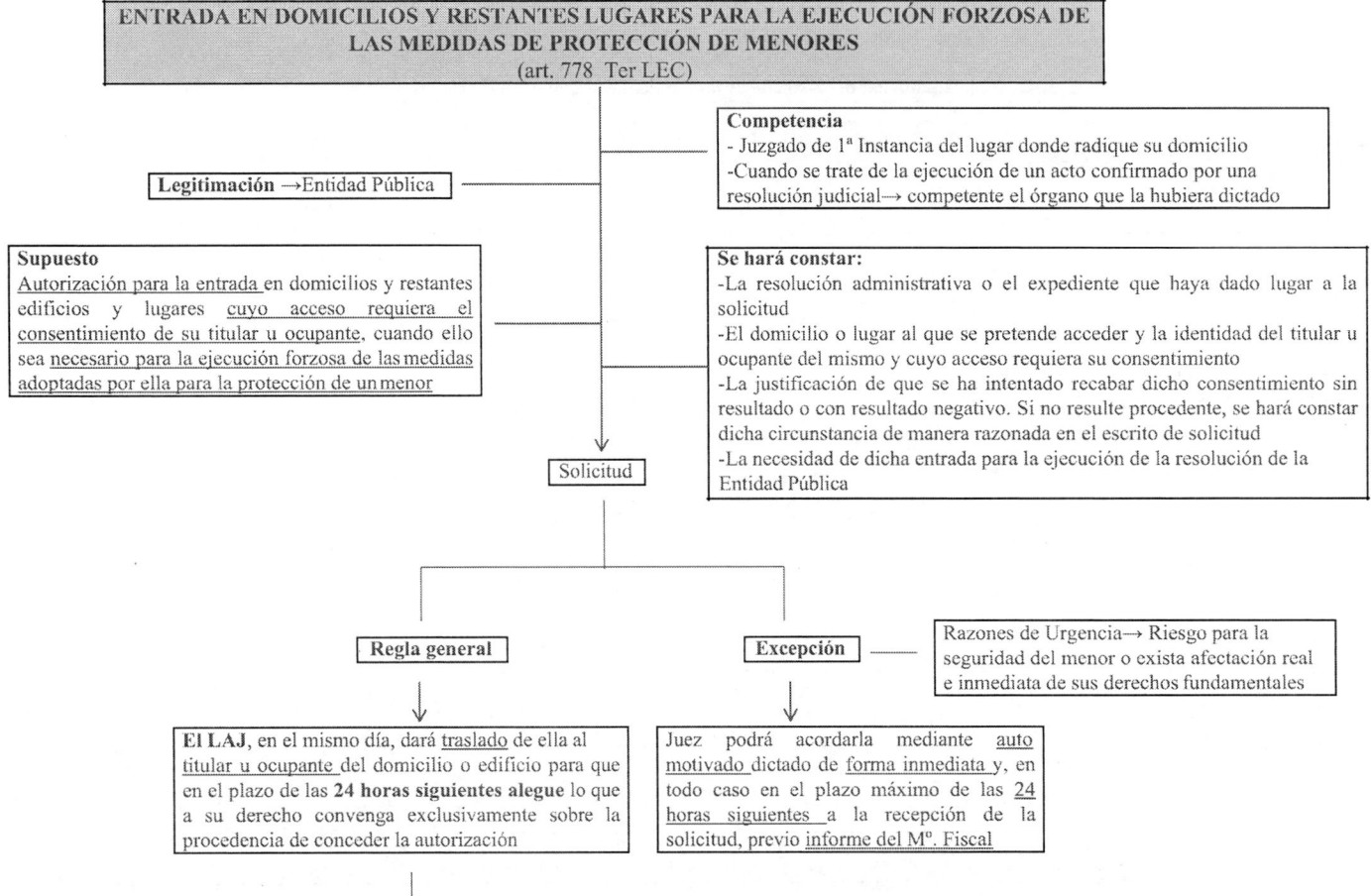

ENTRADA EN DOMICILIOS Y RESTANTES LUGARES PARA LA EJECUCIÓN FORZOSA DE LAS MEDIDAS DE PROTECCIÓN DE MENORES
(art. 778 Ter LEC)

Legitimación →Entidad Pública

Competencia
- Juzgado de 1ª Instancia del lugar donde radique su domicilio
-Cuando se trate de la ejecución de un acto confirmado por una resolución judicial→ competente el órgano que la hubiera dictado

Supuesto
Autorización para la entrada en domicilios y restantes edificios y lugares cuyo acceso requiera el consentimiento de su titular u ocupante, cuando ello sea necesario para la ejecución forzosa de las medidas adoptadas por ella para la protección de un menor

Se hará constar:
-La resolución administrativa o el expediente que haya dado lugar a la solicitud
-El domicilio o lugar al que se pretende acceder y la identidad del titular u ocupante del mismo y cuyo acceso requiera su consentimiento
-La justificación de que se ha intentado recabar dicho consentimiento sin resultado o con resultado negativo. Si no resulte procedente, se hará constar dicha circunstancia de manera razonada en el escrito de solicitud
-La necesidad de dicha entrada para la ejecución de la resolución de la Entidad Pública

Solicitud

Regla general

Excepción

Razones de Urgencia→ Riesgo para la seguridad del menor o exista afectación real e inmediata de sus derechos fundamentales

El LAJ, en el mismo día, dará traslado de ella al titular u ocupante del domicilio o edificio para que en el plazo de las **24 horas siguientes alegue** lo que a su derecho convenga exclusivamente sobre la procedencia de conceder la autorización

Juez podrá acordarla mediante auto motivado dictado de forma inmediata y, en todo caso en el plazo máximo de las 24 horas siguientes a la recepción de la solicitud, previo informe del Mº. Fiscal

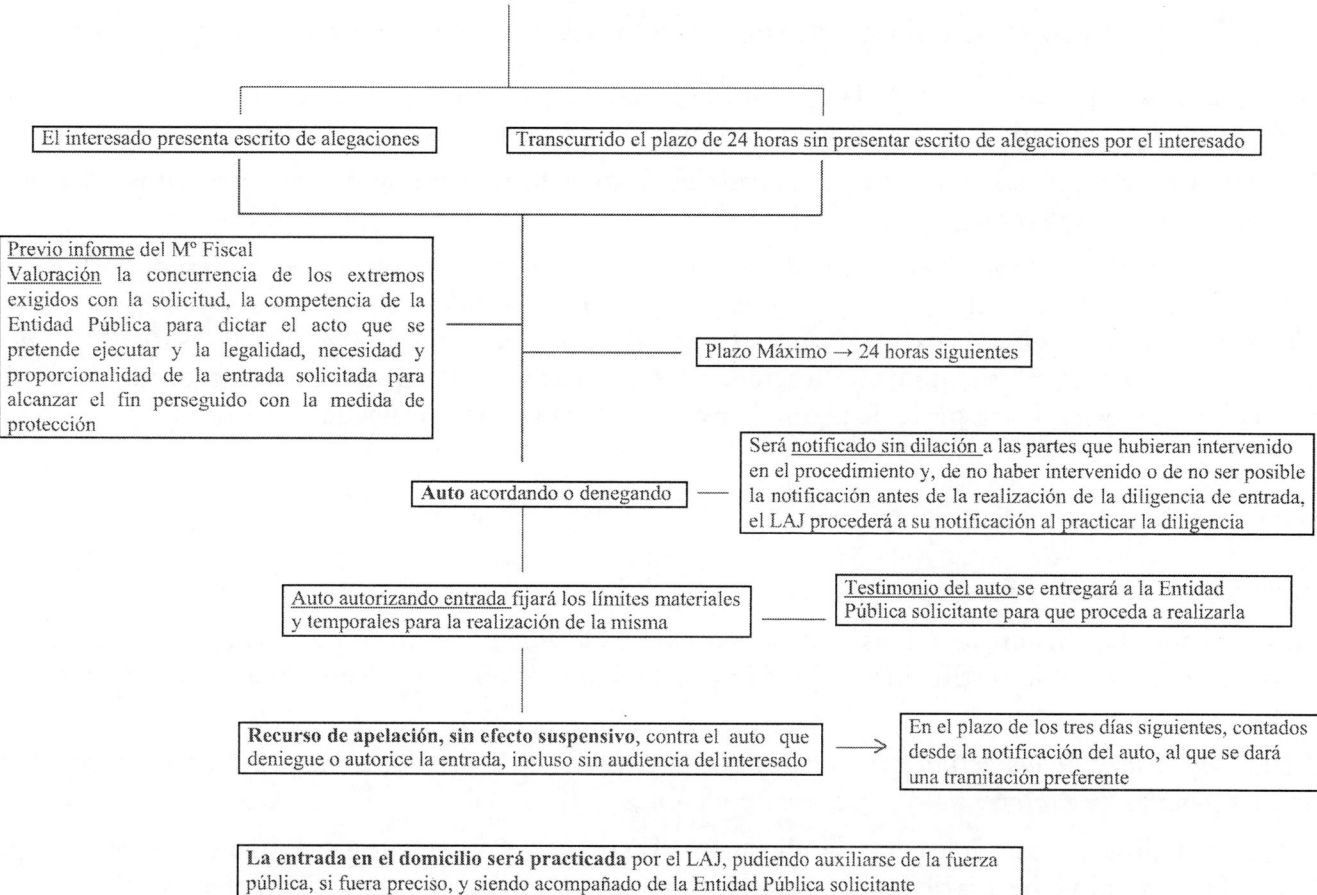

El interesado presenta escrito de alegaciones

Transcurrido el plazo de 24 horas sin presentar escrito de alegaciones por el interesado

Previo informe del Mº Fiscal
Valoración la concurrencia de los extremos exigidos con la solicitud, la competencia de la Entidad Pública para dictar el acto que se pretende ejecutar y la legalidad, necesidad y proporcionalidad de la entrada solicitada para alcanzar el fin perseguido con la medida de protección

Plazo Máximo → 24 horas siguientes

Auto acordando o denegando

Será notificado sin dilación a las partes que hubieran intervenido en el procedimiento y, de no haber intervenido o de no ser posible la notificación antes de la realización de la diligencia de entrada, el LAJ procederá a su notificación al practicar la diligencia

Auto autorizando entrada fijará los límites materiales y temporales para la realización de la misma

Testimonio del auto se entregará a la Entidad Pública solicitante para que proceda a realizarla

Recurso de apelación, sin efecto suspensivo, contra el auto que deniegue o autorice la entrada, incluso sin audiencia del interesado

En el plazo de los tres días siguientes, contados desde la notificación del auto, al que se dará una tramitación preferente

La entrada en el domicilio será practicada por el LAJ, pudiendo auxiliarse de la fuerza pública, si fuera preciso, y siendo acompañado de la Entidad Pública solicitante
Finalizada la diligencia, se decretará el archivo del procedimiento

9.1.4. *Medidas relativas a la restitución o retorno de menores en los supuestos de sustracción internacional*

Una de las reformas mas importantes ha sido la introducción en la Ley de Enjuiciamiento Civil de un nuevo proceso especial en el que se prevén las medidas relativas a la *restitución de menores en supuestos de sustracción internacional*.

Se trata de dar una mejor respuesta a *una situación cada vez más habitual* en la práctica como consecuencia de la globalización también de las relaciones de pareja.

Este proceso jurisdiccional tiene por objeto la regulación del procedimiento a seguir en el caso en que se pretenda la restitución de un menor o su retorno al lugar de procedencia *siempre que, encontrándose en España, haya sido objeto de un traslado o retención ilícita a la que se aplique un Convenio Internacional del que nuestro país sea parte o las disposiciones de la Unión Europea aplicables en la materia;* no siendo de aplicación, a los supuestos en los que el menor proceda de un Estado que no forma parte de la Unión Europea ni sea parte de algún Convenio Internacional ratificado por España.

PROCEDIMIENTO

Tendrá carácter *urgente y preferente*.

Deberá realizarse, en ambas instancias, si las hubiere, en el *inexcusable plazo total de 6 semanas desde la fecha de la presentación de la solicitud* instando la restitución o el retorno del menor, *salvo* que existan *circunstancias excepcionales* que lo hagan imposible.

No se admite la *suspensión de las actuaciones* civiles por la existencia de *prejudicialidad penal que venga motivada por el ejercicio de acciones penales en materia de sustracción de menores*.

Con la finalidad de facilitar las comunicaciones judiciales directas entre órganos jurisdiccionales de distintos países, siempre que sea posible y el Juez lo estime necesario, podrá recurrirse *al auxilio de las Autoridades* Centrales implicadas, de las Redes de Cooperación Judicial Internacional existentes, de los miembros de la Red Internacional de Jueces de la Conferencia de La Haya y de los Jueces de enlace.

MEDIACIÓN

El Juez podrá en cualquier momento, de oficio o a petición de cualquiera de las partes, proponer una solución de mediación si estima posible que lleguen a un acuerdo, sin que ello deba suponer un retraso injustificado del proceso.

También durante la *tramitación de la apelación*, ambas partes podrán solicitar la suspensión para someterse a mediación En tales casos, el *LAJ acordará la suspensión* por el tiempo necesario para tramitar la mediación.

La *Entidad Publica* que tenga las funciones de protección del menor puede intervenir como mediadora si así se solicitase de oficio, por las partes o por el Mº Fiscal.

La duración del procedimiento de mediación será lo más breve posible sin que en ningún caso pueda la suspensión del proceso para mediación exceder del plazo legalmente previsto de 6 semanas.

El procedimiento judicial se reanudará si lo solicita cualquiera de las partes o, en caso de alcanzarse un acuerdo en la mediación, que deberá ser aprobado por el Juez teniendo en cuenta la **normativa vigente y el interés superior del niño.**

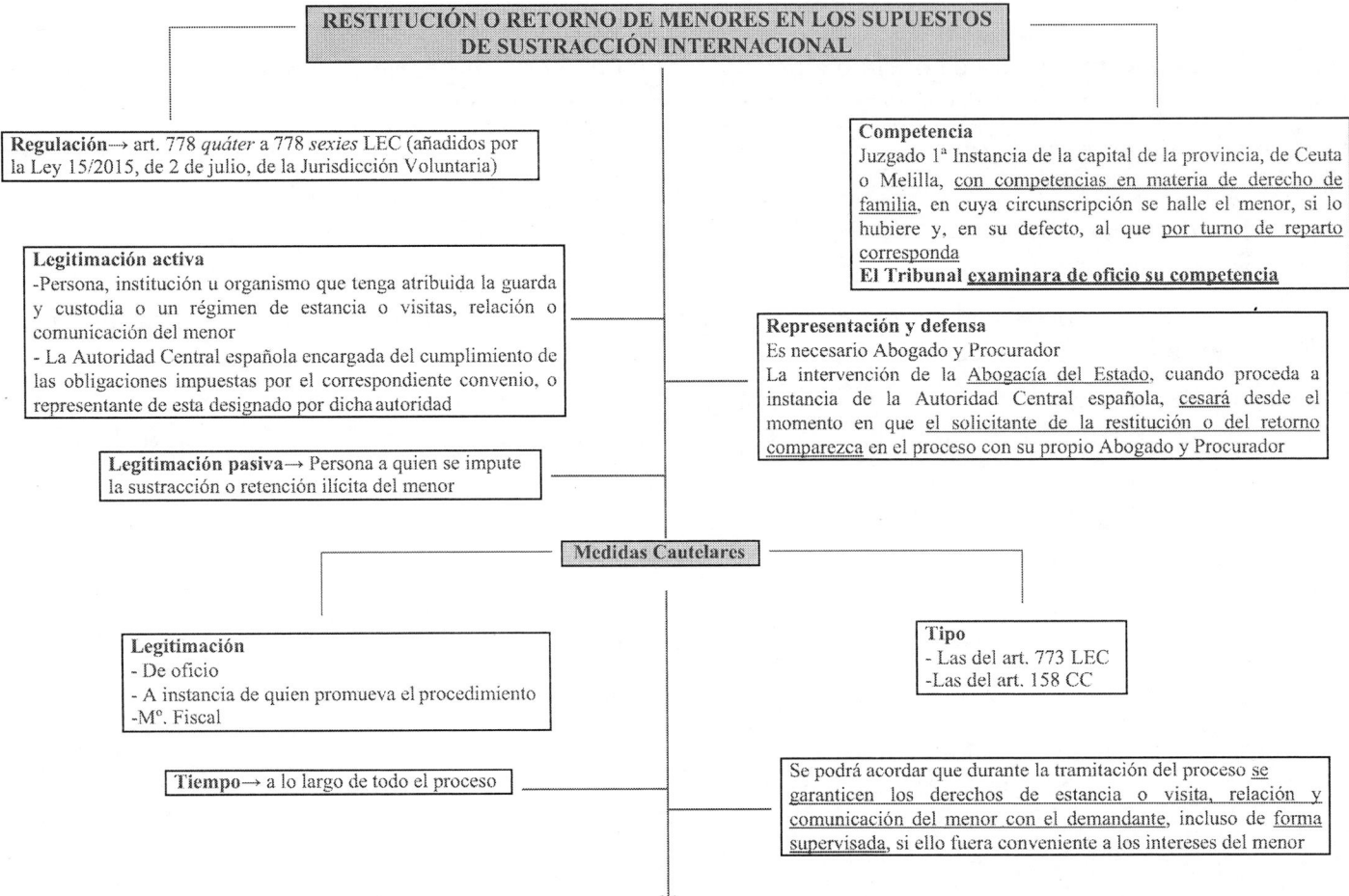

RESTITUCIÓN O RETORNO DE MENORES EN LOS SUPUESTOS DE SUSTRACCIÓN INTERNACIONAL

Regulación→ art. 778 *quáter* a 778 *sexies* LEC (añadidos por la Ley 15/2015, de 2 de julio, de la Jurisdicción Voluntaria)

Competencia
Juzgado 1ª Instancia de la capital de la provincia, de Ceuta o Melilla, con competencias en materia de derecho de familia, en cuya circunscripción se halle el menor, si lo hubiere y, en su defecto, al que por turno de reparto corresponda
El Tribunal examinara de oficio su competencia

Legitimación activa
-Persona, institución u organismo que tenga atribuida la guarda y custodia o un régimen de estancia o visitas, relación o comunicación del menor
- La Autoridad Central española encargada del cumplimiento de las obligaciones impuestas por el correspondiente convenio, o representante de esta designado por dicha autoridad

Representación y defensa
Es necesario Abogado y Procurador
La intervención de la Abogacía del Estado, cuando proceda a instancia de la Autoridad Central española, cesará desde el momento en que el solicitante de la restitución o del retorno comparezca en el proceso con su propio Abogado y Procurador

Legitimación pasiva→ Persona a quien se impute la sustracción o retención ilícita del menor

Medidas Cautelares

Legitimación
- De oficio
- A instancia de quien promueva el procedimiento
-Mº. Fiscal

Tipo
- Las del art. 773 LEC
-Las del art. 158 CC

Tiempo→ a lo largo de todo el proceso

Se podrá acordar que durante la tramitación del proceso se garanticen los derechos de estancia o visita, relación y comunicación del menor con el demandante, incluso de forma supervisada, si ello fuera conveniente a los intereses del menor

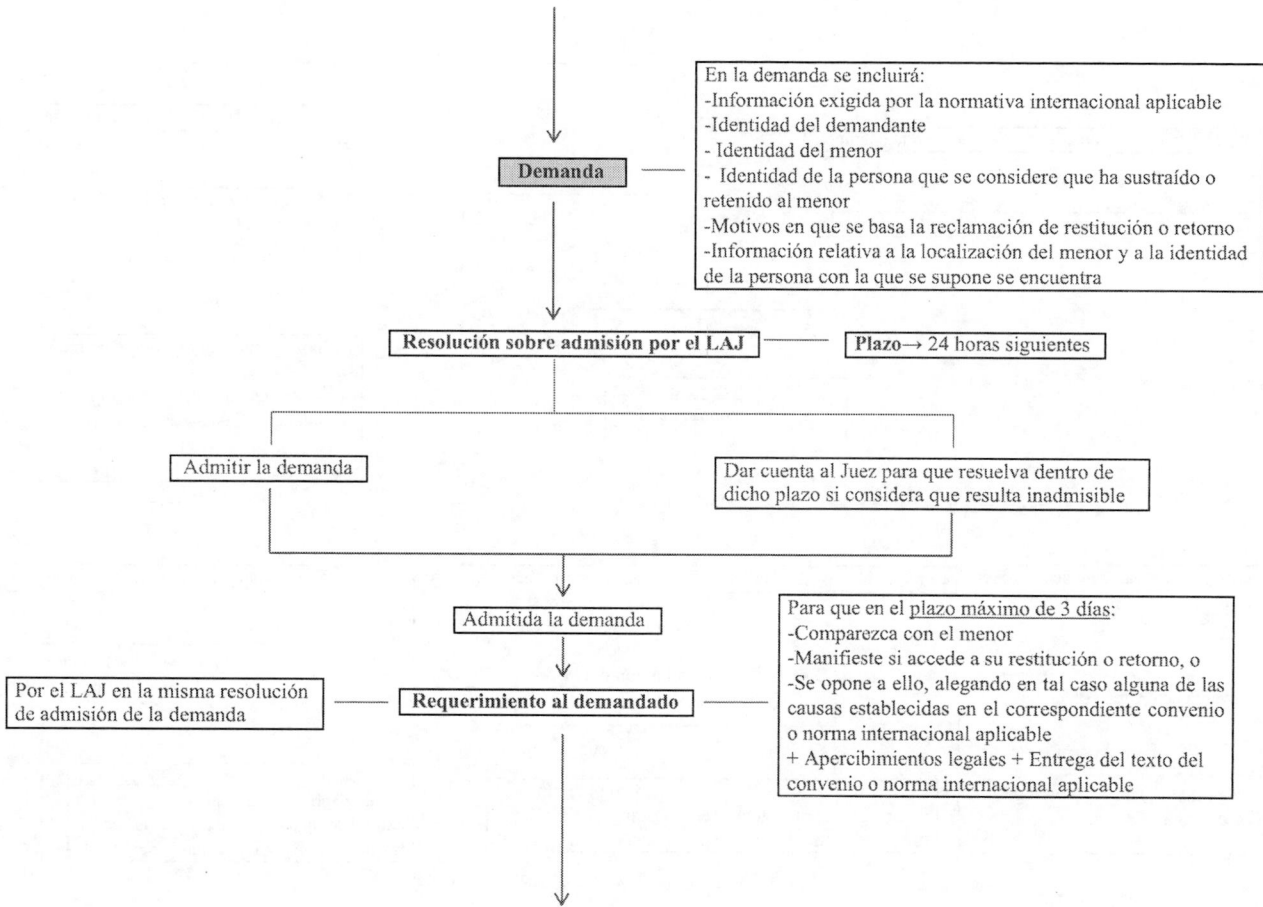

En la demanda se incluirá:
-Información exigida por la normativa internacional aplicable
-Identidad del demandante
- Identidad del menor
- Identidad de la persona que se considere que ha sustraído o retenido al menor
-Motivos en que se basa la reclamación de restitución o retorno
-Información relativa a la localización del menor y a la identidad de la persona con la que se supone se encuentra

Demanda

Resolución sobre admisión por el LAJ —— Plazo→ 24 horas siguientes

Admitir la demanda

Dar cuenta al Juez para que resuelva dentro de dicho plazo si considera que resulta inadmisible

Admitida la demanda

Por el LAJ en la misma resolución de admisión de la demanda

Requerimiento al demandado

Para que en el plazo máximo de 3 días:
-Comparezca con el menor
-Manifieste si accede a su restitución o retorno, o
-Se opone a ello, alegando en tal caso alguna de las causas establecidas en el correspondiente convenio o norma internacional aplicable
+ Apercibimientos legales + Entrega del texto del convenio o norma internacional aplicable

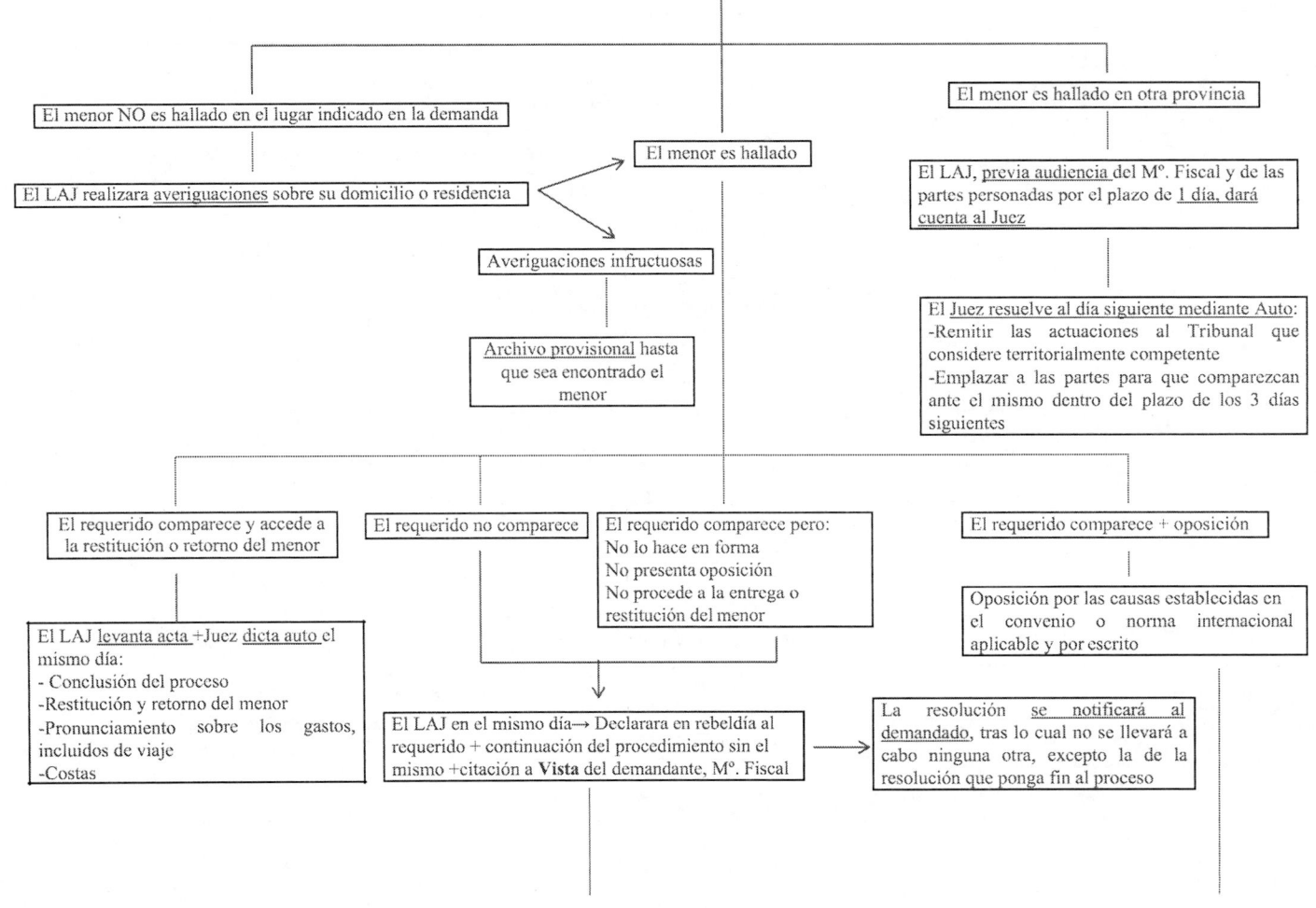

El menor NO es hallado en el lugar indicado en la demanda

El menor es hallado en otra provincia

El menor es hallado

El LAJ realizara averiguaciones sobre su domicilio o residencia

El LAJ, previa audiencia del Mº. Fiscal y de las partes personadas por el plazo de 1 día, dará cuenta al Juez

Averiguaciones infructuosas

Archivo provisional hasta que sea encontrado el menor

El Juez resuelve al día siguiente mediante Auto:
-Remitir las actuaciones al Tribunal que considere territorialmente competente
-Emplazar a las partes para que comparezcan ante el mismo dentro del plazo de los 3 días siguientes

El requerido comparece y accede a la restitución o retorno del menor

El requerido no comparece

El requerido comparece pero:
No lo hace en forma
No presenta oposición
No procede a la entrega o restitución del menor

El requerido comparece + oposición

Oposición por las causas establecidas en el convenio o norma internacional aplicable y por escrito

El LAJ levanta acta +Juez dicta auto el mismo día:
- Conclusión del proceso
-Restitución y retorno del menor
-Pronunciamiento sobre los gastos, incluidos de viaje
-Costas

El LAJ en el mismo día→ Declarara en rebeldía al requerido + continuación del procedimiento sin el mismo +citación a **Vista** del demandante, Mº. Fiscal

La resolución se notificará al demandado, tras lo cual no se llevará a cabo ninguna otra, excepto la de la resolución que ponga fin al proceso

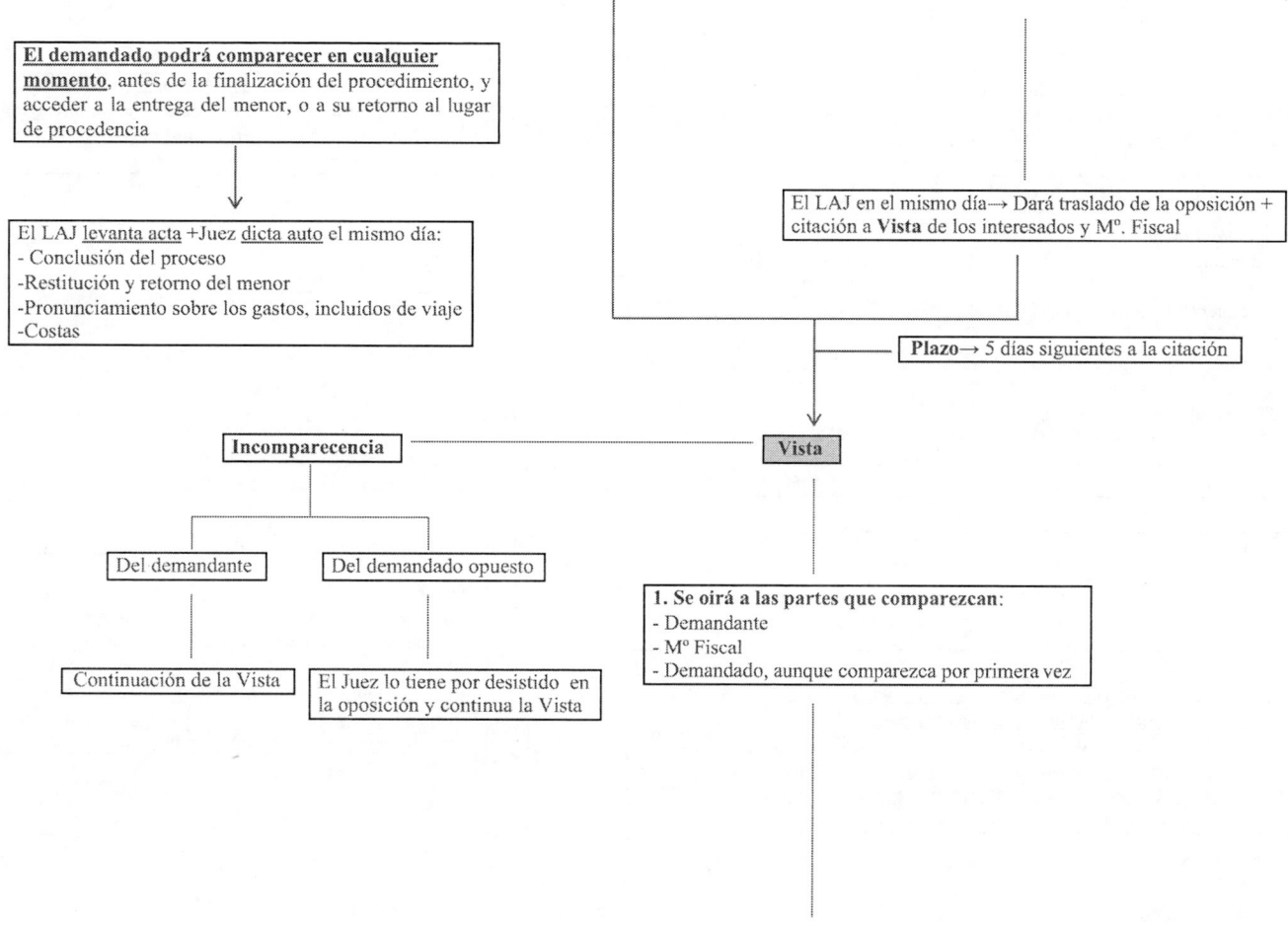

El demandado podrá comparecer en cualquier momento, antes de la finalización del procedimiento, y acceder a la entrega del menor, o a su retorno al lugar de procedencia

El LAJ levanta acta +Juez dicta auto el mismo día:
- Conclusión del proceso
- Restitución y retorno del menor
- Pronunciamiento sobre los gastos, incluidos de viaje
- Costas

El LAJ en el mismo día→ Dará traslado de la oposición + citación a **Vista** de los interesados y Mº. Fiscal

Plazo→ 5 días siguientes a la citación

Incomparecencia

Vista

Del demandante

Del demandado opuesto

Continuación de la Vista

El Juez lo tiene por desistido en la oposición y continua la Vista

1. Se oirá a las partes que comparezcan:
- Demandante
- Mº Fiscal
- Demandado, aunque comparezca por primera vez

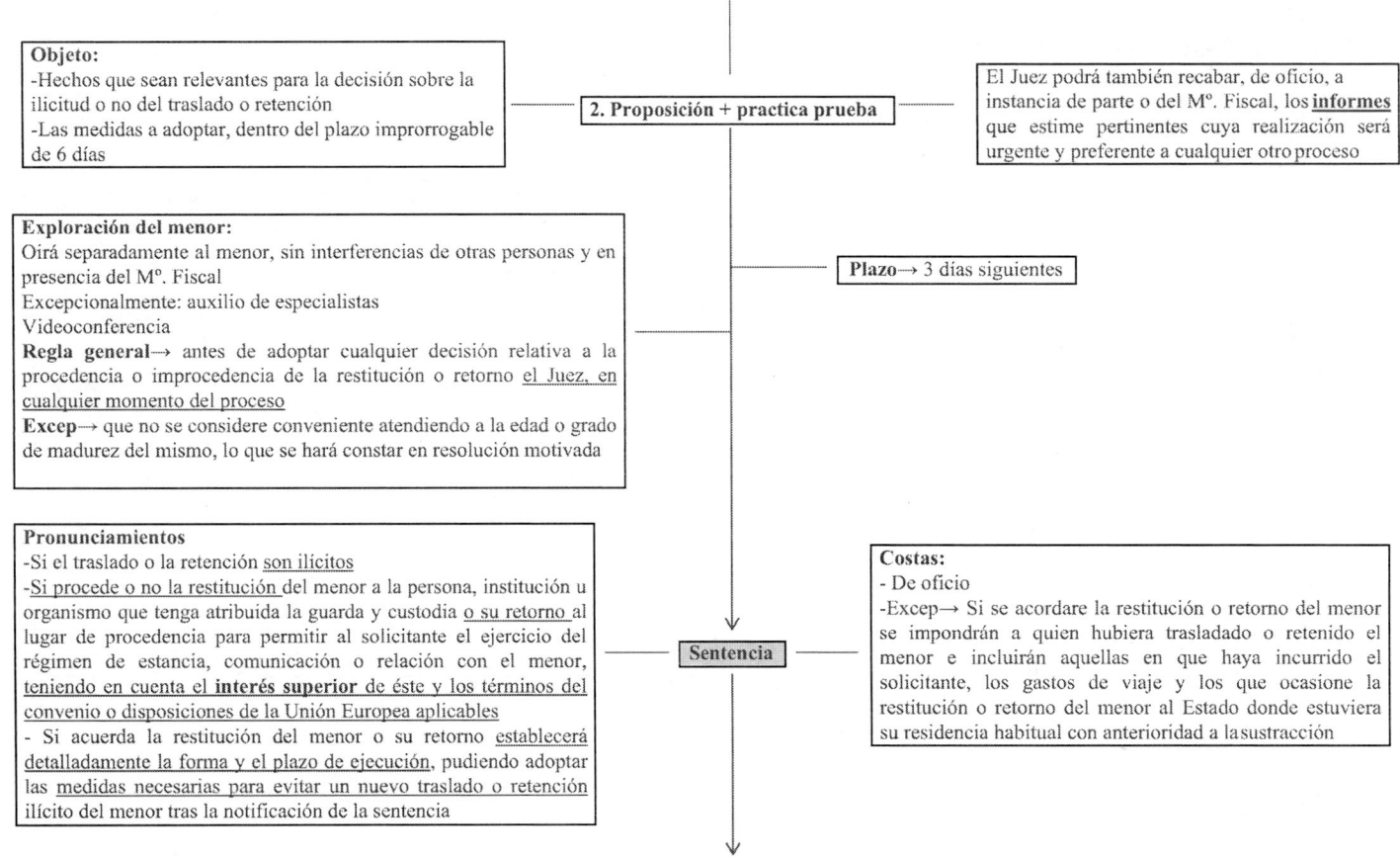

Objeto:
-Hechos que sean relevantes para la decisión sobre la ilicitud o no del traslado o retención
-Las medidas a adoptar, dentro del plazo improrrogable de 6 días

2. Proposición + practica prueba

El Juez podrá también recabar, de oficio, a instancia de parte o del Mº. Fiscal, los **informes** que estime pertinentes cuya realización será urgente y preferente a cualquier otro proceso

Exploración del menor:
Oirá separadamente al menor, sin interferencias de otras personas y en presencia del Mº. Fiscal
Excepcionalmente: auxilio de especialistas
Videoconferencia
Regla general→ antes de adoptar cualquier decisión relativa a la procedencia o improcedencia de la restitución o retorno el Juez, en cualquier momento del proceso
Excep→ que no se considere conveniente atendiendo a la edad o grado de madurez del mismo, lo que se hará constar en resolución motivada

Plazo→ 3 días siguientes

Pronunciamientos
-Si el traslado o la retención son ilícitos
-Si procede o no la restitución del menor a la persona, institución u organismo que tenga atribuida la guarda y custodia o su retorno al lugar de procedencia para permitir al solicitante el ejercicio del régimen de estancia, comunicación o relación con el menor, teniendo en cuenta el **interés superior** de éste y los términos del convenio o disposiciones de la Unión Europea aplicables
- Si acuerda la restitución del menor o su retorno establecerá detalladamente la forma y el plazo de ejecución, pudiendo adoptar las medidas necesarias para evitar un nuevo traslado o retención ilícito del menor tras la notificación de la sentencia

Sentencia

Costas:
- De oficio
-Excep→ Si se acordare la restitución o retorno del menor se impondrán a quien hubiera trasladado o retenido el menor e incluirán aquellas en que haya incurrido el solicitante, los gastos de viaje y los que ocasione la restitución o retorno del menor al Estado donde estuviera su residencia habitual con anterioridad a la sustracción

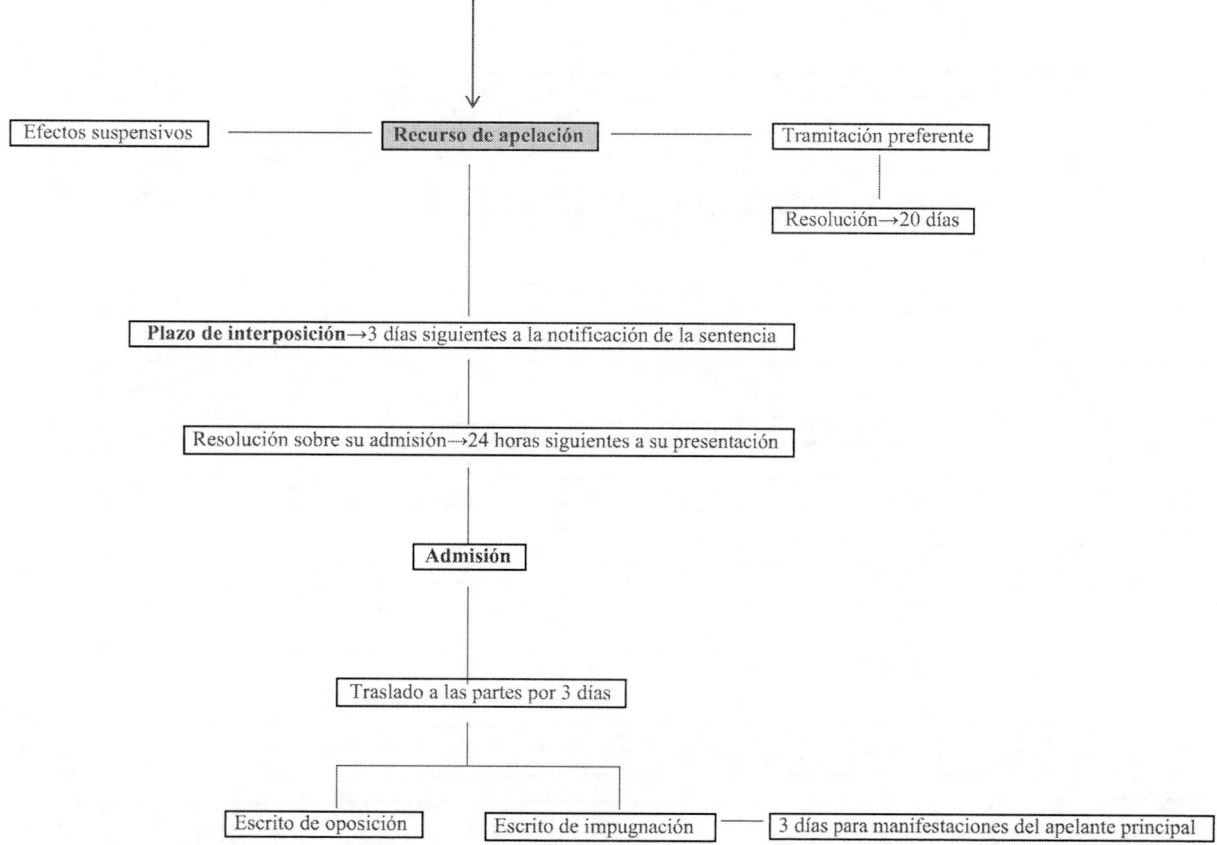

Efectos suspensivos — **Recurso de apelación** — Tramitación preferente

Resolución→20 días

Plazo de interposición→3 días siguientes a la notificación de la sentencia

Resolución sobre su admisión→24 horas siguientes a su presentación

Admisión

Traslado a las partes por 3 días

Escrito de oposición   Escrito de impugnación — 3 días para manifestaciones del apelante principal

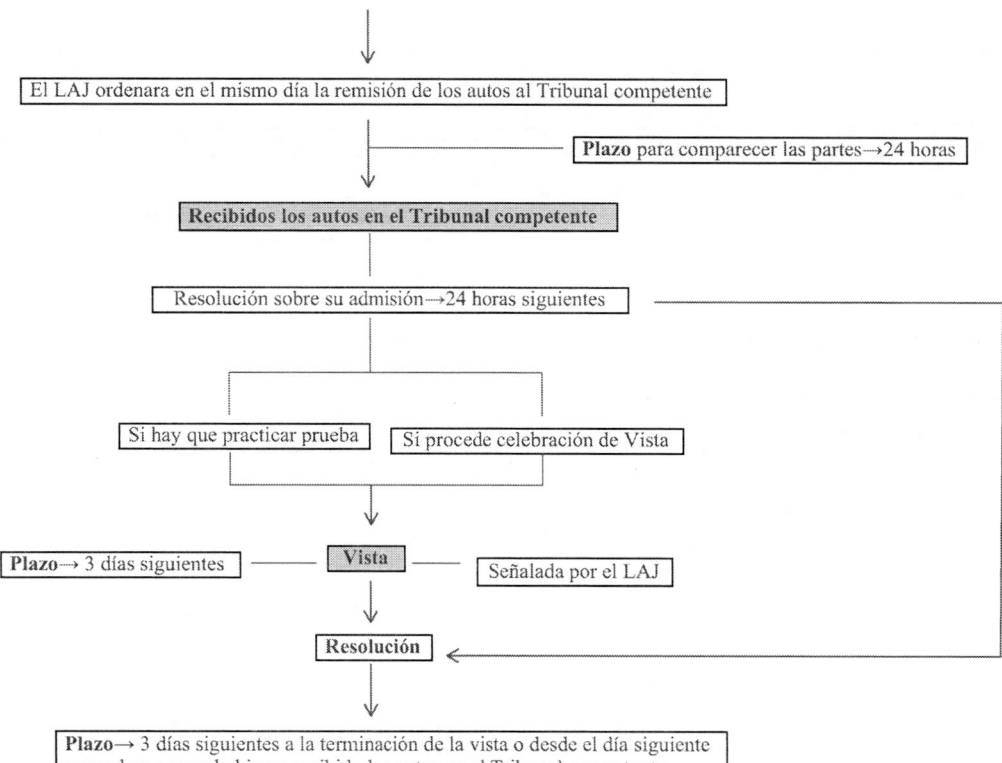

El LAJ ordenara en el mismo día la remisión de los autos al Tribunal competente

Plazo para comparecer las partes→24 horas

Recibidos los autos en el Tribunal competente

Resolución sobre su admisión→24 horas siguientes

Si hay que practicar prueba

Sí procede celebración de Vista

Plazo→ 3 días siguientes — **Vista** — Señalada por el LAJ

Resolución

Plazo→ 3 días siguientes a la terminación de la vista o desde el día siguiente a aquel en que se hubieran recibido los autos en el Tribunal competente

EJECUCION
Si la sentencia acuerda la restitución o retorno del menor al Estado de procedencia, la Autoridad Central prestará la necesaria asistencia al Juzgado para garantizar que se realice sin peligro, adoptando en cada caso las medidas administrativas precisas
Si el progenitor condenado a la restitución o retorno del menor se opusiere, impidiera u obstaculizara su cumplimiento, el Juez deberá adoptar las medidas necesarias para la ejecución de la sentencia de forma inmediata, pudiendo ayudarse de la asistencia de los servicios sociales y de las Fuerzas y Cuerpos de Seguridad

DECLARACIÓN DE ILICITUD DE UN TRASLADO O RETENCIÓN INTERNACIONAL

Supuesto
Cuando un menor con residencia habitual en España sea objeto de un traslado o retención internacional, conforme a lo establecido en el correspondiente convenio o norma internacional aplicable

Legitimación
Cualquier persona interesada, al margen del proceso que se inicie para pedir su restitución internacional, podrá dirigirse en España a la autoridad judicial competente para conocer del fondo del asunto con la finalidad de obtener una resolución que especifique que el traslado o la retención lo han sido ilícitos

Competencia
La autoridad competente en España para emitir una decisión o una certificación del artículo 15 del Convenio de la Haya de 25 de octubre de 1980 sobre los aspectos civiles de la sustracción internacional de menores, que acredite que el traslado o retención del menor era ilícito en el sentido previsto en el artículo 3 del Convenio, **cuando ello sea posible**, lo será la **última autoridad judicial que haya conocido en España de cualquier proceso sobre responsabilidad parental afectante al menor**
En defecto de ello, será competente el **Juzgado de Primera Instancia del último domicilio del menor en España**
La Autoridad Central española hará todo lo posible por prestar asistencia al solicitante para que obtenga una decisión o certificación de esa clase

Procedimiento
Los cauces procesales disponibles en el Título I del Libro IV de la LEC para la adopción de medidas definitivas o provisionales en España, e incluso las medidas del art. 158 CC

9.1.5. *La oposición a las resoluciones administrativas en materia de protección de menores y del procedimiento para determinar la necesidad de asentimiento en la adopción*

Las resoluciones que dicten las instituciones públicas en materia de protección de menores van a ser de naturaleza administrativa.

Sin embargo, su oposición deberá sustanciarse ante la jurisdicción civil a través del procedimiento judicial preferente y no frente a los Tribunales del orden contencioso-administrativo, como en principio debiera ser —una vez agotada la vía administrativa— al tratarse de una actuación sujeta al Derecho Administrativo.

Los procedimientos en los en los que se sustancie la oposición a las resoluciones administrativas en materia de protección de menores tendrán **carácter preferente**.

REGULACIÓN

Art. 779 y ss. LEC.

COMPETENCIA

Juzgado 1ª Instancia del domicilio de la Entidad Pública y, en su defecto o en los supuestos de los arts. 179 y 180 CC, el Tribunal del domicilio del adoptante.

Se introduce de forma expresa, en el art. 525.1 LEC la *prohibición de ejecución provisional* de las sentencias que se dicten en los procesos de oposición a las resoluciones administrativas en materia de protección de menores, con el fin de evitar los perjuicios que para el menor de edad supondría la revocación de una sentencia de esta naturaleza que se estuviera ejecutando provisionalmente.

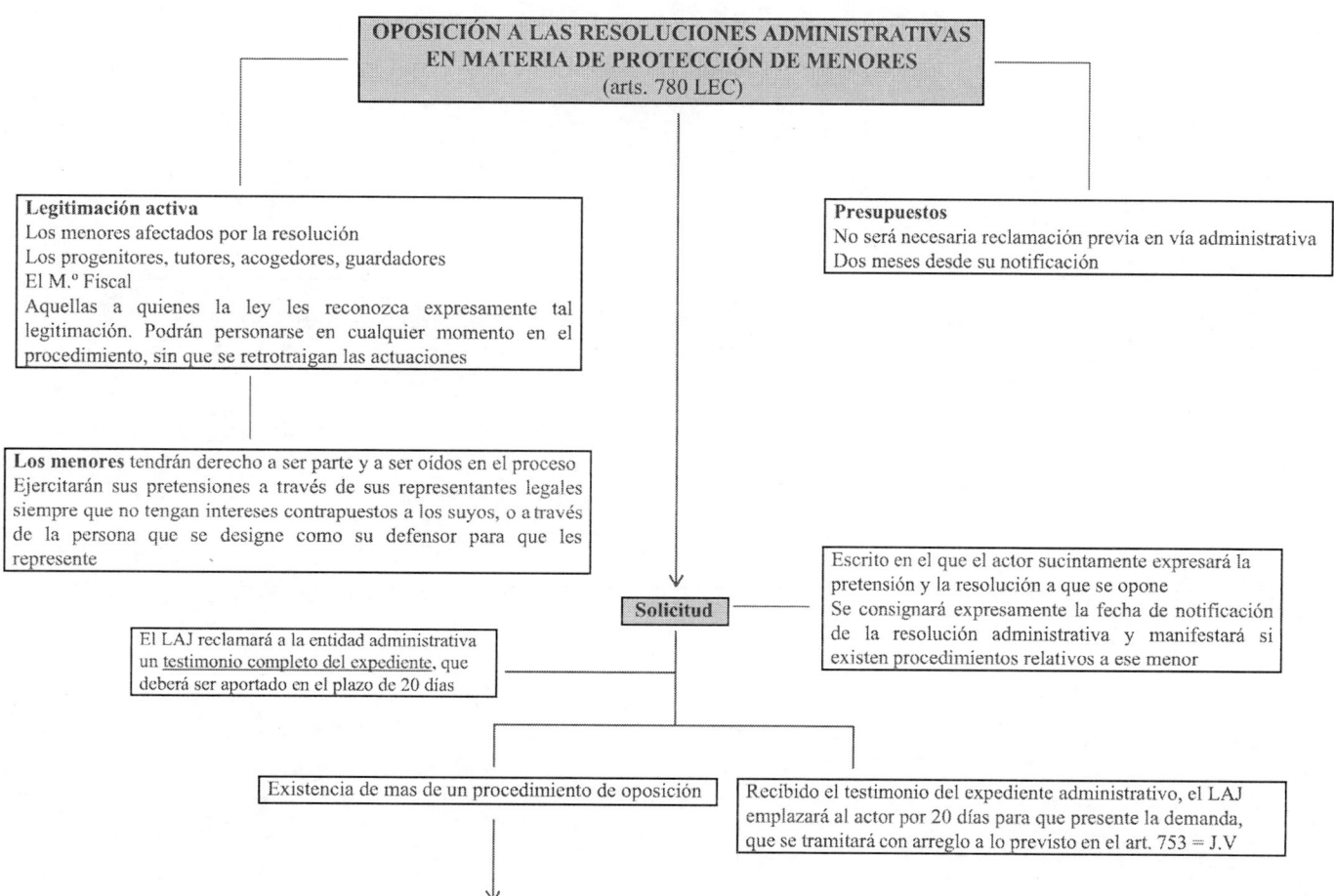

OPOSICIÓN A LAS RESOLUCIONES ADMINISTRATIVAS EN MATERIA DE PROTECCIÓN DE MENORES
(arts. 780 LEC)

Legitimación activa
Los menores afectados por la resolución
Los progenitores, tutores, acogedores, guardadores
El M.º Fiscal
Aquellas a quienes la ley les reconozca expresamente tal legitimación. Podrán personarse en cualquier momento en el procedimiento, sin que se retrotraigan las actuaciones

Presupuestos
No será necesaria reclamación previa en vía administrativa
Dos meses desde su notificación

Los menores tendrán derecho a ser parte y a ser oídos en el proceso
Ejercitarán sus pretensiones a través de sus representantes legales siempre que no tengan intereses contrapuestos a los suyos, o a través de la persona que se designe como su defensor para que les represente

Escrito en el que el actor sucintamente expresará la pretensión y la resolución a que se opone
Se consignará expresamente la fecha de notificación de la resolución administrativa y manifestará si existen procedimientos relativos a ese menor

Solicitud

El LAJ reclamará a la entidad administrativa un testimonio completo del expediente, que deberá ser aportado en el plazo de 20 días

Existencia de mas de un procedimiento de oposición

Recibido el testimonio del expediente administrativo, el LAJ emplazará al actor por 20 días para que presente la demanda, que se tramitará con arreglo a lo previsto en el art. 753 = J.V

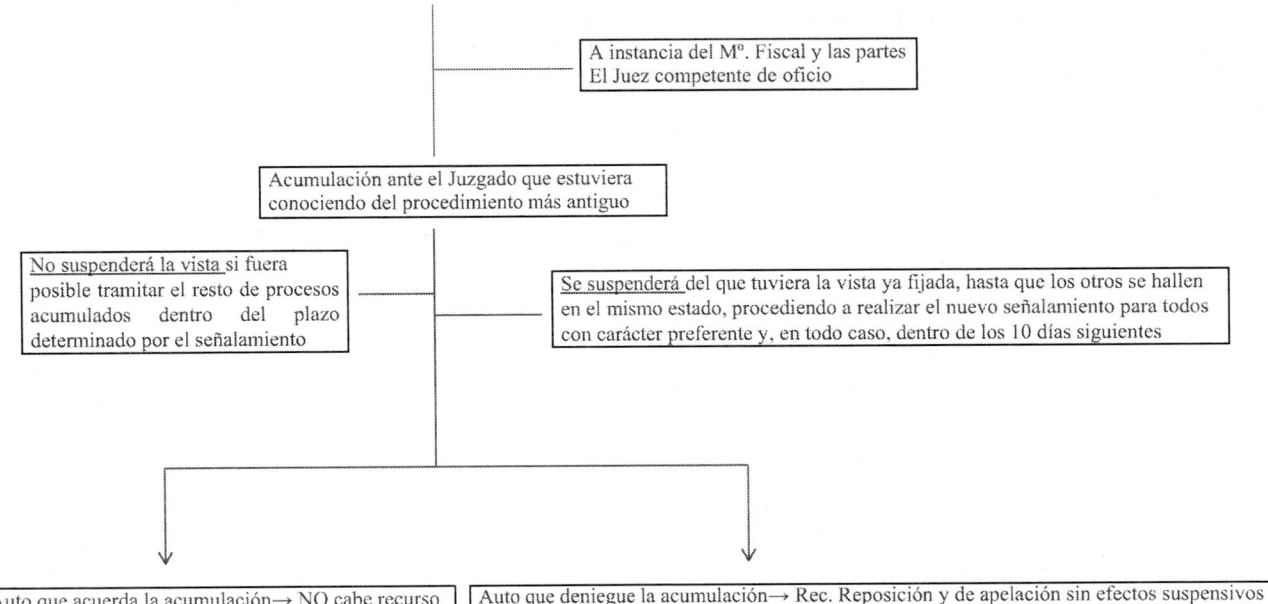

A instancia del Mº. Fiscal y las partes
El Juez competente de oficio

Acumulación ante el Juzgado que estuviera
conociendo del procedimiento más antiguo

No suspenderá la vista si fuera
posible tramitar el resto de procesos
acumulados dentro del plazo
determinado por el señalamiento

Se suspenderá del que tuviera la vista ya fijada, hasta que los otros se hallen
en el mismo estado, procediendo a realizar el nuevo señalamiento para todos
con carácter preferente y, en todo caso, dentro de los 10 días siguientes

Auto que acuerda la acumulación→ NO cabe recurso

Auto que deniegue la acumulación→ Rec. Reposición y de apelación sin efectos suspensivos

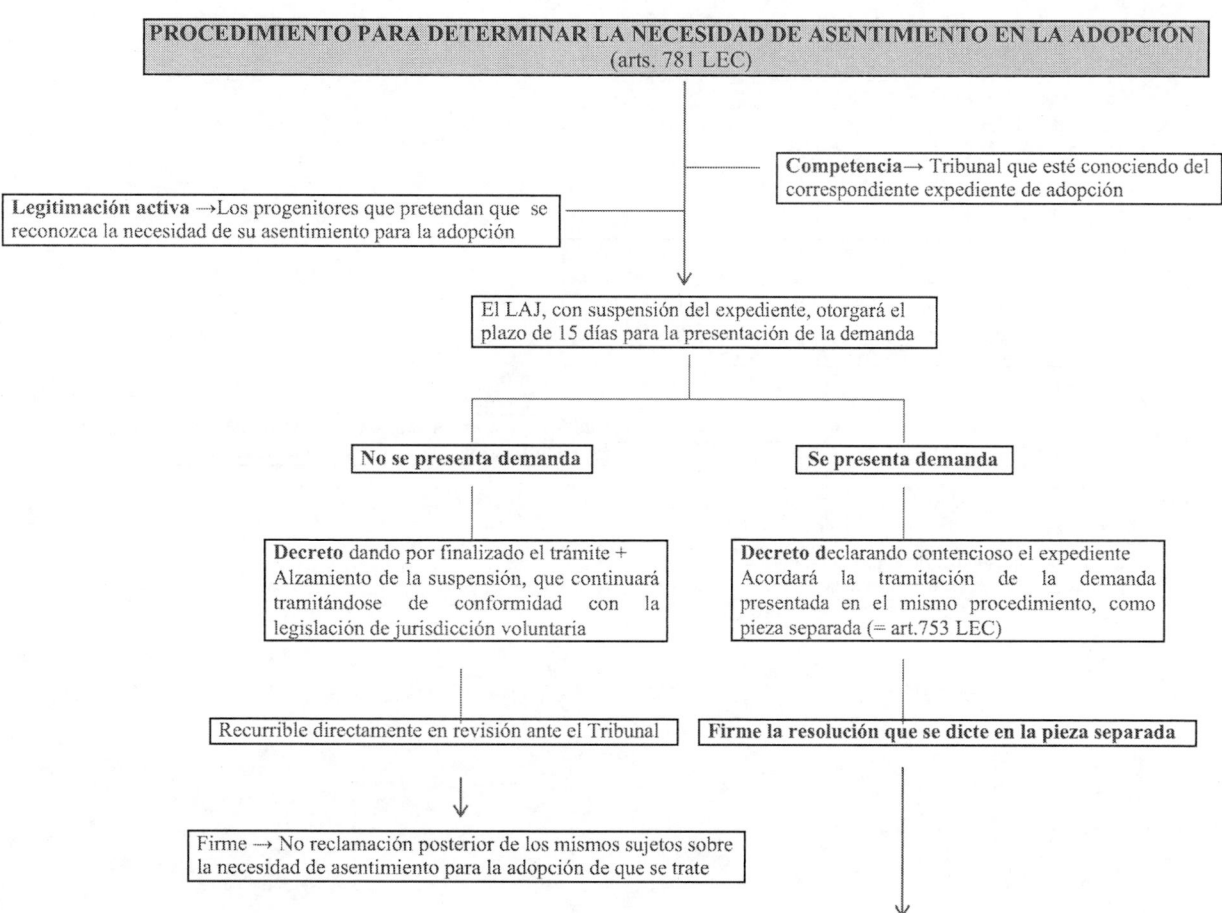

PROCEDIMIENTO PARA DETERMINAR LA NECESIDAD DE ASENTIMIENTO EN LA ADOPCIÓN
(arts. 781 LEC)

Competencia→ Tribunal que esté conociendo del correspondiente expediente de adopción

Legitimación activa →Los progenitores que pretendan que se reconozca la necesidad de su asentimiento para la adopción

El LAJ, con suspensión del expediente, otorgará el plazo de 15 días para la presentación de la demanda

No se presenta demanda

Se presenta demanda

Decreto dando por finalizado el trámite + Alzamiento de la suspensión, que continuará tramitándose de conformidad con la legislación de jurisdicción voluntaria

Decreto declarando contencioso el expediente Acordará la tramitación de la demanda presentada en el mismo procedimiento, como pieza separada (= art.753 LEC)

Recurrible directamente en revisión ante el Tribunal

Firme la resolución que se dicte en la pieza separada

Firme → No reclamación posterior de los mismos sujetos sobre la necesidad de asentimiento para la adopción de que se trate

El LAJ acordará la citación ante el Juez de las personas indicadas en el art. 177 CC que deban prestar el consentimiento o el asentimiento a la adopción así como ser oídos, y que todavía no lo hayan hecho, debiendo resolver a continuación sobre la adopción

Las citaciones se efectuaran de conformidad con las normas de la Ley de Jurisdicción Voluntaria

El auto que ponga fin al procedimiento será susceptible de recurso de apelación, que tendrá efectos suspensivos

9.2. DIVISIÓN JUDICIAL DE PATRIMONIOS

El Título segundo del Libro IV de la LEC regula dos tipos de procedimientos cuyo fin es el de dividir determinados patrimonios que se encuentran en una situación de comunidad de bienes y que requieren ser asignados a sujetos independientes.

DIVISIÓN JUDICIAL DE LA HERENCIA

Se pretende obtener judicialmente la división de un patrimonio hereditario cuando no se pongan de acuerdo sobre ello quienes ostentan un derecho sobre el mismo, siempre que no deba efectuarla un comisario o contador-partidor designado por el testador, por acuerdo entre los coherederos o por resolución judicial.

INTERVENCIÓN DEL CAUDAL HEREDITARIO

Medidas asegurativas de la herencia que pueden adoptarse conjuntamente o independientemente de las actuaciones divisorias.

ADMINISTRACIÓN DEL CAUDAL HEREDITARIO

La administración del caudal hereditario es el conjunto de actuaciones realizadas de modo continuado por el administrador, a partir del inicio del proceso de división de la herencia que están encaminadas a la conservación y protección de los bienes, derechos y obligaciones que forman el caudal hereditario.

PROCEDIMIENTO PARA LA LIQUIDACIÓN DEL RÉGIMEN ECONÓMICO MATRIMONIAL

Procedimiento especial mediante el cual, ante la falta de acuerdo entre los cónyuges, se procede, una vez disuelto el régimen económico matrimonial por cualquiera de las causas previstas en el CC, previa formación de inventario de bienes y obligaciones, a la posterior liquidación y división del patrimonio común y su distribución por partes iguales entre los cónyuges.

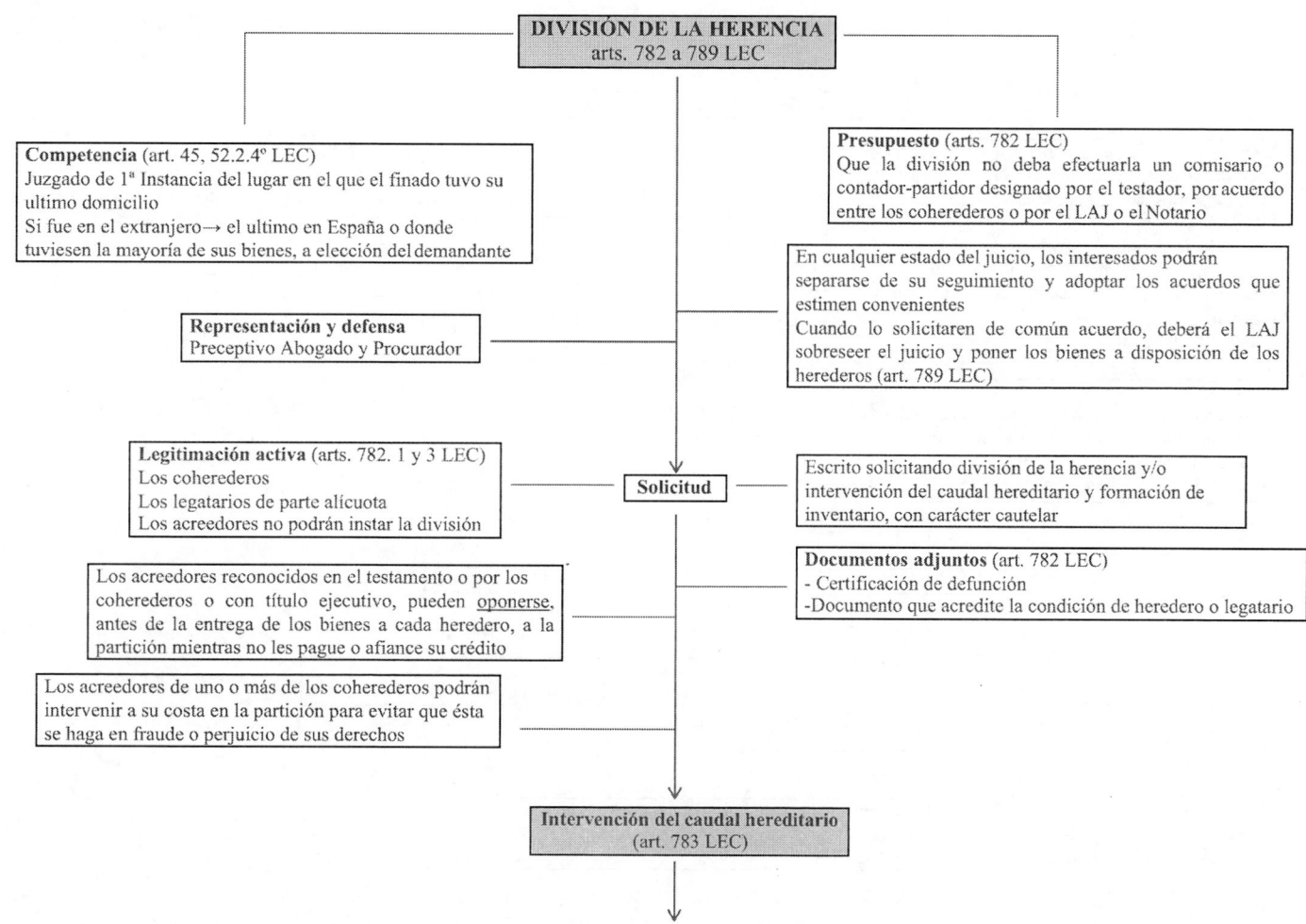

DIVISIÓN DE LA HERENCIA
arts. 782 a 789 LEC

Competencia (art. 45, 52.2.4° LEC)
Juzgado de 1ª Instancia del lugar en el que el finado tuvo su
ultimo domicilio
Si fue en el extranjero→ el ultimo en España o donde
tuviesen la mayoría de sus bienes, a elección del demandante

Presupuesto (arts. 782 LEC)
Que la división no deba efectuarla un comisario o
contador-partidor designado por el testador, por acuerdo
entre los coherederos o por el LAJ o el Notario

En cualquier estado del juicio, los interesados podrán
separarse de su seguimiento y adoptar los acuerdos que
estimen convenientes
Cuando lo solicitaren de común acuerdo, deberá el LAJ
sobreseer el juicio y poner los bienes a disposición de los
herederos (art. 789 LEC)

Representación y defensa
Preceptivo Abogado y Procurador

Legitimación activa (arts. 782. 1 y 3 LEC)
Los coherederos
Los legatarios de parte alícuota
Los acreedores no podrán instar la división

Solicitud

Escrito solicitando división de la herencia y/o
intervención del caudal hereditario y formación de
inventario, con carácter cautelar

Los acreedores reconocidos en el testamento o por los
coherederos o con título ejecutivo, pueden oponerse,
antes de la entrega de los bienes a cada heredero, a la
partición mientras no les pague o afiance su crédito

Documentos adjuntos (art. 782 LEC)
- Certificación de defunción
-Documento que acredite la condición de heredero o legatario

Los acreedores de uno o más de los coherederos podrán
intervenir a su costa en la partición para evitar que ésta
se haga en fraude o perjuicio de sus derechos

Intervención del caudal hereditario
(art. 783 LEC)

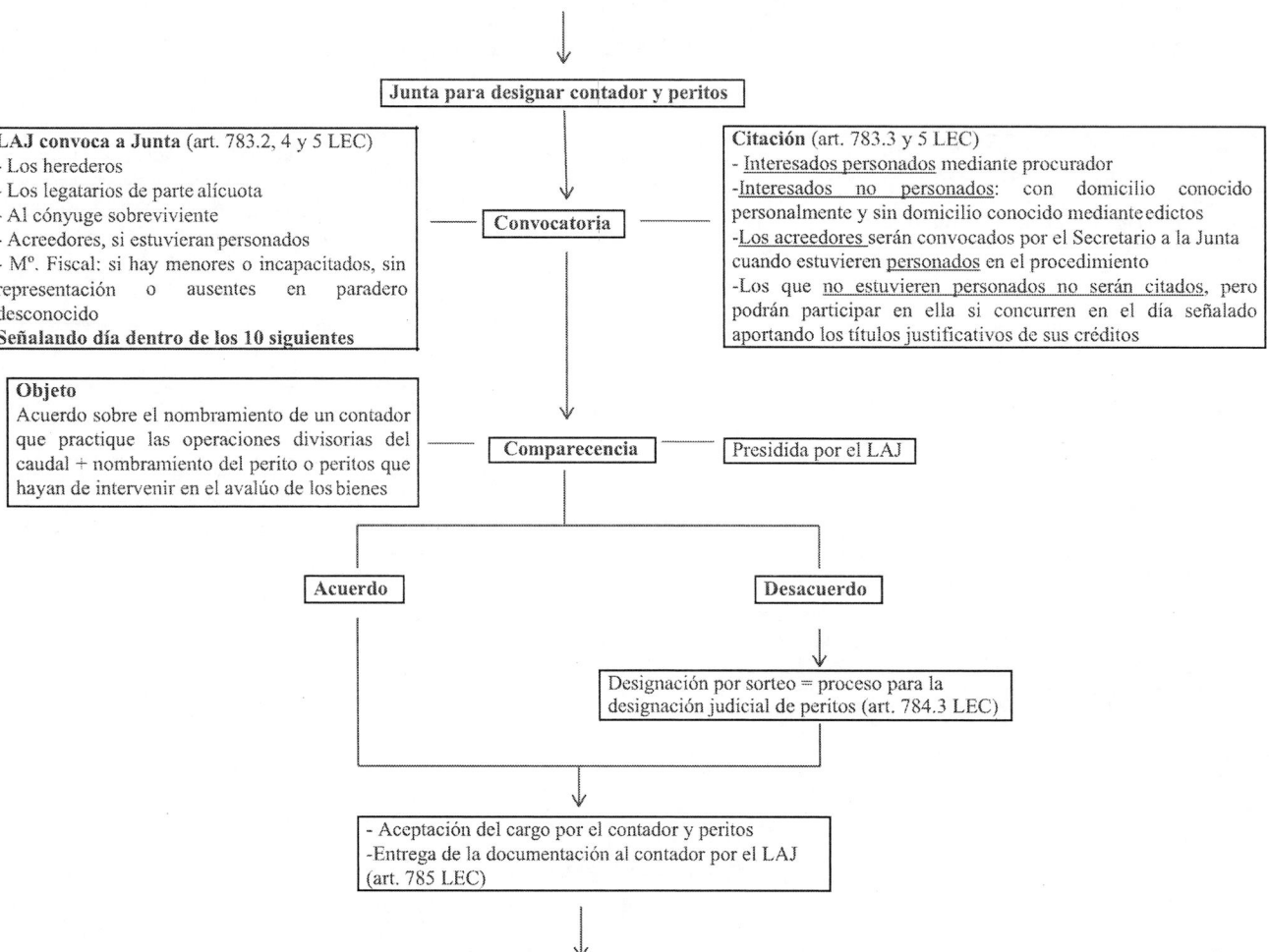

Junta para designar contador y peritos

LAJ convoca a Junta (art. 783.2, 4 y 5 LEC)
- Los herederos
- Los legatarios de parte alícuota
- Al cónyuge sobreviviente
- Acreedores, si estuvieran personados
- Mº. Fiscal: si hay menores o incapacitados, sin representación o ausentes en paradero desconocido
Señalando día dentro de los 10 siguientes

Convocatoria

Citación (art. 783.3 y 5 LEC)
- <u>Interesados personados</u> mediante procurador
- <u>Interesados no personados</u>: con domicilio conocido personalmente y sin domicilio conocido mediante edictos
- <u>Los acreedores</u> serán convocados por el Secretario a la Junta cuando estuvieren <u>personados</u> en el procedimiento
- Los que <u>no estuvieren personados no serán citados</u>, pero podrán participar en ella si concurren en el día señalado aportando los títulos justificativos de sus créditos

Objeto
Acuerdo sobre el nombramiento de un contador que practique las operaciones divisorias del caudal + nombramiento del perito o peritos que hayan de intervenir en el avalúo de los bienes

Comparecencia   Presidida por el LAJ

Acuerdo   **Desacuerdo**

Designación por sorteo = proceso para la designación judicial de peritos (art. 784.3 LEC)

- Aceptación del cargo por el contador y peritos
- Entrega de la documentación al contador por el LAJ (art. 785 LEC)

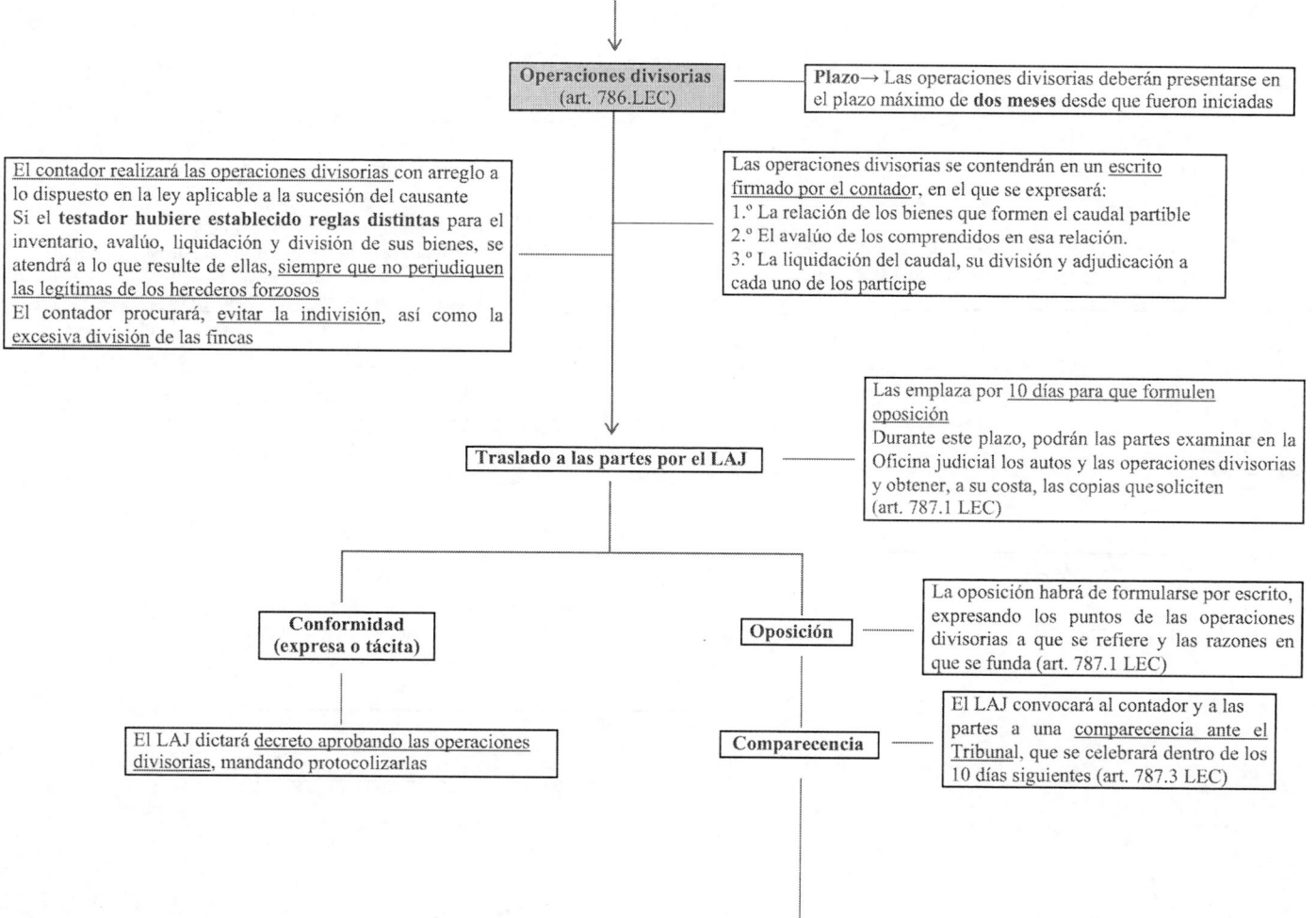

Operaciones divisorias
(art. 786.LEC)

Plazo→ Las operaciones divisorias deberán presentarse en el plazo máximo de **dos meses** desde que fueron iniciadas

El contador realizará las operaciones divisorias con arreglo a lo dispuesto en la ley aplicable a la sucesión del causante
Si el **testador hubiere establecido reglas distintas** para el inventario, avalúo, liquidación y división de sus bienes, se atenderá a lo que resulte de ellas, siempre que no perjudiquen las legítimas de los herederos forzosos
El contador procurará, evitar la indivisión, así como la excesiva división de las fincas

Las operaciones divisorias se contendrán en un escrito firmado por el contador, en el que se expresará:
1.º La relación de los bienes que formen el caudal partible
2.º El avalúo de los comprendidos en esa relación.
3.º La liquidación del caudal, su división y adjudicación a cada uno de los partícipe

Traslado a las partes por el LAJ

Las emplaza por 10 días para que formulen oposición
Durante este plazo, podrán las partes examinar en la Oficina judicial los autos y las operaciones divisorias y obtener, a su costa, las copias que soliciten (art. 787.1 LEC)

**Conformidad
(expresa o tácita)**

Oposición

La oposición habrá de formularse por escrito, expresando los puntos de las operaciones divisorias a que se refiere y las razones en que se funda (art. 787.1 LEC)

El LAJ dictará decreto aprobando las operaciones divisorias, mandando protocolizarlas

Comparecencia

El LAJ convocará al contador y a las partes a una comparecencia ante el Tribunal, que se celebrará dentro de los 10 días siguientes (art. 787.3 LEC)

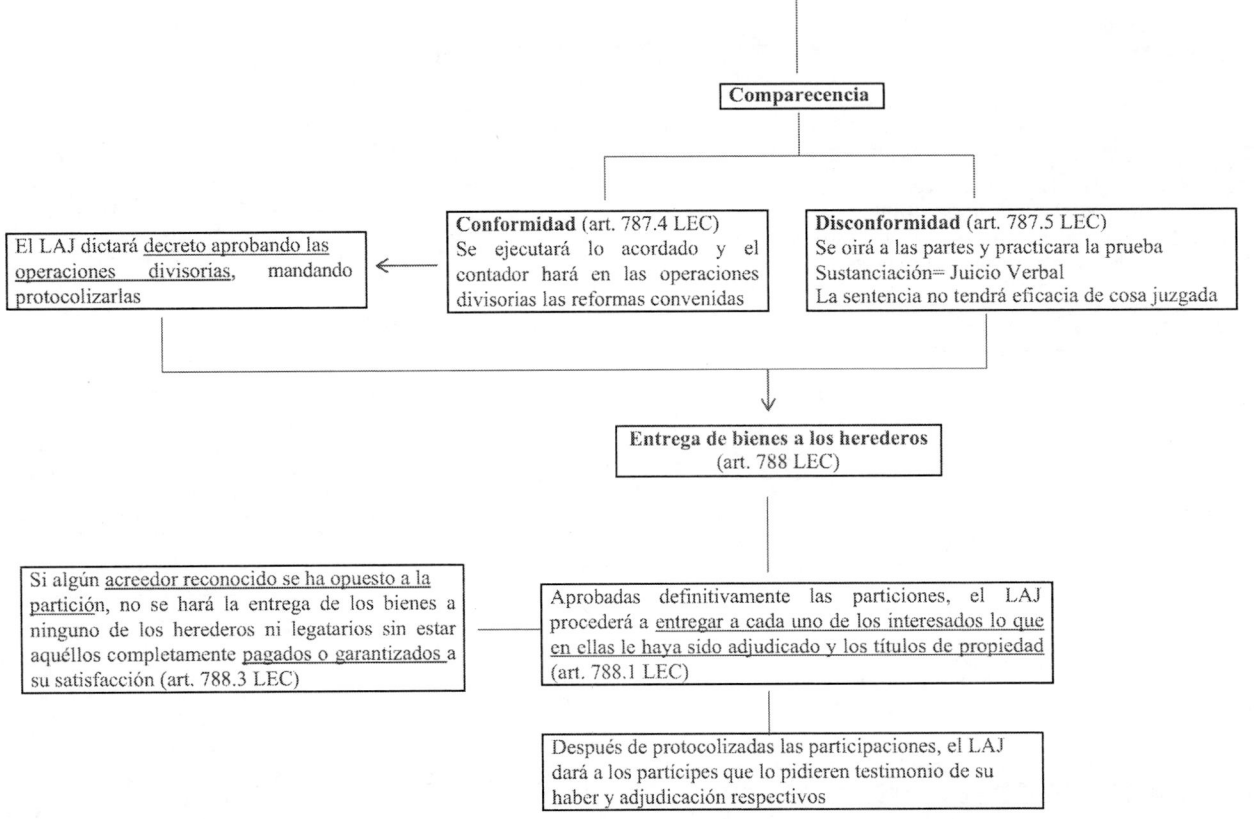

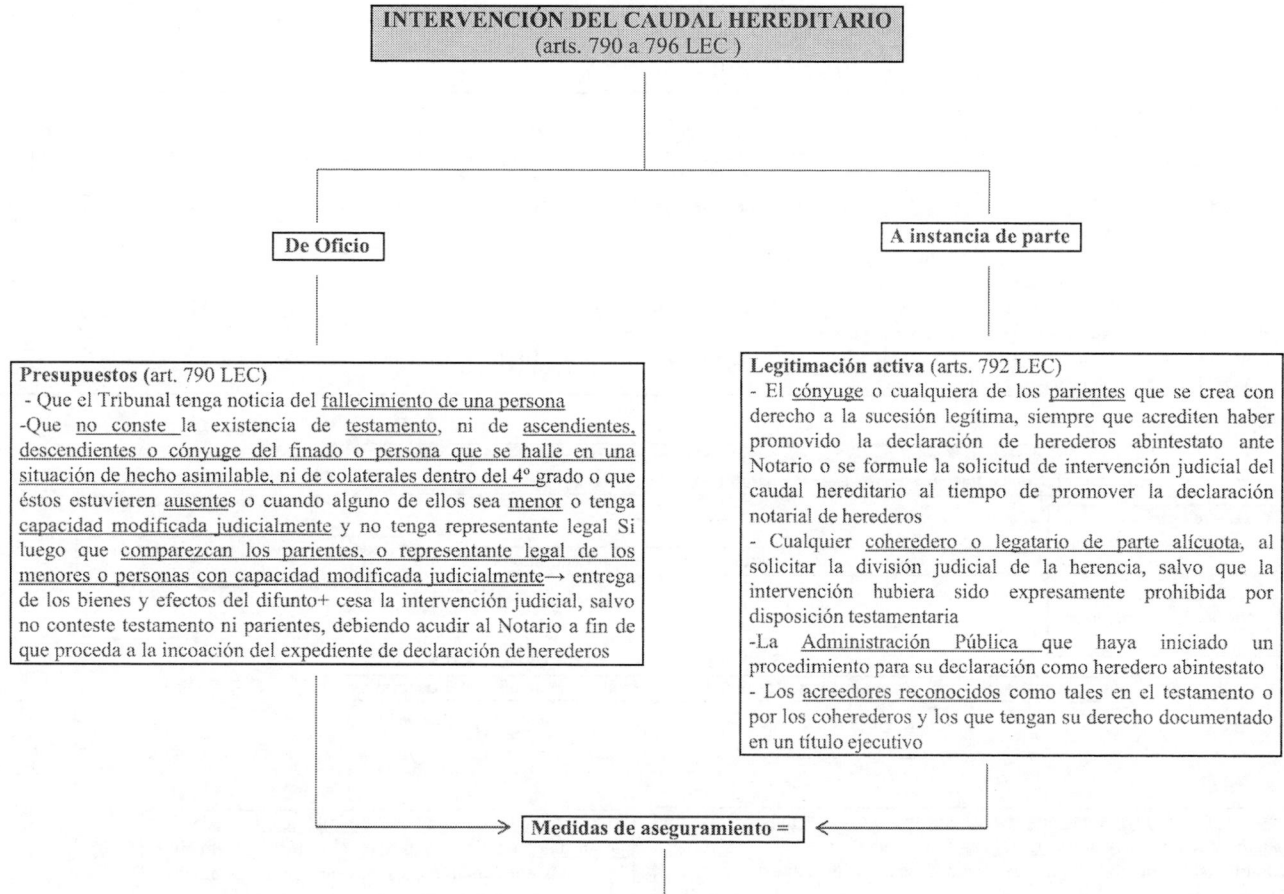

INTERVENCIÓN DEL CAUDAL HEREDITARIO
(arts. 790 a 796 LEC)

De Oficio

A instancia de parte

Presupuestos (art. 790 LEC)
 - Que el Tribunal tenga noticia del <u>fallecimiento de una persona</u>
-Que <u>no conste</u> la existencia de <u>testamento</u>, ni de <u>ascendientes,</u> <u>descendientes o cónyuge del finado o persona que se halle en una</u> <u>situación de hecho asimilable, ni de colaterales dentro del 4º grado</u> o que éstos estuvieren <u>ausentes</u> o cuando alguno de ellos sea <u>menor</u> o tenga <u>capacidad modificada judicialmente</u> y no tenga representante legal Si luego que <u>comparezcan los parientes, o representante legal de los</u> <u>menores o personas con capacidad modificada judicialmente</u>→ entrega de los bienes y efectos del difunto+ cesa la intervención judicial, salvo no conteste testamento ni parientes, debiendo acudir al Notario a fin de que proceda a la incoación del expediente de declaración de herederos

Legitimación activa (arts. 792 LEC)
 - El <u>cónyuge</u> o cualquiera de los <u>parientes</u> que se crea con derecho a la sucesión legítima, siempre que acrediten haber promovido la declaración de herederos abintestato ante Notario o se formule la solicitud de intervención judicial del caudal hereditario al tiempo de promover la declaración notarial de herederos
 - Cualquier <u>coheredero o legatario de parte alícuota</u>, al solicitar la división judicial de la herencia, salvo que la intervención hubiera sido expresamente prohibida por disposición testamentaria
-La <u>Administración Pública</u> que haya iniciado un procedimiento para su declaración como heredero abintestato
 - Los <u>acreedores reconocidos</u> como tales en el testamento o por los coherederos y los que tengan su derecho documentado en un título ejecutivo

Medidas de aseguramiento =

Medidas de aseguramiento (art. 791 LEC)
-**El LAJ** adoptará mediante <u>diligencia las medidas</u> que estime más conducentes para <u>averiguar si la persona</u> de cuya sucesión se trata ha muerto con <u>disposición testamentaria</u> o sin ella, ordenando, a tal efecto, que se traiga a los autos certificado del Registro General de Actos de Última Voluntad y el certificado de defunción
-**Tribunal** ordenará mediante <u>providencia que sean examinados los parientes, amigos o vecinos del difunto</u> sobre el hecho de haber muerto éste abintestato y sobre si tiene parientes con derecho a la sucesión legítima
Si resultare haber <u>fallecido sin testar y sin parientes</u> llamados por la ley a la sucesión, mandará el Tribunal, por medio de **auto**:
1.º Ocupar los libros, papeles y correspondencia del difunto
2.º A inventariar y depositar los bienes, disponiendo lo que proceda sobre su administración. El Tribunal podrá nombrar a una persona, con cargo al caudal hereditario, que efectúe y garantice el inventario y su depósito
En la misma resolución ordenará de oficio la **comunicación a la Delegación de Economía y Hacienda** correspondiente por si resultare procedente la declaración de heredero abintestato a favor del Estado

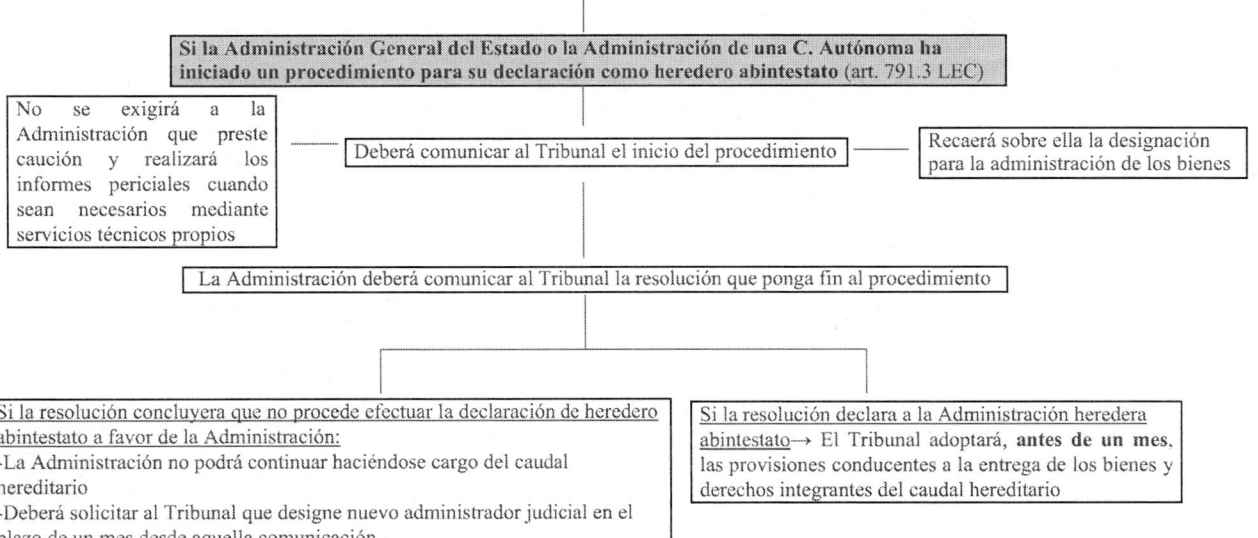

Si la Administración General del Estado o la Administración de una C. Autónoma ha iniciado un procedimiento para su declaración como heredero abintestato (art. 791.3 LEC)

No se exigirá a la Administración que preste caución y realizará los informes periciales cuando sean necesarios mediante servicios técnicos propios

Deberá comunicar al Tribunal el inicio del procedimiento

Recaerá sobre ella la designación para la administración de los bienes

La Administración deberá comunicar al Tribunal la resolución que ponga fin al procedimiento

Si la resolución concluyera que no procede efectuar la declaración de heredero abintestato a favor de la Administración:
-La Administración no podrá continuar haciéndose cargo del caudal hereditario
-Deberá solicitar al Tribunal que designe nuevo administrador judicial en el plazo de un mes desde aquella comunicación
Transcurrido este plazo la Administración cesará en el cargo de administrador

Si la resolución declara a la Administración heredera abintestato→ El Tribunal adoptará, **antes de un mes**, las provisiones conducentes a la entrega de los bienes y derechos integrantes del caudal hereditario

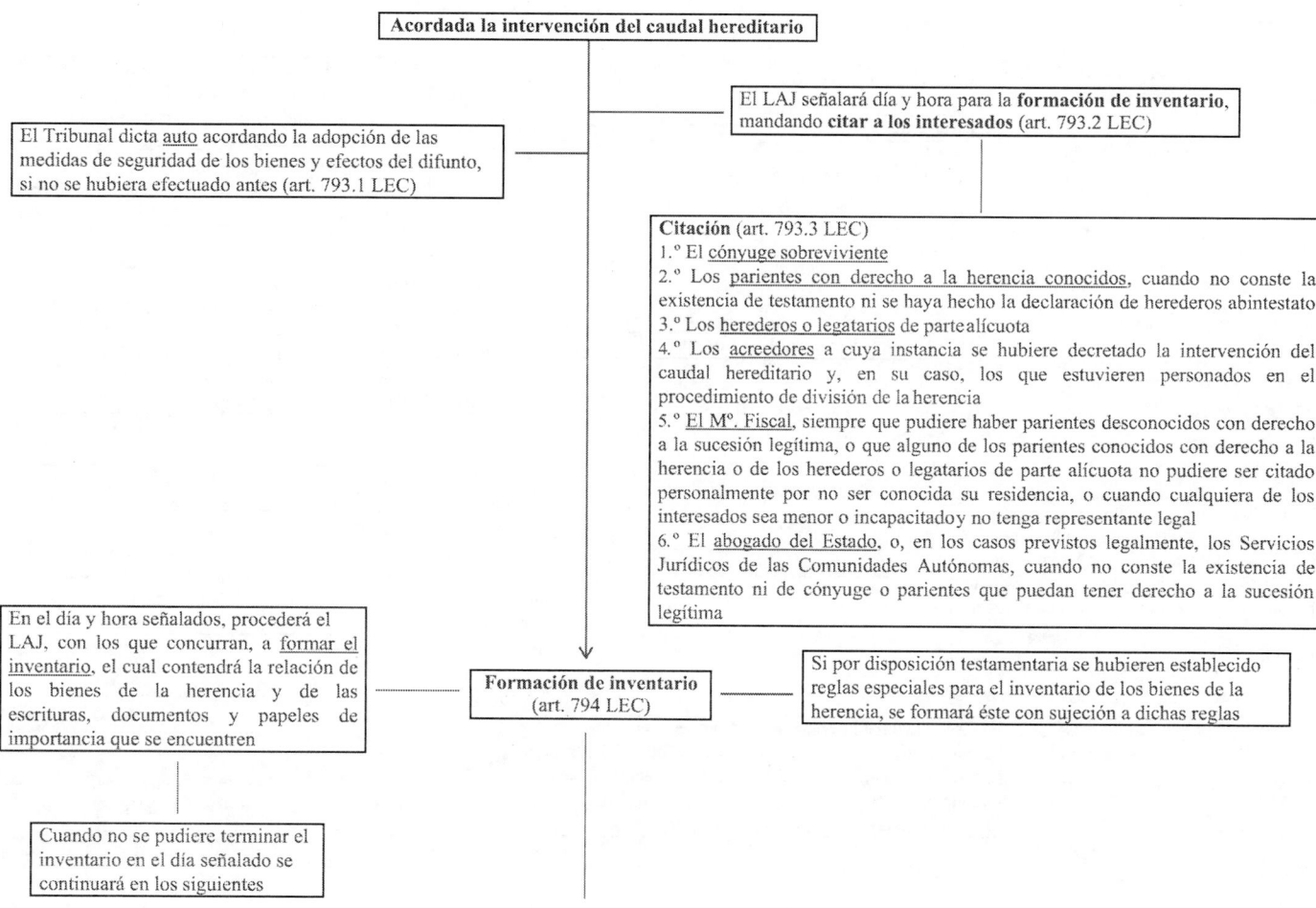

Acordada la intervención del caudal hereditario

El Tribunal dicta <u>auto</u> acordando la adopción de las medidas de seguridad de los bienes y efectos del difunto, si no se hubiera efectuado antes (art. 793.1 LEC)

El LAJ señalará día y hora para la **formación de inventario**, mandando **citar a los interesados** (art. 793.2 LEC)

Citación (art. 793.3 LEC)
1.º El <u>cónyuge sobreviviente</u>
2.º Los <u>parientes con derecho a la herencia conocidos</u>, cuando no conste la existencia de testamento ni se haya hecho la declaración de herederos abintestato
3.º Los <u>herederos o legatarios</u> de parte alícuota
4.º Los <u>acreedores</u> a cuya instancia se hubiere decretado la intervención del caudal hereditario y, en su caso, los que estuvieren personados en el procedimiento de división de la herencia
5.º <u>El Mº. Fiscal</u>, siempre que pudiere haber parientes desconocidos con derecho a la sucesión legítima, o que alguno de los parientes conocidos con derecho a la herencia o de los herederos o legatarios de parte alícuota no pudiere ser citado personalmente por no ser conocida su residencia, o cuando cualquiera de los interesados sea menor o incapacitado y no tenga representante legal
6.º El <u>abogado del Estado</u>, o, en los casos previstos legalmente, los Servicios Jurídicos de las Comunidades Autónomas, cuando no conste la existencia de testamento ni de cónyuge o parientes que puedan tener derecho a la sucesión legítima

En el día y hora señalados, procederá el LAJ, con los que concurran, a <u>formar el inventario</u>, el cual contendrá la relación de los bienes de la herencia y de las escrituras, documentos y papeles de importancia que se encuentren

Formación de inventario (art. 794 LEC)

Si por disposición testamentaria se hubieren establecido reglas especiales para el inventario de los bienes de la herencia, se formará éste con sujeción a dichas reglas

Cuando no se pudiere terminar el inventario en el día señalado se continuará en los siguientes

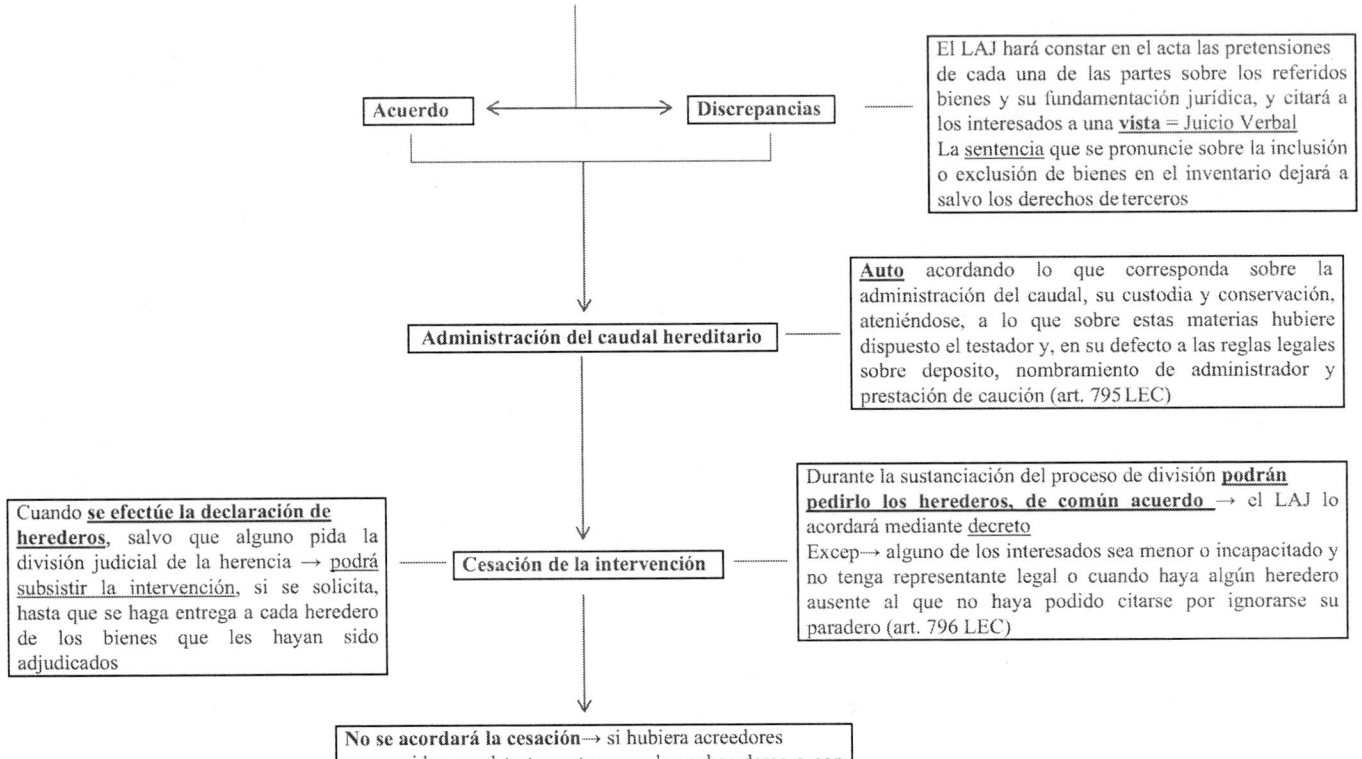

Acuerdo ←——————→ **Discrepancias** ······· El LAJ hará constar en el acta las pretensiones de cada una de las partes sobre los referidos bienes y su fundamentación jurídica, y citará a los interesados a una **vista** = <u>Juicio Verbal</u>
La <u>sentencia</u> que se pronuncie sobre la inclusión o exclusión de bienes en el inventario dejará a salvo los derechos de terceros

Administración del caudal hereditario ······· **Auto** acordando lo que corresponda sobre la administración del caudal, su custodia y conservación, ateniéndose, a lo que sobre estas materias hubiere dispuesto el testador y, en su defecto a las reglas legales sobre deposito, nombramiento de administrador y prestación de caución (art. 795 LEC)

Cuando **se efectúe la declaración de herederos**, salvo que alguno pida la división judicial de la herencia → <u>podrá subsistir la intervención</u>, si se solicita, hasta que se haga entrega a cada heredero de los bienes que les hayan sido adjudicados ······· **Cesación de la intervención** ······· Durante la sustanciación del proceso de división **podrán pedirlo los herederos, de común acuerdo** → el LAJ lo acordará mediante <u>decreto</u>
Excep→ alguno de los interesados sea menor o incapacitado y no tenga representante legal o cuando haya algún heredero ausente al que no haya podido citarse por ignorarse su paradero (art. 796 LEC)

No se acordará la cesación→ si hubiera acreedores reconocidos en el testamento o por los coherederos o con derecho documentado en un título ejecutivo, que se hubieran opuesto a que se lleve a efecto la partición de la herencia hasta que se produzca el pago o afianzamiento

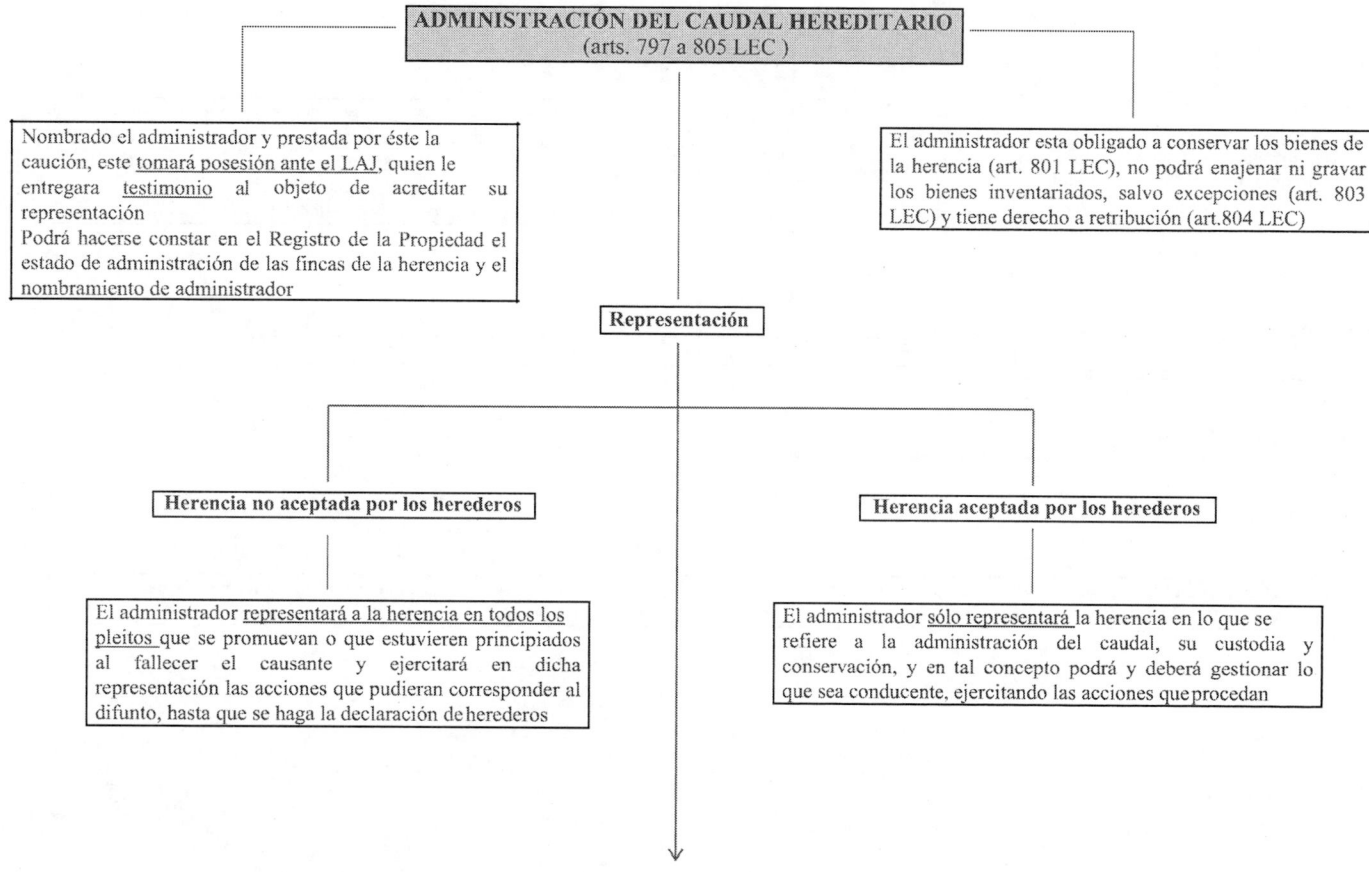

ADMINISTRACIÓN DEL CAUDAL HEREDITARIO
(arts. 797 a 805 LEC)

Nombrado el administrador y prestada por éste la caución, este tomará posesión ante el LAJ, quien le entregara testimonio al objeto de acreditar su representación
Podrá hacerse constar en el Registro de la Propiedad el estado de administración de las fincas de la herencia y el nombramiento de administrador

El administrador esta obligado a conservar los bienes de la herencia (art. 801 LEC), no podrá enajenar ni gravar los bienes inventariados, salvo excepciones (art. 803 LEC) y tiene derecho a retribución (art.804 LEC)

Representación

Herencia no aceptada por los herederos

El administrador representará a la herencia en todos los pleitos que se promuevan o que estuvieren principiados al fallecer el causante y ejercitará en dicha representación las acciones que pudieran corresponder al difunto, hasta que se haga la declaración de herederos

Herencia aceptada por los herederos

El administrador sólo representará la herencia en lo que se refiere a la administración del caudal, su custodia y conservación, y en tal concepto podrá y deberá gestionar lo que sea conducente, ejercitando las acciones que procedan

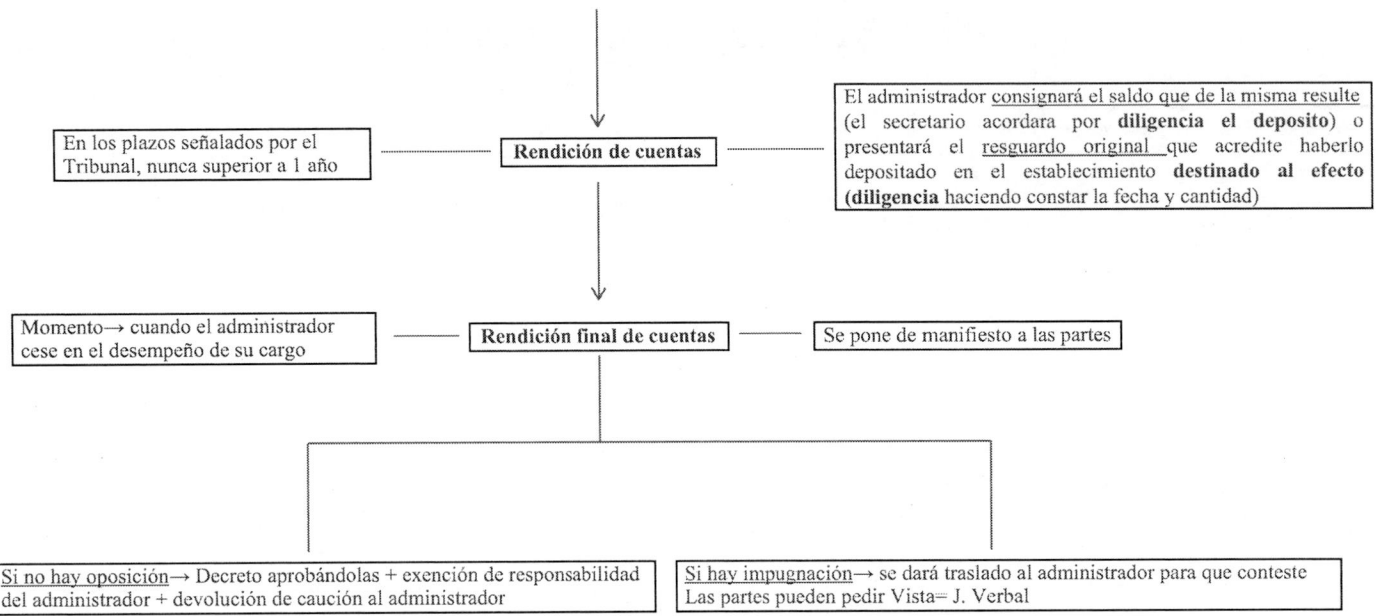

En los plazos señalados por el Tribunal, nunca superior a 1 año .... **Rendición de cuentas** .... El administrador consignará el saldo que de la misma resulte (el secretario acordara por **diligencia el deposito**) o presentará el resguardo original que acredite haberlo depositado en el establecimiento **destinado al efecto (diligencia** haciendo constar la fecha y cantidad)

Momento→ cuando el administrador cese en el desempeño de su cargo ——— **Rendición final de cuentas** ——— Se pone de manifiesto a las partes

Si no hay oposición→ Decreto aprobándolas + exención de responsabilidad del administrador + devolución de caución al administrador

Si hay impugnación→ se dará traslado al administrador para que conteste Las partes pueden pedir Vista= J. Verbal

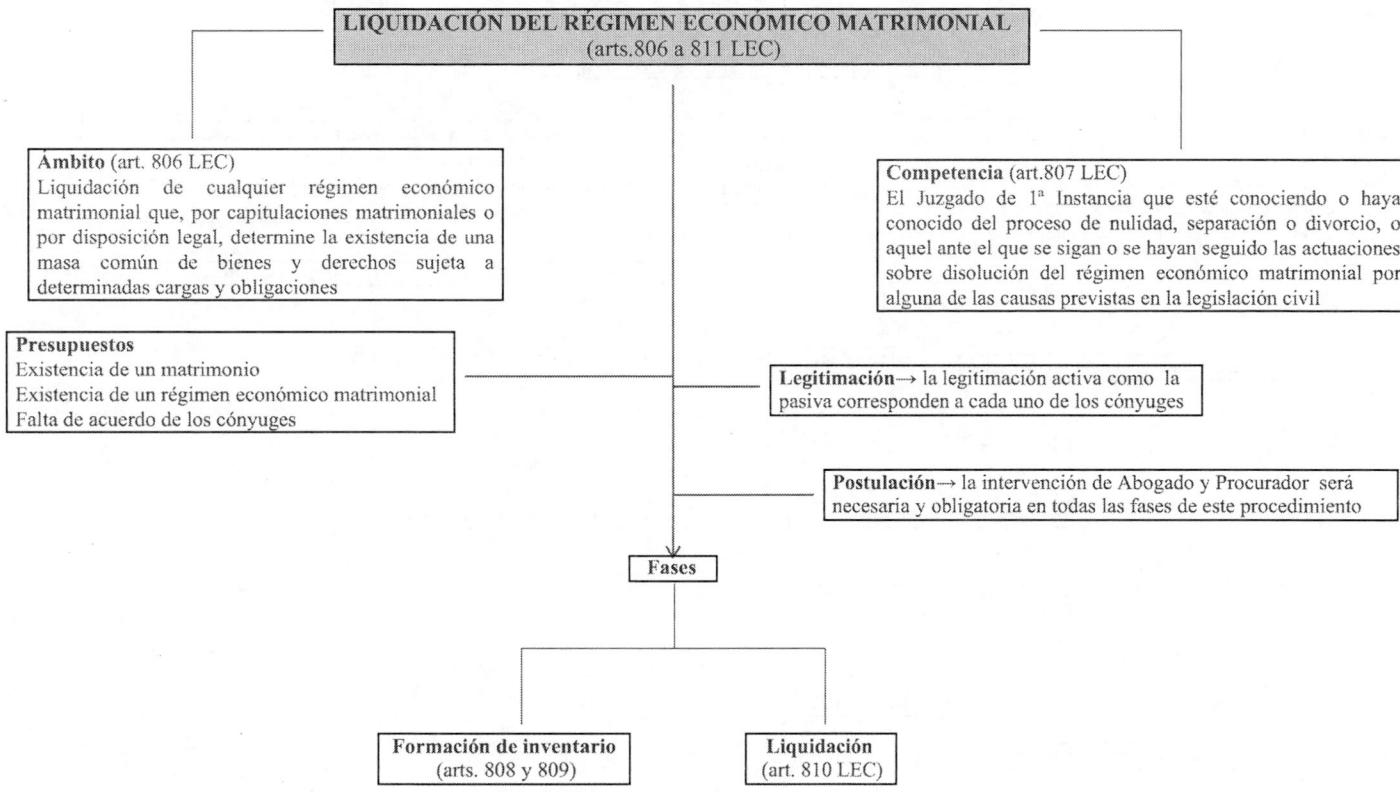

LIQUIDACIÓN DEL RÉGIMEN ECONÓMICO MATRIMONIAL
(arts.806 a 811 LEC)

Ámbito (art. 806 LEC)
Liquidación de cualquier régimen económico matrimonial que, por capitulaciones matrimoniales o por disposición legal, determine la existencia de una masa común de bienes y derechos sujeta a determinadas cargas y obligaciones

Competencia (art.807 LEC)
El Juzgado de 1ª Instancia que esté conociendo o haya conocido del proceso de nulidad, separación o divorcio, o aquel ante el que se sigan o se hayan seguido las actuaciones sobre disolución del régimen económico matrimonial por alguna de las causas previstas en la legislación civil

Presupuestos
Existencia de un matrimonio
Existencia de un régimen económico matrimonial
Falta de acuerdo de los cónyuges

Legitimación→ la legitimación activa como la pasiva corresponden a cada uno de los cónyuges

Postulación→ la intervención de Abogado y Procurador será necesaria y obligatoria en todas las fases de este procedimiento

Fases

Formación de inventario
(arts. 808 y 809)

Liquidación
(art. 810 LEC)

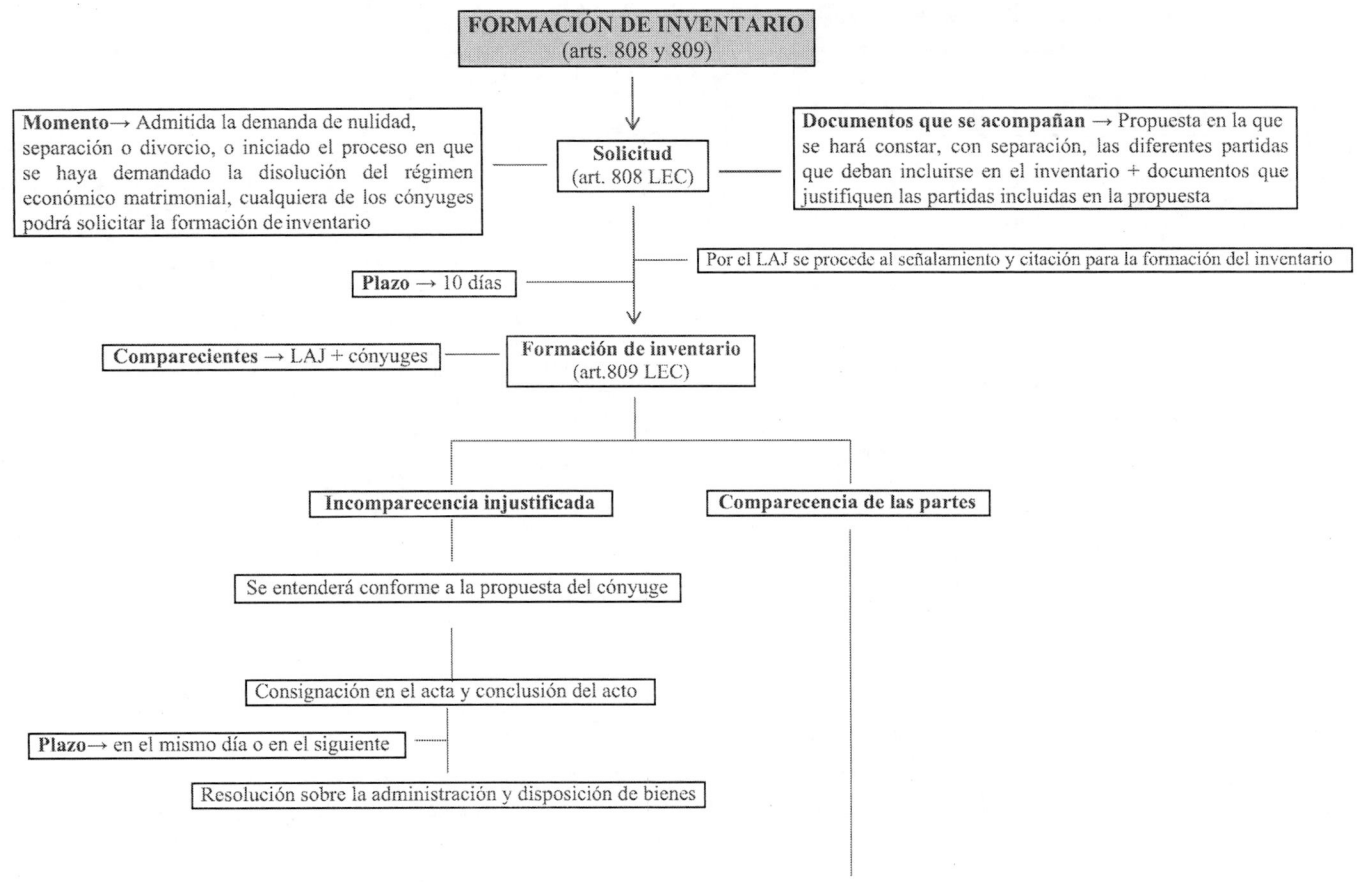

FORMACIÓN DE INVENTARIO
(arts. 808 y 809)

Momento→ Admitida la demanda de nulidad, separación o divorcio, o iniciado el proceso en que se haya demandado la disolución del régimen económico matrimonial, cualquiera de los cónyuges podrá solicitar la formación de inventario

Solicitud
(art. 808 LEC)

Documentos que se acompañan → Propuesta en la que se hará constar, con separación, las diferentes partidas que deban incluirse en el inventario + documentos que justifiquen las partidas incluidas en la propuesta

Por el LAJ se procede al señalamiento y citación para la formación del inventario

Plazo → 10 días

Comparecientes → LAJ + cónyuges

Formación de inventario
(art.809 LEC)

Incomparecencia injustificada

Comparecencia de las partes

Se entenderá conforme a la propuesta del cónyuge

Consignación en el acta y conclusión del acto

Plazo→ en el mismo día o en el siguiente

Resolución sobre la administración y disposición de bienes

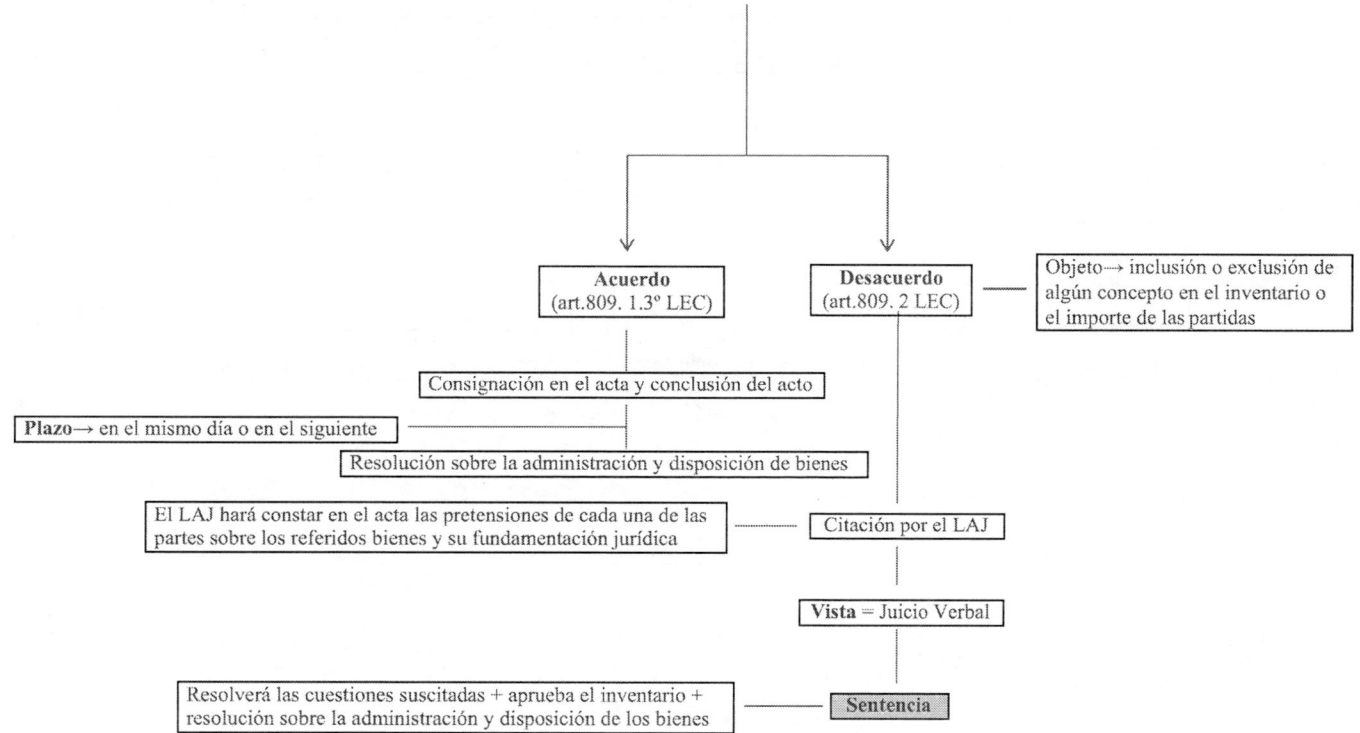

Acuerdo
(art.809. 1.3º LEC)

Desacuerdo
(art.809. 2 LEC)

Objeto→ inclusión o exclusión de algún concepto en el inventario o el importe de las partidas

Consignación en el acta y conclusión del acto

Plazo→ en el mismo día o en el siguiente

Resolución sobre la administración y disposición de bienes

El LAJ hará constar en el acta las pretensiones de cada una de las partes sobre los referidos bienes y su fundamentación jurídica

Citación por el LAJ

Vista = Juicio Verbal

Resolverá las cuestiones suscitadas + aprueba el inventario + resolución sobre la administración y disposición de los bienes

Sentencia

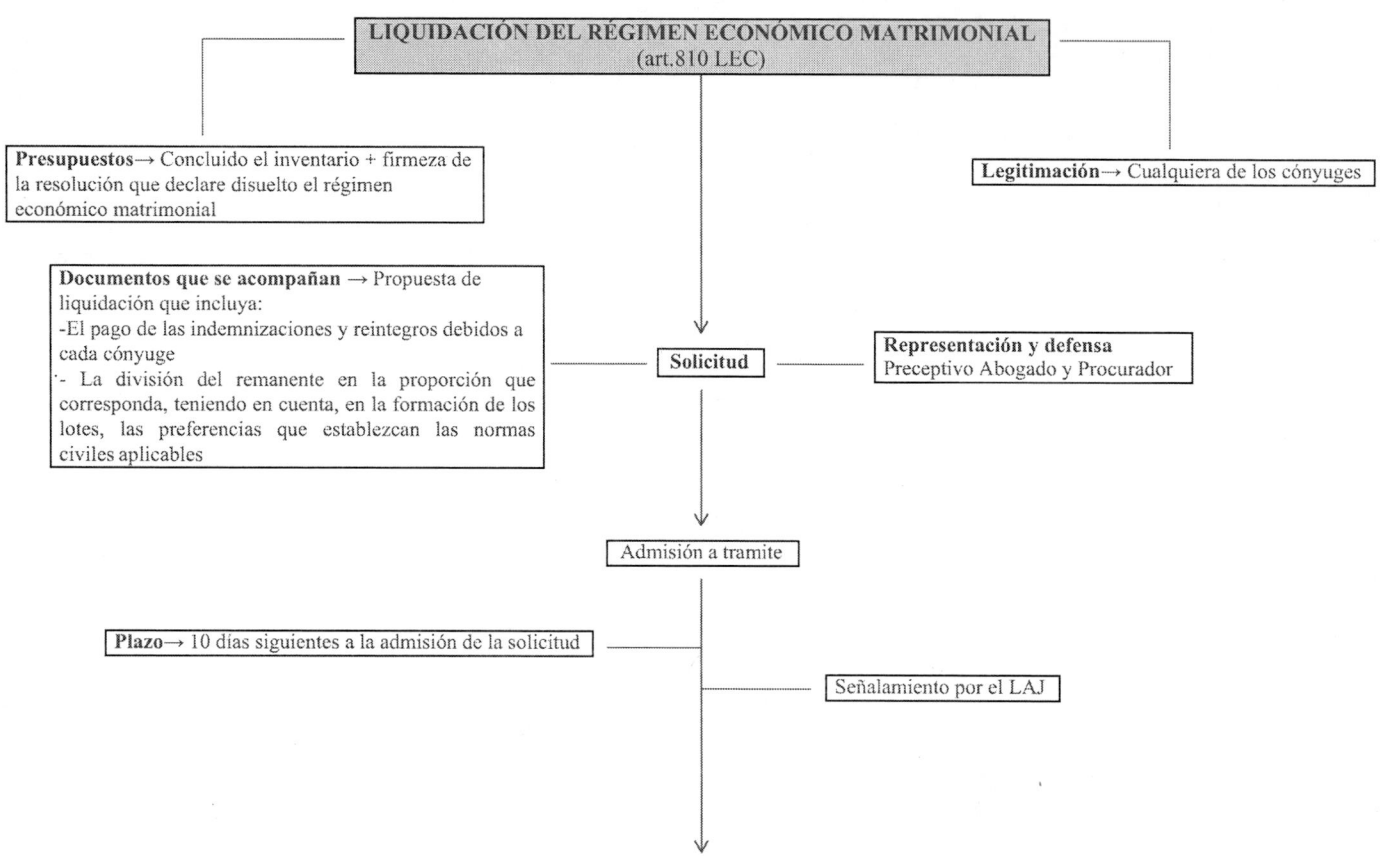

LIQUIDACIÓN DEL RÉGIMEN ECONÓMICO MATRIMONIAL
(art.810 LEC)

Presupuestos→ Concluido el inventario + firmeza de la resolución que declare disuelto el régimen económico matrimonial

Legitimación→ Cualquiera de los cónyuges

Documentos que se acompañan → Propuesta de liquidación que incluya:
-El pago de las indemnizaciones y reintegros debidos a cada cónyuge
- La división del remanente en la proporción que corresponda, teniendo en cuenta, en la formación de los lotes, las preferencias que establezcan las normas civiles aplicables

Solicitud

Representación y defensa
Preceptivo Abogado y Procurador

Admisión a tramite

Plazo→ 10 días siguientes a la admisión de la solicitud

Señalamiento por el LAJ

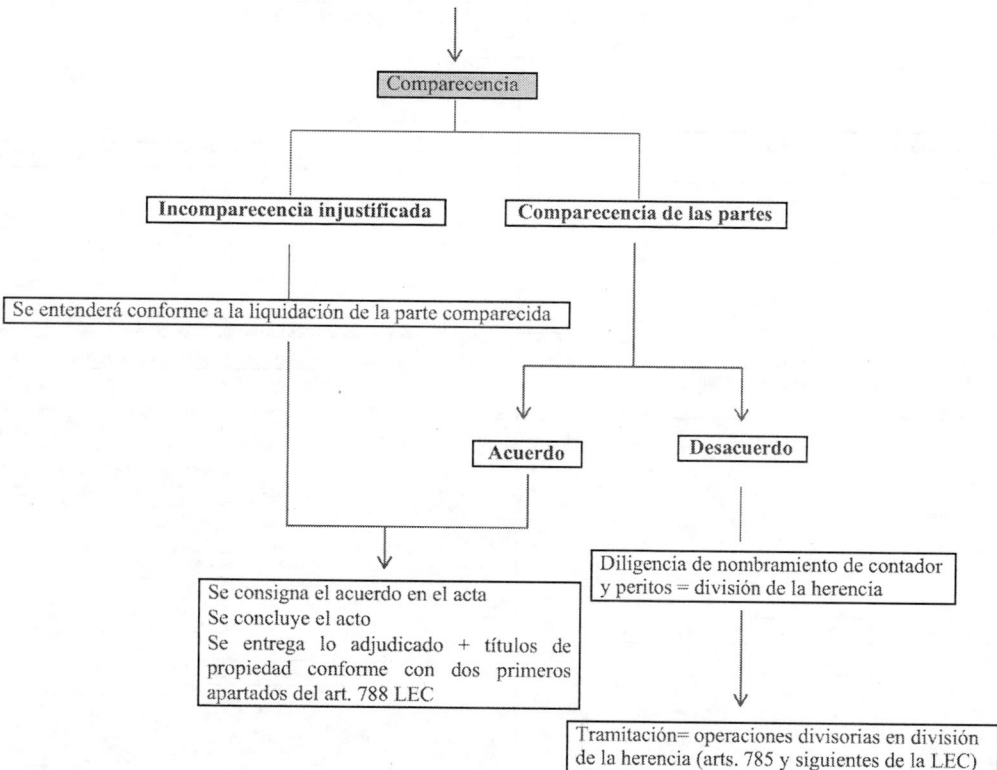

Comparecencia

Incomparecencia injustificada — Comparecencia de las partes

Se entenderá conforme a la liquidación de la parte comparecida

Acuerdo — Desacuerdo

Se consigna el acuerdo en el acta
Se concluye el acto
Se entrega lo adjudicado + títulos de propiedad conforme con dos primeros apartados del art. 788 LEC

Diligencia de nombramiento de contador y peritos = división de la herencia

Tramitación= operaciones divisorias en división de la herencia (arts. 785 y siguientes de la LEC)

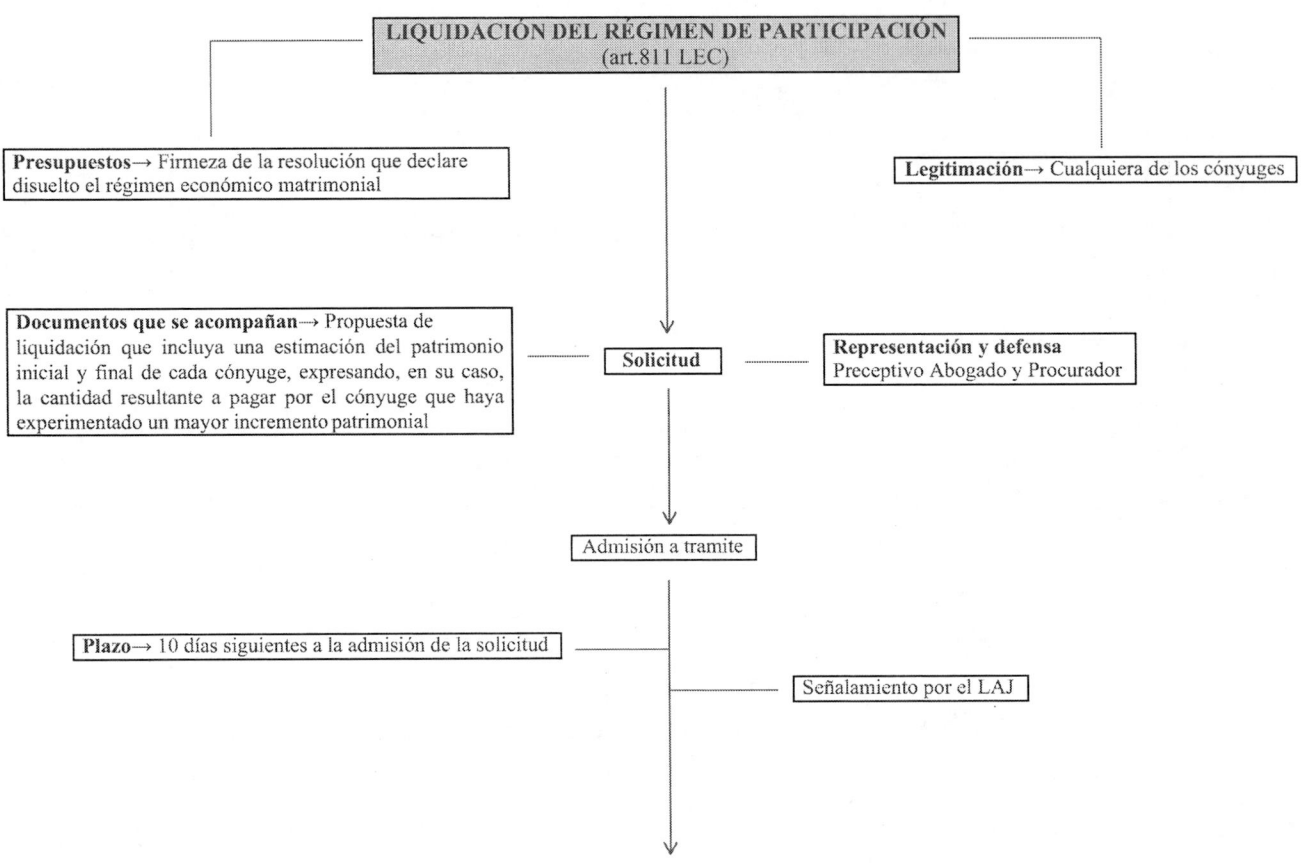

LIQUIDACIÓN DEL RÉGIMEN DE PARTICIPACIÓN
(art.811 LEC)

Presupuestos→ Firmeza de la resolución que declare disuelto el régimen económico matrimonial

Legitimación→ Cualquiera de los cónyuges

Documentos que se acompañan→ Propuesta de liquidación que incluya una estimación del patrimonio inicial y final de cada cónyuge, expresando, en su caso, la cantidad resultante a pagar por el cónyuge que haya experimentado un mayor incremento patrimonial

Solicitud

Representación y defensa
Preceptivo Abogado y Procurador

Admisión a tramite

Plazo→ 10 días siguientes a la admisión de la solicitud

Señalamiento por el LAJ

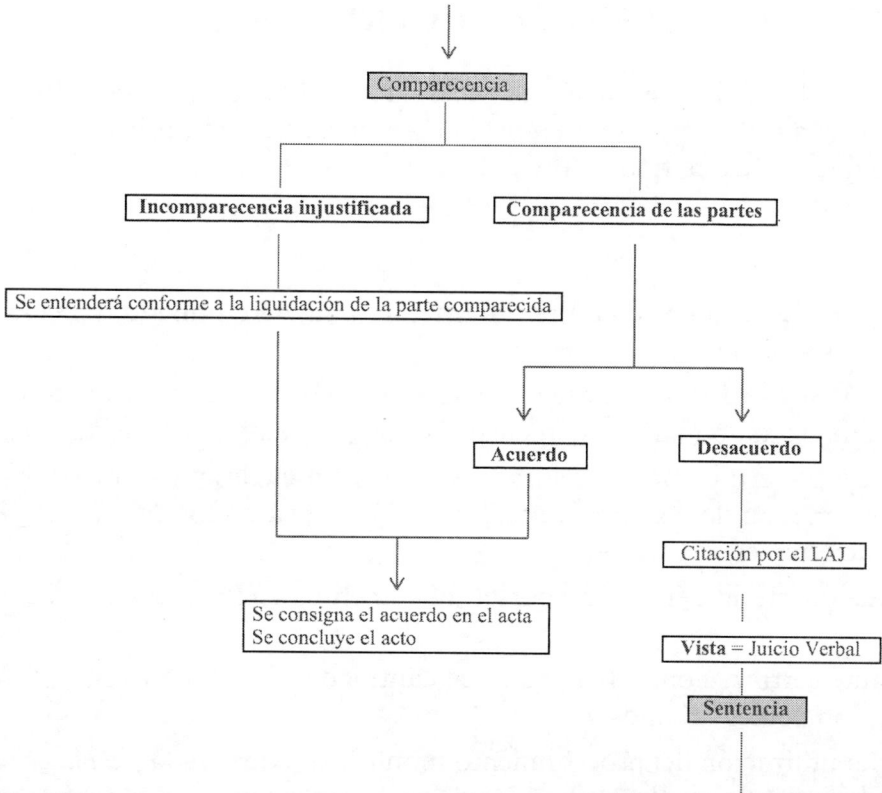

9.3. EL PROCESO MONITORIO

La Ley de Enjuiciamiento Civil prevé la posibilidad de reclamar, sin necesidad de abogado y procurador, a través del Proceso Monitorio, el pago de deudas dinerarias de cualquier importe, siempre que se reúnan los requisitos legalmente previstos y se disponga de los documentos acreditativos que exige este tipo de procedimiento.

SUPUESTOS (art. 812 LEC)

Quien pretenda de otro el pago de **deuda dineraria de cualquier importe, líquida, determinada, vencida y exigible,** cuando la deuda se acredite de alguna de las formas siguientes:

a) Mediante documentos, cualquiera que sea su forma y clase o el soporte físico en que se encuentren, que aparezcan firmados por el deudor o con su sello, impronta o marca o con cualquier otra señal, física o electrónica.

b) Mediante facturas, albaranes de entrega, certificaciones, telegramas, telefax o cualesquiera otros documentos que, aun unilateralmente creados por el acreedor, sean de los que habitualmente documentan los créditos y deudas en relaciones de la clase que aparezca existente entre acreedor y deudor.

c) Cuando, junto al documento en que conste la deuda, se aporten **documentos comerciales** que acrediten una relación anterior duradera.

d) Cuando la deuda se acredite mediante certificaciones de impago de cantidades debidas en concepto de gastos comunes de **Comunidades de propietarios** de inmuebles urbanos.

Art. 21 Ley de Propiedad Horizontal: La utilización del procedimiento monitorio requerirá la *previa certificación del acuerdo de la Junta aprobando la liquidación de la deuda con la comunidad* de propietarios por quien actúe como secretario de la misma, con el visto bueno del presidente, siempre que tal acuerdo haya sido notificado a los propietarios afectados.

A la cantidad que se reclame en virtud de lo dispuesto en el apartado anterior podrá añadirse la derivada de los gastos del requerimiento previo de pago, siempre que conste documentalmente la realización de éste, y se acompañe a la solicitud el justificante de tales gastos.

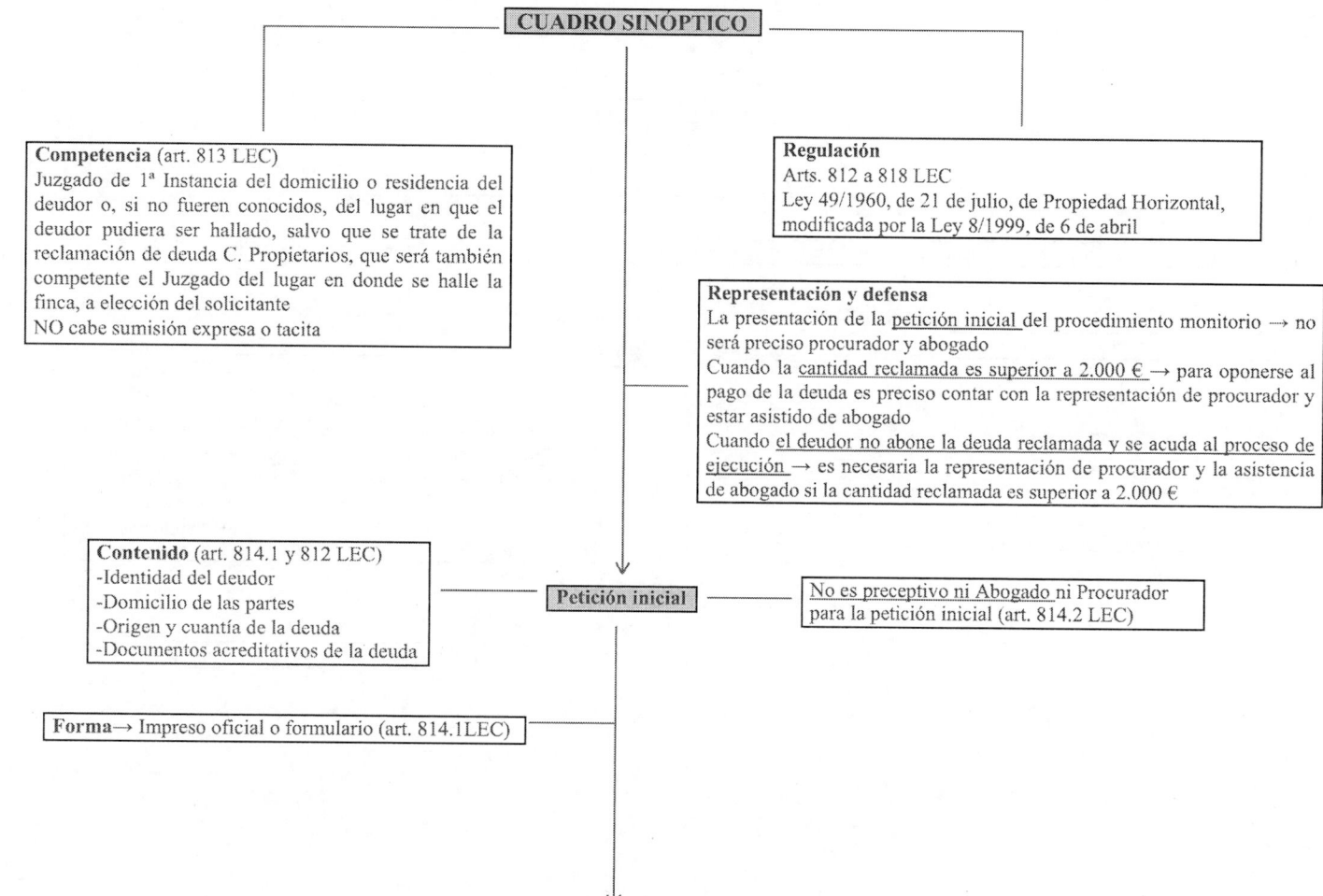

CUADRO SINÓPTICO

Competencia (art. 813 LEC)
Juzgado de 1ª Instancia del domicilio o residencia del deudor o, si no fueren conocidos, del lugar en que el deudor pudiera ser hallado, salvo que se trate de la reclamación de deuda C. Propietarios, que será también competente el Juzgado del lugar en donde se halle la finca, a elección del solicitante
NO cabe sumisión expresa o tacita

Regulación
Arts. 812 a 818 LEC
Ley 49/1960, de 21 de julio, de Propiedad Horizontal, modificada por la Ley 8/1999, de 6 de abril

Representación y defensa
La presentación de la petición inicial del procedimiento monitorio → no será preciso procurador y abogado
Cuando la cantidad reclamada es superior a 2.000 € → para oponerse al pago de la deuda es preciso contar con la representación de procurador y estar asistido de abogado
Cuando el deudor no abone la deuda reclamada y se acuda al proceso de ejecución → es necesaria la representación de procurador y la asistencia de abogado si la cantidad reclamada es superior a 2.000 €

Contenido (art. 814.1 y 812 LEC)
-Identidad del deudor
-Domicilio de las partes
-Origen y cuantía de la deuda
-Documentos acreditativos de la deuda

Petición inicial

No es preceptivo ni Abogado ni Procurador para la petición inicial (art. 814.2 LEC)

Forma→ Impreso oficial o formulario (art. 814.1LEC)

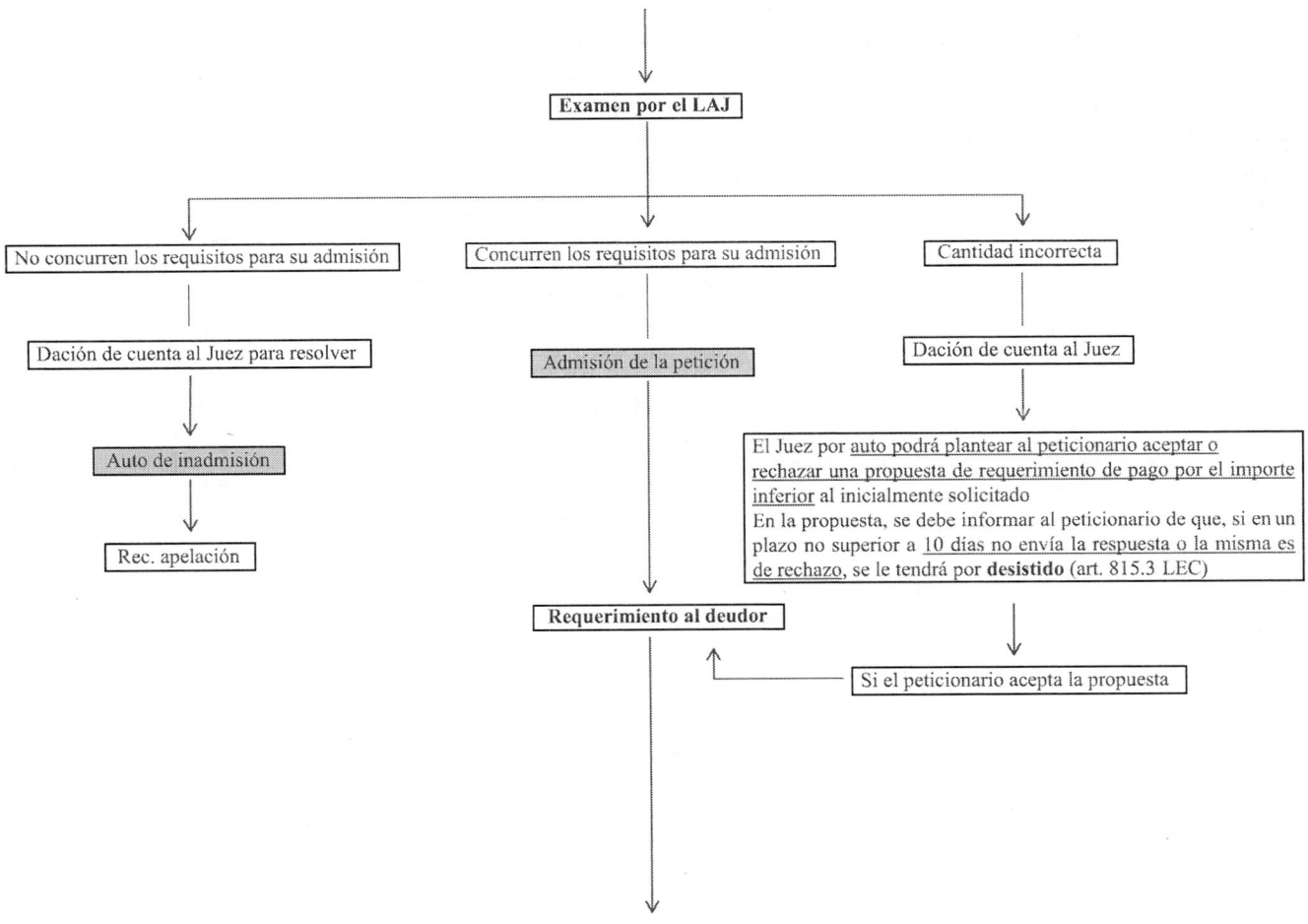

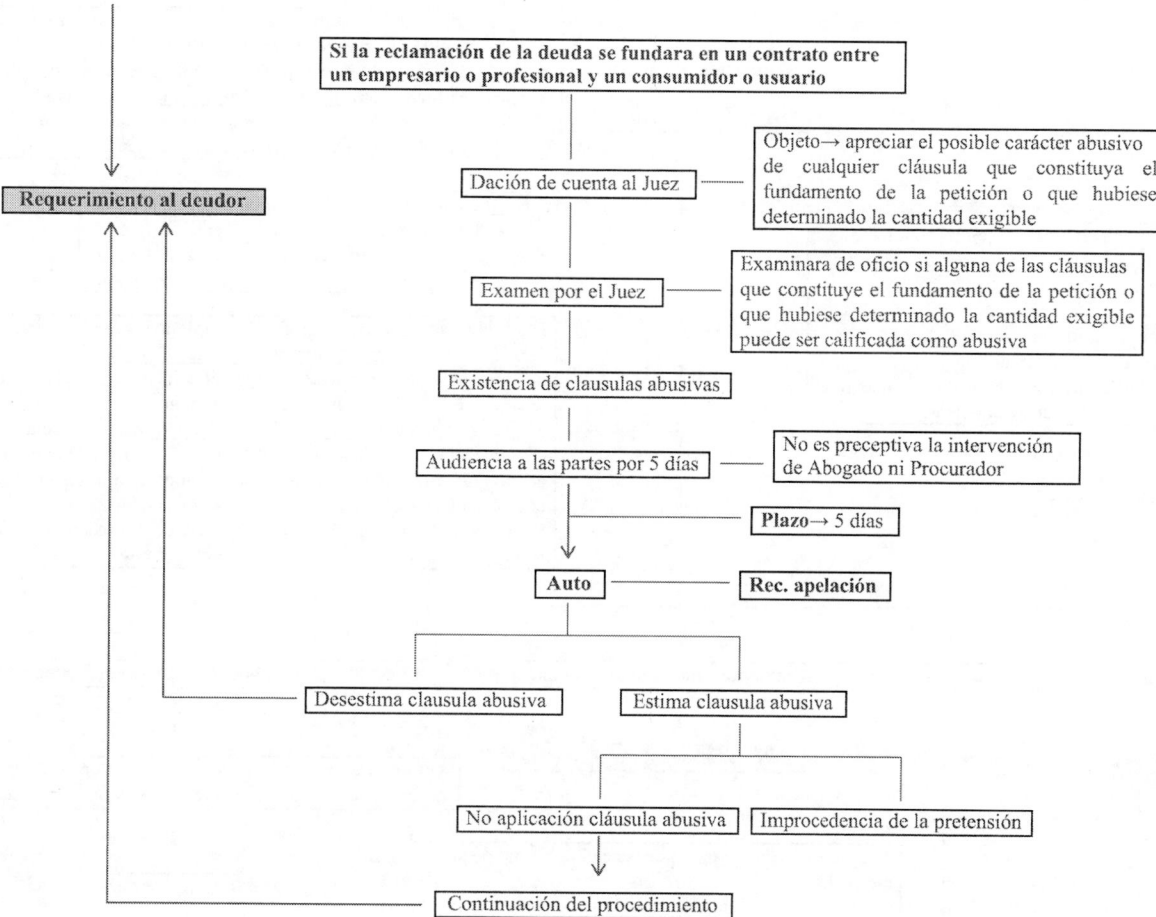

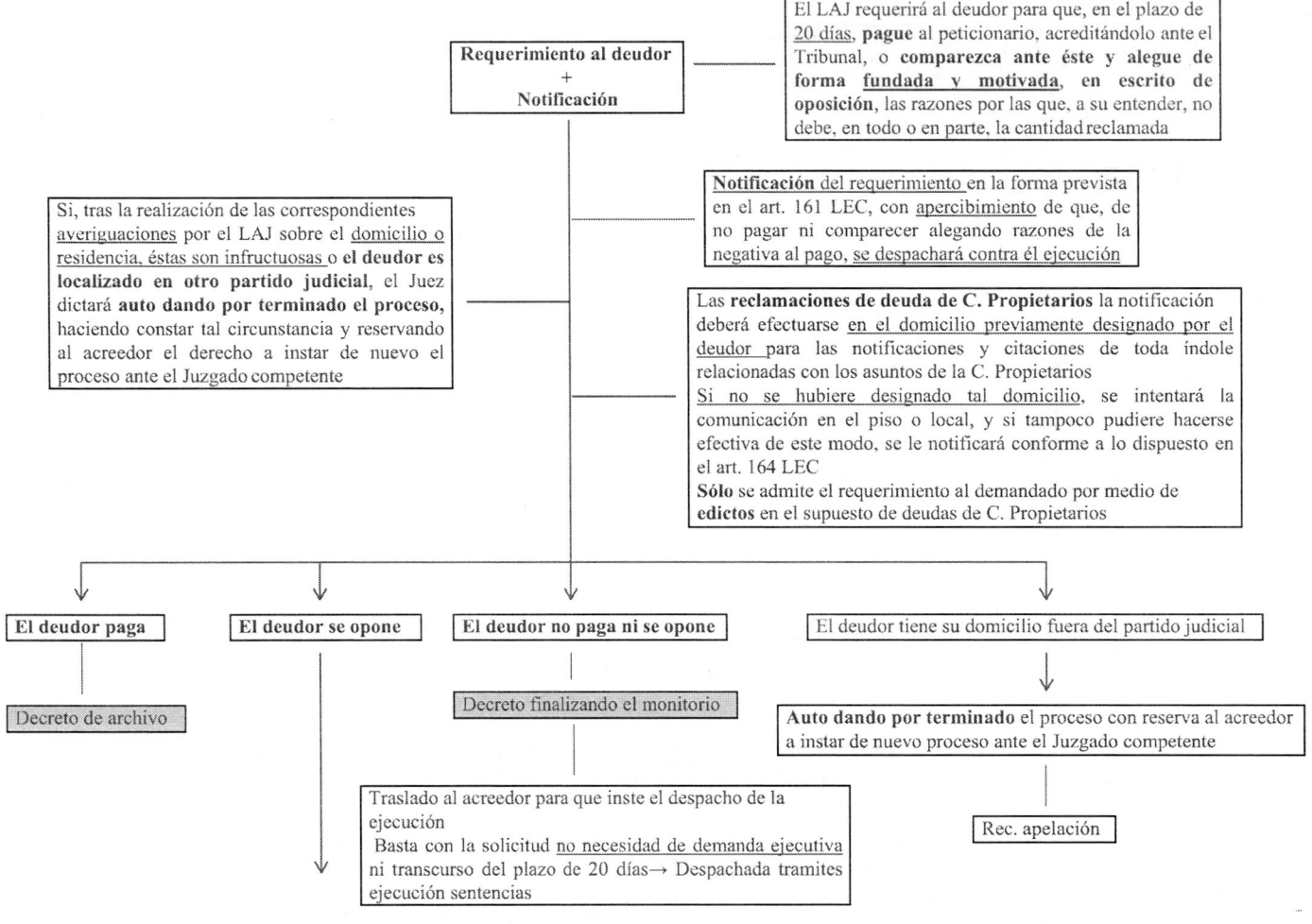

Requerimiento al deudor + Notificación

El LAJ requerirá al deudor para que, en el plazo de 20 días, **pague** al peticionario, acreditándolo ante el Tribunal, o **comparezca ante éste y alegue de forma fundada y motivada**, en escrito de **oposición**, las razones por las que, a su entender, no debe, en todo o en parte, la cantidad reclamada

Notificación del requerimiento en la forma prevista en el art. 161 LEC, con apercibimiento de que, de no pagar ni comparecer alegando razones de la negativa al pago, se despachará contra él ejecución

Si, tras la realización de las correspondientes averiguaciones por el LAJ sobre el domicilio o residencia, éstas son infructuosas o **el deudor es localizado en otro partido judicial**, el Juez dictará **auto dando por terminado el proceso,** haciendo constar tal circunstancia y reservando al acreedor el derecho a instar de nuevo el proceso ante el Juzgado competente

Las **reclamaciones de deuda de C. Propietarios** la notificación deberá efectuarse en el domicilio previamente designado por el deudor para las notificaciones y citaciones de toda índole relacionadas con los asuntos de la C. Propietarios
Si no se hubiere designado tal domicilio, se intentará la comunicación en el piso o local, y si tampoco pudiere hacerse efectiva de este modo, se le notificará conforme a lo dispuesto en el art. 164 LEC
Sólo se admite el requerimiento al demandado por medio de **edictos** en el supuesto de deudas de C. Propietarios

El deudor paga

El deudor se opone

El deudor no paga ni se opone

El deudor tiene su domicilio fuera del partido judicial

Decreto de archivo

Decreto finalizando el monitorio

Auto dando por terminado el proceso con reserva al acreedor a instar de nuevo proceso ante el Juzgado competente

Traslado al acreedor para que inste el despacho de la ejecución
Basta con la solicitud no necesidad de demanda ejecutiva ni transcurso del plazo de 20 días→ Despachada tramites ejecución sentencias

Rec. apelación

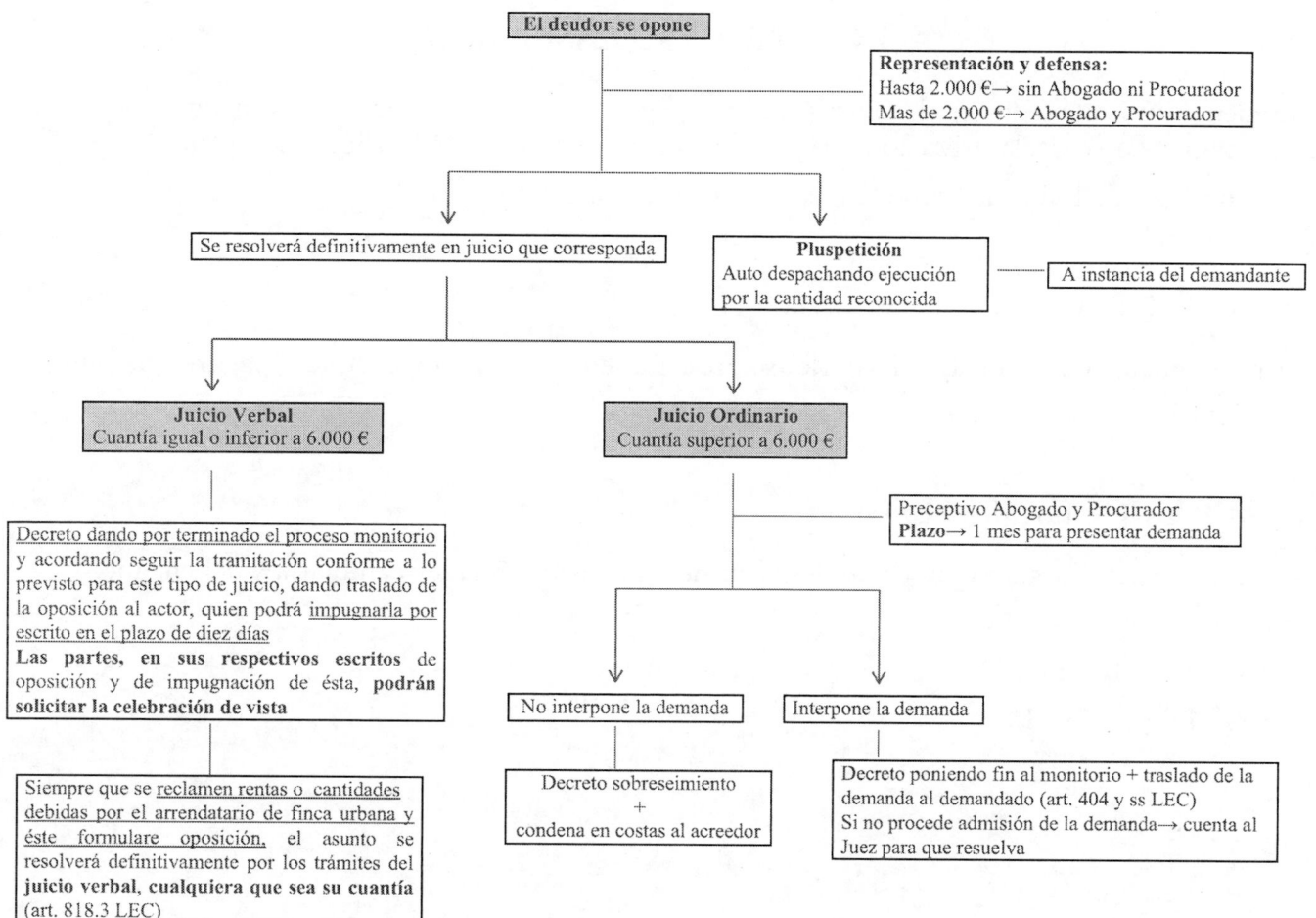

El deudor se opone

Representación y defensa:
Hasta 2.000 €→ sin Abogado ni Procurador
Mas de 2.000 €→ Abogado y Procurador

Se resolverá definitivamente en juicio que corresponda

Pluspetición
Auto despachando ejecución
por la cantidad reconocida

A instancia del demandante

Juicio Verbal
Cuantía igual o inferior a 6.000 €

Juicio Ordinario
Cuantía superior a 6.000 €

Preceptivo Abogado y Procurador
Plazo→ 1 mes para presentar demanda

Decreto dando por terminado el proceso monitorio
y acordando seguir la tramitación conforme a lo
previsto para este tipo de juicio, dando traslado de
la oposición al actor, quien podrá impugnarla por
escrito en el plazo de diez días
Las partes, en sus respectivos escritos de
oposición y de impugnación de ésta, **podrán
solicitar la celebración de vista**

No interpone la demanda

Interpone la demanda

Siempre que se reclamen rentas o cantidades
debidas por el arrendatario de finca urbana y
éste formulare oposición, el asunto se
resolverá definitivamente por los trámites del
juicio verbal, cualquiera que sea su cuantía
(art. 818.3 LEC)

Decreto sobreseimiento
+
condena en costas al acreedor

Decreto poniendo fin al monitorio + traslado de la
demanda al demandado (art. 404 y ss LEC)
Si no procede admisión de la demanda→ cuenta al
Juez para que resuelva

9.4. EL PROCESO CAMBIARIO

Es el procedimiento judicial mediante el cual se solicita el pago de una deuda vencida documentada en una letra de cambio cheque o pagaré Es un proceso declarativo especial y sumario con predominante función ejecutiva.

Está regulado en la Ley de Enjuiciamiento Civil en los arts. 819 a 827.

SUPUESTOS (art. 819 LEC)

Sólo procederá el juicio cambiario si, al incoarlo, se presenta letra de cambio, cheque o pagaré que reúnan los requisitos previstos en la Ley cambiaria y del cheque.

TÍTULOS CAMBIARIOS (art. 819 LEC)

Letra de cambio, Cheque y Pagare que reúnan los requisitos previstos en la ley cambiaria y del cheque.

– Letra de Cambio (arts. 1 y 2 LCCH).

– Cheque (arts. 106 y 107 LCCH).

– Pagaré (arts. 94 y 95 LCCH).

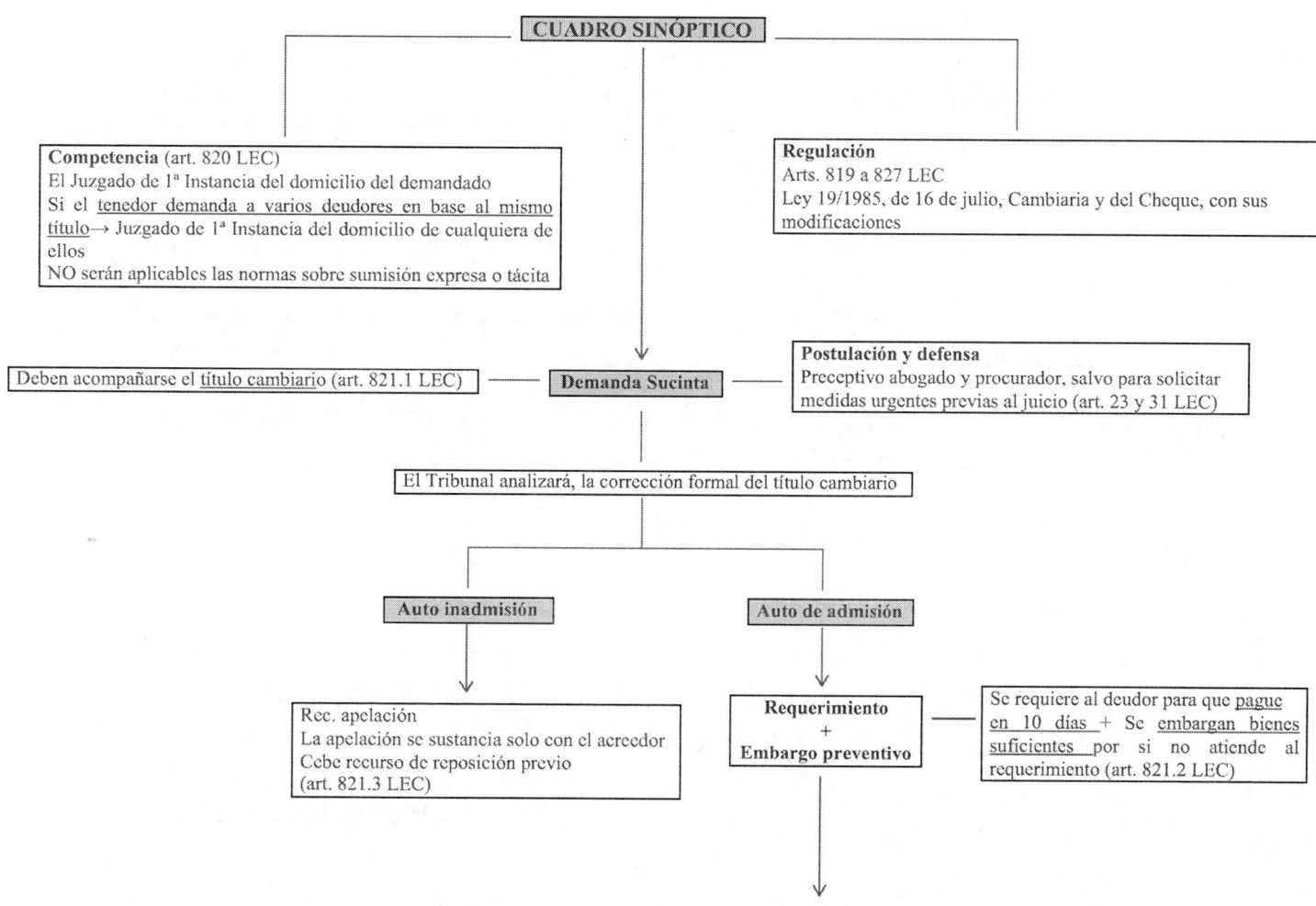

CUADRO SINÓPTICO

Competencia (art. 820 LEC)
El Juzgado de 1ª Instancia del domicilio del demandado
Si el tenedor demanda a varios deudores en base al mismo título→ Juzgado de 1ª Instancia del domicilio de cualquiera de ellos
NO serán aplicables las normas sobre sumisión expresa o tácita

Regulación
Arts. 819 a 827 LEC
Ley 19/1985, de 16 de julio, Cambiaria y del Cheque, con sus modificaciones

Deben acompañarse el título cambiario (art. 821.1 LEC)

Demanda Sucinta

Postulación y defensa
Preceptivo abogado y procurador, salvo para solicitar medidas urgentes previas al juicio (art. 23 y 31 LEC)

El Tribunal analizará, la corrección formal del título cambiario

Auto inadmisión

Auto de admisión

Rec. apelación
La apelación se sustancia solo con el acreedor
Cebe recurso de reposición previo
(art. 821.3 LEC)

Requerimiento
+
Embargo preventivo

Se requiere al deudor para que pague en 10 días + Se embargan bienes suficientes por si no atiende al requerimiento (art. 821.2 LEC)

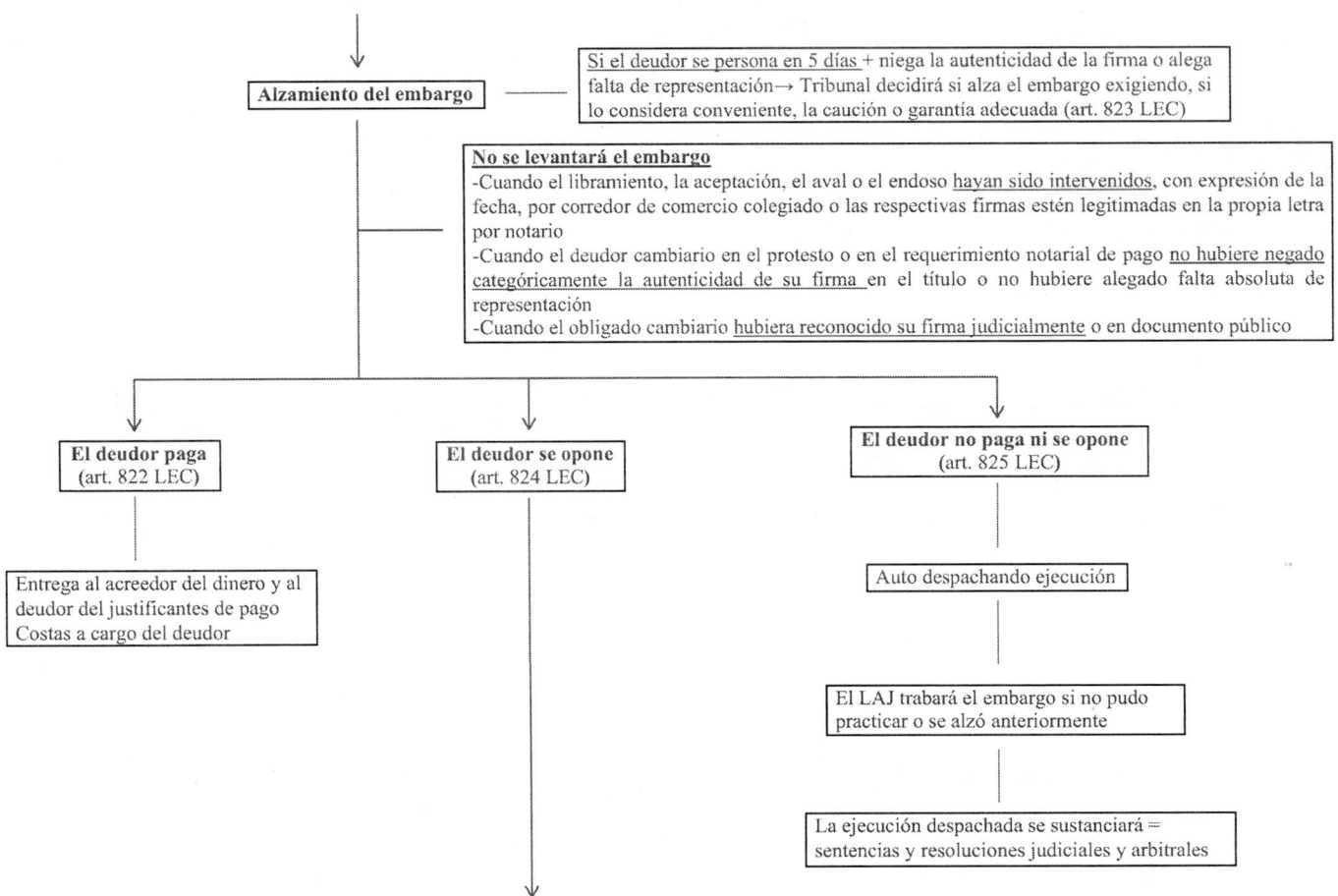

Alzamiento del embargo — Si el deudor se persona en 5 días + niega la autenticidad de la firma o alega falta de representación→ Tribunal decidirá si alza el embargo exigiendo, si lo considera conveniente, la caución o garantía adecuada (art. 823 LEC)

No se levantará el embargo
-Cuando el libramiento, la aceptación, el aval o el endoso hayan sido intervenidos, con expresión de la fecha, por corredor de comercio colegiado o las respectivas firmas estén legitimadas en la propia letra por notario
-Cuando el deudor cambiario en el protesto o en el requerimiento notarial de pago no hubiere negado categóricamente la autenticidad de su firma en el título o no hubiere alegado falta absoluta de representación
-Cuando el obligado cambiario hubiera reconocido su firma judicialmente o en documento público

El deudor paga
(art. 822 LEC)

El deudor se opone
(art. 824 LEC)

El deudor no paga ni se opone
(art. 825 LEC)

Entrega al acreedor del dinero y al deudor del justificantes de pago
Costas a cargo del deudor

Auto despachando ejecución

El LAJ trabará el embargo si no pudo practicar o se alzó anteriormente

La ejecución despachada se sustanciará = sentencias y resoluciones judiciales y arbitrales

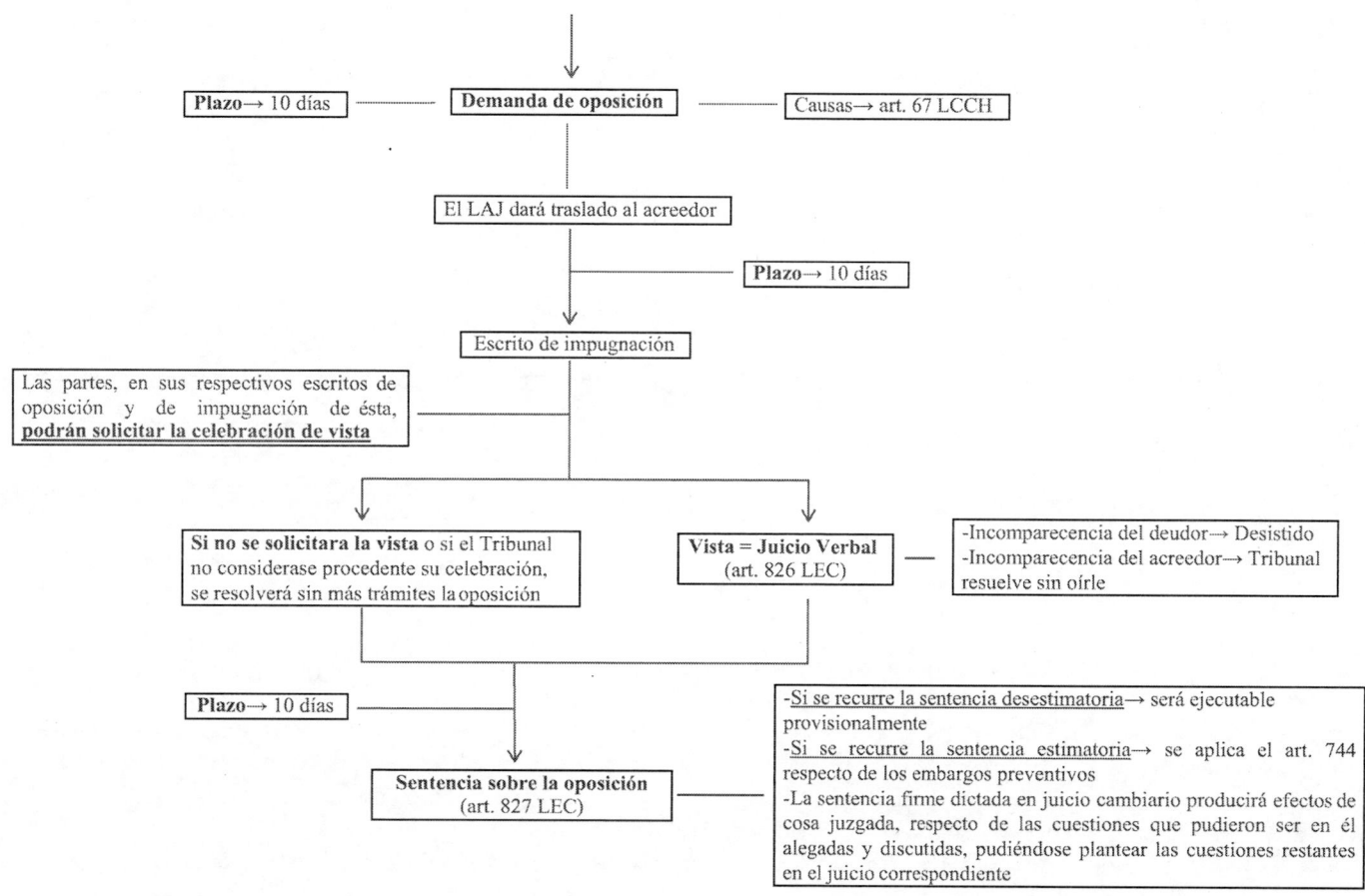

Plazo→ 10 días .... **Demanda de oposición** .... Causas→ art. 67 LCCH

El LAJ dará traslado al acreedor

Plazo→ 10 días

Escrito de impugnación

Las partes, en sus respectivos escritos de oposición y de impugnación de ésta, **podrán solicitar la celebración de vista**

Si no se solicitara la vista o si el Tribunal no considerase procedente su celebración, se resolverá sin más trámites la oposición

Vista = Juicio Verbal (art. 826 LEC)

-Incomparecencia del deudor→ Desistido
-Incomparecencia del acreedor→ Tribunal resuelve sin oírle

Plazo→ 10 días

Sentencia sobre la oposición (art. 827 LEC)

-Si se recurre la sentencia desestimatoria→ será ejecutable provisionalmente
-Si se recurre la sentencia estimatoria→ se aplica el art. 744 respecto de los embargos preventivos
-La sentencia firme dictada en juicio cambiario producirá efectos de cosa juzgada, respecto de las cuestiones que pudieron ser en él alegadas y discutidas, pudiéndose plantear las cuestiones restantes en el juicio correspondiente

10. Procesos de cuentas de procurador y abogado

El Tribunal Constitucional, en su sentencia 110/1993, de 25 de marzo (ROJ: STC 110/1993), define la jura de cuentas como *"un procedimiento de naturaleza ejecutiva para hacer efectivos de forma sumaria y expeditiva los créditos derivados de la actuación profesional en un determinado proceso y dentro del mismo de procuradores y abogados que, como necesarios cooperadores de la Administración de Justicia (…), están sometidos por dicha Ley, por la LEC y por sus respectivos Estatutos, a una serie de deberes, obligaciones y responsabilidades tendentes al correcto desarrollo del proceso y sin cuya colaboración no sólo se resentiría gravemente el normal funcionamiento del mismo, sino que resultarían de imposible cumplimiento las garantías de efectividad y defensa que impone la Constitución a la tutela judicial"*.

Afirma el Tribunal Supremo, en su auto de 23 de septiembre de 2015 (ROJ: ATS 7335/2015) que el procedimiento de jura de cuentas tiene un carácter incidental, siendo sus características: *"(i) presupone siempre un proceso anterior; (ii) los sujetos legitimados activamente son los abogados y los procuradores que han intervenido en el proceso precedente; (iii) la integración del sujeto pasivo y del objeto vienen, igualmente, determinados por el proceso anterior; (iv) la comprobación de los presupuestos y requisitos para su admisión y el examen de las posibles excepciones e impugnaciones -a excepción del pago o en algunos supuestos de prescripción- han de hacerse en relación con el pleito anterior; (v) la clase de resolución que en la LEC ha elegido el legislador para su conclusión adopta la forma de auto; (vi) lo decidido en este trámite, como norma, no tiene efectos de cosa juzgada, en cuanto puede promoverse un juicio posterior; (vii) la competencia funcional para su tramitación corresponde al órgano que conoció del proceso anterior; y (viii) la propia sistemática seguida para la regulación del procedimiento se sitúa entre las disposiciones relativas a la intervención de los abogados y procuradores, y no dentro de los procesos especiales"*.

La jura de cuentas es regulada por la Ley en los artículos 34 y 35 de la LEC para el proceso civil y 242 de la LEC para el proceso penal. La sentencia del TC de pleno 34/2019, de 14 de marzo, con relación al procedimiento de jura de cuentas declara nulos e inconstitucionales los párrafos de los artículos 34 y 35 que se refieren a que no cabe recurso contra el decreto del LAJ.

La Ley 34/2015 descarta la opción de incluir en la reclamación del crédito los costes del procedimiento de jura de cuentas, ya que se establece que no es regulada la intervención del abogado y procurador en este procedimiento.

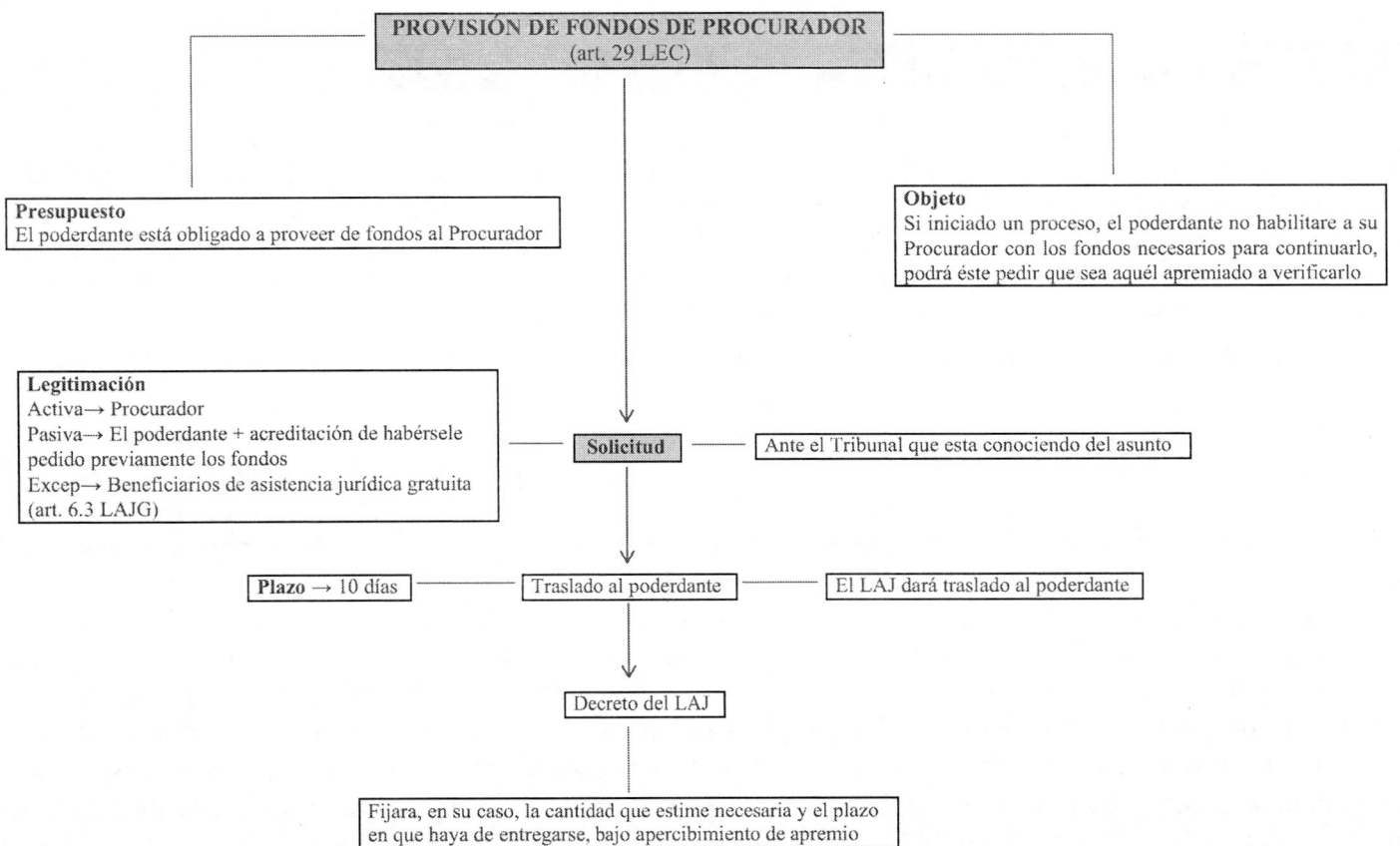

PROVISIÓN DE FONDOS DE PROCURADOR
(art. 29 LEC)

Presupuesto
El poderdante está obligado a proveer de fondos al Procurador

Objeto
Si iniciado un proceso, el poderdante no habilitare a su Procurador con los fondos necesarios para continuarlo, podrá éste pedir que sea aquél apremiado a verificarlo

Legitimación
Activa→ Procurador
Pasiva→ El poderdante + acreditación de habérsele pedido previamente los fondos
Excep→ Beneficiarios de asistencia jurídica gratuita (art. 6.3 LAJG)

Solicitud ———— Ante el Tribunal que esta conociendo del asunto

Plazo → 10 días ———— Traslado al poderdante ———— El LAJ dará traslado al poderdante

Decreto del LAJ

Fijara, en su caso, la cantidad que estime necesaria y el plazo en que haya de entregarse, bajo apercibimiento de apremio

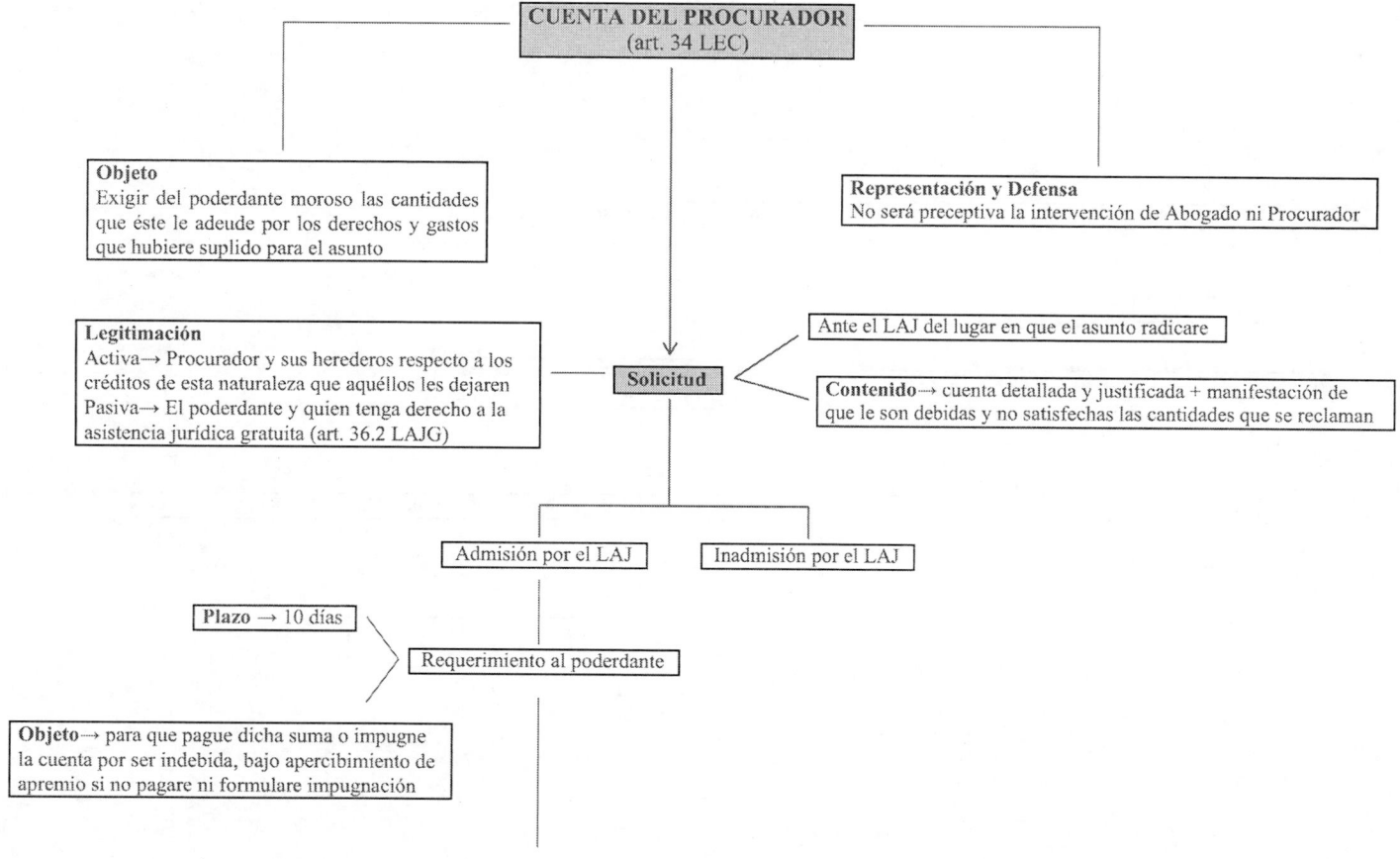

CUENTA DEL PROCURADOR
(art. 34 LEC)

Objeto
Exigir del poderdante moroso las cantidades que éste le adeude por los derechos y gastos que hubiere suplido para el asunto

Representación y Defensa
No será preceptiva la intervención de Abogado ni Procurador

Legitimación
Activa→ Procurador y sus herederos respecto a los créditos de esta naturaleza que aquéllos les dejaren
Pasiva→ El poderdante y quien tenga derecho a la asistencia jurídica gratuita (art. 36.2 LAJG)

Solicitud

Ante el LAJ del lugar en que el asunto radicare

Contenido→ cuenta detallada y justificada + manifestación de que le son debidas y no satisfechas las cantidades que se reclaman

Admisión por el LAJ

Inadmisión por el LAJ

Plazo → 10 días

Requerimiento al poderdante

Objeto→ para que pague dicha suma o impugne la cuenta por ser indebida, bajo apercibimiento de apremio si no pagare ni formulare impugnación

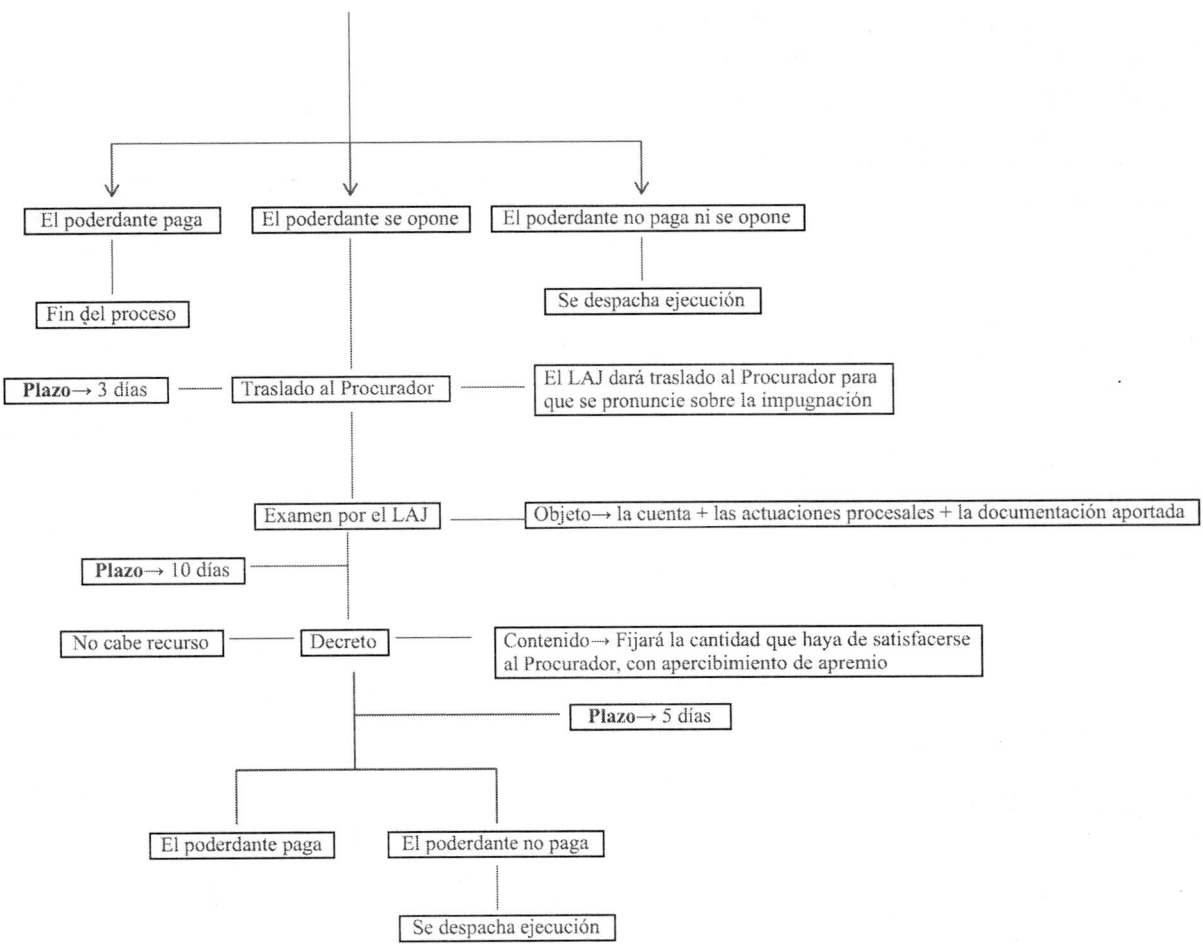

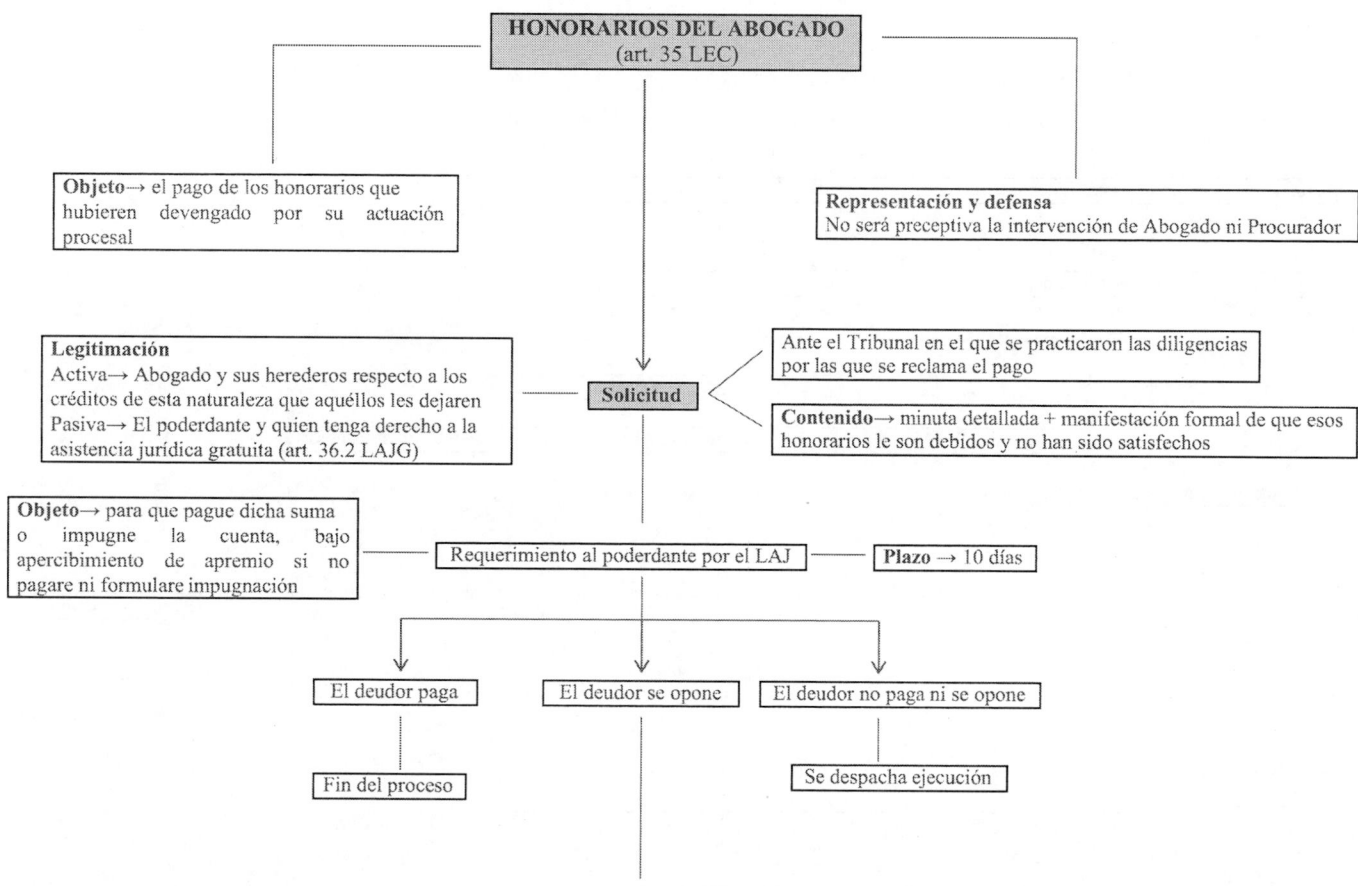

HONORARIOS DEL ABOGADO
(art. 35 LEC)

Objeto⟶ el pago de los honorarios que hubieren devengado por su actuación procesal

Representación y defensa
No será preceptiva la intervención de Abogado ni Procurador

Legitimación
Activa⟶ Abogado y sus herederos respecto a los créditos de esta naturaleza que aquéllos les dejaren
Pasiva⟶ El poderdante y quien tenga derecho a la asistencia jurídica gratuita (art. 36.2 LAJG)

Solicitud

Ante el Tribunal en el que se practicaron las diligencias por las que se reclama el pago

Contenido⟶ minuta detallada + manifestación formal de que esos honorarios le son debidos y no han sido satisfechos

Objeto⟶ para que pague dicha suma o impugne la cuenta, bajo apercibimiento de apremio si no pagare ni formulare impugnación

Requerimiento al poderdante por el LAJ — **Plazo** ⟶ 10 días

El deudor paga

El deudor se opone

El deudor no paga ni se opone

Fin del proceso

Se despacha ejecución

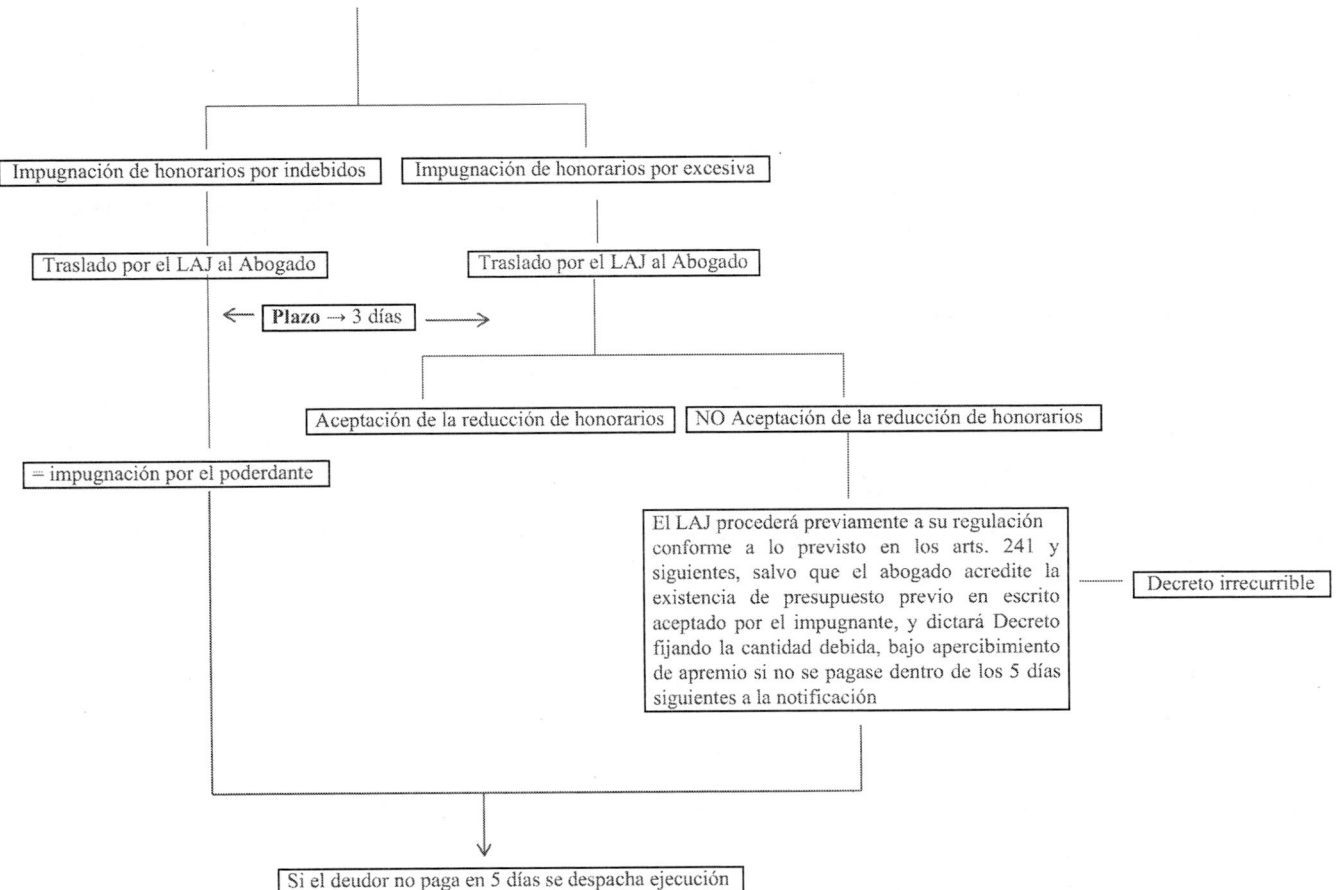

EL PROCESO PENAL

Textos legales

- Ley Orgánica 1/2019, de 20 de febrero, por la que se modifica la Ley Orgánica 10/1995, de 23 de noviembre, del Código Penal, para transponer Directivas de la Unión Europea en los ámbitos financiero y de terrorismo, y abordar cuestiones de índole internacional.
- Ley Orgánica 4/2018, de 28 de diciembre, de **reforma de la Ley Orgánica 6/1985, de 1 de julio, del Poder Judicial.**
- Real Decreto 1109/2015, de 11 de diciembre, por el que se desarrolla la Ley 4/2015, de 27 de abril, **del Estatuto de la víctima del delito,** y se regulan las **Oficinas de Asistencia a las Víctimas del Delito.**
- Ley 41/2015, de 5 de octubre, de **modificación de la Ley de Enjuiciamiento Criminal** para la agilización de la justicia penal y el fortalecimiento de las garantías procesales.
- Ley Orgánica 13/2015, de 5 de octubre, de **modificación de la Ley de Enjuiciamiento Criminal** para el fortalecimiento de las garantías procesales y la regulación de las medidas de investigación tecnológica.
- Ley 34/2015, de 21 de septiembre, de **modificación parcial de la Ley 58/2003, de 17 de diciembre, General Tributaria.**
- Ley 26/2015, de 28 de julio, del Sistema de **Protección de la Infancia y a la Adolescencia.**
- Ley Orgánica 7/2015, de 21 de julio, por la que se **modifica la Ley Orgánica del Poder Judicial.**
- Ley 16/2015, de 7 de julio, por la que se regula el **estatuto del miembro nacional de España en Eurojust,** los conflictos de jurisdicción, las redes judiciales de cooperación internacional y el personal dependiente del Ministerio de Justicia en el Exterior.
- Ley 4/2015, de 27 de abril, del **Estatuto de la víctima del delito.**
- Ley Orgánica 5/2015, de 27 de abril, sobre el **Derecho a Interpretación, Traducción e Información en los Procesos Penales.**
- Ley 4/2015, de 27 de abril, del **Estatuto de la víctima del delito.**
- Ley Orgánica 1/2015, de 30 de marzo, por la que se **modifica la Ley Orgánica 10/1995, de 23 de noviembre, del Código Penal.**
- Ley 23/2014, de 20 de noviembre, de **reconocimiento mutuo de resoluciones penales en la Unión Europea.**
- Ley Orgánica 7/2014, de 12 de noviembre, sobre **intercambio de información de antecedentes penales y consideración de resoluciones judiciales penales en la Unión Europea.**
- Ley 37/2011, de 10 de octubre, de medidas de **agilización procesal.**

- Ley 10/2010, de 28 de abril, de **prevención del blanqueo de capitales y de la financiación del terrorismo**.
- Ley 13/2009, de 3 de noviembre, de reforma de la legislación procesal para la implantación de la **nueva Oficina judicial**.
- Real Decreto 467/2006, de 21 de abril, por el que se regulan los **depósitos y consignaciones judiciales** en metálico, de efectos o valores.
- Ley Orgánica 1/2004, de 28 de diciembre, de **Medidas de Protección Integral contra la Violencia de Género** Ley Orgánica 5/2000, de 12 de enero, reguladora de la **responsabilidad penal de los menores**.
- Real Decreto 1774/2004, de 30 de julio, por el que se aprueba el **Reglamento de la Ley Orgánica 5/2000, de 12 de enero, reguladora de la responsabilidad penal de los menores**.
- Ley Orgánica 18/2003, de 10 de diciembre, de **Cooperación con la Corte Penal Internacional**.
- Ley 12/2003, de 21 de mayo, de **prevención y bloqueo de la financiación del terrorismo**.
- Real Decreto 385/1996, de 1 de marzo, por el que se establece el **régimen retributivo e indemnizatorio del desempeño de las funciones de jurado**.
- Ley Orgánica 10/1995, de 23 de noviembre, del **Código Penal** (CP).
- Real Decreto 1398/1995, de 4 de agosto, por el que se regula el sorteo para la **formación de las listas de candidatos a jurados**.
- Ley Orgánica 5/1995, de 22 de mayo, del **Tribunal del Jurado** (LOTJ).
- Ley Orgánica 19/1994, de 23 de diciembre, de **protección a testigos y peritos en causas criminales**.
- Ley de 9 de febrero de 1912 declarando los Tribunales que han de entender en el conocimiento de las **causas contra Senadores y Diputados**.
- Ley Orgánica 6/1985, de 1 de julio, del **Poder Judicial** (LOP).
- Ley 4/1985, de 21 de marzo, de **Extradición Pasiva** (LEP).
- Ley Orgánica 6/1984, de 24 de mayo, reguladora del procedimiento de *Habeas Corpus* (LOHC).
- Real Decreto de 14 de septiembre de 1882 por el que se aprueba la **Ley de Enjuiciamiento Criminal** (LECrim).
- Ley de 18 de junio de 1870 estableciendo reglas para el **ejercicio de la gracia de indulto**.

Últimas reformas

La Ley Orgánica 5/2015, de 27 de abril, sobre el Derecho a Interpretación, Traducción e Información en los Procesos Penales (BOE 28 de abril de 2015).

- Se modifican la Ley de Enjuiciamiento Criminal y la Ley Orgánica 6/1985, de 1 de julio, del Poder Judicial.
- Transpone la Directiva 2010/64/UE, de 20 de octubre de 2010, relativa al derecho a interpretación y a traducción en los procesos penales y la Directiva 2012/13/UE, de 22 de mayo de 2012, relativa al derecho a la información en los procesos penales.
- Se introducen unos nuevos arts. 123, 124, 125, 126 y 127 de la LECrim y un nuevo apartado 3 en el art. 416.
- Se modifican los 118, 302, 505.3, 520 y 775 de la LECrim.

La Ley 4/2015, de 27 de abril, del *Estatuto de la víctima del delito* (BOE 28 de abril de 2015).

- Se modifican los arts. 109, 110, 261, 281. 282, 284. 301, 334, 433, 448, 544 ter, 636, 680, 681, 682, 707, 709, 730, 773.2, 779.1, 785.3, 791.2 de la LECrim e introduce los arts. 109 bis, el 301 bis, y 544 quinquies.

Ley Orgánica 13/2015, de 5 de octubre, de modificación de la Ley de Enjuiciamiento Criminal para el *fortalecimiento de las garantías procesales y la regulación de las medidas de investigación tecnológica* (BOE 6 de octubre de 2015).

- Transpone la Directiva 2013/48/UE del Parlamento Europeo y del Consejo, de 22 de octubre de 2013, sobre el derecho a la asistencia de letrado en los procesos penales y en los procedimientos relativos a la orden de detención europea, y sobre el derecho a que se informe a un tercero en el momento de la privación de libertad y a comunicarse con terceros y con autoridades consulares durante la privación de libertad.
- Se modifican los arts. 118, 282,509, 520, 527 579 y 967.1,de la LECrim.
- Se introduce el nuevo art. 520 ter sobre el derecho de asistencia al detenido en espacios marítimos.
- Adapta la legislación a las formas de delincuencia ligadas al uso de las nuevas tecnologías (modificación del art. 579 LECrim y nuevo art. 579 bis; nuevas medidas de investigación tecnológica: Capítulos V a VII del Título VIII del Libro II de la LECrim).
- Se modifican los arts. 57.1, 65, 73.3, 82.1, 87.1, 87 ter. 1 y 89 bis. 2 y 3 de la LOPJ.

Ley 41/2015, de 5 de octubre, de modificación de la Ley de Enjuiciamiento Criminal para la *agilización de la justicia penal y el fortalecimiento de las garantías procesales* (BOE 6 de octubre de 2015).

- Se modifican el art. 14 aptdo. 3 y los arts. 17, 284, 295 párrafo 1º, 324, 790 párrafo 3º aptdo. 2º,792, 848, 889. 954; 964 aptdo 1 y 985.
- Se suprime el arts. 300.
- Se introduce en el Libro IV un nuevo Título III bis (arts. 803 bis - 803 bis j) y nuevo Título (803 ter a - 803 ter u).
- Se introduce el art. 846 ter. Se adiciona el párrafo 2ª al art. 889; nuevo párrafo al art. 985. Se incorpora una nueva disposición adicional y disposición adicional sexta.

Ley Orgánica 13/2015, de 5 de octubre, de modificación de la ley de enjuiciamiento criminal para el fortalecimiento de las garantías procesales y la regulación de las medidas de investigación tecnológica

Entrada en vigor

Entró en vigor a los *dos meses* de su publicación en el BOE, con excepción de las modificaciones introducidas en los artículos 118, 509, 520, 520 ter y 527de la LECrim por los apartados uno, tres, cuatro, cinco y seis del artículo único, que lo hicieron el 1 de noviembre de 2015 (DF 4.ª).

Objeto

El fortalecimiento de los derechos procesales de conformidad con las exigencias del Derecho de la Unión Europea y la regulación de las medidas de investigación tecnológica en el ámbito de los derechos a la intimidad, al secreto de las comunicaciones y a la protección de datos personales garantizados por la Constitución.

Régimen transitorio

Se aplicará también a las diligencias policiales y fiscales, resoluciones y actuaciones judiciales que se acuerden tras su entrada en vigor en procedimientos penales en tramitación (Disposición transitoria única).

Principales novedades

- Toda medida de intervención deberá responder al *principio de especialidad*.

  La actuación de que se trate deberá tener por objeto el esclarecimiento de un hecho punible concreto, prohibiéndose las medidas de investigación tecnológica de naturaleza prospectiva.

- Las *medidas de investigación tecnológica deben satisfacer los principios de idoneidad, excepcionalidad, necesidad y proporcionalidad,* cuya concurrencia debe encontrarse suficientemente justificada en la resolución judicial habilitadora.

- Se autoriza la *intervención y registro de las comunicaciones de cualquier clase que se realicen a través del teléfono o de cual quier otro medio o sistema de comunicación telemática, lógica o virtual.*

  Será la autoridad judicial, ponderando la gravedad del hecho que está siendo objeto de investigación, el que determine el alcance de la injerencia en las comunicaciones particulares; por lo que la resolución habilitante deberá precisar el ámbito objetivo y subjetivo de la medida.

- La *solicitud policial* de intervención deberá estar suficientemente *motivada.*

- Se fija un *plazo de tres meses como duración máxima inicial de la intervención.*

  Dicho plazo será susceptible de ampliación y prórroga, previa petición razonada por períodos sucesivos de igual duración, hasta un máximo temporal de dieciocho meses, siempre que subsistan las causas que motivaron aquella.

- Para asegurar la autenticidad e integridad de los soportes puestos a disposición del Juez, se impone *la utilización de un sistema de sellado o firma electrónica que garantice la información volcada desde el sistema central.*

- *No caben autorizaciones de captación y grabación de conversaciones orales de carácter general o indiscriminadas.*

  Esta medida solo podrá acordarse para encuentros concretos que vaya a mantener el investigado, debiéndose identificar con precisión el lugar o dependencias sometidos a vigilancia.

- Se regula la utilización de *dispositivos técnicos de seguimiento y localización y la grabación de la imagen en espacio público sin necesidad de autorización judicial,* en la medida en que no se produce afectación a ninguno de los derechos fundamentales del artículo 18 CE.

- Se regula el registro de *dispositivos informáticos de almacenamiento masivo y el registro remoto de equipos informáticos.*

- Se prevé la posibilidad de que *los agentes encubiertos puedan obtener imágenes y grabar conversaciones,* siempre que recaben específicamente una autorización judicial para ello; y se regula la figura del *agente encubierto informático,* que requiere autorización judicial para actuar en canales cerrados de comunicación (puesto que en los canales abiertos, por su propia naturaleza, no es necesaria) y que a su vez, requerirá una autorización especial (sea en la misma resolución judicial, con motivación separada y suficiente, sea en otra distinta) para intercambiar o enviar archivos ilícitos por razón de su contenido en el curso de una investigación.

- *Sustitución de términos.*

  En los arts. 120, 309 bis, 760, 771, 775, 779, 797, 798 y 967, el termino "imputado/s" se sustituye por **"investigado/s"**.

  En los arts. 325, 502, 503, 504, 505, 506, 507, 508, 511, 529, 530, 539, 544 ter, 764, 765, 766 y 773, el sustantivo "imputado/s" se sustituye por **"investigado/s o encausado/s"**.

  En el art. 141 la expresión "imputados o procesados" se sustituye por **"investigados o encausados"** En los arts. 762, 780 y 784, el termino "imputado/s" se sustituye por **"encausado/s"**.

  En los arts. 503 y 797 el adjetivo "imputada" se sustituye por **"investigada"**.

La Ley 41/2015 de modificación de la ley de enjuiciamiento criminal para la agilización de la justicia penal y el fortalecimiento de las garantías procesales

Entrada en vigor

Entró en vigor a los *dos meses* de su publicación en el BOE (DF 4.ª).

Objeto

Pretende evitar dilaciones innecesarias en el proceso, sin merma de los derechos de las partes.

Régimen transitorio

El art. 954 se aplicará también a las sentencias que adquieran firmeza tras su entrada en vigor.

El apartado 3 del art. 954 se aplicará a las sentencias del Tribunal Europeo de Derechos Humanos que adquieran firmeza tras su entrada en vigor.

El art. 324 se aplicará a los procedimientos que se hallen en tramitación a la entrada en vigor de esta ley. A tales efectos, se considerará el día de entrada en vigor como día inicial para el cómputo de los plazos máximos de instrucción que se fijan en la presente ley (Disposición Transitoria Única).

Principales novedades

- Se establece un **limite para la instrucción penal.**

  6 meses desde la fecha del auto de incoación del sumario o de las diligencias previas → causas sencillas.

  18 meses → causas complejas (art. 324.2 LECrim).

  No son plazos preclusivos.

Cabe la posibilidad de *prorrogarlo hasta los 36 meses.*

La ampliación del plazo puede solicitada por el fiscal y, en casos excepcionales, por otras partes personadas, pero no por el juez de instrucción.

- Los atestados policiales que **carezcan de autor conocido** no deben ser puestos inmediatamente en conocimiento de la autoridad judicial o al representante del Ministerio Fiscal (arts. 284.1 y 295.1 LECrim).

  Excepciones:

  - Delitos contra la vida, contra la integridad física, contra la libertad e indemnidad sexuales o los delitos relacionados con la corrupción.

  - Que se practique cualquier diligencia después de haber transcurrido setenta y dos horas desde la apertura del atestado y haya tenido algún resultado.

  - Que el Ministerio fiscal o la autoridad judicial soliciten la remisión.

  La Policía judicial comunicará al denunciante que, si no fuese identificado el autor en el plazo de 72 horas, las actuaciones no se remitirán a la autoridad judicial, sin perjuicio del derecho a reiterar la denuncia ante la fiscalía o el Juzgado de Instrucción.

- **La conexión delictiva** (Se modifica el art. 17 de la LECrim y se deroga el art. 300).

  Regla general → cada delito dará lugar a la formación de una única causa.

  Los delitos conexos solamente serán investigados y enjuiciados en una misma causa si resulta conveniente para el esclarecimiento de los hechos y la determinación de responsabilidades, salvo que suponga excesiva complejidad o dilación del proceso.

  Se consideran *delitos conexos:*

  1° Los cometidos por dos o más personas reunidas.

  2° Los cometidos por dos o más personas en distintos lugares o tiempos si hubiera precedido concierto para ello.

  3.° Los cometidos como medio para perpetrar otros o facilitar su ejecución.

  4° Los cometidos para procurar la impunidad de otros delitos.

  5° Los delitos de favorecimiento real y personal y el blanqueo de capitales respecto al delito antecedente

  6° Los cometidos por diversas personas cuando se ocasionen lesiones o daños recíprocos.

Delitos no conexos cometidos por la misma persona y que tengan analogía o relación entre si + competencia del mismo órgano judicial → podrán ser enjuiciados en la misma causa (a instancia del Mº Fiscal) si resulta conveniente para el esclarecimiento de los hechos y la determinación de las responsabilidades, salvo que suponga excesiva complejidad o dilación para el proceso.

- **El proceso por aceptación de decreto** (arts. 803 bis a) a bis j LECrim).

Se trata de un procedimiento monitorio penal que permite la conversión de la propuesta sancionadora realizada por el Ministerio Fiscal en sentencia firme cuando se cumplen los requisitos objetivos y subjetivos previstos y el encausado da su conformidad, con preceptiva asistencia letrada.

Se podrá incoar en cualquier momento después de iniciadas diligencias de investigación por la Fiscalía o de incoado un procedimiento judicial y hasta la finalización de la fase de instrucción, aunque no haya sido llamado a declarar el investigado.

Principios del proceso penal

1. **Principio de necesidad.**

   Nadie puede ser condenado sin ser oído y vencido en juicio.

2. **Principio de igualdad de las partes.**

   Todas las partes del proceso tienen los mismos derecho, posibilidades y cargas (arts. 1.1 y 14 CE).

3. **Principio dispositivo y de aportación de parte.** (arts. 19 a 22 LEC).

   La actividad jurisdiccional solo puede iniciarse ante petición de partes (demanda, no incoación de oficio) También las partes son las únicas que pueden ponerle fin (desistimiento, allanamiento o renuncia).

   Son las partes las que han de aportar los hechos al proceso.

4. **Principio Iuria Novit Curia.**

   El órgano judicial tiene el deber de conocer la norma (art. 218.1. II LEC).

Presupuestos del proceso penal

1. **Subjetivos:**
   a) Del Órgano Judicial:
      - Jurisdicción (art. 117 CE y art. 2 LOPJ).
      - Competencia (objetiva, funcional y territorial: Sumisión).
   b) De las partes: Han de existir y estar determinadas (arts. 6 a 18 LEC):
      - Capacidad para ser parte → Aptitud para ser titular de derechos, cargas y obligaciones.
      - Capacidad procesal → Aptitud para realizar válidamente actos procesales, para comparecer en juicio (aquellos que estén en pleno ejercicio de sus derechos civiles).
      - Legitimación → Es el tema de fondo que debe resolverse en la sentencia.
      - Postulación → Abogado (salvo art. 31.2 LEC) y Procurador (art. 23.1 LEC).

2. **Objetivos:**
   a) Que no exista **litispendencia** ante otro Tribunal → Proceso pendiente sobre misma cuestión litigiosa.
   b) Que no exista **cosa juzgada** → Firmeza + Invariabilidad.
   c) Que no exista sometimiento a **arbitraje**.

3. **Procedimentales:**
   Que el procedimiento este legalmente establecido.

1. Los actos de comunicación judicial

Los actos de comunicación son aquellos que lleva a cabo el órgano judicial con las partes procesales, peritos, testigos o terceras personas, para que realicen alguna actuación procesal o darles conocimiento de una resolución o actuación.

Los actos de comunicación se realizarán bajo la dirección del Letrado de la Administración de Justicia (art. 166 LECrim) *Las notificaciones, citaciones y emplazamientos se practicarán en la forma prevista en el capítulo V del título V del libro I de la Ley de EnjuiciamientoCivil* (arts. 149 a 168), por lo que podríamos afirmar que la regulación prevista en la LECrim se encuentra prácticamente derogada.

La reforma de la LECrim introduce una nueva exigencia en el momento de efectuar las citaciones al denunciante, querellante, ofendido, perjudicado o denunciado, así como a los testigos y peritos (art. 966 LECrim), consistente en solicitarles en su primera comparecencia ante la Policía Judicial o el Juez de Instrucción, que designen una dirección de correo electrónico y un número de teléfono a los que serán remitidas las comunicaciones y notificaciones que deban realizarse → se debe dejar constancia fehaciente en el procedimiento, a los efectos de acreditar la ejecución de la diligencia de comunicación.

CLASES → Notificaciones, Citaciones, Emplazamientos, Mandamientos, Oficios y Exposiciones.

Las **notificaciones, citaciones y emplazamientos** están regulados en el Título VII del Libro I de la LECrim (arts. 166 a182), no los define por lo que en cuanto a su concepto hay que acudir a la LEC.

Por lo que se refiere a los **requerimientos** la LECrim no los contempla de forma general aunque a lo largo de su articulado hay referencias concreta a los mismos (ejem: tramitación de las cuestiones de competencia y la diligencia de la entrada y registro).

Los **mandamientos** (art. 186 LECrim) se habrán de utilizar para ordenar el libramiento de certificación o testimonio y la práctica de cualquier diligencia judicial, cuya ejecución corresponda a Registradores de la Propiedad, Notarios, auxiliares o subalternos de Juzgados o Tribunales y funcionarios de policía judicial que estén a las órdenes de los mismos, se empleará la forma de mandamiento.

Los *oficios y las exposiciones* (art. 187 LECrim) cuando los Jueces o Tribunales tengan que dirigirse a Autoridades o funcionarios de otro orden, usarán la forma de oficios o exposiciones, según el caso requiera.

Los oficios (art. 195 LECrim) se utilizan con las Autoridades, funcionarios, agentes y Jefes de fuerza armada, que no estuvieren a las órdenes inmediatas de los Jueces y Tribunales, se comunicarán éstos por medio de atentos oficios, a no ser que la urgencia del caso exija verificarlo verbalmente, haciéndolo constar en la causa.

Las exposiciones, según el art. 196 LECrim que "*los Jueces y Tribunales se dirigirán en forma de exposición, por conducto del Ministerio de Gracia y Justicia, a los Cuerpos Colegisladores y a los Ministros de la Corona, tanto para que auxilien a la Administración de Justicia en sus propias funciones como para que obliguen a las Autoridades, sus subordinadas, a que suministren los datos o presten los servicios que se les hubieren pedido*".

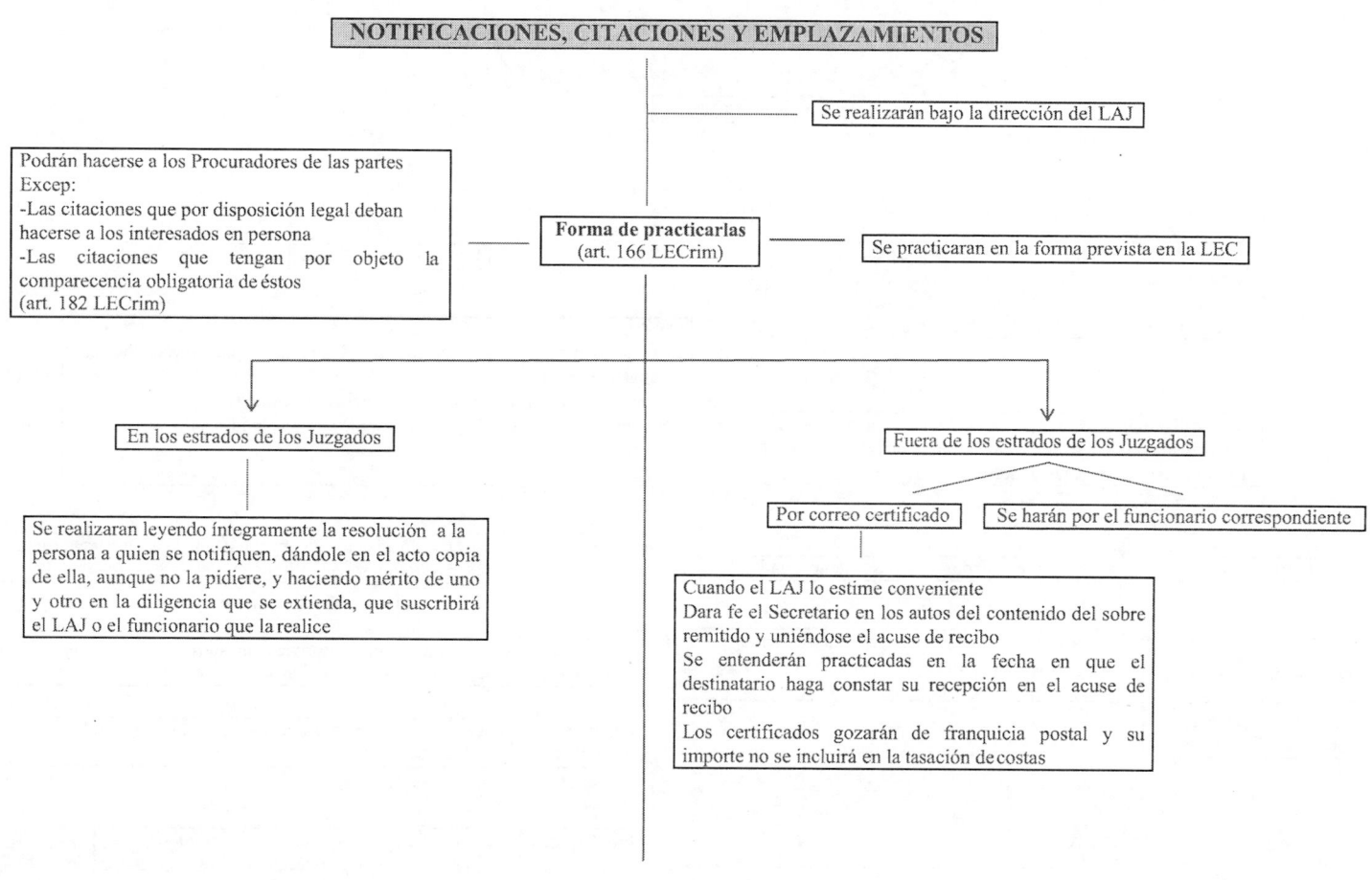

NOTIFICACIONES, CITACIONES Y EMPLAZAMIENTOS

Se realizarán bajo la dirección del LAJ

Podrán hacerse a los Procuradores de las partes
Excep:
-Las citaciones que por disposición legal deban hacerse a los interesados en persona
-Las citaciones que tengan por objeto la comparecencia obligatoria de éstos
(art. 182 LECrim)

Forma de practicarlas
(art. 166 LECrim)

Se practicaran en la forma prevista en la LEC

En los estrados de los Juzgados

Fuera de los estrados de los Juzgados

Por correo certificado

Se harán por el funcionario correspondiente

Se realizaran leyendo íntegramente la resolución a la persona a quien se notifiquen, dándole en el acto copia de ella, aunque no la pidiere, y haciendo mérito de uno y otro en la diligencia que se extienda, que suscribirá el LAJ o el funcionario que la realice

Cuando el LAJ lo estime conveniente
Dara fe el Secretario en los autos del contenido del sobre remitido y uniéndose el acuse de recibo
Se entenderán practicadas en la fecha en que el destinatario haga constar su recepción en el acuse de recibo
Los certificados gozarán de franquicia postal y su importe no se incluirá en la tasación de costas

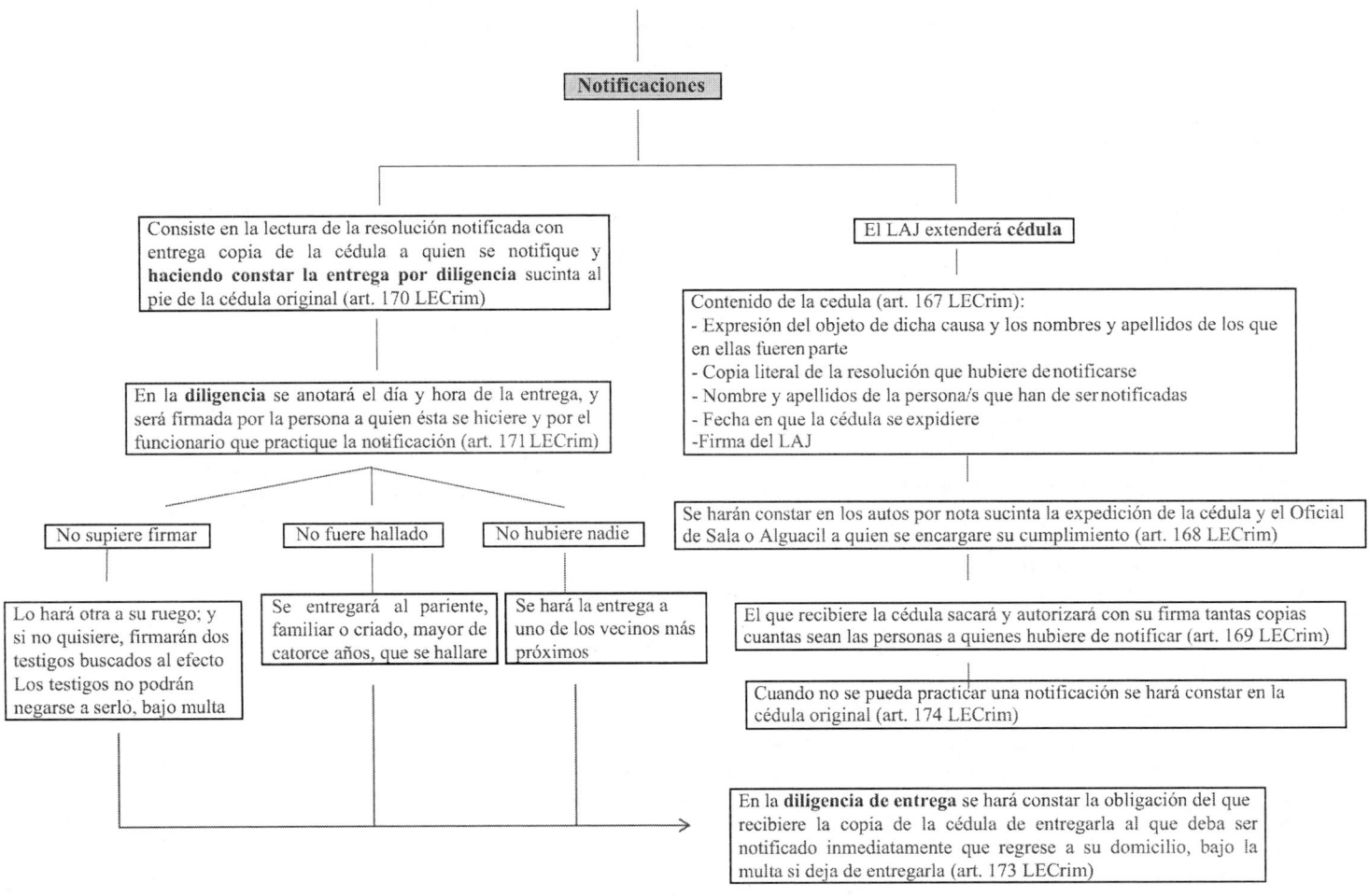

Notificaciones

Consiste en la lectura de la resolución notificada con entrega copia de la cédula a quien se notifique y **haciendo constar la entrega por diligencia** sucinta al pie de la cédula original (art. 170 LECrim)

En la **diligencia** se anotará el día y hora de la entrega, y será firmada por la persona a quien ésta se hiciere y por el funcionario que practique la notificación (art. 171 LECrim)

No supiere firmar

Lo hará otra a su ruego; y si no quisiere, firmarán dos testigos buscados al efecto Los testigos no podrán negarse a serlo, bajo multa

No fuere hallado

Se entregará al pariente, familiar o criado, mayor de catorce años, que se hallare

No hubiere nadie

Se hará la entrega a uno de los vecinos más próximos

El LAJ extenderá **cédula**

Contenido de la cedula (art. 167 LECrim):
- Expresión del objeto de dicha causa y los nombres y apellidos de los que en ellas fueren parte
- Copia literal de la resolución que hubiere de notificarse
- Nombre y apellidos de la persona/s que han de ser notificadas
- Fecha en que la cédula se expidiere
-Firma del LAJ

Se harán constar en los autos por nota sucinta la expedición de la cédula y el Oficial de Sala o Alguacil a quien se encargare su cumplimiento (art. 168 LECrim)

El que recibiere la cédula sacará y autorizará con su firma tantas copias cuantas sean las personas a quienes hubiere de notificar (art. 169 LECrim)

Cuando no se pueda practicar una notificación se hará constar en la cédula original (art. 174 LECrim)

En la **diligencia de entrega** se hará constar la obligación del que recibiere la copia de la cédula de entregarla al que deba ser notificado inmediatamente que regrese a su domicilio, bajo la multa si deja de entregarla (art. 173 LECrim)

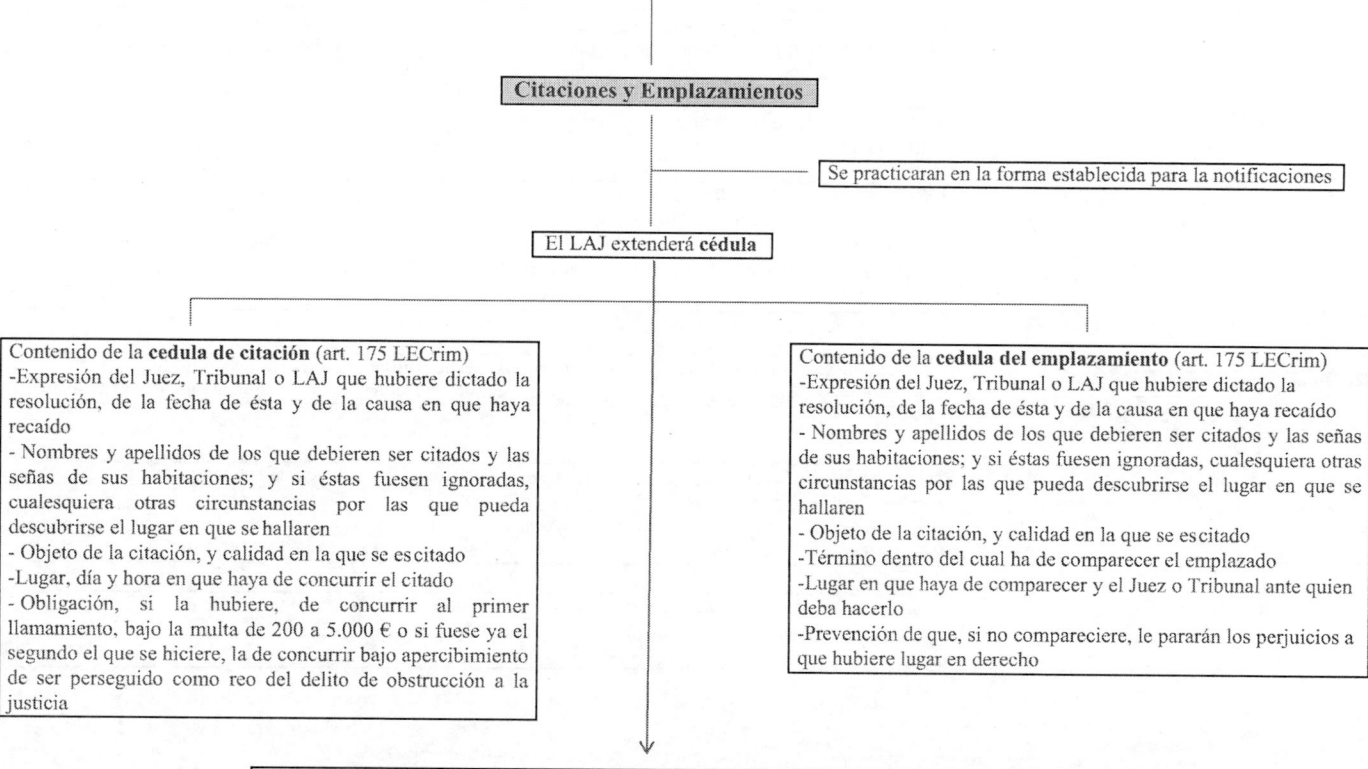

Citaciones y Emplazamientos

Se practicaran en la forma establecida para la notificaciones

El LAJ extenderá **cédula**

Contenido de la **cedula de citación** (art. 175 LECrim)
-Expresión del Juez, Tribunal o LAJ que hubiere dictado la resolución, de la fecha de ésta y de la causa en que haya recaído
- Nombres y apellidos de los que debieren ser citados y las señas de sus habitaciones; y si éstas fuesen ignoradas, cualesquiera otras circunstancias por las que pueda descubrirse el lugar en que se hallaren
- Objeto de la citación, y calidad en la que se es citado
-Lugar, día y hora en que haya de concurrir el citado
- Obligación, si la hubiere, de concurrir al primer llamamiento, bajo la multa de 200 a 5.000 € o si fuese ya el segundo el que se hiciere, la de concurrir bajo apercibimiento de ser perseguido como reo del delito de obstrucción a la justicia

Contenido de la **cedula del emplazamiento** (art. 175 LECrim)
-Expresión del Juez, Tribunal o LAJ que hubiere dictado la resolución, de la fecha de ésta y de la causa en que haya recaído
- Nombres y apellidos de los que debieren ser citados y las señas de sus habitaciones; y si éstas fuesen ignoradas, cualesquiera otras circunstancias por las que pueda descubrirse el lugar en que se hallaren
- Objeto de la citación, y calidad en la que se es citado
-Término dentro del cual ha de comparecer el emplazado
-Lugar en que haya de comparecer y el Juez o Tribunal ante quien deba hacerlo
-Prevención de que, si no compareciere, le pararán los perjuicios a que hubiere lugar en derecho

Cuando el citado no comparezca en el lugar, día y hora que se le hubiesen señalado, el que haya practicado la citación volverá a constituirse en el domicilio de quien hubiese recibido la copia de la cédula, haciendo constar por diligencia en la original, la causa de no haberse efectuado la comparecencia
Si esta causa no fuere legítima, se procederá inmediatamente por el Juez o Tribunal que hubiere acordado la citación, a llevar a efecto la prevención que corresponda
(art. 176 LECrim)

Disposiciones comunes

Cuando se hubieren de practicarse en territorio de otra Autoridad judicial española→ Se expedirá suplicatorio, exhorto o mandamiento, según corresponda, insertando en ellos los requisitos que deba contener la cédula
Si hubiere de practicarse en el extranjero → Se observarán los trámites prescritos en los tratados, si los hubiese, y, en su defecto, se estará al principio de reciprocidad
(art. 177 LECrim)

Si el que haya de ser notificado, citado o emplazado no tuviere domicilio conocido→ el Juez ordenará lo conveniente para la averiguación del mismo
El LAJ se dirigirá a la Policía Judicial, Registros oficiales, colegios profesionales, entidad o empresas en el que el interesado ejerza su actividad interesando dicha averiguación
(art. 178 LECrim)

Practicada la notificación, citación o emplazamiento o hecho constar el motivo que lo hubiese impedido, se unirá a los autos la cédula original o el suplicatorio, exhorto o mandamiento expedidos (art. 179 LECrim)

Serán nulas las notificaciones, citaciones y emplazamientos que no se practicaren legalmente
Excep→ Cuando la persona notificada, citada o emplazada se hubiere dado por enterada en el juicio, surtirá desde entonces la diligencia todos sus efectos, como si se hubiese hecho con arreglo a ley, aunque no quedará relevado el auxiliar o subalterno de la corrección disciplinaria correspondiente (art. 180 LECrim)

El auxiliar o subalterno que incurriere en morosidad en el desempeño sus funciones o faltare a alguna de las formalidades establecidas, será corregido disciplinariamente por el Juez o Tribunal de quien dependa, con multa (art. 181 LECrim)

SUPLICATORIOS, EXHORTOS Y MANDAMIENTOS

Los Jueces y Tribunales se auxiliarán mutuamente para la práctica de todas las diligencias que fueren necesarias en la sustanciación de las causas criminales (art. 183 LECrim)

El Juez o Tribunal que haya ordenado la práctica de una diligencia judicial no podrá dirigirse a Jueces o Tribunales de categoría o grado inferior que no le estuvieren subordinados, debiendo entenderse directamente con el superior de éstos que ejerza la jurisdicción en el mismo grado que él, salvo que la Ley disponga otra cosa (art. 185 LECrim)

Cuando una diligencia judicial hubiere de ser ejecutada por un Juez o Tribunal distinto del que la haya ordenado, éste encomendará su cumplimiento por medio de suplicatorio, exhorto o mandamiento (art. 184 LECrim)

Suplicatorio→ cuando se dirija a un Juez o Tribunal superior en grado

Mandamiento:
-Cuando se dirija a un subordinado suyo
-Cuando ordene el libramiento de certificación o testimonio y la práctica de cualquier diligencia judicial, cuya ejecución corresponda a Registradores de la Propiedad, Notarios, auxiliares o subalternos de Juzgados o Tribunales y funcionarios de policía judicial que estén a las órdenes de los mismos (art. 186 LECrim)

Exhorto→ cuando se dirija a un Juez o Tribunal de igual grado
Los exhortos a Tribunales extranjeros se dirigirán por la vía diplomática, en la forma establecida en los tratados, y a falta de éstos, en la que determinen las disposiciones generales del Gobierno + principio de reciprocidad (art. 193 LECrim)
Lo mismo para dar cumplimiento en España a los exhortos de Tribunales extranjeros, por los que se requiera la práctica de alguna diligencia judicial (art. 194 LECrim)

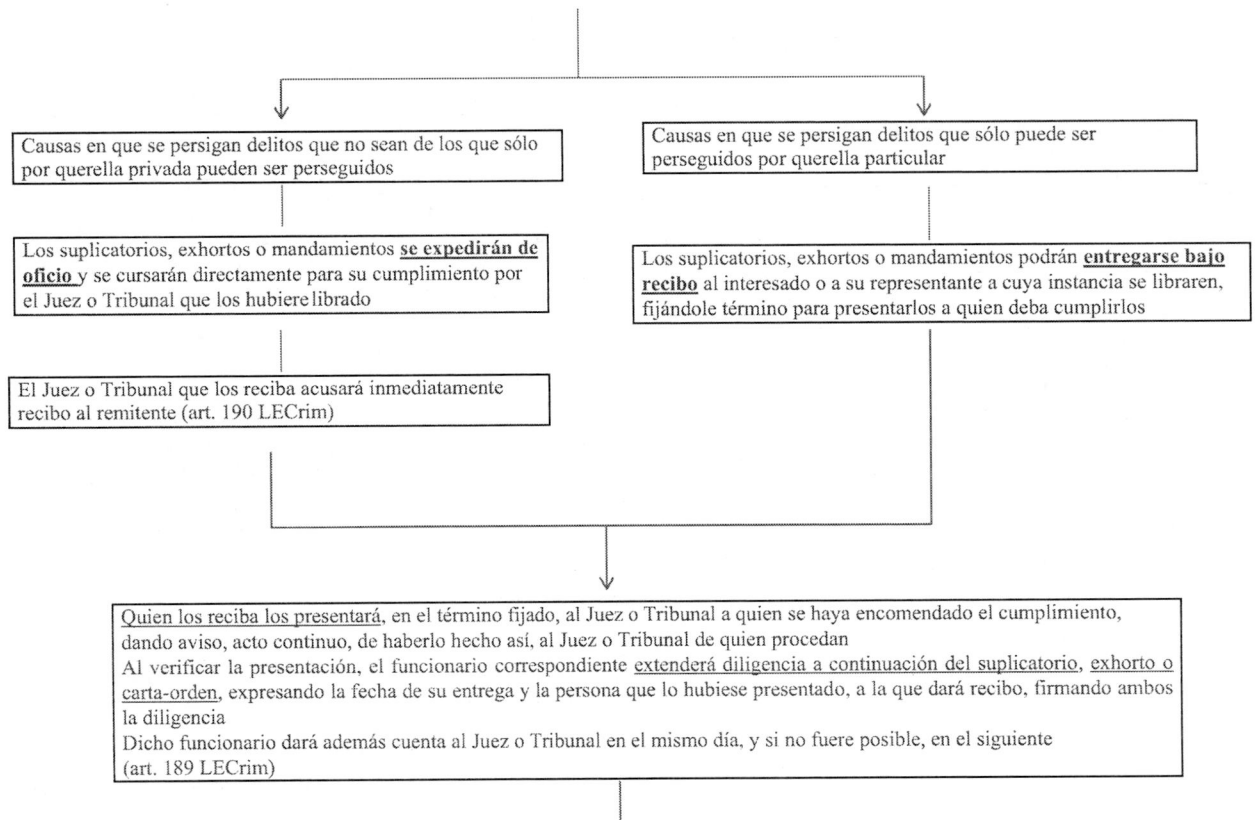

Causas en que se persigan delitos que no sean de los que sólo por querella privada pueden ser perseguidos

Causas en que se persigan delitos que sólo puede ser perseguidos por querella particular

Los suplicatorios, exhortos o mandamientos **se expedirán de oficio** y se cursarán directamente para su cumplimiento por el Juez o Tribunal que los hubiere librado

Los suplicatorios, exhortos o mandamientos podrán **entregarse bajo recibo** al interesado o a su representante a cuya instancia se libraren, fijándole término para presentarlos a quien deba cumplirlos

El Juez o Tribunal que los reciba acusará inmediatamente recibo al remitente (art. 190 LECrim)

Quien los reciba los presentará, en el término fijado, al Juez o Tribunal a quien se haya encomendado el cumplimiento, dando aviso, acto continuo, de haberlo hecho así, al Juez o Tribunal de quien procedan
Al verificar la presentación, el funcionario correspondiente extenderá diligencia a continuación del suplicatorio, exhorto o carta-orden, expresando la fecha de su entrega y la persona que lo hubiese presentado, a la que dará recibo, firmando ambos la diligencia
Dicho funcionario dará además cuenta al Juez o Tribunal en el mismo día, y si no fuere posible, en el siguiente
(art. 189 LECrim)

El Juez o Tribunal que reciba, o a quien sea presentado un suplicatorio, exhorto o carta-orden, acordará su cumplimiento, sin perjuicio de reclamar la competencia que estimare corresponderle, disponiendo lo conducente para que se practiquen las diligencias dentro del plazo, si se hubiere fijado en el exhorto, o lo más pronto posible en otro caso
Una vez cumplimentado, lo devolverá sin demora en la misma forma en que lo hubiese recibido o en que se le hubiese presentado (art. 191 LECrim)

Cuando se demorare el cumplimiento de un suplicatorio más tiempo del absolutamente necesario→ el Juez o Tribunal que lo hubiese expedido remitirá de oficio o a instancia de parte, un recuerdo al Juez o Tribunal suplicado
Cuando se demorare el cumplimiento de un exhorto → se dirigirá suplicatorio al superior inmediato del exhortado, dándole conocimiento de la demora
Del mismo apremio se valdrá el que haya expedido una carta-orden, para obligar a su inferior moroso a que la devuelva cumplimentada
(art. 192 LECrim)

2. Plazos de instrucción

Uno de los objetivos perseguidos por la reforma de la LECrim, en el año 2015, es la agilización del procedimiento penal.

La Ley 41/2015 modificó la redacción del art. 324 de la LECrim estableciendo un nuevo sistema de plazos preclusivos para la finalización de la fase de instrucción, tanto en el procedimiento común como en el abreviado (Circular 5/15 de 13 de noviembre de 2015, de la Fiscalía General del Estado, sobre los plazos máximos de la fase de instrucción).

La finalidad de la reforma, según su Exposición de Motivos, ha sido la de "*establecer disposiciones eficaces de agilización de la justicia penal con el fin de evitar dilaciones indebidas*".

Como señala la Circular 5/2015 de la FGE°, se diseña un modelo de control de la duración de la instrucción que refuerza el protagonismo del Ministerio Fiscal en esta fase procesal, exigiendo del mismo un papel proactivo tanto en la supervisión de la actividad instructora como en su impulso.

Serán válidas las diligencias de investigación acordadas antes del transcurso de los plazos legales sin perjuicio de que su recepción sea posterior a la expiración de los mismos.

El apartado quinto del art. 324 impide al M° Fiscal y a las partes hacer uso de la facultad de pedir diligencias complementarias (arts. 627 y 780 LECrim) una vez agotado el plazo ordinario o cualquiera de sus prórrogas sin haber hecho uso de la facultad de solicitar la fijación de un nuevo plazo máximo.

En ningún caso el mero transcurso de los plazos máximos fijados dará lugar a las archivo de las actuaciones si no concurren las circunstancias previstas en los arts. 637 y 641 LECrim.

En el apartado 3 de la Disposición Transitoria única se establece que "*El artículo 324 se aplicará a los procedimientos que se hallen en tramitación a la entrada en vigor de esta ley. A tales efectos, se considerará el día de entrada en vigor como día inicial para el cómputo de los plazos máximos de instrucción que se fijan en la presente Ley*".

Por lo tanto, respecto de las causas incoadas con posterioridad a la entrada en vigor del art. 324, el *dies a quo* se computa a partir de la fecha del dictado del Auto de incoación de Diligencias Previas o del Sumario, mientras que respecto a las causas abiertas con anterioridad al mes de diciembre de 2015 el *dies a quo* será la fecha de entrada en vigor de la ley, es decir, el día 6 de diciembre de 2015.

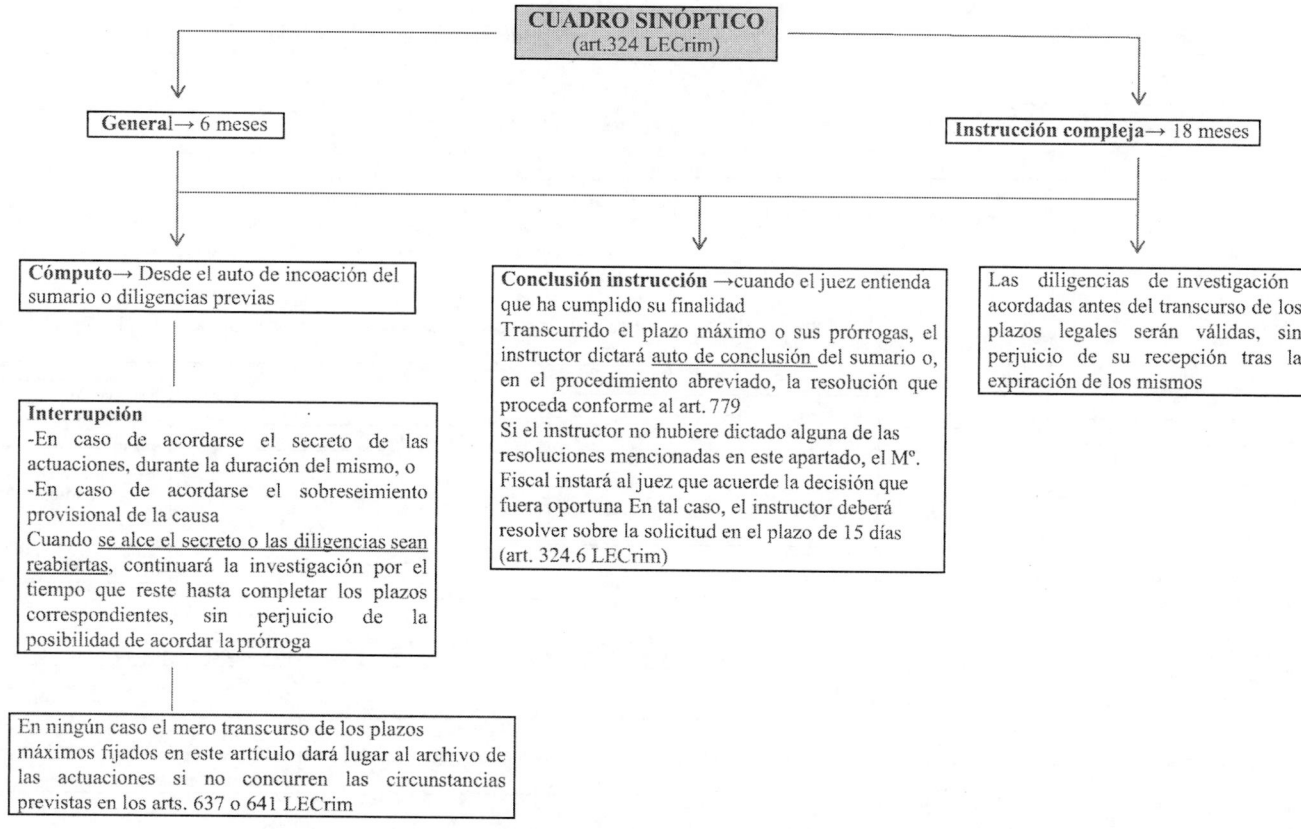

CUADRO SINÓPTICO
(art.324 LECrim)

General→ 6 meses

Instrucción compleja→ 18 meses

Cómputo→ Desde el auto de incoación del sumario o diligencias previas

Interrupción
-En caso de acordarse el secreto de las actuaciones, durante la duración del mismo, o
-En caso de acordarse el sobreseimiento provisional de la causa
Cuando se alce el secreto o las diligencias sean reabiertas, continuará la investigación por el tiempo que reste hasta completar los plazos correspondientes, sin perjuicio de la posibilidad de acordar la prórroga

En ningún caso el mero transcurso de los plazos máximos fijados en este artículo dará lugar al archivo de las actuaciones si no concurren las circunstancias previstas en los arts. 637 o 641 LECrim

Conclusión instrucción →cuando el juez entienda que ha cumplido su finalidad
Transcurrido el plazo máximo o sus prórrogas, el instructor dictará auto de conclusión del sumario o, en el procedimiento abreviado, la resolución que proceda conforme al art. 779
Si el instructor no hubiere dictado alguna de las resoluciones mencionadas en este apartado, el Mº. Fiscal instará al juez que acuerde la decisión que fuera oportuna En tal caso, el instructor deberá resolver sobre la solicitud en el plazo de 15 días (art. 324.6 LECrim)

Las diligencias de investigación acordadas antes del transcurso de los plazos legales serán válidas, sin perjuicio de su recepción tras la expiración de los mismos

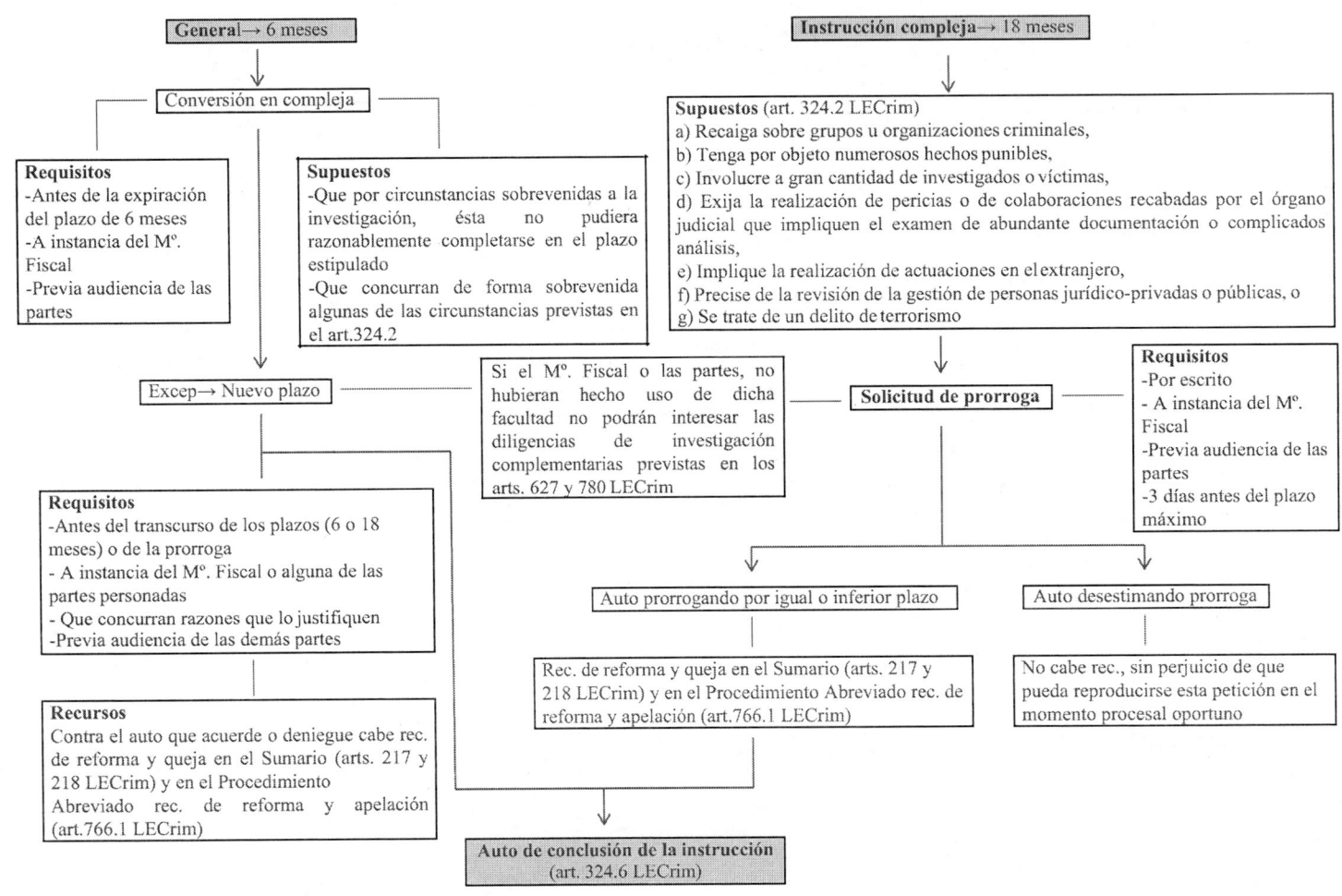

General→ 6 meses

Instrucción compleja→ 18 meses

Conversión en compleja

Requisitos
-Antes de la expiración del plazo de 6 meses
-A instancia del Mº. Fiscal
-Previa audiencia de las partes

Supuestos
-Que por circunstancias sobrevenidas a la investigación, ésta no pudiera razonablemente completarse en el plazo estipulado
-Que concurran de forma sobrevenida algunas de las circunstancias previstas en el art.324.2

Supuestos (art. 324.2 LECrim)
a) Recaiga sobre grupos u organizaciones criminales,
b) Tenga por objeto numerosos hechos punibles,
c) Involucre a gran cantidad de investigados o víctimas,
d) Exija la realización de pericias o de colaboraciones recabadas por el órgano judicial que impliquen el examen de abundante documentación o complicados análisis,
e) Implique la realización de actuaciones en el extranjero,
f) Precise de la revisión de la gestión de personas jurídico-privadas o públicas, o
g) Se trate de un delito de terrorismo

Excep→ Nuevo plazo

Si el Mº. Fiscal o las partes, no hubieran hecho uso de dicha facultad no podrán interesar las diligencias de investigación complementarias previstas en los arts. 627 y 780 LECrim

Solicitud de prorroga

Requisitos
-Por escrito
- A instancia del Mº. Fiscal
-Previa audiencia de las partes
-3 días antes del plazo máximo

Requisitos
-Antes del transcurso de los plazos (6 o 18 meses) o de la prorroga
- A instancia del Mº. Fiscal o alguna de las partes personadas
- Que concurran razones que lo justifiquen
-Previa audiencia de las demás partes

Recursos
Contra el auto que acuerde o deniegue cabe rec. de reforma y queja en el Sumario (arts. 217 y 218 LECrim) y en el Procedimiento Abreviado rec. de reforma y apelación (art.766.1 LECrim)

Auto prorrogando por igual o inferior plazo

Auto desestimando prorroga

Rec. de reforma y queja en el Sumario (arts. 217 y 218 LECrim) y en el Procedimiento Abreviado rec. de reforma y apelación (art.766.1 LECrim)

No cabe rec., sin perjuicio de que pueda reproducirse esta petición en el momento procesal oportuno

Auto de conclusión de la instrucción
(art. 324.6 LECrim)

3. Incidente de nulidad de actuaciones

La nulidad de actuaciones se encuentra recogida en los arts. 238 a 243 de la LOPJ La nulidad de un acto implica la de todos los relacionados o dependientes del mismo Serán nulos de pleno derecho (art. 238 LOPJ):

1º Cuando se produzcan por o ante tribunal con falta de jurisdicción o de competencia objetiva o funcional.

2º Cuando se realicen bajo violencia o intimidación.

3º Cuando se prescinda de normas esenciales del procedimiento, siempre que, por esa causa, haya podido producirse indefensión.

4º Cuando se realicen sin intervención de abogado, en los casos en que la ley la establezca como preceptiva.

5º Cuando se celebren vistas sin la preceptiva intervención del letrado de laAdministración de Justicia.

6º En los demás casos en los que las leyes procesales así lo establezcan.

Intimidación o Violencia (art. 239 LOPJ) → Los Tribunales cuya actuación se hubiere producido con intimidación o violencia, cuando se vean libres de ella, declararán nulo todo lo practicado y promoverán la formación de causa contra los culpables, poniendo los hechos en conocimiento del Ministerio Fiscal.

También se declararán nulos los actos de las partes o de personas que intervengan en el proceso si se acredita que se produjeron bajo intimidación o violencia.

No se admitirán con carácter general incidentes de nulidad de actuaciones (art. 241.1 LOPJ).

La nulidad de pleno derecho, en todo caso, y los defectos de forma en los actos procesales que impliquen ausencia de los requisitos indispensables para alcanzar su fin o determinen efectiva indefensión, se harán valer por medio de los recursos legalmente establecidos contra la resolución de que se trate, o por los demás medios que establezcan las leyes procesales (art. 240.1 LOPJ).

El Juzgado o Tribunal podrá, de oficio o a instancia de parte, antes de que hubiere recaído resolución que ponga fin al proceso, y siempre que no proceda la subsanación, declarar, previa audiencia de las partes, la nulidad de todas las actuaciones o de alguna en particular.

En ningún caso podrá el Juzgado o Tribunal, con ocasión de un recurso, decretar de oficio una nulidad de las actuaciones que no haya sido solicitada en dicho recurso, salvo que apreciare falta de jurisdicción o de competencia objetiva o funcional o se hubiese producido violencia o intimidación que afectare a ese Tribunal (art. 240.2 LOPJ).

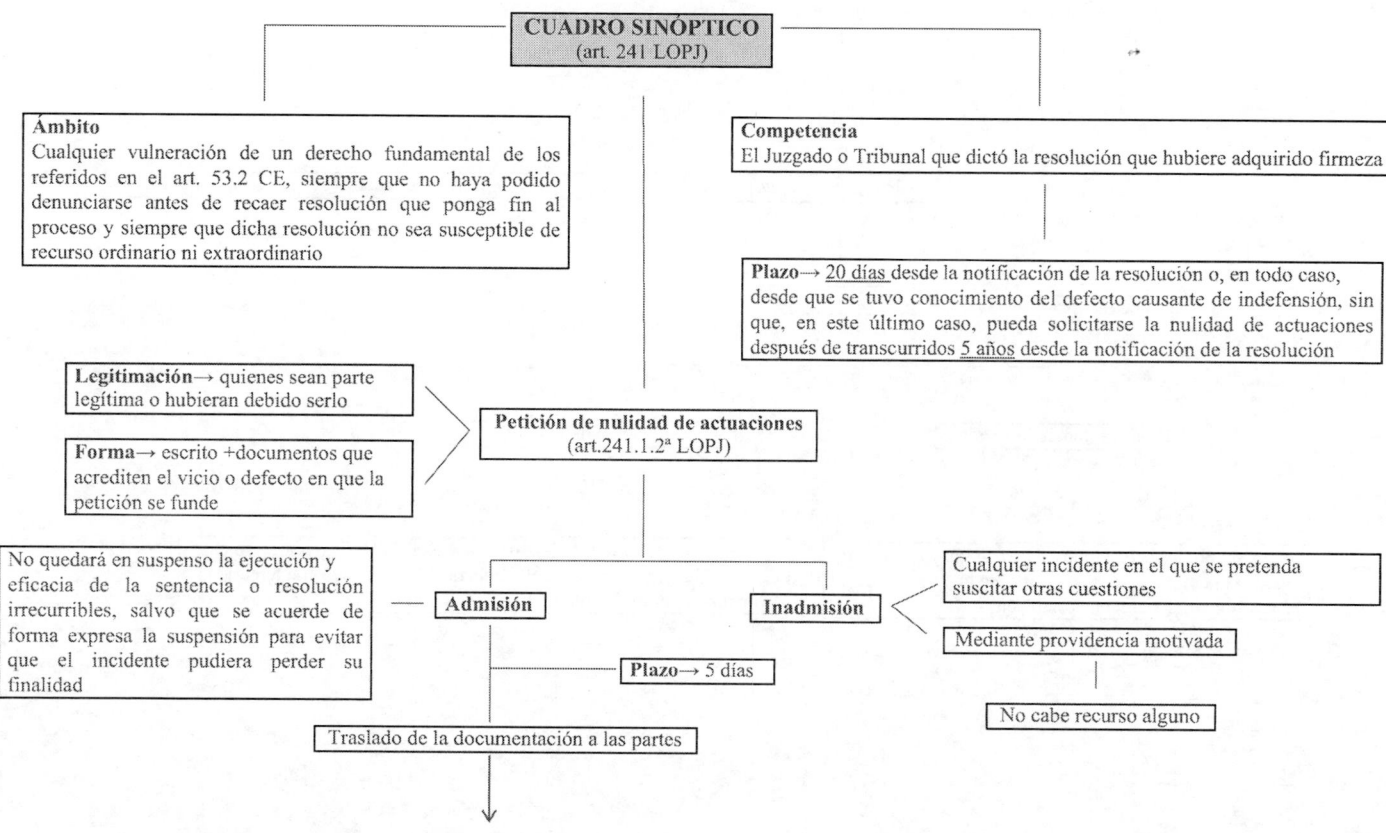

CUADRO SINÓPTICO
(art. 241 LOPJ)

Ámbito
Cualquier vulneración de un derecho fundamental de los referidos en el art. 53.2 CE, siempre que no haya podido denunciarse antes de recaer resolución que ponga fin al proceso y siempre que dicha resolución no sea susceptible de recurso ordinario ni extraordinario

Competencia
El Juzgado o Tribunal que dictó la resolución que hubiere adquirido firmeza

Plazo→ 20 días desde la notificación de la resolución o, en todo caso, desde que se tuvo conocimiento del defecto causante de indefensión, sin que, en este último caso, pueda solicitarse la nulidad de actuaciones después de transcurridos 5 años desde la notificación de la resolución

Legítimación→ quienes sean parte legítima o hubieran debido serlo

Forma→ escrito +documentos que acrediten el vicio o defecto en que la petición se funde

Petición de nulidad de actuaciones
(art.241.1.2ª LOPJ)

No quedará en suspenso la ejecución y eficacia de la sentencia o resolución irrecurribles, salvo que se acuerde de forma expresa la suspensión para evitar que el incidente pudiera perder su finalidad

Admisión

Inadmisión

Cualquier incidente en el que se pretenda suscitar otras cuestiones

Mediante providencia motivada

No cabe recurso alguno

Plazo→ 5 días

Traslado de la documentación a las partes

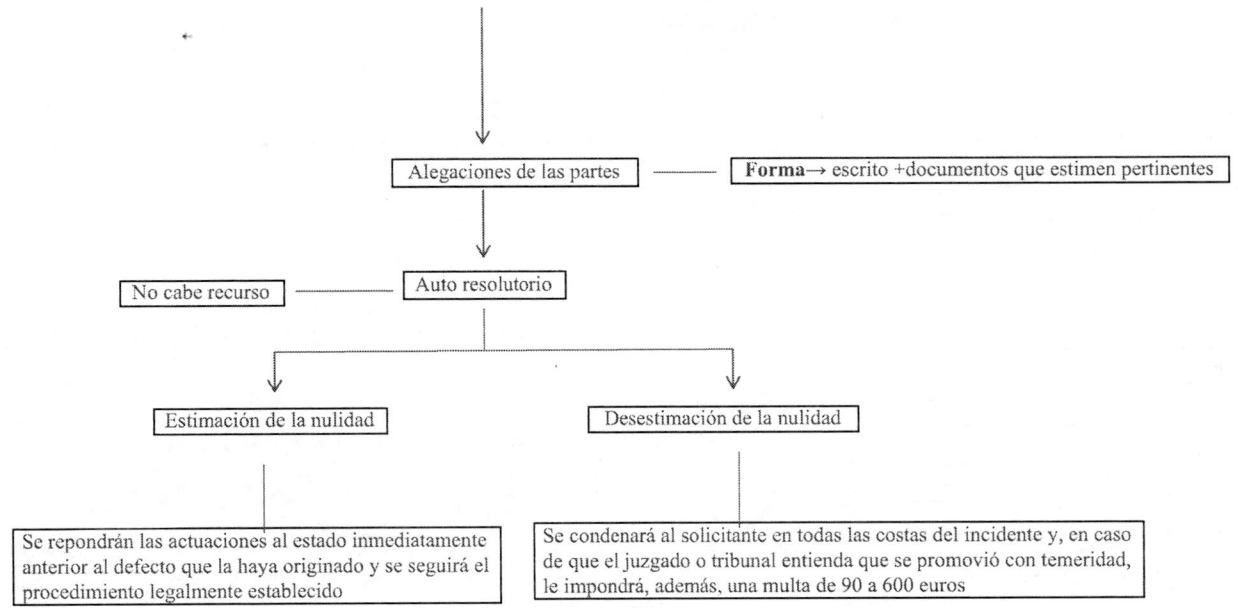

4. Medidas cautelares

Las medidas cautelares en el proceso penal cubren el riesgo que recae sobre la eficacia del proceso y de la sentencia como consecuencia de la dilatación del propio proceso en el tiempo.

Pueden definirse las medidas cautelares como aquellas que están dirigidas a garantizar el cumplimiento efectivo de la sentencia.

CLASES

Las medidas cautelares pueden ser personales o reales, según impliquen restricciones a la libertad personal del investigado/encausado o a su capacidad de disposición patrimonial (incluso a la de terceros).

La LECRIM se refiere a las medidas cautelares personales en el Libro II, en el Título VI "*De la citación, de la detención y de la prisión provisional*" (arts. 486 a 527) y en el Título VII "*De la libertad provisional*" (arts. 528 a 544), configurando ésta última como si de una medida cautelar no se tratase, sino simplemente de una alternativa a la adopción de la prisión provisional.

Las segundas no difieren de las propias del proceso civil, regulando la LECrim expresamente las fianzas y embargos dentro del Título IX del Libro II (arts. 589 y ss), lo que no impide, que puedan adoptarse cualquiera otra de las previstas por la LEC para el proceso civil y que en el proceso penal se den otras medidas cautelares reales o patrimoniales específicas del mismo dirigidas a asegurar la ejecución de ciertos contenidos penales del fallo condenatorio como la multa o el comiso.

REQUISITOS

Son los generales de toda medida cautelar:

1. Apariencia de buen derecho (*fumus boni iuris*), que tiene su fundamento en una presunción provisional suficientemente fundada en términos fácticos y racionales de la participación del imputado en un hecho punible.

2. Peligro de retardo (periculum in mora), entendido tanto como de retardo en la conclusión del procedimiento, como en el peligro de que resulte imposible la conclusión del mismo a través de un pronunciamiento declarativo sobre el fondo, o de que resulte imposible la ejecución del mismo.

CARACTERÍSTICAS

La adopción de las medidas cautelares corresponde exclusivamente al órgano judicial.

Pueden adoptarse tanto de oficio como a instancia de parte y tanto frente al imputado como frente a terceros (responsables civiles), por medio de resolución judicial motivada y a lo largo de todo el procedimiento, incluso durante la fase de plenario.

Son instrumentales, pues cumplen la función de asegurar el resultado del proceso.

Son provisionales: su duración es limitada y puede revocarse en cualquier momento, cuando hayan variado las circunstancias que aconsejaron su adopción.

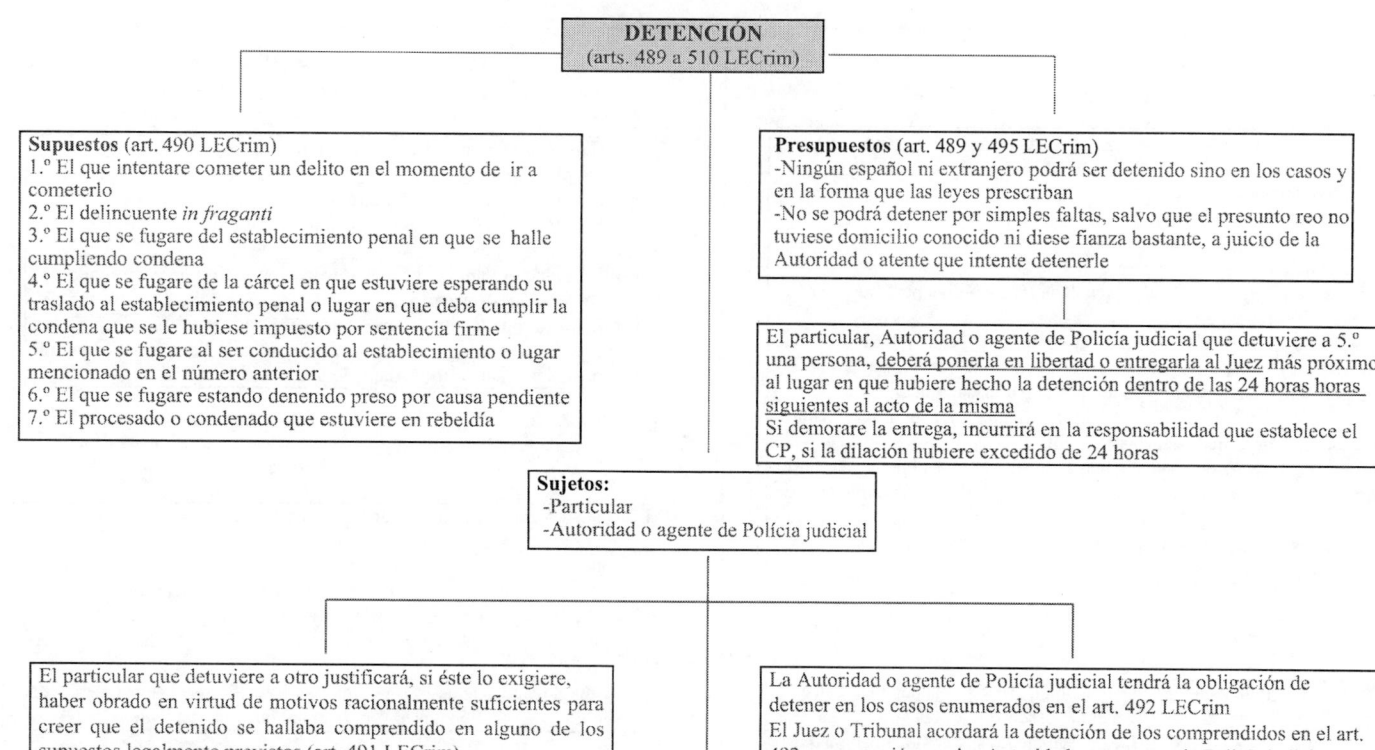

MEDIDAS CAUTELARES PERSONALES

DETENCIÓN
(arts. 489 a 510 LECrim)

Supuestos (art. 490 LECrim)
1.º El que intentare cometer un delito en el momento de ir a cometerlo
2.º El delincuente *in fraganti*
3.º El que se fugare del establecimiento penal en que se halle cumpliendo condena
4.º El que se fugare de la cárcel en que estuviere esperando su traslado al establecimiento penal o lugar en que deba cumplir la condena que se le hubiese impuesto por sentencia firme
5.º El que se fugare al ser conducido al establecimiento o lugar mencionado en el número anterior
6.º El que se fugare estando denenido preso por causa pendiente
7.º El procesado o condenado que estuviere en rebeldía

Presupuestos (art. 489 y 495 LECrim)
-Ningún español ni extranjero podrá ser detenido sino en los casos y en la forma que las leyes prescriban
-No se podrá detener por simples faltas, salvo que el presunto reo no tuviese domicilio conocido ni diese fianza bastante, a juicio de la Autoridad o atente que intente detenerle

El particular, Autoridad o agente de Policía judicial que detuviere a 5.º una persona, deberá ponerla en libertad o entregarla al Juez más próximo al lugar en que hubiere hecho la detención dentro de las 24 horas horas siguientes al acto de la misma
Si demorare la entrega, incurrirá en la responsabilidad que establece el CP, si la dilación hubiere excedido de 24 horas

Sujetos:
-Particular
-Autoridad o agente de Polícia judicial

El particular que detuviere a otro justificará, si éste lo exigiere, haber obrado en virtud de motivos racionalmente suficientes para creer que el detenido se hallaba comprendido en alguno de los supuestos legalmente previstos (art. 491 LECrim)

La Autoridad o agente de Policía judicial tendrá la obligación de detener en los casos enumerados en el art. 492 LECrim
El Juez o Tribunal acordará la detención de los comprendidos en el art. 492, a prevención con las Autoridades y agentes de Policía judicial

Si el detenido se entregara al Juez o Tribunal propio de la causa y la detención se hubiese hecho en alguno de los siguientes supuestos:
-Intentar cometer un delito
-Delincuente *in fraganti*
-Detenido o preso por causa pendiente que se fugare
-Procesado o condenado+rebeldia
-Procesado por delito que tenga señalada en el Código pena superior a la de prisión correccional
-Procesado por delito a que esté señalada pena inferior, si sus antecedentes o las circunstancias del hecho hicieren presumir que no comparecerá cuando fuere llamado por la Autoridad judicial
-Quien estuviere en el caso anterior, aunque todavía no se hallase procesado, + dos circunstancias siguientes:
a) Que la Autoridad o agente tenga motivos racionalmente bastantes para creer en la existencia de un hecho que presente los caracteres de delito
b) Que los tenga también bastantes para creer que la persona a quien intente detener tuvo participación en él

El Juez o Tribunal elevará la detención a prisión, o la dejará sin efecto, en el término de 72 horas, a contar desde que el detenido le hubiese sido entregado = cuando el Juez o Tribunal respecto de la persona cuya detención hubiere él mismo acordado

Si el detenido se entregara a Juez o Tribunal distinto del Juez o Tribunal que conozca de la causa y la detención se hubiese hecho en alguno de los siguientes supuestos:
-Detenido o preso por causa pendiente que se fugare
-Procesado +rebeldia
-Procesado por delito que tenga señalada en el Código pena superior a la de prisión correccional
-Procesado por delito a que esté señalada pena inferior, si sus antecedentes o las circunstancias del hecho hicieren presumir que no comparecerá cuando fuere llamado por la Autoridad judicial

El Juez o Tribunal extenderá una diligencia expresiva de la persona que hubiere hecho la detención, de su domicilio y demás circunstancias para buscarla e identificarla, de los motivos que ésta manifestase haber tenido para la detención y del nombre, apellidos y circunstancias del detenido
Esta diligencia será firmada por el Juez, el LAJ, la persona que hubiese ejecutado la detención y las demás concurrentes. Por el que no lo hiciere firmarán dos testigos
Inmediatamente después serán remitidas estas diligencias y la persona del detenido a disposición del Juez o Tribunal que conociese de la causa

Si el detenido lo fuese por estar comprendido en los números 1.º y 2.º del art. 490, y en el 4.º del 492→ el Juez de instrucción a quien se entregue practicará las primeras diligencias y elevará la detención a prisión, o decretará la libertad del detenido, en el término de 72 horas
Hecho esto, cuando él no fuese Juez competente, remitirá a quien lo sea las diligencias y la persona del preso, si lo hubiere (art. 499 LECrim)

Cuando el detenido lo sea en virtud de las causas 3.ª, 4.ª y 5.ª, y caso referente al condenado de la 7.ª del art. 490→ el Juez a quien se entregue o que haya acordado la detención dispondrá que inmediatamente sea remitido al establecimiento o lugar donde debiere cumplir su condena (art. 500 LECrim)

El auto elevando la detención a prisión o dejándola sin efecto se pondrá en conocimiento del M°. Fiscal, y se notificará al querellante particular, si lo hubiere, y al procesado, al cual se le hará saber asimismo el derecho que le asiste para pedir de palabra o por escrito la reposición del auto, consignándose en la notificación las manifestaciones que hiciere (art. 501 LECrim)

PRISION PROVISIONAL
(arts. 502 a 519 LECrim)

Requisitos (art.503 LECrim)
1º Existencia de uno o varios hechos que presenten caracteres de delito sancionado con pena:
- igual o superior a dos años de prisión
- menor de dos años de prisión si el investigado o encausado tiene antecedentes penales no cancelados ni susceptibles de cancelación, derivados de condena por delito doloso
2º Que aparezcan motivos bastantes para creer responsable criminalmente del delito a la persona contra quien se haya de dictar el auto de prisión
3º Se persiga algunos de los siguientes **fines**
-Asegurar la presencia del investigado o encausado en el proceso cuando pueda inferirse racionalmente un riesgo de fuga
- Evitar la ocultación, alteración o destrucción de las fuentes de prueba relevantes para el enjuiciamiento en los casos en que exista un peligro fundado y concreto
- Evitar que el investigado o encausado pueda actuar contra bienes jurídicos de la víctima, especialmente cuando ésta sea alguna de las personas a las que se refiere el art. 173.2 del Código Penal
- Evitar el riesgo de que el investigado o encausado cometa otros hechos delictivos

Presupuestos (art. 502. 2 y 3 LECrim):
-Cuando objetivamente sea necesaria+ no existan otras medidas menos gravosas para el derecho a la libertad a través de las cuales puedan alcanzarse los mismos fines que con la prisión provisional
-Se tendrá en cuenta la repercusión que esta medida pueda tener en el investigado o encausado, considerando sus circunstancias y las del hecho objeto de las actuaciones, así como la entidad de la pena que pudiera ser impuesta

Competencia (art. 502.1 y 806 bis a)
Juez o Magistrado instructor
Juez que forme las primeras diligencias
Juez de lo Penal o Tribunal que conozca de la causa
Durante la sustanciación de recursos devolutivos contra sentencia definitiva→ órgano que dictó la sentencia

No se adoptará cuando de las investigaciones practicadas se infiera racionalmente que el hecho no es constitutivo de delito o que el mismo se cometió concurriendo una causa de justificación (art. 502.4 LECrim)

Todas las diligencias de prisión provisional se sustanciarán en pieza separada (art. 519 LECrim)

Los autos en que se decrete o deniegue la prisión o excarcelación serán apelables sólo en el efecto devolutivo (art. 518 LECrim)

Los autos relativos a la situación personal del investigado o encausado se pondrán en conocimiento de los directamente ofendidos y perjudicados por el delito cuya seguridad pudiera verse afectada por la resolución (art. 506.3 LECrim)

Duración
El tiempo imprescindible para alcanzar cualquiera de los fines previstos y en tanto subsistan los motivos que justificaron su adopción (art.504.1 LECrim)

Computo de plazos
Se tendrá en cuenta el tiempo que el investigado o encausado hubiere estado detenido o sometido a prisión provisional por la misma causa
Se excluirá el tiempo en que la causa sufriere dilaciones no imputables a la Administración de Justicia (art. 504.5 LECrim)

Prisión provisional acordada para evitar la ocultación, alteración o destrucción de las fuentes de prueba relevantes →**Máximo 6 meses**
Cuando se hubiere decretado la prisión incomunicada o el secreto del sumario, si antes del plazo establecido se levantare la incomunicación o el secreto, el Juez o Tribunal habrá de motivar la subsistencia del presupuesto de la prisión provisional (art.504.3 LECrim)

Resto supuestos →**no podrá exceder de un año** si el delito tuviere señalada pena privativa de libertad igual o inferior a 3 años, o de 2 años si la pena privativa de libertad señalada para el delito fuera superior a 3 años (art.504.2 LECrim)

Si prisión provisional acordada excediera de las dos terceras partes de su duración máxima, el Juez o Tribunal que conozca de la causa y el Mº. Fiscal comunicarán respectivamente esta circunstancia al Presidente de la Sala de Gobierno y al Fiscal-Jefe del Tribunal correspondiente, para que se adopten las medidas precisas para imprimir a las actuaciones la máxima celeridad
A estos efectos, la tramitación del procedimiento gozará de preferencia respecto de todos los demás (art.504.6 LECrim)

Prorroga
-Concurran circunstancias que hagan prever que la causa no podrá ser juzgada en sus plazos + art.505→una sola prórroga de hasta 2 años si el delito tuviera señalada pena privativa de libertad superior a 3 años, o de hasta 6 meses si el delito tuviera señalada pena igual o inferior a 3 años
- Si fuere condenado + sentencia recurrida→ podrá prorrogarse hasta el límite de la mitad de la pena efectivamente impuesta

La concesión de la libertad por el transcurso de los plazos máximos para la prisión provisional no impedirá que ésta se acuerde en el caso de que el investigado o encausado, sin motivo legítimo, dejare de comparecer a cualquier llamamiento del Juez o Tribunal (art.504.5 LECrim)

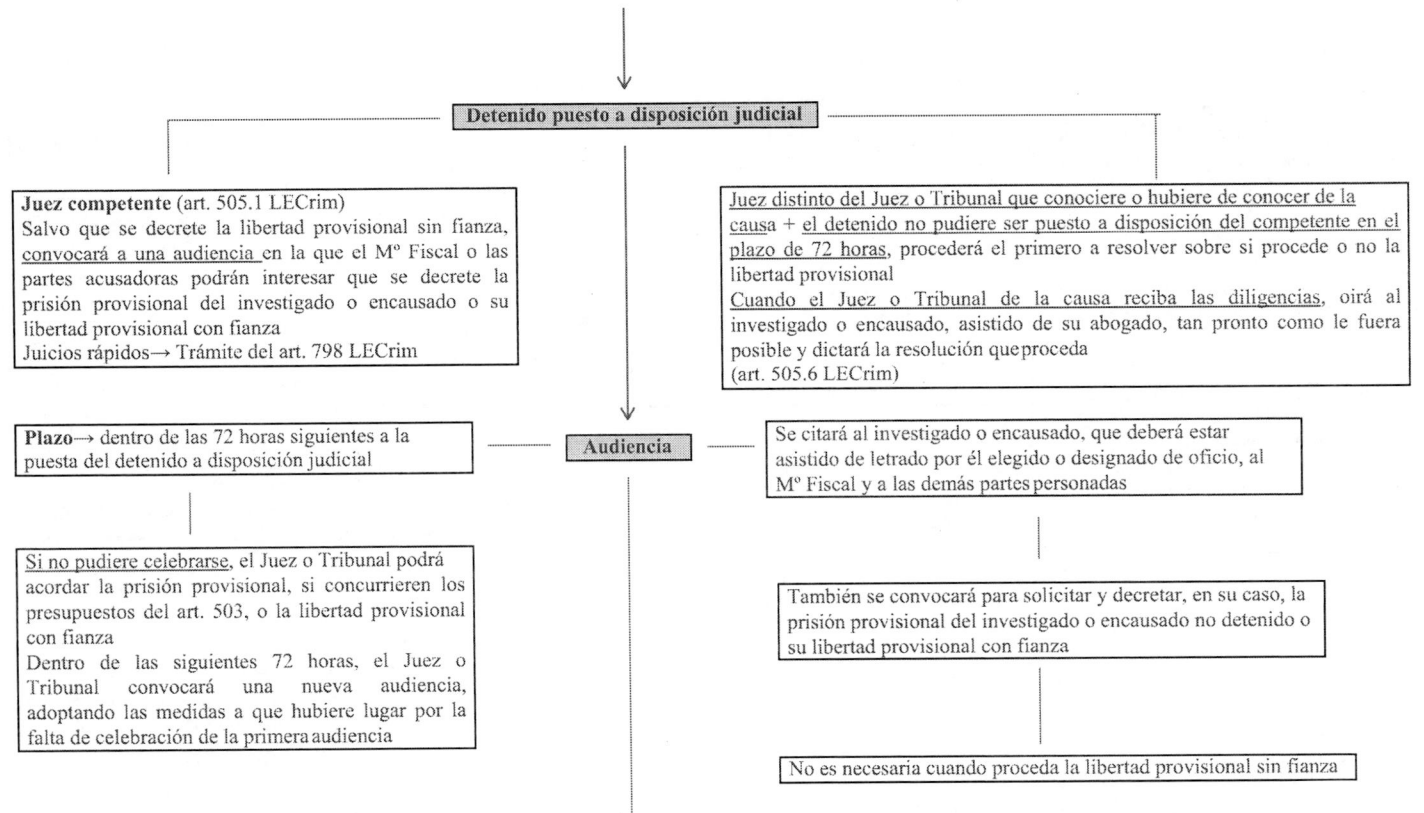

Detenido puesto a disposición judicial

Juez competente (art. 505.1 LECrim)
Salvo que se decrete la libertad provisional sin fianza, convocará a una audiencia en la que el Mº Fiscal o las partes acusadoras podrán interesar que se decrete la prisión provisional del investigado o encausado o su libertad provisional con fianza
Juicios rápidos→ Trámite del art. 798 LECrim

Juez distinto del Juez o Tribunal que conociere o hubiere de conocer de la causa + el detenido no pudiere ser puesto a disposición del competente en el plazo de 72 horas, procederá el primero a resolver sobre si procede o no la libertad provisional
Cuando el Juez o Tribunal de la causa reciba las diligencias, oirá al investigado o encausado, asistido de su abogado, tan pronto como le fuera posible y dictará la resolución que proceda
(art. 505.6 LECrim)

Plazo→ dentro de las 72 horas siguientes a la puesta del detenido a disposición judicial

Audiencia

Se citará al investigado o encausado, que deberá estar asistido de letrado por él elegido o designado de oficio, al Mº Fiscal y a las demás partes personadas

Si no pudiere celebrarse, el Juez o Tribunal podrá acordar la prisión provisional, si concurrieren los presupuestos del art. 503, o la libertad provisional con fianza
Dentro de las siguientes 72 horas, el Juez o Tribunal convocará una nueva audiencia, adoptando las medidas a que hubiere lugar por la falta de celebración de la primera audiencia

También se convocará para solicitar y decretar, en su caso, la prisión provisional del investigado o encausado no detenido o su libertad provisional con fianza

No es necesaria cuando proceda la libertad provisional sin fianza

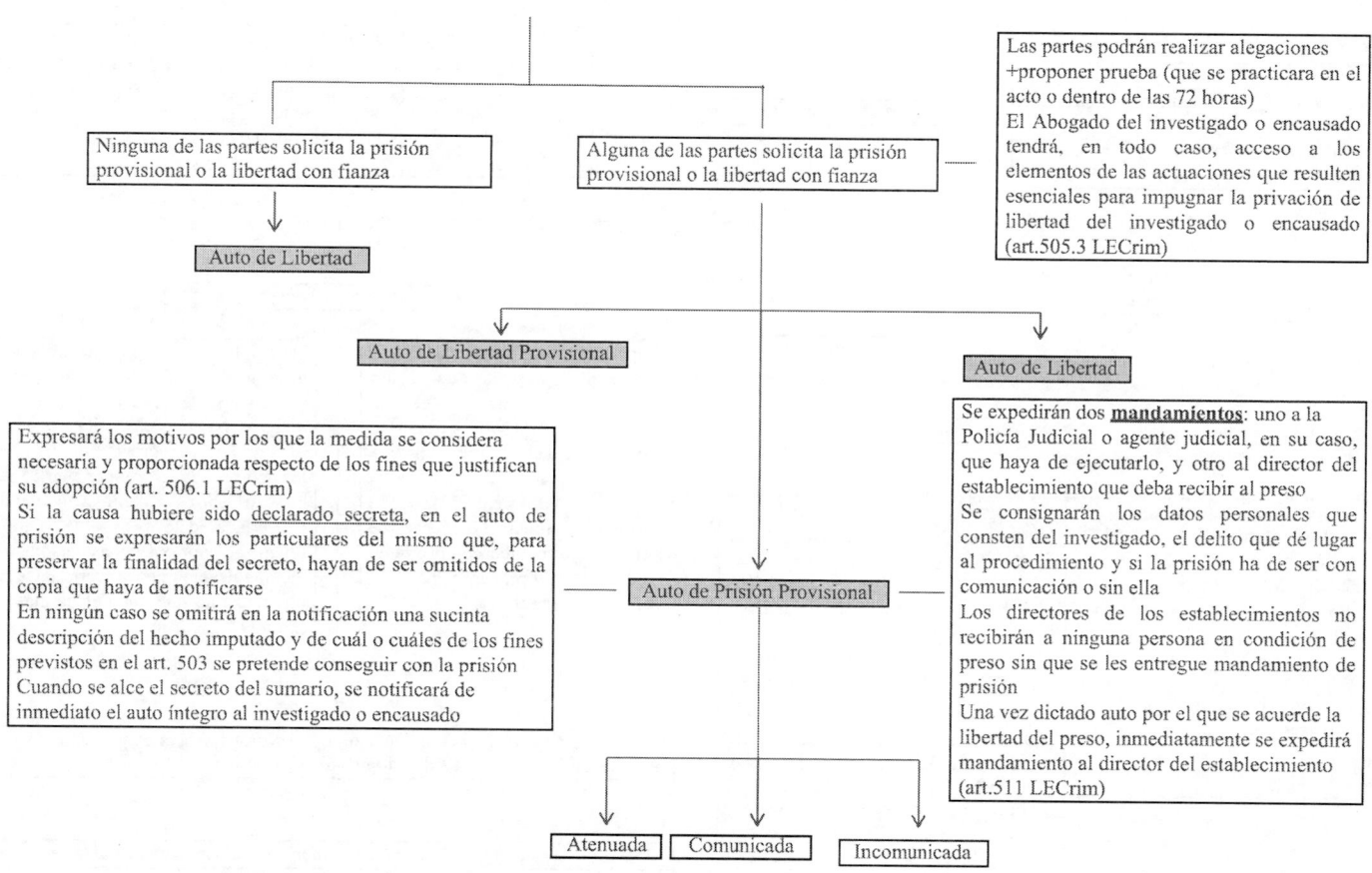

Ninguna de las partes solicita la prisión provisional o la libertad con fianza

Alguna de las partes solicita la prisión provisional o la libertad con fianza

Las partes podrán realizar alegaciones +proponer prueba (que se practicara en el acto o dentro de las 72 horas)
El Abogado del investigado o encausado tendrá, en todo caso, acceso a los elementos de las actuaciones que resulten esenciales para impugnar la privación de libertad del investigado o encausado (art.505.3 LECrim)

Auto de Libertad

Auto de Libertad Provisional

Auto de Libertad

Expresará los motivos por los que la medida se considera necesaria y proporcionada respecto de los fines que justifican su adopción (art. 506.1 LECrim)
Si la causa hubiere sido declarado secreta, en el auto de prisión se expresarán los particulares del mismo que, para preservar la finalidad del secreto, hayan de ser omitidos de la copia que haya de notificarse
En ningún caso se omitirá en la notificación una sucinta descripción del hecho imputado y de cuál o cuáles de los fines previstos en el art. 503 se pretende conseguir con la prisión
Cuando se alce el secreto del sumario, se notificará de inmediato el auto íntegro al investigado o encausado

Se expedirán dos **mandamientos**: uno a la Policía Judicial o agente judicial, en su caso, que haya de ejecutarlo, y otro al director del establecimiento que deba recibir al preso
Se consignarán los datos personales que consten del investigado, el delito que dé lugar al procedimiento y si la prisión ha de ser con comunicación o sin ella
Los directores de los establecimientos no recibirán a ninguna persona en condición de preso sin que se les entregue mandamiento de prisión
Una vez dictado auto por el que se acuerde la libertad del preso, inmediatamente se expedirá mandamiento al director del establecimiento (art.511 LECrim)

Auto de Prisión Provisional

Atenuada   Comunicada   Incomunicada

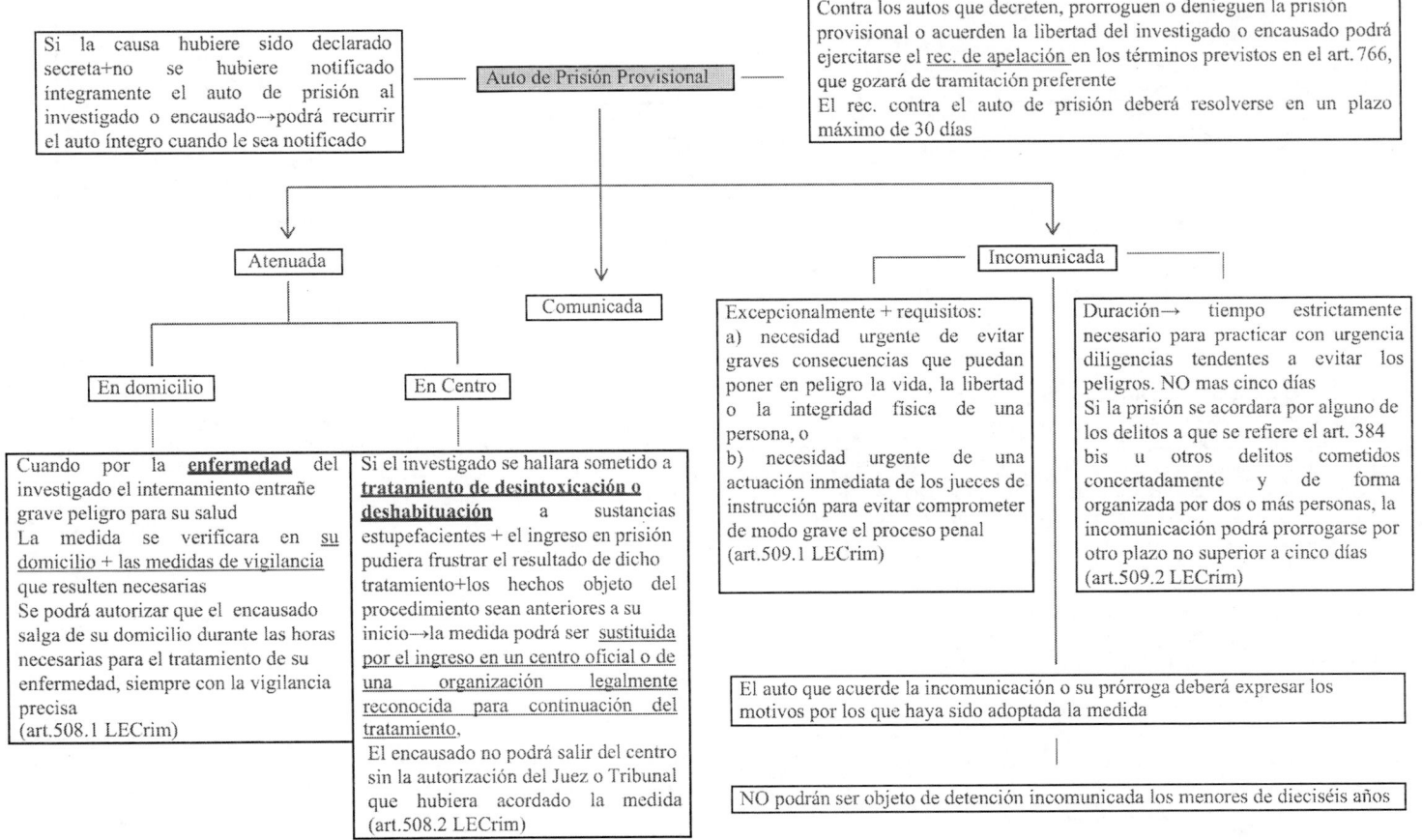

Si la causa hubiere sido declarado secreta+no se hubiere notificado íntegramente el auto de prisión al investigado o encausado→podrá recurrir el auto íntegro cuando le sea notificado

Auto de Prisión Provisional

Contra los autos que decreten, prorroguen o denieguen la prisión provisional o acuerden la libertad del investigado o encausado podrá ejercitarse el rec. de apelación en los términos previstos en el art. 766, que gozará de tramitación preferente
El rec. contra el auto de prisión deberá resolverse en un plazo máximo de 30 días

Atenuada

Comunicada

Incomunicada

En domicilio

En Centro

Cuando por la **enfermedad** del investigado el internamiento entrañe grave peligro para su salud
La medida se verificara en su domicilio + las medidas de vigilancia que resulten necesarias
Se podrá autorizar que el encausado salga de su domicilio durante las horas necesarias para el tratamiento de su enfermedad, siempre con la vigilancia precisa
(art.508.1 LECrim)

Si el investigado se hallara sometido a **tratamiento de desintoxicación o deshabituación** a sustancias estupefacientes + el ingreso en prisión pudiera frustrar el resultado de dicho tratamiento+los hechos objeto del procedimiento sean anteriores a su inicio→la medida podrá ser sustituida por el ingreso en un centro oficial o de una organización legalmente reconocida para continuación del tratamiento,
El encausado no podrá salir del centro sin la autorización del Juez o Tribunal que hubiera acordado la medida
(art.508.2 LECrim)

Excepcionalmente + requisitos:
a) necesidad urgente de evitar graves consecuencias que puedan poner en peligro la vida, la libertad o la integridad física de una persona, o
b) necesidad urgente de una actuación inmediata de los jueces de instrucción para evitar comprometer de modo grave el proceso penal
(art.509.1 LECrim)

Duración→ tiempo estrictamente necesario para practicar con urgencia diligencias tendentes a evitar los peligros. NO mas cinco días
Si la prisión se acordara por alguno de los delitos a que se refiere el art. 384 bis u otros delitos cometidos concertadamente y de forma organizada por dos o más personas, la incomunicación podrá prorrogarse por otro plazo no superior a cinco días
(art.509.2 LECrim)

El auto que acuerde la incomunicación o su prórroga deberá expresar los motivos por los que haya sido adoptada la medida

NO podrán ser objeto de detención incomunicada los menores de dieciséis años

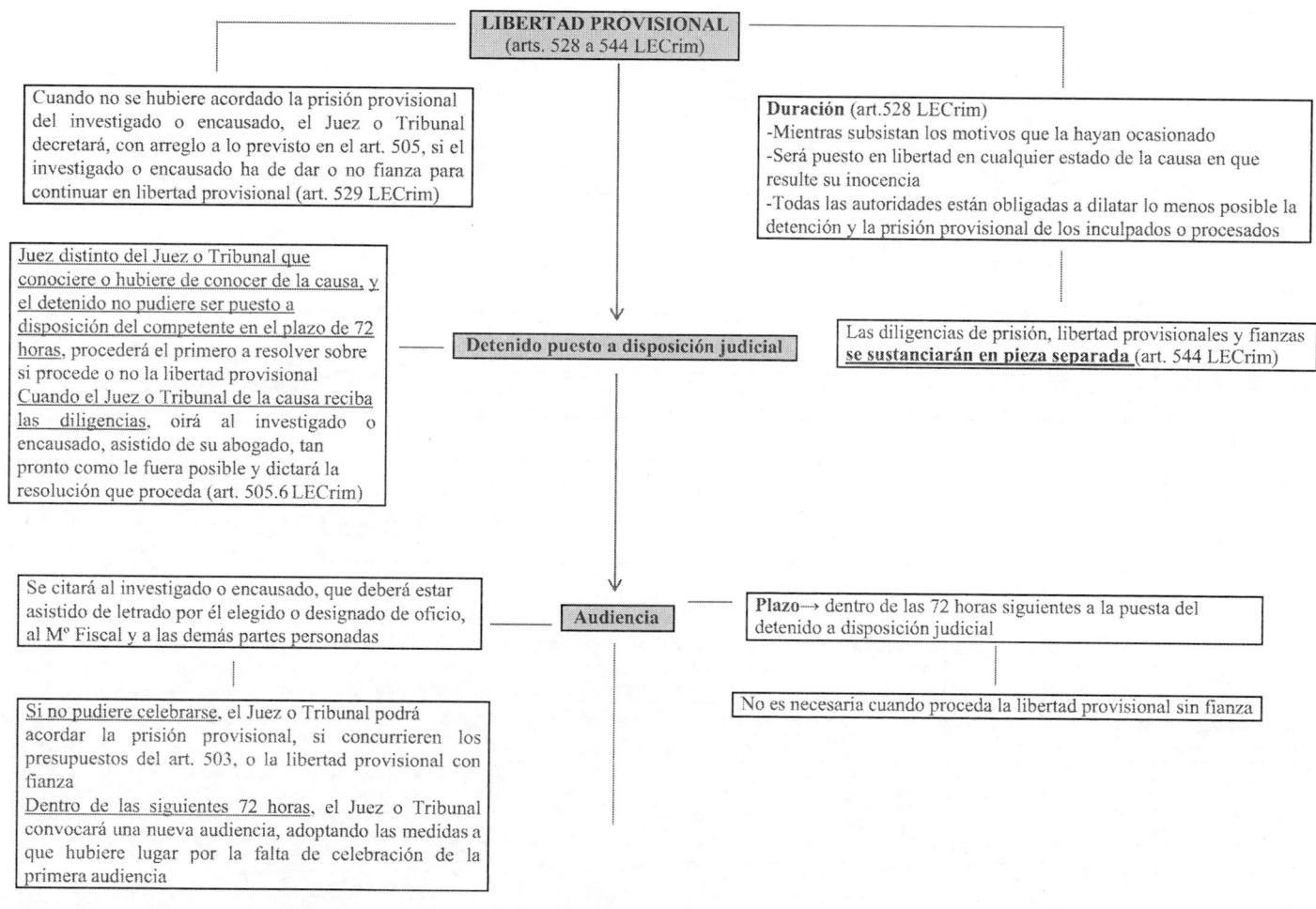

LIBERTAD PROVISIONAL
(arts. 528 a 544 LECrim)

Cuando no se hubiere acordado la prisión provisional del investigado o encausado, el Juez o Tribunal decretará, con arreglo a lo previsto en el art. 505, si el investigado o encausado ha de dar o no fianza para continuar en libertad provisional (art. 529 LECrim)

Duración (art.528 LECrim)
-Mientras subsistan los motivos que la hayan ocasionado
-Será puesto en libertad en cualquier estado de la causa en que resulte su inocencia
-Todas las autoridades están obligadas a dilatar lo menos posible la detención y la prisión provisional de los inculpados o procesados

Juez distinto del Juez o Tribunal que conociere o hubiere de conocer de la causa, y el detenido no pudiere ser puesto a disposición del competente en el plazo de 72 horas, procederá el primero a resolver sobre si procede o no la libertad provisional
Cuando el Juez o Tribunal de la causa reciba las diligencias, oirá al investigado o encausado, asistido de su abogado, tan pronto como le fuera posible y dictará la resolución que proceda (art. 505.6 LECrim)

Detenido puesto a disposición judicial

Las diligencias de prisión, libertad provisionales y fianzas **se sustanciarán en pieza separada** (art. 544 LECrim)

Se citará al investigado o encausado, que deberá estar asistido de letrado por él elegido o designado de oficio, al Mº Fiscal y a las demás partes personadas

Audiencia

Plazo→ dentro de las 72 horas siguientes a la puesta del detenido a disposición judicial

Si no pudiere celebrarse, el Juez o Tribunal podrá acordar la prisión provisional, si concurrieren los presupuestos del art. 503, o la libertad provisional con fianza
Dentro de las siguientes 72 horas, el Juez o Tribunal convocará una nueva audiencia, adoptando las medidas a que hubiere lugar por la falta de celebración de la primera audiencia

No es necesaria cuando proceda la libertad provisional sin fianza

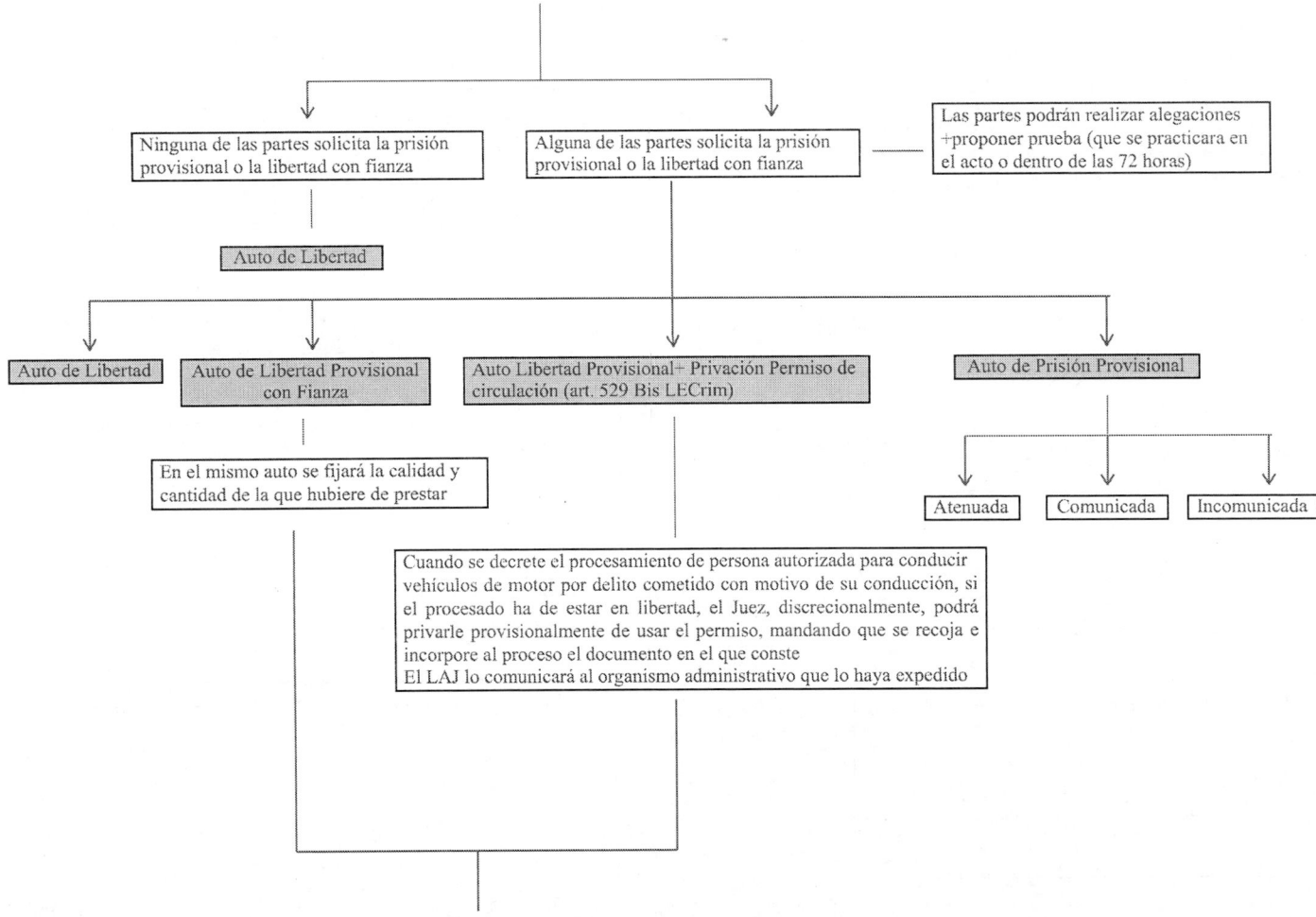

El auto se notificará al investigado o encausado, al Mº. Fiscal y a las demás partes personadas y será recurrible de acuerdo con lo previsto en el art. 507

El investigado o encausado que hubiere de estar en libertad provisional, con o sin fianza, constituirá **apud acta obligación de comparecer** en los días que le fueren señalados en el auto respectivo, y además cuantas veces fuere llamado ante el Juez o Tribunal que conozca de la causa

Para garantizar el cumplimiento de esta obligación, el Juez o Tribunal podrá acordar motivadamente la **retención de su pasaporte**

Al primer llamamiento judicial no compareciere el acusado o no justificare la imposibilidad de hacerlo, el LAJ señalará al fiador personal o al dueño de los bienes de cualquier clase dados en fianza el término de 10 días para que presente al rebelde

Si no lo presentare en plazo se procederá a hacer efectiva la fianza, declarándose adjudicada al Estado y haciendo entrega de ella a la Administración más próxima de Rentas, con deducción de las costas indicadas al final del art. 532

DISPOSICIONES COMUNES

Los autos de prisión y libertad provisionales y de fianza **serán reformables durante todo el curso de la causa**
El investigado o encausado podrá ser preso y puesto en libertad cuantas veces sea procedente, y la fianza podrá ser modificada en lo que resulte necesario para asegurar las consecuencias del juicio (art. 539 LECrim)

Modificaciones→ Para acordar la prisión o la libertad provisional con fianza de quien estuviere en libertad o agravar las condiciones de la libertad provisional ya acordada sustituyéndola por la de prisión o libertad provisional con fianza, se requerirá:
Solicitud del Mº Fiscal o parte acusadora+celebración de la comparecencia del art. 505

Si a juicio del Juez o Tribunal concurrieren los presupuestos del art. 503, procederá a dictar auto de reforma de la medida cautelar, o incluso de prisión, si el investigado o encausado se encontrase en libertad, pero debiendo convocar, para dentro de las 72 horas siguientes, la comparecencia del art. 505

Siempre que el Juez o Tribunal entienda que procede la libertad o la modificación de la libertad provisional en términos más favorables al sometido a la medida, podrá acordarla, en cualquier momento, de oficio y sin someterse a la petición de parte

Para determinar la **calidad y cantidad de la fianza** →la naturaleza del delito, el estado social y antecedentes del procesado y las demás circunstancias que pudieren influir en el mayor o menor interés de éste para ponerse fuera del alcance de la Autoridad judicial (art. 531 LECrim)

Finalidad de la fianza → responder de la comparecencia del procesado cuando fuere llamado por el Juez o Tribunal que conozca de la causa
Servirá para satisfacer las costas causadas en el ramo separado formado para su constitución, y el resto se adjudicará al Estado (art. 532 LECrim)

Si el procesado no presenta o amplía la fianza en el término que se le señale, será reducido a prisión (art. 540 LECrim)

Se cancelará la fianza (art. 541 LECrim)
1.º Cuando el fiador lo pidiere + presentando procesado
2.º Cuando éste fuere reducido a prisión
3.º Cuando se dictare auto firme de sobreseimiento o sentencia firme absolutoria o, siendo condenatoria +presentación del reo para cumplir
4.º Por muerte del procesado estando pendiente la causa

Si se hubiere dictado sentencia firme condenatoria y el procesado no compareciere al primer llamamiento o no justificare la imposibilidad de hacerlo se adjudicará la fianza al Estado conforme el art. 535
Adjudicada la fianza no tendrá acción el fiador para pedir la devolución, salvo su derecho para reclamar la indemnización contra el procesado o sus causahabientes (art. 542 LECrim)

Las diligencias de prisión y libertad provisionales y fianzas se sustanciarán en **pieza separada** (art. 544 LECrim)

ORDEN DE PROTECCIÓN
(arts. 544 a 544 ter LECrim)

Definición

Es una resolución judicial que, en los casos en que existan indicios fundados de la comisión de delitos ó faltas de violencia domestica + situación objetiva de riesgo para la víctima, ordena su protección mediante la adopción de medidas cautelares civiles y/o penales, además de activar las medidas de asistencia y protección social necesarias, por remisión de la Orden de Protección a los Puntos de Coordinación de las C. Autónomas

Presupuestos

-Indicios fundados de la comisión de un delito o falta contra la vida, integridad física o moral, libertad sexual, libertad o seguridad de alguna de las personas del art. 173.2 C. P.
-Situación objetiva de riesgo para la víctima

Clases

Penales

-Privativas de Libertad
-Orden de alejamiento
-Prohibición de comunicación
-Prohibición de volver al lugar del delito o residencia de la victima
-Retirada de armas u otros objetos peligrosos

Civiles

-Atribución del uso y disfrute de la vivienda familiar
-Régimen de guarda y custodia, visitas, comunicación y estancia con los menores o personas con la capacidad judicialmente modificada
-Prestación de alimentos
-Cualquier disposición que se considere oportuna a fin de apartarles de un peligro o de evitarles perjuicios

Duración →30 días

Si dentro de este plazo fuese incoado a instancia de la víctima o de su representante legal un proceso de familia ante la jurisdicción civil, las medidas adoptadas permanecerán en vigor durante los treinta días siguientes a la presentación de la demanda.
En este término las medidas deberán ser ratificadas, modificadas o dejadas sin efecto por el Juez de primera instancia que resulte competente

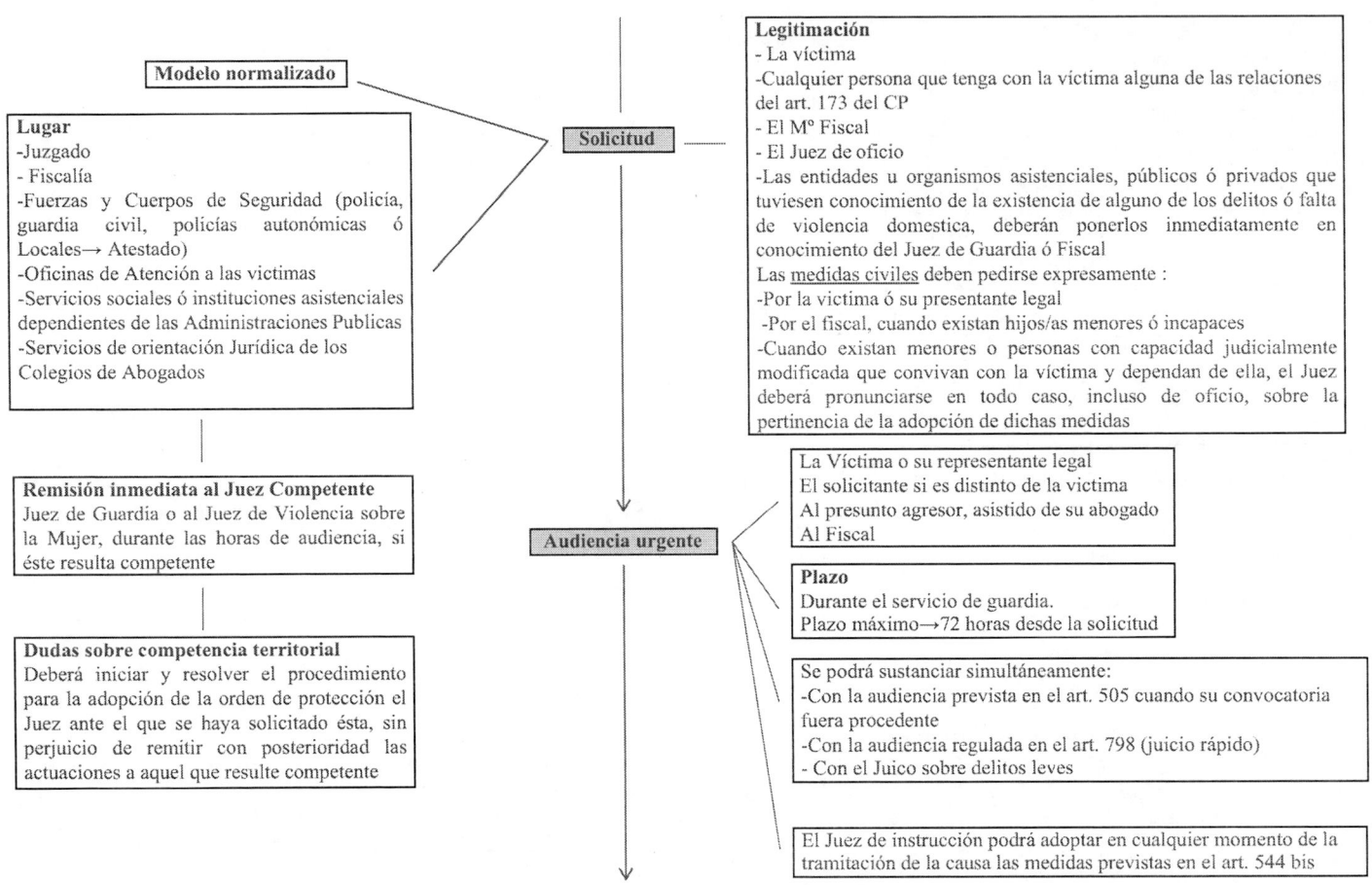

Modelo normalizado

Lugar
-Juzgado
- Fiscalía
-Fuerzas y Cuerpos de Seguridad (policía, guardia civil, policías autonómicas ó Locales→ Atestado)
-Oficinas de Atención a las victimas
-Servicios sociales ó instituciones asistenciales dependientes de las Administraciones Publicas
-Servicios de orientación Jurídica de los Colegios de Abogados

Solicitud

Legitimación
- La víctima
-Cualquier persona que tenga con la víctima alguna de las relaciones del art. 173 del CP
- El Mº Fiscal
- El Juez de oficio
-Las entidades u organismos asistenciales, públicos ó privados que tuviesen conocimiento de la existencia de alguno de los delitos ó falta de violencia domestica, deberán ponerlos inmediatamente en conocimiento del Juez de Guardia ó Fiscal
Las medidas civiles deben pedirse expresamente :
-Por la victima ó su presentante legal
-Por el fiscal, cuando existan hijos/as menores ó incapaces
-Cuando existan menores o personas con capacidad judicialmente modificada que convivan con la víctima y dependan de ella, el Juez deberá pronunciarse en todo caso, incluso de oficio, sobre la pertinencia de la adopción de dichas medidas

Remisión inmediata al Juez Competente
Juez de Guardia o al Juez de Violencia sobre la Mujer, durante las horas de audiencia, si éste resulta competente

Audiencia urgente

La Víctima o su representante legal
El solicitante si es distinto de la victima
Al presunto agresor, asistido de su abogado
Al Fiscal

Plazo
Durante el servicio de guardia.
Plazo máximo→72 horas desde la solicitud

Dudas sobre competencia territorial
Deberá iniciar y resolver el procedimiento para la adopción de la orden de protección el Juez ante el que se haya solicitado ésta, sin perjuicio de remitir con posterioridad las actuaciones a aquel que resulte competente

Se podrá sustanciar simultáneamente:
-Con la audiencia prevista en el art. 505 cuando su convocatoria fuera procedente
-Con la audiencia regulada en el art. 798 (juicio rápido)
- Con el Juico sobre delitos leves

El Juez de instrucción podrá adoptar en cualquier momento de la tramitación de la causa las medidas previstas en el art. 544 bis

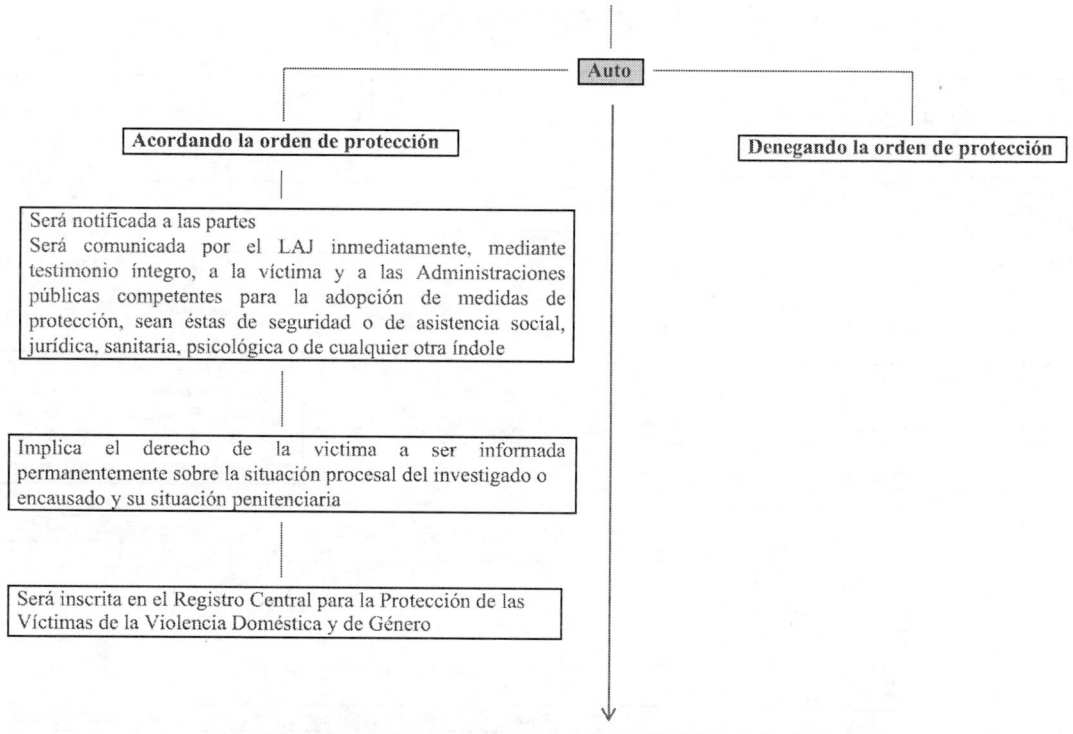

Auto

Acordando la orden de protección

Denegando la orden de protección

Será notificada a las partes
Será comunicada por el LAJ inmediatamente, mediante testimonio íntegro, a la víctima y a las Administraciones públicas competentes para la adopción de medidas de protección, sean éstas de seguridad o de asistencia social, jurídica, sanitaria, psicológica o de cualquier otra índole

Implica el derecho de la víctima a ser informada permanentemente sobre la situación procesal del investigado o encausado y su situación penitenciaria

Será inscrita en el Registro Central para la Protección de las Víctimas de la Violencia Doméstica y de Género

Rec. de reforma y subsidiario de apelación dentro de los TRES DIAS siguientes a su notificación o rec. de apelación dentro de los CINCO DIAS siguientes a su notificación

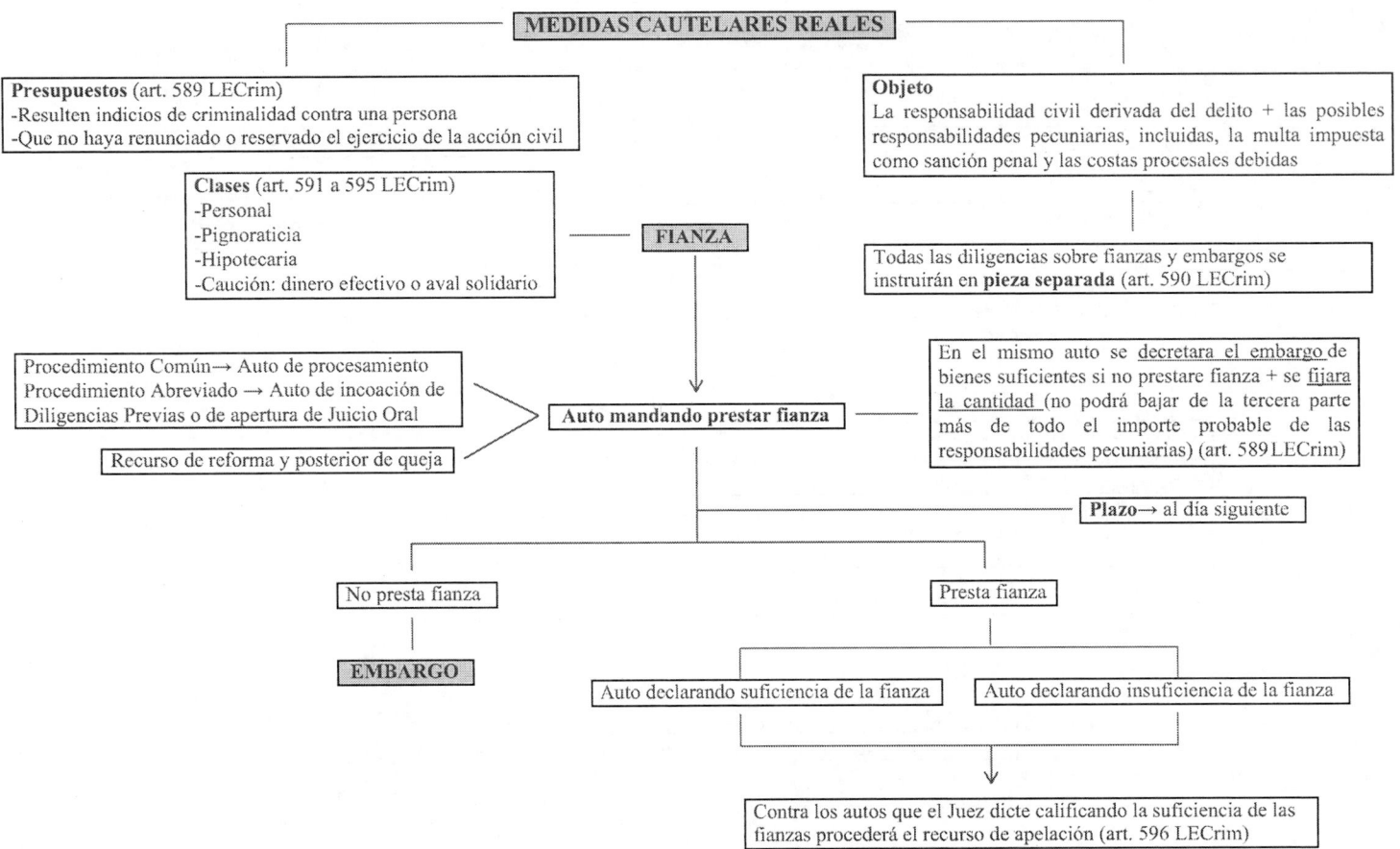

MEDIDAS CAUTELARES REALES

Presupuestos (art. 589 LECrim)
-Resulten indicios de criminalidad contra una persona
-Que no haya renunciado o reservado el ejercicio de la acción civil

Objeto
La responsabilidad civil derivada del delito + las posibles responsabilidades pecuniarias, incluidas, la multa impuesta como sanción penal y las costas procesales debidas

Clases (art. 591 a 595 LECrim)
-Personal
-Pignoraticia
-Hipotecaria
-Caución: dinero efectivo o aval solidario

FIANZA

Todas las diligencias sobre fianzas y embargos se instruirán en **pieza separada** (art. 590 LECrim)

Procedimiento Común→ Auto de procesamiento
Procedimiento Abreviado → Auto de incoación de Diligencias Previas o de apertura de Juicio Oral

Recurso de reforma y posterior de queja

Auto mandando prestar fianza

En el mismo auto se decretara el embargo de bienes suficientes si no prestare fianza + se fijara la cantidad (no podrá bajar de la tercera parte más de todo el importe probable de las responsabilidades pecuniarias) (art. 589 LECrim)

Plazo→ al día siguiente

No presta fianza

EMBARGO

Presta fianza

Auto declarando suficiencia de la fianza

Auto declarando insuficiencia de la fianza

Contra los autos que el Juez dicte calificando la suficiencia de las fianzas procederá el recurso de apelación (art. 596 LECrim)

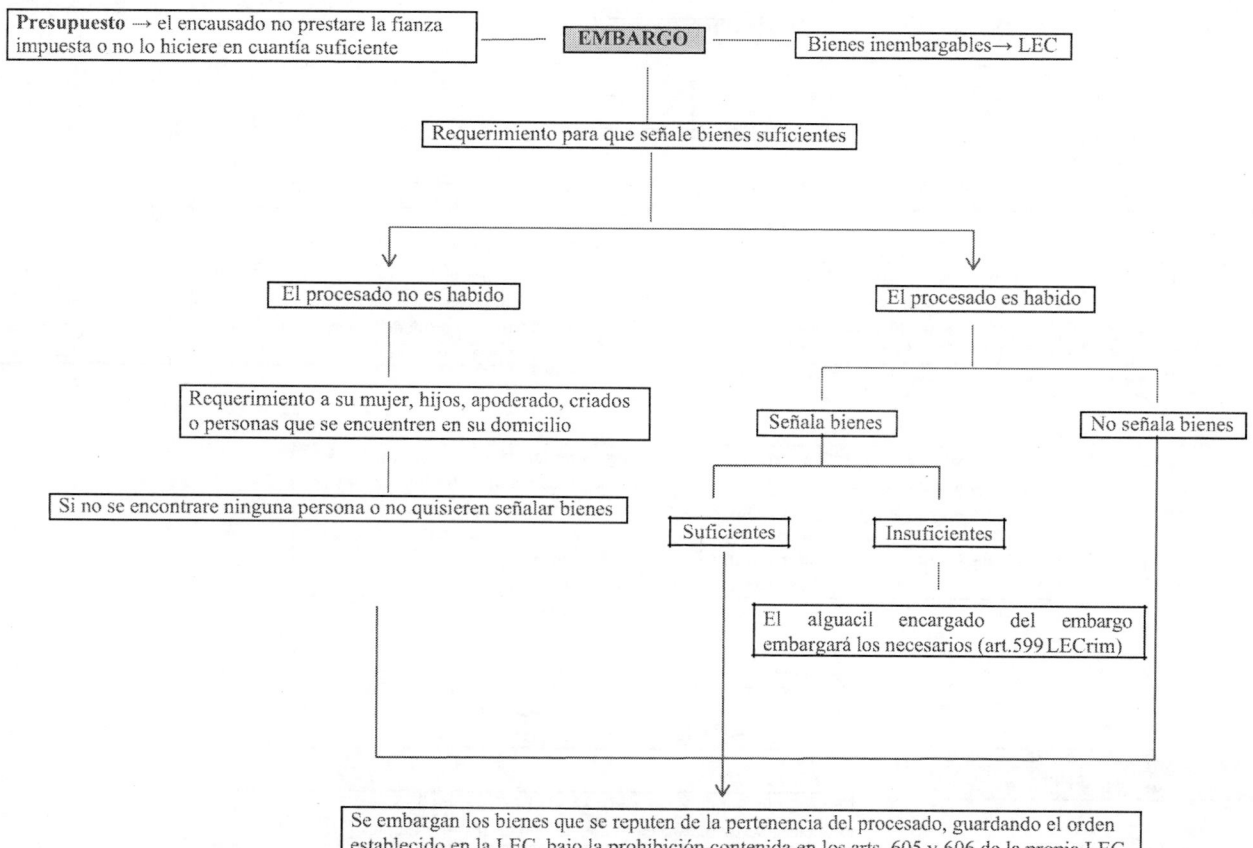

Presupuesto → el encausado no prestare la fianza impuesta o no lo hiciere en cuantía suficiente

EMBARGO

Bienes inembargables→ LEC

Requerimiento para que señale bienes suficientes

El procesado no es habido

El procesado es habido

Requerimiento a su mujer, hijos, apoderado, criados o personas que se encuentren en su domicilio

Si no se encontrare ninguna persona o no quisieren señalar bienes

Señala bienes

No señala bienes

Suficientes

Insuficientes

El alguacil encargado del embargo embargará los necesarios (art.599 LECrim)

Se embargan los bienes que se reputen de la pertenencia del procesado, guardando el orden establecido en la LEC, bajo la prohibición contenida en los arts. 605 y 606 de la propia LEC, y de conformidad con lo dispuesto en el art. 584 de la misma

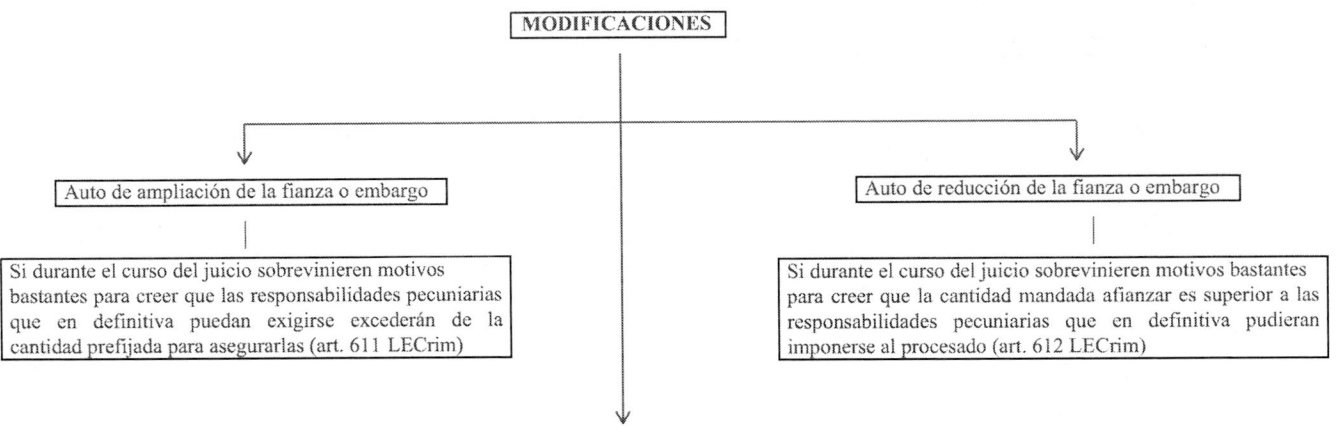

MODIFICACIONES

Auto de ampliación de la fianza o embargo

Auto de reducción de la fianza o embargo

Si durante el curso del juicio sobrevinieren motivos bastantes para creer que las responsabilidades pecuniarias que en definitiva puedan exigirse excederán de la cantidad prefijada para asegurarlas (art. 611 LECrim)

Si durante el curso del juicio sobrevinieren motivos bastantes para creer que la cantidad mandada afianzar es superior a las responsabilidades pecuniarias que en definitiva pudieran imponerse al procesado (art. 612 LECrim)

En el Procedimiento Abreviado, en el auto de apertura del juicio oral, el Juez resolverá sobre la adopción, modificación, suspensión o revocación de las medidas interesadas por el M°. Fiscal o la acusación particular, tanto en relación con el acusado como respecto de los responsables civiles, a quienes, en su caso, exigirá fianza, si no la prestare el acusado en el plazo que se le señale, así como sobre el alzamiento de las medidas adoptadas frente a quienes no hubieren sido acusados (art. 783.2 LECrim)

DISPOSICIONES COMUNES
(art. 613 y 614 LECrim)

Cuando llegue el caso de tener que hacer efectivas las responsabilidades pecuniarias a que se refiere este título, se procederá de la manera prescrita en el artículo 536 LECrim (vía de apremio)

En todo lo que no esté previsto en la LECrim, los Jueces y Tribunales aplicarán lo dispuesto en la legislación civil sobre fianzas y embargos

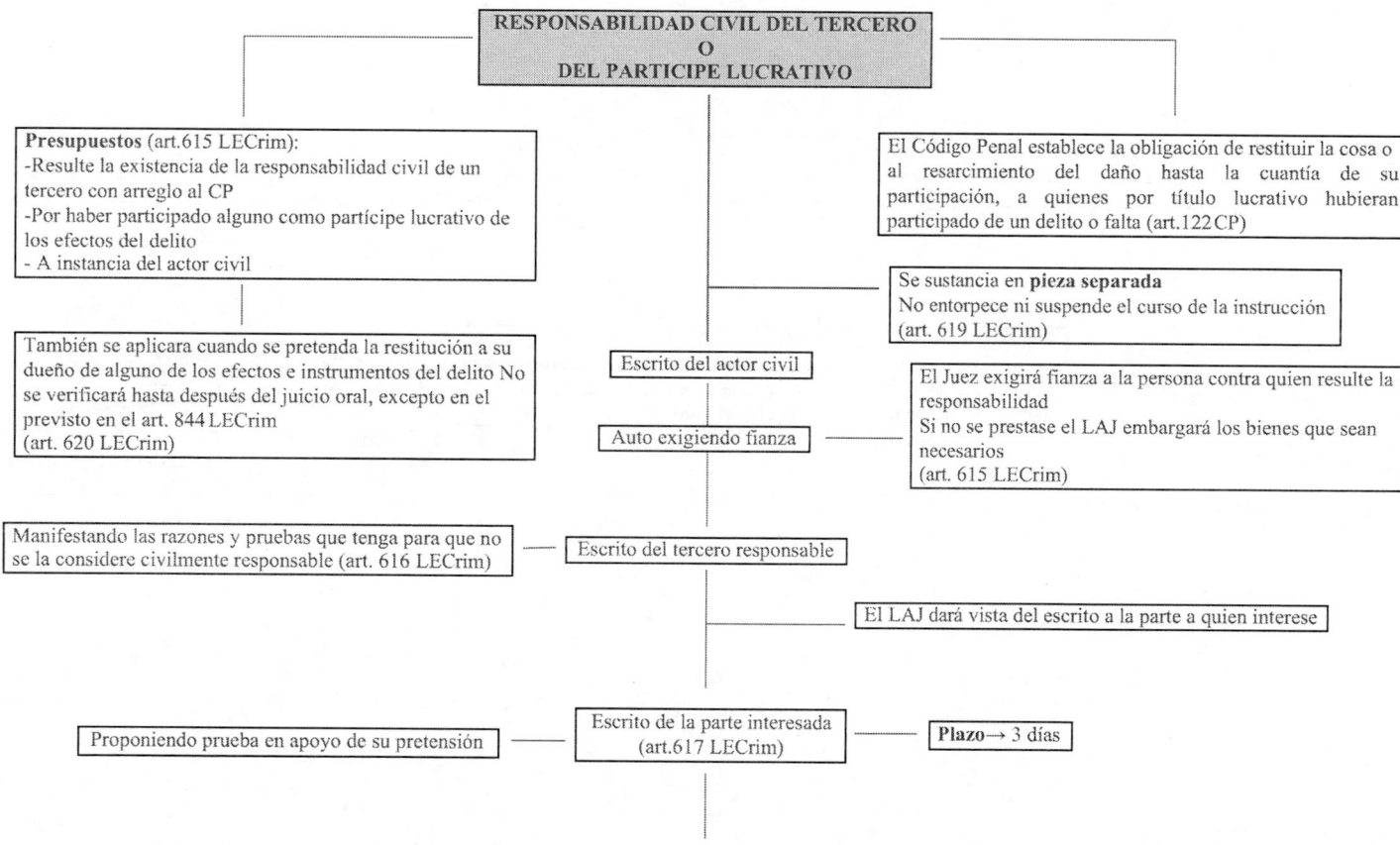

RESPONSABILIDAD CIVIL DEL TERCERO O DEL PARTÍCIPE LUCRATIVO

Presupuestos (art.615 LECrim):
-Resulte la existencia de la responsabilidad civil de un tercero con arreglo al CP
-Por haber participado alguno como partícipe lucrativo de los efectos del delito
- A instancia del actor civil

El Código Penal establece la obligación de restituir la cosa o al resarcimiento del daño hasta la cuantía de su participación, a quienes por título lucrativo hubieran participado de un delito o falta (art.122 CP)

Se sustancia en **pieza separada**
No entorpece ni suspende el curso de la instrucción
(art. 619 LECrim)

También se aplicara cuando se pretenda la restitución a su dueño de alguno de los efectos e instrumentos del delito No se verificará hasta después del juicio oral, excepto en el previsto en el art. 844 LECrim
(art. 620 LECrim)

Escrito del actor civil

El Juez exigirá fianza a la persona contra quien resulte la responsabilidad
Si no se prestase el LAJ embargará los bienes que sean necesarios
(art. 615 LECrim)

Auto exigiendo fianza

Manifestando las razones y pruebas que tenga para que no se la considere civilmente responsable (art. 616 LECrim)

Escrito del tercero responsable

El LAJ dará vista del escrito a la parte a quien interese

Proponiendo prueba en apoyo de su pretensión

Escrito de la parte interesada
(art.617 LECrim)

Plazo→ 3 días

El Juez decretará la práctica de las pruebas propuestas, y resolverá sobre las pretensiones formuladas siempre que pudiere hacerlo sin retraso ni perjuicio del objeto principal de la instrucción (art.618 LECrim)

Los autos dictados en estos incidentes se llevarán a efecto, sin perjuicio de que las partes a quienes perjudiquen puedan reproducir sus pretensiones en el juicio oral, o de la acción civil correspondiente, que podrán entablar en otro caso (art.620 LECrim)

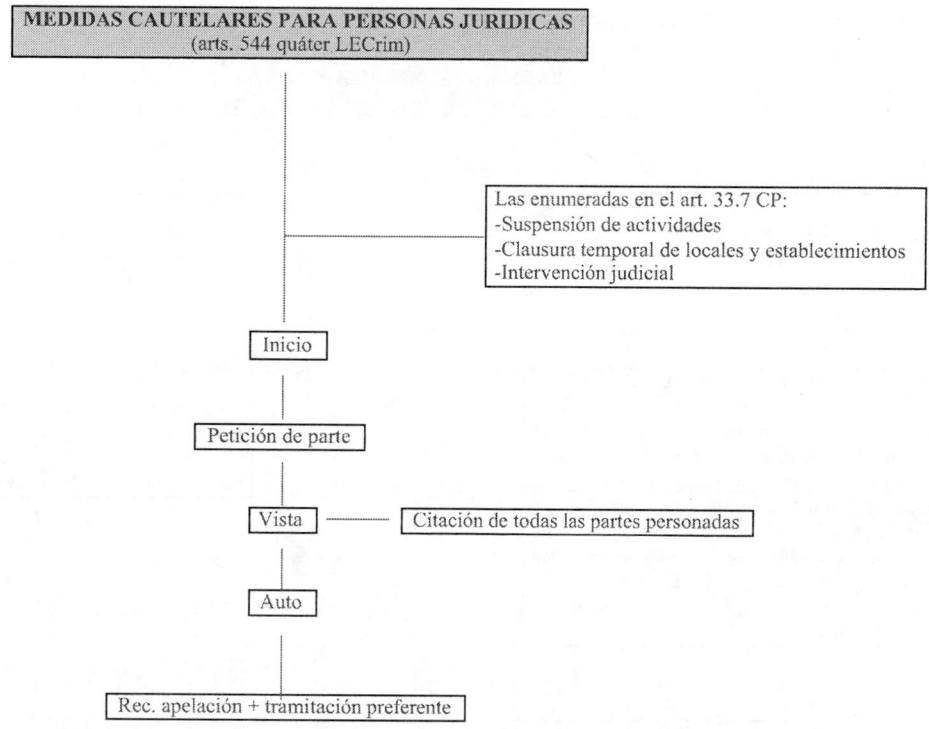

MEDIDAS CAUTELARES PARA PERSONAS JURIDICAS
(arts. 544 quáter LECrim)

Las enumeradas en el art. 33.7 CP:
-Suspensión de actividades
-Clausura temporal de locales y establecimientos
-Intervención judicial

Inicio

Petición de parte

Vista — Citación de todas las partes personadas

Auto

Rec. apelación + tramitación preferente

**MEDIDAS CAUTELARES CUANDO LA VÍCTIMA SEA
MENOR DE EDAD O CON LA CAPACIDAD
JUDICIALMENTE MODIFICADA**
(arts. 544 quinquies LECrim)

Presupuestos
-Delito de los mencionados en el art. 57 CP
-Resulte necesario al fin de protección de la víctima menor
de edad o con la capacidad judicialmente modificada

Cuando en el desarrollo del proceso se ponga de manifiesto
la existencia de una situación de riesgo o posible
desamparo de un menor y, en todo caso, cuando fuere
suspendida la patria potestad, la tutela, curatela, guarda o
acogimiento, el LAJ lo comunicará inmediatamente a la
entidad pública que tenga legalmente encomendada la
protección de los menores, así como al Mº. Fiscal, a fin de
que puedan adoptar las medidas de protección que resulten
necesarias
A los mismos efectos se les notificará su alzamiento o
cualquier otra modificación

Clases
-Suspender la patria potestad de alguno de los progenitores
-Suspender la tutela, curatela, guarda o acogimiento
-Establecer un régimen de supervisión del ejercicio de la patria
potestad, tutela o de cualquier otra función tutelar o de protección o
apoyo sobre el menor o persona con la capacidad judicialmente
modificada, sin perjuicio de las competencias propias del Mº. Fiscal y
de las entidades públicas competentes
-Suspender o modificar el régimen de visitas o comunicación con el
no conviviente o con otro familiar que se encontrara en vigor, cuando
resulte necesario para garantizar la protección del menor o de la
persona con capacidad judicialmente modificada

Una vez concluido el procedimiento, el Juez o Tribunal, valorando exclusivamente el interés de la persona
afectada, ratificará o alzará las medidas de protección adoptadas→ Se notificará a la entidad pública que
tenga legalmente encomendada la protección de los menores + Mº. Fiscal
El Mº. Fiscal y las partes afectadas por la medida podrán solicitar al Juez su modificación o alzamiento
conforme al procedimiento previsto en el art. 770 LEC

5. Especialidades en los delitos contra la Hacienda Pública

La Ley 34/2015, de 21 de septiembre, de modificación parcial de la Ley 58/2003, de 17 de diciembre, General Tributaria (BOE 22 de septiembre de 2015) añade un nuevo Título X bis en el Libro II, de la Ley de Enjuiciamiento Criminal, que responde a la rúbrica *"De las especialidades en los delitos contra la Hacienda Pública"*, regulando un proceso singular para estas especialidades delictivas.

La modificación también añade un nuevo art. 614 bis que señala que *"una vez iniciado el proceso penal por delito contra la Hacienda Pública, el juez de lo penal decidirá acerca de las pretensiones referidas a las medidas cautelares adoptadas al amparo del artículo 81 de la Ley General Tributaria"*.

Además, se introduce un nuevo art. 999 LECrim.

Por su parte, el art. 621 bis LECrim establece que si la Administración Tributaria hubiera dictado un acto de liquidación, la existencia de un procedimiento penal no paralizará la actuación administrativa y podrán iniciarse actuaciones para cobrar la liquidación, salvo que el Juez acordara la suspensión de las actuaciones de ejecución conforme a lo dispuesto en el 305.5 Código Penal.

También en la LO 7/2012, de 27 de diciembre, se introdujo en el art. 305.5 del Código Penal *"š[l]a existencia del procedimiento penal por delito contra la Hacienda Pública no paralizará la acción de cobro de la deuda tributaria"*.

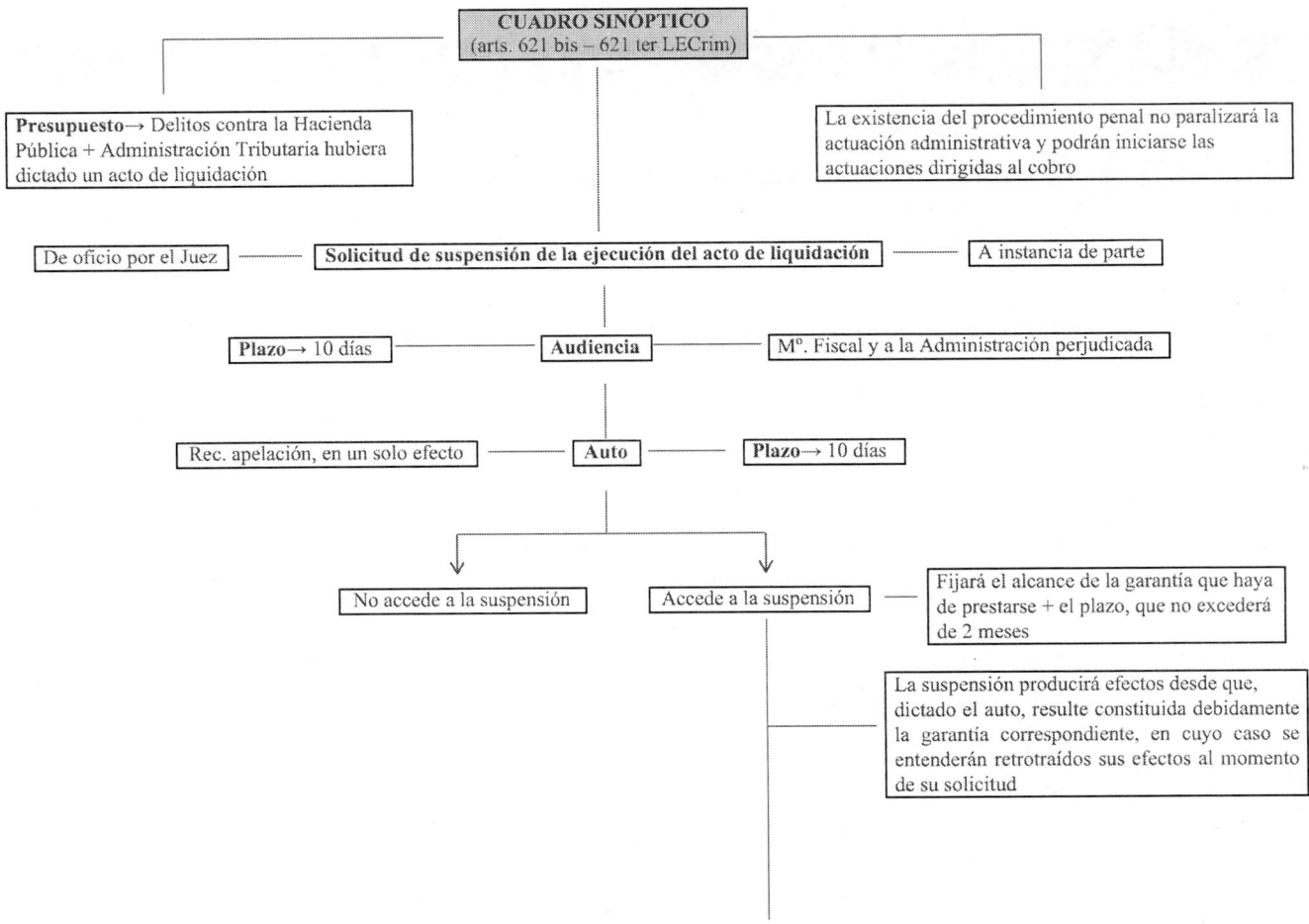

CUADRO SINÓPTICO
(arts. 621 bis – 621 ter LECrim)

Presupuesto→ Delitos contra la Hacienda Pública + Administración Tributaria hubiera dictado un acto de liquidación

La existencia del procedimiento penal no paralizará la actuación administrativa y podrán iniciarse las actuaciones dirigidas al cobro

De oficio por el Juez ---- **Solicitud de suspensión de la ejecución del acto de liquidación** ---- A instancia de parte

Plazo→ 10 días ---- **Audiencia** ---- Mº. Fiscal y a la Administración perjudicada

Rec. apelación, en un solo efecto ---- **Auto** ---- **Plazo**→ 10 días

No accede a la suspensión

Accede a la suspensión ---- Fijará el alcance de la garantía que haya de prestarse + el plazo, que no excederá de 2 meses

La suspensión producirá efectos desde que, dictado el auto, resulte constituida debidamente la garantía correspondiente, en cuyo caso se entenderán retrotraídos sus efectos al momento de su solicitud

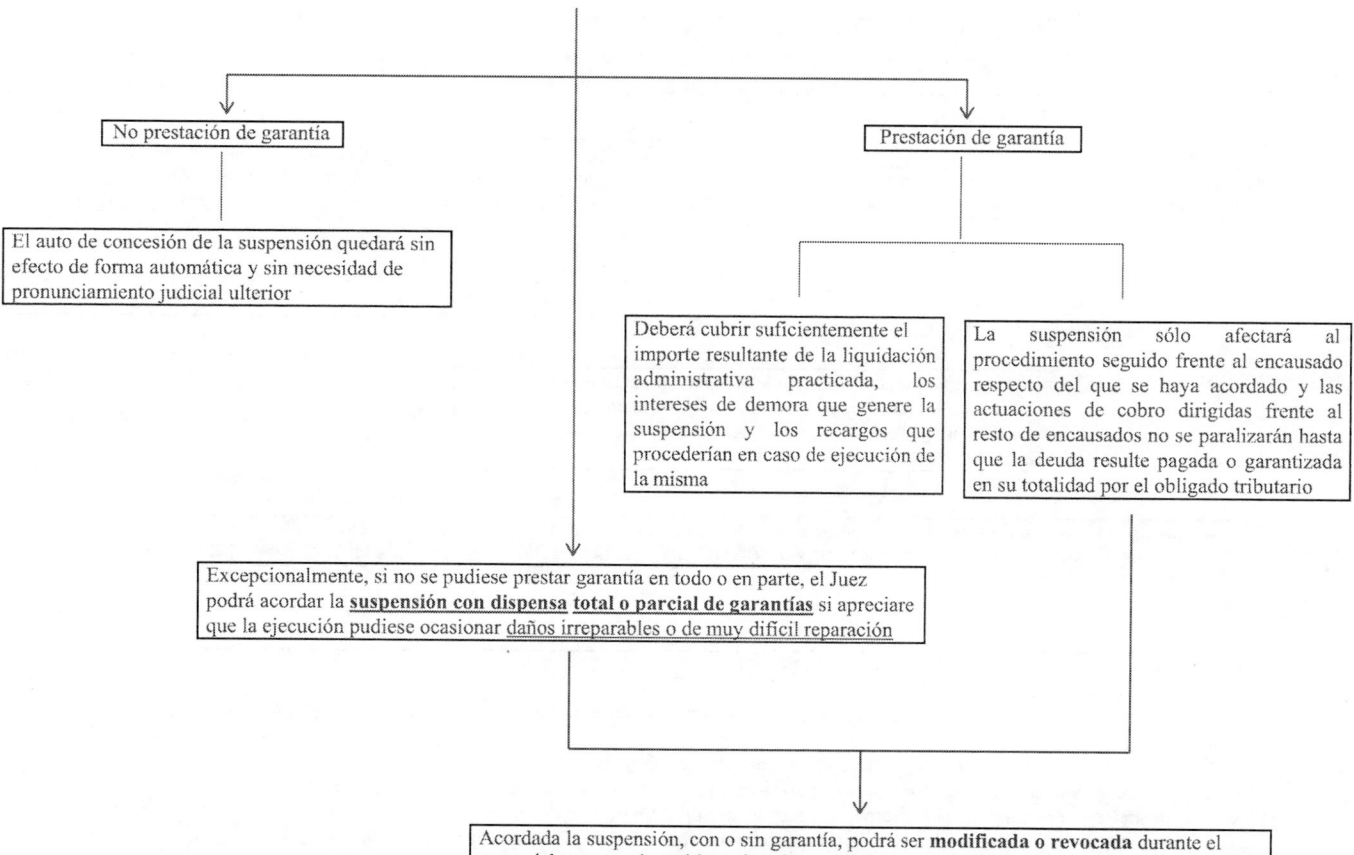

No prestación de garantía

El auto de concesión de la suspensión quedará sin efecto de forma automática y sin necesidad de pronunciamiento judicial ulterior

Prestación de garantía

Deberá cubrir suficientemente el importe resultante de la liquidación administrativa practicada, los intereses de demora que genere la suspensión y los recargos que procederían en caso de ejecución de la misma

La suspensión sólo afectará al procedimiento seguido frente al encausado respecto del que se haya acordado y las actuaciones de cobro dirigidas frente al resto de encausados no se paralizarán hasta que la deuda resulte pagada o garantizada en su totalidad por el obligado tributario

Excepcionalmente, si no se pudiese prestar garantía en todo o en parte, el Juez podrá acordar la **suspensión con dispensa total o parcial de garantías** si apreciare que la ejecución pudiese ocasionar daños irreparables o de muy difícil reparación

Acordada la suspensión, con o sin garantía, podrá ser **modificada o revocada** durante el curso del proceso si cambiaran las circunstancias en virtud de las cuales se hubiera adoptado

Si la Administración hubiese embargado, bienes o derechos del encausado con anterioridad a la fecha del auto que acuerda la suspensión

Dichos embargos mantendrán su eficacia durante el plazo concedido al encausado para formalizar la garantía

El Mº. Fiscal o la Administración perjudicada podrán solicitar al Tribunal que se constituyan como garantía a efectos de la suspensión, los embargos ya realizados o derechos reales que puedan constituirse sobre los bienes afectados por los mismos, de considerarse que dichos bienes garantizan de forma más adecuada el cobro que las garantías ofrecidas por el encausado
Podrá hacerse tal solicitud cuando la suspensión se hubiese solicitado con dispensa total o parcial de garantías

Acordada la suspensión con dispensa total o parcial de garantías, mantendrán su eficacia los ingresos realizados que hubiesen minorado las cuantías adeudadas, sin que los mismos resulten afectados por los efectos de la retroacción conforme al art. 621 ter.1

La Administración no podrá proceder a la enajenación de los bienes y derechos embargados en el curso del procedimiento de apremio hasta que la sentencia condenatoria que confirme total o parcialmente la liquidación

Excepto→ la enajenación deberá autorizarse por el Tribunal:
-Cuando sean perecederos
-Si su propietario hiciera abandono de ellos o, debidamente requerido sobre el destino del efecto judicial, no haga manifestación alguna
-De ser los gastos de conservación y depósito superiores al valor del objeto en sí
- Cuando su conservación pueda resultar peligrosa para la salud o seguridad pública
-Si se depreciaren por el transcurso del tiempo, aun cuando no sufran deterioro
No serán susceptibles de enajenación los efectos que tengan el carácter de piezas de convicción y los que deban quedar a expensas del procedimiento

6. Medidas de investigación limitativas de los derechos reconocidos en el art. 18 CE

La regulación "*De las medidas de investigación limitativas de los derechos reconocidos en el art. 18 de la Constitución*", se encuentra en el Título VIII del Libro II de la Ley de Enjuiciamiento Criminal, que se organiza en diez capítulos:

– Capítulo I, "*De la entrada y registro en lugar cerrado*" (arts. 545 a 572 LECrim).

– Capítulo II, "*Del registro de libros y papeles*" (arts. 573 a 579 LECrim).

– Capítulo III, "*De la detención y apertura de la correspondencia escrita y telegráfica*" (arts. 579 a 588 LECrim).

– Capítulo IV, "*Disposiciones comunes a la interceptación de las comunicaciones telefónicas y telemáticas, la captación y grabación de comunicaciones orales mediante la utilización de dispositivos electrónicos, la utilización de dispositivos técnicos de seguimiento, localización y captación de la imagen, el registro de dispositivos de almacenamiento masivo de información y los registros remotos sobre equipos informáticos*" (arts. 588 bis a) a 588 bis k) LECrim).

– Capítulo V, "*La interceptación de las comunicaciones telefónicas y telemáticas*" Sección 1.ª, "*Disposiciones generales*" (arts. 588 ter a) a 588 ter i)).

Sección 2.ª, "*Incorporación al proceso de datos electrónicos de tráfico o asociados*" (art. 588 ter j).

Sección 3.ª, "*Acceso a los datos necesarios para la identificación de usuarios, terminales y dispositivos de conectividad*" (art. 588 ter k) a 588 ter m)).

– Capítulo VI, "*Captación y grabación de comunicaciones orales mediante la utilización de dispositivos electrónicos*" (arts. 588 quater a) a 588 quater e)).

- Capítulo VII, "*Utilización de dispositivos técnicos de captación de la imagen, de seguimiento y de localización*", (arts. 588 quinquies a) a 588 quinquies c)).

- Capítulo VIII, "*Registro de dispositivos de almacenamiento masivo de información*" (arts. 588 sexies a) a 588 sexies c)).

- Capítulo IX, "*Registros remotos sobre equipos informáticos*" (arts. 588 septies a) a 588 septies c)).

- Capítulo X, "*Medidas de aseguramiento*" (arts. 588 octies).

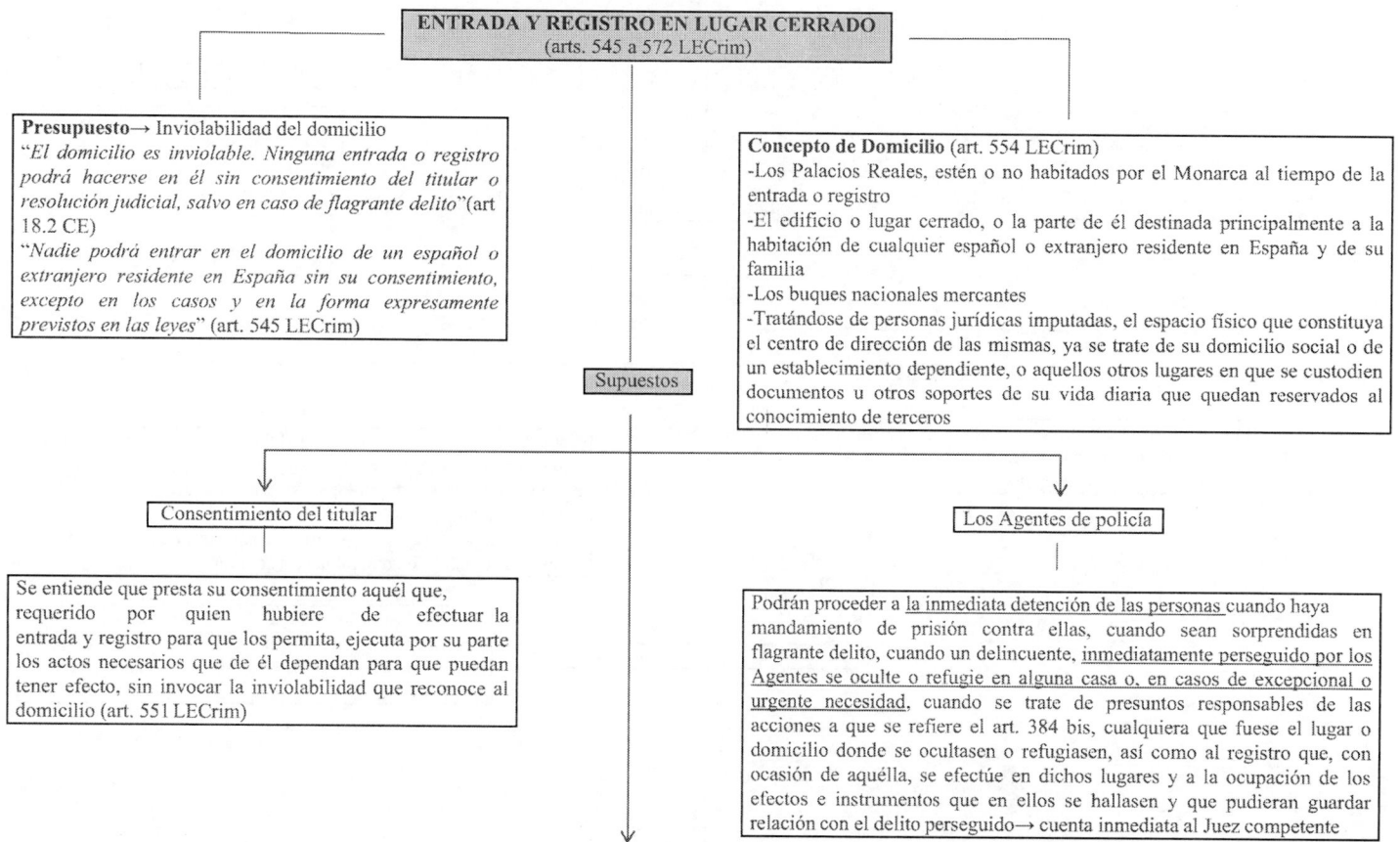

ENTRADA Y REGISTRO EN LUGAR CERRADO
(arts. 545 a 572 LECrim)

Presupuesto→ Inviolabilidad del domicilio
"El domicilio es inviolable. Ninguna entrada o registro podrá hacerse en él sin consentimiento del titular o resolución judicial, salvo en caso de flagrante delito"(art 18.2 CE)
"Nadie podrá entrar en el domicilio de un español o extranjero residente en España sin su consentimiento, excepto en los casos y en la forma expresamente previstos en las leyes" (art. 545 LECrim)

Concepto de Domicilio (art. 554 LECrim)
-Los Palacios Reales, estén o no habitados por el Monarca al tiempo de la entrada o registro
-El edificio o lugar cerrado, o la parte de él destinada principalmente a la habitación de cualquier español o extranjero residente en España y de su familia
-Los buques nacionales mercantes
-Tratándose de personas jurídicas imputadas, el espacio físico que constituya el centro de dirección de las mismas, ya se trate de su domicilio social o de un establecimiento dependiente, o aquellos otros lugares en que se custodien documentos u otros soportes de su vida diaria que quedan reservados al conocimiento de terceros

Supuestos

Consentimiento del titular

Los Agentes de policía

Se entiende que presta su consentimiento aquél que, requerido por quien hubiere de efectuar la entrada y registro para que los permita, ejecuta por su parte los actos necesarios que de él dependan para que puedan tener efecto, sin invocar la inviolabilidad que reconoce al domicilio (art. 551 LECrim)

Podrán proceder a la inmediata detención de las personas cuando haya mandamiento de prisión contra ellas, cuando sean sorprendidas en flagrante delito, cuando un delincuente, inmediatamente perseguido por los Agentes se oculte o refugie en alguna casa o, en casos de excepcional o urgente necesidad, cuando se trate de presuntos responsables de las acciones a que se refiere el art. 384 bis, cualquiera que fuese el lugar o domicilio donde se ocultasen o refugiasen, así como al registro que, con ocasión de aquélla, se efectúe en dichos lugares y a la ocupación de los efectos e instrumentos que en ellos se hallasen y que pudieran guardar relación con el delito perseguido→ cuenta inmediata al Juez competente

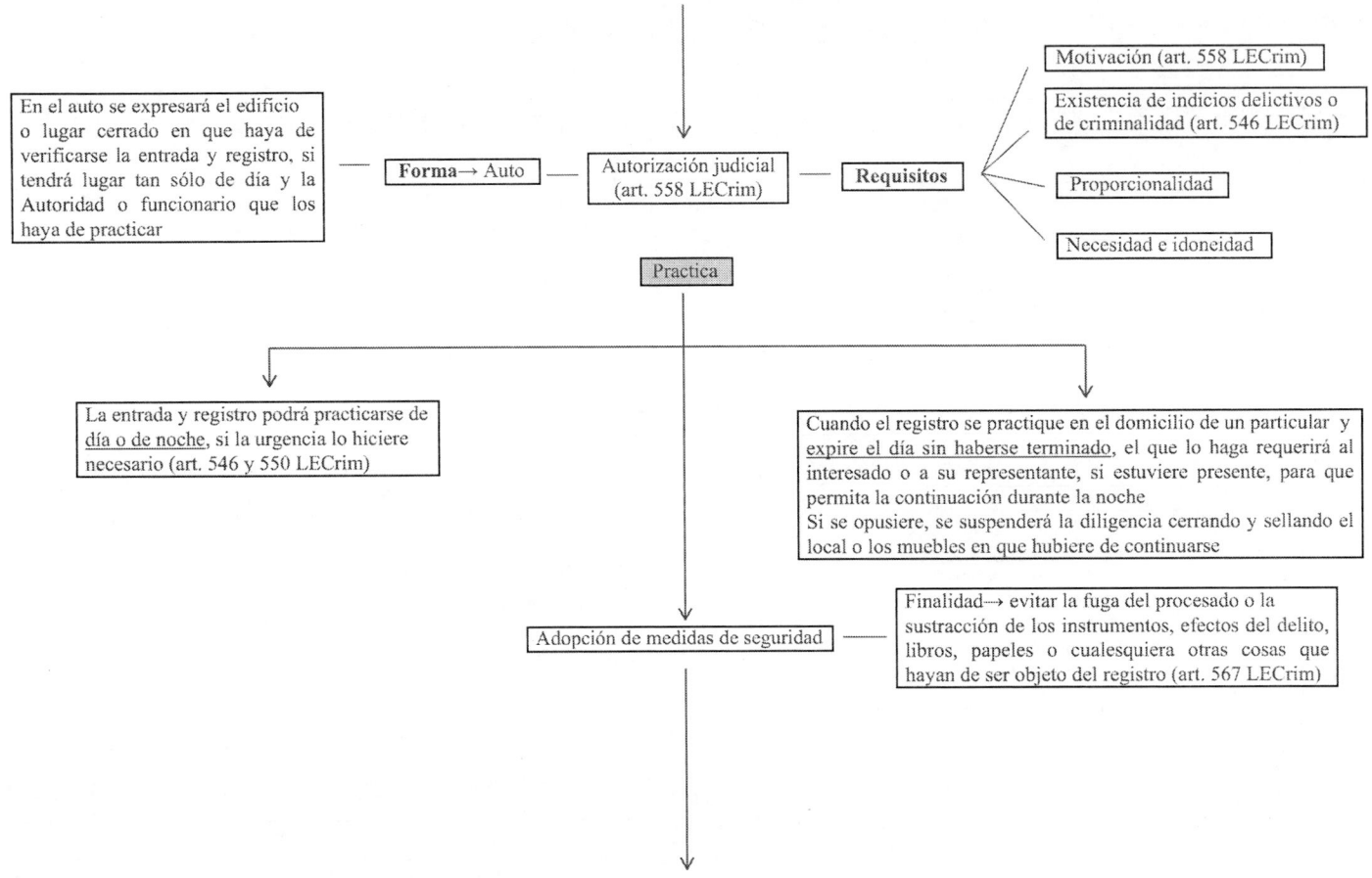

En el auto se expresará el edificio o lugar cerrado en que haya de verificarse la entrada y registro, si tendrá lugar tan sólo de día y la Autoridad o funcionario que los haya de practicar

Forma→ Auto

Autorización judicial (art. 558 LECrim)

Requisitos

Motivación (art. 558 LECrim)

Existencia de indicios delictivos o de criminalidad (art. 546 LECrim)

Proporcionalidad

Necesidad e idoneidad

Practica

La entrada y registro podrá practicarse de día o de noche, si la urgencia lo hiciere necesario (art. 546 y 550 LECrim)

Cuando el registro se practique en el domicilio de un particular y expire el día sin haberse terminado, el que lo haga requerirá al interesado o a su representante, si estuviere presente, para que permita la continuación durante la noche
Si se opusiere, se suspenderá la diligencia cerrando y sellando el local o los muebles en que hubiere de continuarse

Adopción de medidas de seguridad

Finalidad→ evitar la fuga del procesado o la sustracción de los instrumentos, efectos del delito, libros, papeles o cualesquiera otras cosas que hayan de ser objeto del registro (art. 567 LECrim)

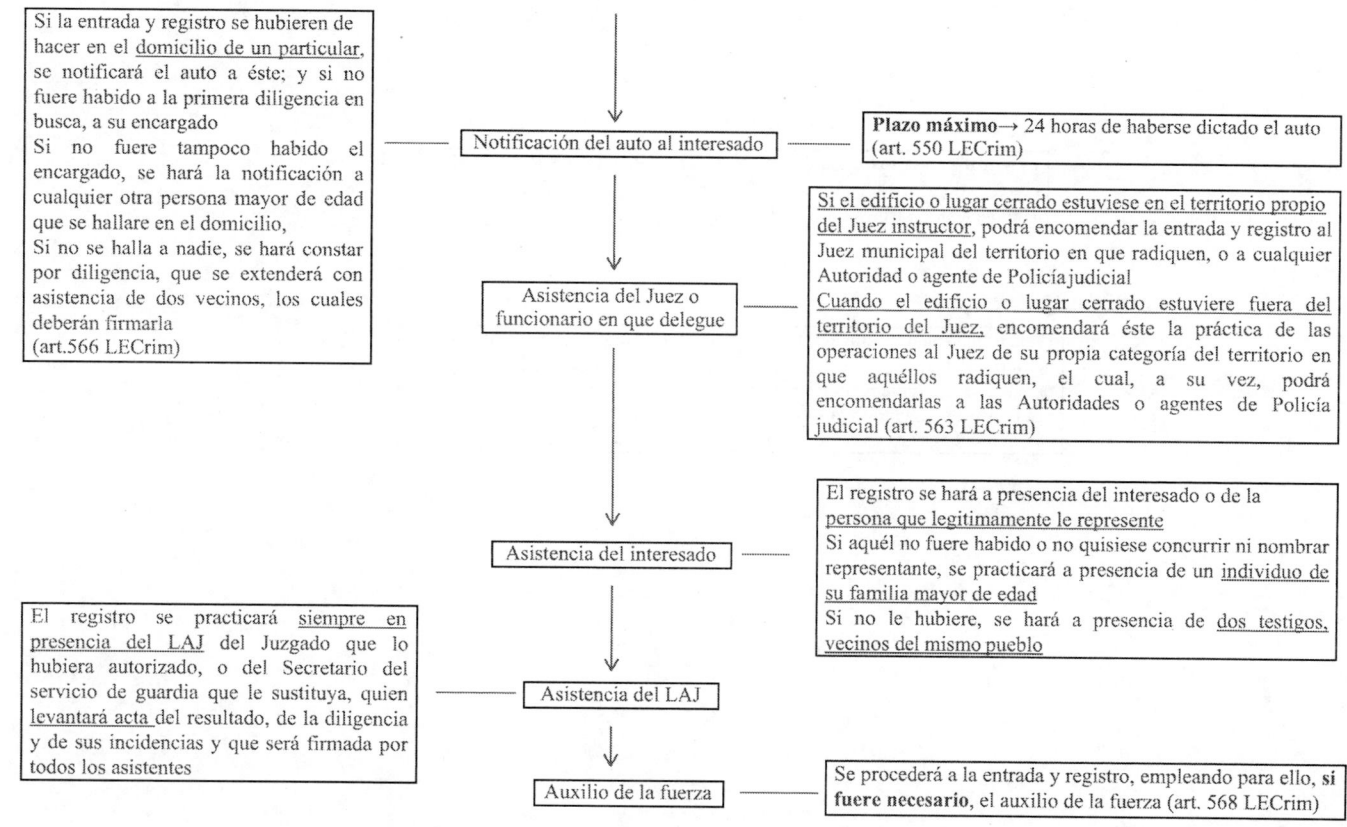

Si la entrada y registro se hubieren de hacer en el <u>domicilio de un particular</u>, se notificará el auto a éste; y si no fuere habido a la primera diligencia en busca, a su encargado
Si no fuere tampoco habido el encargado, se hará la notificación a cualquier otra persona mayor de edad que se hallare en el domicilio,
Si no se halla a nadie, se hará constar por diligencia, que se extenderá con asistencia de dos vecinos, los cuales deberán firmarla
(art.566 LECrim)

Notificación del auto al interesado

Plazo máximo→ 24 horas de haberse dictado el auto (art. 550 LECrim)

<u>Si el edificio o lugar cerrado estuviese en el territorio propio del Juez instructor</u>, podrá encomendar la entrada y registro al Juez municipal del territorio en que radiquen, o a cualquier Autoridad o agente de Policía judicial
<u>Cuando el edificio o lugar cerrado estuviere fuera del territorio del Juez,</u> encomendará éste la práctica de las operaciones al Juez de su propia categoría del territorio en que aquéllos radiquen, el cual, a su vez, podrá encomendarlas a las Autoridades o agentes de Policía judicial (art. 563 LECrim)

Asistencia del Juez o funcionario en que delegue

El registro se hará a presencia del interesado o de la <u>persona que legítimamente le represente</u>
Si aquél no fuere habido o no quisiese concurrir ni nombrar representante, se practicará a presencia de un <u>individuo de su familia mayor de edad</u>
Si no le hubiere, se hará a presencia de <u>dos testigos, vecinos del mismo pueblo</u>

Asistencia del interesado

El registro se practicará <u>siempre en presencia del LAJ</u> del Juzgado que lo hubiera autorizado, o del Secretario del servicio de guardia que le sustituya, quien <u>levantará acta</u> del resultado, de la diligencia y de sus incidencias y que será firmada por todos los asistentes

Asistencia del LAJ

Auxilio de la fuerza

Se procederá a la entrada y registro, empleando para ello, **si fuere necesario**, el auxilio de la fuerza (art. 568 LECrim)

El registro no se suspenderá sino por el tiempo en que no fuere posible continuarle, y se adoptarán, durante la suspensión, las medidas de vigilancia necesarias (art.571 LECrim)

En la diligencia de entrada y registro en lugar cerrado, se expresarán los nombres del Juez, o de su delegado, que la practique y de las demás personas que intervengan, los incidentes ocurridos, la hora en que se hubiese principiado y concluido la diligencia, y la relación del registro por el orden con que se haga, así como los resultados obtenidos (art.572 LECrim)

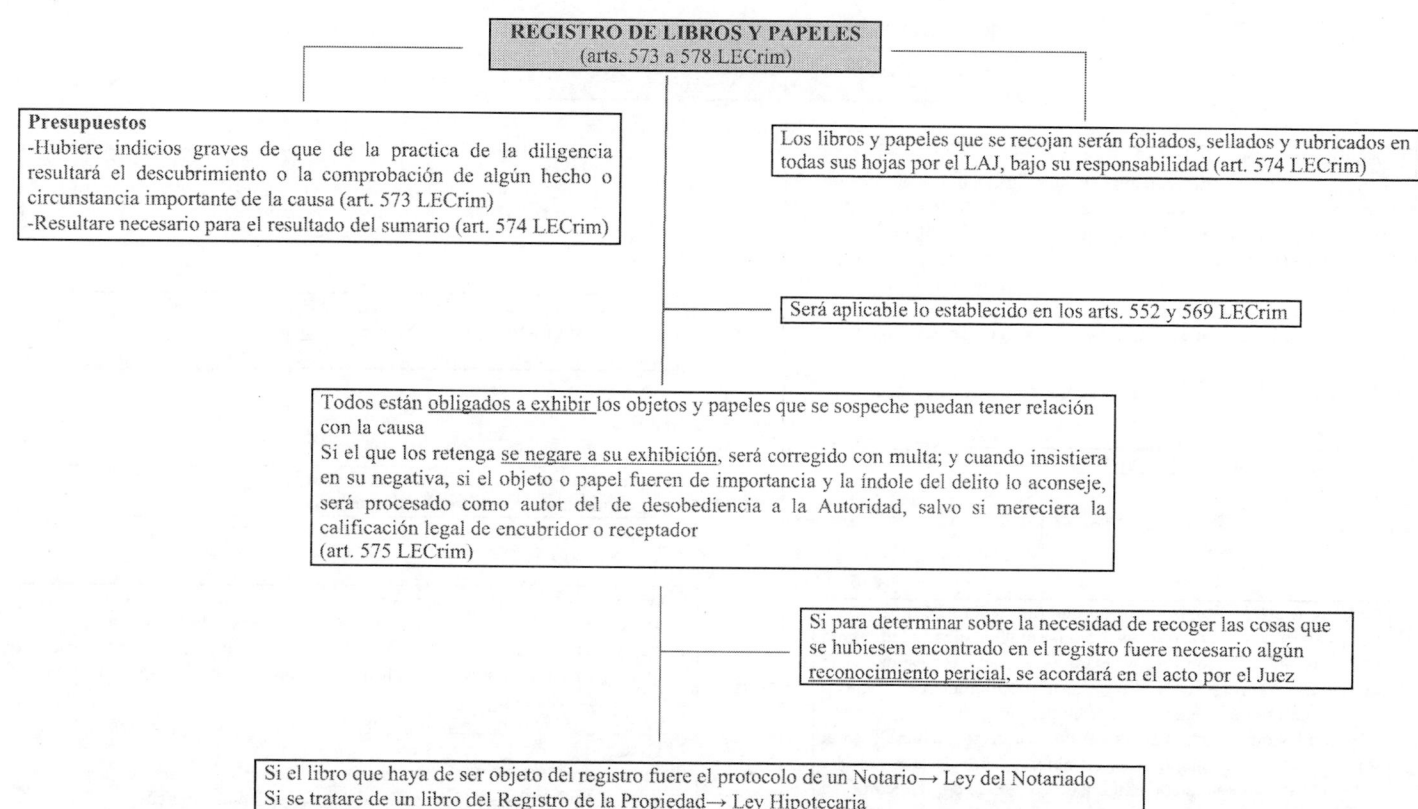

REGISTRO DE LIBROS Y PAPELES
(arts. 573 a 578 LECrim)

Presupuestos
-Hubiere indicios graves de que de la practica de la diligencia resultará el descubrimiento o la comprobación de algún hecho o circunstancia importante de la causa (art. 573 LECrim)
-Resultare necesario para el resultado del sumario (art. 574 LECrim)

Los libros y papeles que se recojan serán foliados, sellados y rubricados en todas sus hojas por el LAJ, bajo su responsabilidad (art. 574 LECrim)

Será aplicable lo establecido en los arts. 552 y 569 LECrim

Todos están obligados a exhibir los objetos y papeles que se sospeche puedan tener relación con la causa
Si el que los retenga se negare a su exhibición, será corregido con multa; y cuando insistiera en su negativa, si el objeto o papel fueren de importancia y la índole del delito lo aconseje, será procesado como autor del de desobediencia a la Autoridad, salvo si mereciera la calificación legal de encubridor o receptador
(art. 575 LECrim)

Si para determinar sobre la necesidad de recoger las cosas que se hubiesen encontrado en el registro fuere necesario algún reconocimiento pericial, se acordará en el acto por el Juez

Si el libro que haya de ser objeto del registro fuere el protocolo de un Notario→ Ley del Notariado
Si se tratare de un libro del Registro de la Propiedad→ Ley Hipotecaria
Si se tratare de un libro del Registro Civil o Mercantil →Ley y Reglamentos relativos a estos servicios

DETENCIÓN Y APERTURA DE LA CORRESPONDENCIA ESCRITA Y TELEGRAFICA
(arts. 579 a 588 LECrim)

Presupuesto
-Si hubiera indicios de obtener el descubrimiento o la comprobación del algún hecho o circunstancia relevante para la causa, siempre que la investigación tenga por objeto alguno de los siguientes delitos:
1.º Delitos dolosos castigados con pena con límite máximo de, al menos, tres años de prisión
2.º Delitos cometidos en el seno de un grupo u organización criminal
3.º Delitos de terrorismo

Objeto→ detención de la correspondencia privada, postal y telegráfica, incluidos faxes, burofaxes y giros, que el investigado remita o reciba, así como su apertura o examen

La solicitud y las actuaciones posteriores relativas a la medida solicitada se sustanciarán en una pieza separada y secreta, sin necesidad de que se acuerde expresamente el secreto de la causa

Requisito → Auto motivado

Plazo → hasta 3 meses, prorrogable por iguales o inferiores períodos hasta un máximo de 18 meses

No se requerirá autorización judicial (art.579.4 LECrim):
a) Envíos postales que, por sus propias características externas, no sean usualmente utilizados para contener correspondencia individual sino para servir al transporte y tráfico de mercancías o en cuyo exterior se haga constar su contenido
b) Aquellas otras formas de envío de la correspondencia bajo el formato legal de comunicación abierta, en las que resulte obligatoria una declaración externa de contenido o que incorporen la indicación expresa de que se autoriza su inspección
c) Cuando la inspección se lleve a cabo de acuerdo con la normativa aduanera o proceda con arreglo a las normas postales que regulan una determinada clase de envío

Excep → En caso de urgencia, cuando las investigaciones se realicen para la averiguación de delitos relacionados con la actuación de bandas armadas o elementos terroristas y existan razones fundadas que hagan imprescindible la medida, podrá ordenarla el Ministro del Interior o, en su defecto, el Secretario de Estado de Seguridad
Se comunicará inmediatamente al Juez competente o en el plazo máximo de 24 horas
El Juez competente, de forma motivada, revocará o confirmará tal actuación en un plazo máximo de 72 horas desde que fue ordenada la medida

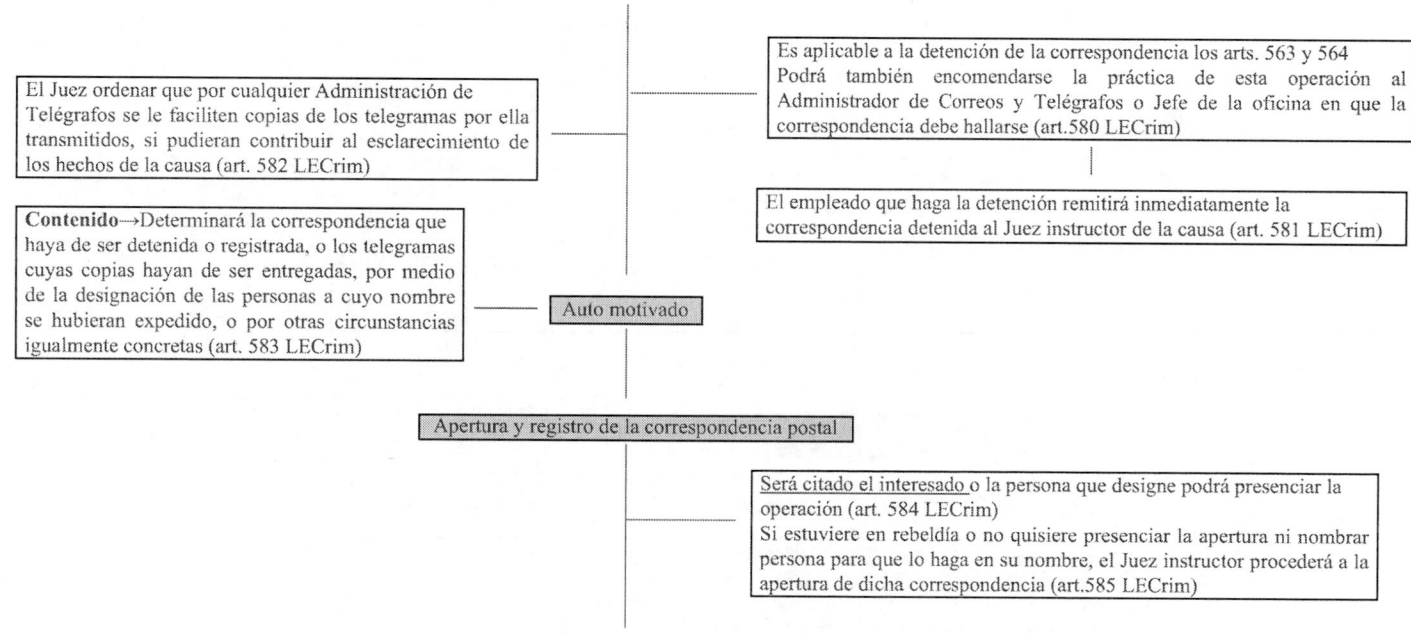

El Juez ordenar que por cualquier Administración de Telégrafos se le faciliten copias de los telegramas por ella transmitidos, si pudieran contribuir al esclarecimiento de los hechos de la causa (art. 582 LECrim)

Es aplicable a la detención de la correspondencia los arts. 563 y 564
Podrá también encomendarse la práctica de esta operación al Administrador de Correos y Telégrafos o Jefe de la oficina en que la correspondencia debe hallarse (art.580 LECrim)

El empleado que haga la detención remitirá inmediatamente la correspondencia detenida al Juez instructor de la causa (art. 581 LECrim)

Contenido→Determinará la correspondencia que haya de ser detenida o registrada, o los telegramas cuyas copias hayan de ser entregadas, por medio de la designación de las personas a cuyo nombre se hubieran expedido, o por otras circunstancias igualmente concretas (art. 583 LECrim)

Auto motivado

Apertura y registro de la correspondencia postal

Será citado el interesado o la persona que designe podrá presenciar la operación (art. 584 LECrim)
Si estuviere en rebeldía o no quisiere presenciar la apertura ni nombrar persona para que lo haga en su nombre, el Juez instructor procederá a la apertura de dicha correspondencia (art.585 LECrim)

La operación se practicará abriendo el Juez por sí mismo la correspondencia, y después de leerla para sí apartará la que haga referencia a los hechos de la causa y cuya conservación considere necesaria
Los sobres y hojas de esta correspondencia, después de haber tomado el mismo Juez las notas necesarias para la práctica de otras diligencias de investigación a que la correspondencia diere motivo, se rubricarán por el LAJ y se sellarán con el sello del Juzgado, encerrándolo todo después en otro sobre, al que se pondrá el rótulo necesario, conservándose durante el sumario, también bajo responsabilidad del Secretario
Este pliego podrá abrirse cuantas veces el Juez lo considere preciso, citando previamente al interesado

La correspondencia que no se relacione con la causa será
entregada en el acto al procesado o a su representante
Si estuviere en rebeldía, se entregará cerrada a un individuo de
su familia mayor de edad
Si no fuere conocido ningún pariente del procesado, se
conservará dicho pliego cerrado bajo la responsabilidad del LAJ
hasta que haya persona a quien entregarlo
(art.587 LECrim)

La apertura de la correspondencia se hará constar por diligencia, en la que se referirá cuanto en aquélla hubiese ocurrido
Esta diligencia será firmada por el Juez instructor, el LAJ y demás asistentes
(art.588 LECrim)

Utilización de la información obtenida
(art. 579 bis LECrim)

El resultado de la detención y apertura de la correspondencia
escrita y telegráfica podrá ser utilizado como medio de
investigación o prueba en otro proceso penal

Se procederá a la deducción de testimonio de los particulares necesarios para acreditar la legitimidad de
la injerencia
Se incluirán, en todo caso, la solicitud inicial para la adopción, la resolución judicial que la acuerda y
todas las peticiones y resoluciones judiciales de prórroga recaídas en el procedimiento de origen

La continuación de esta medida para la investigación del delito casualmente descubierto requiere
autorización del juez competente, para la cual, éste comprobará la diligencia de la actuación,
evaluando el marco en el que se produjo el hallazgo casual y la imposibilidad de haber solicitado la
medida que lo incluyera en su momento
Se informará si las diligencias continúan declaradas secretas, a los efectos de que tal declaración sea
respetada en el otro proceso penal, comunicando el momento en el que dicho secreto se alce

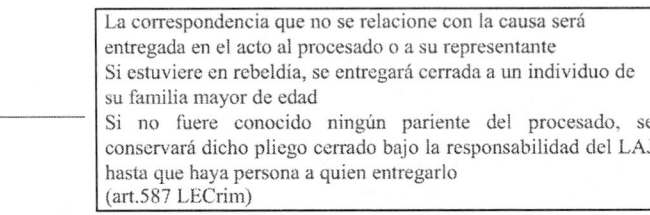

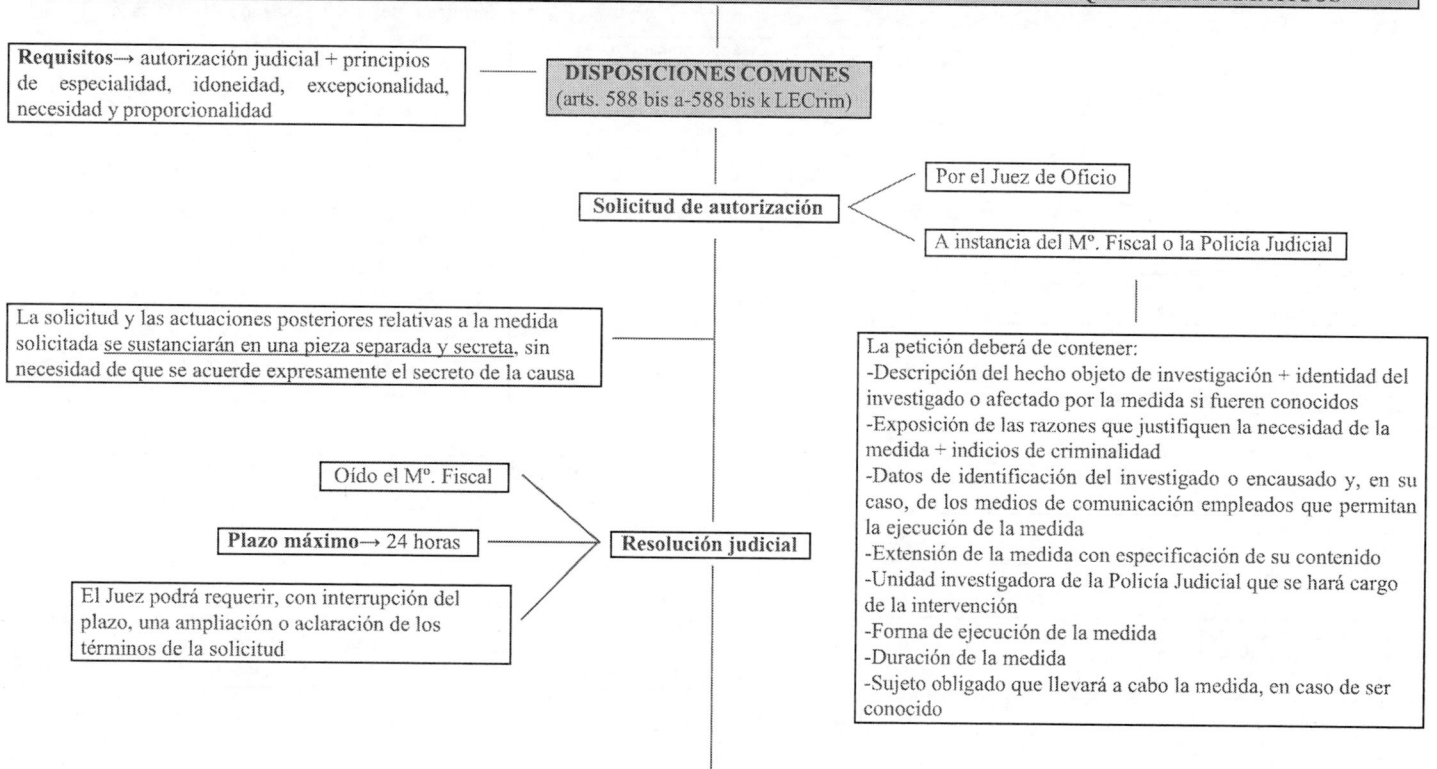

INTERCEPTACIÓN DE LAS COMUNICACIONES TELEFÓNICAS Y TELEMÁTICAS, LA CAPTACIÓN Y GRABACIÓN DE COMUNICACIONES ORALES MEDIANTE LA UTILIZACIÓN DE DISPOSITIVOS ELECTRÓNICOS, LA UTILIZACIÓN DE DISPOSITIVOS TÉCNICOS DE SEGUIMIENTO, LOCALIZACIÓN Y CAPTACIÓN DE LA IMAGEN, EL REGISTRO DE DISPOSITIVOS DE ALMACENAMIENTO MASIVO DE INFORMACIÓN Y LOS REGISTROS REMOTOS SOBRE EQUIPOS INFORMÁTICOS

Requisitos→ autorización judicial + principios de especialidad, idoneidad, excepcionalidad, necesidad y proporcionalidad

DISPOSICIONES COMUNES
(arts. 588 bis a-588 bis k LECrim)

Solicitud de autorización

Por el Juez de Oficio

A instancia del Mº. Fiscal o la Policía Judicial

La solicitud y las actuaciones posteriores relativas a la medida solicitada se sustanciarán en una pieza separada y secreta, sin necesidad de que se acuerde expresamente el secreto de la causa

La petición deberá de contener:
-Descripción del hecho objeto de investigación + identidad del investigado o afectado por la medida si fueren conocidos
-Exposición de las razones que justifiquen la necesidad de la medida + indicios de criminalidad
-Datos de identificación del investigado o encausado y, en su caso, de los medios de comunicación empleados que permitan la ejecución de la medida
-Extensión de la medida con especificación de su contenido
-Unidad investigadora de la Policía Judicial que se hará cargo de la intervención
-Forma de ejecución de la medida
-Duración de la medida
-Sujeto obligado que llevará a cabo la medida, en caso de ser conocido

Oído el Mº. Fiscal

Plazo máximo→ 24 horas

Resolución judicial

El Juez podrá requerir, con interrupción del plazo, una ampliación o aclaración de los términos de la solicitud

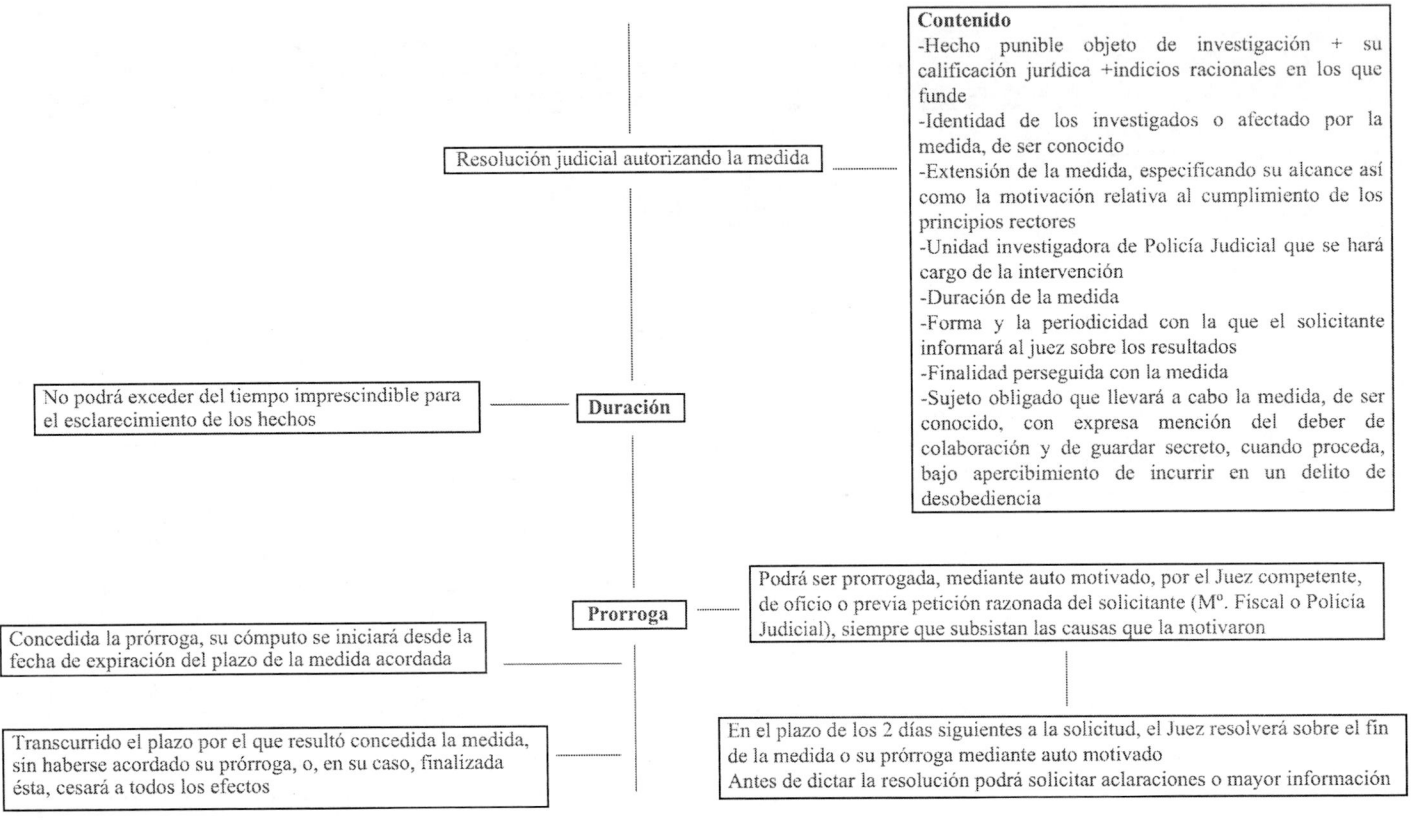

Resolución judicial autorizando la medida

Contenido
-Hecho punible objeto de investigación + su calificación jurídica +indicios racionales en los que funde
-Identidad de los investigados o afectado por la medida, de ser conocido
-Extensión de la medida, especificando su alcance así como la motivación relativa al cumplimiento de los principios rectores
-Unidad investigadora de Policía Judicial que se hará cargo de la intervención
-Duración de la medida
-Forma y la periodicidad con la que el solicitante informará al juez sobre los resultados
-Finalidad perseguida con la medida
-Sujeto obligado que llevará a cabo la medida, de ser conocido, con expresa mención del deber de colaboración y de guardar secreto, cuando proceda, bajo apercibimiento de incurrir en un delito de desobediencia

Duración

No podrá exceder del tiempo imprescindible para el esclarecimiento de los hechos

Prorroga

Podrá ser prorrogada, mediante auto motivado, por el Juez competente, de oficio o previa petición razonada del solicitante (Mº. Fiscal o Policía Judicial), siempre que subsistan las causas que la motivaron

Concedida la prórroga, su cómputo se iniciará desde la fecha de expiración del plazo de la medida acordada

Transcurrido el plazo por el que resultó concedida la medida, sin haberse acordado su prórroga, o, en su caso, finalizada ésta, cesará a todos los efectos

En el plazo de los 2 días siguientes a la solicitud, el Juez resolverá sobre el fin de la medida o su prórroga mediante auto motivado
Antes de dictar la resolución podrá solicitar aclaraciones o mayor información

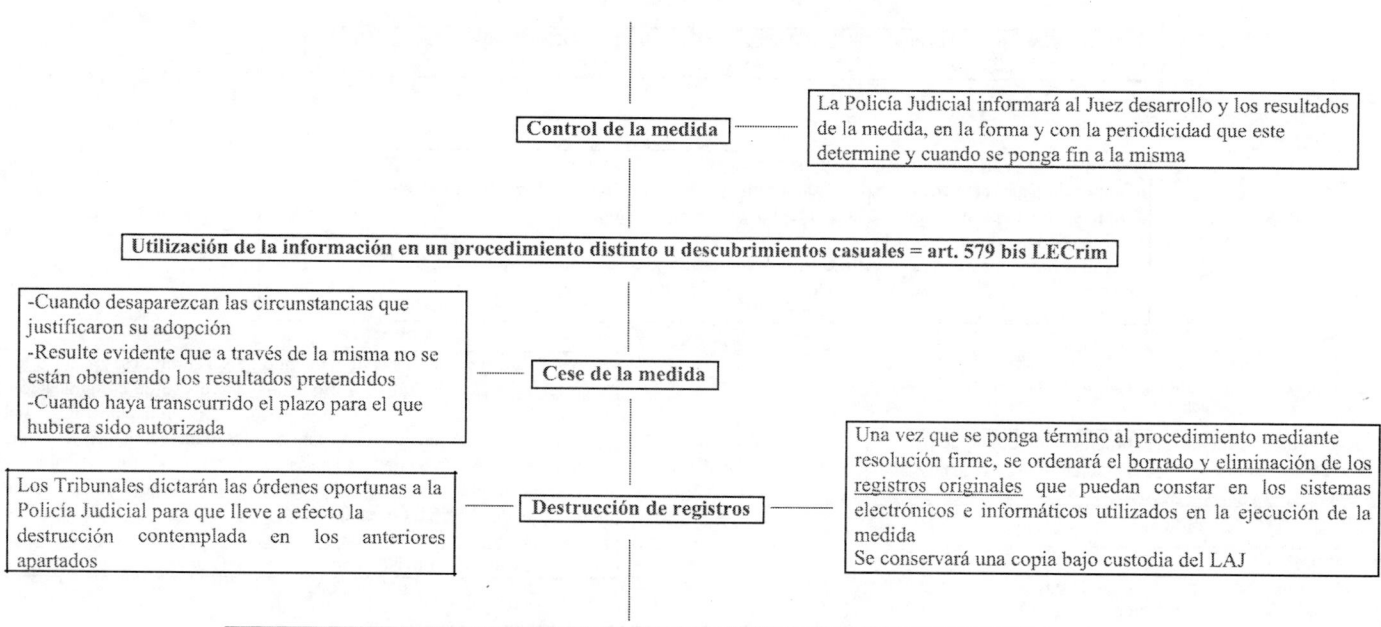

Control de la medida ┈┈┈ La Policía Judicial informará al Juez desarrollo y los resultados de la medida, en la forma y con la periodicidad que este determine y cuando se ponga fin a la misma

Utilización de la información en un procedimiento distinto u descubrimientos casuales = art. 579 bis LECrim

-Cuando desaparezcan las circunstancias que justificaron su adopción
-Resulte evidente que a través de la misma no se están obteniendo los resultados pretendidos
-Cuando haya transcurrido el plazo para el que hubiera sido autorizada ┈┈┈ **Cese de la medida**

Los Tribunales dictarán las órdenes oportunas a la Policía Judicial para que lleve a efecto la destrucción contemplada en los anteriores apartados ┈┈┈ **Destrucción de registros** ┈┈┈ Una vez que se ponga término al procedimiento mediante resolución firme, se ordenará el borrado y eliminación de los registros originales que puedan constar en los sistemas electrónicos e informáticos utilizados en la ejecución de la medida
Se conservará una copia bajo custodia del LAJ

Se acordará la destrucción de las copias conservadas cuando hayan transcurrido cinco años desde que la pena se haya ejecutado o cuando el delito o la pena hayan prescrito o se haya decretado el sobreseimiento libre o haya recaído sentencia absolutoria firme respecto del investigado, siempre que no fuera precisa su conservación a juicio del Tribunal

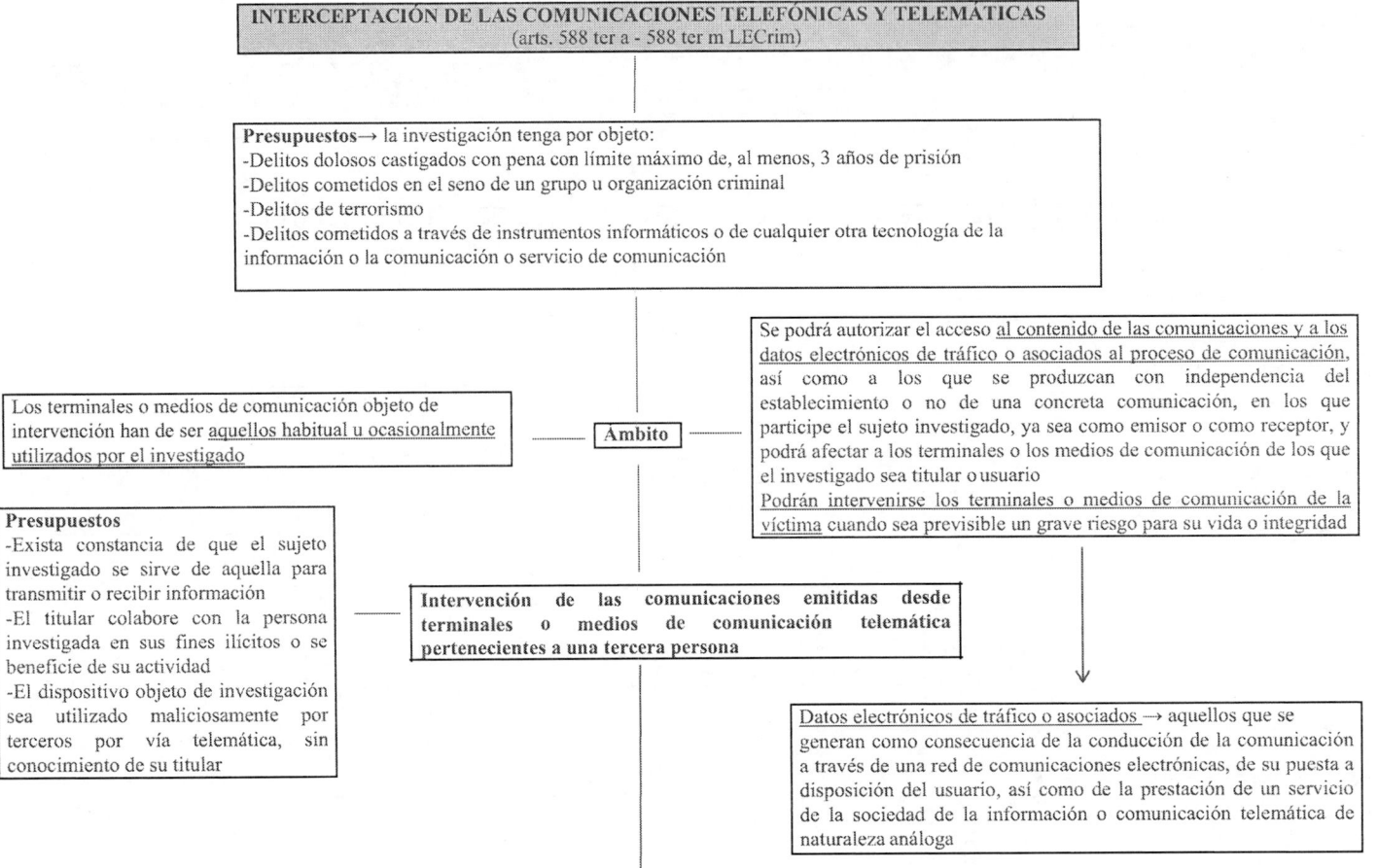

INTERCEPTACIÓN DE LAS COMUNICACIONES TELEFÓNICAS Y TELEMÁTICAS
(arts. 588 ter a - 588 ter m LECrim)

Presupuestos→ la investigación tenga por objeto:
-Delitos dolosos castigados con pena con límite máximo de, al menos, 3 años de prisión
-Delitos cometidos en el seno de un grupo u organización criminal
-Delitos de terrorismo
-Delitos cometidos a través de instrumentos informáticos o de cualquier otra tecnología de la información o la comunicación o servicio de comunicación

Los terminales o medios de comunicación objeto de intervención han de ser aquellos habitual u ocasionalmente utilizados por el investigado

Ámbito

Se podrá autorizar el acceso al contenido de las comunicaciones y a los datos electrónicos de tráfico o asociados al proceso de comunicación, así como a los que se produzcan con independencia del establecimiento o no de una concreta comunicación, en los que participe el sujeto investigado, ya sea como emisor o como receptor, y podrá afectar a los terminales o los medios de comunicación de los que el investigado sea titular o usuario
Podrán intervenirse los terminales o medios de comunicación de la víctima cuando sea previsible un grave riesgo para su vida o integridad

Presupuestos
-Exista constancia de que el sujeto investigado se sirve de aquella para transmitir o recibir información
-El titular colabore con la persona investigada en sus fines ilícitos o se beneficie de su actividad
-El dispositivo objeto de investigación sea utilizado maliciosamente por terceros por vía telemática, sin conocimiento de su titular

Intervención de las comunicaciones emitidas desde terminales o medios de comunicación telemática pertenecientes a una tercera persona

Datos electrónicos de tráfico o asociados → aquellos que se generan como consecuencia de la conducción de la comunicación a través de una red de comunicaciones electrónicas, de su puesta a disposición del usuario, así como de la prestación de un servicio de la sociedad de la información o comunicación telemática de naturaleza análoga

En caso de urgencia (delitos relacionados con la actuación de bandas armadas o elementos terroristas + razones fundadas que hagan imprescindible la medida) ⟶ podrá ordenarla el Ministro del Interior o el Secretario de Estado de Seguridad Se comunicará inmediatamente al Juez competente o dentro del plazo máximo de 24 horas, haciendo constar las razones que justificaron la adopción de la medida, la actuación realizada, la forma en que se ha efectuado y su resultado
El Juez competente motivadamente revocará o confirmará tal actuación en un plazo máximo de 72 horas desde que fue ordenada la medida

Solicitud de autorización

La petición deberá de contener requisitos art. 588 bis b +
-Identificación del número de abonado, del terminal o de la etiqueta técnica
-Identificación de la conexión objeto de la intervención
-Datos necesarios para identificar el medio de telecomunicación
Para determinar la extensión de la medida, la solicitud de autorización judicial podrá tener por objeto alguno de los siguientes extremos:
-Registro y la grabación del contenido de la comunicación, con indicación de la forma o tipo de comunicaciones a las que afecta
-Conocimiento de su origen o destino, en el momento en el que la comunicación se realiza
-Localización geográfica del origen o destino de la comunicación
-Conocimiento de otros datos de tráfico asociados o no asociados pero de valor añadido a la comunicación
 En este caso, la solicitud especificará los datos concretos que han de ser obtenidos

Sujetos⟶ Los prestadores de servicios de telecomunicaciones, de acceso a una red de telecomunicaciones o de servicios de la sociedad de la información + toda persona que de cualquier modo contribuya a facilitar las comunicaciones a través del teléfono o de cualquier otro medio o sistema de comunicación telemática, lógica o virtual

Deber de colaboración

Tiene la obligación de guardar secreto acerca de las actividades requeridas por las autoridades
En caso de incumplimiento podrán incurrir en delito de desobediencia

Control de la medida

La Policía Judicial pondrá a disposición del Juez, con la periodicidad que este determine y en soportes digitales distintos, la transcripción de los pasajes que considere de interés y las grabaciones íntegras realizadas
Se indicará el origen y destino de cada una de ellas y se asegurará, mediante un sistema de sellado o firma electrónica avanzado o sistema de adveración suficientemente fiable, la autenticidad e integridad de la información volcada desde el ordenador central a los soportes digitales en que las comunicaciones hubieran sido grabadas

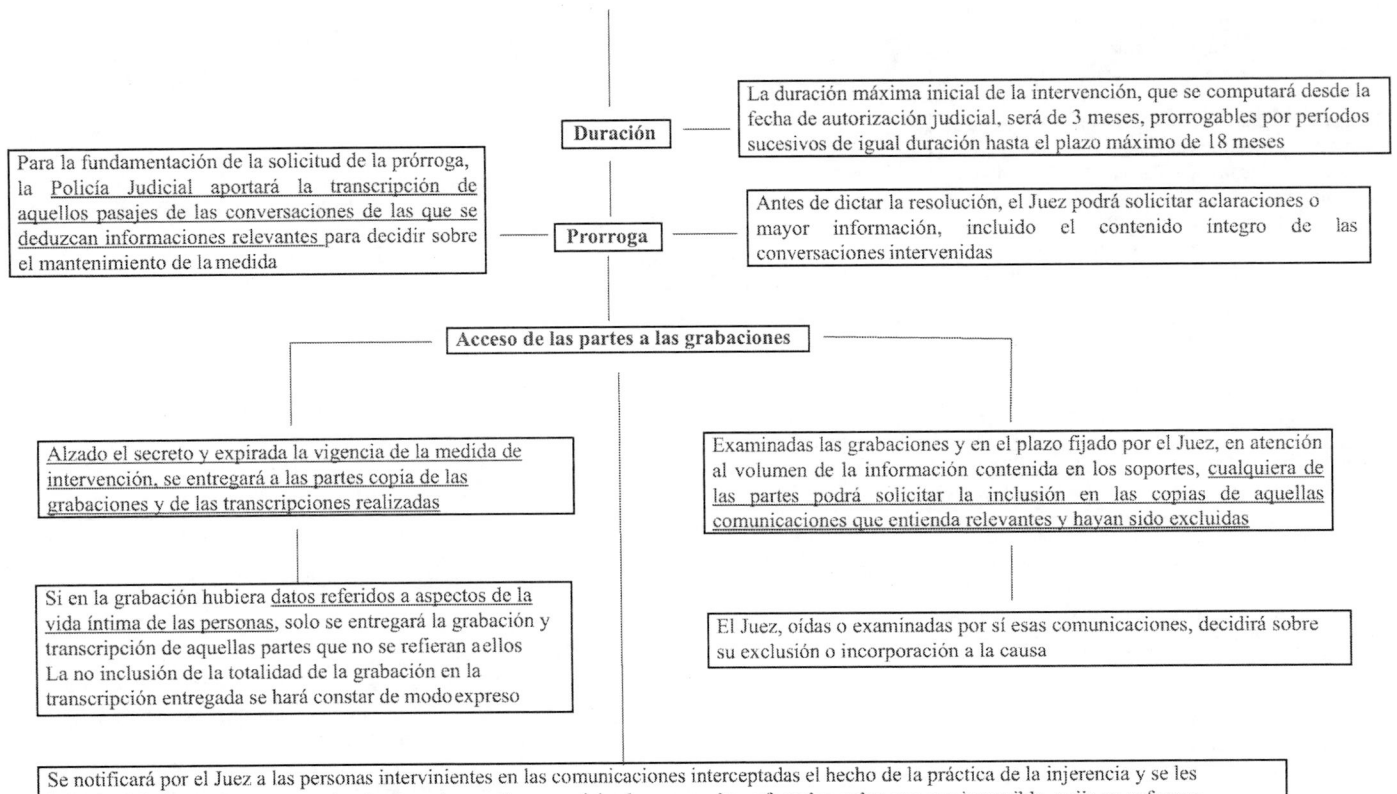

Duración — La duración máxima inicial de la intervención, que se computará desde la fecha de autorización judicial, será de 3 meses, prorrogables por períodos sucesivos de igual duración hasta el plazo máximo de 18 meses

Para la fundamentación de la solicitud de la prórroga, la Policía Judicial aportará la transcripción de aquellos pasajes de las conversaciones de las que se deduzcan informaciones relevantes para decidir sobre el mantenimiento de la medida — **Prorroga** — Antes de dictar la resolución, el Juez podrá solicitar aclaraciones o mayor información, incluido el contenido íntegro de las conversaciones intervenidas

Acceso de las partes a las grabaciones

Alzado el secreto y expirada la vigencia de la medida de intervención, se entregará a las partes copia de las grabaciones y de las transcripciones realizadas

Examinadas las grabaciones y en el plazo fijado por el Juez, en atención al volumen de la información contenida en los soportes, cualquiera de las partes podrá solicitar la inclusión en las copias de aquellas comunicaciones que entienda relevantes y hayan sido excluidas

Si en la grabación hubiera datos referidos a aspectos de la vida íntima de las personas, solo se entregará la grabación y transcripción de aquellas partes que no se refieran a ellos
La no inclusión de la totalidad de la grabación en la transcripción entregada se hará constar de modo expreso

El Juez, oídas o examinadas por sí esas comunicaciones, decidirá sobre su exclusión o incorporación a la causa

Se notificará por el Juez a las personas intervinientes en las comunicaciones interceptadas el hecho de la práctica de la injerencia y se les informará de las concretas comunicaciones en las que haya participado que resulten afectadas, salvo que sea imposible, exija un esfuerzo desproporcionado o puedan perjudicar futuras investigaciones
Si la persona notificada lo solicita se le entregará copia de la grabación o transcripción de tales comunicaciones, en la medida que esto no afecte al derecho a la intimidad de otras personas o resulte contrario a los fines del proceso en cuyo marco se hubiere adoptado la medida de injerencia

Incorporación al proceso de datos electrónicos de tráfico o asociados

Los datos electrónicos conservados por los prestadores de servicios o personas que faciliten la comunicación en cumplimiento de la legislación sobre retención de datos relativos a las comunicaciones electrónicas o por propia iniciativa por motivos comerciales o de otra índole y que se encuentren vinculados a procesos de comunicación, solo podrán ser cedidos para su incorporación al proceso con autorización judicial

Cuando el conocimiento de esos datos resulte indispensable para la investigación, se solicitará del Juez competente autorización para recabar la información que conste en los archivos automatizados de los prestadores de servicios, incluida la búsqueda entrecruzada o inteligente de datos, siempre que se precisen la naturaleza de los datos que hayan de ser conocidos y las razones que justifican la cesión

Acceso a los datos necesarios para la identificación de usuarios, terminales y dispositivos de conectividad

Presupuestos:
- Ejercicio de las funciones de prevención y descubrimiento de los delitos cometidos en internet
- Los agentes de la Policía Judicial tuvieran acceso a una dirección IP que estuviera siendo utilizada para la comisión de algún delito y no constara la identificación y localización del equipo o del dispositivo de conectividad correspondiente ni los datos de identificación personal del usuario,

Identificación mediante número IP

Solicitud del Juez de instrucción que requiera de los agentes sujetos al deber de colaboración según el art. 588 ter e, la cesión de los datos que permitan la identificación y localización del terminal o del dispositivo de conectividad y la identificación del sospechoso

Siempre que en el marco de una investigación no hubiera sido posible obtener un determinado número de abonado y este resulte indispensable a los fines de la investigación, los agentes de Policía Judicial podrán valerse de artificios técnicos que permitan acceder al conocimiento de los códigos de identificación o etiquetas técnicas del aparato de telecomunicación o de alguno de sus componentes, tales como la numeración IMSI o IMEI y, en general, de cualquier medio técnico que, de acuerdo con el estado de la tecnología, sea apto para identificar el equipo de comunicación utilizado o la tarjeta utilizada para acceder a
la red de telecomunicaciones

Una vez obtenidos los códigos que permiten la identificación del aparato o de alguno de sus componentes, los agentes de la Policía Judicial podrán solicitar del Juez competente la intervención de las comunicaciones en los términos establecidos en el art. 588 ter d
La solicitud habrá de poner en conocimiento del órgano jurisdiccional la utilización de los artificios
El Tribunal dictará resolución motivada concediendo o denegando la solicitud de intervención en el plazo establecido en el art. 588 bis c

Identificación de los terminales mediante captación de códigos de identificación del aparato o de sus componentes

Identificación de titulares o terminales o dispositivos de conectividad

Cuando, en el ejercicio de sus funciones, el Mº. Fiscal o la Policía Judicial necesiten conocer la titularidad de un número de teléfono o de cualquier otro medio de comunicación, o, en sentido inverso, precisen el número de teléfono o los datos identificativos de cualquier medio de comunicación, podrán dirigirse directamente a los prestadores de servicios de telecomunicaciones, de acceso a una red de telecomunicaciones o de servicios de la sociedad de la información, quienes estarán obligados a cumplir el requerimiento, bajo apercibimiento de incurrir en el delito de desobediencia

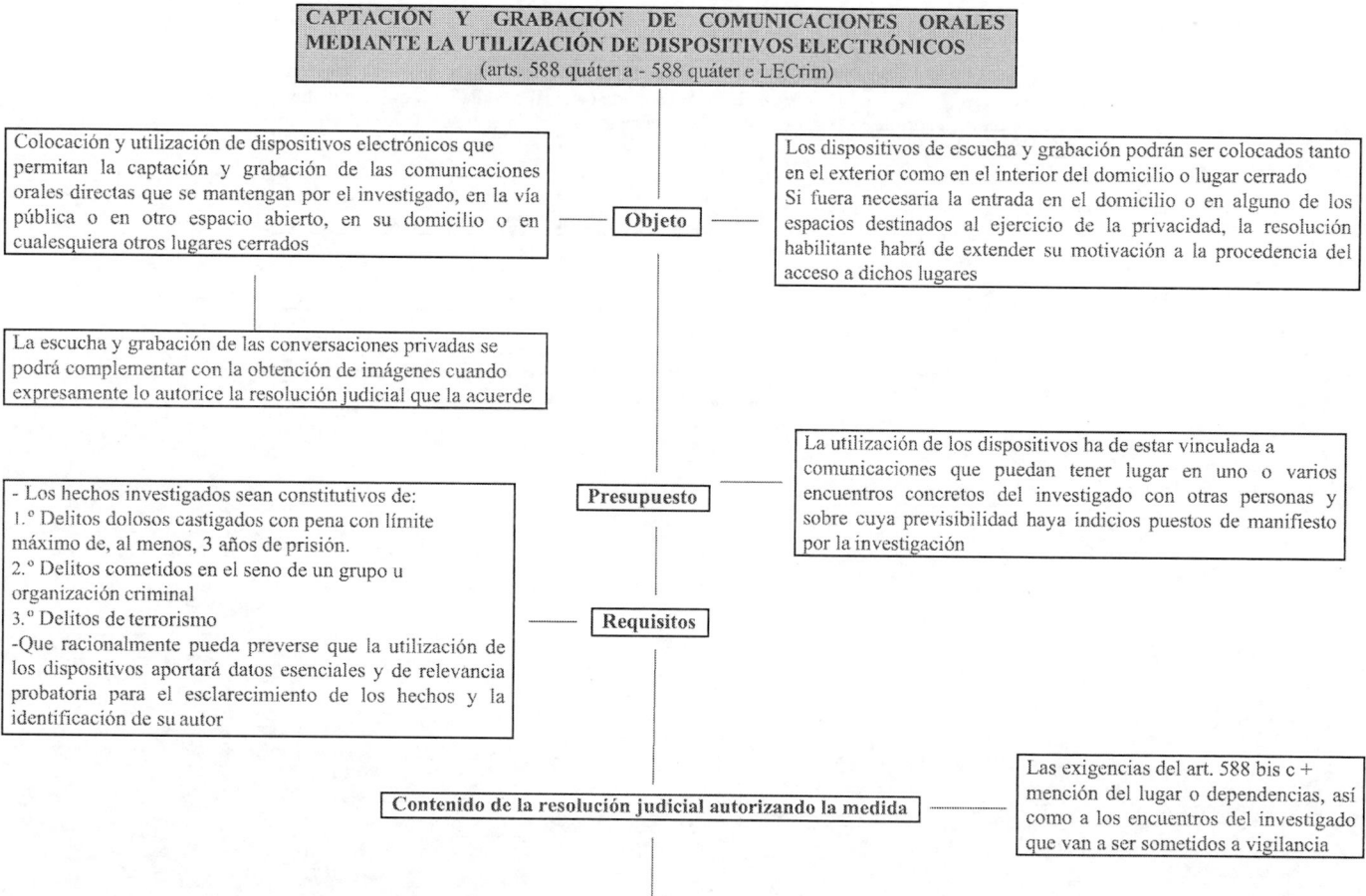

CAPTACIÓN Y GRABACIÓN DE COMUNICACIONES ORALES MEDIANTE LA UTILIZACIÓN DE DISPOSITIVOS ELECTRÓNICOS
(arts. 588 quáter a - 588 quáter e LECrim)

Objeto

Colocación y utilización de dispositivos electrónicos que permitan la captación y grabación de las comunicaciones orales directas que se mantengan por el investigado, en la vía pública o en otro espacio abierto, en su domicilio o en cualesquiera otros lugares cerrados

Los dispositivos de escucha y grabación podrán ser colocados tanto en el exterior como en el interior del domicilio o lugar cerrado
Si fuera necesaria la entrada en el domicilio o en alguno de los espacios destinados al ejercicio de la privacidad, la resolución habilitante habrá de extender su motivación a la procedencia del acceso a dichos lugares

La escucha y grabación de las conversaciones privadas se podrá complementar con la obtención de imágenes cuando expresamente lo autorice la resolución judicial que la acuerde

Presupuesto

La utilización de los dispositivos ha de estar vinculada a comunicaciones que puedan tener lugar en uno o varios encuentros concretos del investigado con otras personas y sobre cuya previsibilidad haya indicios puestos de manifiesto por la investigación

Requisitos

- Los hechos investigados sean constitutivos de:
1.º Delitos dolosos castigados con pena con límite máximo de, al menos, 3 años de prisión.
2.º Delitos cometidos en el seno de un grupo u organización criminal
3.º Delitos de terrorismo
-Que racionalmente pueda preverse que la utilización de los dispositivos aportará datos esenciales y de relevancia probatoria para el esclarecimiento de los hechos y la identificación de su autor

Contenido de la resolución judicial autorizando la medida

Las exigencias del art. 588 bis c + mención del lugar o dependencias, así como a los encuentros del investigado que van a ser sometidos a vigilancia

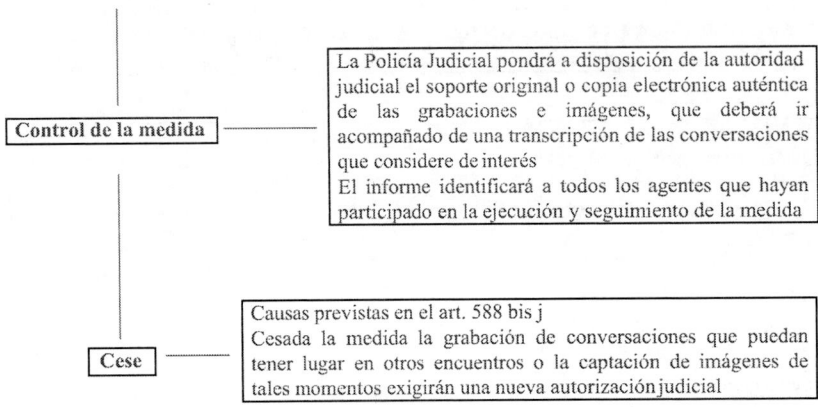

Control de la medida

La Policía Judicial pondrá a disposición de la autoridad judicial el soporte original o copia electrónica auténtica de las grabaciones e imágenes, que deberá ir acompañado de una transcripción de las conversaciones que considere de interés

El informe identificará a todos los agentes que hayan participado en la ejecución y seguimiento de la medida

Cese

Causas previstas en el art. 588 bis j

Cesada la medida la grabación de conversaciones que puedan tener lugar en otros encuentros o la captación de imágenes de tales momentos exigirán una nueva autorización judicial

UTILIZACIÓN DE DISPOSITIVOS TÉCNICOS DE CAPTACIÓN DE LA IMAGEN, DE SEGUIMIENTO Y DE LOCALIZACIÓN
(arts. 588 quinquies a - 588 quinquies c LECrim)

La Policía Judicial podrá obtener y grabar por cualquier <u>medio técnico imágenes</u> de la persona investigada cuando <u>se encuentre en un lugar o espacio público</u>, si ello fuera necesario para facilitar su identificación, para localizar los instrumentos o efectos del delito u obtener datos relevantes para el esclarecimiento de los hechos
La medida podrá ser llevada a cabo aun cuando <u>afecte a personas diferentes del investigado</u>, siempre que de otro modo se reduzca de forma relevante la utilidad de la vigilancia o existan indicios fundados de la relación de dichas personas con el investigado y los hechos objeto de la investigación

Cuando concurran acreditadas razones de necesidad y la medida resulte proporcionada, <u>el Juez competente podrá autorizar la utilización de dispositivos o medios técnicos de seguimiento y localización</u>
La <u>autorización deberá especificar el medio técnico que va a ser utilizado</u>
Los prestadores, agentes y personas a que se refiere el art. 588 ter e están obligados a prestar al Juez, al Mº Fiscal y a los agentes de la Policía Judicial designados para la práctica de la medida la asistencia y colaboración precisas para facilitar el cumplimiento de los autos por los que se ordene el seguimiento, bajo apercibimiento de incurrir en delito de desobediencia
Cuando concurran <u>razones de urgencia que hagan razonablemente temer que de no colocarse inmediatamente el dispositivo o medio técnico de seguimiento y localización se frustrará la investigación</u>, la Policía Judicial podrá proceder a su colocación, dando cuenta a la mayor brevedad posible, y en todo caso en el plazo máximo de 24 horas, a la autoridad judicial, quien podrá ratificar la medida adoptada o acordar su inmediato cese en el mismo plazo
En este último supuesto, la información obtenida a partir del dispositivo colocado carecerá de efectos en el proceso

La medida tendrá una duración máxima de 3 meses a partir de la fecha de su autorización
Excepcionalmente, el Juez podrá acordar prórrogas sucesivas por el mismo o inferior plazo hasta un
máximo de 18 meses, si así estuviera justificado a la vista de los resultados obtenidos con la medida

La Policía Judicial entregará al Juez los soportes originales o copias electrónicas auténticas que contengan
la información recogida cuando éste se lo solicite y, en todo caso, cuando terminen las investigaciones

La información obtenida a través de los dispositivos técnicos de seguimiento y localización deberá ser
debidamente custodiada para evitar su utilización indebida

REGISTRO DE DISPOSITIVOS DE ALMACENAMIENTO MASIVO DE INFORMACIÓN
(arts. 588 sexies a - 588 sexies c LECrim)

Presupuesto→ Necesidad de motivación individualizada
Cuando de la práctica de un registro domiciliario sea previsible la aprehensión de ordenadores, instrumentos de comunicación telefónica o telemática o dispositivos de almacenamiento masivo de información digital o el acceso a repositorios telemáticos de datos, la resolución del Juez de instrucción habrá de extender su razonamiento a la justificación, en su caso, de las razones que legitiman el acceso de los agentes facultados a la información contenida en tales dispositivos
Cuando los ordenadores, instrumentos de comunicación o dispositivos de almacenamiento masivo de datos, o el acceso a repositorios telemáticos de datos, sean aprehendidos con independencia de un registro domiciliario
En tal caso, los agentes pondrán en conocimiento del Juez la incautación de tales efectos
Si éste considera indispensable el acceso a la información albergada en su contenido, otorgará la correspondiente autorización

La simple incautación de los dispositivos practicada durante el transcurso de la diligencia de registro domiciliario, no legitima el acceso a su contenido, sin perjuicio de que dicho acceso pueda ser autorizado ulteriormente por el Juez competente

Se evitará la incautación de los soportes físicos que contengan los datos o archivos informáticos, cuando ello pueda causar un grave perjuicio a su titular o propietario y sea posible la obtención de una copia de ellos en condiciones que garanticen la autenticidad e integridad de los datos
Excep→ que constituyan el objeto o instrumento del delito o existan otras razones que lo justifiquen

Autorización judicial

Contenido→ fijará los términos y el alcance del registro y podrá autorizar la realización de copias de los datos informáticos
Fijará también las condiciones necesarias para asegurar la integridad de los datos y las garantías de su preservación para hacer posible, en su caso, la práctica de un dictamen pericial

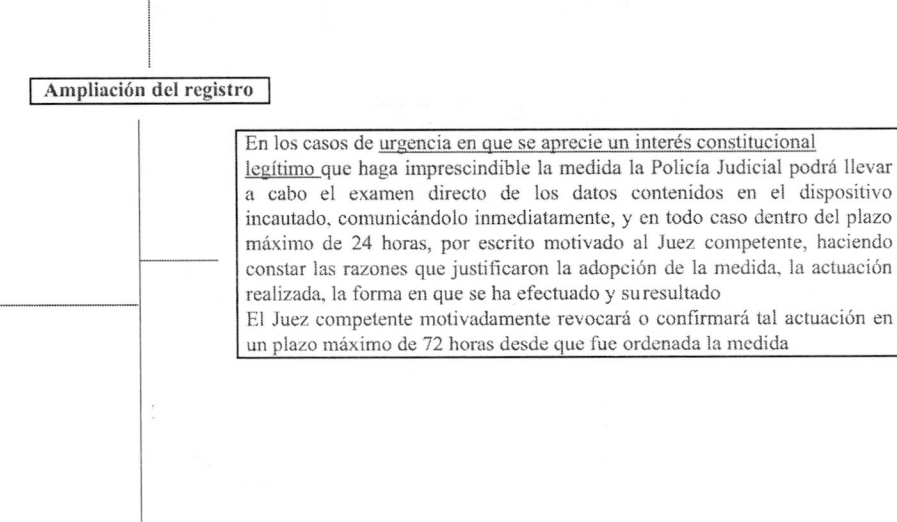

Ampliación del registro

Cuando quienes lleven a cabo el registro o tengan acceso al sistema de información o a una parte del mismo, tengan razones fundadas para considerar que <u>los datos buscados están almacenados en otro sistema informático o en una parte de él</u>, podrán ampliar el registro, siempre que los datos sean lícitamente accesibles por medio del sistema inicial o estén disponibles para este

Esta ampliación deberá ser autorizada por el Juez, salvo que ya lo hubiera sido en la autorización inicial

En caso de urgencia, la Policía Judicial o el fiscal podrán llevarlo a cabo, informando al Juez inmediatamente, y en todo caso dentro del plazo máximo de 24 horas, de la actuación realizada, la forma en que se ha efectuado y su resultado

El Juez competente motivadamente revocará o confirmará tal actuación en un plazo máximo de 72 horas desde que fue ordenada la interceptación

En los casos de <u>urgencia en que se aprecie un interés constitucional legítimo</u> que haga imprescindible la medida la Policía Judicial podrá llevar a cabo el examen directo de los datos contenidos en el dispositivo incautado, comunicándolo inmediatamente, y en todo caso dentro del plazo máximo de 24 horas, por escrito motivado al Juez competente, haciendo constar las razones que justificaron la adopción de la medida, la actuación realizada, la forma en que se ha efectuado y su resultado

El Juez competente motivadamente revocará o confirmará tal actuación en un plazo máximo de 72 horas desde que fue ordenada la medida

Las autoridades y agentes encargados de la investigación <u>podrán ordenar a cualquier persona que conozca el funcionamiento del sistema informático o las medidas aplicadas para proteger los datos informáticos contenidos en el mismo que facilite la información que resulte necesaria</u>, siempre que de ello no derive una carga desproporcionada para el afectado, bajo apercibimiento de incurrir en delito de desobediencia

Esta disposición no será aplicable al investigado o encausado, a las personas que están dispensadas de la obligación de declarar por razón de parentesco y a aquellas que, de conformidad con el art. 416.2, no pueden declarar en virtud del secreto profesional

REGISTROS REMOTOS SOBRE EQUIPOS INFORMÁTICOS
(arts. 588 septies a - 588 septies c LECrim)

Objeto→ utilización de datos de identificación y códigos, así como la instalación de un software, que permitan, de forma remota y telemática, el examen a distancia y sin conocimiento de su titular o usuario del contenido de un ordenador, dispositivo electrónico, sistema informático, instrumento de almacenamiento masivo de datos informáticos o base de datos

Requisitos→ la investigación persiga alguno de los siguientes delitos:
-Delitos cometidos en el seno de organizaciones criminales
- Delitos de terrorismo
- Delitos cometidos contra menores o personas con capacidad modificada judicialmente
-Delitos contra la Constitución, de traición y relativos a la defensa nacional
-Delitos cometidos a través de instrumentos informáticos o de cualquier otra tecnología de la información o la telecomunicación o servicio de comunicación

Sujetos→ Los prestadores de servicios y personas señaladas en el art. 588 ter e y los titulares o responsables del sistema informático o base de datos objeto del registro están obligados a facilitar a los agentes investigadores la colaboración precisa para la práctica de la medida y el acceso al sistema
Están obligados a facilitar la asistencia necesaria para que los datos e información recogidos puedan ser objeto de examen y visualización

Deber de colaboración

Las autoridades y los agentes encargados de la investigación podrán ordenar a cualquier persona que conozca el funcionamiento del sistema informático o las medidas aplicadas para proteger los datos informáticos contenidos en el mismo que facilite la información que resulte necesaria para el buen fin de la diligencia
Excep→ investigado o encausado, las personas que están dispensadas de la obligación de declarar por razón de parentesco, y a aquellas que, de conformidad con el art. 416.2, no pueden declarar en virtud del secreto profesional

Los sujetos requeridos para prestar colaboración tendrán la obligación de guardar secreto

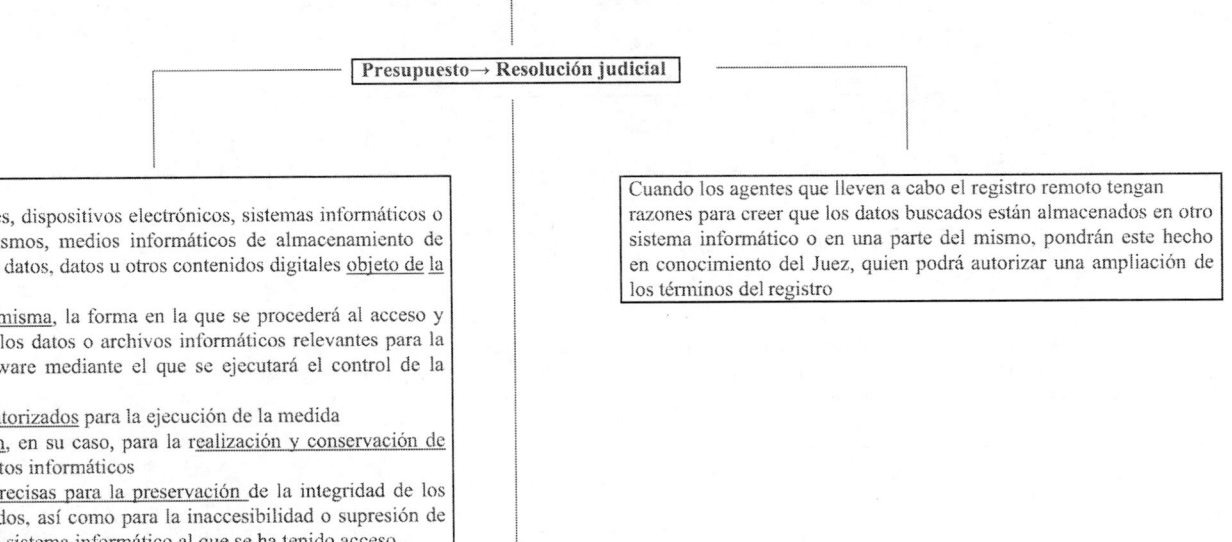

Presupuesto→ **Resolución judicial**

Contenido:
-Los ordenadores, dispositivos electrónicos, sistemas informáticos o parte de los mismos, medios informáticos de almacenamiento de datos o bases de datos, datos u otros contenidos digitales objeto de la medida
-Alcance de la misma, la forma en la que se procederá al acceso y aprehensión de los datos o archivos informáticos relevantes para la causa y el software mediante el que se ejecutará el control de la información
- Los agentes autorizados para la ejecución de la medida
-La autorización, en su caso, para la realización y conservación de copias de los datos informáticos
-Las medidas precisas para la preservación de la integridad de los datos almacenados, así como para la inaccesibilidad o supresión de dichos datos del sistema informático al que se ha tenido acceso

Cuando los agentes que lleven a cabo el registro remoto tengan razones para creer que los datos buscados están almacenados en otro sistema informático o en una parte del mismo, pondrán este hecho en conocimiento del Juez, quien podrá autorizar una ampliación de los términos del registro

Duración

Duración máxima de 1 mes, prorrogable por iguales períodos hasta un máximo de 3 meses

MEDIDAS DE ASEGURAMIENTO
(arts. 588 octies LECrim)

El Mº. Fiscal o la Policía Judicial podrán requerir a cualquier persona física o jurídica la conservación y protección de datos o informaciones concretas incluidas en un sistema informático de almacenamiento que se encuentren a su disposición hasta que se obtenga la autorización judicial correspondiente para su cesión

Los datos se conservarán durante un periodo máximo de 90 días, prorrogable una sola vez hasta que se autorice la cesión o se cumplan 180 días

El requerido vendrá obligado a prestar su colaboración y a guardar secreto del desarrollo de esta diligencia, quedando sujeto a la responsabilidad descrita en el aptdo.3 del art.588 ter e

7. Los procedimientos ordinarios

Se clasifican atendiendo a la gravedad de la infracción criminal Se distinguen tres procedimientos ordinarios:

El *procedimiento ordinario por delito graves o sumario ordinario* → Instrucción y Enjuiciamiento los delitos castigados con pena privativa de libertad superior a 9 años.

El *procedimiento penal abreviado* → Instrucción y Enjuiciamiento los delitos castigados con pena privativa de libertad no superior a 9 años, o bien con cualesquiera otras penas de distinta naturaleza, bien sean únicas, conjuntas o alternativas, cualesquiera que sea su cuantía o duración (siempre que no proceda seguir el procedimiento para el juicio sobre delitos leves).

El *procedimiento para el enjuiciamiento rápido de determinados delitos* → Instrucción y Enjuiciamiento de delitos castigados con pena privativa de libertad que no exceda de 5 años o con cualquiera otra pena, bien sean únicas, conjuntas o alternativas, cuya duración no exceda de 10 años, cualquiera que sea su cuantía, si se cumplen ciertas condiciones (incoación por atestado policial, persona citada como denunciada al Juzgado de Guardia o detenida), y concurran cualquiera de las siguientes circunstancias: que se trate de delitos flagrantes; que se trate de alguno de los delitos de lesiones, coacciones, amenazas o violencia física o psíquica habitual contra las personas a que se refiere el art. 173.2 CP, delitos de hurto, robo, hurto y robo de uso de vehículos, delitos contra la seguridad del tráfico, de daños del art. 263 CP, contra la salud pública del art. 368.2 de dicho Código, y los flagrantes relativos a la propiedad intelectual e industrial previstos en los arts. 270, 273, 274 y 275 del CP; así como que la instrucción se presuma sencilla.

El *procedimiento para el juicio sobre delitos leves* → Se enjuician aquellas infracciones criminales que el Código Penal califica de delitos leves, es decir, aquellas que la ley castiga con penas leves (art. 13. 3º CP), teniendo esta consideración las recogidas en el artículo 33.4º CP.

7.1. PROCEDIMIENTO ORDINARIO POR DELITOS GRAVES (SUMARIO)

Tiene por objeto la instrucción y enjuiciamiento de los delitos que superen las penas previstas para el procedimiento abreviado (pena de prisión superior a los nueve años).

La pena que debe tenerse en cuenta para fijar la competencia no es la solicitada por los acusadores, sino la pena en abstracto señalada al delito.

El art. 299 LECrim establece que *"constituyen el sumario las actuaciones encaminadas a preparar el juicio y practicadas para averiguar y hacer constar la perpetración de los delitos con todas las circunstancias que puedan influir en su calificación, y la culpabilidad de los delincuentes, asegurando sus personas y las responsabilidades pecuniarias de los mismos"*.

Se tramitarán conjuntamente todos los delitos que sean conexos con relación a la regulación contenida en el art. 17 LECrim, aunque alguno de ellos tenga pena inferior a la de nueve años, que determina la incoación del sumario (art. 300 LECrim).

CUADRO SINÓPTICO

Regulación

Títulos IV y V de la LECrim (art.299 al art.485)

Sus normas son de aplicación supletoria al resto de los procedimiento penales, incluido el de Jurado (art. 758 LECrim y art. 24.2 LOTJ)

Ámbito (art. 757 LECrim)

Delitos castigados con pena privativa de libertad superior a 9 años, salvo que la causa se atribuya al Tribunal del Jurado

Competencia

Instrucción→ los Jueces de instrucción por los delitos que se cometan dentro de su partido o demarcación respectiva y, en su defecto, a los demás de la misma ciudad o población, cuando en ella hubiere más de uno, y a prevención con ellos o por su delegación, a los Jueces municipales

Enjuiciamiento→ AP, o en su caso, a la AN

Secreto Sumario (art. 301y 302 LECrim)

Las diligencias del sumario serán reservadas y no tendrán carácter público hasta que se abra el juicio oral, con las excepciones determinadas en la LECrim

Si el delito fuere público, podrá el Juez de Instrucción, a propuesta del Mº. Fiscal, de cualquiera de las partes personadas o de oficio, declararlo, mediante auto, total o parcialmente secreto para todas las partes personadas, por tiempo no superior a un mes cuando resulte necesario para:

-evitar un riesgo grave para la vida, libertad o integridad física de otra persona; o

-prevenir una situación que pueda comprometer de forma grave el resultado de la investigación o del proceso.

El secreto del sumario deberá alzarse necesariamente con al menos 10 días de antelación a la conclusión del sumario

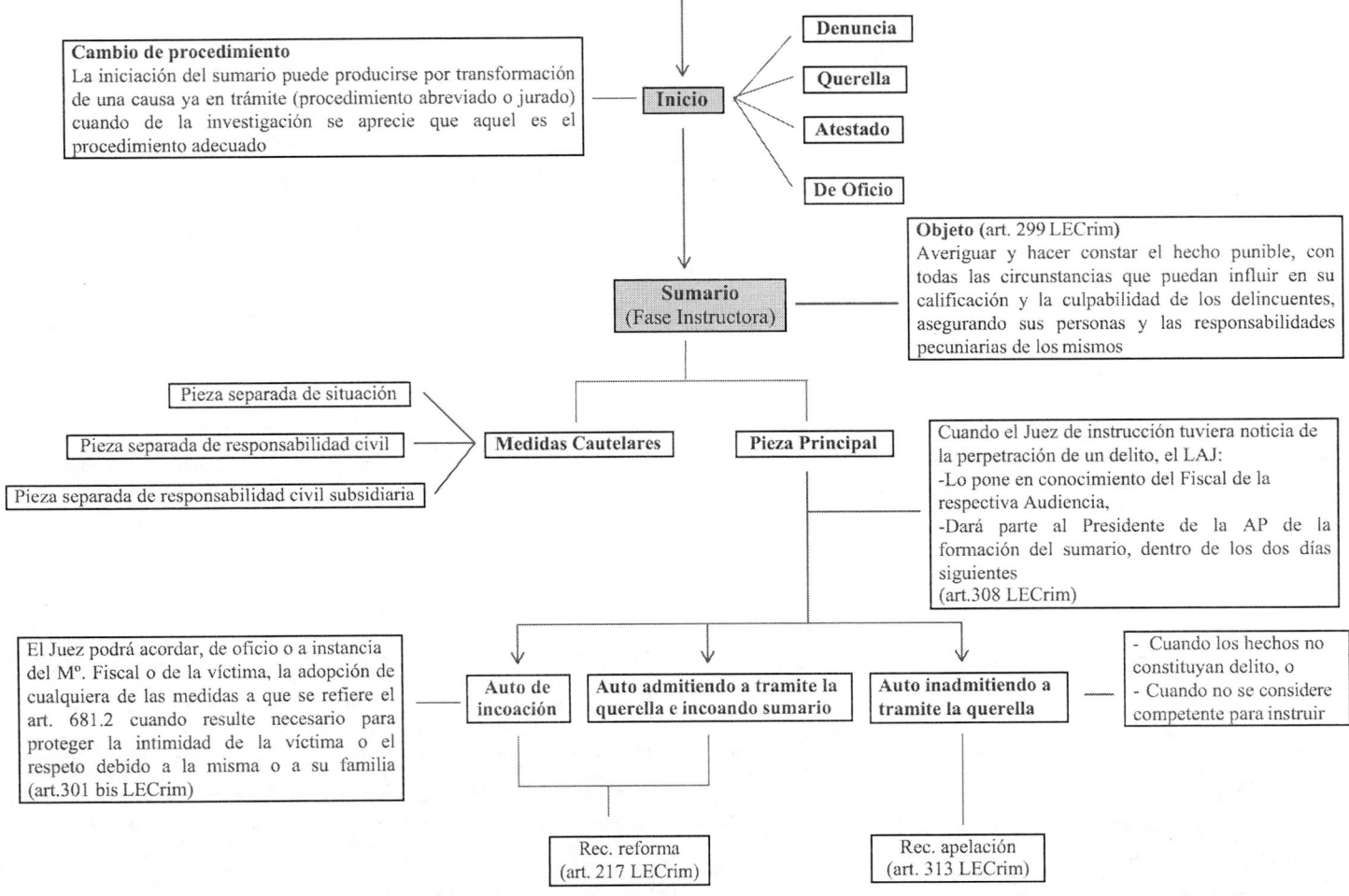

Denuncia

Querella

Atestado

De Oficio

Inicio

Cambio de procedimiento
La iniciación del sumario puede producirse por transformación de una causa ya en trámite (procedimiento abreviado o jurado) cuando de la investigación se aprecie que aquel es el procedimiento adecuado

Sumario
(Fase Instructora)

Objeto (art. 299 LECrim)
Averiguar y hacer constar el hecho punible, con todas las circunstancias que puedan influir en su calificación y la culpabilidad de los delincuentes, asegurando sus personas y las responsabilidades pecuniarias de los mismos

Pieza separada de situación

Pieza separada de responsabilidad civil

Pieza separada de responsabilidad civil subsidiaria

Medidas Cautelares

Pieza Principal

Cuando el Juez de instrucción tuviera noticia de la perpetración de un delito, el LAJ:
-Lo pone en conocimiento del Fiscal de la respectiva Audiencia,
-Dará parte al Presidente de la AP de la formación del sumario, dentro de los dos días siguientes
(art.308 LECrim)

El Juez podrá acordar, de oficio o a instancia del Mº. Fiscal o de la víctima, la adopción de cualquiera de las medidas a que se refiere el art. 681.2 cuando resulte necesario para proteger la intimidad de la víctima o el respeto debido a la misma o a su familia (art.301 bis LECrim)

Auto de incoación

Auto admitiendo a tramite la querella e incoando sumario

Auto inadmitiendo a tramite la querella

- Cuando los hechos no constituyan delito, o
- Cuando no se considere competente para instruir

Rec. reforma
(art. 217 LECrim)

Rec. apelación
(art. 313 LECrim)

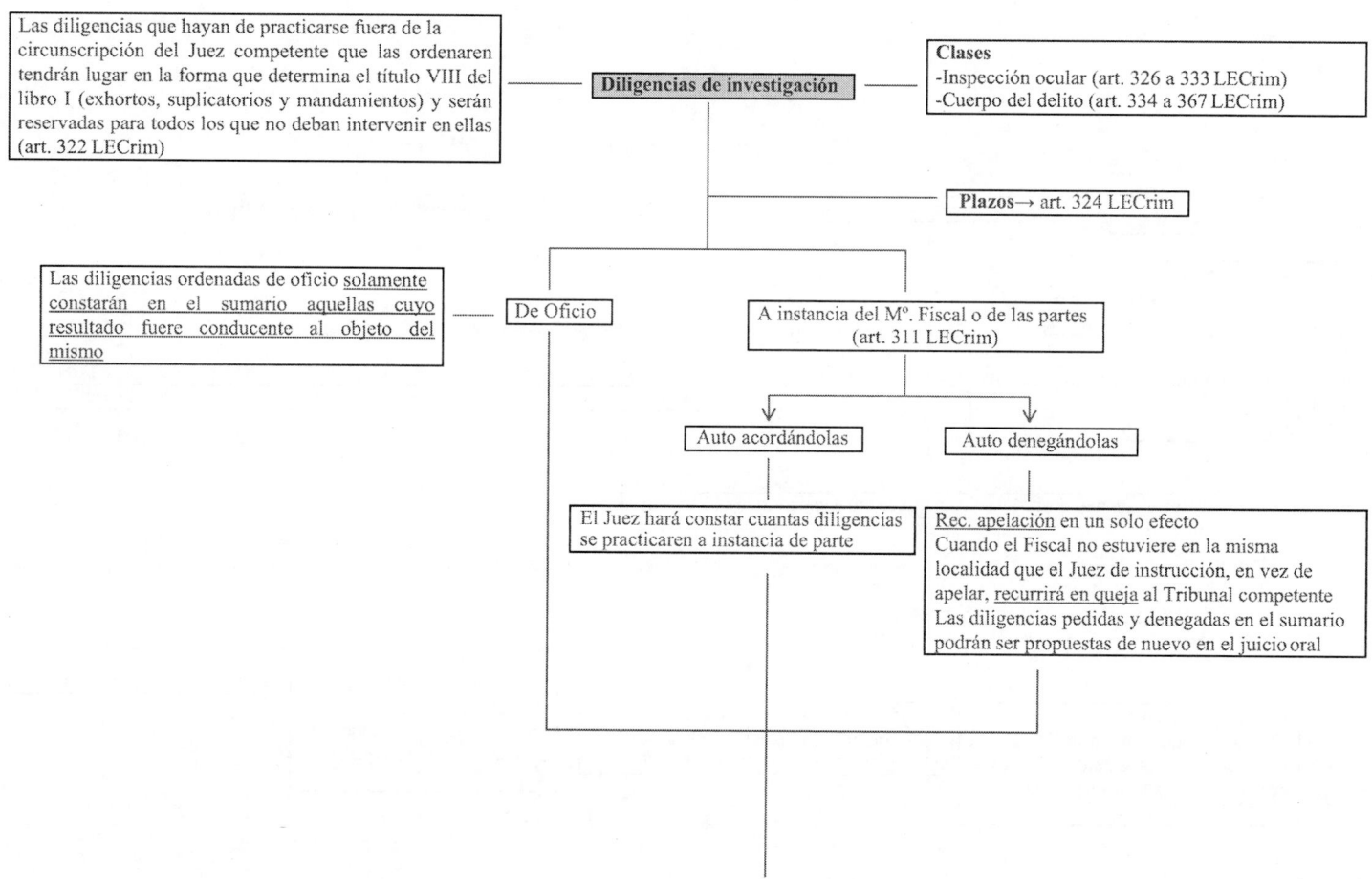

Las diligencias que hayan de practicarse fuera de la circunscripción del Juez competente que las ordenaren tendrán lugar en la forma que determina el título VIII del libro I (exhortos, suplicatorios y mandamientos) y serán reservadas para todos los que no deban intervenir en ellas (art. 322 LECrim)

Diligencias de investigación

Clases
-Inspección ocular (art. 326 a 333 LECrim)
-Cuerpo del delito (art. 334 a 367 LECrim)

Plazos→ art. 324 LECrim

Las diligencias ordenadas de oficio <u>solamente constarán en el sumario aquellas cuyo resultado fuere conducente al objeto del mismo</u>

De Oficio

A instancia del Mº. Fiscal o de las partes (art. 311 LECrim)

Auto acordándolas

Auto denegándolas

El Juez hará constar cuantas diligencias se practicaren a instancia de parte

<u>Rec. apelación</u> en un solo efecto
Cuando el Fiscal no estuviere en la misma localidad que el Juez de instrucción, en vez de apelar, <u>recurrirá en queja</u> al Tribunal competente
Las diligencias pedidas y denegadas en el sumario podrán ser propuestas de nuevo en el juicio oral

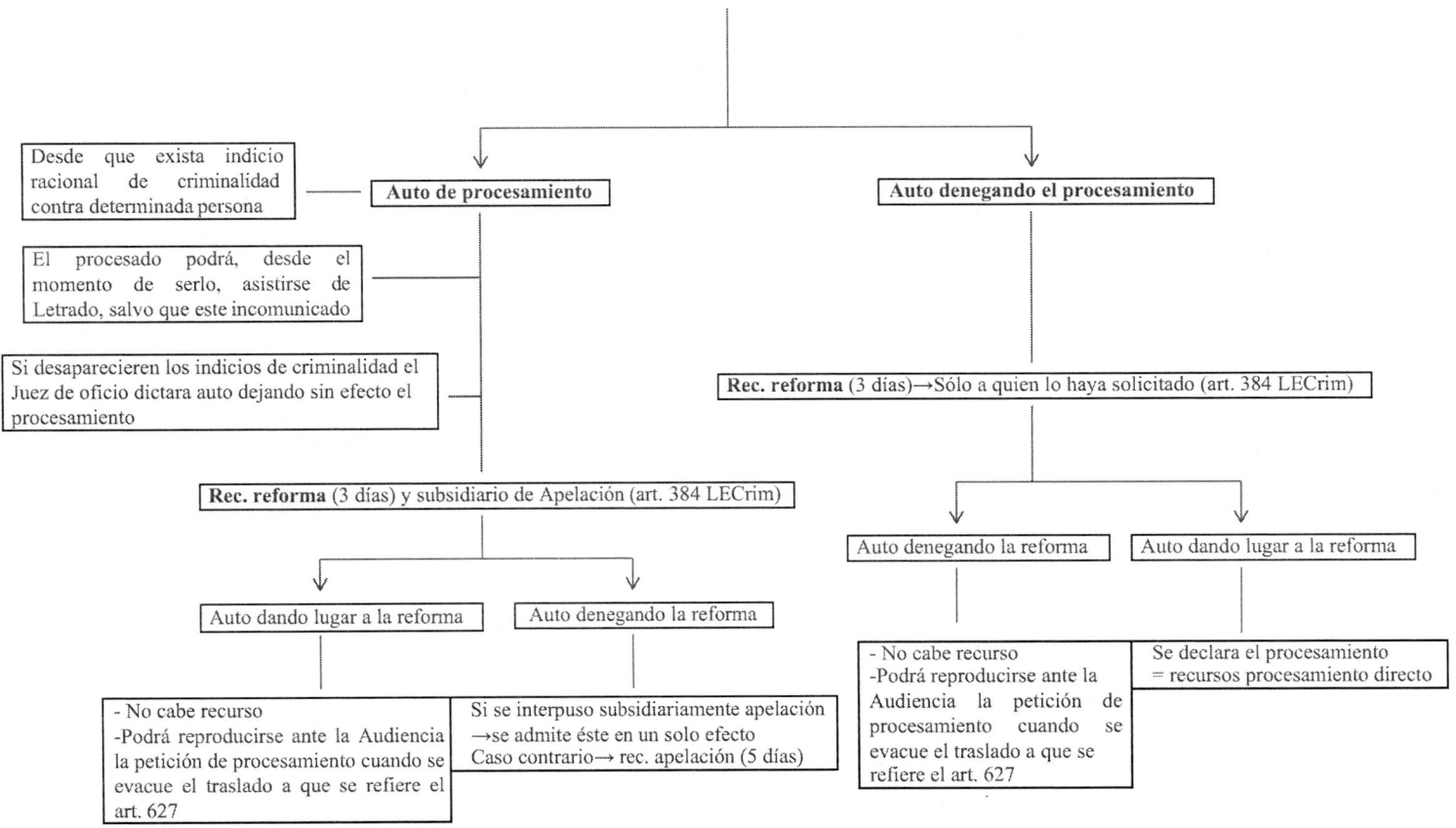

Desde que exista indicio racional de criminalidad contra determinada persona

Auto de procesamiento

Auto denegando el procesamiento

El procesado podrá, desde el momento de serlo, asistirse de Letrado, salvo que este incomunicado

Si desaparecieren los indicios de criminalidad el Juez de oficio dictara auto dejando sin efecto el procesamiento

Rec. reforma (3 días)→Sólo a quien lo haya solicitado (art. 384 LECrim)

Rec. reforma (3 días) y subsidiario de Apelación (art. 384 LECrim)

Auto denegando la reforma

Auto dando lugar a la reforma

Auto dando lugar a la reforma

Auto denegando la reforma

- No cabe recurso
-Podrá reproducirse ante la Audiencia la petición de procesamiento cuando se evacue el traslado a que se refiere el art. 627

Si se interpuso subsidiariamente apelación →se admite éste en un solo efecto Caso contrario→ rec. apelación (5 días)

- No cabe recurso
-Podrá reproducirse ante la Audiencia la petición de procesamiento cuando se evacue el traslado a que se refiere el art. 627

Se declara el procesamiento = recursos procesamiento directo

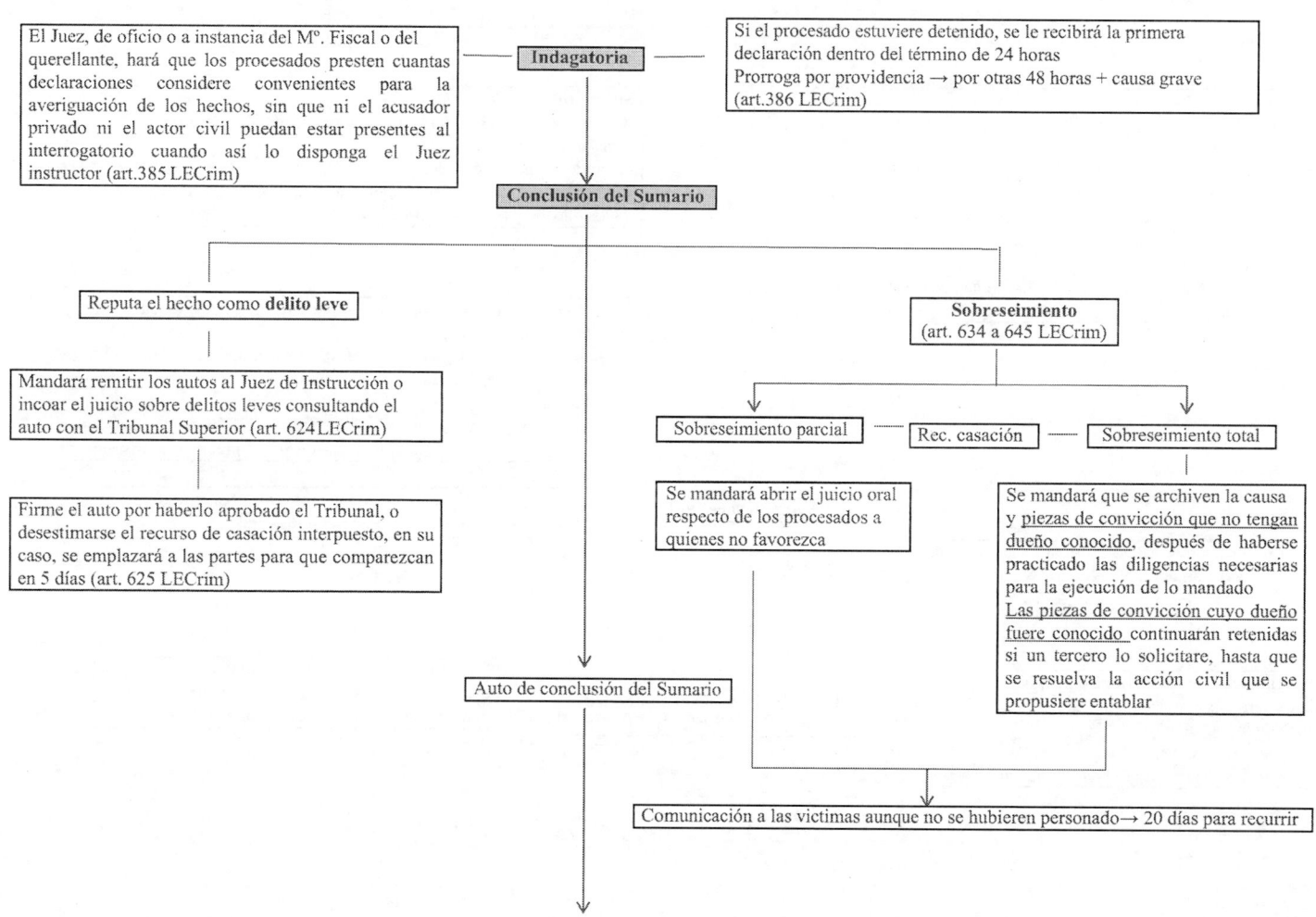

El Juez, de oficio o a instancia del Mº. Fiscal o del querellante, hará que los procesados presten cuantas declaraciones considere convenientes para la averiguación de los hechos, sin que ni el acusador privado ni el actor civil puedan estar presentes al interrogatorio cuando así lo disponga el Juez instructor (art.385 LECrim)

Indagatoria

Si el procesado estuviere detenido, se le recibirá la primera declaración dentro del término de 24 horas
Prorroga por providencia → por otras 48 horas + causa grave (art.386 LECrim)

Conclusión del Sumario

Reputa el hecho como **delito leve**

Sobreseimiento
(art. 634 a 645 LECrim)

Mandará remitir los autos al Juez de Instrucción o incoar el juicio sobre delitos leves consultando el auto con el Tribunal Superior (art. 624 LECrim)

Sobreseimiento parcial

Rec. casación

Sobreseimiento total

Firme el auto por haberlo aprobado el Tribunal, o desestimarse el recurso de casación interpuesto, en su caso, se emplazará a las partes para que comparezcan en 5 días (art. 625 LECrim)

Se mandará abrir el juicio oral respecto de los procesados a quienes no favorezca

Se mandará que se archiven la causa y piezas de convicción que no tengan dueño conocido, después de haberse practicado las diligencias necesarias para la ejecución de lo mandado
Las piezas de convicción cuyo dueño fuere conocido continuarán retenidas si un tercero lo solicitare, hasta que se resuelva la acción civil que se propusiere entablar

Auto de conclusión del Sumario

Comunicación a las victimas aunque no se hubieren personado→ 20 días para recurrir

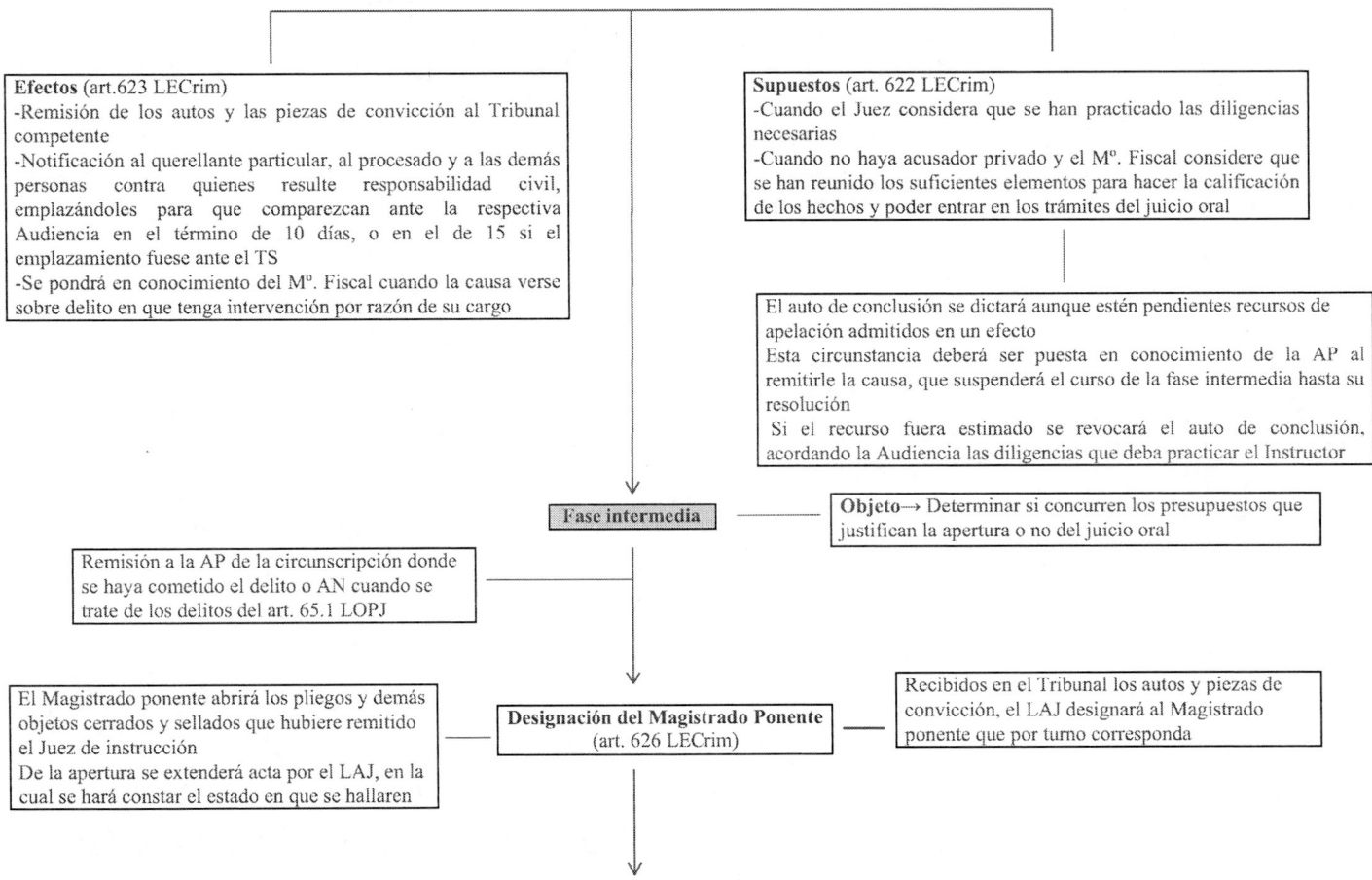

Efectos (art.623 LECrim)
-Remisión de los autos y las piezas de convicción al Tribunal competente
-Notificación al querellante particular, al procesado y a las demás personas contra quienes resulte responsabilidad civil, emplazándoles para que comparezcan ante la respectiva Audiencia en el término de 10 días, o en el de 15 si el emplazamiento fuese ante el TS
-Se pondrá en conocimiento del Mº. Fiscal cuando la causa verse sobre delito en que tenga intervención por razón de su cargo

Supuestos (art. 622 LECrim)
-Cuando el Juez considera que se han practicado las diligencias necesarias
-Cuando no haya acusador privado y el Mº. Fiscal considere que se han reunido los suficientes elementos para hacer la calificación de los hechos y poder entrar en los trámites del juicio oral

El auto de conclusión se dictará aunque estén pendientes recursos de apelación admitidos en un efecto
Esta circunstancia deberá ser puesta en conocimiento de la AP al remitirle la causa, que suspenderá el curso de la fase intermedia hasta su resolución
Si el recurso fuera estimado se revocará el auto de conclusión, acordando la Audiencia las diligencias que deba practicar el Instructor

Fase intermedia

Objeto⟶ Determinar si concurren los presupuestos que justifican la apertura o no del juicio oral

Remisión a la AP de la circunscripción donde se haya cometido el delito o AN cuando se trate de los delitos del art. 65.1 LOPJ

El Magistrado ponente abrirá los pliegos y demás objetos cerrados y sellados que hubiere remitido el Juez de instrucción
De la apertura se extenderá acta por el LAJ, en la cual se hará constar el estado en que se hallaren

Designación del Magistrado Ponente
(art. 626 LECrim)

Recibidos en el Tribunal los autos y piezas de convicción, el LAJ designará al Magistrado ponente que por turno corresponda

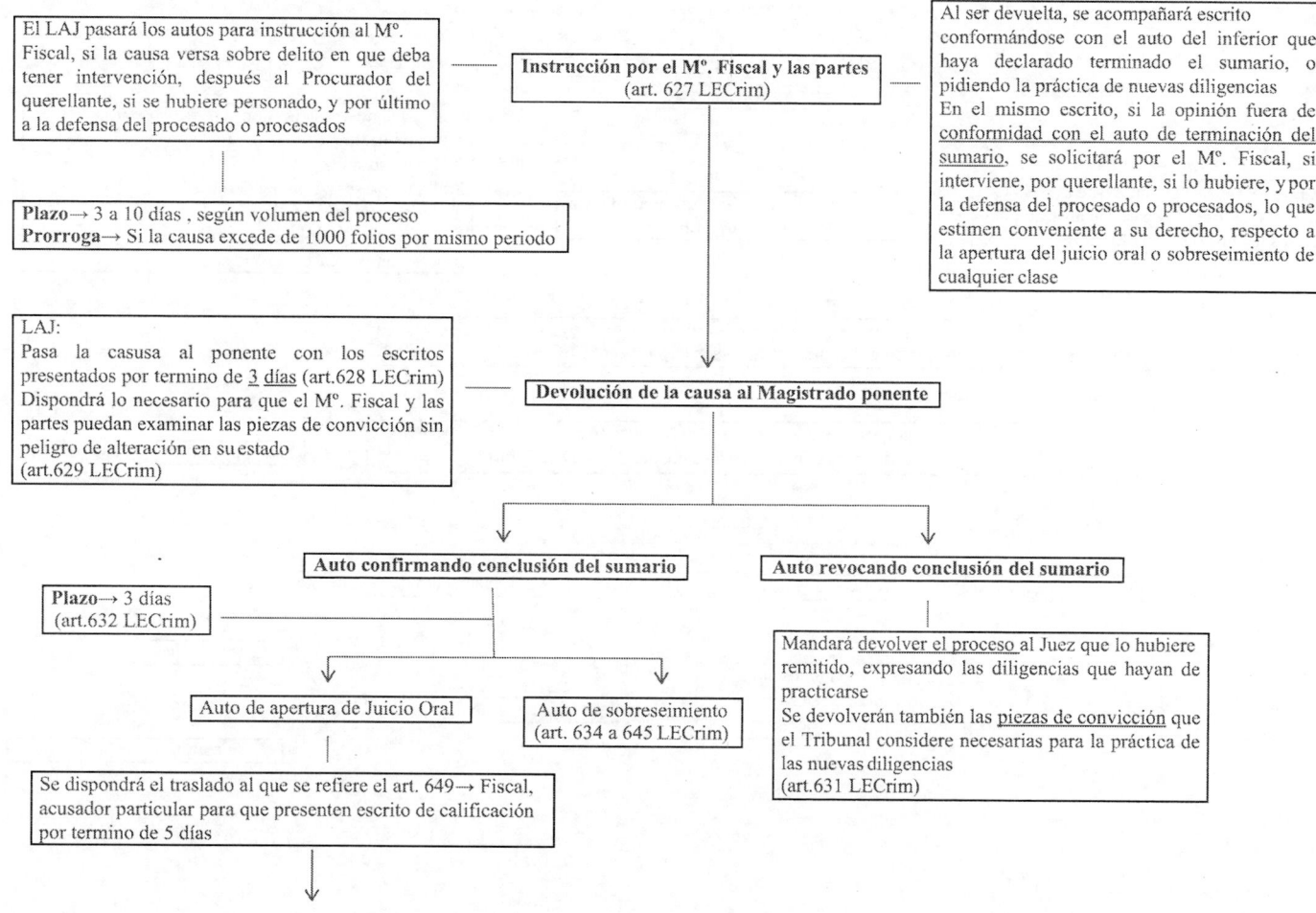

El LAJ pasará los autos para instrucción al Mº. Fiscal, si la causa versa sobre delito en que deba tener intervención, después al Procurador del querellante, si se hubiere personado, y por último a la defensa del procesado o procesados

Instrucción por el Mº. Fiscal y las partes
(art. 627 LECrim)

Al ser devuelta, se acompañará escrito conformándose con el auto del inferior que haya declarado terminado el sumario, o pidiendo la práctica de nuevas diligencias
En el mismo escrito, si la opinión fuera de conformidad con el auto de terminación del sumario, se solicitará por el Mº. Fiscal, si interviene, por querellante, si lo hubiere, y por la defensa del procesado o procesados, lo que estimen conveniente a su derecho, respecto a la apertura del juicio oral o sobreseimiento de cualquier clase

Plazo→ 3 a 10 días , según volumen del proceso
Prorroga→ Si la causa excede de 1000 folios por mismo periodo

LAJ:
Pasa la casusa al ponente con los escritos presentados por termino de 3 días (art.628 LECrim)
Dispondrá lo necesario para que el Mº. Fiscal y las partes puedan examinar las piezas de convicción sin peligro de alteración en su estado
(art.629 LECrim)

Devolución de la causa al Magistrado ponente

Auto confirmando conclusión del sumario

Auto revocando conclusión del sumario

Plazo→ 3 días
(art.632 LECrim)

Auto de apertura de Juicio Oral

Auto de sobreseimiento
(art. 634 a 645 LECrim)

Mandará devolver el proceso al Juez que lo hubiere remitido, expresando las diligencias que hayan de practicarse
Se devolverán también las piezas de convicción que el Tribunal considere necesarias para la práctica de las nuevas diligencias
(art.631 LECrim)

Se dispondrá el traslado al que se refiere el art. 649→ Fiscal, acusador particular para que presenten escrito de calificación por termino de 5 días

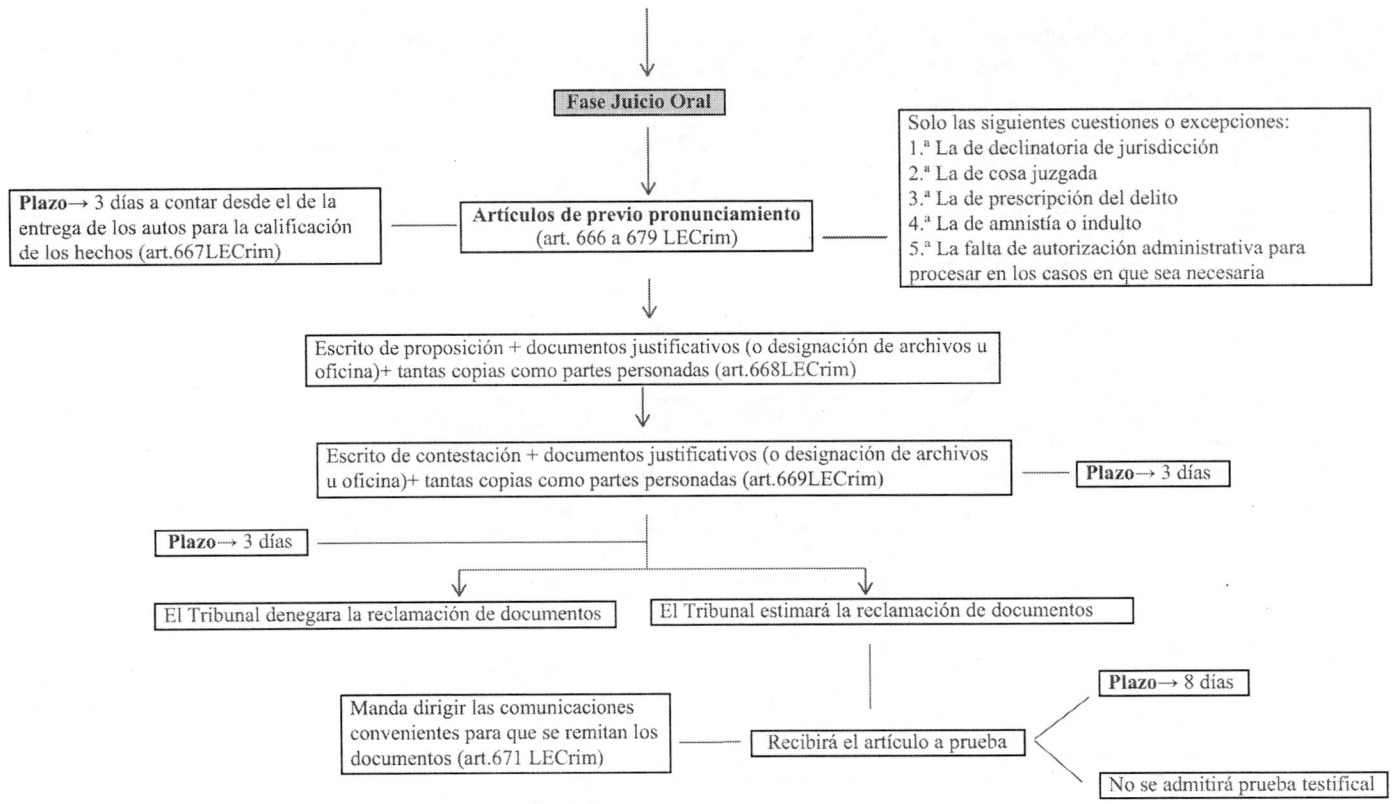

Fase Juicio Oral

Solo las siguientes cuestiones o excepciones:
1.ª La de declinatoria de jurisdicción
2.ª La de cosa juzgada
3.ª La de prescripción del delito
4.ª La de amnistía o indulto
5.ª La falta de autorización administrativa para procesar en los casos en que sea necesaria

Plazo→ 3 días a contar desde el de la entrega de los autos para la calificación de los hechos (art.667LECrim)

Artículos de previo pronunciamiento
(art. 666 a 679 LECrim)

Escrito de proposición + documentos justificativos (o designación de archivos u oficina)+ tantas copias como partes personadas (art.668LECrim)

Escrito de contestación + documentos justificativos (o designación de archivos u oficina)+ tantas copias como partes personadas (art.669LECrim)

Plazo→ 3 días

Plazo→ 3 días

El Tribunal denegara la reclamación de documentos

El Tribunal estimará la reclamación de documentos

Manda dirigir las comunicaciones convenientes para que se remitan los documentos (art.671 LECrim)

Recibirá el artículo a prueba

Plazo→ 8 días

No se admitirá prueba testifical

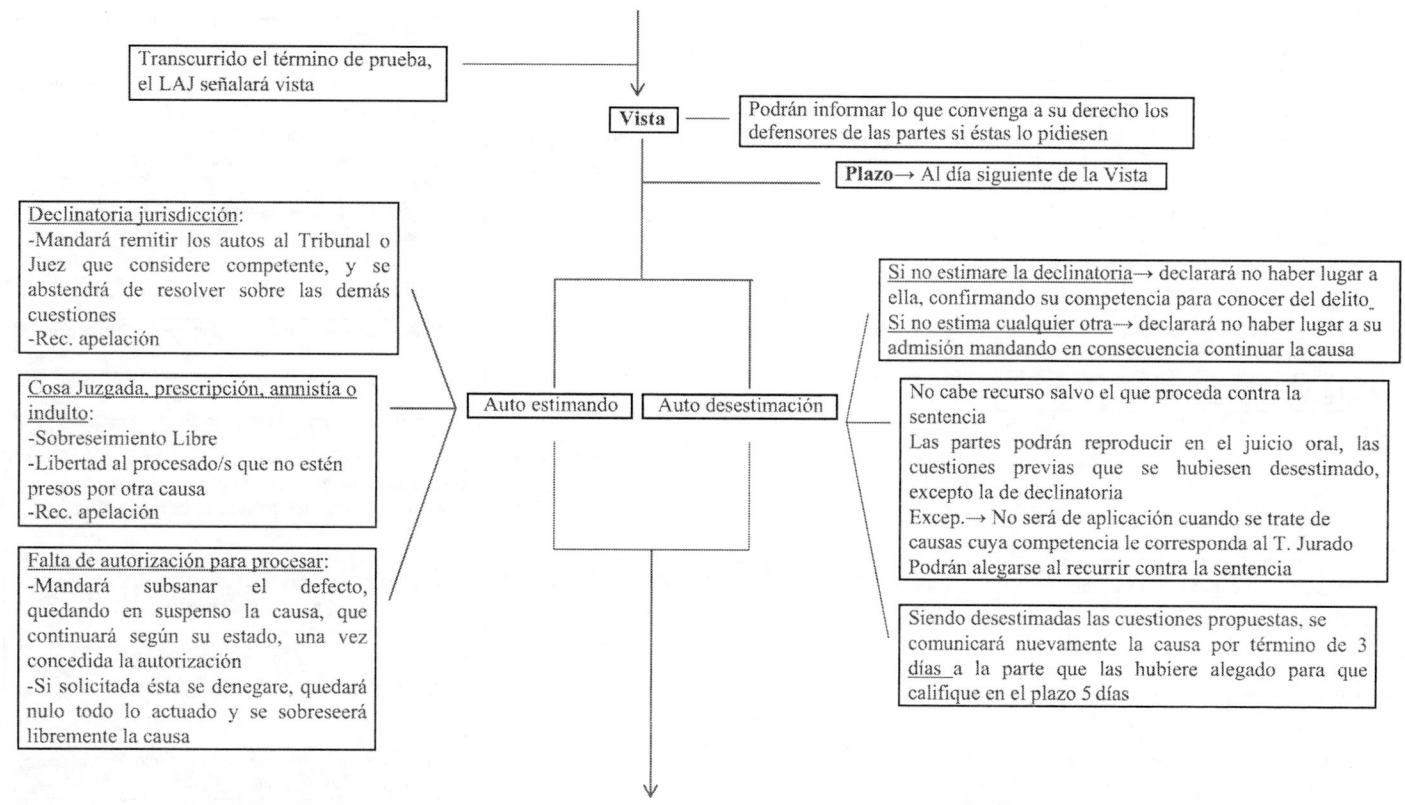

Transcurrido el término de prueba, el LAJ señalará vista

Vista

Podrán informar lo que convenga a su derecho los defensores de las partes si éstas lo pidiesen

Plazo→ Al día siguiente de la Vista

Declinatoria jurisdicción:
-Mandará remitir los autos al Tribunal o Juez que considere competente, y se abstendrá de resolver sobre las demás cuestiones
-Rec. apelación

Cosa Juzgada, prescripción, amnistía o indulto:
-Sobreseimiento Libre
-Libertad al procesado/s que no estén presos por otra causa
-Rec. apelación

Falta de autorización para procesar:
-Mandará subsanar el defecto, quedando en suspenso la causa, que continuará según su estado, una vez concedida la autorización
-Si solicitada ésta se denegare, quedará nulo todo lo actuado y se sobreseerá libremente la causa

Auto estimando   Auto desestimación

Si no estimare la declinatoria→ declarará no haber lugar a ella, confirmando su competencia para conocer del delito
Si no estima cualquier otra→ declarará no haber lugar a su admisión mandando en consecuencia continuar la causa

No cabe recurso salvo el que proceda contra la sentencia
Las partes podrán reproducir en el juicio oral, las cuestiones previas que se hubiesen desestimado, excepto la de declinatoria
Excep.→ No será de aplicación cuando se trate de causas cuya competencia le corresponda al T. Jurado
Podrán alegarse al recurrir contra la sentencia

Siendo desestimadas las cuestiones propuestas, se comunicará nuevamente la causa por término de 3 días a la parte que las hubiere alegado para que califique en el plazo 5 días

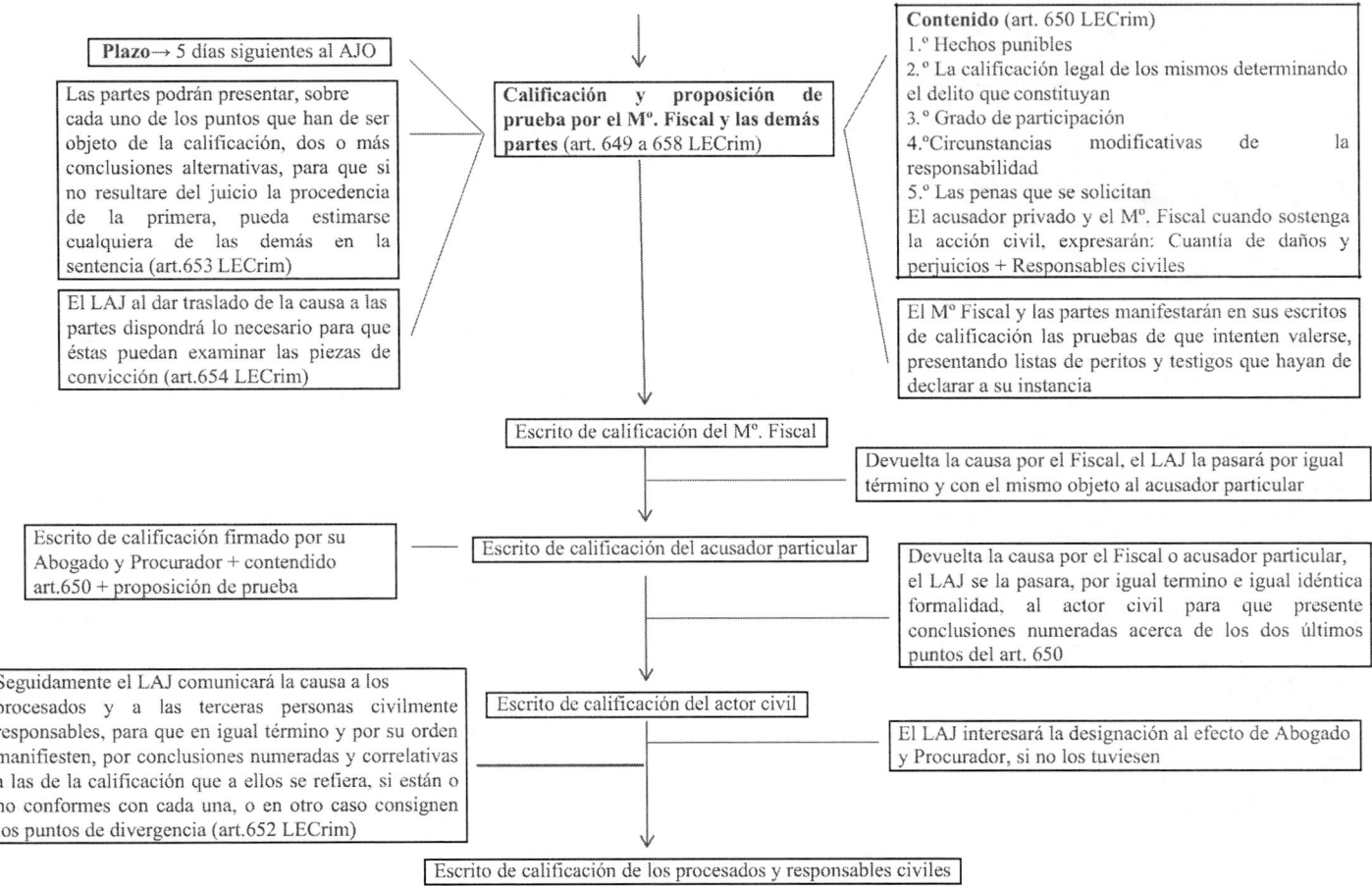

Plazo→ 5 días siguientes al AJO

Las partes podrán presentar, sobre cada uno de los puntos que han de ser objeto de la calificación, dos o más conclusiones alternativas, para que si no resultare del juicio la procedencia de la primera, pueda estimarse cualquiera de las demás en la sentencia (art.653 LECrim)

El LAJ al dar traslado de la causa a las partes dispondrá lo necesario para que éstas puedan examinar las piezas de convicción (art.654 LECrim)

Calificación y proposición de prueba por el Mº. Fiscal y las demás partes (art. 649 a 658 LECrim)

Contenido (art. 650 LECrim)
1.º Hechos punibles
2.º La calificación legal de los mismos determinando el delito que constituyan
3.º Grado de participación
4.ºCircunstancias modificativas de la responsabilidad
5.º Las penas que se solicitan
El acusador privado y el Mº. Fiscal cuando sostenga la acción civil, expresarán: Cuantía de daños y perjuicios + Responsables civiles

El Mº Fiscal y las partes manifestarán en sus escritos de calificación las pruebas de que intenten valerse, presentando listas de peritos y testigos que hayan de declarar a su instancia

Escrito de calificación del Mº. Fiscal

Devuelta la causa por el Fiscal, el LAJ la pasará por igual término y con el mismo objeto al acusador particular

Escrito de calificación firmado por su Abogado y Procurador + contendido art.650 + proposición de prueba

Escrito de calificación del acusador particular

Devuelta la causa por el Fiscal o acusador particular, el LAJ se la pasara, por igual termino e igual idéntica formalidad, al actor civil para que presente conclusiones numeradas acerca de los dos últimos puntos del art. 650

Seguidamente el LAJ comunicará la causa a los procesados y a las terceras personas civilmente responsables, para que en igual término y por su orden manifiesten, por conclusiones numeradas y correlativas a las de la calificación que a ellos se refiera, si están o no conformes con cada una, o en otro caso consignen los puntos de divergencia (art.652 LECrim)

Escrito de calificación del actor civil

El LAJ interesará la designación al efecto de Abogado y Procurador, si no los tuviesen

Escrito de calificación de los procesados y responsables civiles

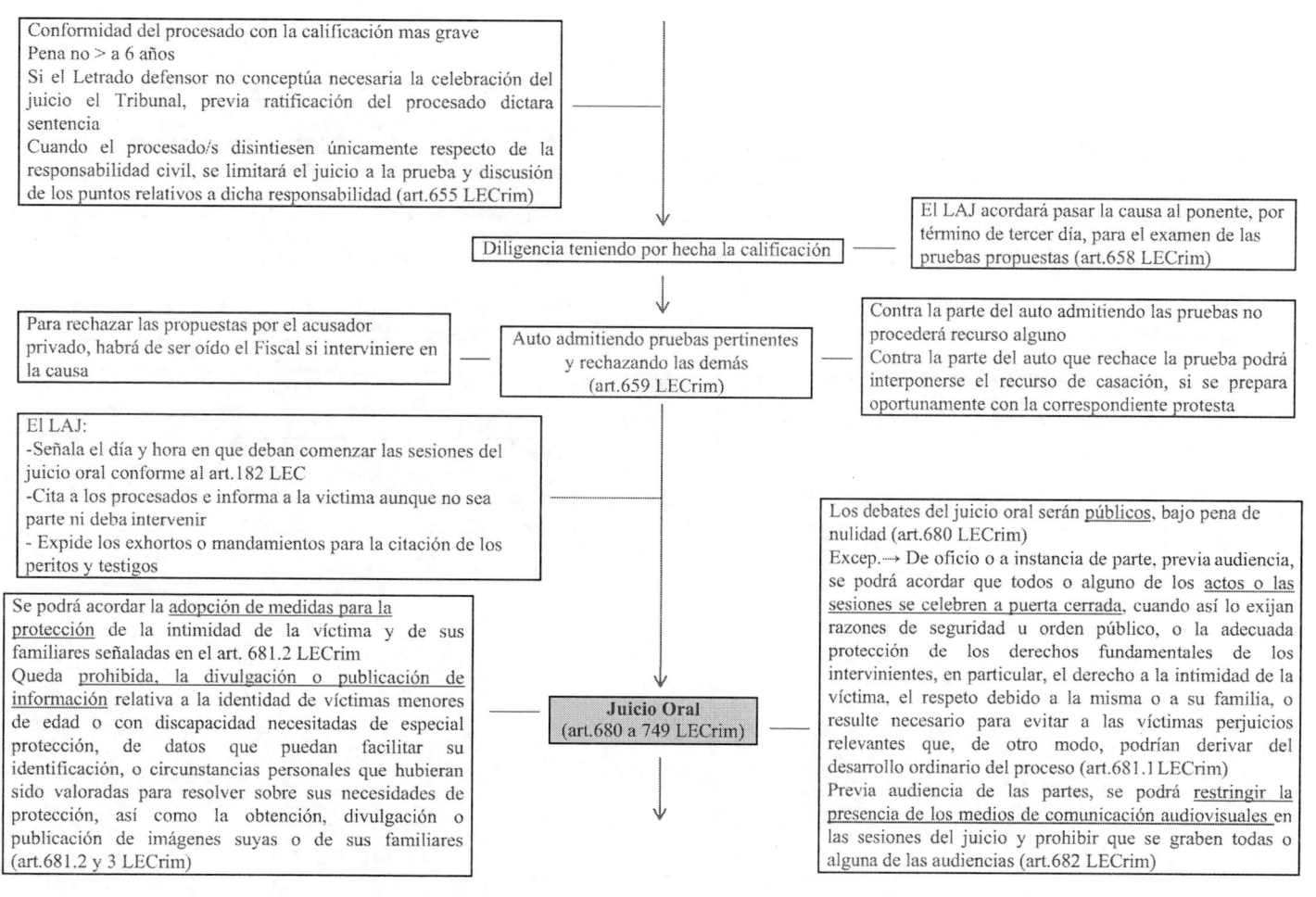

Conformidad del procesado con la calificación mas grave
Pena no > a 6 años
Si el Letrado defensor no conceptúa necesaria la celebración del juicio el Tribunal, previa ratificación del procesado dictará sentencia
Cuando el procesado/s disintiesen únicamente respecto de la responsabilidad civil, se limitará el juicio a la prueba y discusión de los puntos relativos a dicha responsabilidad (art.655 LECrim)

Diligencia teniendo por hecha la calificación

El LAJ acordará pasar la causa al ponente, por término de tercer día, para el examen de las pruebas propuestas (art.658 LECrim)

Para rechazar las propuestas por el acusador privado, habrá de ser oído el Fiscal si interviniere en la causa

Auto admitiendo pruebas pertinentes y rechazando las demás (art.659 LECrim)

Contra la parte del auto admitiendo las pruebas no procederá recurso alguno
Contra la parte del auto que rechace la prueba podrá interponerse el recurso de casación, si se prepara oportunamente con la correspondiente protesta

El LAJ:
-Señala el día y hora en que deban comenzar las sesiones del juicio oral conforme al art.182 LEC
-Cita a los procesados e informa a la victima aunque no sea parte ni deba intervenir
- Expide los exhortos o mandamientos para la citación de los peritos y testigos

Se podrá acordar la adopción de medidas para la protección de la intimidad de la víctima y de sus familiares señaladas en el art. 681.2 LECrim
Queda prohibida, la divulgación o publicación de información relativa a la identidad de víctimas menores de edad o con discapacidad necesitadas de especial protección, de datos que puedan facilitar su identificación, o circunstancias personales que hubieran sido valoradas para resolver sobre sus necesidades de protección, así como la obtención, divulgación o publicación de imágenes suyas o de sus familiares (art.681.2 y 3 LECrim)

Juicio Oral
(art.680 a 749 LECrim)

Los debates del juicio oral serán públicos, bajo pena de nulidad (art.680 LECrim)
Excep.→ De oficio o a instancia de parte, previa audiencia, se podrá acordar que todos o alguno de los actos o las sesiones se celebren a puerta cerrada, cuando así lo exijan razones de seguridad u orden público, o la adecuada protección de los derechos fundamentales de los intervinientes, en particular, el derecho a la intimidad de la víctima, el respeto debido a la misma o a su familia, o resulte necesario para evitar a las víctimas perjuicios relevantes que, de otro modo, podrían derivar del desarrollo ordinario del proceso (art.681.1 LECrim)
Previa audiencia de las partes, se podrá restringir la presencia de los medios de comunicación audiovisuales en las sesiones del juicio y prohibir que se graben todas o alguna de las audiencias (art.682 LECrim)

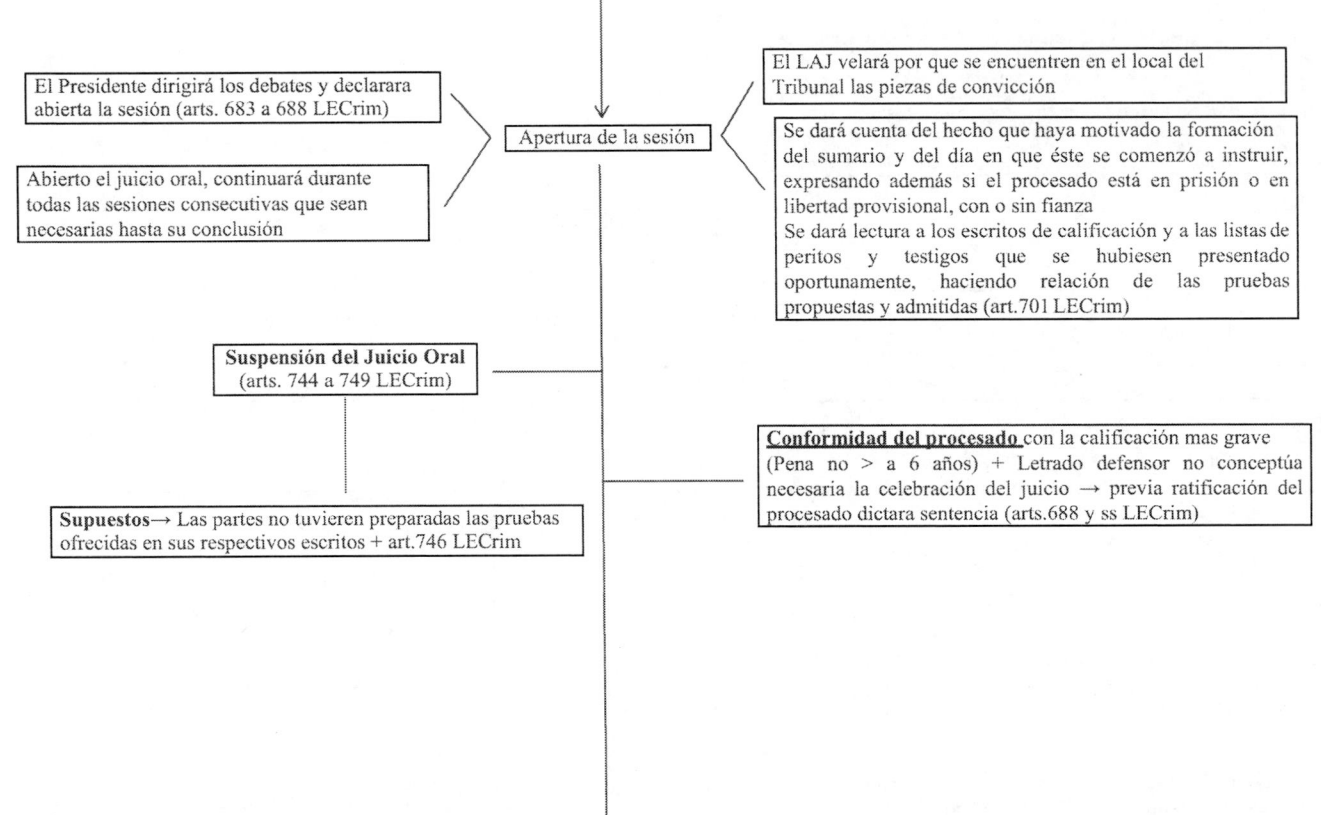

El Presidente dirigirá los debates y declarara abierta la sesión (arts. 683 a 688 LECrim)

Abierto el juicio oral, continuará durante todas las sesiones consecutivas que sean necesarias hasta su conclusión

Apertura de la sesión

El LAJ velará por que se encuentren en el local del Tribunal las piezas de convicción

Se dará cuenta del hecho que haya motivado la formación del sumario y del día en que éste se comenzó a instruir, expresando además si el procesado está en prisión o en libertad provisional, con o sin fianza
Se dará lectura a los escritos de calificación y a las listas de peritos y testigos que se hubiesen presentado oportunamente, haciendo relación de las pruebas propuestas y admitidas (art.701 LECrim)

Suspensión del Juicio Oral
(arts. 744 a 749 LECrim)

Supuestos→ Las partes no tuvieren preparadas las pruebas ofrecidas en sus respectivos escritos + art.746 LECrim

Conformidad del procesado con la calificación mas grave (Pena no > a 6 años) + Letrado defensor no conceptúa necesaria la celebración del juicio → previa ratificación del procesado dictara sentencia (arts.688 y ss LECrim)

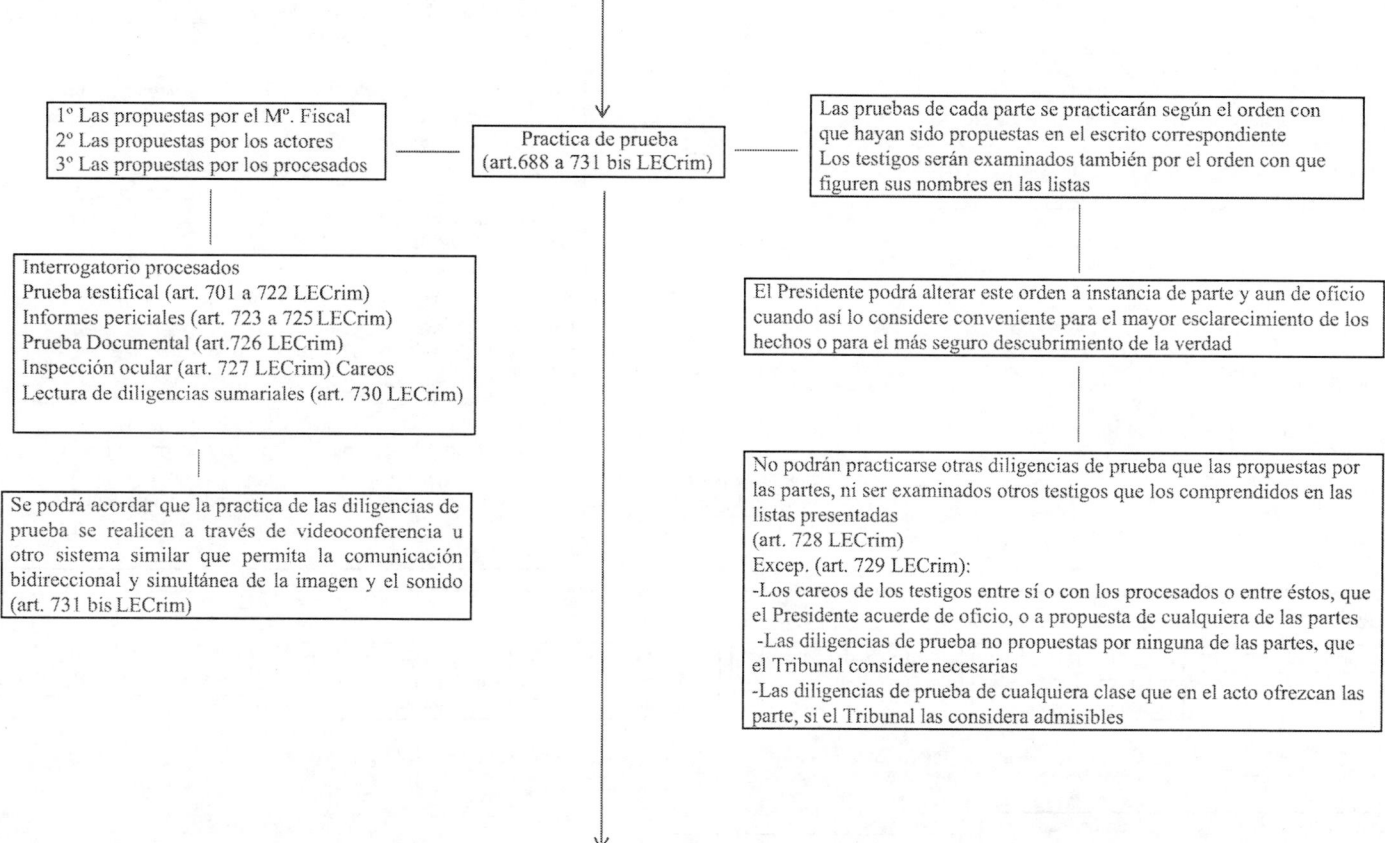

1º Las propuestas por el Mº. Fiscal
2º Las propuestas por los actores
3º Las propuestas por los procesados

Practica de prueba
(art.688 a 731 bis LECrim)

Las pruebas de cada parte se practicarán según el orden con que hayan sido propuestas en el escrito correspondiente
Los testigos serán examinados también por el orden con que figuren sus nombres en las listas

Interrogatorio procesados
Prueba testifical (art. 701 a 722 LECrim)
Informes periciales (art. 723 a 725 LECrim)
Prueba Documental (art.726 LECrim)
Inspección ocular (art. 727 LECrim) Careos
Lectura de diligencias sumariales (art. 730 LECrim)

El Presidente podrá alterar este orden a instancia de parte y aun de oficio cuando así lo considere conveniente para el mayor esclarecimiento de los hechos o para el más seguro descubrimiento de la verdad

Se podrá acordar que la practica de las diligencias de prueba se realicen a través de videoconferencia u otro sistema similar que permita la comunicación bidireccional y simultánea de la imagen y el sonido (art. 731 bis LECrim)

No podrán practicarse otras diligencias de prueba que las propuestas por las partes, ní ser examinados otros testigos que los comprendidos en las listas presentadas
(art. 728 LECrim)
Excep. (art. 729 LECrim):
-Los careos de los testigos entre sí o con los procesados o entre éstos, que el Presidente acuerde de oficio, o a propuesta de cualquiera de las partes
-Las diligencias de prueba no propuestas por ninguna de las partes, que el Tribunal considere necesarias
-Las diligencias de prueba de cualquiera clase que en el acto ofrezcan las parte, si el Tribunal las considera admisibles

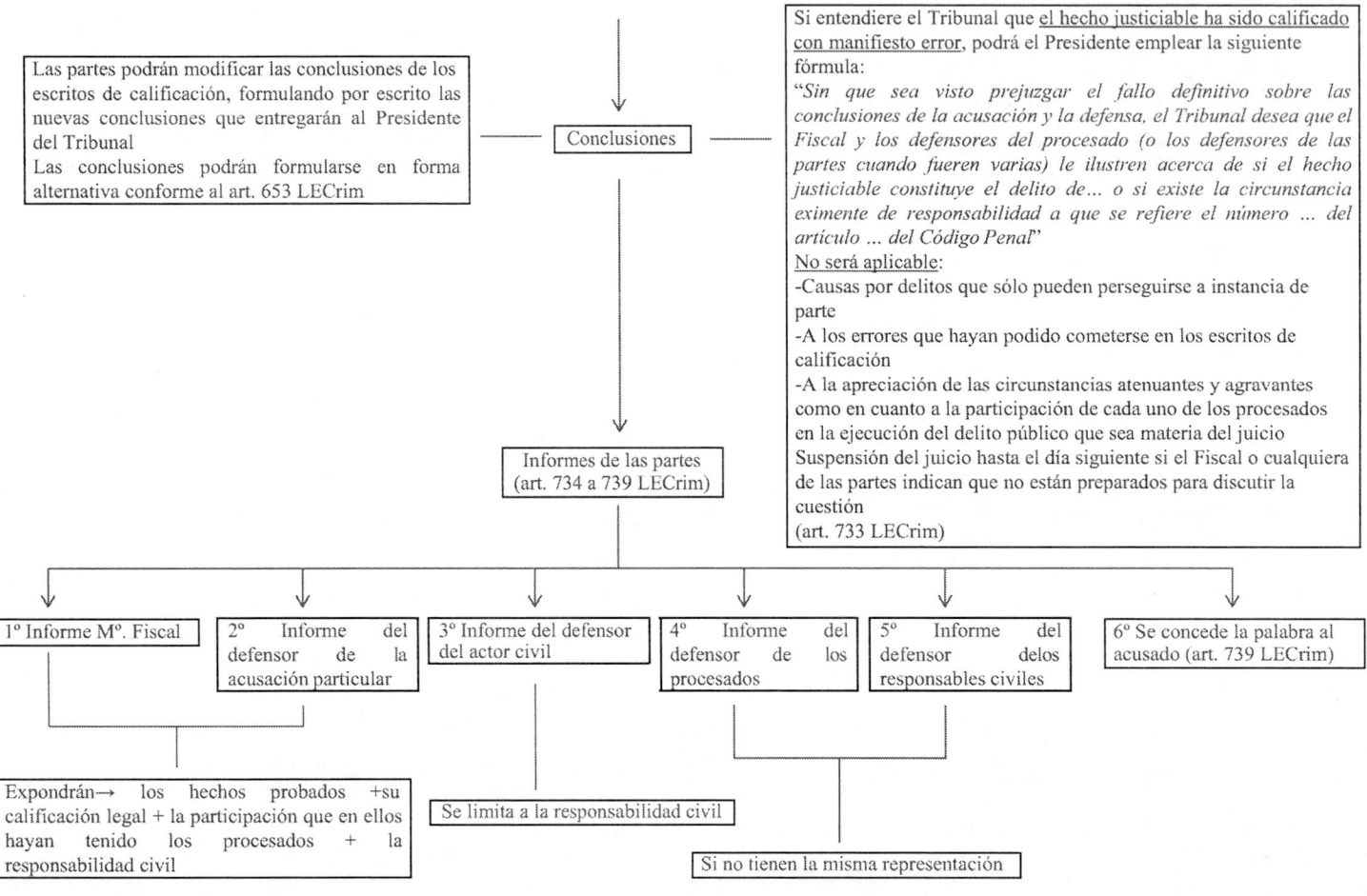

Las partes podrán modificar las conclusiones de los escritos de calificación, formulando por escrito las nuevas conclusiones que entregarán al Presidente del Tribunal
Las conclusiones podrán formularse en forma alternativa conforme al art. 653 LECrim

Conclusiones

Si entendiere el Tribunal que el hecho justiciable ha sido calificado con manifiesto error, podrá el Presidente emplear la siguiente fórmula:
"*Sin que sea visto prejuzgar el fallo definitivo sobre las conclusiones de la acusación y la defensa, el Tribunal desea que el Fiscal y los defensores del procesado (o los defensores de las partes cuando fueren varias) le ilustren acerca de si el hecho justiciable constituye el delito de... o si existe la circunstancia eximente de responsabilidad a que se refiere el número ... del artículo ... del Código Penal*"
No será aplicable:
-Causas por delitos que sólo pueden perseguirse a instancia de parte
-A los errores que hayan podido cometerse en los escritos de calificación
-A la apreciación de las circunstancias atenuantes y agravantes como en cuanto a la participación de cada uno de los procesados en la ejecución del delito público que sea materia del juicio
Suspensión del juicio hasta el día siguiente si el Fiscal o cualquiera de las partes indican que no están preparados para discutir la cuestión
(art. 733 LECrim)

Informes de las partes
(art. 734 a 739 LECrim)

1º Informe Mº. Fiscal

2º Informe del defensor de la acusación particular

3º Informe del defensor del actor civil

4º Informe del defensor de los procesados

5º Informe del defensor delos responsables civiles

6º Se concede la palabra al acusado (art. 739 LECrim)

Expondrán→ los hechos probados +su calificación legal + la participación que en ellos hayan tenido los procesados + la responsabilidad civil

Se limita a la responsabilidad civil

Si no tienen la misma representación

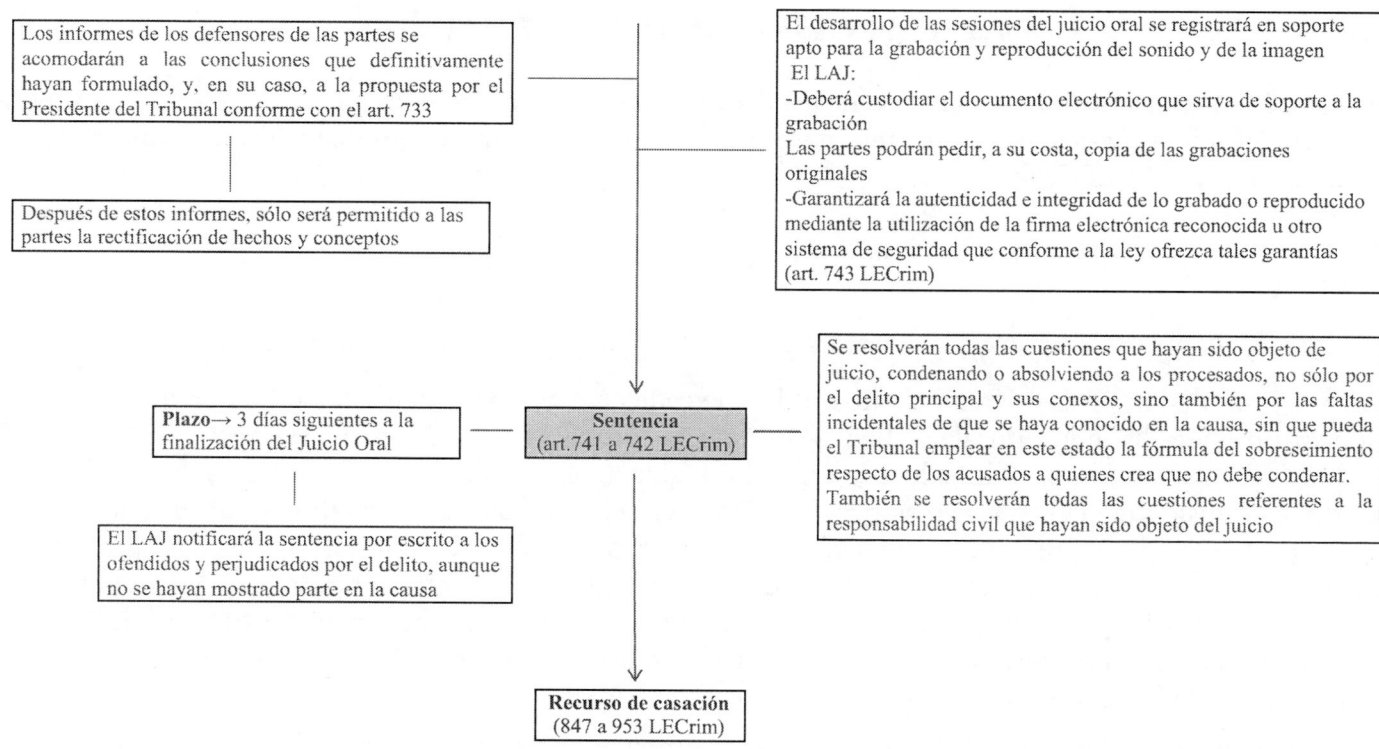

Los informes de los defensores de las partes se acomodarán a las conclusiones que definitivamente hayan formulado, y, en su caso, a la propuesta por el Presidente del Tribunal conforme con el art. 733

Después de estos informes, sólo será permitido a las partes la rectificación de hechos y conceptos

El desarrollo de las sesiones del juicio oral se registrará en soporte apto para la grabación y reproducción del sonido y de la imagen
El LAJ:
-Deberá custodiar el documento electrónico que sirva de soporte a la grabación
Las partes podrán pedir, a su costa, copia de las grabaciones originales
-Garantizará la autenticidad e integridad de lo grabado o reproducido mediante la utilización de la firma electrónica reconocida u otro sistema de seguridad que conforme a la ley ofrezca tales garantías (art. 743 LECrim)

Plazo→ 3 días siguientes a la finalización del Juicio Oral

Sentencia
(art.741 a 742 LECrim)

Se resolverán todas las cuestiones que hayan sido objeto de juicio, condenando o absolviendo a los procesados, no sólo por el delito principal y sus conexos, sino también por las faltas incidentales de que se haya conocido en la causa, sin que pueda el Tribunal emplear en este estado la fórmula del sobreseimiento respecto de los acusados a quienes crea que no debe condenar. También se resolverán todas las cuestiones referentes a la responsabilidad civil que hayan sido objeto del juicio

El LAJ notificará la sentencia por escrito a los ofendidos y perjudicados por el delito, aunque no se hayan mostrado parte en la causa

Recurso de casación
(847 a 953 LECrim)

7.2. EL PROCEDIMIENTO ABREVIADO

Tiene por objeto la instrucción y enjuiciamiento de los delitos castigados con pena privativa de libertad no superior a nueve años, o bien con cualesquiera otras penas de distinta naturaleza, bien sean únicas, conjuntas o alternativas, cualquiera que sea su cuantía o duración (art. 757 LECrim).

COMPETENCIA

Instrucción → Juez de Instrucción, o en su caso, el Juez de Violencia sobre la Mujer y el Juez Central de Instrucción.

Enjuiciamiento y fallo (si la pena privativa de libertad no excede de cinco años pena de multa cualquiera que sea su cuantía, o cualesquiera otras de distinta naturaleza, bien sean únicas, conjuntas o alternativas, siempre que la duración de éstas no exceda de diez años, así como por delitos leves, sean o no incidentales, imputables a los autores de estos delitos o a otras personas, cuando la comisión del delito leve o su prueba estuviesen relacionadas con aquéllos) → al Juez de lo Penal de la circunscripción donde el delito fue cometido, o el Juez de lo Penal correspondiente a la circunscripción del Juzgado de Violencia sobre la Mujer en su caso, o el Juez Central de lo Penal en el ámbito que le es propio, sin perjuicio de la competencia del Juez de Instrucción de Guardia del lugar de comisión del delito para dictar sentencia de conformidad, del Juez de Violencia sobre la Mujer competente en su caso, en los términos establecidos en el art. 801, así como de los Juzgados de Instrucción competentes para dictar sentencia en el proceso por aceptación de decreto.

Si las penas son superiores a las indicadas, la competencia para el enjuiciamiento corresponde a la Audiencia Provincial de la circunscripción donde el delito se haya cometido, o la Audiencia Provincial correspondiente a la circunscripción del Juzgado de Violencia sobre la Mujer en su caso, o la Sala de lo Penal de la Audiencia Nacional.

MINISTERIO FISCAL (art. 773.1 LECrim)

El Fiscal se constituirá en las actuaciones para el *ejercicio de las acciones penal y civil* conforme a la Ley.

Velará por el respeto de las garantías procesales del investigado o encausado y por la *protección de los derechos* de la víctima y de los perjudicados por el delito.

En este procedimiento corresponde al Ministerio Fiscal, *impulsar y simplificar su tramitación* sin merma del derecho de defensa de las partes y del carácter contradictorio del mismo, dando a la Policía Judicial instrucciones generales o particulares para el más eficaz cumplimiento de sus funciones, interviniendo en las actuaciones, aportando los medios de prueba de que pueda disponer o solicitando del Juez de Instrucción la práctica de los mismos, así como instar de éste la adopción de medidas cautelares o su levantamiento y la conclusión de la investigación tan pronto como estime que se han practicado las actuaciones necesarias para resolver sobre el ejercicio de la acción penal.

El Fiscal General del Estado impartirá cuantas órdenes e instrucciones estime convenientes respecto a la actuación del Fiscal en este procedimiento, y en especial, respecto a la aplicación de lo dispuesto en el aptdo. 1 del art. 780 LECrim.

Tan pronto como el Juez ordene la incoación del procedimiento para las causas ante el Tribunal del Jurado, el LAJ lo pondrá en conocimiento del Mº Fiscal, quien comparecerá e intervendrá en cuantas actuaciones se lleven a cabo ante aquél.

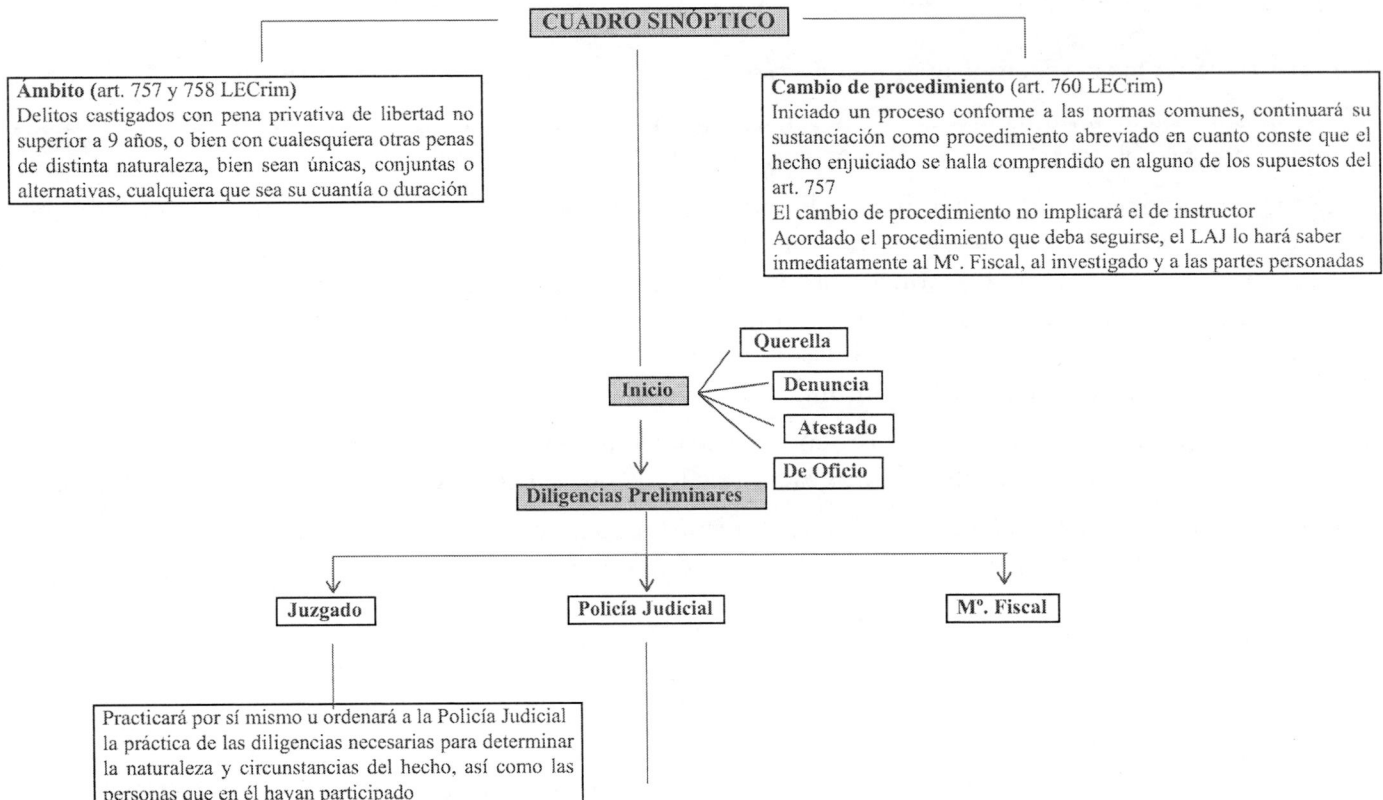

CUADRO SINÓPTICO

Ámbito (art. 757 y 758 LECrim)
Delitos castigados con pena privativa de libertad no superior a 9 años, o bien con cualesquiera otras penas de distinta naturaleza, bien sean únicas, conjuntas o alternativas, cualquiera que sea su cuantía o duración

Cambio de procedimiento (art. 760 LECrim)
Iniciado un proceso conforme a las normas comunes, continuará su sustanciación como procedimiento abreviado en cuanto conste que el hecho enjuiciado se halla comprendido en alguno de los supuestos del art. 757
El cambio de procedimiento no implicará el de instructor
Acordado el procedimiento que deba seguirse, el LAJ lo hará saber inmediatamente al Mº. Fiscal, al investigado y a las partes personadas

Inicio
- Querella
- Denuncia
- Atestado
- De Oficio

Diligencias Preliminares

Juzgado   **Policía Judicial**   **Mº. Fiscal**

Practicará por sí mismo u ordenará a la Policía Judicial la práctica de las diligencias necesarias para determinar la naturaleza y circunstancias del hecho, así como las personas que en él hayan participado

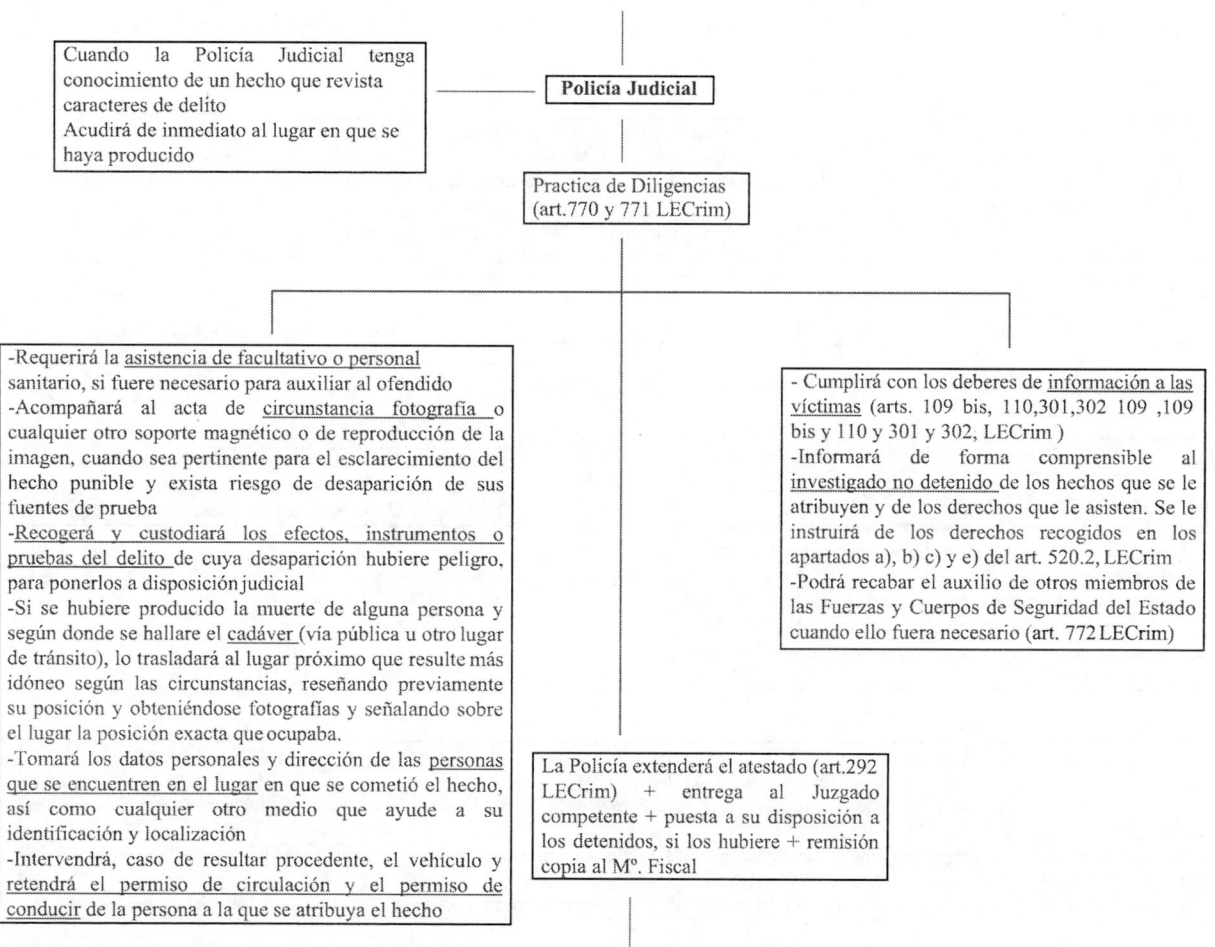

Cuando la Policía Judicial tenga conocimiento de un hecho que revista caracteres de delíto
Acudirá de inmediato al lugar en que se haya producido

Policía Judicial

Practica de Diligencias (art.770 y 771 LECrim)

-Requerirá la <u>asistencia de facultativo o personal</u> sanitario, si fuere necesario para auxiliar al ofendido
-Acompañará al acta de <u>circunstancia fotografia</u> o cualquier otro soporte magnético o de reproducción de la imagen, cuando sea pertinente para el esclarecimiento del hecho punible y exista riesgo de desaparición de sus fuentes de prueba
-<u>Recogerá y custodiará los efectos, instrumentos o pruebas del delito</u> de cuya desaparición hubiere peligro, para ponerlos a disposición judicial
-Si se hubiere producido la muerte de alguna persona y según donde se hallare el <u>cadáver</u> (vía pública u otro lugar de tránsito), lo trasladará al lugar próximo que resulte más idóneo según las circunstancias, reseñando previamente su posición y obteniéndose fotografías y señalando sobre el lugar la posición exacta que ocupaba.
-Tomará los datos personales y dirección de las <u>personas que se encuentren en el lugar</u> en que se cometió el hecho, así como cualquier otro medio que ayude a su identificación y localización
-Intervendrá, caso de resultar procedente, el vehículo y <u>retendrá el permiso de circulación y el permiso de conducir</u> de la persona a la que se atribuya el hecho

- Cumplirá con los deberes de <u>información a las víctimas</u> (arts. 109 bis, 110,301,302 109 ,109 bis y 110 y 301 y 302, LECrim)
-Informará de forma comprensible al <u>investigado no detenido</u> de los hechos que se le atribuyen y de los derechos que le asisten. Se le instruirá de los derechos recogidos en los apartados a), b) c) y e) del art. 520.2, LECrim
-Podrá recabar el auxilio de otros miembros de las Fuerzas y Cuerpos de Seguridad del Estado cuando ello fuera necesario (art. 772 LECrim)

La Policía extenderá el atestado (art.292 LECrim) + entrega al Juzgado competente + puesta a su disposición a los detenidos, si los hubiere + remisión copia al Mº. Fiscal

La policía judicial <u>conservará y no se remitirá el atestado</u> a la autoridad judicial en aquellos casos de investigación de delitos cuya autoría no haya podido ser establecida, aunque se conservara a su disposición, y también del Mº. Fiscal, por si fuere reclamado por los mismos
<u>La víctima del delito</u>, será notificada de la decisión policial de no trasladar el atestado a la autoridad judicial, quien podrá acudir directamente al juez a reclamar la incoación del proceso penal
Excep→ delitos contra la vida, contra la integridad física, contra la libertad e indemnidad sexuales o de delitos relacionados con la corrupción, así como en los casos en que se practiquen diligencias después de transcurridas setenta y dos horas desde la apertura del atestado y éstas hayan tenido algún resultado

Mº Fiscal
(art. 773 LECrim)

De <u>Oficio</u> (denuncias presentadas ante la Fiscalía) → decretará la incoación de diligencias expresando su fuente de conocimiento y el objeto de la investigación
Recepción de <u>Atestado</u> sobre actuaciones previamente ordenadas por el propio Fiscal (Regla gen → los Atestados se entregan al Juzgado de Instrucción, con copia para el Mº. Fiscal)
El denunciante deberá ratificarse en su denuncia, si la hubiere formulado por escrito, y en todo caso se le recibirá declaración sobre los hechos requiriéndole para que aporte los datos que puedan servir como elementos de prueba

Practicará el mismo u ordenará a la Policía Judicial que practique las diligencias que estime pertinentes para la comprobación del hecho o la responsabilidad de quienes en él hayan intervenido

-Decretará el <u>archivo</u> → cuando el hecho no revista los caracteres de delito + comunicación a quien hubiere alegado ser el perjudicado u ofendido para que pueda reiterar su denuncia ante el Juez de Instrucción
- Instará del Juez de Instrucción la <u>incoación del procedimiento</u> que corresponda con remisión de lo actuado, poniendo a su disposición al detenido, si lo hubiere, y los efectos del delito
- El Mº. Fiscal <u>podrá hacer comparecer ante sí</u> a cualquier persona a fin de recibirle declaración, observando en ella las mismas garantías señaladas en la LECrim para la prestada ante el Juez o Tribunal
-<u>Cesará en sus diligencias</u> tan pronto como tenga conocimiento de la existencia de un procedimiento judicial sobre los mismos hechos

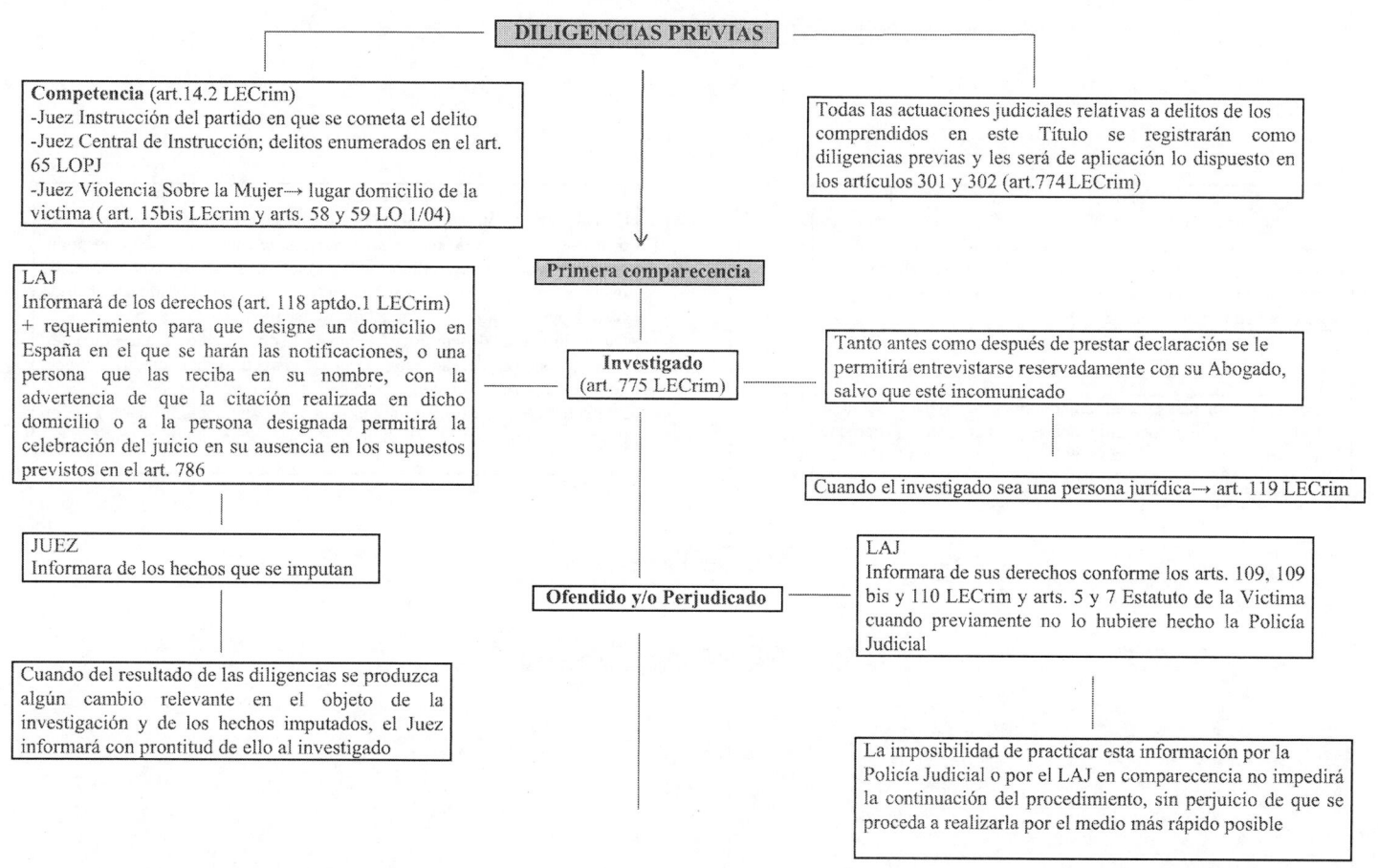

Practica de Diligencias de investigación

El Juez ordenará a la Policía Judicial o practicará por sí las diligencias necesarias encaminadas a determinar la naturaleza y circunstancias del hecho, las personas que en él hayan participado y el órgano competente para el enjuiciamiento, dando cuenta al Mº. Fiscal de su incoación y de los hechos que la determinen (art. 777.1 LECrim)

Las partes personadas podrán tomar conocimiento de lo actuado e instar la práctica de diligencias y cuanto a su derecho convenga, acordando el Juez lo procedente en orden a la práctica de estas diligencias (art. 777.1 LECrim)

Prueba anticipada (art. 777.2 LECrim)
Cuando, por razón del lugar de residencia de un testigo o víctima, o por otro motivo, fuere de temer razonablemente que una prueba no podrá practicarse en el juicio oral, o pudiera motivar su suspensión, el Juez de Instrucción practicará inmediatamente la misma, asegurando en todo caso la posibilidad de contradicción de las partes
Dicha diligencia deberá documentarse en soporte apto para la grabación y reproducción del sonido y de la imagen o por medio de acta autorizada por el LAJ, con expresión de los intervinientes
A efectos de su valoración como prueba en sentencia, la parte a quien interese deberá instar en el juicio oral la reproducción de la grabación o la lectura literal de la diligencia

Medidas Cautelares

Practicadas las diligencias pertinentes

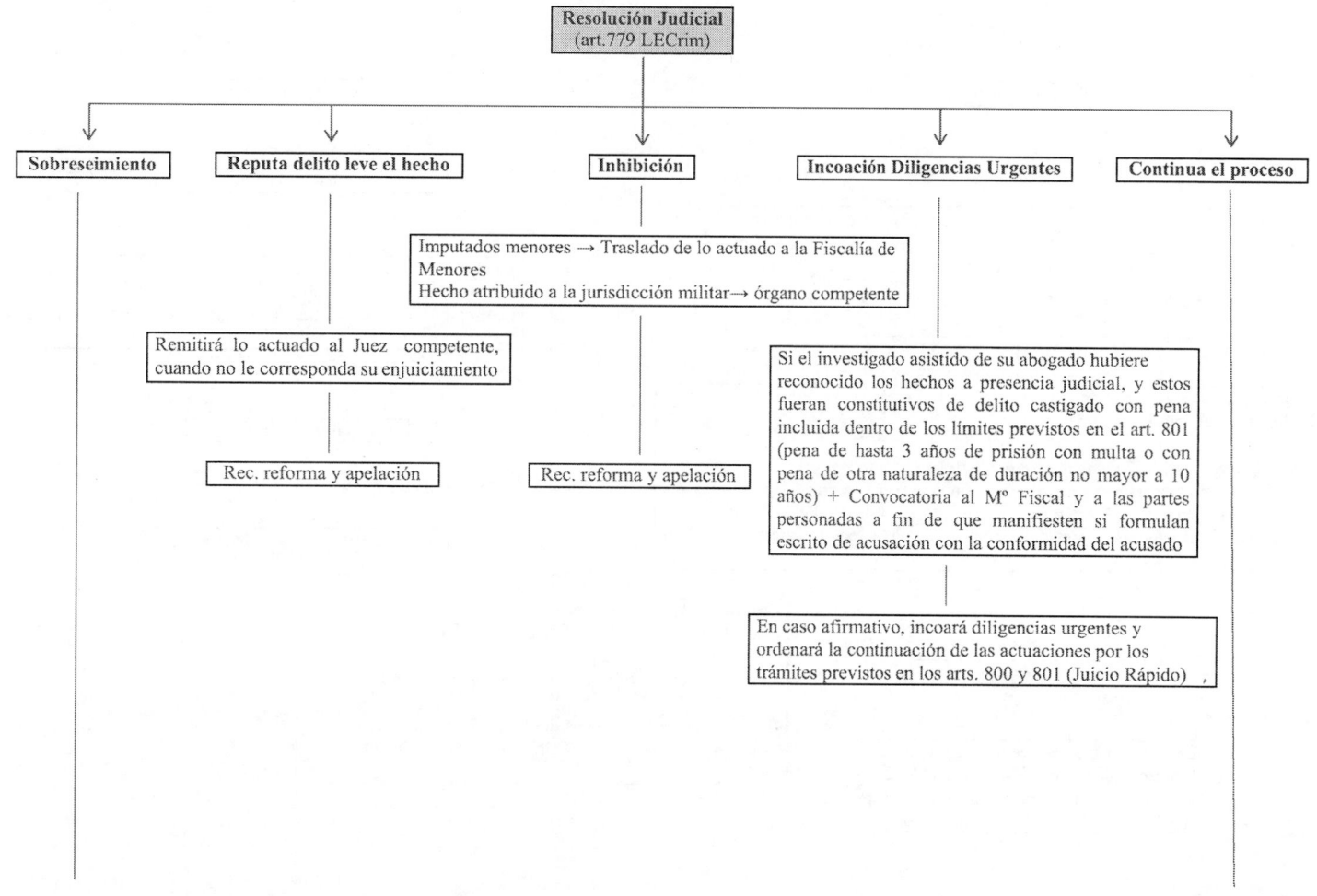

Resolución Judicial
(art.779 LECrim)

| Sobreseimiento | Reputa delito leve el hecho | Inhibición | Incoación Diligencias Urgentes | Continua el proceso |

Imputados menores → Traslado de lo actuado a la Fiscalía de Menores
Hecho atribuido a la jurisdicción militar→ órgano competente

Remitirá lo actuado al Juez competente, cuando no le corresponda su enjuiciamiento

Rec. reforma y apelación

Rec. reforma y apelación

Si el investigado asistido de su abogado hubiere reconocido los hechos a presencia judicial, y estos fueran constitutivos de delito castigado con pena incluida dentro de los límites previstos en el art. 801 (pena de hasta 3 años de prisión con multa o con pena de otra naturaleza de duración no mayor a 10 años) + Convocatoria al Mº Fiscal y a las partes personadas a fin de que manifiesten si formulan escrito de acusación con la conformidad del acusado

En caso afirmativo, incoará diligencias urgentes y ordenará la continuación de las actuaciones por los trámites previstos en los arts. 800 y 801 (Juicio Rápido)

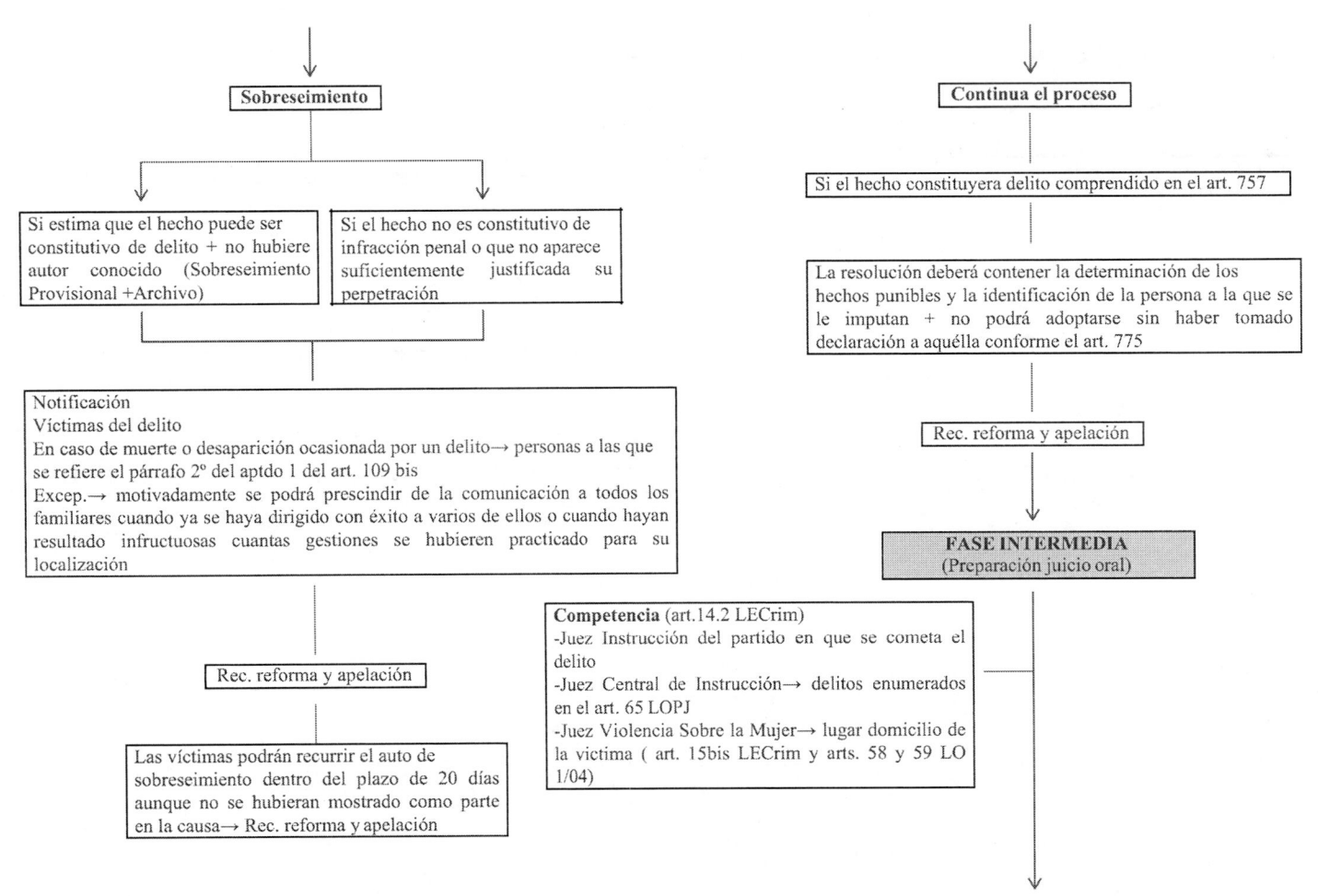

Sobreseimiento

Si estima que el hecho puede ser constitutivo de delito + no hubiere autor conocido (Sobreseimiento Provisional +Archivo)

Si el hecho no es constitutivo de infracción penal o que no aparece suficientemente justificada su perpetración

Notificación
Víctimas del delito
En caso de muerte o desaparición ocasionada por un delito→ personas a las que se refiere el párrafo 2º del aptdo 1 del art. 109 bis
Excep.→ motivadamente se podrá prescindir de la comunicación a todos los familiares cuando ya se haya dirigido con éxito a varios de ellos o cuando hayan resultado infructuosas cuantas gestiones se hubieren practicado para su localización

Rec. reforma y apelación

Las víctimas podrán recurrir el auto de sobreseimiento dentro del plazo de 20 días aunque no se hubieran mostrado como parte en la causa→ Rec. reforma y apelación

Competencia (art.14.2 LECrim)
-Juez Instrucción del partido en que se cometa el delito
-Juez Central de Instrucción→ delitos enumerados en el art. 65 LOPJ
-Juez Violencia Sobre la Mujer→ lugar domicilio de la victima (art. 15bis LECrim y arts. 58 y 59 LO 1/04)

Continua el proceso

Si el hecho constituyera delito comprendido en el art. 757

La resolución deberá contener la determinación de los hechos punibles y la identificación de la persona a la que se le imputan + no podrá adoptarse sin haber tomado declaración a aquélla conforme el art. 775

Rec. reforma y apelación

FASE INTERMEDIA
(Preparación juicio oral)

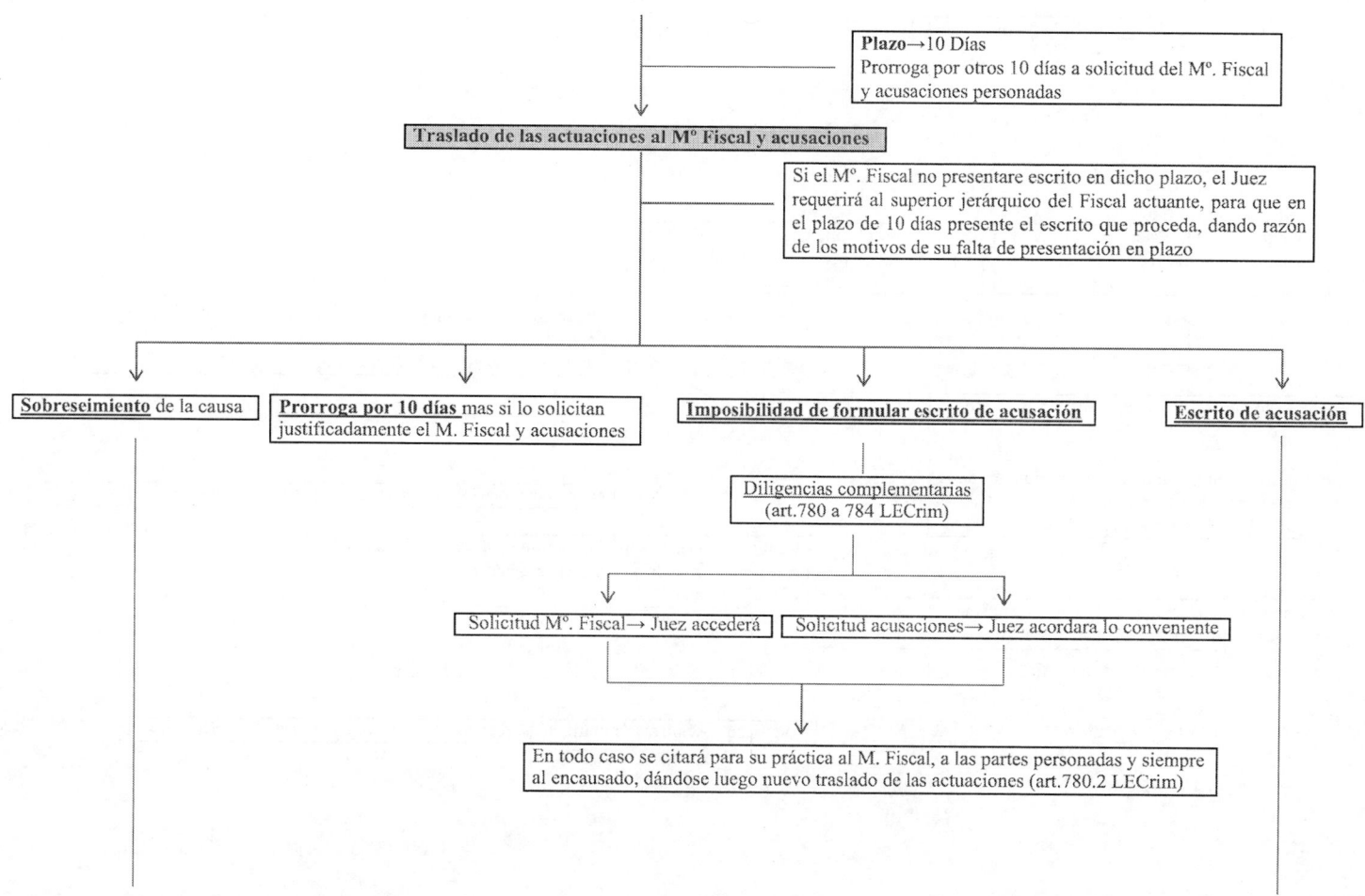

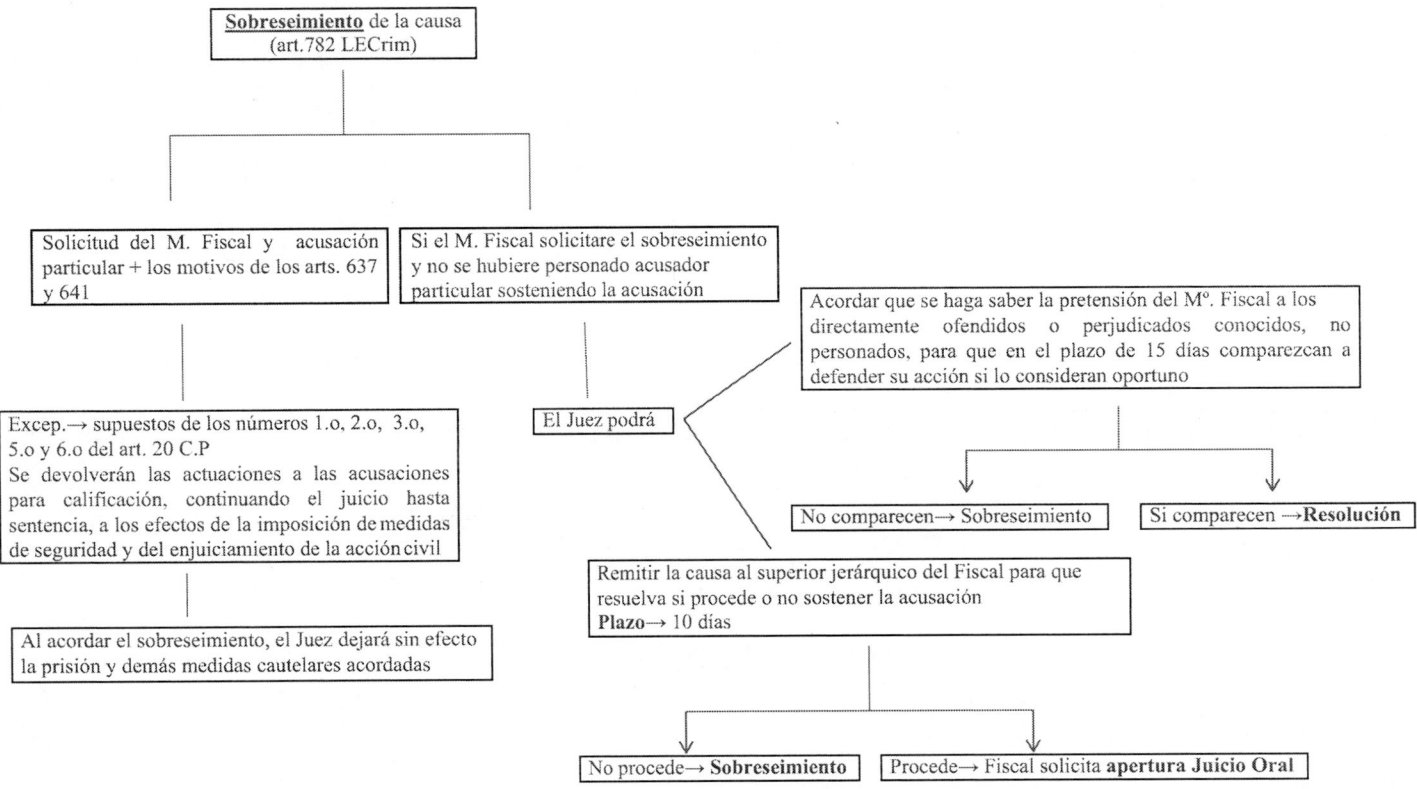

Sobreseimiento de la causa (art.782 LECrim)

Solicitud del M. Fiscal y acusación particular + los motivos de los arts. 637 y 641

Si el M. Fiscal solicitare el sobreseimiento y no se hubiere personado acusador particular sosteniendo la acusación

Acordar que se haga saber la pretensión del Mº. Fiscal a los directamente ofendidos o perjudicados conocidos, no personados, para que en el plazo de 15 días comparezcan a defender su acción si lo consideran oportuno

Excep.→ supuestos de los números 1.o, 2.o, 3.o, 5.o y 6.o del art. 20 C.P
Se devolverán las actuaciones a las acusaciones para calificación, continuando el juicio hasta sentencia, a los efectos de la imposición de medidas de seguridad y del enjuiciamiento de la acción civil

El Juez podrá

No comparecen→ Sobreseimiento

Si comparecen →**Resolución**

Remitir la causa al superior jerárquico del Fiscal para que resuelva si procede o no sostener la acusación
Plazo→ 10 días

Al acordar el sobreseimiento, el Juez dejará sin efecto la prisión y demás medidas cautelares acordadas

No procede→ **Sobreseimiento**

Procede→ Fiscal solicita **apertura Juicio Oral**

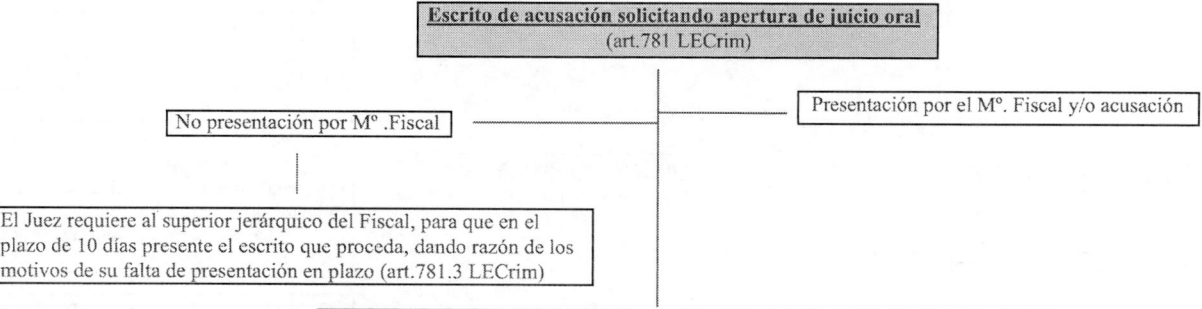

Escrito de acusación solicitando apertura de juicio oral
(art.781 LECrim)

No presentación por Mº .Fiscal

Presentación por el Mº. Fiscal y/o acusación

El Juez requiere al superior jerárquico del Fiscal, para que en el plazo de 10 días presente el escrito que proceda, dando razón de los motivos de su falta de presentación en plazo (art.781.3 LECrim)

Contenido
-Solicitud de apertura del juicio oral
-Identificación de la persona/s contra la que se dirige la acusación
-Extremos a que se refiere el art. 650(Hechos punibles, calificación legal, participación del acusado/s, circunstancias modificativas de la responsabilidad penal y penas)
-La acusación se extenderá a las faltas imputables al acusado del delito o a otras personas, cuando la comisión de la falta o su prueba estuviera relacionada con el delito
-Cuantía de las indemnizaciones o bases para su determinación
-Personas civilmente responsables
- Pronunciamientos sobre entrega y destino de cosas y efectos
-Costas procesales
-Proposición de pruebas→ Se podrá solicitar la práctica anticipada
-Adopción, modificación o suspensión de las medidas cautelares

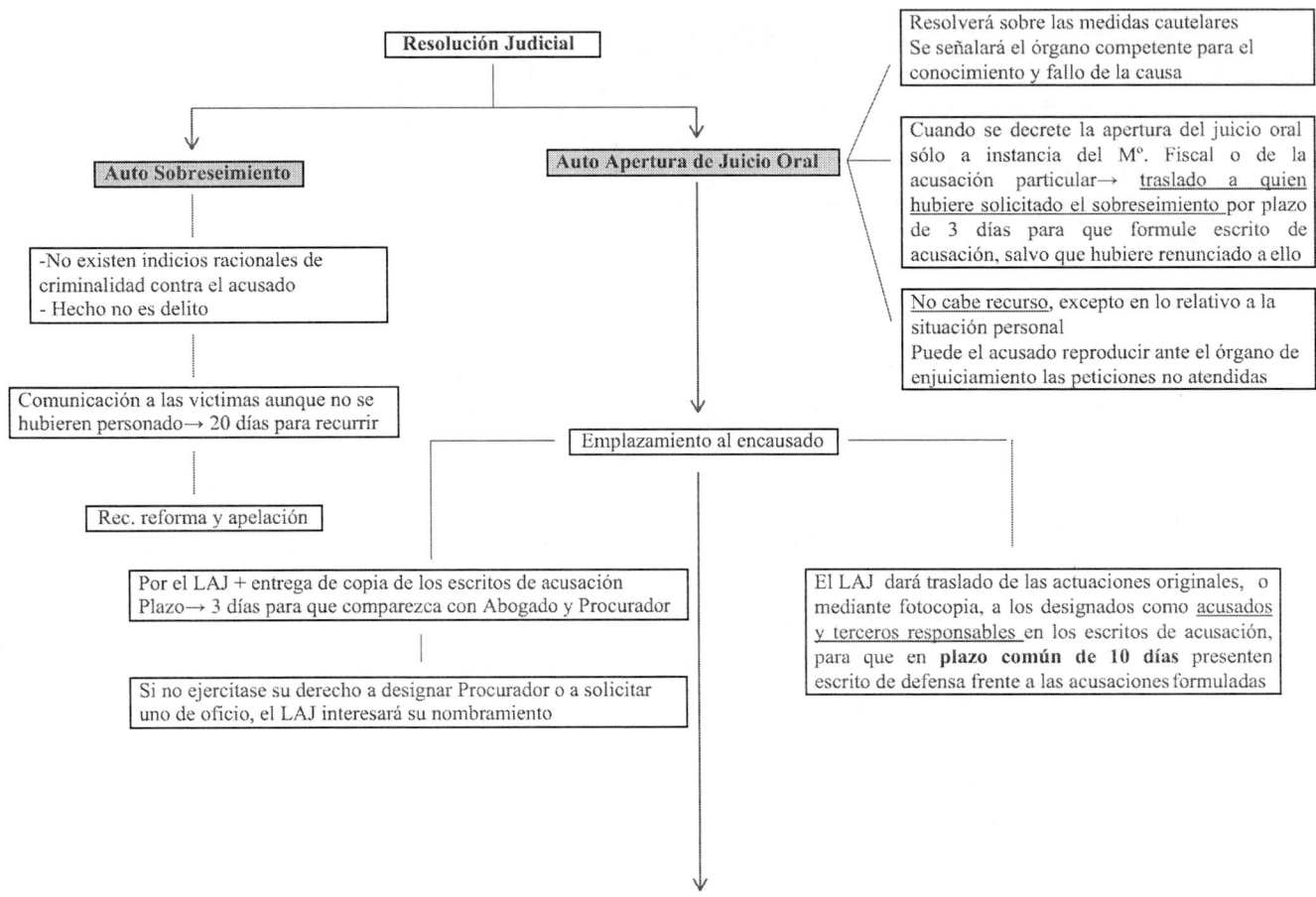

Resolución Judicial

Auto Sobreseimiento

-No existen indicios racionales de criminalidad contra el acusado
- Hecho no es delito

Comunicación a las víctimas aunque no se hubieren personado→ 20 días para recurrir

Rec. reforma y apelación

Auto Apertura de Juicio Oral

Resolverá sobre las medidas cautelares
Se señalará el órgano competente para el conocimiento y fallo de la causa

Cuando se decrete la apertura del juicio oral sólo a instancia del Mº. Fiscal o de la acusación particular→ traslado a quien hubiere solicitado el sobreseimiento por plazo de 3 días para que formule escrito de acusación, salvo que hubiere renunciado a ello

No cabe recurso, excepto en lo relativo a la situación personal
Puede el acusado reproducir ante el órgano de enjuiciamiento las peticiones no atendidas

Emplazamiento al encausado

Por el LAJ + entrega de copia de los escritos de acusación
Plazo→ 3 días para que comparezca con Abogado y Procurador

Si no ejercitase su derecho a designar Procurador o a solicitar uno de oficio, el LAJ interesará su nombramiento

El LAJ dará traslado de las actuaciones originales, o mediante fotocopia, a los designados como acusados y terceros responsables en los escritos de acusación, para que en **plazo común de 10 días** presenten escrito de defensa frente a las acusaciones formuladas

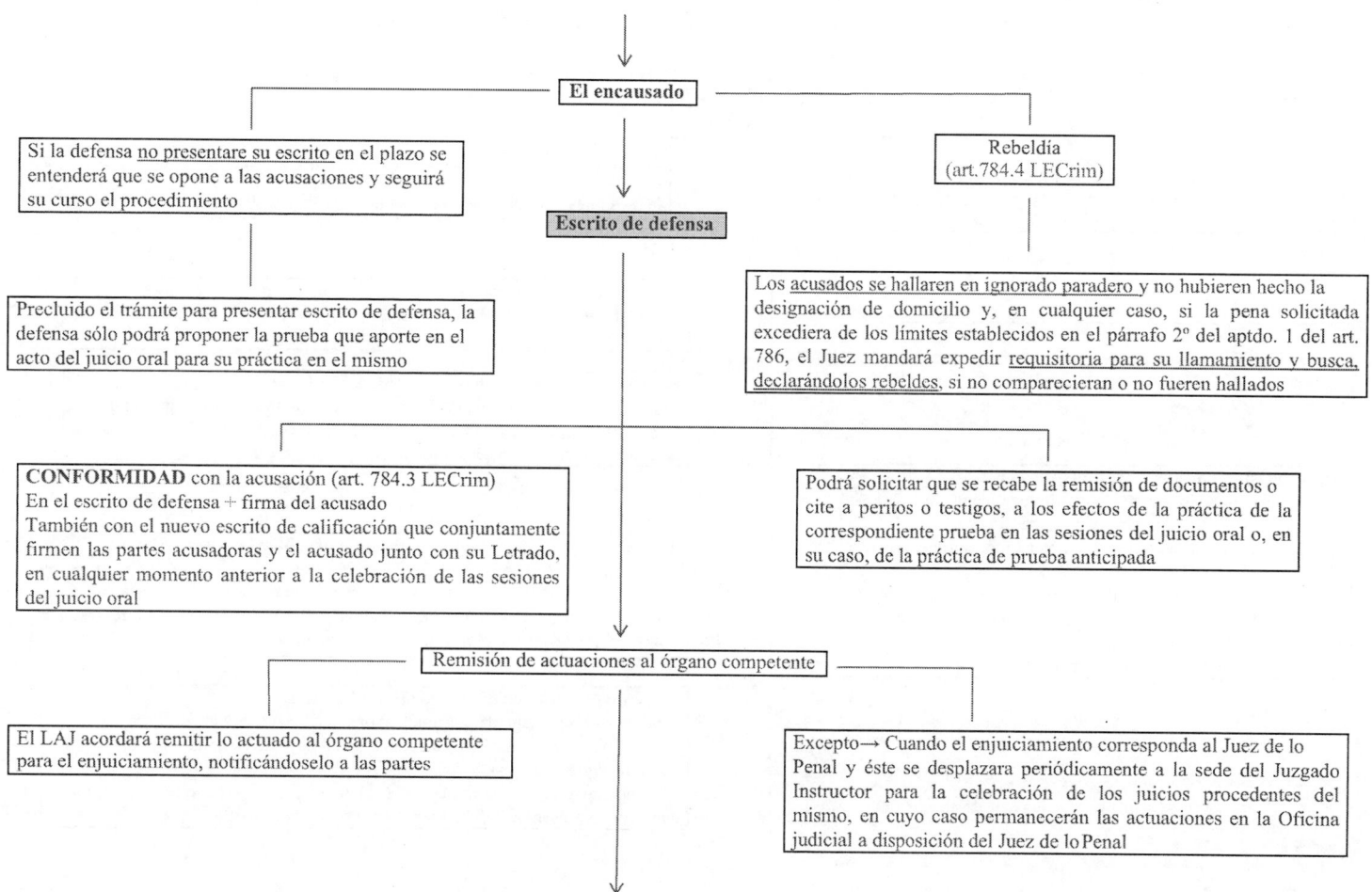

El encausado

Si la defensa <u>no presentare su escrito</u> en el plazo se entenderá que se opone a las acusaciones y seguirá su curso el procedimiento

Rebeldía
(art.784.4 LECrim)

Escrito de defensa

Precluido el trámite para presentar escrito de defensa, la defensa sólo podrá proponer la prueba que aporte en el acto del juicio oral para su práctica en el mismo

Los <u>acusados se hallaren en ignorado paradero</u> y no hubieren hecho la designación de domicilio y, en cualquier caso, si la pena solicitada excediera de los límites establecidos en el párrafo 2º del aptdo. 1 del art. 786, el Juez mandará expedir <u>requisitoria para su llamamiento y busca, declarándolos rebeldes</u>, si no comparecieran o no fueren hallados

CONFORMIDAD con la acusación (art. 784.3 LECrim)
En el escrito de defensa + firma del acusado
También con el nuevo escrito de calificación que conjuntamente firmen las partes acusadoras y el acusado junto con su Letrado, en cualquier momento anterior a la celebración de las sesiones del juicio oral

Podrá solicitar que se recabe la remisión de documentos o cite a peritos o testigos, a los efectos de la práctica de la correspondiente prueba en las sesiones del juicio oral o, en su caso, de la práctica de prueba anticipada

Remisión de actuaciones al órgano competente

El LAJ acordará remitir lo actuado al órgano competente para el enjuiciamiento, notificándoselo a las partes

Excepto→ Cuando el enjuiciamiento corresponda al Juez de lo Penal y éste se desplazara periódicamente a la sede del Juzgado Instructor para la celebración de los juicios procedentes del mismo, en cuyo caso permanecerán las actuaciones en la Oficina judicial a disposición del Juez de lo Penal

FASE JUICIO ORAL
(art.785 a 789 LECrim)

La celebración del juicio oral requiere preceptivamente la asistencia del acusado y del abogado defensor

El LAJ establecerá el día y hora en que deban comenzar las sesiones del juicio oral conforme al art. 182 LECrim

Cuando la víctima lo haya solicitado, aunque no sea parte en el proceso ni deba intervenir, el LAJ deberá informarle, por escrito de la fecha, hora y lugar del juicio, así como del contenido de la acusación

Varios acusados y alguno de ellos no comparecer sin motivo legítimo → se podrá acordar la continuación del juicio para los restantes

Examen y admisión pruebas (art. 785 a 788 LECrim)
El Juez o Tribunal examinará las pruebas propuestas + auto admitiendo las que considere pertinentes y rechazando las demás, y prevendrá lo necesario para la práctica de la prueba anticipada

No suspensión por ausencia injustificada:
- Del acusado que hubiera sido citado legalmente, si el Juez o Tribunal, a solicitud del Mº. Fiscal o de la parte acusadora, y oída la defensa, estima que existen elementos suficientes para el enjuiciamiento
Presupuestos→ Pena solicitada no exceda de 2 años de privación de libertad o, si fuera de distinta naturaleza, cuando su duración no exceda de 6 años
- Del tercero responsable civil citado en debida forma

Contra los autos de admisión/inadmisión de prueba NO cabrá recurso
La parte a la que le fuere denegada podrá reproducir su petición al inicio de las sesiones del juicio oral, momento hasta el cual podrán incorporarse a la causa los informes, certificaciones y demás documentos que el Mº. Fiscal y las partes estimen oportuno y el Juez o Tribunal admitan

Acusado persona jurídica (art. 786 bis LECrim)
-Podrá estar representada por una persona que especialmente designe
-No se podrá designar a estos efectos a quien haya de declarar en el juicio como testigo
- Su incomparecencia no impedirá la celebración de la vista, que se llevará a cabo con la presencia del Abogado y el Procurador de ésta

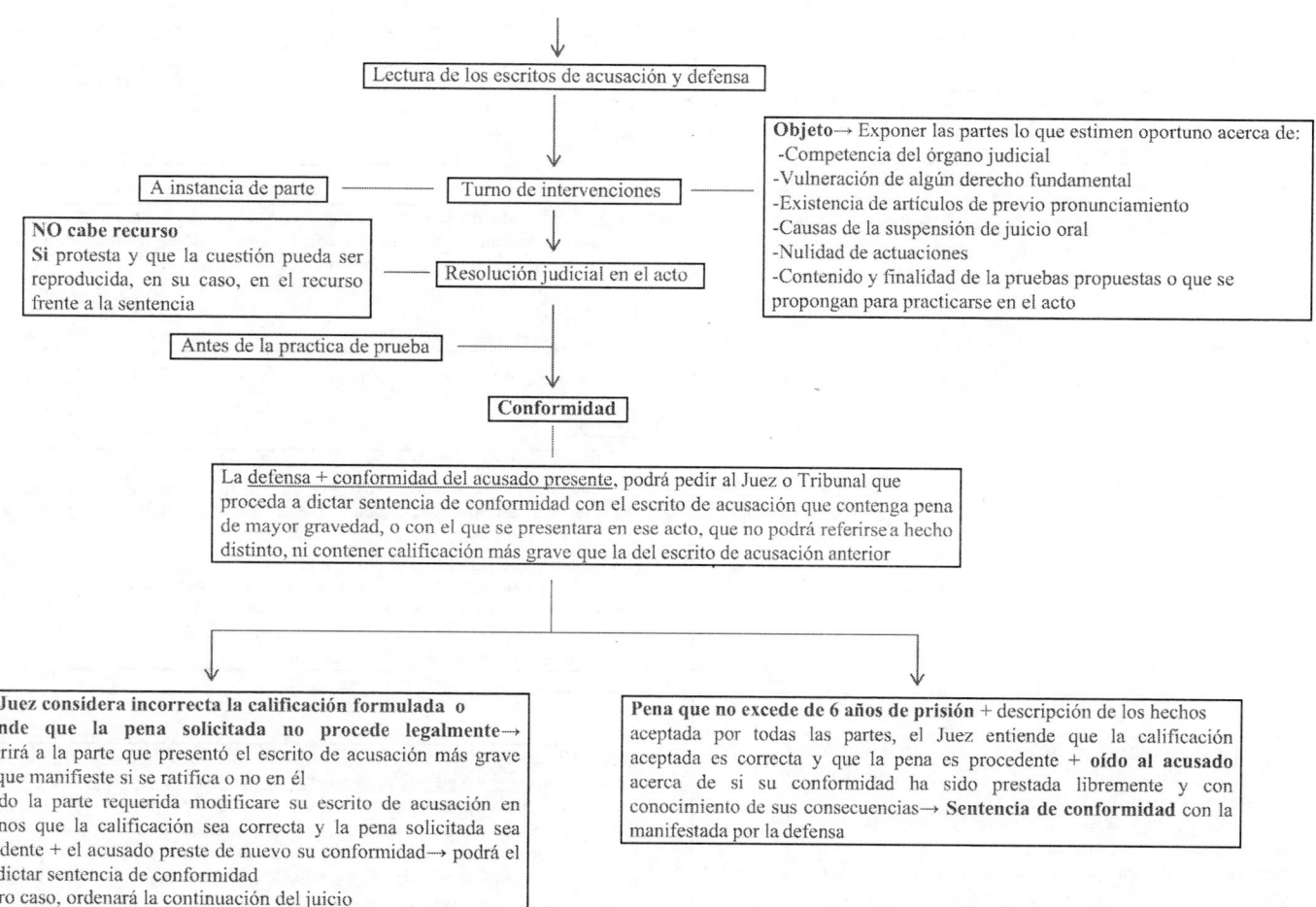

Lectura de los escritos de acusación y defensa

A instancia de parte — Turno de intervenciones — **Objeto**→ Exponer las partes lo que estimen oportuno acerca de:
-Competencia del órgano judicial
-Vulneración de algún derecho fundamental
-Existencia de artículos de previo pronunciamiento
-Causas de la suspensión de juicio oral
-Nulidad de actuaciones
-Contenido y finalidad de la pruebas propuestas o que se propongan para practicarse en el acto

NO cabe recurso
Si protesta y que la cuestión pueda ser reproducida, en su caso, en el recurso frente a la sentencia

Resolución judicial en el acto

Antes de la practica de prueba

Conformidad

La <u>defensa + conformidad del acusado presente</u>, podrá pedir al Juez o Tribunal que proceda a dictar sentencia de conformidad con el escrito de acusación que contenga pena de mayor gravedad, o con el que se presentara en ese acto, que no podrá referirse a hecho distinto, ni contener calificación más grave que la del escrito de acusación anterior

Si el Juez considera incorrecta la calificación formulada o entiende que la pena solicitada no procede legalmente→ requerirá a la parte que presentó el escrito de acusación más grave para que manifieste si se ratifica o no en él
Cuando la parte requerida modificare su escrito de acusación en términos que la calificación sea correcta y la pena solicitada sea procedente + el acusado preste de nuevo su conformidad→ podrá el Juez dictar sentencia de conformidad
En otro caso, ordenará la continuación del juicio

Pena que no excede de 6 años de prisión + descripción de los hechos aceptada por todas las partes, el Juez entiende que la calificación aceptada es correcta y que la pena es procedente + **oído al acusado** acerca de si su conformidad ha sido prestada libremente y con conocimiento de sus consecuencias→ **Sentencia de conformidad** con la manifestada por la defensa

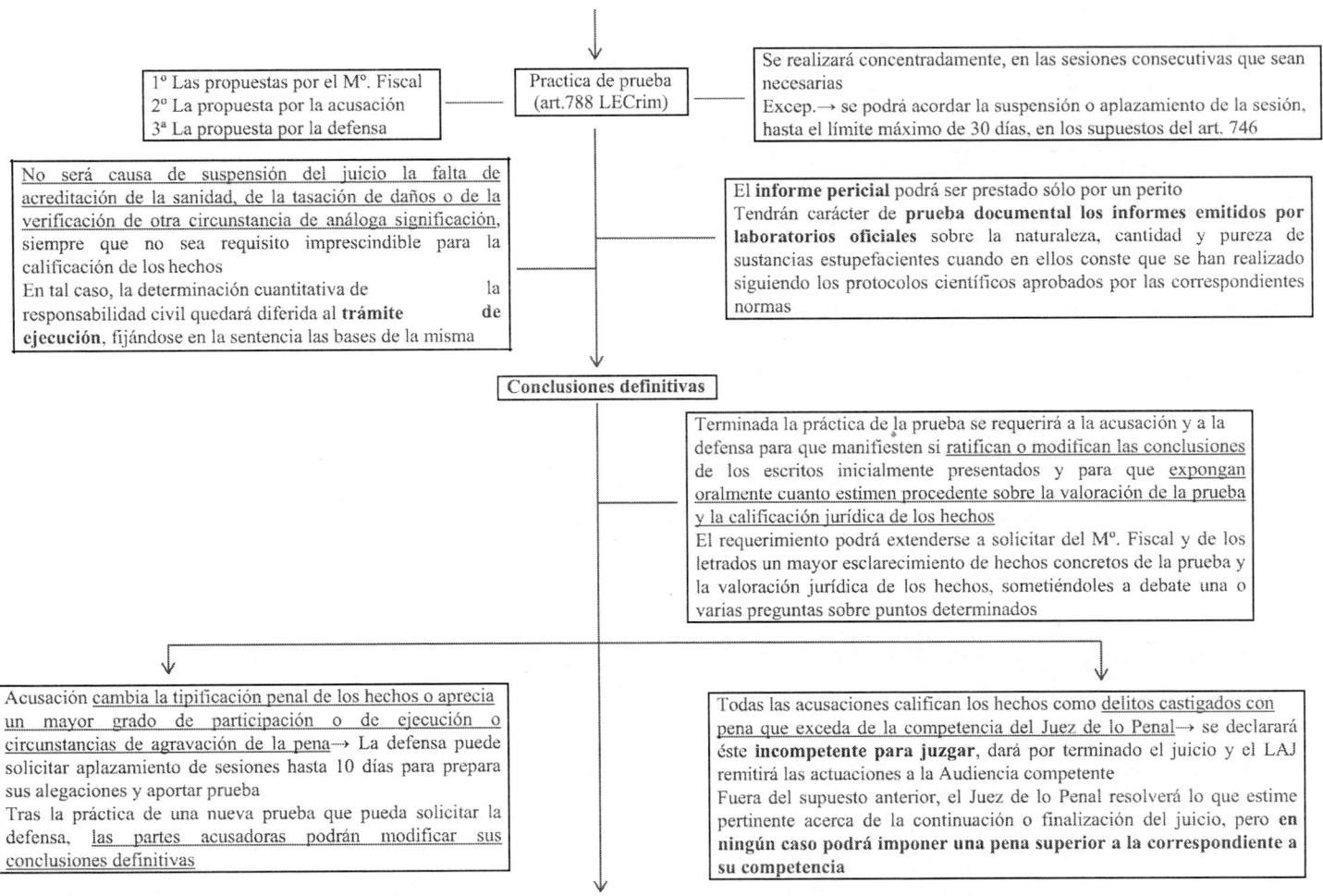

1° Las propuestas por el Mº. Fiscal
2° La propuesta por la acusación
3ª La propuesta por la defensa

Practica de prueba
(art.788 LECrim)

Se realizará concentradamente, en las sesiones consecutivas que sean necesarias
Excep.→ se podrá acordar la suspensión o aplazamiento de la sesión, hasta el límite máximo de 30 días, en los supuestos del art. 746

No será causa de suspensión del juicio la falta de acreditación de la sanidad, de la tasación de daños o de la verificación de otra circunstancia de análoga significación, siempre que no sea requisito imprescindible para la calificación de los hechos
En tal caso, la determinación cuantitativa de   la responsabilidad civil quedará diferida al **trámite   de ejecución**, fijándose en la sentencia las bases de la misma

El **informe pericial** podrá ser prestado sólo por un perito
Tendrán carácter de **prueba documental los informes emitidos por laboratorios oficiales** sobre la naturaleza, cantidad y pureza de sustancias estupefacientes cuando en ellos conste que se han realizado siguiendo los protocolos científicos aprobados por las correspondientes normas

Conclusiones definitivas

Terminada la práctica de la prueba se requerirá a la acusación y a la defensa para que manifiesten si ratifican o modifican las conclusiones de los escritos inicialmente presentados y para que expongan oralmente cuanto estimen procedente sobre la valoración de la prueba y la calificación jurídica de los hechos
El requerimiento podrá extenderse a solicitar del Mº. Fiscal y de los letrados un mayor esclarecimiento de hechos concretos de la prueba y la valoración jurídica de los hechos, sometiéndoles a debate una o varias preguntas sobre puntos determinados

Acusación cambia la tipificación penal de los hechos o aprecia un mayor grado de participación o de ejecución o circunstancias de agravación de la pena→ La defensa puede solicitar aplazamiento de sesiones hasta 10 días para prepara sus alegaciones y aportar prueba
Tras la práctica de una nueva prueba que pueda solicitar la defensa, las partes acusadoras podrán modificar sus conclusiones definitivas

Todas las acusaciones califican los hechos como delitos castigados con pena que exceda de la competencia del Juez de lo Penal→ se declarará éste **incompetente para juzgar**, dará por terminado el juicio y el LAJ remitirá las actuaciones a la Audiencia competente
Fuera del supuesto anterior, el Juez de lo Penal resolverá lo que estime pertinente acerca de la continuación o finalización del juicio, pero **en ningún caso podrá imponer una pena superior a la correspondiente a su competencia**

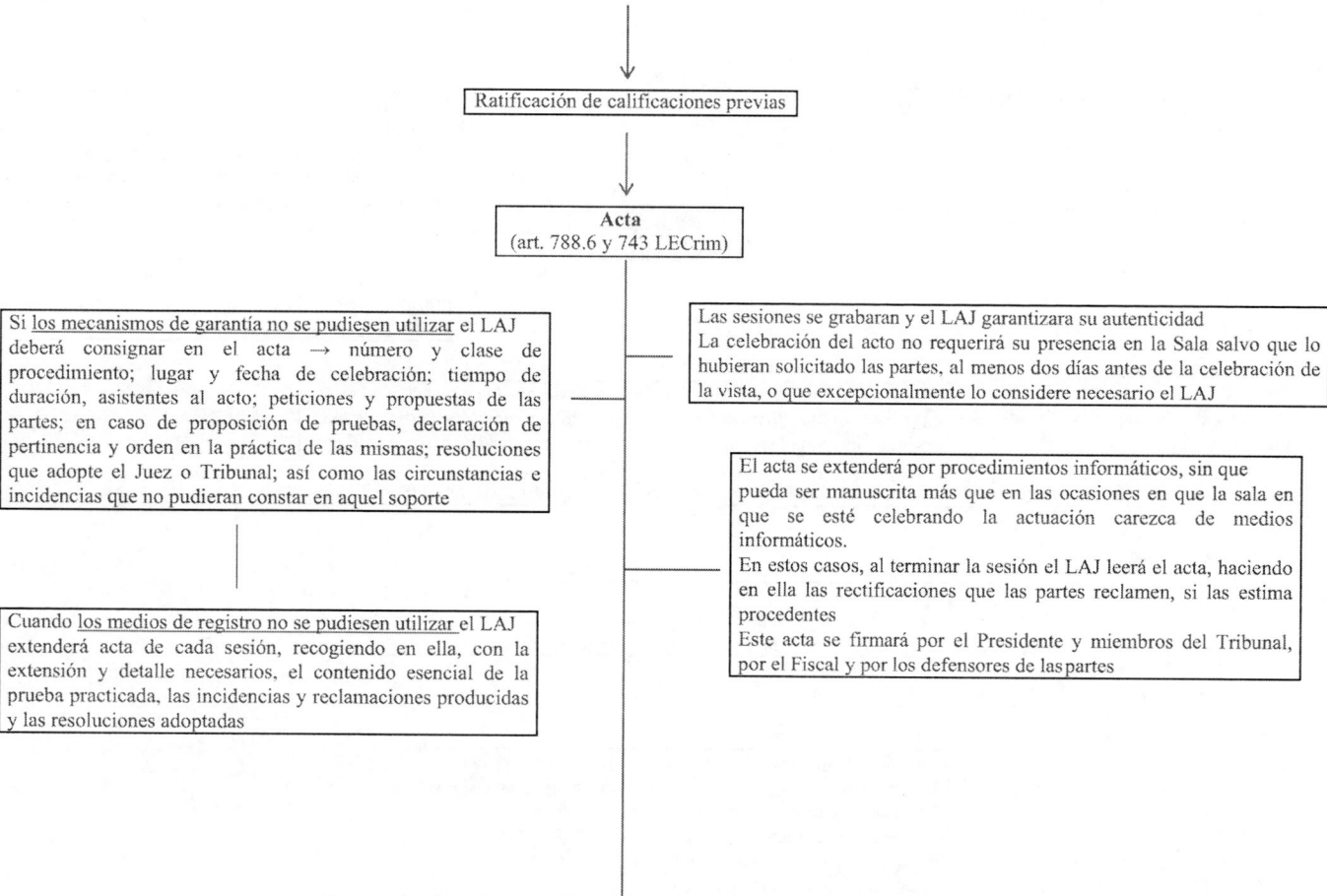

Ratificación de calificaciones previas

Acta
(art. 788.6 y 743 LECrim)

Si <u>los mecanismos de garantía no se pudiesen utilizar</u> el LAJ deberá consignar en el acta → número y clase de procedimiento; lugar y fecha de celebración; tiempo de duración, asistentes al acto; peticiones y propuestas de las partes; en caso de proposición de pruebas, declaración de pertinencia y orden en la práctica de las mismas; resoluciones que adopte el Juez o Tribunal; así como las circunstancias e incidencias que no pudieran constar en aquel soporte

Cuando <u>los medios de registro no se pudiesen utilizar</u> el LAJ extenderá acta de cada sesión, recogiendo en ella, con la extensión y detalle necesarios, el contenido esencial de la prueba practicada, las incidencias y reclamaciones producidas y las resoluciones adoptadas

Las sesiones se grabaran y el LAJ garantizara su autenticidad
La celebración del acto no requerirá su presencia en la Sala salvo que lo hubieran solicitado las partes, al menos dos días antes de la celebración de la vista, o que excepcionalmente lo considere necesario el LAJ

El acta se extenderá por procedimientos informáticos, sin que pueda ser manuscrita más que en las ocasiones en que la sala en que se esté celebrando la actuación carezca de medios informáticos.
En estos casos, al terminar la sesión el LAJ leerá el acta, haciendo en ella las rectificaciones que las partes reclamen, si las estima procedentes
Este acta se firmará por el Presidente y miembros del Tribunal, por el Fiscal y por los defensores de las partes

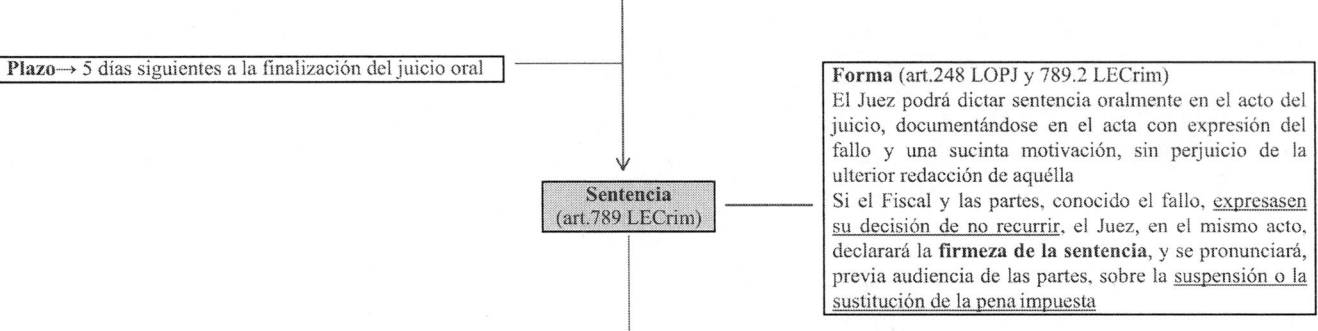

Plazo→ 5 días siguientes a la finalización del juicio oral

Sentencia
(art.789 LECrim)

Forma (art.248 LOPJ y 789.2 LECrim)
El Juez podrá dictar sentencia oralmente en el acto del juicio, documentándose en el acta con expresión del fallo y una sucinta motivación, sin perjuicio de la ulterior redacción de aquélla
Si el Fiscal y las partes, conocido el fallo, expresasen su decisión de no recurrir, el Juez, en el mismo acto, declarará la **firmeza de la sentencia**, y se pronunciará, previa audiencia de las partes, sobre la suspensión o la sustitución de la pena impuesta

No podrá imponer pena más grave de la solicitada por las acusaciones, ni condenar por delito distinto cuando éste conlleve una diversidad de bien jurídico protegido o mutación sustancial del hecho enjuiciado, salvo que alguna de las acusaciones haya asumido el planteamiento previamente expuesto por el Juez o Tribunal dentro del trámite previsto en el párrafo 2º del art. 788.3 LECrim

Notificación
El LAJ notificará la sentencia por escrito a los ofendidos y perjudicados por el delito, aunque no se hayan mostrado parte en la causa

Cuando la instrucción de la causa hubiera correspondido a un Juzgado de Violencia sobre la Mujer el LAJ remitirá al mismo la sentencia por testimonio de forma inmediata
Igualmente le remitirá la declaración de firmeza y la sentencia de segunda instancia cuando la misma fuera revocatoria, en todo o en parte, de la sentencia previamente dictada

7.3. PROCEDIMIENTO DE ENJUICIAMIENTO RÁPIDO (JUICIOS RÁPIDOS)

Se aplica a la instrucción y al enjuiciamiento de delitos castigados con pena privativa de libertad que no exceda de 5 años o con cualquiera otra pena, bien sean únicas, conjuntas o alternativas, cuya duración no exceda de 10 años, cualquiera que sea su cuantía, si se cumplen ciertas condiciones (incoación por atestado policial, persona citada como denunciada al Juzgado de Guardia o detenida), y concurran cualquiera de las siguientes circunstancias: que se trate de delitos flagrantes; que se trate de alguno de los delitos de lesiones, coacciones, amenazas o violencia física o psíquica habitual contra las personas a que se refiere el art. 173.2 CP, delitos de hurto, robo, hurto y robo de uso de vehículos, delitos contra la seguridad del tráfico, de daños del art. 263 CP, contra la salud pública del art. 368.2 CP, y los flagrantes relativos a la propiedad intelectual e industrial previstos en los arts. 270, 273, 274 y 275 CP; así como que la instrucción se presuma sencilla (art. 795 LECrim).

En la simplificación y reducción de plazos de los trámites previos a la celebración del juicio que, además, se realizarán en el propio juzgado de guardia.

COMPETENCIA

Instrucción → Juez de Instrucción Enjuiciamiento → Juez de lo Penal.

El Juez de Instrucción de Guardia puede dictar sentencia de conformidad si se trata de delitos castigados con penas de hasta 3 años de prisión u otra pena que no exceda de 10 años, y la pena de prisión solicitada, no supera reducida en un tercio, los 2 años de prisión (arts. 795 y 801 LECrim).

CUADRO SINÓPTICO

Ámbito Objetivo (art. 795.1, 1º,2º,3º LECrim)
-Los delitos flagrantes, que abarcan los supuestos de detención del delincuente en el momento de cometer el delito y en los inmediatamente posteriores a la comisión
-Los delitos de violencia doméstica (arts. 147 y ss., 169-172 y 178 CP), hurto y robo (arts. 234 y 237 CP, también si es de uso de vehículos, art. 244 CP), contra la seguridad del tráfico (arts. 379-385 CP), daños (art. 263 CP), contra la salud pública (art. 368.II CP) y flagrantes contra la propiedad industrial e intelectual (arts. 270 y 273-275 CP)
- Los hechos punibles que presumiblemente tengan una instrucción sencilla

Regulación
En lo no previsto en la regulación específica de los juicios rápidos, regirán supletoriamente las normas que ordenan el procedimiento abreviado

Presupuestos (art. 795.1 LECrim)
-Que la pena de los delitos no supere los cinco años de prisión, o diez si se trata de penas no privativas de libertad
-Que los hechos se denuncien por medio de atestado policial
-Que la Policía Judicial haya detenido al sospechoso, poniéndolo a disposición, o haya citado ante el Juzgado de Guardia a quien aparezca con tal condición en el atestado policial

Supuestos Excluidos (art. 795.2-3 LECrim)
-Delitos conexos a otros que no estén incluidos en su ámbito objetivo
-Fuera necesario decretar el secreto de las actuaciones

Inicio→ Atestado

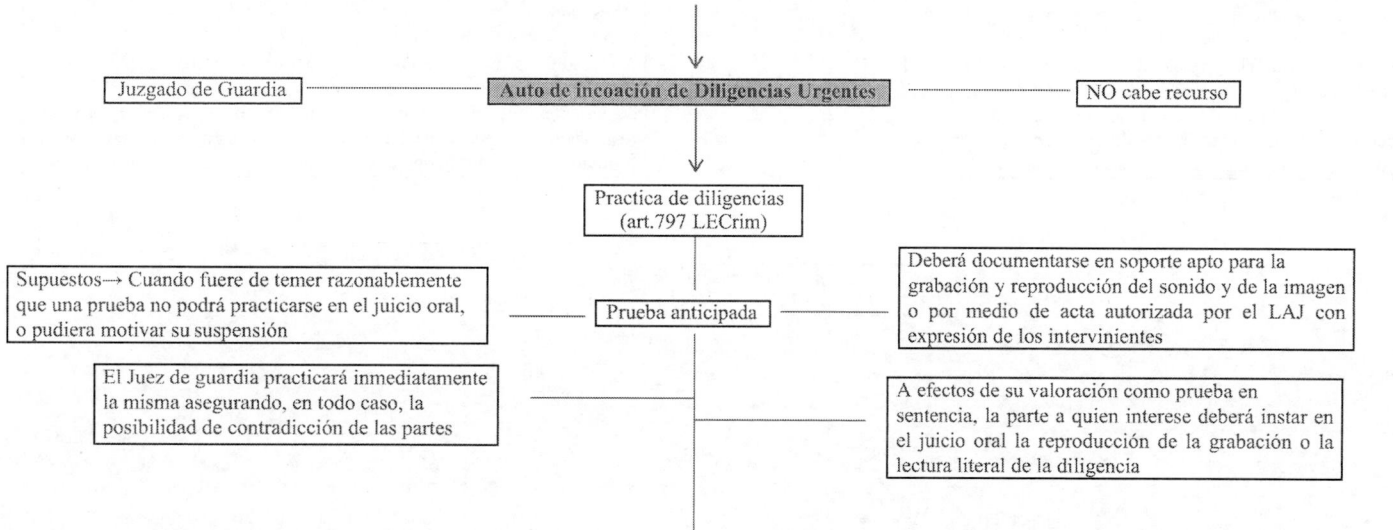

Policía Judicial (art. 796 LECrim)
-Solicitará del facultativo o del personal sanitario que atendiere al ofendido copia del informe relativo a la asistencia prestada
Solicitará la presencia del médico forense cuando la persona que tuviere que ser reconocida no pudiera desplazarse al Juzgado de guardia dentro del plazo previsto en el art. 799.
-Informará a la persona a la que se atribuya el hecho del derecho que le asiste de comparecer ante el Juzgado de guardia asistido de abogado
Si el interesado no manifestare expresamente su voluntad de comparecer asistido de abogado, la Policía Judicial recabará del Colegio de Abogados la designación de un letrado de oficio
-Citará al denunciada para comparecer en el Juzgado de guardia + apercibimiento de las consecuencias de no comparecer
- Citará a los testigos para que comparezcan en el juzgado de guardia + apercibimiento de las consecuencias de no comparecer
No será necesaria la citación de miembros de las Fuerzas y Cuerpos de Seguridad que hubieren intervenido en el atestado cuando su declaración conste en el mismo
-Citará para el mismo día y hora a las entidades a que se refiere el art. 117 CP, si consta su identidad
-Remitirá al Instituto de Toxicología, al Instituto de Medicina Legal o al laboratorio correspondiente las sustancias aprehendidas cuyo análisis resulte pertinente
-La práctica de las pruebas de alcoholemia

Juzgado de Guardia ---------- **Auto de incoación de Diligencias Urgentes** ---------- NO cabe recurso

Practica de diligencias
(art.797 LECrim)

Supuestos→ Cuando fuere de temer razonablemente que una prueba no podrá practicarse en el juicio oral, o pudiera motivar su suspensión ---------- Prueba anticipada ---------- Deberá documentarse en soporte apto para la grabación y reproducción del sonido y de la imagen o por medio de acta autorizada por el LAJ con expresión de los intervinientes

El Juez de guardia practicará inmediatamente la misma asegurando, en todo caso, la posibilidad de contradicción de las partes

A efectos de su valoración como prueba en sentencia, la parte a quien interese deberá instar en el juicio oral la reproducción de la grabación o la lectura literal de la diligencia

VIOGEN

Las diligencias y resoluciones señaladas deberán ser practicadas y adoptadas durante las horas de audiencia

La Policía Judicial habrá de realizar las citaciones ante el Juzgado de Violencia sobre la Mujer en el día hábil más próximo

El detenido será puesto a disposición del Juzgado de Guardia, a los solos efectos de regularizar su situación personal, cuando no sea posible la presentación ante el Juzgado de Violencia

---

Practica de diligencias
(art.797 LECrim)

-Recabar antecedentes penales del detenido o investigado
-Recabar los informes periciales solicitados por la Policía Judicial
-Ordenar que el médico forense, si no lo hubiese hecho con anterioridad, examine a las personas que hayan comparecido
-Ordenar la práctica por un perito de la tasación de bienes u objetos aprehendidos o intervenidos
-Tomar declaración al detenido o investigado
-Tomar declaración a los testigos citados
- Informar de sus derechos al ofendido y perjudicado
-Practicar el reconocimiento en rueda
-Ordenar el careo entre testigos, entre testigos e investigados o investigados entre sí
-Ordenar las citaciones necesarias
A estos efectos no procederá la citación de miembros de las Fuerzas y Cuerpos de Seguridad que hubieren intervenido en el atestado cuya declaración obre en el mismo, salvo que, excepcionalmente y mediante resolución motivada, considere imprescindible su nueva declaración
-Ordenar cualquier diligencia pertinente

El Abogado designado para la defensa tendrá también habilitación legal para la representación de su defendido en todas las actuaciones que se verifiquen ante el Juez de guardia

Para garantizar el ejercicio del derecho de defensa, el Juez, una vez incoadas diligencias urgentes, dispondrá que se le dé traslado de copia del atestado y de cuantas actuaciones se hayan realizado o se realicen en el Juzgado de Guardia

---

Se oirá a las partes +Mº. Fiscal
(art.798.1 LECrim)

Solicitud de medidas cautelares

Resolución a adoptar

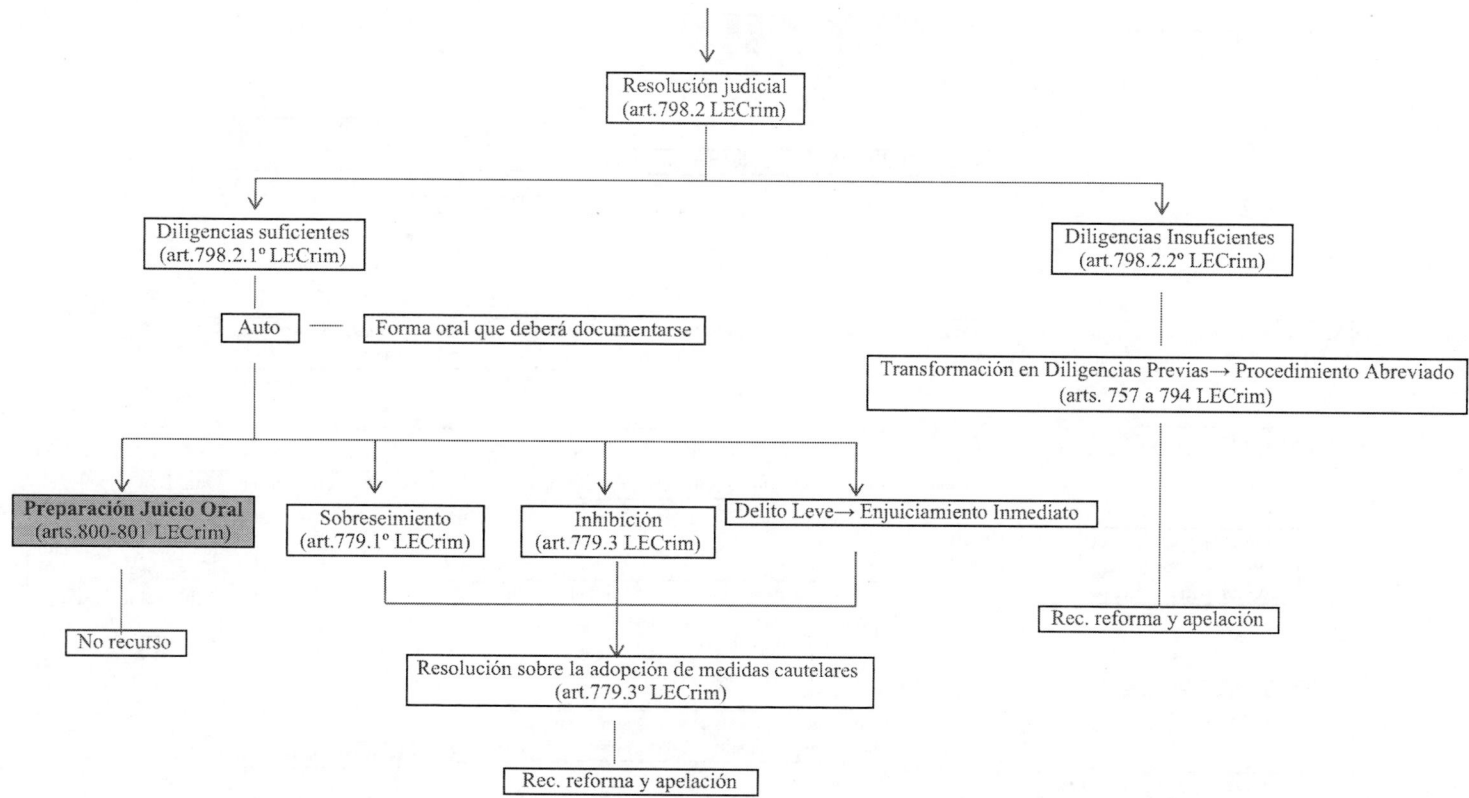

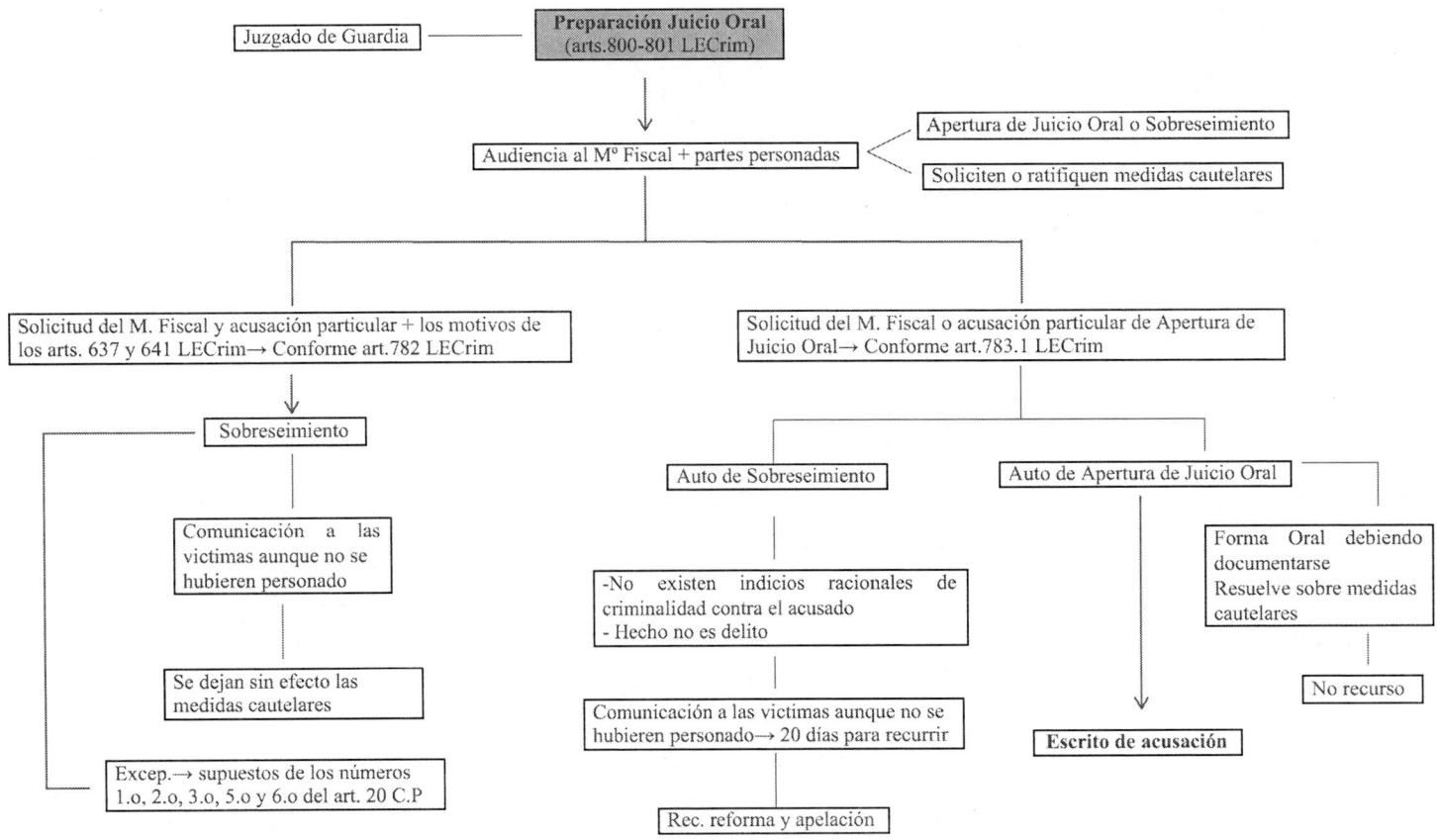

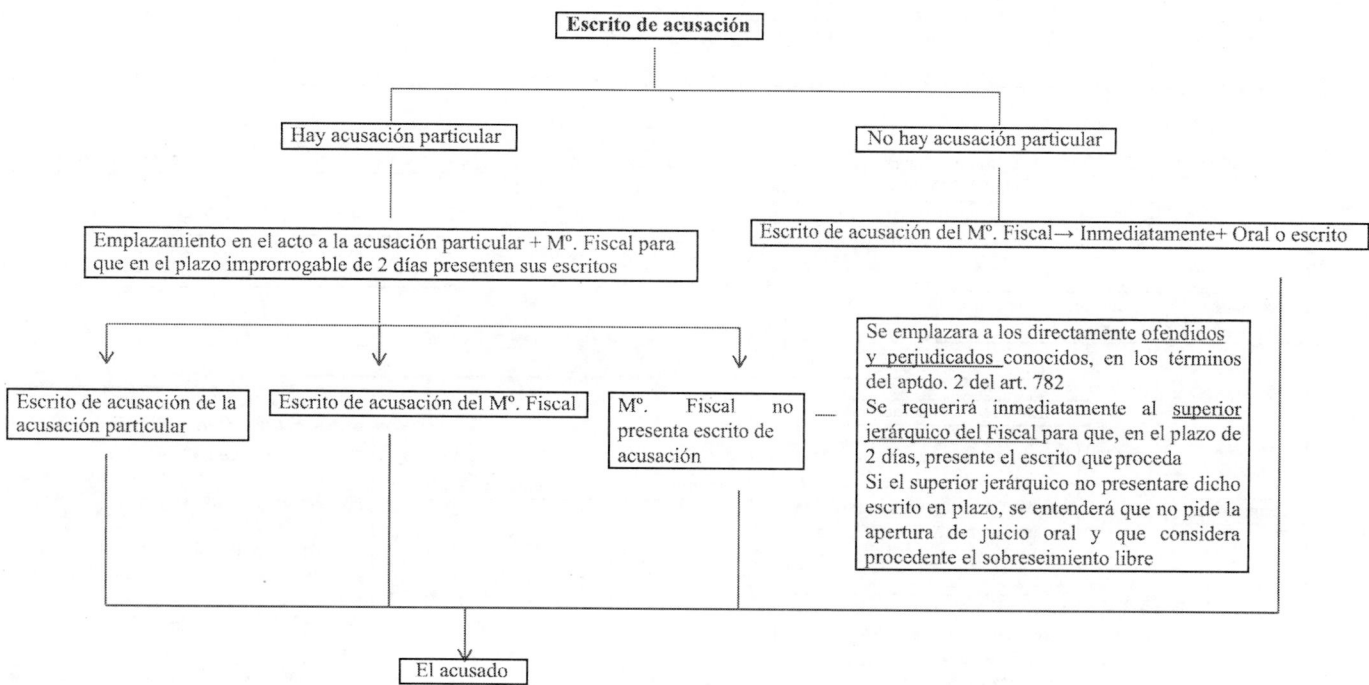

Escrito de acusación

Hay acusación particular

No hay acusación particular

Emplazamiento en el acto a la acusación particular + Mº. Fiscal para que en el plazo improrrogable de 2 días presenten sus escritos

Escrito de acusación del Mº. Fiscal→ Inmediatamente+ Oral o escrito

Escrito de acusación de la acusación particular

Escrito de acusación del Mº. Fiscal

Mº. Fiscal no presenta escrito de acusación

Se emplazara a los directamente ofendidos y perjudicados conocidos, en los términos del aptdo. 2 del art. 782
Se requerirá inmediatamente al superior jerárquico del Fiscal para que, en el plazo de 2 días, presente el escrito que proceda
Si el superior jerárquico no presentare dicho escrito en plazo, se entenderá que no pide la apertura de juicio oral y que considera procedente el sobreseimiento libre

El acusado

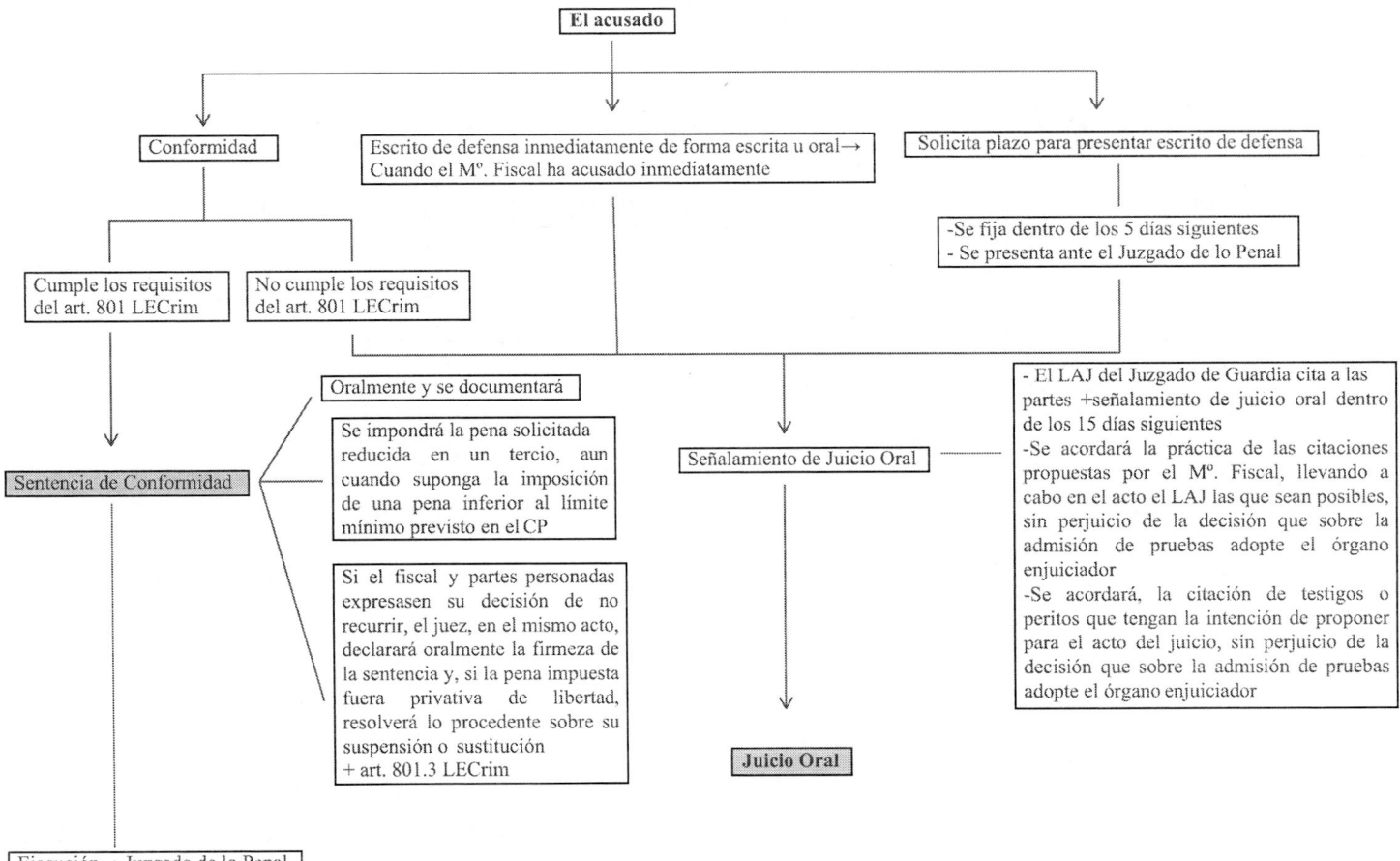

El acusado

Conformidad

Escrito de defensa inmediatamente de forma escrita u oral→
Cuando el M°. Fiscal ha acusado inmediatamente

Solicita plazo para presentar escrito de defensa

-Se fija dentro de los 5 días siguientes
- Se presenta ante el Juzgado de lo Penal

Cumple los requisitos del art. 801 LECrim

No cumple los requisitos del art. 801 LECrim

Oralmente y se documentará

Se impondrá la pena solicitada reducida en un tercio, aun cuando suponga la imposición de una pena inferior al límite mínimo previsto en el CP

Si el fiscal y partes personadas expresasen su decisión de no recurrir, el juez, en el mismo acto, declarará oralmente la firmeza de la sentencia y, si la pena impuesta fuera privativa de libertad, resolverá lo procedente sobre su suspensión o sustitución
+ art. 801.3 LECrim

Sentencia de Conformidad

Ejecución→ Juzgado de lo Penal

Señalamiento de Juicio Oral

Juicio Oral

- El LAJ del Juzgado de Guardia cita a las partes +señalamiento de juicio oral dentro de los 15 días siguientes
-Se acordará la práctica de las citaciones propuestas por el M°. Fiscal, llevando a cabo en el acto el LAJ las que sean posibles, sin perjuicio de la decisión que sobre la admisión de pruebas adopte el órgano enjuiciador
-Se acordará, la citación de testigos o peritos que tengan la intención de proponer para el acto del juicio, sin perjuicio de la decisión que sobre la admisión de pruebas adopte el órgano enjuiciador

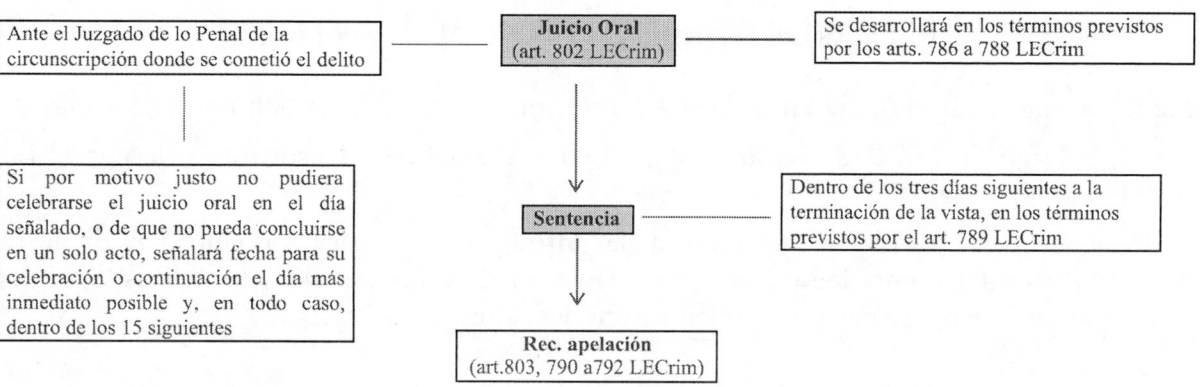

Ante el Juzgado de lo Penal de la circunscripción donde se cometió el delito

Juicio Oral
(art. 802 LECrim)

Se desarrollará en los términos previstos por los arts. 786 a 788 LECrim

Si por motivo justo no pudiera celebrarse el juicio oral en el día señalado, o de que no pueda concluirse en un solo acto, señalará fecha para su celebración o continuación el día más inmediato posible y, en todo caso, dentro de los 15 siguientes

Sentencia

Dentro de los tres días siguientes a la terminación de la vista, en los términos previstos por el art. 789 LECrim

Rec. apelación
(art.803, 790 a792 LECrim)

7.4. EL PROCEDIMIENTO POR DELITOS LEVES

Es un procedimiento sencillo y rápido para enjuiciar las infracciones penales leves denominadas delitos leves.

Introducido por la ***Ley Orgánica 1/2015, de 30 de marzo*** cuya Disposición Derogatoria deroga el Libro III del Código Penal dedicado a las faltas y sus penas.

En el Preámbulo de dicha Ley se justifica la supresión de las infracciones penales contenidas en dicho Libro. Sin embargo, algunas se incorporan al Libro II CP como una nueva categoría de infracciones penales (los delitos leves), otras se reconducen a la vía jurisdiccional civil y otro grupo pasa a integrar infracciones administrativas.

Se derogan las siguientes faltas:

– Faltas contra las personas → el incumplimiento del régimen de visitas u obligaciones familiares; la denegación de asistencia a persona desvalida dependiente; las injurias o vejaciones injustas leves excepto para las víctimas del art. 173.2 CP; las lesiones del art. 147.2 causadas por imprudencia grave y las lesiones y muerte causadas por imprudencia leve que reconducen a la jurisdicción civil; infracción del régimen de custodia.

– Faltas contra el patrimonio → deslucimiento de bienes muebles e inmuebles; defraudación a Hacienda de la Comunidad Europea en cuantía superior a 4000 euros; defraudación a los presupuestos u obtención de fondos de la Comunidad Europea en más de 4000 euros.

– Faltas contra los intereses generales → abandonar jeringuillas o instrumentos peligrosos; dejar animales feroces o dañinos sueltos; antigua falta contra la flora.

– Faltas contra el orden público → perturbar levemente el orden; falta de respeto y consideración debida a los agentes de la autoridad (Sólo la falta de respeto y consideración debida a la autoridad se considera delito leve del nuevo art. 556.2 CP); realización de actividades careciendo de seguro obligatorio.

Según el art. 13 CP *"son **delitos leves** las infracciones que la ley castiga con penas leves"* Añadiendo el art. 33.4 CP que *"son **penas leves:***

a) *La privación del derecho a conducir vehículos a motor y ciclomotores de tres meses a un año.*

b) *La privación del derecho a la tenencia y porte de armas de tres meses a un año.*

c) *Inhabilitación especial para el ejercicio de profesión, oficio o comercio que tenga relación con los animales y para la tenencia de animales de tres meses a un año.*

d) *La privación del derecho a residir en determinados lugares o acudir a ellos, por tiempo inferior a seis meses.*

e) *La prohibición de aproximarse a la víctima o a aquellos de sus familiares u otras personas que determine el juez o tribunal, por tiempo de un mes a menos de seis meses.*

f) *La prohibición de comunicarse con la víctima o con aquellos de sus familiares u otras personas que determine el juez o tribunal, por tiempo de un mes a menos de seis meses.*

g) *La multa de hasta tres meses.*

h) *La localización permanente de un día a tres meses.*

i) *Los trabajos en beneficio de la comunidad de uno a treinta días".*

Sin embargo el art. 13.4 del CP añade que *"cuando la pena por su extensión, pueda considerarse como leve y menos grave, el delito se considerará en todo caso, como leve".*

En los delitos castigados con *pluralidad de penas*, si alguna o algunas de ellas se encuentran comprendidas dentro del tramo de delito menos grave del art. 33.3, el delito se considerará como menos grave.

Cuando el delito tiene previstas *penas alternativas*, es la más grave la que calificará el delito con independencia de la que se solicite por las partes o se imponga.

En los supuestos en los que el delito está castigado con varias penas, conjuntas o alternativas, unas de ellas correspondientes a delitos leves y otras a delitos menos graves, la Disposición Adicional Sexta introducida en la Ley 41/2015, de modificación de la LECrim para la agilización de la justicia penal y el fortalecimiento de las garantías procesales, aclara que *"los delitos que alternativa o conjuntamente estén castigados con una pena leve y otra menos grave se sustanciarán por el procedimiento abre-*

viado o, en su caso, por el procedimiento para el enjuiciamiento rápido de determinados delitos o por el proceso por aceptación de decreto".

REGULACIÓN

Art. 962 al 977 LECrim.

COMPETENCIA (art. 14.1 LECrim)

En la Primera Instancia → El conocimiento y fallo de los juicios por delito leve corresponde al Juez de Instrucción conforme al principio de competencia territorial determinado por el lugar en que el delito se hubiera cometido, criterio que queda matizado para los casos de delitos conexos de conformidad con los arts. 17 y 18 LECrim.

Excepción → Juez de Violencia sobre la Mujer del domicilio de la víctima al tiempo de los hechos para el conocimiento de estos delitos leves en el ámbito de la violencia de género.

En la Segunda Instancia → La resolución del recurso de apelación contra las sentencias que en primera instancia dicten los jueces de instrucción, corresponderá a la Audiencia Provincial respectiva.

MODALIDADES

Juicio Inmediato sobre Delito Leve (arts. 962 y 963 LECrim) → se denuncian hechos indiciariamente constitutivos de delitos leves de lesiones, maltrato de obra, hurto flagrante de cuantía inferior a 400 euros, amenazas, coacciones o injurias → la policía cita a las partes para el juicio que se señala de forma inmediata para su celebración en el Juzgado de Guardia.

Juicio sobre Delitos Leves (arts. 964 y ss LECrim) → restantes delitos leves → podrá celebrarse en el Juzgado de Guardia si es posible la citación inmediata de las partes y testigos, en caso contrario el Juez de Instrucción dispone de un plazo de 7 días para el señalamiento y celebración del juicio.

POSTULACIÓN PROCESAL

Es potestativo para denunciante, ofendido o perjudicado así como para la persona investigada la asistencia letrada.

Cuando se trate de delitos leves que lleven aparejada pena de multa cuyo límite máximo sea al menos de 6 meses, se aplicarán las reglas generales de defensa y postulación (art. 967.1 LECrim).

PARTES PROCESALES

Delitos leves públicos → denunciado y el Mº Fiscal.

Delitos leves semipúblicos → el denunciante y el denunciado.

El Mº Fiscal puede dejar de asistir, teniendo entonces la declaración del denunciante afirmando los hechos denunciados valor de acusación, aunque no los califique ni señale pena (art. 969.2 LECrim).

DERECHO TRANSITORIO

A los hechos cometidos a partir del 1 de julio de 2015 les será de aplicación la nueva configuración legal de los delitos leves Si las faltas se cometieron antes del 1 de julio de 2015 y son objeto de un procedimiento penal ya iniciado:

Se continuará con ese proceso si las conductas se encuentran tipificadas como delitos leves, sometiéndose a las normas del procedimiento para el juicio sobre faltas (DT 4.1 LO 1/2015).

Se continuará con el proceso aunque las conductas hayan sido despenalizadas o aunque la nueva regulación requiera denuncia del perjudicado, siempre que la sentencia pueda contener pronunciamientos de responsabilidad civil derivada de las conductas y el perjudicado no renuncie al ejercicio de las acciones civiles (DT 4.2 LO 1/2015).

Se archivará el procedimiento si los hechos han sido despenalizados y la sentencia no deba contener pronunciamientos de responsabilidad civil derivada de las conductas o el perjudicado renuncie al ejercicio de las acciones civiles.

Y la revisión de los pronunciamientos contenidos en sentencia podrá hacerse:

En el recurso de apelación, pudiéndose invocar los preceptos de la nueva Ley cuando resulten más favorables al reo (DT 3ª.a LO 1/2015).

De sentencias firmes, cuando contengan penas distintas de la de multa, no ejecutadas y no suspendidas (DT 2ª LO 1/2015).

DELITOS LEVES

Lesiones de menor gravedad.

Golpear o maltratar de obra a otro sin causarle lesión Amenazas leves.

Coacciones leves.

Mantenimiento contra la voluntad del titular, fuera de horas de apertura, en domicilio social de la persona jurídica, pública o privada, despacho profesional u oficina, o en establecimiento mercantil o local abierto al público.

Hurto de cuantía inferior a 400 euros Sustracción de cosa mueble propia.

Alteración de lindes con utilidad inferior a 400 euros Distracción de aguas con utilidad inferior a 400 euros Estafa de cuantía inferior a 400 euros.

Administración desleal con perjuicio patrimonial inferior a 400 euros Apropiación indebida de dinero con perjuicio patrimonial inferior a 400 euros.

Apropiación indebida de otras cosas muebles ajenas por cuantía inferior a 400 euros Defraudación de luz, gas, agua, telecomunicaciones, etc., de cuantía inferior a 400 euros.

Uso indebido de equipo terminal de telecomunicación ajeno, con perjuicio inferior a 400 euros Daños de cuantía inferior a 400 euros.

Uso de moneda falsa cuyo valor aparente no exceda de 400 euros.

Distribución o utilización de sellos de correos o efectos timbrados falsos cuyo valor aparente no exceda de 400 euros Uso público e indebido, sin autorización, de uniforme, traje o insignia que le atribuyan carácter oficial.

Falta de respeto a la autoridad.

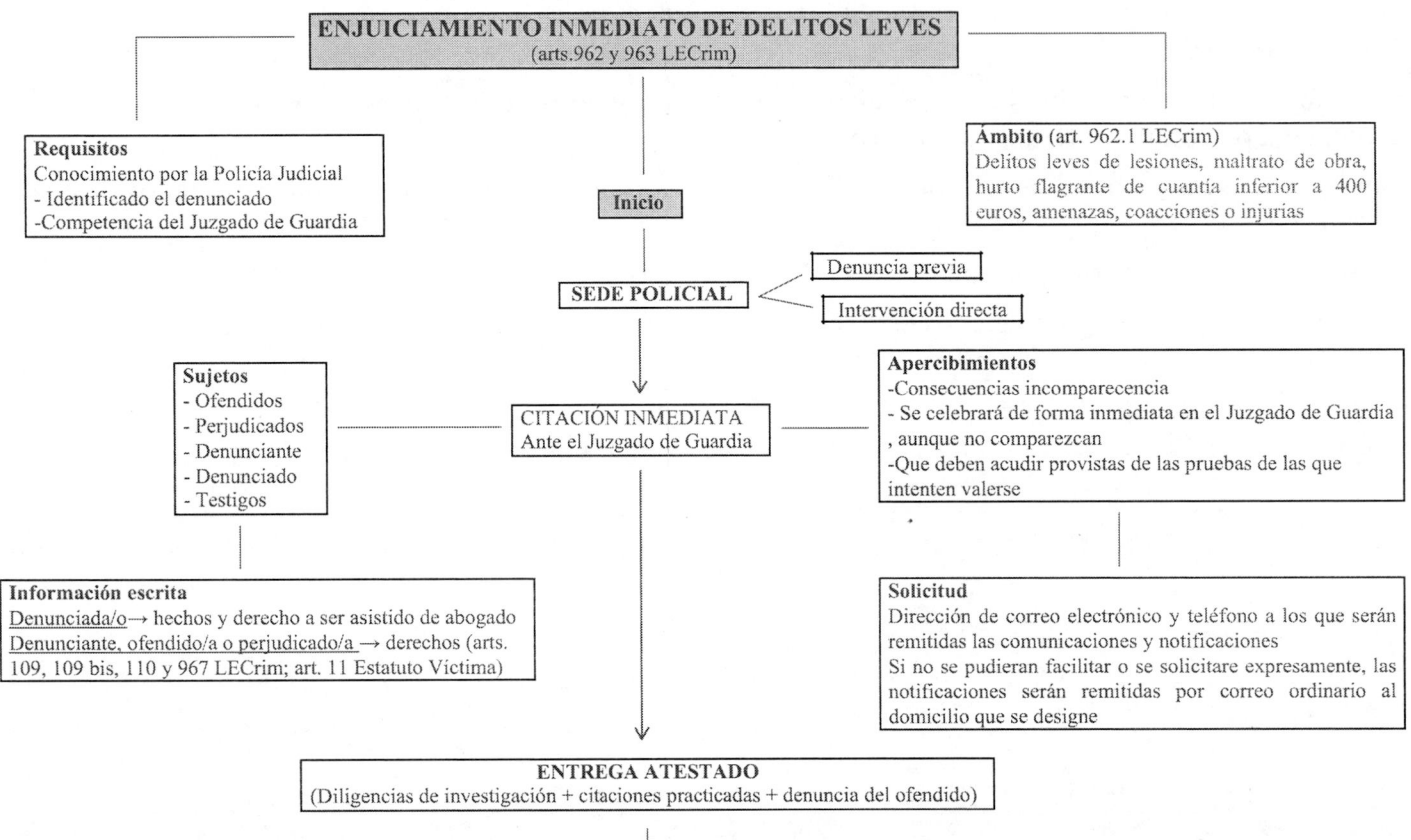

ENJUICIAMIENTO INMEDIATO DE DELITOS LEVES
(arts. 962 y 963 LECrim)

Requisitos
Conocimiento por la Policía Judicial
- Identificado el denunciado
-Competencia del Juzgado de Guardia

Inicio

Ámbito (art. 962.1 LECrim)
Delitos leves de lesiones, maltrato de obra, hurto flagrante de cuantía inferior a 400 euros, amenazas, coacciones o injurias

SEDE POLICIAL
Denuncia previa
Intervención directa

Sujetos
- Ofendidos
- Perjudicados
- Denunciante
- Denunciado
- Testigos

CITACIÓN INMEDIATA
Ante el Juzgado de Guardia

Apercibimientos
-Consecuencias incomparecencia
- Se celebrará de forma inmediata en el Juzgado de Guardia
, aunque no comparezcan
-Que deben acudir provistas de las pruebas de las que intenten valerse

Información escrita
Denunciada/o→ hechos y derecho a ser asistido de abogado
Denunciante, ofendido/a o perjudicado/a → derechos (arts. 109, 109 bis, 110 y 967 LECrim; art. 11 Estatuto Víctima)

Solicitud
Dirección de correo electrónico y teléfono a los que serán remitidas las comunicaciones y notificaciones
Si no se pudieran facilitar o se solicitare expresamente, las notificaciones serán remitidas por correo ordinario al domicilio que se designe

ENTREGA ATESTADO
(Diligencias de investigación + citaciones practicadas + denuncia del ofendido)

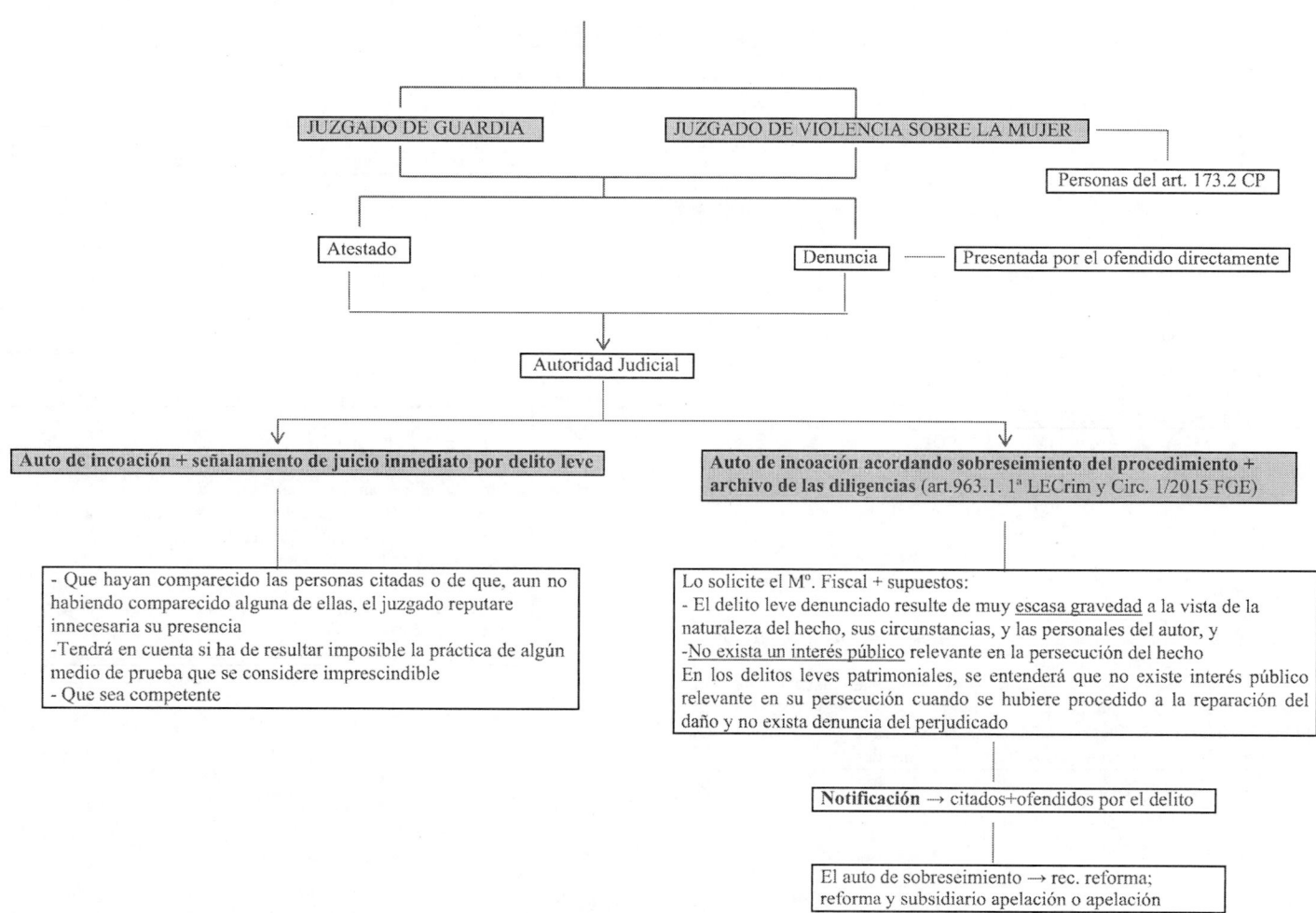

JUZGADO DE GUARDIA   JUZGADO DE VIOLENCIA SOBRE LA MUJER

Personas del art. 173.2 CP

Atestado   Denuncia ---- Presentada por el ofendido directamente

Autoridad Judicial

Auto de incoación + señalamiento de juicio inmediato por delito leve

Auto de incoación acordando sobreseimiento del procedimiento + archivo de las diligencias (art.963.1. 1ª LECrim y Circ. 1/2015 FGE)

- Que hayan comparecido las personas citadas o de que, aun no habiendo comparecido alguna de ellas, el juzgado reputare innecesaria su presencia
-Tendrá en cuenta si ha de resultar imposible la práctica de algún medio de prueba que se considere imprescindible
- Que sea competente

Lo solicite el Mº. Fiscal + supuestos:
- El delito leve denunciado resulte de muy escasa gravedad a la vista de la naturaleza del hecho, sus circunstancias, y las personales del autor, y
-No exista un interés público relevante en la persecución del hecho
En los delitos leves patrimoniales, se entenderá que no existe interés público relevante en su persecución cuando se hubiere procedido a la reparación del daño y no exista denuncia del perjudicado

Notificación → citados+ofendidos por el delito

El auto de sobreseimiento → rec. reforma; reforma y subsidiario apelación o apelación

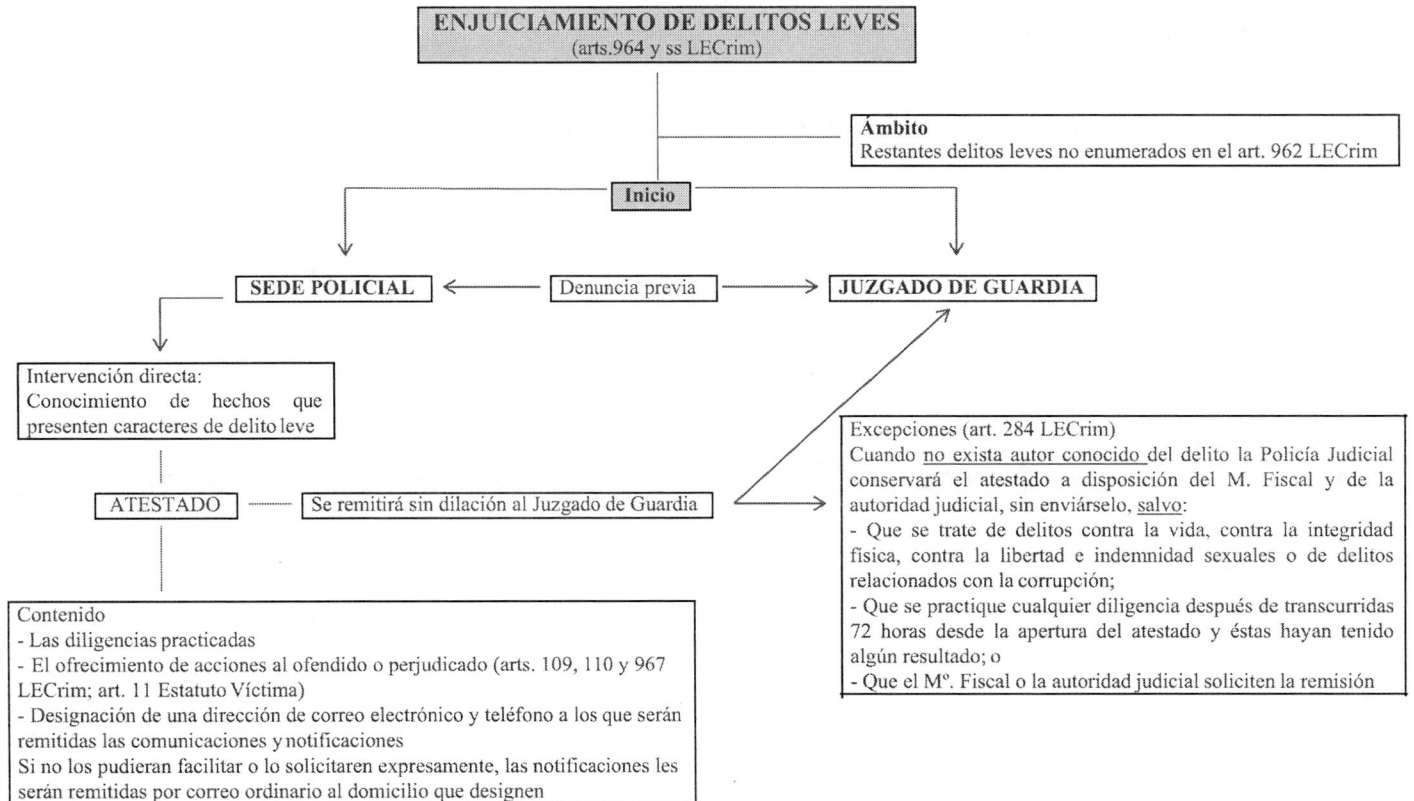

ENJUICIAMIENTO DE DELITOS LEVES
(arts.964 y ss LECrim)

Ámbito
Restantes delitos leves no enumerados en el art. 962 LECrim

Inicio

SEDE POLICIAL ← Denuncia previa → **JUZGADO DE GUARDIA**

Intervención directa:
Conocimiento de hechos que presenten caracteres de delito leve

ATESTADO ...... Se remitirá sin dilación al Juzgado de Guardia

Contenido
- Las diligencias practicadas
- El ofrecimiento de acciones al ofendido o perjudicado (arts. 109, 110 y 967 LECrim; art. 11 Estatuto Víctima)
- Designación de una dirección de correo electrónico y teléfono a los que serán remitidas las comunicaciones y notificaciones
Si no los pudieran facilitar o lo solicitaren expresamente, las notificaciones les serán remitidas por correo ordinario al domicilio que designen

Excepciones (art. 284 LECrim)
Cuando no exista autor conocido del delito la Policía Judicial conservará el atestado a disposición del M. Fiscal y de la autoridad judicial, sin enviárselo, salvo:
- Que se trate de delitos contra la vida, contra la integridad física, contra la libertad e indemnidad sexuales o de delitos relacionados con la corrupción;
- Que se practique cualquier diligencia después de transcurridas 72 horas desde la apertura del atestado y éstas hayan tenido algún resultado; o
- Que el Mº. Fiscal o la autoridad judicial soliciten la remisión

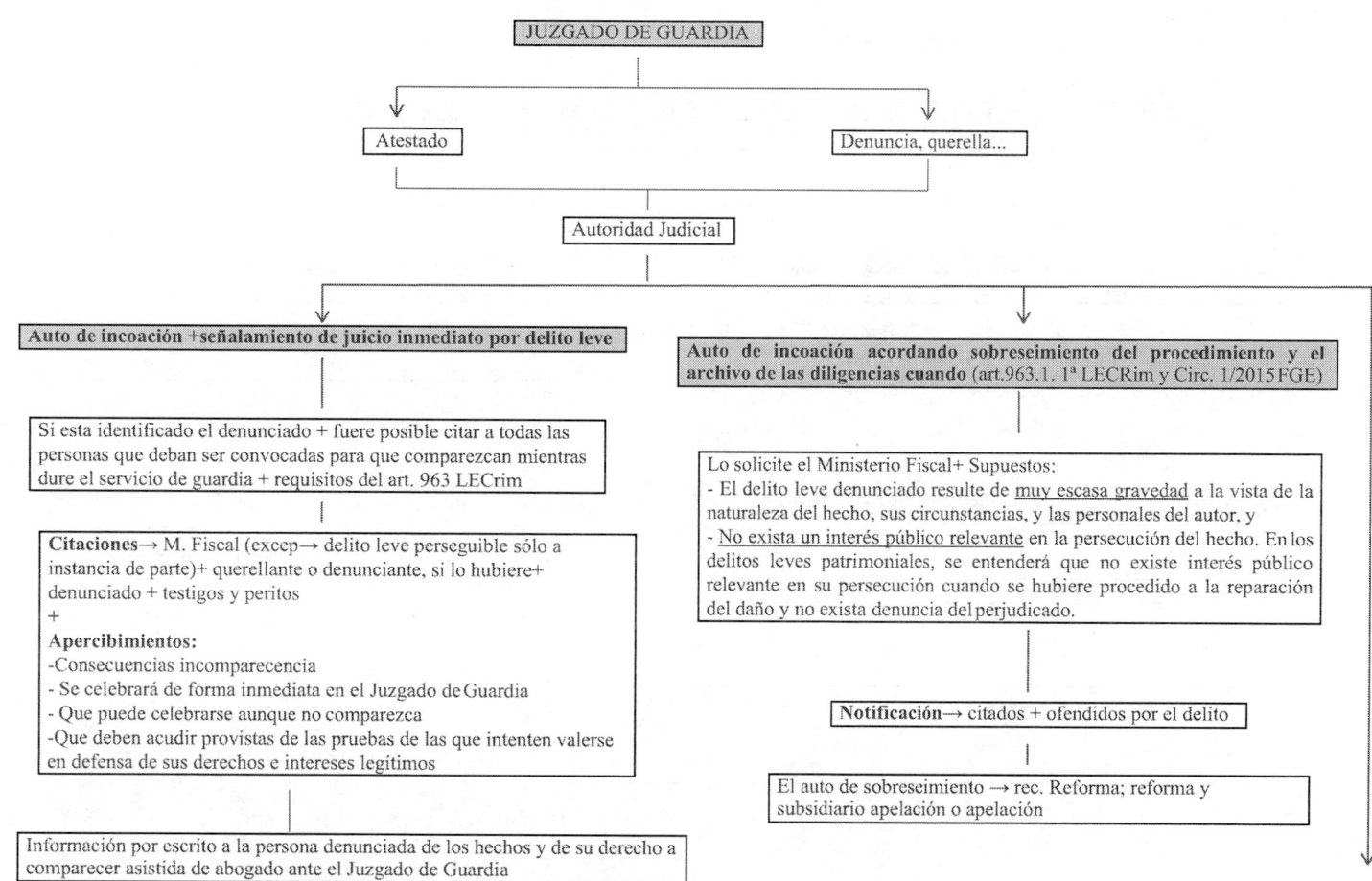

JUZGADO DE GUARDIA

Atestado

Denuncia, querella...

Autoridad Judicial

Auto de incoación +señalamiento de juicio inmediato por delito leve

Si esta identificado el denunciado + fuere posible citar a todas las personas que deban ser convocadas para que comparezcan mientras dure el servicio de guardia + requisitos del art. 963 LECrim

Citaciones→ M. Fiscal (excep→ delito leve perseguible sólo a instancia de parte)+ querellante o denunciante, si lo hubiere+ denunciado + testigos y peritos
+
Apercibimientos:
-Consecuencias incomparecencia
- Se celebrará de forma inmediata en el Juzgado de Guardia
- Que puede celebrarse aunque no comparezca
-Que deben acudir provistas de las pruebas de las que intenten valerse en defensa de sus derechos e intereses legítimos

Información por escrito a la persona denunciada de los hechos y de su derecho a comparecer asistida de abogado ante el Juzgado de Guardia

Auto de incoación acordando sobreseimiento del procedimiento y el archivo de las diligencias cuando (art.963.1. 1ª LECRim y Circ. 1/2015 FGE)

Lo solicite el Ministerio Fiscal+ Supuestos:
- El delito leve denunciado resulte de <u>muy escasa gravedad</u> a la vista de la naturaleza del hecho, sus circunstancias, y las personales del autor, y
- <u>No exista un interés público relevante</u> en la persecución del hecho. En los delitos leves patrimoniales, se entenderá que no existe interés público relevante en su persecución cuando se hubiere procedido a la reparación del daño y no exista denuncia del perjudicado.

Notificación→ citados + ofendidos por el delito

El auto de sobreseimiento → rec. Reforma; reforma y subsidiario apelación o apelación

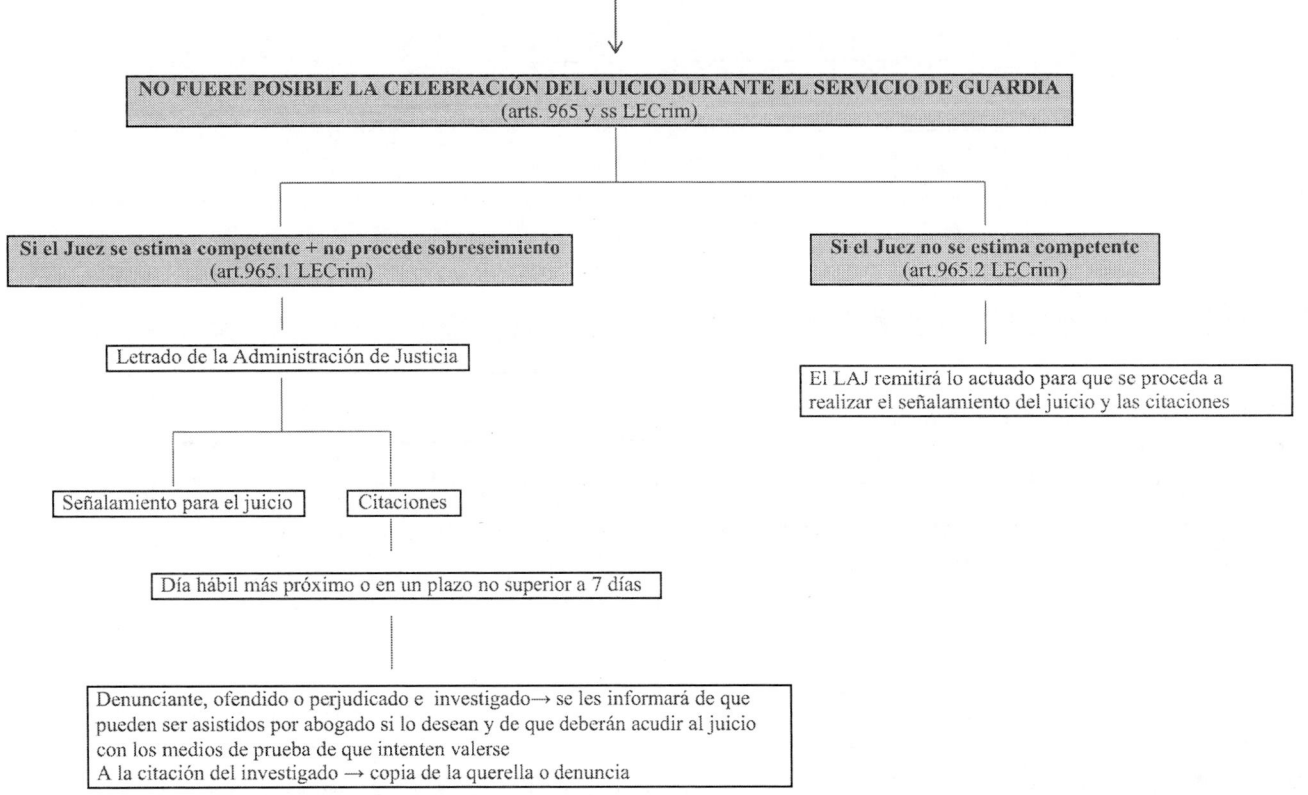

NO FUERE POSIBLE LA CELEBRACIÓN DEL JUICIO DURANTE EL SERVICIO DE GUARDIA
(arts. 965 y ss LECrim)

Si el Juez se estima competente + no procede sobreseimiento
(art.965.1 LECrim)

Si el Juez no se estima competente
(art.965.2 LECrim)

Letrado de la Administración de Justicia

El LAJ remitirá lo actuado para que se proceda a
realizar el señalamiento del juicio y las citaciones

Señalamiento para el juicio

Citaciones

Día hábil más próximo o en un plazo no superior a 7 días

Denunciante, ofendido o perjudicado e investigado→ se les informará de que
pueden ser asistidos por abogado si lo desean y de que deberán acudir al juicio
con los medios de prueba de que intenten valerse
A la citación del investigado → copia de la querella o denuncia

DISPOSICIONES COMUNES

Cuando los citados como partes, los testigos y los peritos **no comparezcan ni aleguen justa causa** para dejar de hacerlo → podrán ser sancionados con multa de 200 a 2.000 euros (art.967.2 LECrim)

Si el **denunciado reside fuera de la demarcación del Juzgado**, no tendrá obligación de concurrir al acto del juicio, y podrá dirigir al Juez escrito alegando lo que estime conveniente en su defensa, así como apoderar a abogado o procurador que presente en aquel acto las alegaciones y las pruebas de descargo que tuviere (art.970 LECrim)

Grabación de la vista y a su documentación →Las sesiones se registraran en soporte apto
El LAJ→ garantizará la autenticidad e integridad de lo grabado o reproducido mediante la utilización de la firma electrónica reconocida u otro sistema de seguridad y deberá custodiar el documento electrónico que sirva de soporte a la grabación.
Las partes podrán pedir, a su costa, copia de las grabaciones originales
En tal caso, la celebración del acto no requiere la presencia en la Sala del LAJ salvo que lo hubieran solicitado las partes, al menos 2 días antes de la celebración de la vista, o que excepcionalmente lo considere necesario el LAJ, supuesto en el cual el Secretario judicial extenderá acta sucinta (art.972 y 743 LECrim)

Cuando **no pueda celebrarse** el juicio oral en el día señalado o de que **no pueda concluirse en un solo acto**, el Secretario judicial señalará para su celebración o continuación el día más inmediato posible y, en todo caso, dentro de los siete siguientes, haciéndolo saber a los interesados (art.968 LECrim)

La **ausencia injustificada del acusado** no suspenderá la celebración ni la resolución del juicio, siempre que conste citado legalmente
Excep. → que el Juez, de oficio o a instancia de parte, crea necesaria su declaración
(art.971 LECrim)

Intervención del M. Fiscal (art.969.2 LECrim)
Asistirá siempre que sea citado
El FGE dará instrucciones de los supuestos en los que los fiscales **podrían dejar de asistir al juicio y de emitir los informes:**
-En atención al interés público
-Si la persecución del delito exige denuncia
En tales casos **la declaración del denunciante en el juicio afirmando los hechos denunciados tendrá valor de acusación**, aunque no los califique ni señale pena

El juicio **será público** (art.969 LECrim)

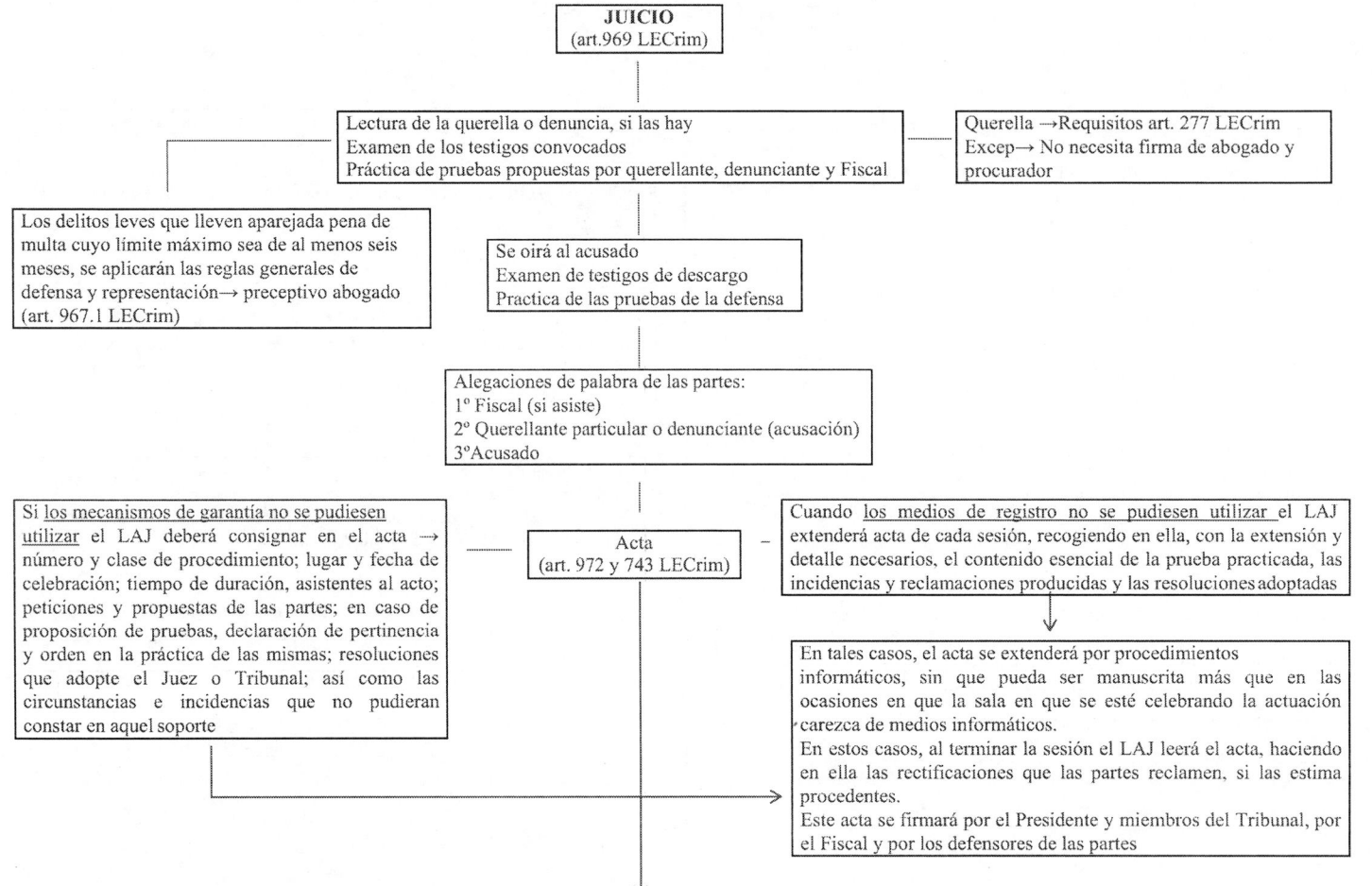

JUICIO
(art.969 LECrim)

Lectura de la querella o denuncia, si las hay
Examen de los testigos convocados
Práctica de pruebas propuestas por querellante, denunciante y Fiscal

Querella →Requisitos art. 277 LECrim
Excep→ No necesita firma de abogado y procurador

Los delitos leves que lleven aparejada pena de multa cuyo límite máximo sea de al menos seis meses, se aplicarán las reglas generales de defensa y representación→ preceptivo abogado (art. 967.1 LECrim)

Se oirá al acusado
Examen de testigos de descargo
Practica de las pruebas de la defensa

Alegaciones de palabra de las partes:
1º Fiscal (si asiste)
2º Querellante particular o denunciante (acusación)
3ºAcusado

Si los mecanismos de garantía no se pudiesen utilizar el LAJ deberá consignar en el acta → número y clase de procedimiento; lugar y fecha de celebración; tiempo de duración, asistentes al acto; peticiones y propuestas de las partes; en caso de proposición de pruebas, declaración de pertinencia y orden en la práctica de las mismas; resoluciones que adopte el Juez o Tribunal; así como las circunstancias e incidencias que no pudieran constar en aquel soporte

Acta
(art. 972 y 743 LECrim)

Cuando los medios de registro no se pudiesen utilizar el LAJ extenderá acta de cada sesión, recogiendo en ella, con la extensión y detalle necesarios, el contenido esencial de la prueba practicada, las incidencias y reclamaciones producidas y las resoluciones adoptadas

En tales casos, el acta se extenderá por procedimientos informáticos, sin que pueda ser manuscrita más que en las ocasiones en que la sala en que se esté celebrando la actuación carezca de medios informáticos.
En estos casos, al terminar la sesión el LAJ leerá el acta, haciendo en ella las rectificaciones que las partes reclamen, si las estima procedentes.
Este acta se firmará por el Presidente y miembros del Tribunal, por el Fiscal y por los defensores de las partes

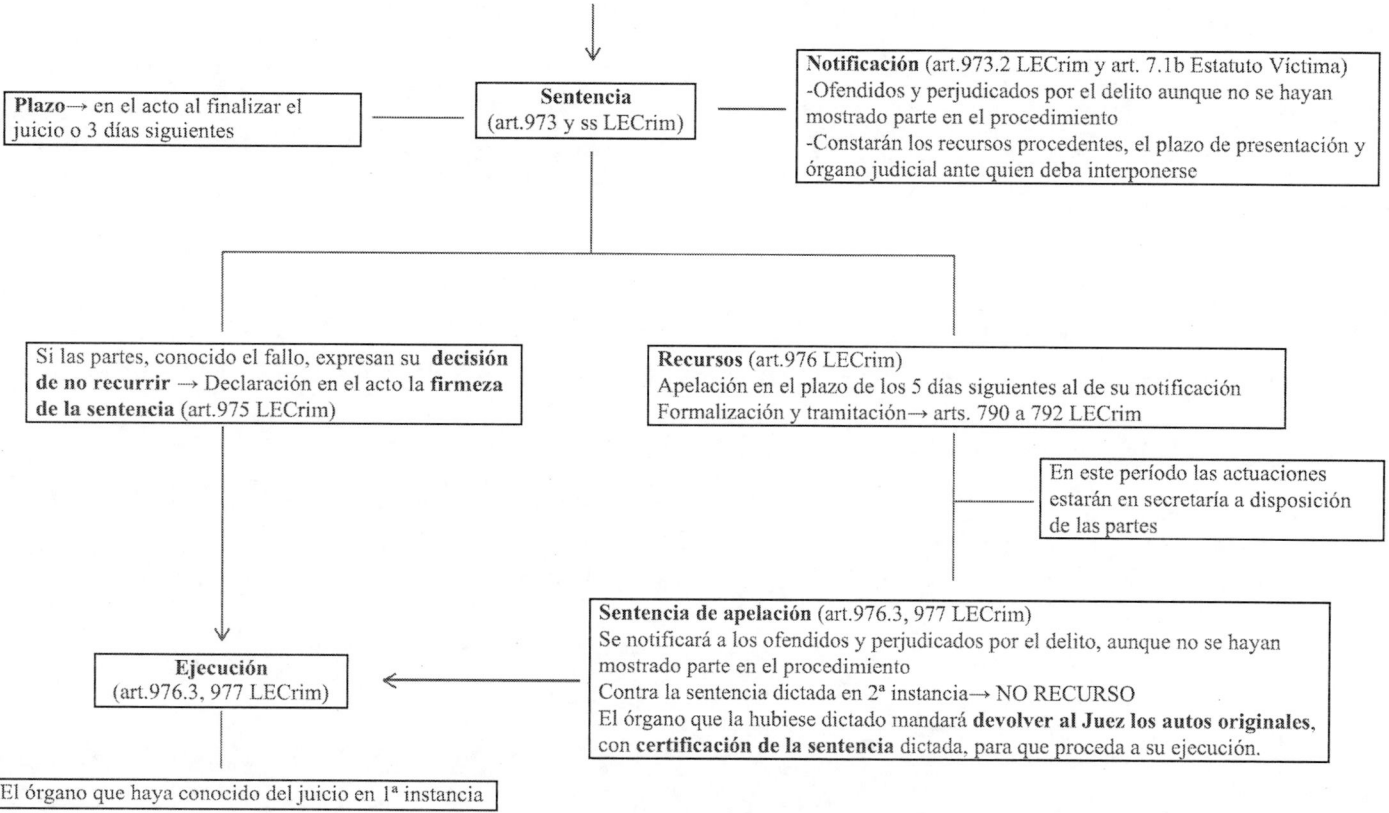

Plazo→ en el acto al finalizar el juicio o 3 días siguientes

Sentencia (art.973 y ss LECrim)

Notificación (art.973.2 LECrim y art. 7.1b Estatuto Víctima)
-Ofendidos y perjudicados por el delito aunque no se hayan mostrado parte en el procedimiento
-Constarán los recursos procedentes, el plazo de presentación y órgano judicial ante quien deba interponerse

Si las partes, conocido el fallo, expresan su **decisión de no recurrir** → Declaración en el acto la **firmeza de la sentencia** (art.975 LECrim)

Recursos (art.976 LECrim)
Apelación en el plazo de los 5 días siguientes al de su notificación
Formalización y tramitación→ arts. 790 a 792 LECrim

En este período las actuaciones estarán en secretaría a disposición de las partes

Sentencia de apelación (art.976.3, 977 LECrim)
Se notificará a los ofendidos y perjudicados por el delito, aunque no se hayan mostrado parte en el procedimiento
Contra la sentencia dictada en 2ª instancia→ NO RECURSO
El órgano que la hubiese dictado mandará **devolver al Juez los autos originales**, con **certificación de la sentencia** dictada, para que proceda a su ejecución.

Ejecución (art.976.3, 977 LECrim)

El órgano que haya conocido del juicio en 1ª instancia

8. Procedimientos especiales o con especialidades

Los procedimientos penales especiales se clasifican atendiendo a si la especialidad obedece a la persona del investigado o encausado (procedimientos especiales por razón del sujeto) o al tipo de delito para cuyo enjuiciamiento se ha regulado (procedimientos especiales por razón del objeto). Además, también existen otros procesos especiales a través de los cuales no se pretende el enjuiciamiento de una determinada categoría de delitos, sino otras finalidades.

Procedimientos penales especiales:

1. El procedimiento penal del menor (LO 5/2000, de 12 de enero de la responsabilidad penal de los menores).

2. El procedimiento contra diputados y senadores (arts. 750 y siguientes LECrim).

3. El procedimiento por injurias y calumnias contra particulares (arts. 804 a 815 LECrim).

4. El procedimiento por delitos cometidos por medio de la imprenta y otros medios mecánicos de publicación (arts. 816 a 823 bis LECrim).

5. El procedimiento por delitos atribuidos al conocimiento del Tribunal del Jurado (LO 5/1995, de 22 de mayo).

6. El proceso por aceptación de decreto.

7. El procedimiento de "*habeas corpus*".

8. El procedimiento de decomiso autónomo.

9. Procedimiento para la extradición (arts. 824 a 833 LECrim).

10. Procedimiento contra reos ausentes (arts. 834 a 846 LECrim).

8.1. PROCESO PENAL CONTRA MENORES

El proceso de menores es un proceso penal especifico y distinto del proceso de adultos.

Se rige por la Ley Orgánica 5/2000, de 12 de enero de la Responsabilidad Penal de los Menores.

La Disposición Final Primera de la LORPM establece la supletoriedad expresa del Código Penal, en el ámbito sustantivo, y de la Ley de Enjuiciamiento Criminal en el ámbito del procedimiento.

COMPETENCIA (art. 2 y 41 LORPM)

Instrucción → Fiscal de Menores.

Juicio Oral → Juez de Menores del lugar donde se haya cometido el hecho delictivo.

Si los hechos se hubieran cometidos en *diferentes territorios* → la competencia vendrá determinada por el lugar del domicilio del menor y, subsidiariamente, los criterios expresados en el art. 18 LECrim.

Juzgado Central de Menores de la Audiencia Nacional → delitos de terrorismo (arts. 571 a 580 CP) cometidos por menores + delitos cometidos por menores en el extranjero cuando conforme al art. 23 LOPJ y a los Tratados Internacionales corresponda su conocimiento a la jurisdicción española.

Los *recursos de apelación* contra las resoluciones de los Juzgados de Menores corresponde a la Audiencia Provincial y a la Sala de lo Penal de la Audiencia Nacional cuando se trate de resoluciones dictadas por el Juzgado Central de Menores de la Audiencia Nacional.

MEDIDAS SUSCEPTIBLES DE SER IMPUESTAS A LOS MENORES DE EDAD (art. 7 LORPM)

- Medidas privativas de libertad.

- – Internamiento en régimen cerrado.
- – Internamiento en régimen semiabierto.
- – Internamiento en régimen abierto.
- – Permanencia de fin de semana.
- Medidas no privativas de libertad.
  - – Asistencia a un centro de día.
  - – Libertad vigilada.
  - – Prohibición de aproximarse o comunicarse con víctima.
  - – Convivencia con otra persona, familia o grupo educativo.
  - – Prestaciones en beneficio de la comunidad.
  - – Realización de tareas socio-educativas.
  - – Amonestación.
  - – Privación del permiso de conducir y de la licencia de uso de armas.
  - – Inhabilitación absoluta.
- Medidas terapéuticas.
  - – Internamiento terapéutico en régimen cerrado, semiabierto o abierto.
  - – Tratamiento ambulatorio.

Las *medidas de internamiento* constarán de dos períodos: el primero se llevará a cabo en el centro correspondiente y el segundo se llevará a cabo en régimen de libertad vigilada, en la modalidad elegida por el Juez.

La duración total no excederá del tiempo que se expresa en los arts. 9 y 10 LORPM.

El equipo técnico deberá informar respecto del contenido de ambos períodos, y el Juez expresará la duración de cada uno en la sentencia Para la elección de la medida/s adecuadas se deberá atender de modo flexible, a la prueba y valoración jurídica de los hechos+ la edad, las.

circunstancias familiares y sociales, la personalidad y el interés del menor + los dos últimos en los informes de los equipos técnicos y de las entidades públicas de protección y reforma de menores cuando éstas hubieran tenido conocimiento del menor por haber ejecutado una medida cautelar o definitiva con anterioridad.

El Juez podrá imponer al menor una o varias medidas de las previstas en la LORPM con independencia de que se trate de uno o más hechos, en ningún caso, se impondrá a un menor en una misma resolución más de una medida de la misma clase.

PRINCIPIOS

- Principio de interés del menor (art. 2 LORPM).
- Principio acusatorio (art. 8 LORPM).

  El Juez de Menores no podrá imponer una medida que suponga una mayor restricción de derechos ni por un tiempo superior a la medida solicitada por el Ministerio Fiscal o por el acusador particular.

  Tampoco podrá exceder la duración de las medidas privativas de libertad del tiempo que hubiera durado la pena privativa de libertad que se le hubiere impuesto por el mismo hecho, si el sujeto, de haber sido mayor de edad, hubiera sido declarado responsable, de acuerdo con el CP.

- Principio de proporcionalidad (art. 8.2 LORPM).

  "La duración de las medidas privativas de libertad no podrá exceder en ningún caso del tiempo que hubiera durado la pena privativa de libertad que se hubiere impuesto por el mismo hecho si el sujeto hubiera sido mayor de edad".

- Principio de oportunidad (art. 18, 19, 27 y 27.4 LORPM).

- Principio de legalidad (art. 43 LORPM).

No podrá ejecutarse ninguna medida sino en virtud de sentencia firme dictada de acuerdo con el procedimiento regulado en la misma Tampoco podrán ejecutarse dichas medidas en otra forma que la prescrita en esta Ley y en los reglamentos que la desarrollen.

- Principio de resocialización (art. 55 LORPM).

- Principio de especialización de los órganos intervinientes (Disposición Final Cuarta LORPM).

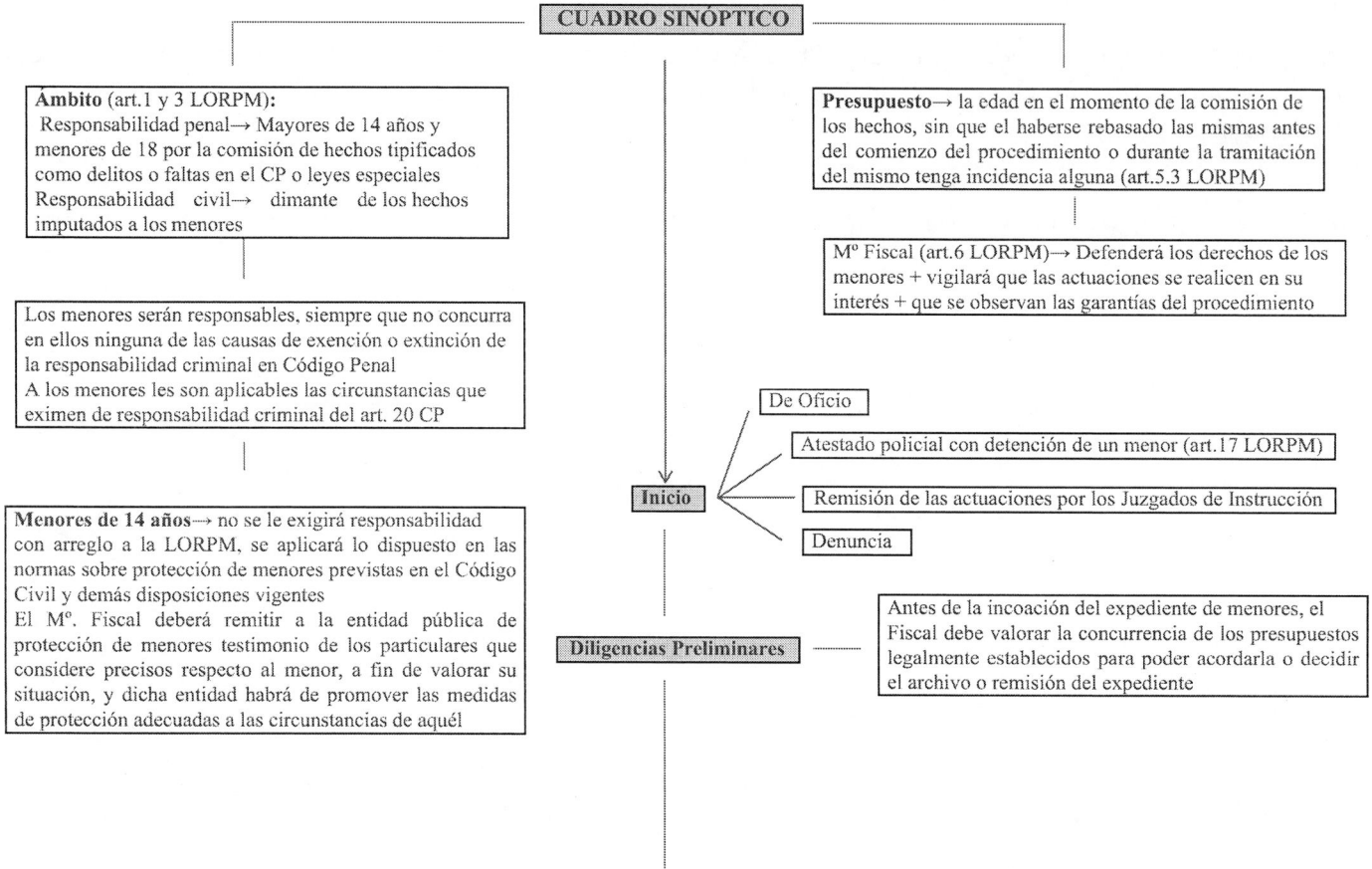

CUADRO SINÓPTICO

Ámbito (art.1 y 3 LORPM):
Responsabilidad penal→ Mayores de 14 años y menores de 18 por la comisión de hechos tipificados como delitos o faltas en el CP o leyes especiales
Responsabilidad civil→ dimante de los hechos imputados a los menores

Los menores serán responsables, siempre que no concurra en ellos ninguna de las causas de exención o extinción de la responsabilidad criminal en Código Penal
A los menores les son aplicables las circunstancias que eximen de responsabilidad criminal del art. 20 CP

Menores de 14 años→ no se le exigirá responsabilidad con arreglo a la LORPM, se aplicará lo dispuesto en las normas sobre protección de menores previstas en el Código Civil y demás disposiciones vigentes
El Mº. Fiscal deberá remitir a la entidad pública de protección de menores testimonio de los particulares que considere precisos respecto al menor, a fin de valorar su situación, y dicha entidad habrá de promover las medidas de protección adecuadas a las circunstancias de aquél

Presupuesto→ la edad en el momento de la comisión de los hechos, sin que el haberse rebasado las mismas antes del comienzo del procedimiento o durante la tramitación del mismo tenga incidencia alguna (art.5.3 LORPM)

Mº Fiscal (art.6 LORPM)→ Defenderá los derechos de los menores + vigilará que las actuaciones se realicen en su interés + que se observan las garantías del procedimiento

De Oficio

Atestado policial con detención de un menor (art.17 LORPM)

Inicio

Remisión de las actuaciones por los Juzgados de Instrucción

Denuncia

Diligencias Preliminares

Antes de la incoación del expediente de menores, el Fiscal debe valorar la concurrencia de los presupuestos legalmente establecidos para poder acordarla o decidir el archivo o remisión del expediente

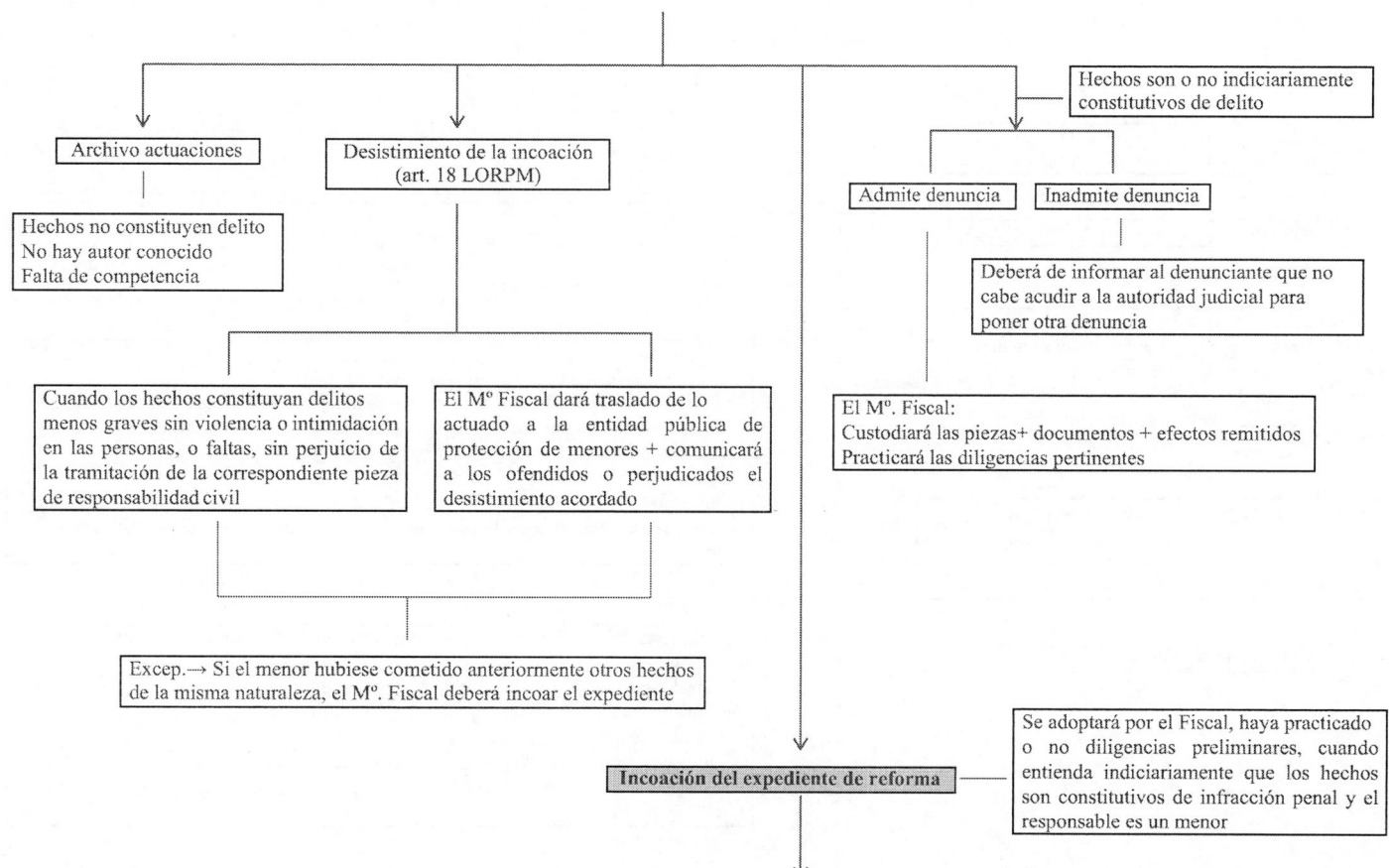

Archivo actuaciones

Hechos no constituyen delito
No hay autor conocido
Falta de competencia

Desistimiento de la incoación
(art. 18 LORPM)

Cuando los hechos constituyan delitos menos graves sin violencia o intimidación en las personas, o faltas, sin perjuicio de la tramitación de la correspondiente pieza de responsabilidad civil

El Mº Fiscal dará traslado de lo actuado a la entidad pública de protección de menores + comunicará a los ofendidos o perjudicados el desistimiento acordado

Excep.→ Si el menor hubiese cometido anteriormente otros hechos de la misma naturaleza, el Mº. Fiscal deberá incoar el expediente

Hechos son o no indiciariamente constitutivos de delito

Admite denuncia

Inadmite denuncia

Deberá de informar al denunciante que no cabe acudir a la autoridad judicial para poner otra denuncia

El Mº. Fiscal:
Custodiará las piezas+ documentos + efectos remitidos
Practicará las diligencias pertinentes

Incoación del expediente de reforma

Se adoptará por el Fiscal, haya practicado o no diligencias preliminares, cuando entienda indiciariamente que los hechos son constitutivos de infracción penal y el responsable es un menor

Finalidad→ Comprobación del hecho y de la responsabilidad del menor en su comisión

Secreto del expediente→ (art. 24 LORPM)

Instrucción

Competencia→ Mº Fiscal que:
Dirigirá la investigación de los hechos
Ordenará que la policía judicial practique las actuaciones necesarias para la comprobación de aquéllos y de la participación del menor en los mismos, impulsando el procedimiento

Tramitación→ Escrita
Se ordena en una pieza principal o expediente
El Mº. Fiscal incoará un procedimiento por cada hecho delictivo, salvo delictivos conexos (art. 20 LORPM)

Acusación particular→ Podrán personarse en el procedimiento como acusadores particulares, las personas directamente ofendidas por el delito, sus padres, sus herederos o sus representantes legales si fueran menores de edad o incapaces (art. 25 LORPM)

Una vez admitida por el Juez de Menores la personación del acusador particular, se le dará traslado de todas las actuaciones y se le permitirá intervenir en todos los trámites en defensa de sus intereses

Derechos del menor→ art. 22.1 LORPM

Notificación:
-Al menor desde el momento mismo de su incoación
El Fiscal requerirá al menor y a sus representantes legales para que designen letrado en el plazo de 3 días, advirtiéndoles que, de no hacerlo, se le nombrará de oficio
Producida la designación, el Fiscal la comunicará al Juez de Menores
- Al perjudicado, desde el momento en que así conste en la instrucción, de la posibilidad de ejercer las acciones civiles que le puedan corresponder, personándose ante el Juez de Menores en la pieza de responsabilidad civil que se tramitará por el mismo

Se dará vista del expediente al letrado del menor y, en su caso, a quien haya ejercitado la acción penal
El Fiscal no podrá practicar por sí mismo diligencias restrictivas de derechos fundamentales, deberá de solicitar del Juzgado la práctica de las que sean precisas para el buen fin de las investigaciones
El Juez de Menores resolverá sobre esta petición por auto motivado
La práctica de tales diligencias se documentará en pieza separada
(art.23 LORPM)

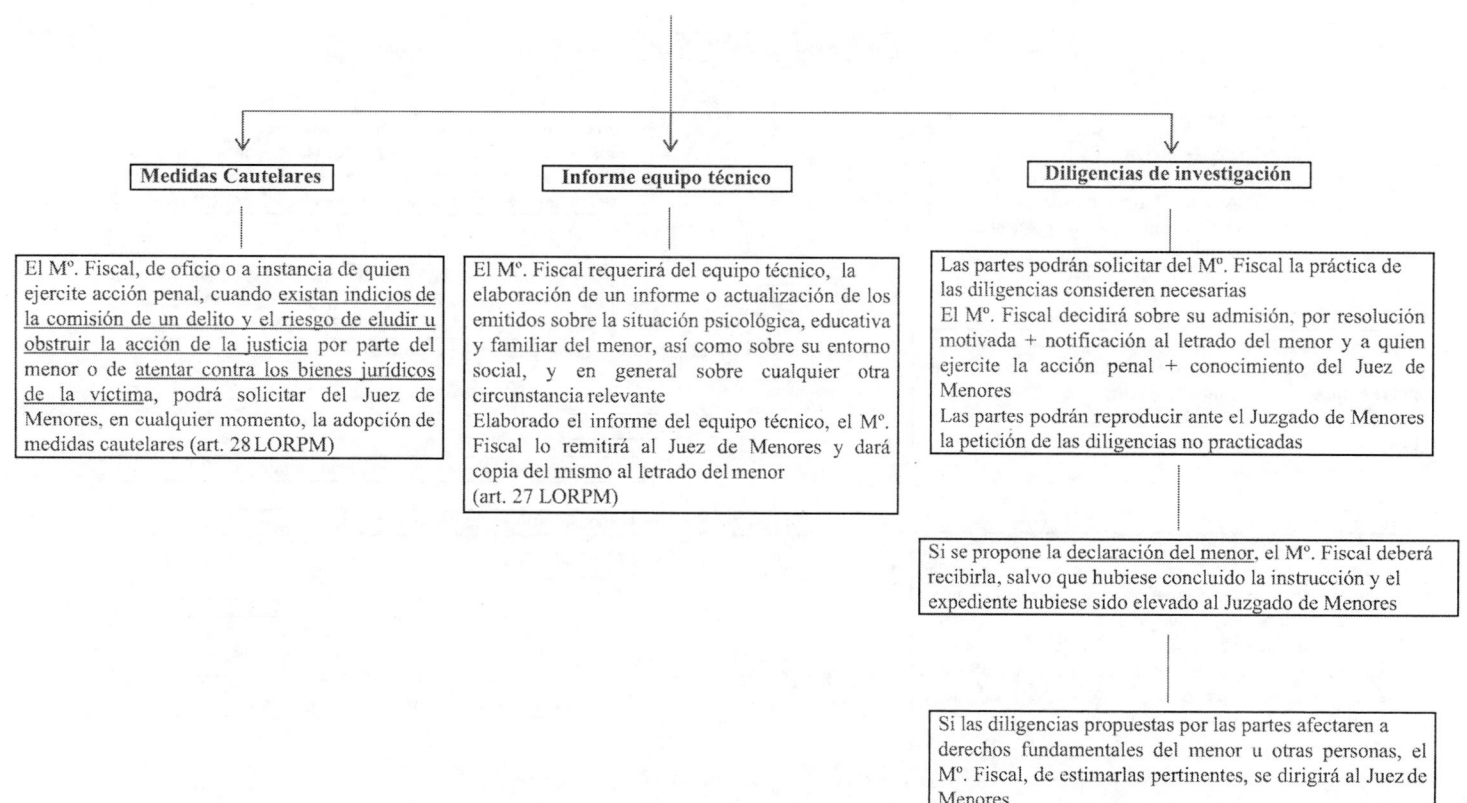

Medidas Cautelares

El Mº. Fiscal, de oficio o a instancia de quien ejercite acción penal, cuando <u>existan indicios de la comisión de un delito y el riesgo de eludir u obstruir la acción de la justicia</u> por parte del menor o de <u>atentar contra los bienes jurídicos de la víctima</u>, podrá solicitar del Juez de Menores, en cualquier momento, la adopción de medidas cautelares (art. 28 LORPM)

Informe equipo técnico

El Mº. Fiscal requerirá del equipo técnico, la elaboración de un informe o actualización de los emitidos sobre la situación psicológica, educativa y familiar del menor, así como sobre su entorno social, y en general sobre cualquier otra circunstancia relevante
Elaborado el informe del equipo técnico, el Mº. Fiscal lo remitirá al Juez de Menores y dará copia del mismo al letrado del menor
(art. 27 LORPM)

Diligencias de investigación

Las partes podrán solicitar del Mº. Fiscal la práctica de las diligencias consideren necesarias
El Mº. Fiscal decidirá sobre su admisión, por resolución motivada + notificación al letrado del menor y a quien ejercite la acción penal + conocimiento del Juez de Menores
Las partes podrán reproducir ante el Juzgado de Menores la petición de las diligencias no practicadas

Si se propone la <u>declaración del menor</u>, el Mº. Fiscal deberá recibirla, salvo que hubiese concluido la instrucción y el expediente hubiese sido elevado al Juzgado de Menores

Si las diligencias propuestas por las partes afectaren a derechos fundamentales del menor u otras personas, el Mº. Fiscal, de estimarlas pertinentes, se dirigirá al Juez de Menores

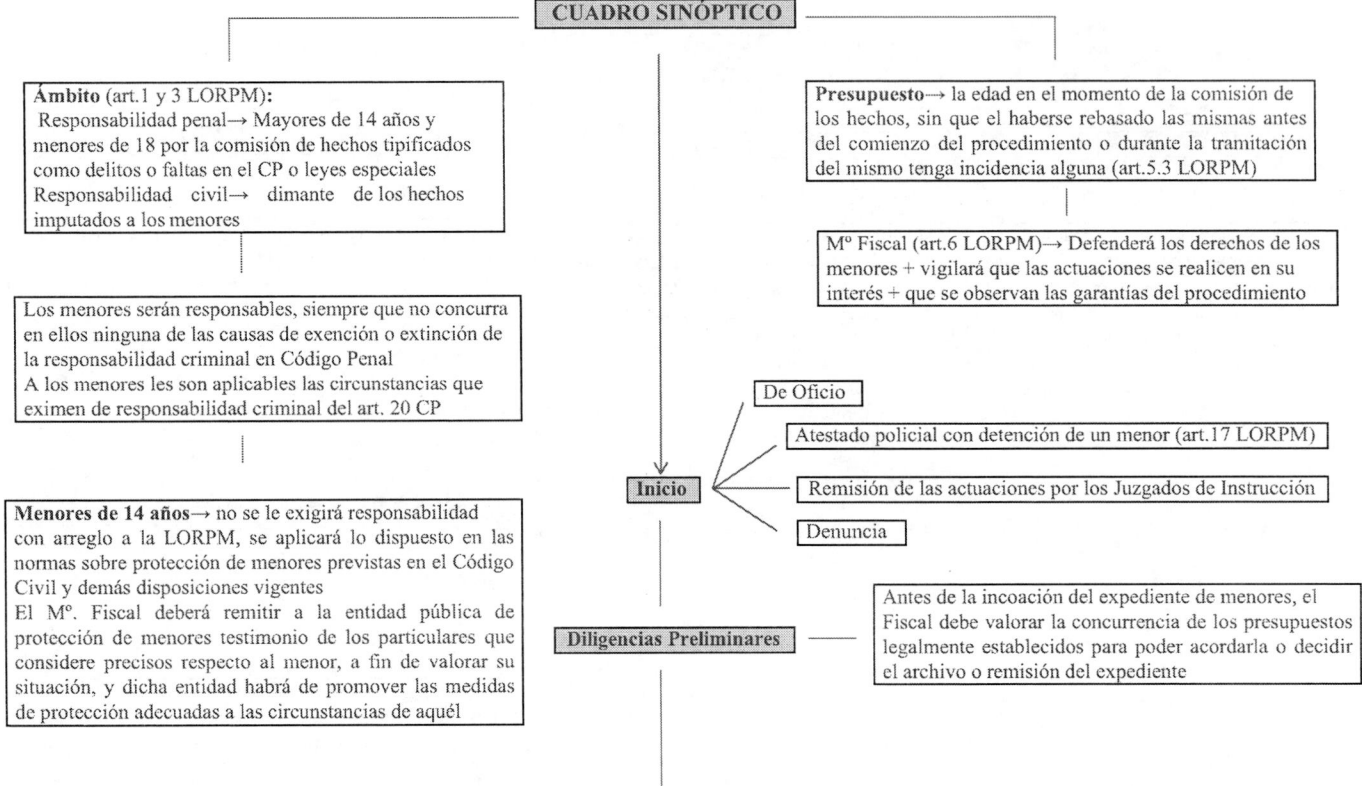

CUADRO SINÓPTICO

Ámbito (art.1 y 3 LORPM):
Responsabilidad penal→ Mayores de 14 años y menores de 18 por la comisión de hechos tipificados como delitos o faltas en el CP o leyes especiales
Responsabilidad civil→ dimante de los hechos imputados a los menores

Los menores serán responsables, siempre que no concurra en ellos ninguna de las causas de exención o extinción de la responsabilidad criminal en Código Penal
A los menores les son aplicables las circunstancias que eximen de responsabilidad criminal del art. 20 CP

Menores de 14 años→ no se le exigirá responsabilidad con arreglo a la LORPM, se aplicará lo dispuesto en las normas sobre protección de menores previstas en el Código Civil y demás disposiciones vigentes
El Mº. Fiscal deberá remitir a la entidad pública de protección de menores testimonio de los particulares que considere precisos respecto al menor, a fin de valorar su situación, y dicha entidad habrá de promover las medidas de protección adecuadas a las circunstancias de aquél

Presupuesto→ la edad en el momento de la comisión de los hechos, sin que el haberse rebasado las mismas antes del comienzo del procedimiento o durante la tramitación del mismo tenga incidencia alguna (art.5.3 LORPM)

Mº Fiscal (art.6 LORPM)→ Defenderá los derechos de los menores + vigilará que las actuaciones se realicen en su interés + que se observan las garantías del procedimiento

Inicio

De Oficio

Atestado policial con detención de un menor (art.17 LORPM)

Remisión de las actuaciones por los Juzgados de Instrucción

Denuncia

Diligencias Preliminares

Antes de la incoación del expediente de menores, el Fiscal debe valorar la concurrencia de los presupuestos legalmente establecidos para poder acordarla o decidir el archivo o remisión del expediente

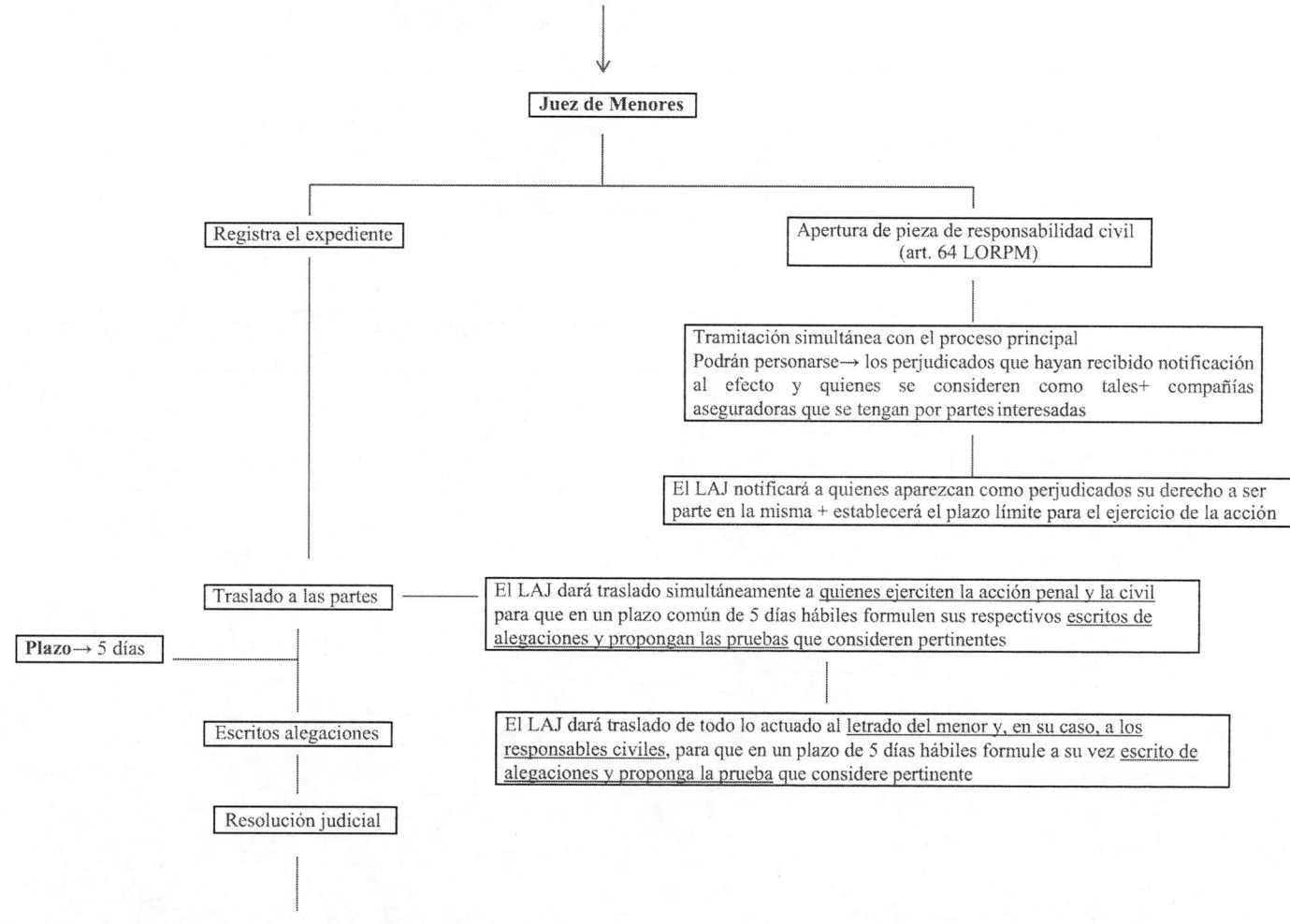

Juez de Menores

Registra el expediente

Apertura de pieza de responsabilidad civil
(art. 64 LORPM)

Tramitación simultánea con el proceso principal
Podrán personarse→ los perjudicados que hayan recibido notificación al efecto y quienes se consideren como tales+ compañías aseguradoras que se tengan por partes interesadas

El LAJ notificará a quienes aparezcan como perjudicados su derecho a ser parte en la misma + establecerá el plazo límite para el ejercicio de la acción

Traslado a las partes

El LAJ dará traslado simultáneamente a quienes ejerciten la acción penal y la civil para que en un plazo común de 5 días hábiles formulen sus respectivos escritos de alegaciones y propongan las pruebas que consideren pertinentes

Plazo→ 5 días

Escritos alegaciones

El LAJ dará traslado de todo lo actuado al letrado del menor y, en su caso, a los responsables civiles, para que en un plazo de 5 días hábiles formule a su vez escrito de alegaciones y proponga la prueba que considere pertinente

Resolución judicial

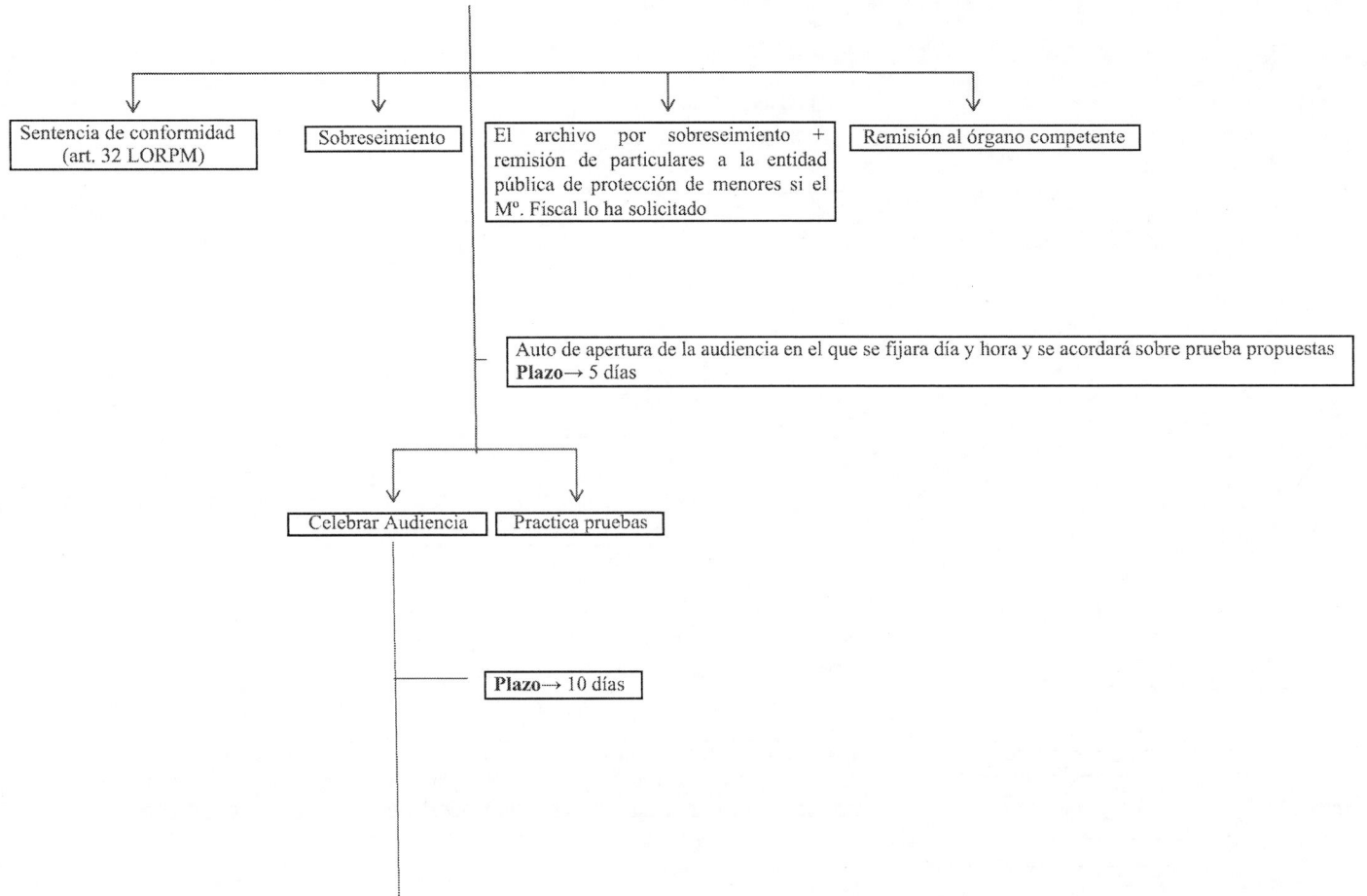

Sentencia de conformidad
(art. 32 LORPM)

Sobreseimiento

El archivo por sobreseimiento + remisión de particulares a la entidad pública de protección de menores si el Mº. Fiscal lo ha solicitado

Remisión al órgano competente

Auto de apertura de la audiencia en el que se fijara día y hora y se acordará sobre prueba propuestas
Plazo→ 5 días

Celebrar Audiencia

Practica pruebas

Plazo→ 10 días

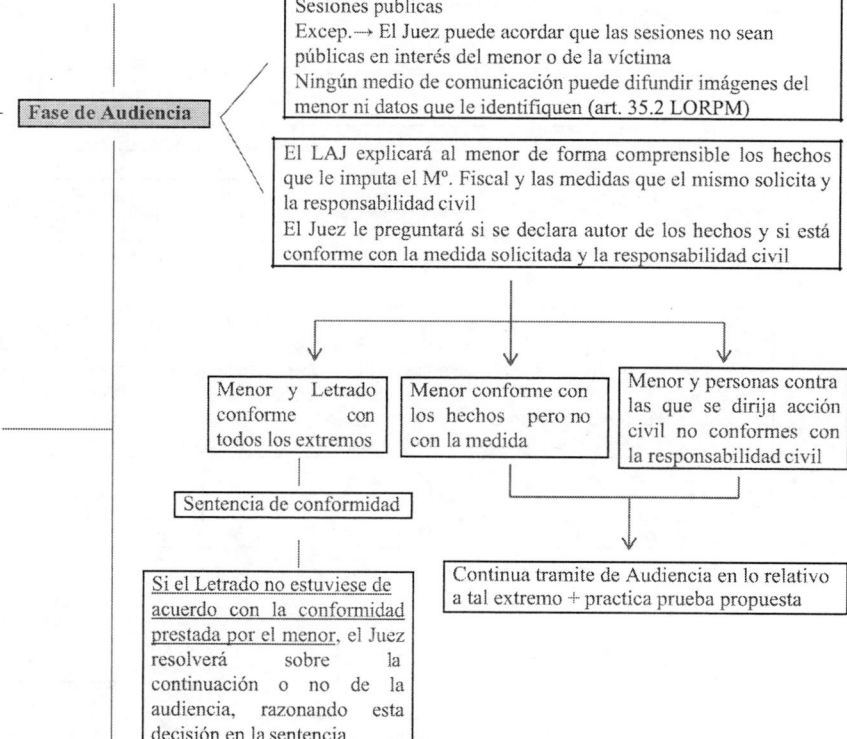

Asistentes→ Mº Fiscal + partes personadas + representante del Equipo Técnico + el menor (podrán acompañarle sus representantes legales) y su letrado + persona o personas a quienes se exija responsabilidad civil (inasistencia injustificada no será por sí misma causa de suspensión de la audiencia)

Podrá asistir el representante de la entidad pública de protección o reforma de menores que haya intervenido en las actuaciones de la instrucción (medidas cautelares o definitivas impuestas al menor con anterioridad)

Fase de Audiencia

Sesiones publicas

Excep.→ El Juez puede acordar que las sesiones no sean públicas en interés del menor o de la víctima

Ningún medio de comunicación puede difundir imágenes del menor ni datos que le identifiquen (art. 35.2 LORPM)

El LAJ explicará al menor de forma comprensible los hechos que le imputa el Mº. Fiscal y las medidas que el mismo solicita y la responsabilidad civil

El Juez le preguntará si se declara autor de los hechos y si está conforme con la medida solicitada y la responsabilidad civil

El Juez invitará al Mº. Fiscal y demás partes para que se manifiesten sobre la práctica de nuevas pruebas o sobre la vulneración de algún derecho fundamental en la tramitación del procedimiento y les pondrá de manifiesto la posibilidad de aplicar una distinta calificación o una distinta medida de las que hubieran solicitado

Menor y Letrado conforme con todos los extremos

Menor conforme con los hechos pero no con la medida

Menor y personas contra las que se dirija acción civil no conformes con la responsabilidad civil

Sentencia de conformidad

Si el Letrado no estuviese de acuerdo con la conformidad prestada por el menor, el Juez resolverá sobre la continuación o no de la audiencia, razonando esta decisión en la sentencia

Continua tramite de Audiencia en lo relativo a tal extremo + practica prueba propuesta

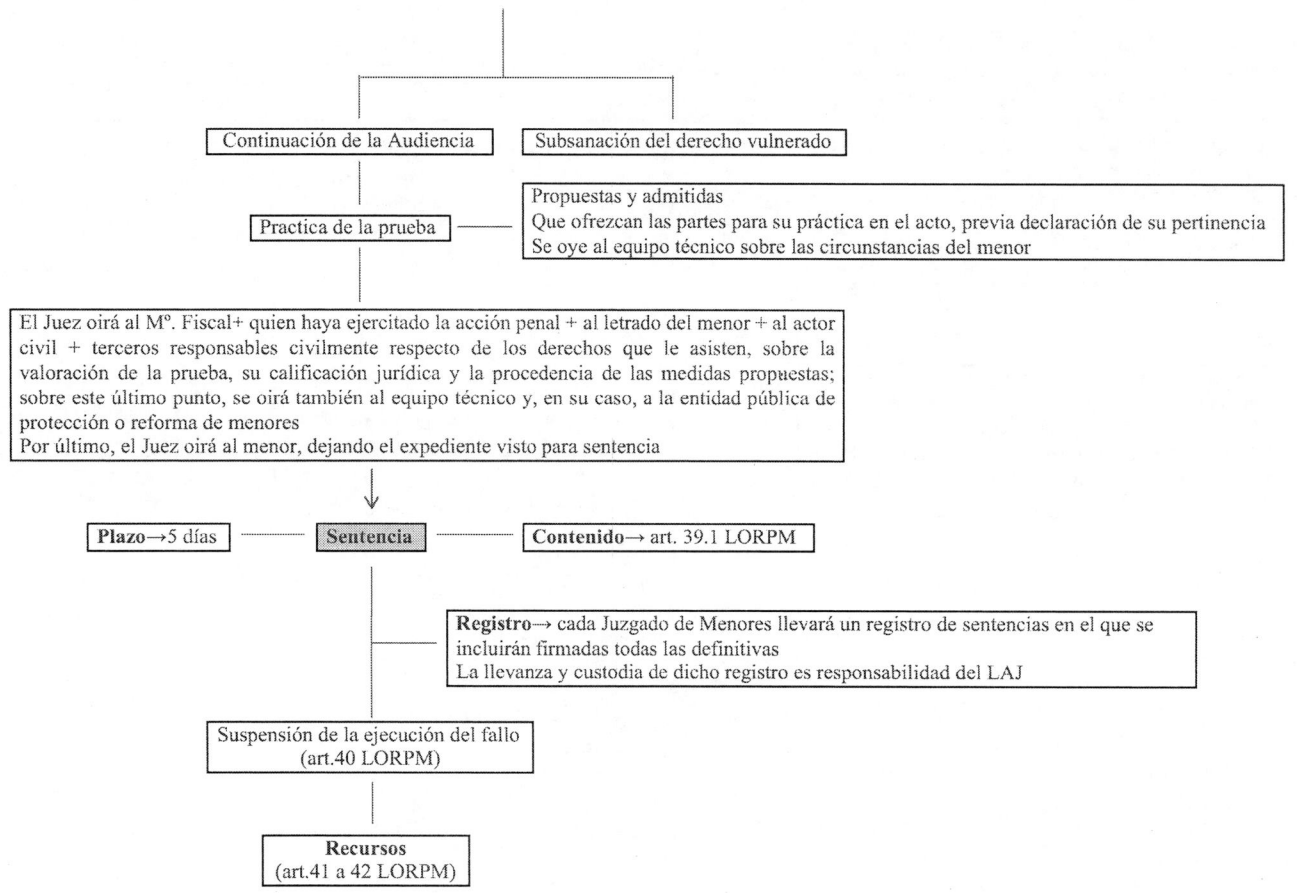

Continuación de la Audiencia   Subsanación del derecho vulnerado

Practica de la prueba —— Propuestas y admitidas
Que ofrezcan las partes para su práctica en el acto, previa declaración de su pertinencia
Se oye al equipo técnico sobre las circunstancias del menor

El Juez oirá al Mº. Fiscal+ quien haya ejercitado la acción penal + al letrado del menor + al actor civil + terceros responsables civilmente respecto de los derechos que le asisten, sobre la valoración de la prueba, su calificación jurídica y la procedencia de las medidas propuestas; sobre este último punto, se oirá también al equipo técnico y, en su caso, a la entidad pública de protección o reforma de menores
Por último, el Juez oirá al menor, dejando el expediente visto para sentencia

Plazo→5 días .... Sentencia .... **Contenido**→ art. 39.1 LORPM

Registro→ cada Juzgado de Menores llevará un registro de sentencias en el que se incluirán firmadas todas las definitivas
La llevanza y custodia de dicho registro es responsabilidad del LAJ

Suspensión de la ejecución del fallo
(art.40 LORPM)

Recursos
(art.41 a 42 LORPM)

8.2. PROCESO CONTRA UN SENADOR O UN DIPUTADO DE LAS CORTES GENERALES

Establece el art. 71 CE que:

"1) Los Diputados y Senadores gozarán de inviolabilidad por las opiniones manifestadas en el ejercicio de sus funciones.

Durante el período de su mandato los Diputados y Senadores gozarán asimismo de inmunidad y sólo podrán ser detenidos en caso de flagrante delito. No podrán ser inculpados ni procesados sin la previa autorización de la Cámara respectiva".

Éste proceso especial se caracteriza por la necesidad de autorización especial de la Cámara respectiva o suplicatorio, y por corresponder el conocimiento del presunto delito a un Tribunal especial por razón de aforamiento.

Por dicha razón de aforamiento, también tienen lugar alteraciones competenciales cuando se imputa la comisión de una infracción penal a otras autoridades distintas de las indicadas, tal y como constan en los arts. 57, 73.3 de la Ley Orgánica del Poder Judicial, que atribuyen la competencia para conocer por las infracciones penales que pudieren cometer dichas autoridades a la Sala Segunda del Tribunal Supremo o a la Sala Civil y Penal del Tribunal Superior de Justicia que corresponda (Miembros del Gobierno central, miembros de los gobiernos autonómicos, miembros de los parlamentos autonómicos, Magistrados del Tribunal Constitucional, Vocales del Consejo General del Poder Judicial, el Defensor del Pueblo, Magistrados Jueces y Fiscales, etc.).

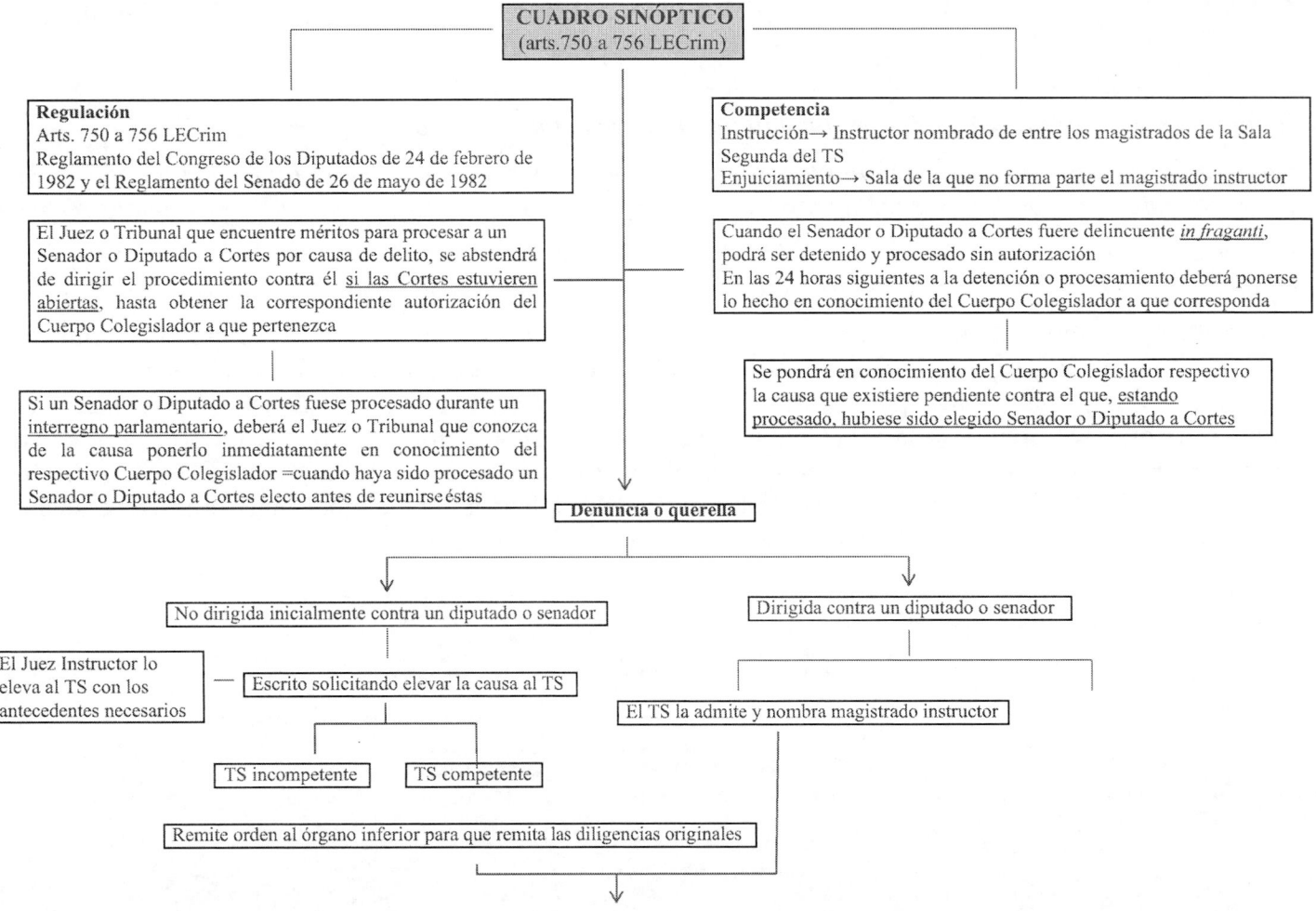

CUADRO SINÓPTICO
(arts.750 a 756 LECrim)

Regulación
Arts. 750 a 756 LECrim
Reglamento del Congreso de los Diputados de 24 de febrero de 1982 y el Reglamento del Senado de 26 de mayo de 1982

Competencia
Instrucción→ Instructor nombrado de entre los magistrados de la Sala Segunda del TS
Enjuiciamiento→ Sala de la que no forma parte el magistrado instructor

El Juez o Tribunal que encuentre méritos para procesar a un Senador o Diputado a Cortes por causa de delito, se abstendrá de dirigir el procedimiento contra él si las Cortes estuvieren abiertas, hasta obtener la correspondiente autorización del Cuerpo Colegislador a que pertenezca

Cuando el Senador o Diputado a Cortes fuere delincuente *in fraganti*, podrá ser detenido y procesado sin autorización
En las 24 horas siguientes a la detención o procesamiento deberá ponerse lo hecho en conocimiento del Cuerpo Colegislador a que corresponda

Si un Senador o Diputado a Cortes fuese procesado durante un interregno parlamentario, deberá el Juez o Tribunal que conozca de la causa ponerlo inmediatamente en conocimiento del respectivo Cuerpo Colegislador =cuando haya sido procesado un Senador o Diputado a Cortes electo antes de reunirse éstas

Se pondrá en conocimiento del Cuerpo Colegislador respectivo la causa que existiere pendiente contra el que, estando procesado, hubiese sido elegido Senador o Diputado a Cortes

Denuncia o querella

No dirigida inicialmente contra un diputado o senador

Dirigida contra un diputado o senador

El Juez Instructor lo eleva al TS con los antecedentes necesarios

Escrito solicitando elevar la causa al TS

El TS la admite y nombra magistrado instructor

TS incompetente

TS competente

Remite orden al órgano inferior para que remita las diligencias originales

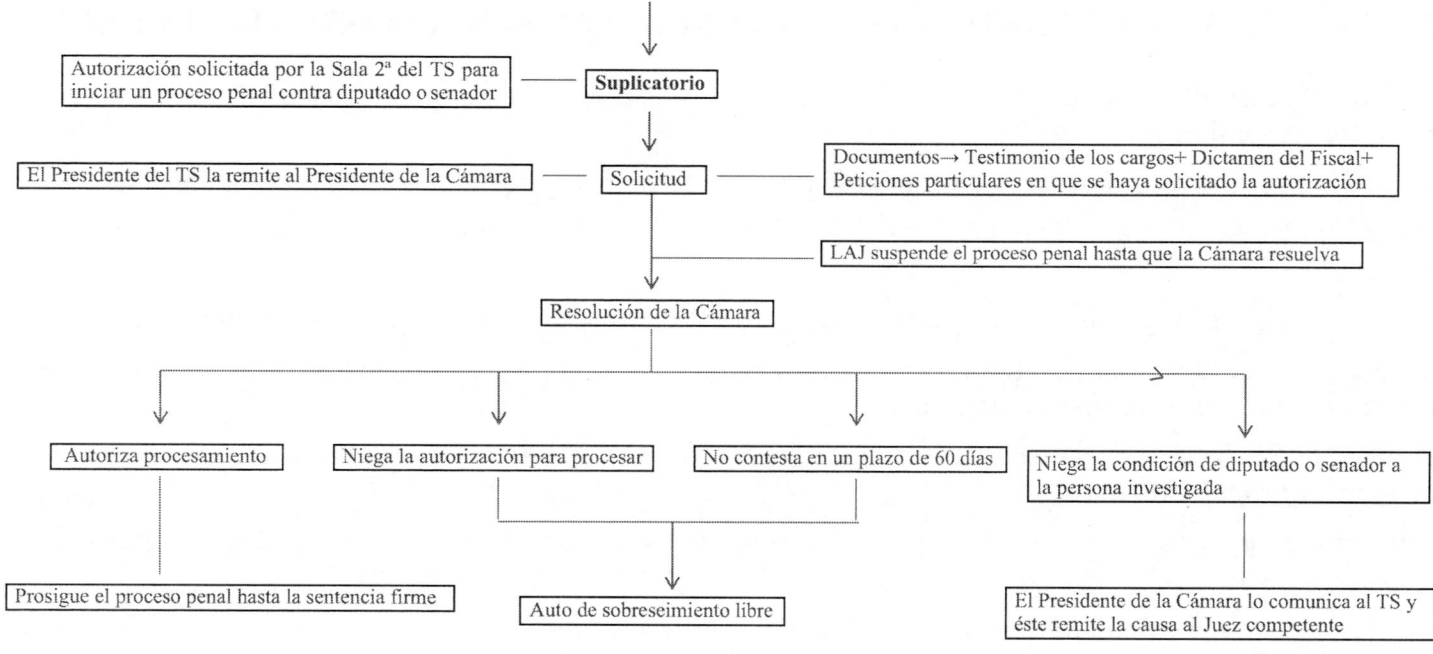

8.3. PROCEDIMIENTO POR DELITOS DE INJURIA Y CALUMNIA CONTRA PARTICULARES

Se trata de una especialidad procedimental que se caracteriza por el tipo de delito que se aplica así como por el sujeto pasivo de los mismos (los particulares).

El art. 18.1 CE garantiza *"los derechos al honor, a la intimidad personal y familiar y a la propia imagen"*.

Según el art. 205 CP *"es calumnia la imputación de un delito hecha con conocimiento de su falsedad o temerario desprecio hacia la verdad"*.

El art. 206 CP establece las penas en el delito de calumnia y *exceptio veritatis* en el delito de calumnia (art. 207).

Comprende los arts. 208 a 210 CP, referidos al concepto penal de injuria (art. 208), pena para las injurias graves (art. 209) y *exceptio veritatis* en el delito de injuria (art. 210).

Según el art. 208 CP *"es injuria la acción o expresión que lesionan la dignidad de otra persona, menoscabando su fama o atentando contra su propia estimación.*

Solamente serán constitutivas de delito las injurias que, por su naturaleza, efectos y circunstancias, sean tenidas en el concepto público por graves.

Las injurias que consistan en la imputación de hechos no se considerarán graves, salvo cuando se hayan llevado a cabo con conocimiento de su falsedad o temerario desprecio hacia la verdad" El art. 209 CP establece la pena para las injurias graves y *exceptio veritatis* en el delito de injuria (art. 210).

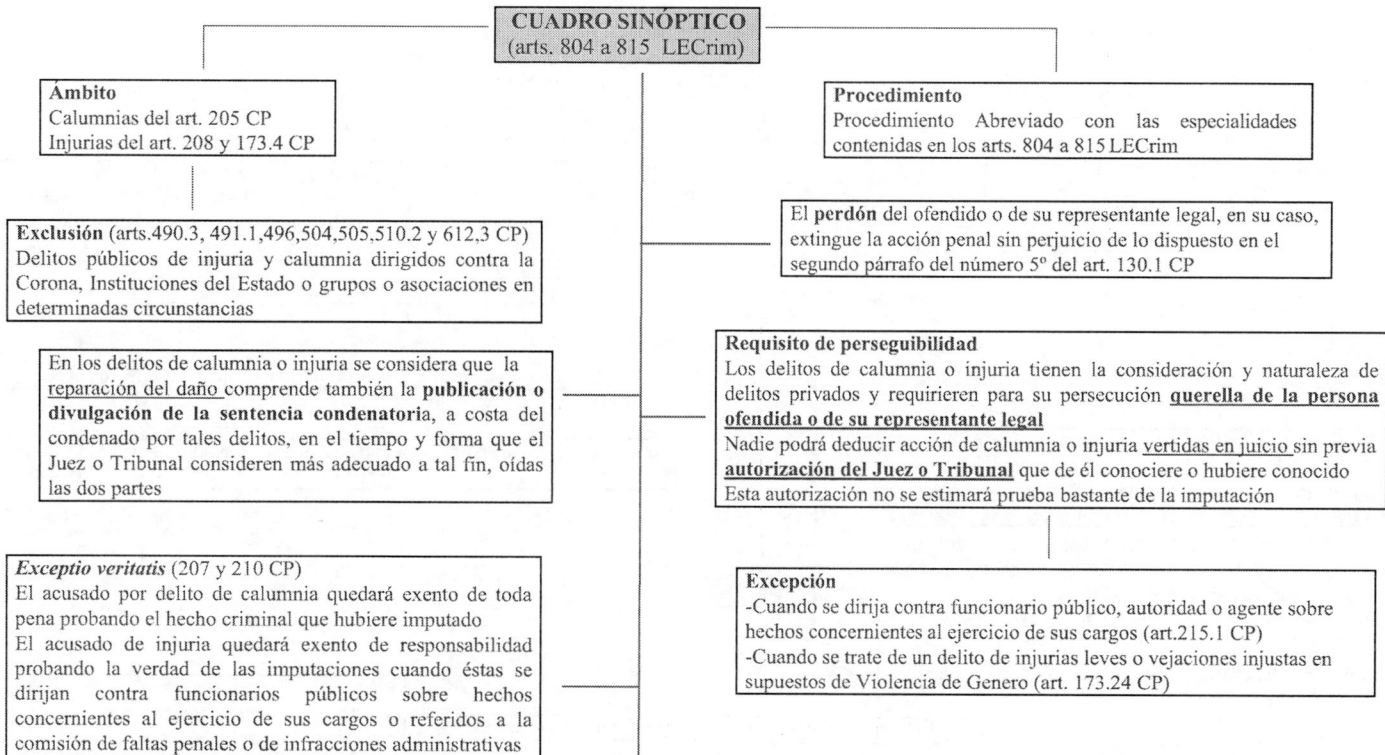

CUADRO SINÓPTICO
(arts. 804 a 815 LECrim)

Ámbito
Calumnias del art. 205 CP
Injurias del art. 208 y 173.4 CP

Procedimiento
Procedimiento Abreviado con las especialidades contenidas en los arts. 804 a 815 LECrim

Exclusión (arts.490.3, 491.1,496,504,505,510.2 y 612.3 CP)
Delitos públicos de injuria y calumnia dirigidos contra la Corona, Instituciones del Estado o grupos o asociaciones en determinadas circunstancias

El **perdón** del ofendido o de su representante legal, en su caso, extingue la acción penal sin perjuicio de lo dispuesto en el segundo párrafo del número 5º del art. 130.1 CP

En los delitos de calumnia o injuria se considera que la <u>reparación del daño</u> comprende también la **publicación o divulgación de la sentencia condenatoria**, a costa del condenado por tales delitos, en el tiempo y forma que el Juez o Tribunal consideren más adecuado a tal fin, oídas las dos partes

Requisito de perseguibilidad
Los delitos de calumnia o injuria tienen la consideración y naturaleza de delitos privados y requirieren para su persecución <u>**querella de la persona ofendida o de su representante legal**</u>
Nadie podrá deducir acción de calumnia o injuria <u>vertidas en juicio</u> sin previa <u>**autorización del Juez o Tribunal**</u> que de él conociere o hubiere conocido
Esta autorización no se estimará prueba bastante de la imputación

Exceptio veritatis (207 y 210 CP)
El acusado por delito de calumnia quedará exento de toda pena probando el hecho criminal que hubiere imputado
El acusado de injuria quedará exento de responsabilidad probando la verdad de las imputaciones cuando éstas se dirijan contra funcionarios públicos sobre hechos concernientes al ejercicio de sus cargos o referidos a la comisión de faltas penales o de infracciones administrativas

Excepción
-Cuando se dirija contra funcionario público, autoridad o agente sobre hechos concernientes al ejercicio de sus cargos (art.215.1 CP)
-Cuando se trate de un delito de injurias leves o vejaciones injustas en supuestos de Violencia de Genero (art. 173.24 CP)

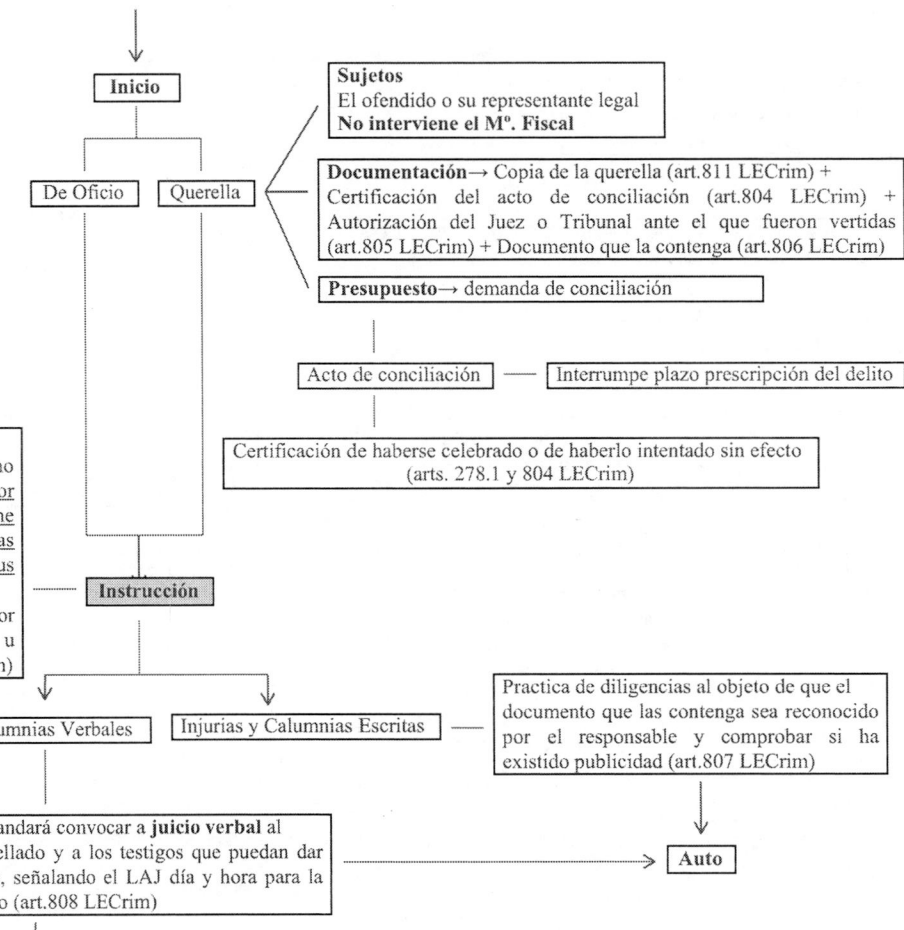

Supuestos:
-Cuando se dirija contra funcionario público, autoridad o agente sobre hechos concernientes al ejercicio de sus cargos
-Cuando se trate de un delito de injurias leves o vejaciones injustas en supuestos de Violencia de Genero

Intervención Mº. Fiscal

Inicio

Sujetos
El ofendido o su representante legal
No interviene el Mº. Fiscal

Documentación→ Copia de la querella (art.811 LECrim) + Certificación del acto de conciliación (art.804 LECrim) + Autorización del Juez o Tribunal ante el que fueron vertidas (art.805 LECrim) + Documento que la contenga (art.806 LECrim)

Presupuesto→ demanda de conciliación

De Oficio   Querella

Acto de conciliación —— Interrumpe plazo prescripción del delito

Certificación de haberse celebrado o de haberlo intentado sin efecto
(arts. 278.1 y 804 LECrim)

Si los acusados manifestaren querer probar antes del juicio oral la certeza de la imputación injuriosa o del hecho criminal que hubiesen imputado. No podrá darse por terminado la instrucción hasta que el querellante determine con toda precisión y claridad los hechos y las circunstancias de la imputación, para que el procesado pueda preparar sus pruebas y suministrarlas en el juicio oral
Si no lo hiciere en el plazo que el Juez le señale se dará por terminado la instrucción teniendo en cuenta su falta u omisión para que no perjudique al acusado (art.810 LECrim)

Instrucción

Injurias y Calumnias Verbales   Injurias y Calumnias Escritas

Practica de diligencias al objeto de que el documento que las contenga sea reconocido por el responsable y comprobar si ha existido publicidad (art.807 LECrim)

El Juez instructor mandará convocar a **juicio verbal** al querellante, al querellado y a los testigos que puedan dar razón de los hechos, señalando el LAJ día y hora para la celebración del juicio (art.808 LECrim)

Auto

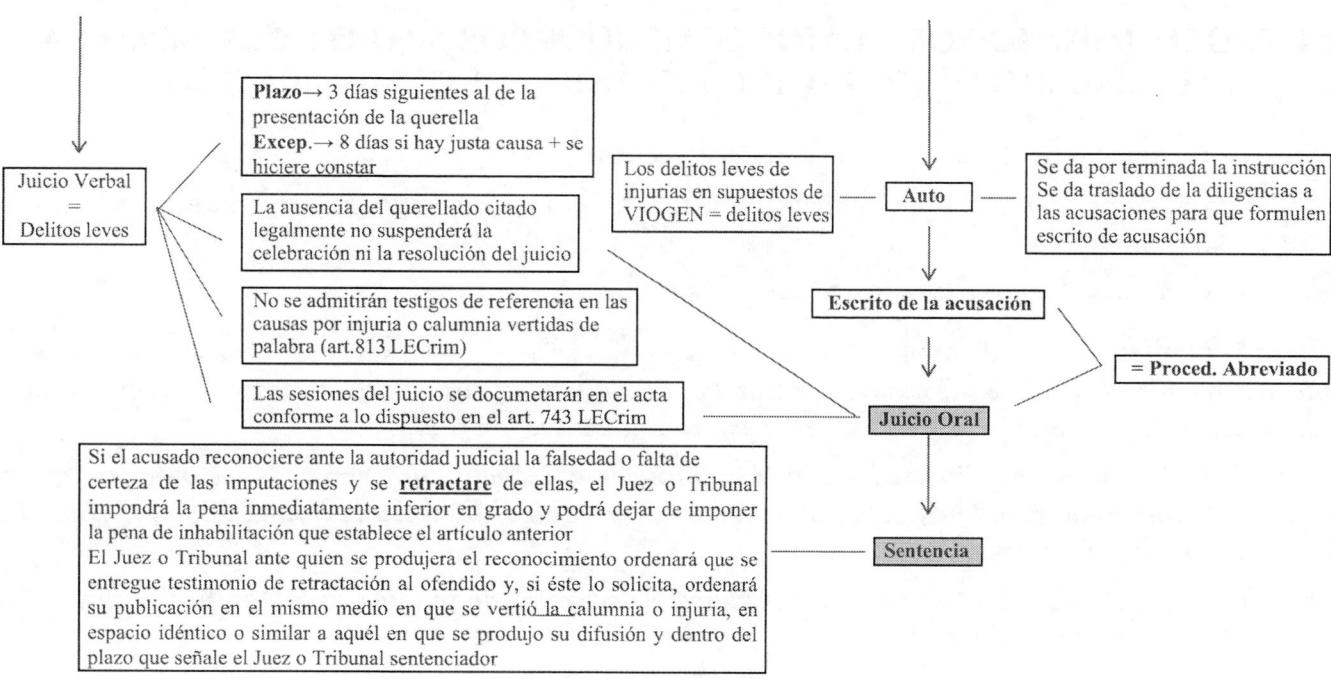

Plazo→ 3 días siguientes al de la presentación de la querella
Excep.→ 8 días si hay justa causa + se hiciere constar

Juicio Verbal
=
Delitos leves

La ausencia del querellado citado legalmente no suspenderá la celebración ni la resolución del juicio

No se admitirán testigos de referencia en las causas por injuria o calumnia vertidas de palabra (art.813 LECrim)

Las sesiones del juicio se documetarán en el acta conforme a lo dispuesto en el art. 743 LECrim

Los delitos leves de injurias en supuestos de VIOGEN = delitos leves

Auto

Se da por terminada la instrucción
Se da traslado de la diligencias a las acusaciones para que formulen escrito de acusación

Escrito de la acusación

= Proced. Abreviado

Juicio Oral

Si el acusado reconociere ante la autoridad judicial la falsedad o falta de certeza de las imputaciones y se **retractare** de ellas, el Juez o Tribunal impondrá la pena inmediatamente inferior en grado y podrá dejar de imponer la pena de inhabilitación que establece el artículo anterior
El Juez o Tribunal ante quien se produjera el reconocimiento ordenará que se entregue testimonio de retractación al ofendido y, si éste lo solicita, ordenará su publicación en el mismo medio en que se vertió la calumnia o injuria, en espacio idéntico o similar a aquél en que se produjo su difusión y dentro del plazo que señale el Juez o Tribunal sentenciador

Sentencia

8.4. PROCEDIMIENTO POR DELITOS COMETIDOS POR MEDIO DE LA IMPRENTA, EL GRABADO U OTRO MEDIO MECÁNICO DE COMUNICACIÓN

Dispone el art. 20.1 CE que "se reconocen y protegen los derechos:

a) *A expresar y difundir libremente los pensamientos, ideas y opiniones mediante la palabra, el escrito o cualquier otro medio de reproducción.*

b) *A la producción y creación literaria, artística, científica y técnica.*

c) *A la libertad de cátedra.*

d) *A comunicar o recibir libremente información veraz por cualquier medio de difusión. La ley regulará el derecho a la cláusula de conciencia y al secreto profesional en el ejercicio de estas libertades".*

Añadiendo el art. 20.4 CE que estas "*libertades tienen su límite en el respeto a los derechos reconocidos en este Título, en los preceptos de las leyes que lo desarrollen y, especialmente, en el derecho al honor, a la intimidad, a la propia imagen y a la protección de la juventud y de la infancia*".

Finaliza el art. 20.5 CE diciendo que "*sólo podrá acordarse el secuestro de publicaciones, grabaciones y otros medios de información en virtud de resolución judicial*".

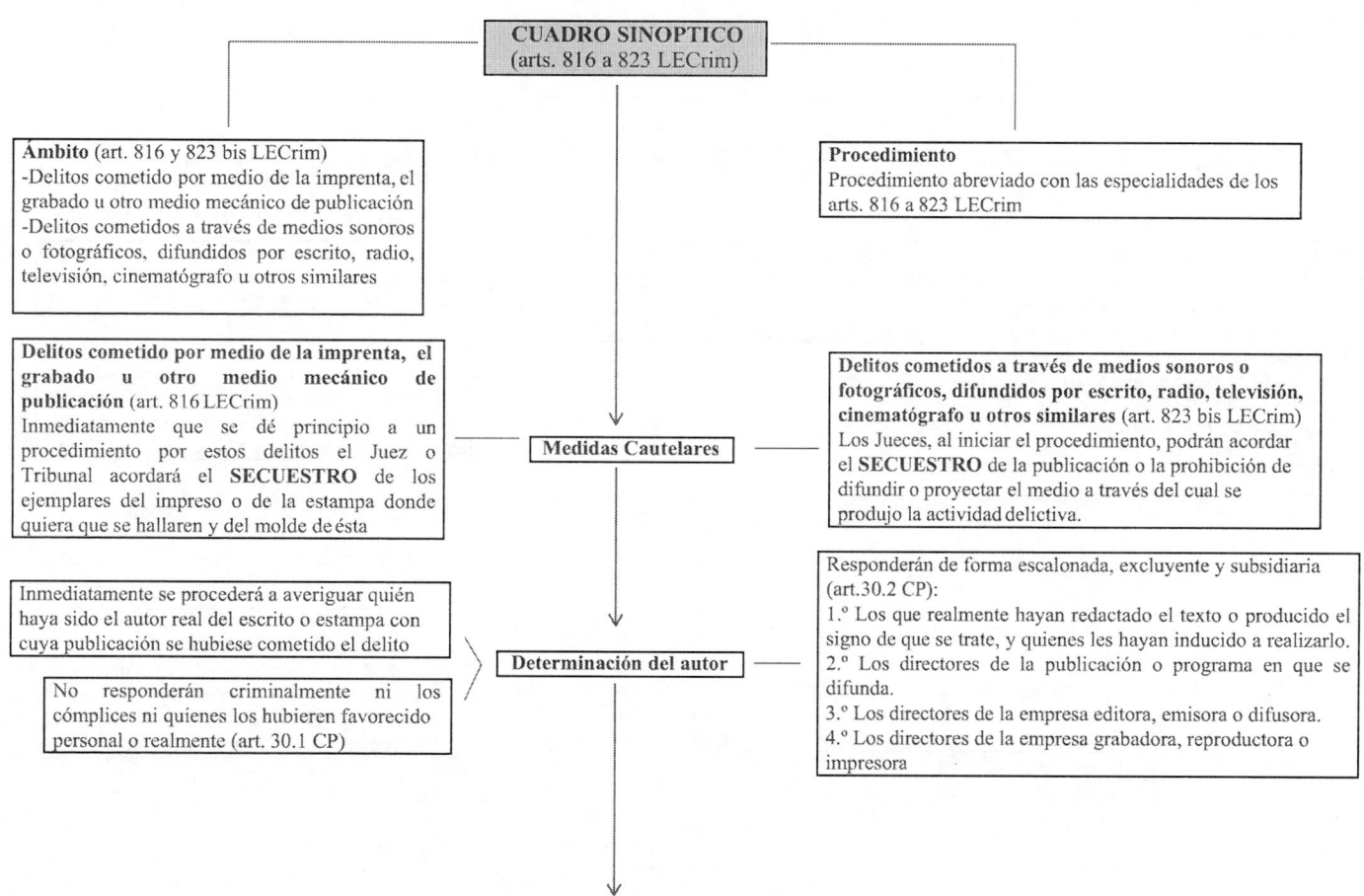

CUADRO SINOPTICO
(arts. 816 a 823 LECrim)

Ámbito (art. 816 y 823 bis LECrim)
-Delitos cometido por medio de la imprenta, el grabado u otro medio mecánico de publicación
-Delitos cometidos a través de medios sonoros o fotográficos, difundidos por escrito, radio, televisión, cinematógrafo u otros similares

Procedimiento
Procedimiento abreviado con las especialidades de los arts. 816 a 823 LECrim

Delitos cometido por medio de la imprenta, el grabado u otro medio mecánico de publicación (art. 816 LECrim)
Inmediatamente que se dé principio a un procedimiento por estos delitos el Juez o Tribunal acordará el **SECUESTRO** de los ejemplares del impreso o de la estampa donde quiera que se hallaren y del molde de ésta

Medidas Cautelares

Delitos cometidos a través de medios sonoros o fotográficos, difundidos por escrito, radio, televisión, cinematógrafo u otros similares (art. 823 bis LECrim)
Los Jueces, al iniciar el procedimiento, podrán acordar el **SECUESTRO** de la publicación o la prohibición de difundir o proyectar el medio a través del cual se produjo la actividad delictiva.

Inmediatamente se procederá a averiguar quién haya sido el autor real del escrito o estampa con cuya publicación se hubiese cometido el delito

No responderán criminalmente ni los cómplices ni quienes los hubieren favorecido personal o realmente (art. 30.1 CP)

Determinación del autor

Responderán de forma escalonada, excluyente y subsidiaria (art. 30.2 CP):
1.º Los que realmente hayan redactado el texto o producido el signo de que se trate, y quienes les hayan inducido a realizarlo.
2.º Los directores de la publicación o programa en que se difunda.
3.º Los directores de la empresa editora, emisora o difusora.
4.º Los directores de la empresa grabadora, reproductora o impresora

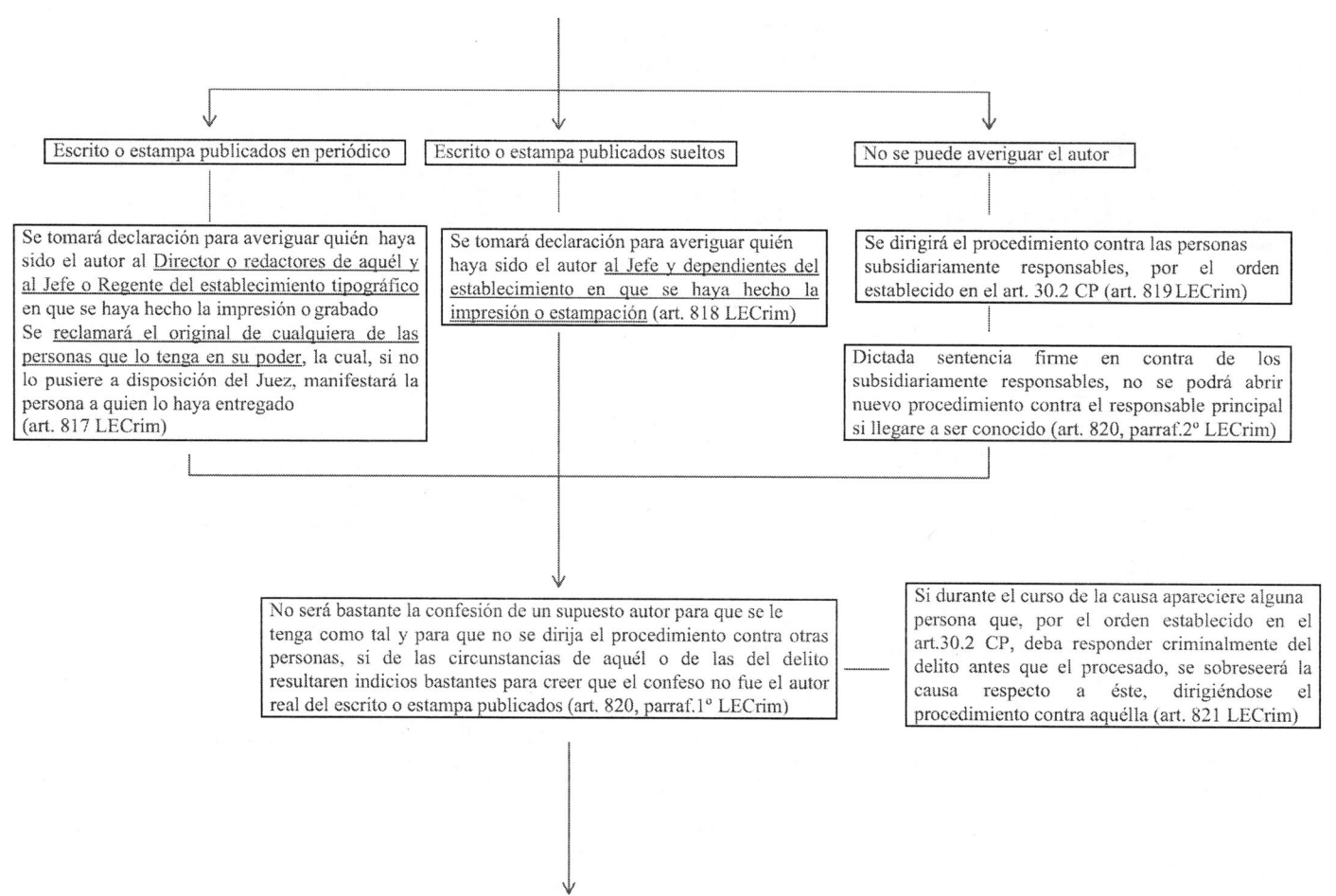

Escrito o estampa publicados en periódico

Escrito o estampa publicados sueltos

No se puede averiguar el autor

Se tomará declaración para averiguar quién haya sido el autor al <u>Director o redactores de aquél y al Jefe o Regente del establecimiento tipográfico</u> en que se haya hecho la impresión o grabado
Se <u>reclamará el original de cualquiera de las personas que lo tenga en su poder</u>, la cual, si no lo pusiere a disposición del Juez, manifestará la persona a quien lo haya entregado
(art. 817 LECrim)

Se tomará declaración para averiguar quién haya sido el autor <u>al Jefe y dependientes del establecimiento en que se haya hecho la impresión o estampación</u> (art. 818 LECrim)

Se dirigirá el procedimiento contra las personas subsidiariamente responsables, por el orden establecido en el art. 30.2 CP (art. 819 LECrim)

Dictada sentencia firme en contra de los subsidiariamente responsables, no se podrá abrir nuevo procedimiento contra el responsable principal si llegare a ser conocido (art. 820, parraf.2º LECrim)

No será bastante la confesión de un supuesto autor para que se le tenga como tal y para que no se dirija el procedimiento contra otras personas, si de las circunstancias de aquél o de las del delito resultaren indicios bastantes para creer que el confeso no fue el autor real del escrito o estampa publicados (art. 820, parraf.1º LECrim)

Si durante el curso de la causa apareciere alguna persona que, por el orden establecido en el art.30.2 CP, deba responder criminalmente del delito antes que el procesado, se sobreseerá la causa respecto a éste, dirigiéndose el procedimiento contra aquélla (art. 821 LECrim)

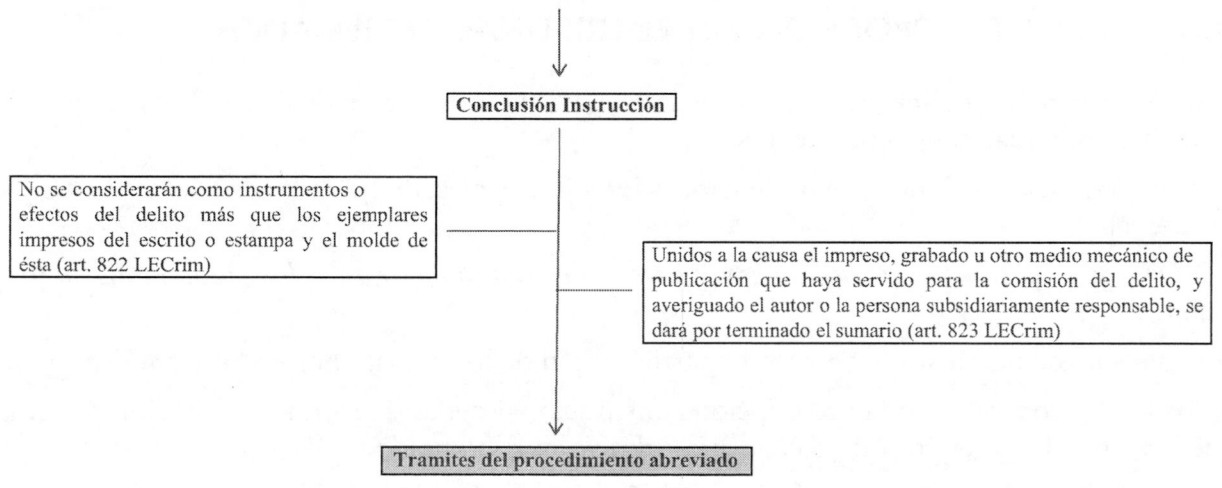

Conclusión Instrucción

No se considerarán como instrumentos o efectos del delito más que los ejemplares impresos del escrito o estampa y el molde de ésta (art. 822 LECrim)

Unidos a la causa el impreso, grabado u otro medio mecánico de publicación que haya servido para la comisión del delito, y averiguado el autor o la persona subsidiariamente responsable, se dará por terminado el sumario (art. 823 LECrim)

Tramites del procedimiento abreviado

8.5. PROCESO ANTE EL TRIBUNAL DEL JURADO

El Tribunal del Jurado es un órgano integrado en el orden penal de la jurisdicción ordinaria (arts. 26 y 83 LOPJ), encargado del enjuiciamiento de determinadas causas por delitos.

Se caracteriza por la presencia en el mismo, con funciones jurisdiccionales, de ciudadanos a los que no se exige conocimientos ni titulación en Derecho.

Señala el art. 6 LOTJ que "*la función de jurado es un derecho ejercitable por aquellos ciudadanos en los que no concurra motivo que lo impida (…)*".

Se trata, en consecuencia, de una institución para la participación de los ciudadanos en la Administración de Justicia.

Señala así el art. 6 LOTJ, concretando la prescripción constitucional del art. 125 que "la función de jurado es un derecho ejercitable por aquellos ciudadanos en los que no concurra motivo que lo impida (…)".

El proceso ante el Tribunal del Jurado se regula en la Ley Orgánica 5/1995, de 22 de mayo.

El 14 de diciembre de 2017 se publicó en el BOE la Ley Orgánica 1/2017, de 13 de diciembre, de modificación de la LOTJ, para garantizar la participación de las personas con discapacidad sin exclusiones, que entró en vigor el 14 de febrero de 2018 y que garantiza el derecho de igualdad de trato y no discriminación para todas las ciudadanas y ciudadanos con discapacidad.

CUADRO SINÓPTICO

Ámbito (art. 1.2 LOTJ)
a) Del homicidio
b) De las amenazas
c) De la omisión del deber de socorro
d) Del allanamiento de morada
e) De la infidelidad en la custodia de documentos
f) Del cohecho
g) Del tráfico de influencias
h) De la malversación de caudales públicos
i) De los fraudes y exacciones
j) De las negociaciones prohibidas a funcionarios
k) De la infidelidad en la custodia de presos

El delito de incendio deja de ser competencia del Tribunal del Jurado por su exclusión expresa por la L.O. 1/2015 en su Disposición adicional 4ª

Concurso de delitos (art. 5.3 LOTJ)
Cuando un solo hecho pueda constituir dos o más delitos será competente el Tribunal del Jurado para su enjuiciamiento si alguno de ellos fuera de los atribuidos a su conocimiento
Cuando diversas acciones y omisiones constituyan un delito continuado será competente el Tribunal del Jurado si éste fuere de los atribuidos a su conocimiento

Competencia (art. 14 LECrim y art.1.3 LOTJ)
Instrucción→ Juez de Instrucción
Juicio Oral → Tribunal del Jurado, que se celebra en el ámbito de la AP y, en su caso, de los Tribunales que correspondan por razón del aforamiento del acusado
Excluidos→ Delitos cuyo enjuiciamiento venga atribuido a la AN

La determinación de la competencia (art. 5.1 LOTC) →Se realizará atendiendo al presunto hecho delictivo, cualquiera que sea la participación o el grado de ejecución atribuido al acusado
Excep. → Cuando se trate de delitos contra las personas sólo será competente si el delito fuese consumado

Competencia por conexidad (art. 5.2 LOTC)
La competencia se extenderá al enjuiciamiento de los delitos conexos, siempre que la conexión tenga su origen en alguno de los siguientes supuestos:
-Que dos o más personas reunidas cometan simultáneamente los distintos delitos
-Que dos o más personas cometan más de un delito en distintos lugares o tiempos, si hubiere precedido concierto para ello
-Que alguno de los delitos se haya cometido para perpetrar otros, facilitar su ejecución o procurar su impunidad
Excep.→ NO podrá enjuiciarse por conexión el delito de prevaricación ni aquellos delitos conexos cuyo enjuiciamiento pueda efectuarse por separado sin que se rompa la continencia de la causa

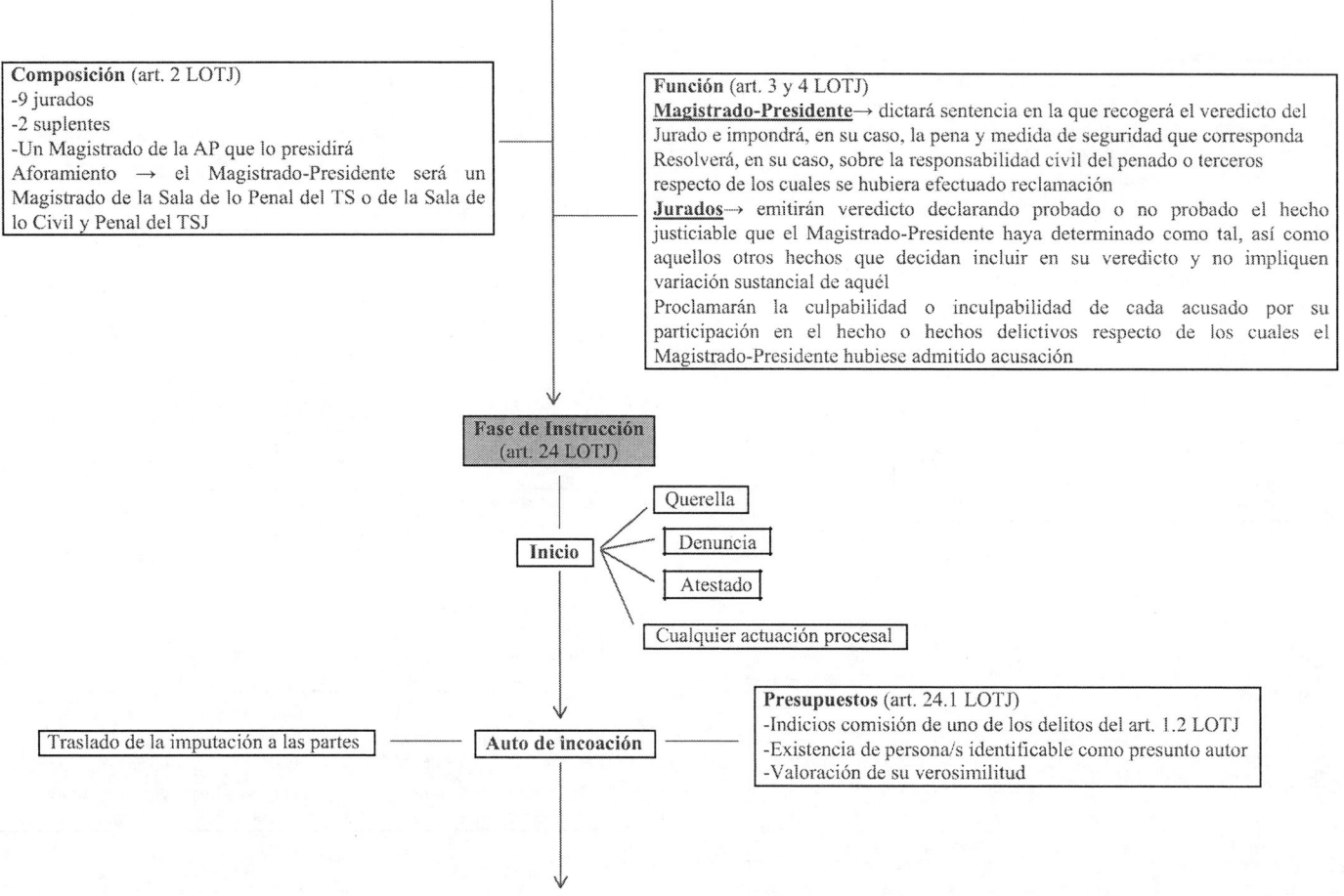

Composición (art. 2 LOTJ)
-9 jurados
-2 suplentes
-Un Magistrado de la AP que lo presidirá
Aforamiento → el Magistrado-Presidente será un Magistrado de la Sala de lo Penal del TS o de la Sala de lo Civil y Penal del TSJ

Función (art. 3 y 4 LOTJ)
Magistrado-Presidente→ dictará sentencia en la que recogerá el veredicto del Jurado e impondrá, en su caso, la pena y medida de seguridad que corresponda
Resolverá, en su caso, sobre la responsabilidad civil del penado o terceros respecto de los cuales se hubiera efectuado reclamación
Jurados→ emitirán veredicto declarando probado o no probado el hecho justiciable que el Magistrado-Presidente haya determinado como tal, así como aquellos otros hechos que decidan incluir en su veredicto y no impliquen variación sustancial de aquél
Proclamarán la culpabilidad o inculpabilidad de cada acusado por su participación en el hecho o hechos delictivos respecto de los cuales el Magistrado-Presidente hubiese admitido acusación

Fase de Instrucción
(art. 24 LOTJ)

Inicio
Querella
Denuncia
Atestado
Cualquier actuación procesal

Traslado de la imputación a las partes — **Auto de incoación**

Presupuestos (art. 24.1 LOTJ)
-Indicios comisión de uno de los delitos del art. 1.2 LOTJ
-Existencia de persona/s identificable como presunto autor
-Valoración de su verosimilitud

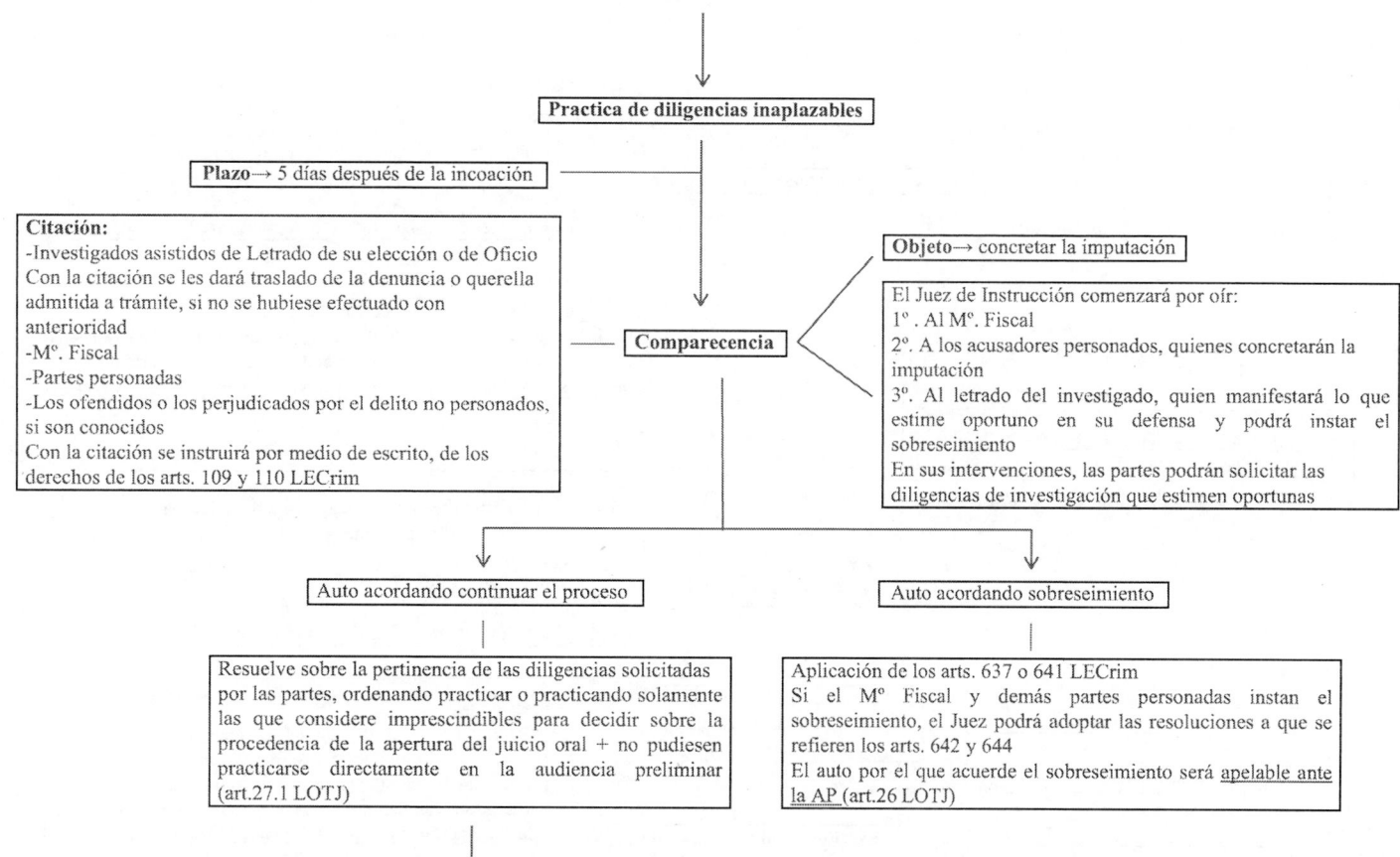

Practica de diligencias inaplazables

Plazo→ 5 días después de la incoación

Citación:
-Investigados asistidos de Letrado de su elección o de Oficio
Con la citación se les dará traslado de la denuncia o querella admitida a trámite, si no se hubiese efectuado con anterioridad
-Mº. Fiscal
-Partes personadas
-Los ofendidos o los perjudicados por el delito no personados, si son conocidos
Con la citación se instruirá por medio de escrito, de los derechos de los arts. 109 y 110 LECrim

Comparecencia

Objeto→ concretar la imputación

El Juez de Instrucción comenzará por oír:
1º. Al Mº. Fiscal
2º. A los acusadores personados, quienes concretarán la imputación
3º. Al letrado del investigado, quien manifestará lo que estime oportuno en su defensa y podrá instar el sobreseimiento
En sus intervenciones, las partes podrán solicitar las diligencias de investigación que estimen oportunas

Auto acordando continuar el proceso

Auto acordando sobreseimiento

Resuelve sobre la pertinencia de las diligencias solicitadas por las partes, ordenando practicar o practicando solamente las que considere imprescindibles para decidir sobre la procedencia de la apertura del juicio oral + no pudiesen practicarse directamente en la audiencia preliminar (art.27.1 LOTJ)

Aplicación de los arts. 637 o 641 LECrim
Si el Mº Fiscal y demás partes personadas instan el sobreseimiento, el Juez podrá adoptar las resoluciones a que se refieren los arts. 642 y 644
El auto por el que acuerde el sobreseimiento será apelable ante la AP (art.26 LOTJ)

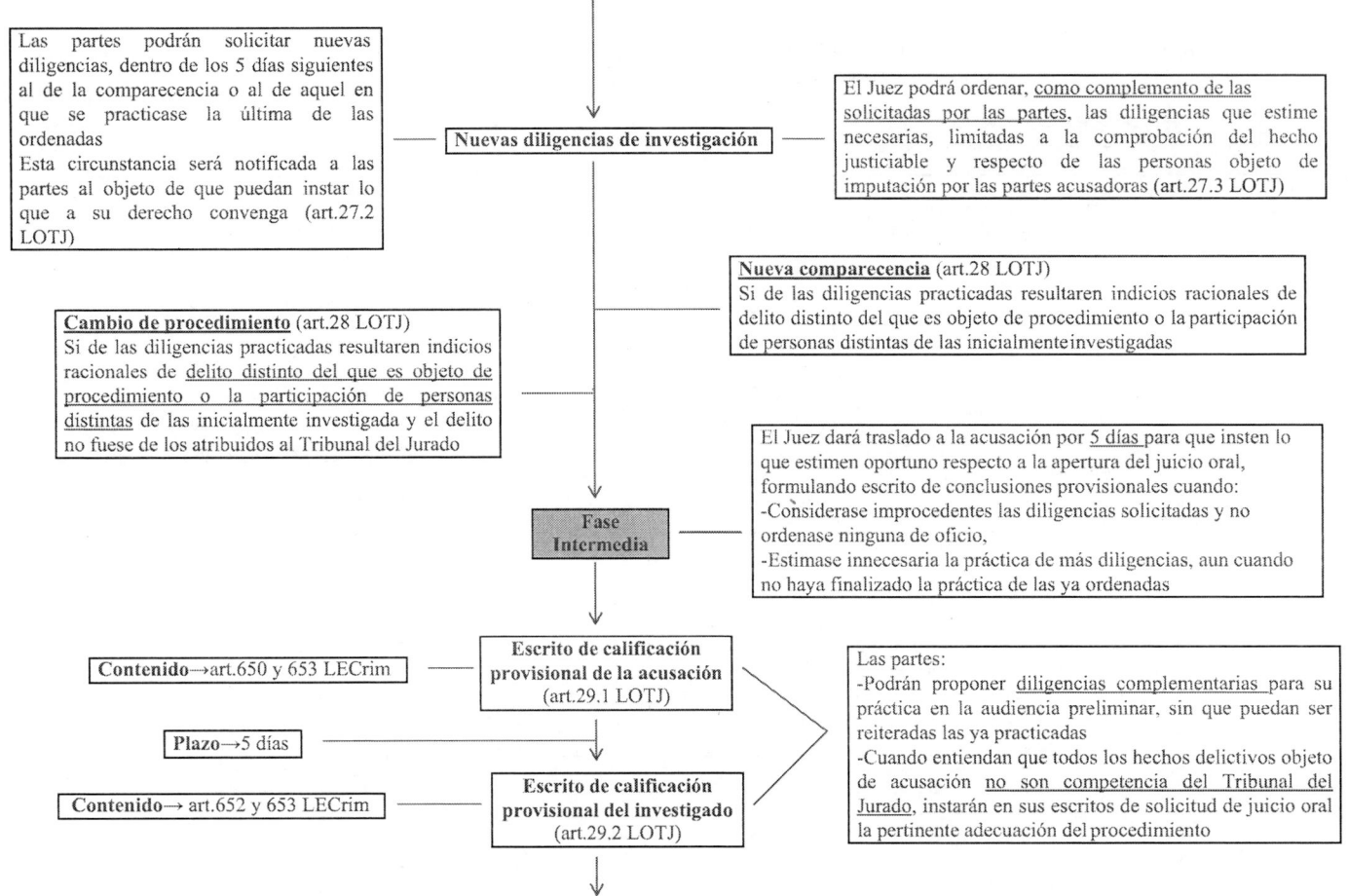

Las partes podrán solicitar nuevas diligencias, dentro de los 5 días siguientes al de la comparecencia o al de aquel en que se practicase la última de las ordenadas
Esta circunstancia será notificada a las partes al objeto de que puedan instar lo que a su derecho convenga (art.27.2 LOTJ)

Nuevas diligencias de investigación

El Juez podrá ordenar, como complemento de las solicitadas por las partes, las diligencias que estime necesarias, limitadas a la comprobación del hecho justiciable y respecto de las personas objeto de imputación por las partes acusadoras (art.27.3 LOTJ)

Nueva comparecencia (art.28 LOTJ)
Si de las diligencias practicadas resultaren indicios racionales de delito distinto del que es objeto de procedimiento o la participación de personas distintas de las inicialmente investigadas

Cambio de procedimiento (art.28 LOTJ)
Si de las diligencias practicadas resultaren indicios racionales de delito distinto del que es objeto de procedimiento o la participación de personas distintas de las inicialmente investigada y el delito no fuese de los atribuidos al Tribunal del Jurado

Fase Intermedia

El Juez dará traslado a la acusación por 5 días para que insten lo que estimen oportuno respecto a la apertura del juicio oral, formulando escrito de conclusiones provisionales cuando:
-Considerase improcedentes las diligencias solicitadas y no ordenase ninguna de oficio,
-Estimase innecesaria la práctica de más diligencias, aun cuando no haya finalizado la práctica de las ya ordenadas

Contenido→art.650 y 653 LECrim

Escrito de calificación provisional de la acusación (art.29.1 LOTJ)

Las partes:
-Podrán proponer diligencias complementarias para su práctica en la audiencia preliminar, sin que puedan ser reiteradas las ya practicadas
-Cuando entiendan que todos los hechos delictivos objeto de acusación no son competencia del Tribunal del Jurado, instarán en sus escritos de solicitud de juicio oral la pertinente adecuación del procedimiento

Plazo→5 días

Contenido→ art.652 y 653 LECrim

Escrito de calificación provisional del investigado (art.29.2 LOTJ)

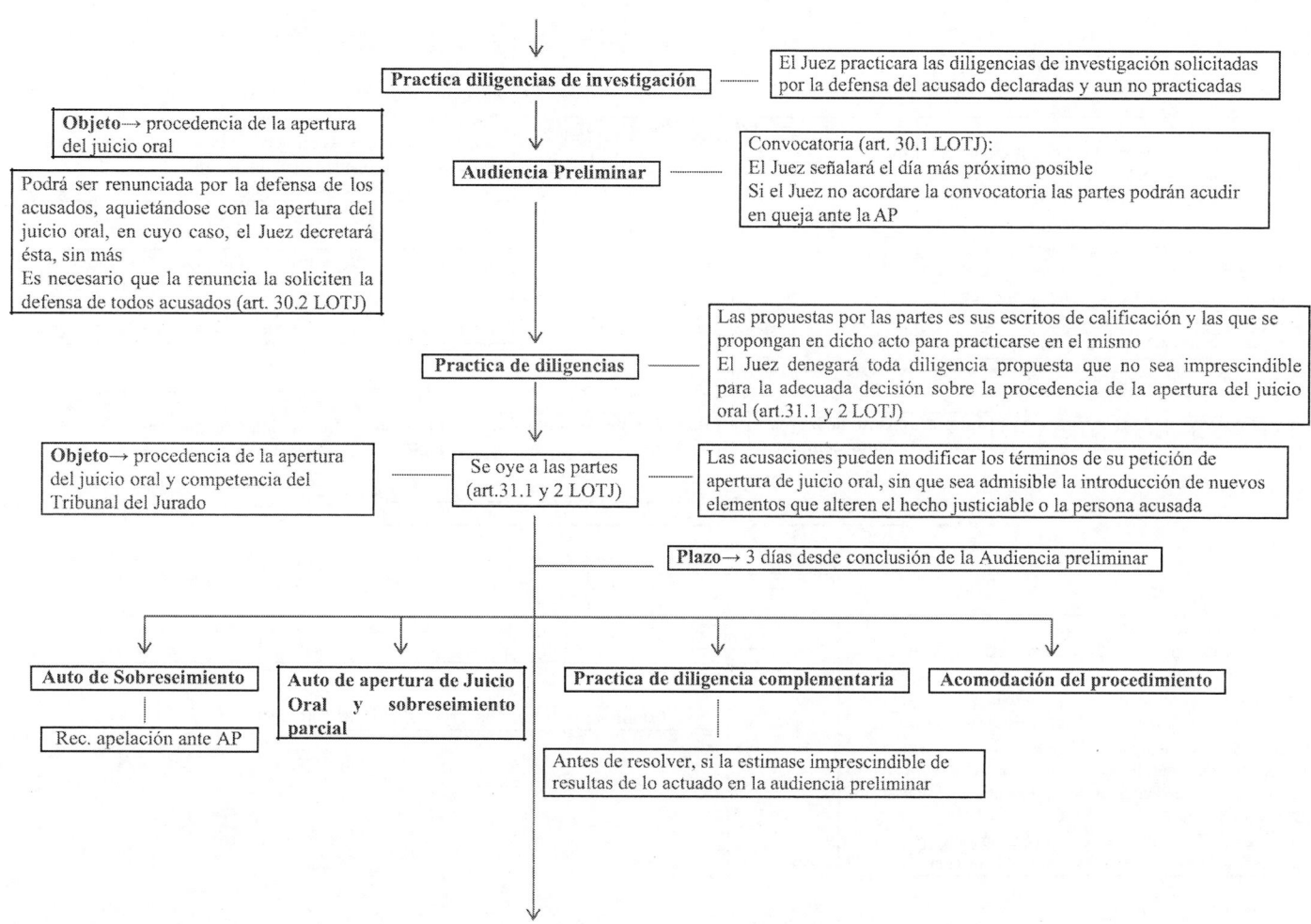

Practica diligencias de investigación ······ El Juez practicara las diligencias de investigación solicitadas por la defensa del acusado declaradas y aun no practicadas

Objeto→ procedencia de la apertura del juicio oral

Podrá ser renunciada por la defensa de los acusados, aquietándose con la apertura del juicio oral, en cuyo caso, el Juez decretará ésta, sin más
Es necesario que la renuncia la soliciten la defensa de todos acusados (art. 30.2 LOTJ)

Audiencia Preliminar ······ Convocatoria (art. 30.1 LOTJ):
El Juez señalará el día más próximo posible
Si el Juez no acordare la convocatoria las partes podrán acudir en queja ante la AP

Practica de diligencias ······ Las propuestas por las partes es sus escritos de calificación y las que se propongan en dicho acto para practicarse en el mismo
El Juez denegará toda diligencia propuesta que no sea imprescindible para la adecuada decisión sobre la procedencia de la apertura del juicio oral (art.31.1 y 2 LOTJ)

Objeto→ procedencia de la apertura del juicio oral y competencia del Tribunal del Jurado

Se oye a las partes (art.31.1 y 2 LOTJ) ······ Las acusaciones pueden modificar los términos de su petición de apertura de juicio oral, sin que sea admisible la introducción de nuevos elementos que alteren el hecho justiciable o la persona acusada

Plazo→ 3 días desde conclusión de la Audiencia preliminar

Auto de Sobreseimiento

Rec. apelación ante AP

Auto de apertura de Juicio Oral y sobreseimiento parcial

Practica de diligencia complementaria

Antes de resolver, si la estimase imprescindible de resultas de lo actuado en la audiencia preliminar

Acomodación del procedimiento

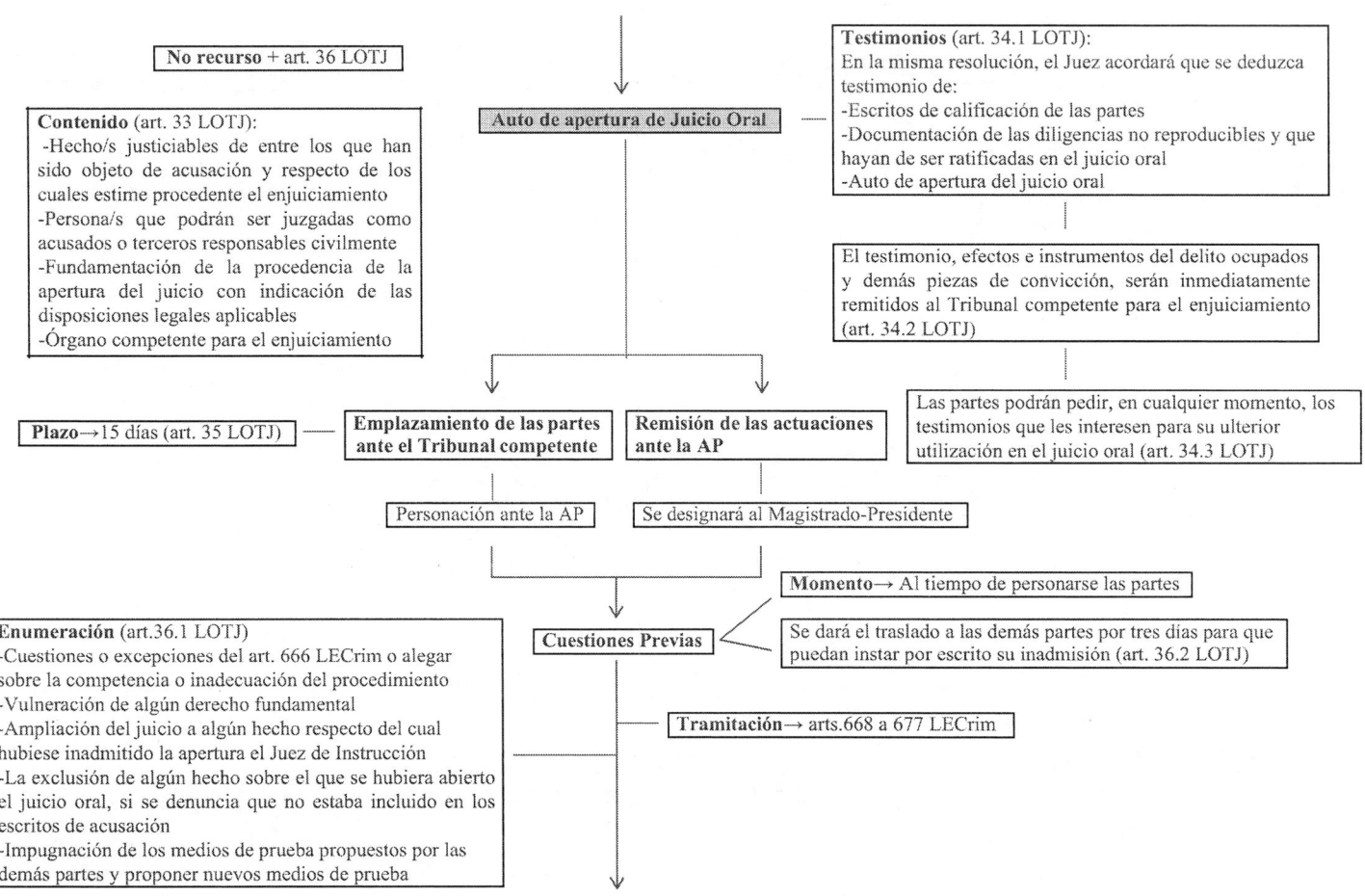

No recurso + art. 36 LOTJ

Contenido (art. 33 LOTJ):
-Hecho/s justiciables de entre los que han sido objeto de acusación y respecto de los cuales estime procedente el enjuiciamiento
-Persona/s que podrán ser juzgadas como acusados o terceros responsables civilmente
-Fundamentación de la procedencia de la apertura del juicio con indicación de las disposiciones legales aplicables
-Órgano competente para el enjuiciamiento

Auto de apertura de Juicio Oral

Testimonios (art. 34.1 LOTJ):
En la misma resolución, el Juez acordará que se deduzca testimonio de:
-Escritos de calificación de las partes
-Documentación de las diligencias no reproducibles y que hayan de ser ratificadas en el juicio oral
-Auto de apertura del juicio oral

El testimonio, efectos e instrumentos del delito ocupados y demás piezas de convicción, serán inmediatamente remitidos al Tribunal competente para el enjuiciamiento (art. 34.2 LOTJ)

Las partes podrán pedir, en cualquier momento, los testimonios que les interesen para su ulterior utilización en el juicio oral (art. 34.3 LOTJ)

Plazo→15 días (art. 35 LOTJ)

Emplazamiento de las partes ante el Tribunal competente

Remisión de las actuaciones ante la AP

Personación ante la AP

Se designará al Magistrado-Presidente

Momento→ Al tiempo de personarse las partes

Cuestiones Previas

Se dará el traslado a las demás partes por tres días para que puedan instar por escrito su inadmisión (art. 36.2 LOTJ)

Enumeración (art.36.1 LOTJ)
-Cuestiones o excepciones del art. 666 LECrim o alegar sobre la competencia o inadecuación del procedimiento
-Vulneración de algún derecho fundamental
-Ampliación del juicio a algún hecho respecto del cual hubiese inadmitido la apertura el Juez de Instrucción
-La exclusión de algún hecho sobre el que se hubiera abierto el juicio oral, si se denuncia que no estaba incluido en los escritos de acusación
-Impugnación de los medios de prueba propuestos por las demás partes y proponer nuevos medios de prueba

Tramitación→ arts.668 a 677 LECrim

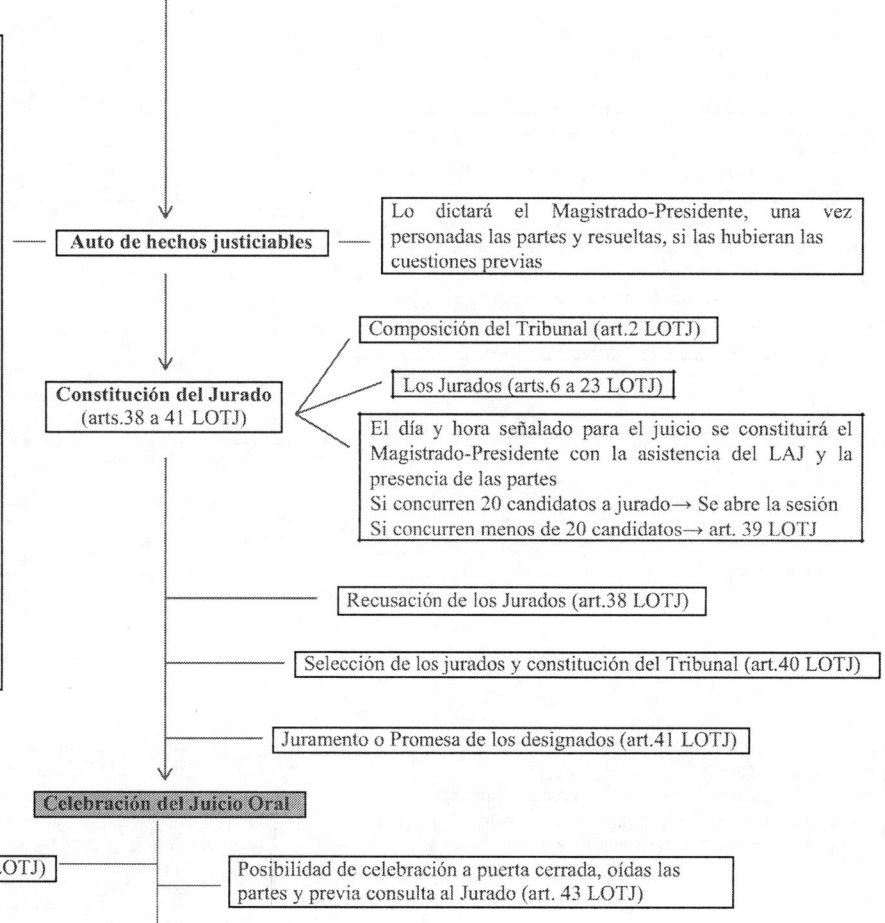

Contenido (art.37 LOTJ)

-Precisará, en párrafos separados, el hecho o <u>hechos justiciables</u>, no pudiéndose incluir términos susceptibles de ser tenidos por probados unos y por no probados otros y excluyéndose las menciones que no resulten imprescindibles para la calificación

Se incluirán los <u>hechos alegados por las acusaciones y por la defensa</u>

Si la afirmación de uno supone la negación del otro, sólo se incluirá una proposición

-Se expondrán en párrafos separados <u>los hechos que configuren el grado de ejecución del delito y el de participación del acusado</u>, así como la posible estimación de <u>circunstancias modificativas</u> de la responsabilidad criminal

- A continuación, determinará el <u>delito o delitos</u> que dichos hechos constituyan

-Resolverá sobre la procedencia de los <u>medios de prueba propuestos</u> por las partes y sobre la anticipación de su práctica

Contra la resolución que declare la procedencia de algún medio de prueba→ no recurso

Si se denegare la práctica de algún medio de prueba → formular su oposición a efectos de ulterior recurso

-Señalará <u>día para la vista del juicio oral</u> adoptando las medidas a que se refieren los arts. 660 a 664 LECrim

---

Auto de hechos justiciables ---- Lo dictará el Magistrado-Presidente, una vez personadas las partes y resueltas, si las hubieran las cuestiones previas

Constitución del Jurado (arts.38 a 41 LOTJ)

Composición del Tribunal (art.2 LOTJ)

Los Jurados (arts.6 a 23 LOTJ)

El día y hora señalado para el juicio se constituirá el Magistrado-Presidente con la asistencia del LAJ y la presencia de las partes
Si concurren 20 candidatos a jurado→ Se abre la sesión
Si concurren menos de 20 candidatos→ art. 39 LOTJ

Recusación de los Jurados (art.38 LOTJ)

Selección de los jurados y constitución del Tribunal (art.40 LOTJ)

Juramento o Promesa de los designados (art.41 LOTJ)

Celebración del Juicio Oral

Aplicación de la normativa de la LECrim (art. 42.1 LOTJ)

Posibilidad de celebración a puerta cerrada, oídas las partes y previa consulta al Jurado (art. 43 LOTJ)

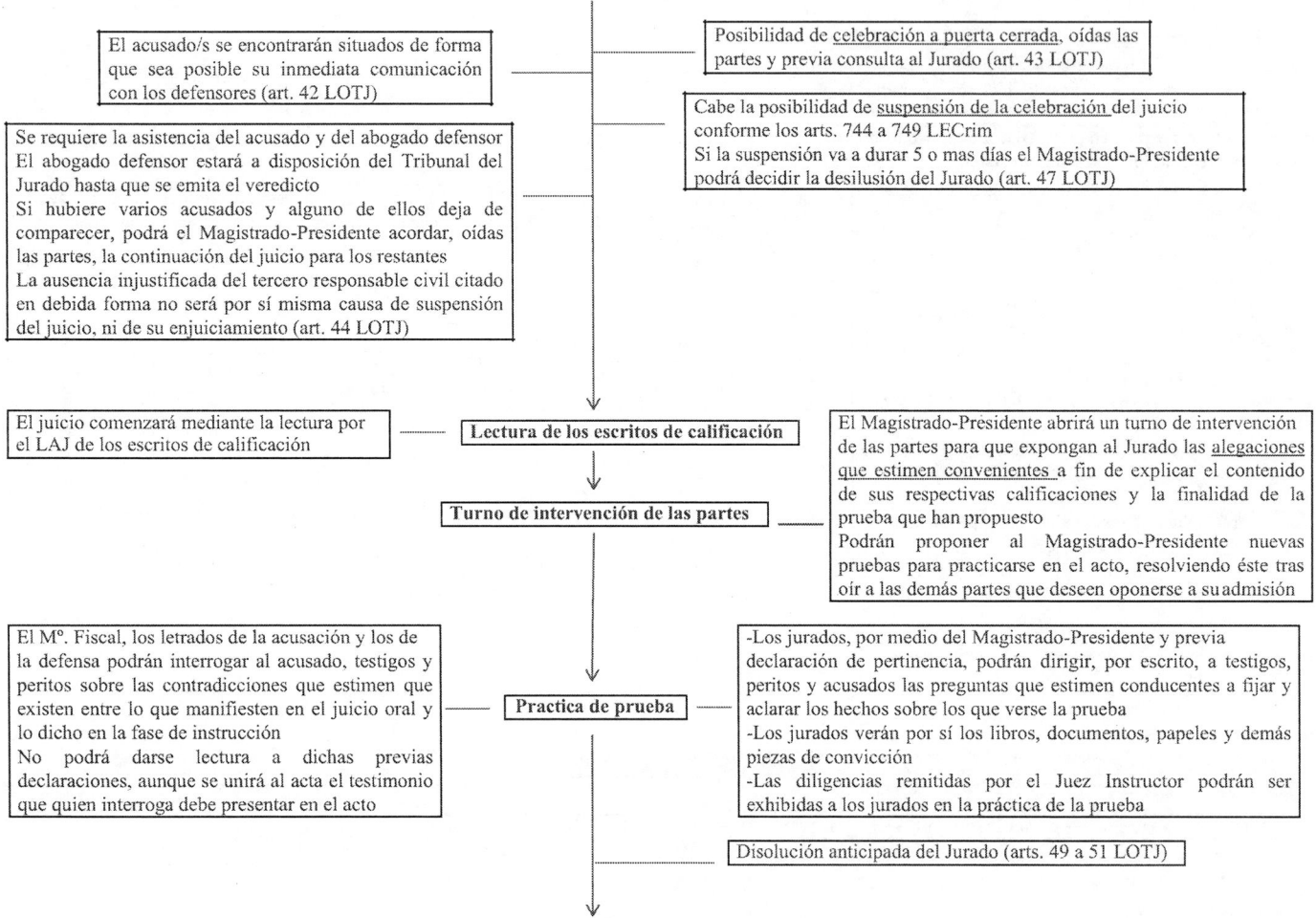

El acusado/s se encontrarán situados de forma que sea posible su inmediata comunicación con los defensores (art. 42 LOTJ)

Posibilidad de celebración a puerta cerrada, oídas las partes y previa consulta al Jurado (art. 43 LOTJ)

Cabe la posibilidad de suspensión de la celebración del juicio conforme los arts. 744 a 749 LECrim
Si la suspensión va a durar 5 o mas días el Magistrado-Presidente podrá decidir la desilusión del Jurado (art. 47 LOTJ)

Se requiere la asistencia del acusado y del abogado defensor
El abogado defensor estará a disposición del Tribunal del Jurado hasta que se emita el veredicto
Si hubiere varios acusados y alguno de ellos deja de comparecer, podrá el Magistrado-Presidente acordar, oídas las partes, la continuación del juicio para los restantes
La ausencia injustificada del tercero responsable civil citado en debida forma no será por sí misma causa de suspensión del juicio, ni de su enjuiciamiento (art. 44 LOTJ)

El juicio comenzará mediante la lectura por el LAJ de los escritos de calificación

Lectura de los escritos de calificación

El Magistrado-Presidente abrirá un turno de intervención de las partes para que expongan al Jurado las alegaciones que estimen convenientes a fin de explicar el contenido de sus respectivas calificaciones y la finalidad de la prueba que han propuesto
Podrán proponer al Magistrado-Presidente nuevas pruebas para practicarse en el acto, resolviendo éste tras oír a las demás partes que deseen oponerse a su admisión

Turno de intervención de las partes

El Mº. Fiscal, los letrados de la acusación y los de la defensa podrán interrogar al acusado, testigos y peritos sobre las contradicciones que estimen que existen entre lo que manifiesten en el juicio oral y lo dicho en la fase de instrucción
No podrá darse lectura a dichas previas declaraciones, aunque se unirá al acta el testimonio que quien interroga debe presentar en el acto

Practica de prueba

-Los jurados, por medio del Magistrado-Presidente y previa declaración de pertinencia, podrán dirigir, por escrito, a testigos, peritos y acusados las preguntas que estimen conducentes a fijar y aclarar los hechos sobre los que verse la prueba
-Los jurados verán por sí los libros, documentos, papeles y demás piezas de convicción
-Las diligencias remitidas por el Juez Instructor podrán ser exhibidas a los jurados en la práctica de la prueba

Disolución anticipada del Jurado (arts. 49 a 51 LOTJ)

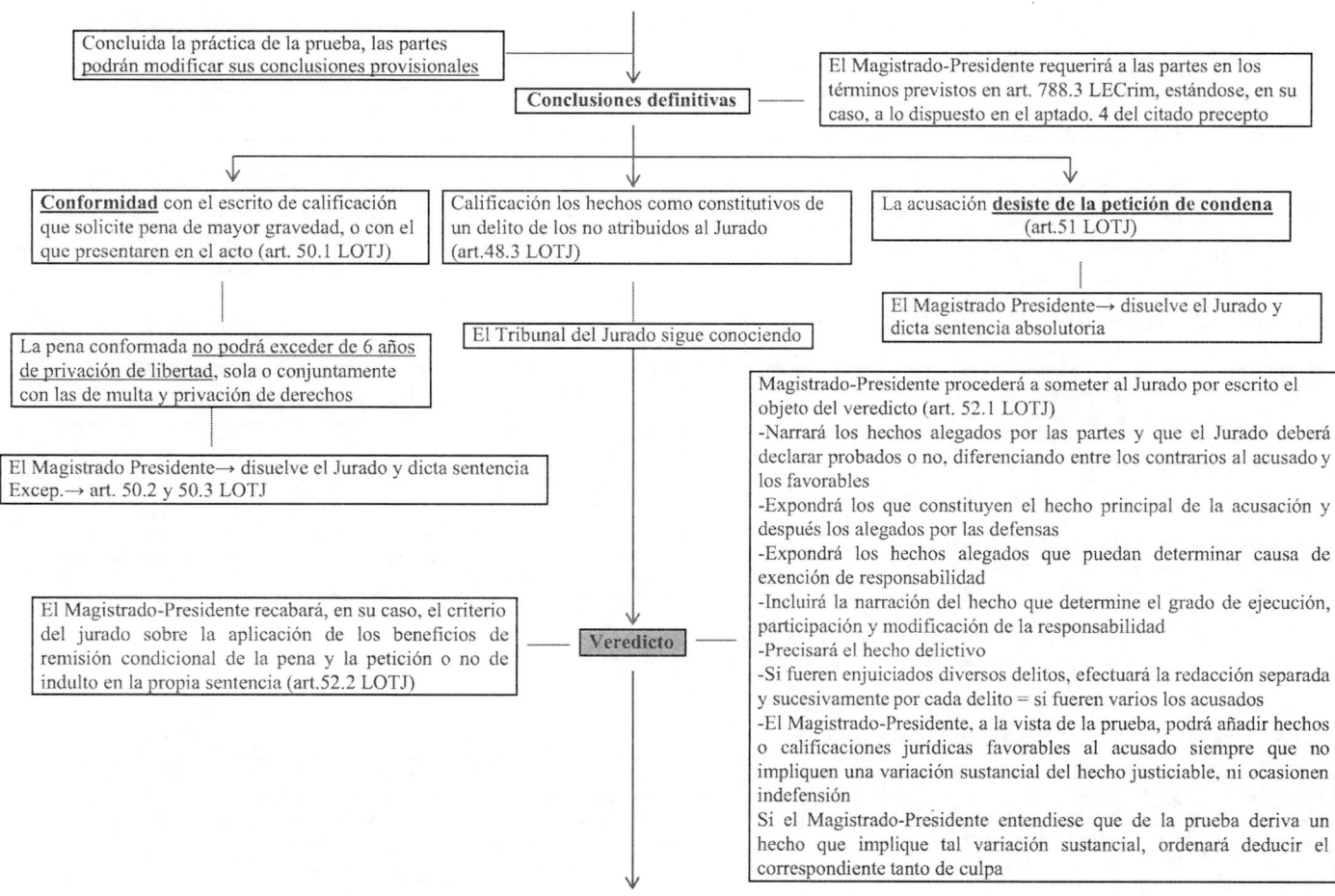

Concluida la práctica de la prueba, las partes <u>podrán modificar sus conclusiones provisionales</u>

Conclusiones definitivas

El Magistrado-Presidente requerirá a las partes en los términos previstos en art. 788.3 LECrim, estándose, en su caso, a lo dispuesto en el aptado. 4 del citado precepto

<u>**Conformidad**</u> con el escrito de calificación que solicite pena de mayor gravedad, o con el que presentaren en el acto (art. 50.1 LOTJ)

Calificación los hechos como constitutivos de un delito de los no atribuidos al Jurado (art.48.3 LOTJ)

La acusación <u>**desiste de la petición de condena**</u> (art.51 LOTJ)

El Magistrado Presidente→ disuelve el Jurado y dicta sentencia absolutoria

La pena conformada <u>no podrá exceder de 6 años de privación de libertad</u>, sola o conjuntamente con las de multa y privación de derechos

El Tribunal del Jurado sigue conociendo

El Magistrado Presidente→ disuelve el Jurado y dicta sentencia Excep.→ art. 50.2 y 50.3 LOTJ

El Magistrado-Presidente recabará, en su caso, el criterio del jurado sobre la aplicación de los beneficios de remisión condicional de la pena y la petición o no de indulto en la propia sentencia (art.52.2 LOTJ)

Veredicto

Magistrado-Presidente procederá a someter al Jurado por escrito el objeto del veredicto (art. 52.1 LOTJ)
-Narrará los hechos alegados por las partes y que el Jurado deberá declarar probados o no, diferenciando entre los contrarios al acusado y los favorables
-Expondrá los que constituyen el hecho principal de la acusación y después los alegados por las defensas
-Expondrá los hechos alegados que puedan determinar causa de exención de responsabilidad
-Incluirá la narración del hecho que determine el grado de ejecución, participación y modificación de la responsabilidad
-Precisará el hecho delictivo
-Si fueren enjuiciados diversos delitos, efectuará la redacción separada y sucesivamente por cada delito = si fueren varios los acusados
-El Magistrado-Presidente, a la vista de la prueba, podrá añadir hechos o calificaciones jurídicas favorables al acusado siempre que no impliquen una variación sustancial del hecho justiciable, ni ocasionen indefensión
Si el Magistrado-Presidente entendiese que de la prueba deriva un hecho que implique tal variación sustancial, ordenará deducir el correspondiente tanto de culpa

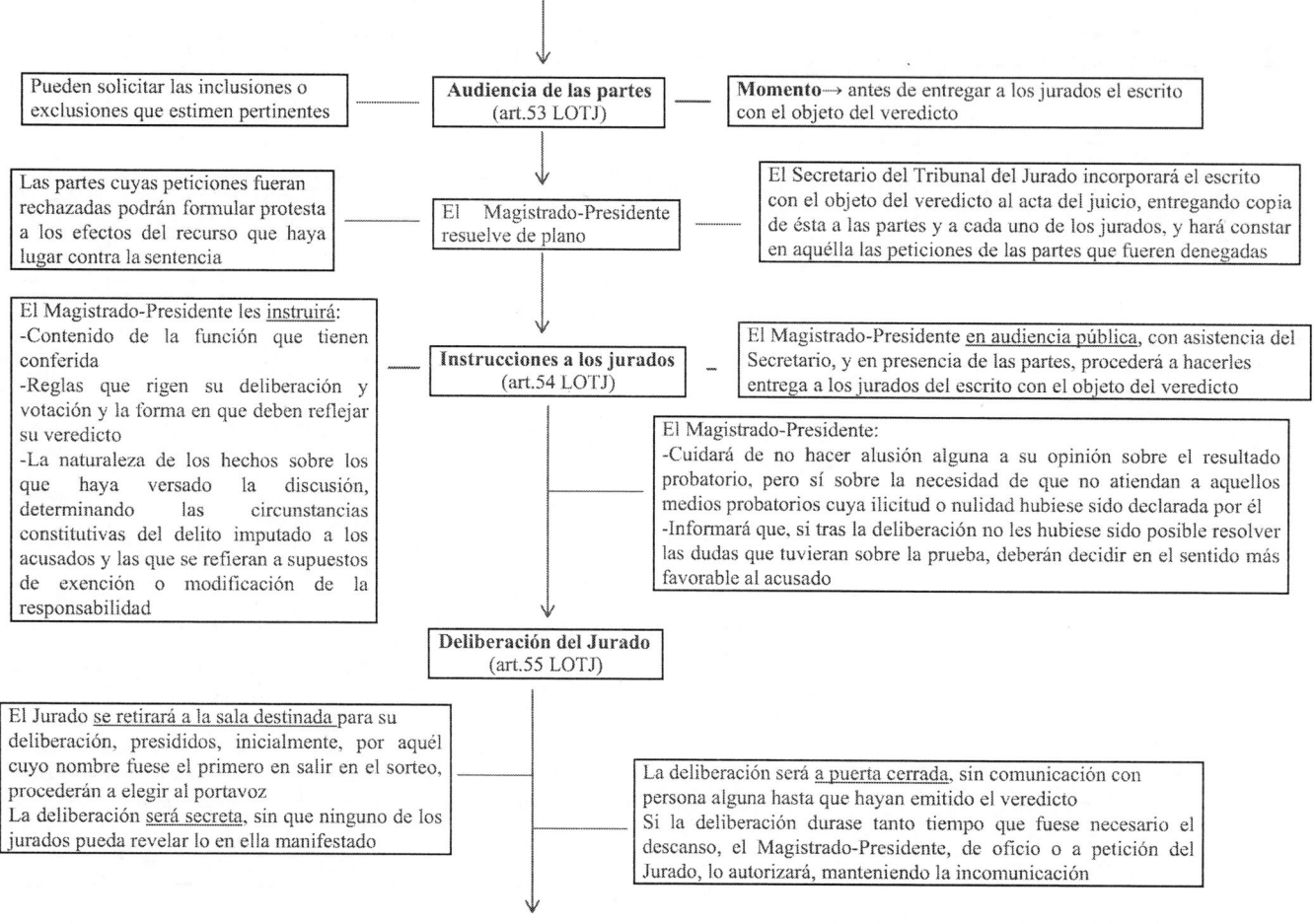

Pueden solicitar las inclusiones o exclusiones que estimen pertinentes

Audiencia de las partes
(art.53 LOTJ)

Momento→ antes de entregar a los jurados el escrito con el objeto del veredicto

Las partes cuyas peticiones fueran rechazadas podrán formular protesta a los efectos del recurso que haya lugar contra la sentencia

El   Magistrado-Presidente resuelve de plano

El Secretario del Tribunal del Jurado incorporará el escrito con el objeto del veredicto al acta del juicio, entregando copia de ésta a las partes y a cada uno de los jurados, y hará constar en aquélla las peticiones de las partes que fueren denegadas

El Magistrado-Presidente les instruirá:
-Contenido de la función que tienen conferida
-Reglas que rigen su deliberación y votación y la forma en que deben reflejar su veredicto
-La naturaleza de los hechos sobre los que haya versado la discusión, determinando las circunstancias constitutivas del delito imputado a los acusados y las que se refieran a supuestos de exención o modificación de la responsabilidad

Instrucciones a los jurados
(art.54 LOTJ)

El Magistrado-Presidente en audiencia pública, con asistencia del Secretario, y en presencia de las partes, procederá a hacerles entrega a los jurados del escrito con el objeto del veredicto

El Magistrado-Presidente:
-Cuidará de no hacer alusión alguna a su opinión sobre el resultado probatorio, pero sí sobre la necesidad de que no atiendan a aquellos medios probatorios cuya ilicitud o nulidad hubiese sido declarada por él
-Informará que, si tras la deliberación no les hubiese sido posible resolver las dudas que tuvieran sobre la prueba, deberán decidir en el sentido más favorable al acusado

Deliberación del Jurado
(art.55 LOTJ)

El Jurado se retirará a la sala destinada para su deliberación, presididos, inicialmente, por aquél cuyo nombre fuese el primero en salir en el sorteo, procederán a elegir al portavoz
La deliberación será secreta, sin que ninguno de los jurados pueda revelar lo en ella manifestado

La deliberación será a puerta cerrada, sin comunicación con persona alguna hasta que hayan emitido el veredicto
Si la deliberación durase tanto tiempo que fuese necesario el descanso, el Magistrado-Presidente, de oficio o a petición del Jurado, lo autorizará, manteniendo la incomunicación

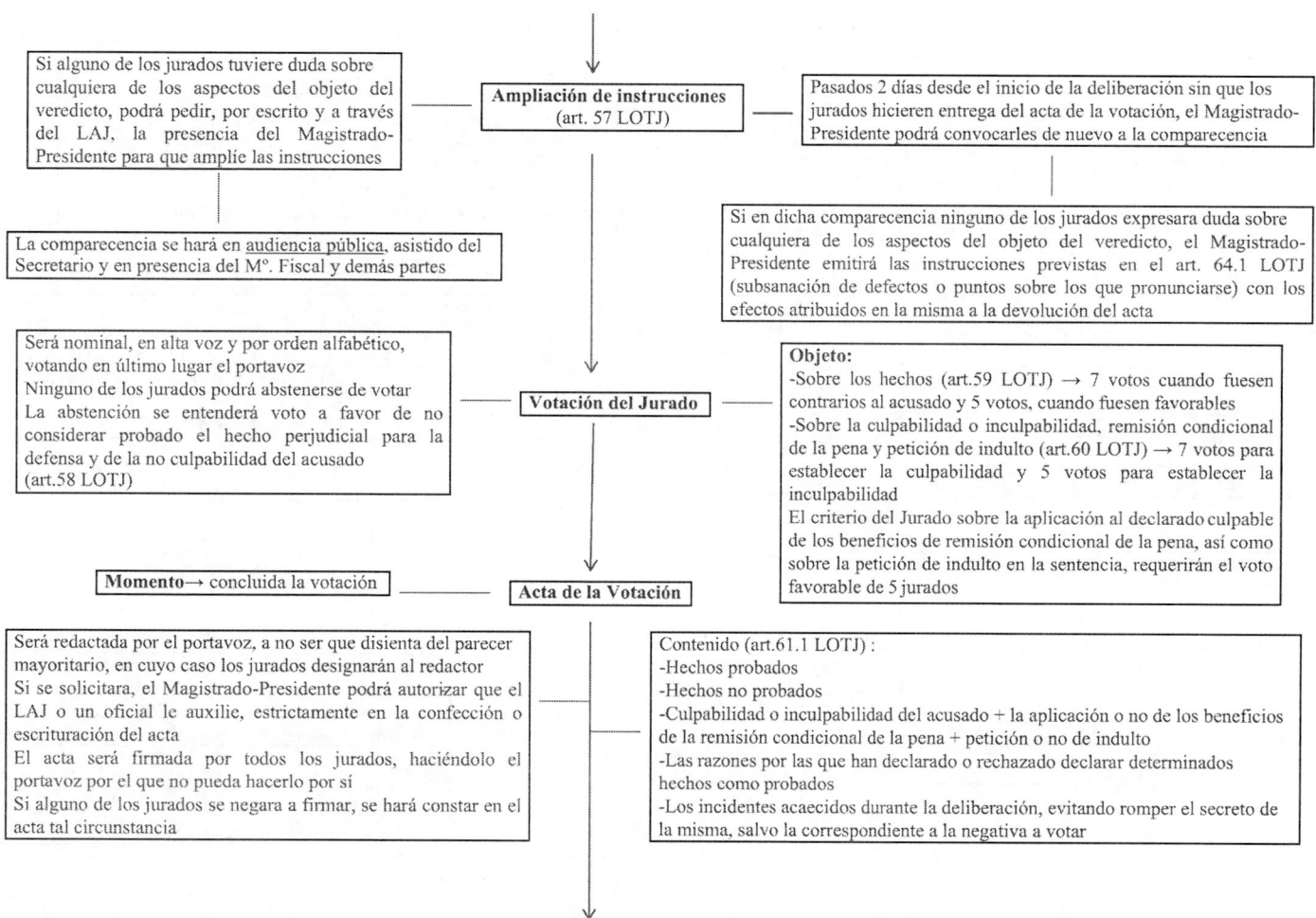

Si alguno de los jurados tuviere duda sobre cualquiera de los aspectos del objeto del veredicto, podrá pedir, por escrito y a través del LAJ, la presencia del Magistrado-Presidente para que amplíe las instrucciones

Ampliación de instrucciones
(art. 57 LOTJ)

Pasados 2 días desde el inicio de la deliberación sin que los jurados hicieren entrega del acta de la votación, el Magistrado-Presidente podrá convocarles de nuevo a la comparecencia

La comparecencia se hará en <u>audiencia pública</u>, asistido del Secretario y en presencia del Mº. Fiscal y demás partes

Si en dicha comparecencia ninguno de los jurados expresara duda sobre cualquiera de los aspectos del objeto del veredicto, el Magistrado-Presidente emitirá las instrucciones previstas en el art. 64.1 LOTJ (subsanación de defectos o puntos sobre los que pronunciarse) con los efectos atribuidos en la misma a la devolución del acta

Será nominal, en alta voz y por orden alfabético, votando en último lugar el portavoz
Ninguno de los jurados podrá abstenerse de votar
La abstención se entenderá voto a favor de no considerar probado el hecho perjudicial para la defensa y de la no culpabilidad del acusado
(art.58 LOTJ)

Votación del Jurado

Objeto:
-Sobre los hechos (art.59 LOTJ) → 7 votos cuando fuesen contrarios al acusado y 5 votos, cuando fuesen favorables
-Sobre la culpabilidad o inculpabilidad, remisión condicional de la pena y petición de indulto (art.60 LOTJ) → 7 votos para establecer la culpabilidad y 5 votos para establecer la inculpabilidad
El criterio del Jurado sobre la aplicación al declarado culpable de los beneficios de remisión condicional de la pena, así como sobre la petición de indulto en la sentencia, requerirán el voto favorable de 5 jurados

Momento → concluida la votación

Acta de la Votación

Será redactada por el portavoz, a no ser que disienta del parecer mayoritario, en cuyo caso los jurados designarán al redactor
Si se solicitara, el Magistrado-Presidente podrá autorizar que el LAJ o un oficial le auxilie, estrictamente en la confección o escrituración del acta
El acta será firmada por todos los jurados, haciéndolo el portavoz por el que no pueda hacerlo por sí
Si alguno de los jurados se negara a firmar, se hará constar en el acta tal circunstancia

Contenido (art.61.1 LOTJ) :
-Hechos probados
-Hechos no probados
-Culpabilidad o inculpabilidad del acusado + la aplicación o no de los beneficios de la remisión condicional de la pena + petición o no de indulto
-Las razones por las que han declarado o rechazado declarar determinados hechos como probados
-Los incidentes acaecidos durante la deliberación, evitando romper el secreto de la misma, salvo la correspondiente a la negativa a votar

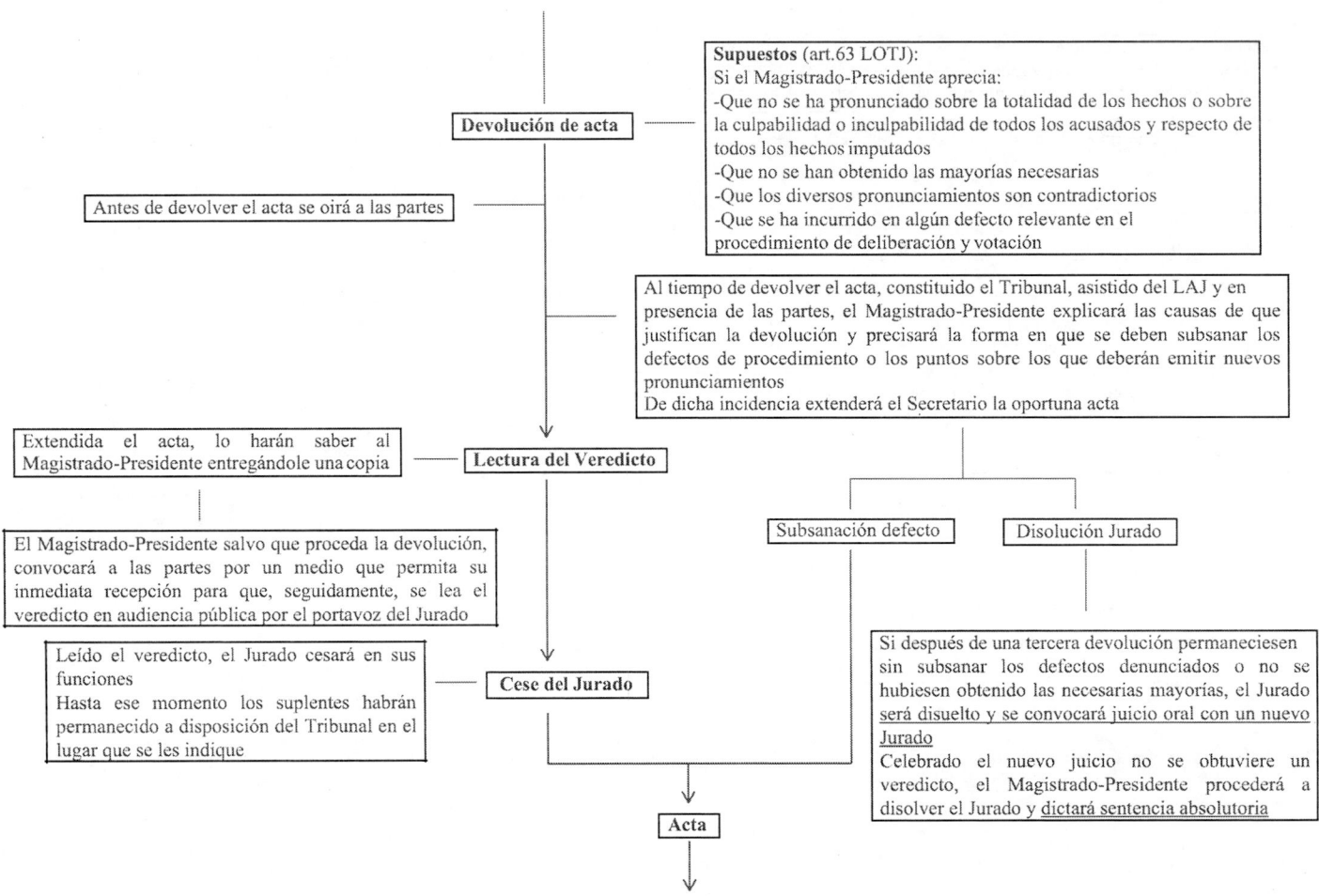

Devolución de acta

Antes de devolver el acta se oirá a las partes

Supuestos (art.63 LOTJ):
Si el Magistrado-Presidente aprecia:
-Que no se ha pronunciado sobre la totalidad de los hechos o sobre la culpabilidad o inculpabilidad de todos los acusados y respecto de todos los hechos imputados
-Que no se han obtenido las mayorías necesarias
-Que los diversos pronunciamientos son contradictorios
-Que se ha incurrido en algún defecto relevante en el procedimiento de deliberación y votación

Al tiempo de devolver el acta, constituido el Tribunal, asistido del LAJ y en presencia de las partes, el Magistrado-Presidente explicará las causas de que justifican la devolución y precisará la forma en que se deben subsanar los defectos de procedimiento o los puntos sobre los que deberán emitir nuevos pronunciamientos
De dicha incidencia extenderá el Secretario la oportuna acta

Extendida el acta, lo harán saber al Magistrado-Presidente entregándole una copia

Lectura del Veredicto

El Magistrado-Presidente salvo que proceda la devolución, convocará a las partes por un medio que permita su inmediata recepción para que, seguidamente, se lea el veredicto en audiencia pública por el portavoz del Jurado

Subsanación defecto

Disolución Jurado

Leído el veredicto, el Jurado cesará en sus funciones
Hasta ese momento los suplentes habrán permanecido a disposición del Tribunal en el lugar que se les indique

Cese del Jurado

Si después de una tercera devolución permaneciesen sin subsanar los defectos denunciados o no se hubiesen obtenido las necesarias mayorías, el Jurado será disuelto y se convocará juicio oral con un nuevo Jurado
Celebrado el nuevo juicio no se obtuviere un veredicto, el Magistrado-Presidente procederá a disolver el Jurado y dictará sentencia absolutoria

Acta

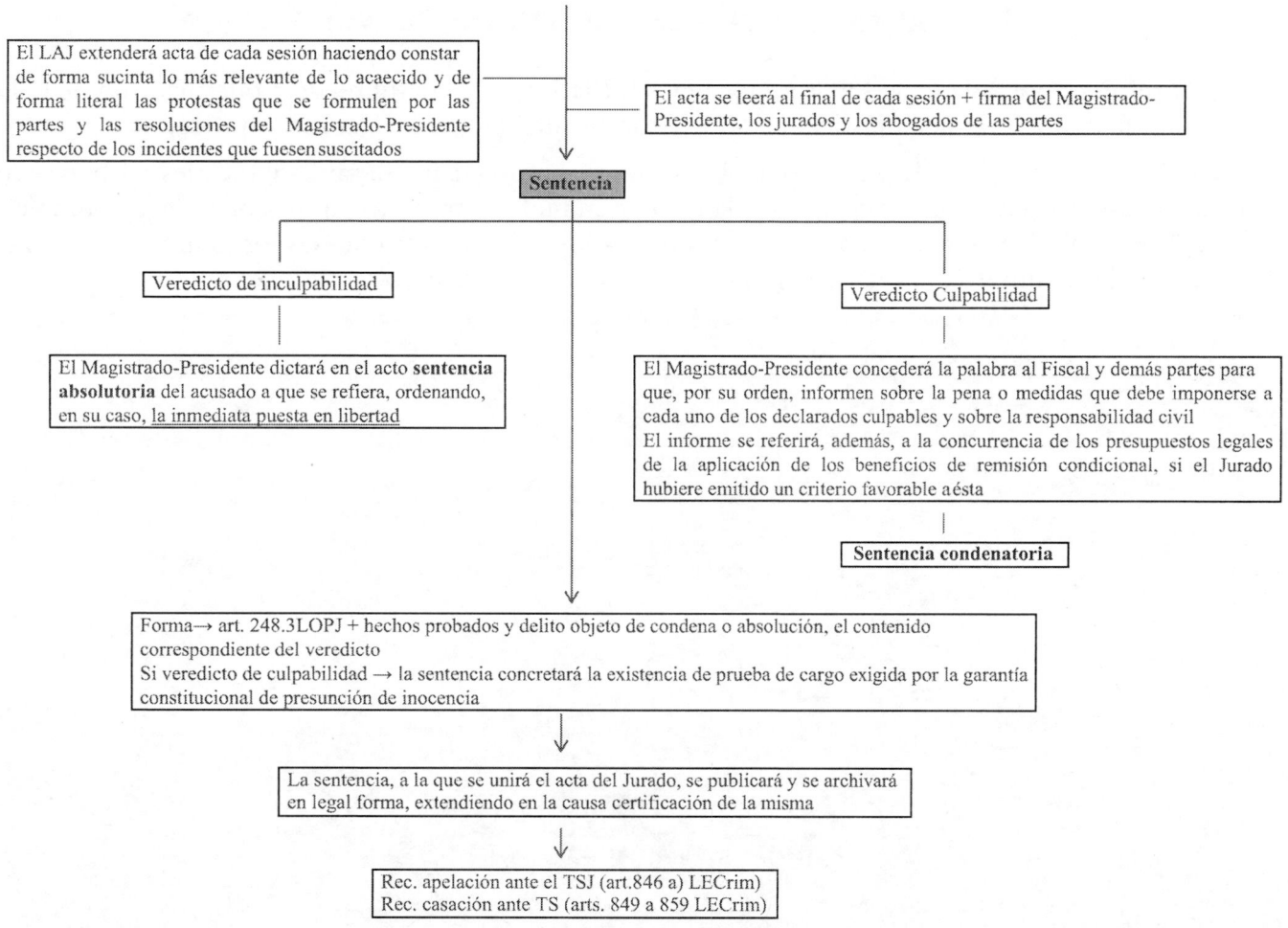

El LAJ extenderá acta de cada sesión haciendo constar de forma sucinta lo más relevante de lo acaecido y de forma literal las protestas que se formulen por las partes y las resoluciones del Magistrado-Presidente respecto de los incidentes que fuesen suscitados

El acta se leerá al final de cada sesión + firma del Magistrado-Presidente, los jurados y los abogados de las partes

Sentencia

Veredicto de inculpabilidad

El Magistrado-Presidente dictará en el acto **sentencia absolutoria** del acusado a que se refiera, ordenando, en su caso, la inmediata puesta en libertad

Veredicto Culpabilidad

El Magistrado-Presidente concederá la palabra al Fiscal y demás partes para que, por su orden, informen sobre la pena o medidas que debe imponerse a cada uno de los declarados culpables y sobre la responsabilidad civil
El informe se referirá, además, a la concurrencia de los presupuestos legales de la aplicación de los beneficios de remisión condicional, si el Jurado hubiere emitido un criterio favorable a ésta

Sentencia condenatoria

Forma→ art. 248.3 LOPJ + hechos probados y delito objeto de condena o absolución, el contenido correspondiente del veredicto
Si veredicto de culpabilidad → la sentencia concretará la existencia de prueba de cargo exigida por la garantía constitucional de presunción de inocencia

La sentencia, a la que se unirá el acta del Jurado, se publicará y se archivará en legal forma, extendiendo en la causa certificación de la misma

Rec. apelación ante el TSJ (art.846 a) LECrim)
Rec. casación ante TS (arts. 849 a 859 LECrim)

8.6. PROCESO POR ACEPTACIÓN DE DECRETO

Se introduce con la reforma operada en la LECrim por Ley 41/2015, de 5 de octubre, de modernización de la Ley de Enjuiciamiento Criminal para la agilización de la justicia penal y el fortalecimiento de las garantías procesales.

Según la exposición de motivos de la Ley tiene por objeto descongestionar los órganos judiciales y ofrecer una respuesta rápida ante delitos de escasa gravedad cuya sanción pueda quedar en multa o trabajos en beneficio de la comunidad, aplicable con independencia del procedimiento que les corresponda, tanto a los delitos leves como a los delitos menos graves, siempre que se encuentren dentro de su ámbito material de aplicación de este procedimiento.

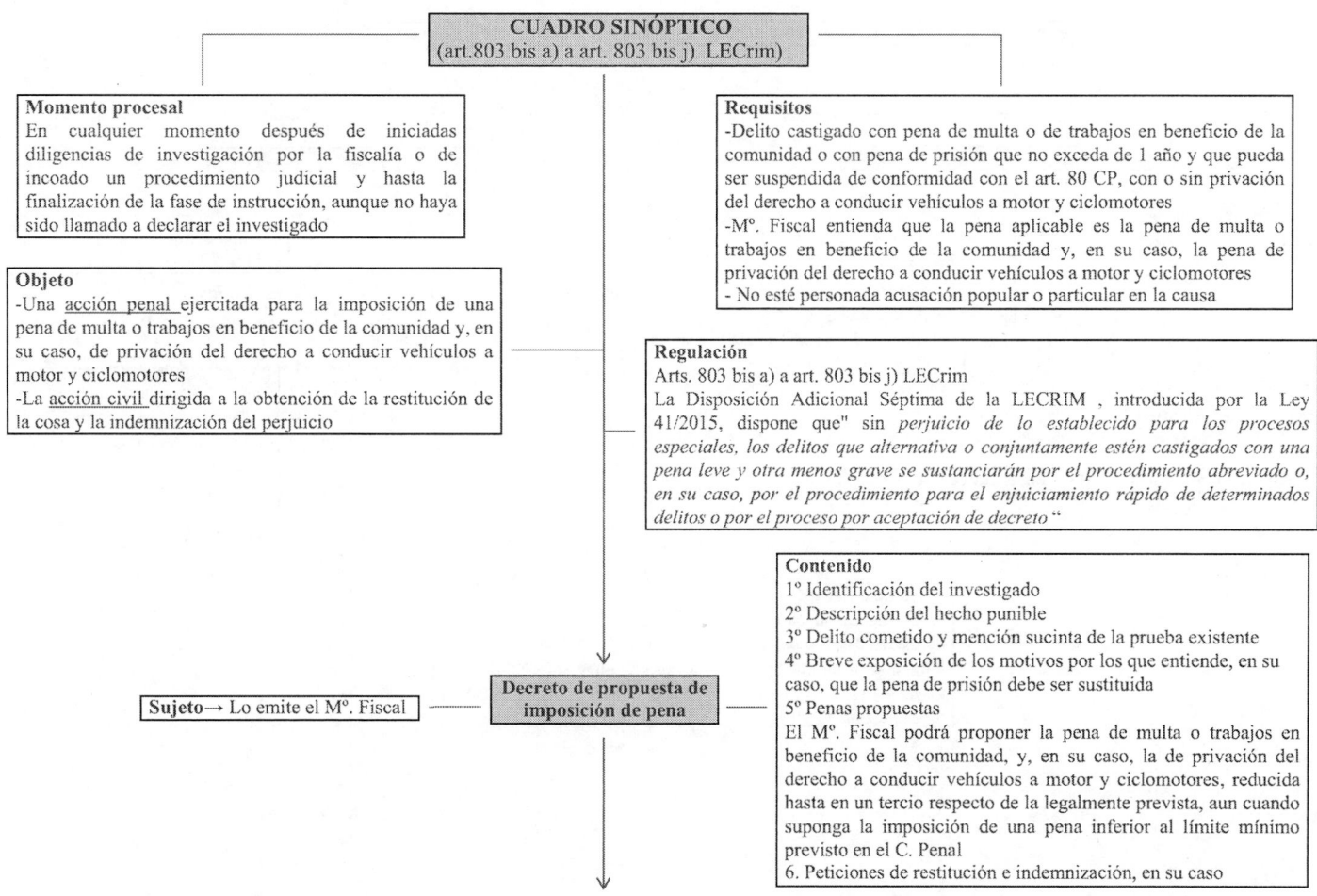

CUADRO SINÓPTICO
(art.803 bis a) a art. 803 bis j) LECrim)

Momento procesal
En cualquier momento después de iniciadas diligencias de investigación por la fiscalía o de incoado un procedimiento judicial y hasta la finalización de la fase de instrucción, aunque no haya sido llamado a declarar el investigado

Objeto
-Una acción penal ejercitada para la imposición de una pena de multa o trabajos en beneficio de la comunidad y, en su caso, de privación del derecho a conducir vehículos a motor y ciclomotores
-La acción civil dirigida a la obtención de la restitución de la cosa y la indemnización del perjuicio

Requisitos
-Delito castigado con pena de multa o de trabajos en beneficio de la comunidad o con pena de prisión que no exceda de 1 año y que pueda ser suspendida de conformidad con el art. 80 CP, con o sin privación del derecho a conducir vehículos a motor y ciclomotores
-Mº. Fiscal entienda que la pena aplicable es la pena de multa o trabajos en beneficio de la comunidad y, en su caso, la pena de privación del derecho a conducir vehículos a motor y ciclomotores
- No esté personada acusación popular o particular en la causa

Regulación
Arts. 803 bis a) a art. 803 bis j) LECrim
La Disposición Adicional Séptima de la LECRIM , introducida por la Ley 41/2015, dispone que" sin *perjuicio de lo establecido para los procesos especiales, los delitos que alternativa o conjuntamente estén castigados con una pena leve y otra menos grave se sustanciarán por el procedimiento abreviado o, en su caso, por el procedimiento para el enjuiciamiento rápido de determinados delitos o por el proceso por aceptación de decreto "*

Sujeto→ Lo emite el Mº. Fiscal

Decreto de propuesta de imposición de pena

Contenido
1º Identificación del investigado
2º Descripción del hecho punible
3º Delito cometido y mención sucinta de la prueba existente
4º Breve exposición de los motivos por los que entiende, en su caso, que la pena de prisión debe ser sustituida
5º Penas propuestas
El Mº. Fiscal podrá proponer la pena de multa o trabajos en beneficio de la comunidad, y, en su caso, la de privación del derecho a conducir vehículos a motor y ciclomotores, reducida hasta en un tercio respecto de la legalmente prevista, aun cuando suponga la imposición de una pena inferior al límite mínimo previsto en el C. Penal
6. Peticiones de restitución e indemnización, en su caso

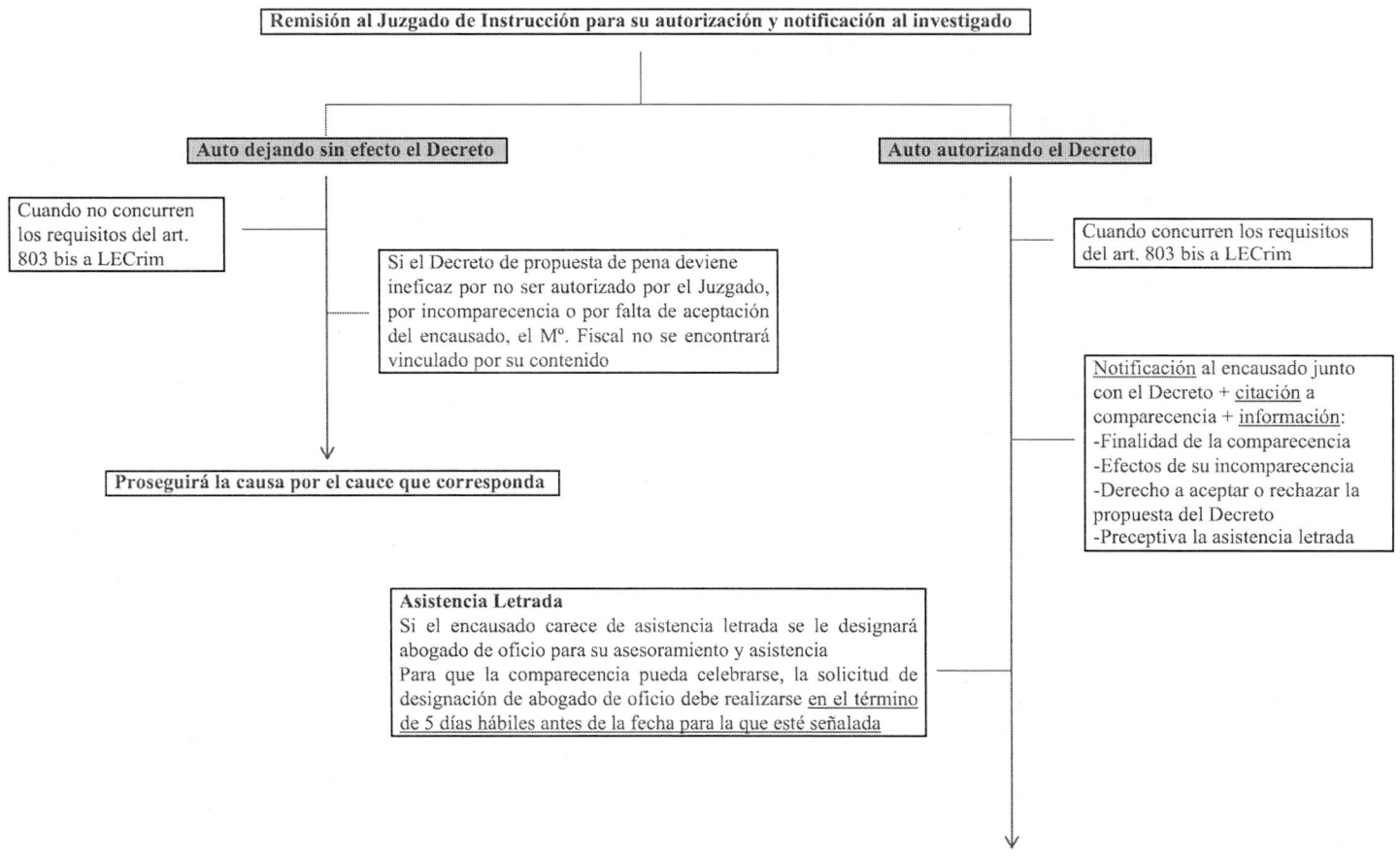

Remisión al Juzgado de Instrucción para su autorización y notificación al investigado

Auto dejando sin efecto el Decreto

Cuando no concurren los requisitos del art. 803 bis a LECrim

Si el Decreto de propuesta de pena deviene ineficaz por no ser autorizado por el Juzgado, por incomparecencia o por falta de aceptación del encausado, el Mº. Fiscal no se encontrará vinculado por su contenido

Proseguirá la causa por el cauce que corresponda

Auto autorizando el Decreto

Cuando concurren los requisitos del art. 803 bis a LECrim

Notificación al encausado junto con el Decreto + citación a comparecencia + información:
-Finalidad de la comparecencia
-Efectos de su incomparecencia
-Derecho a aceptar o rechazar la propuesta del Decreto
-Preceptiva la asistencia letrada

Asistencia Letrada
Si el encausado carece de asistencia letrada se le designará abogado de oficio para su asesoramiento y asistencia
Para que la comparecencia pueda celebrarse, la solicitud de designación de abogado de oficio debe realizarse en el término de 5 días hábiles antes de la fecha para la que esté señalada

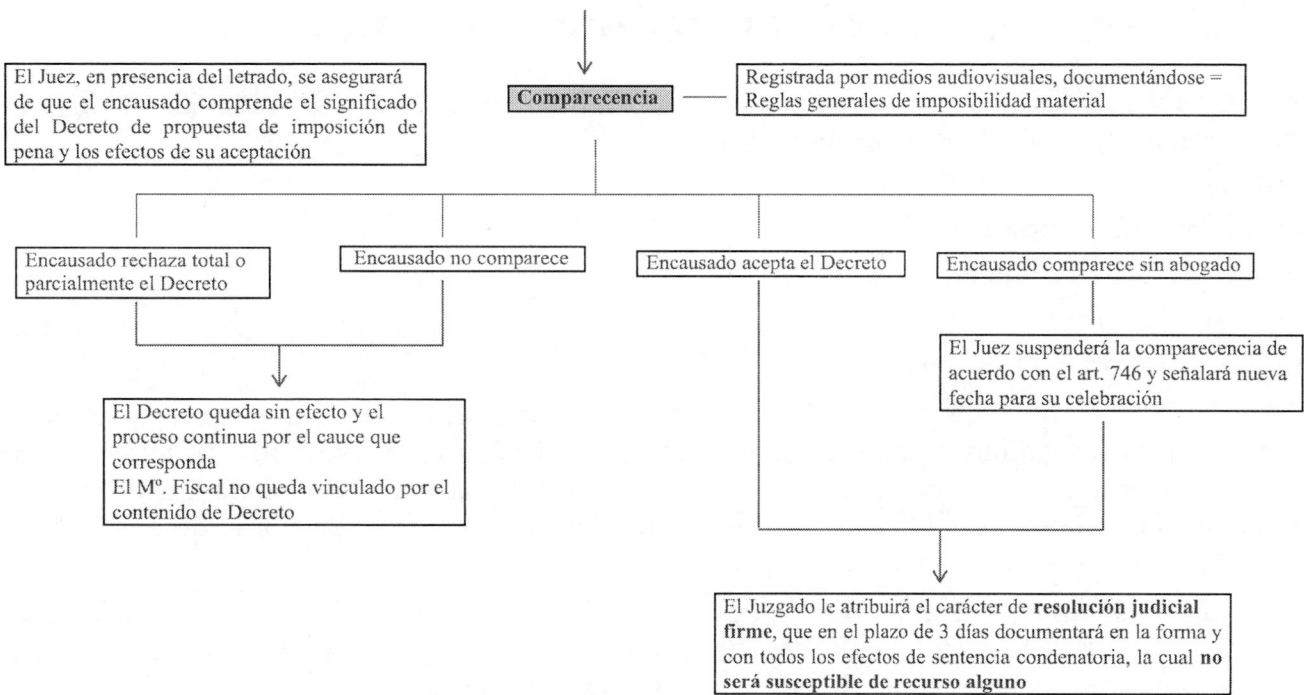

El Juez, en presencia del letrado, se asegurará de que el encausado comprende el significado del Decreto de propuesta de imposición de pena y los efectos de su aceptación

Comparecencia

Registrada por medios audiovisuales, documentándose = Reglas generales de imposibilidad material

Encausado rechaza total o parcialmente el Decreto

Encausado no comparece

Encausado acepta el Decreto

Encausado comparece sin abogado

El Juez suspenderá la comparecencia de acuerdo con el art. 746 y señalará nueva fecha para su celebración

El Decreto queda sin efecto y el proceso continua por el cauce que corresponda
El Mº. Fiscal no queda vinculado por el contenido de Decreto

El Juzgado le atribuirá el carácter de **resolución judicial firme**, que en el plazo de 3 días documentará en la forma y con todos los efectos de sentencia condenatoria, la cual **no será susceptible de recurso alguno**

8.7. PROCESO DE DECOMISO AUTÓNOMO

La LO 1/2015, de reforma del Código Penal, con entrada en vigor el 1 de julio de 2015, modificó la figura del decomiso, incluyendo nuevos tipos, pasando a ser los siguientes:

- – Directo (art. 127 CP).
- – Por sustitución (art. 127 Septies).
- – Ampliado (art. 127 bis y 127 quinquies y sexies).
- – Sin sentencia (art. 127 ter).
- – De bienes de terceros (art. 127 quater).

La Ley 41/2015, de 5 de octubre, de modificación de la Ley de Enjuiciamiento Criminal para la agilización de la justicia penal y el fortalecimiento de las garantías procesales introdujo en el Libro IV un nuevo Título III ter con la rúbrica: *"De la intervención de terceros afectados por el decomiso y del procedimiento de decomiso autónomo"*, dedicando el Capítulo I a regular la intervención en el proceso penal de los terceros que puedan resultar afectados por el decomiso y el Capítulo II al procedimiento de decomiso autónomo propiamente dicho.

Con este procedimiento, según la propia Exposición de Motivos de la Ley 41/2015, lo que se pretende la agilización de los trámites que hayan de llevar a la incautación y privación de los bienes y efectos relacionados con el delito, así como, preservar las garantías de las personas demandadas como titulares aparentes de esos mismos bienes.

Establece el art. 127 ter CP que el Juez o Tribunal podrá acordar el decomiso aunque no medie sentencia de condena, cuando la situación patrimonial ilícita quede acreditada en un proceso contradictorio y se trate de alguno de los siguientes supuestos:

a) Que el sujeto haya fallecido o sufra una enfermedad crónica que impida su enjuiciamiento y exista el riesgo de que puedan prescribir los hechos.

b) se encuentre en rebeldía y ello impida que los hechos puedan ser enjuiciados dentro de un plazo razonable, o.

c) no se le imponga pena por estar exento de responsabilidad criminal o por haberse ésta extinguido.

CUADRO SINÓPTICO
(Art.803 ter e al 803 ter u LECrim)

Objeto (art.803 ter e 1. LECrim)
La acción por la que solicita el decomiso de bienes, efectos o ganancias, o un valor equivalente a los mismos, relacionados o provenientes de un hecho delictivo, cuando no hubiera sido ejercitada con anterioridad salvo lo dispuesto en el art. 803 ter p

Presupuestos (art.803 ter e 2. LECrim)
-Que el Mº. Fiscal haya hecho reserva expresa, en el escrito de acusación, de la acción para solicitar el decomiso de bienes para este procedimiento → el procedimiento de decomiso autónomo no podrá ser iniciado hasta tanto no se resuelva en sentencia firme el proceso de fondo sobre las responsabilidades penales del encausado
-Que se trate de bienes, efectos o ganancias que procedan de un hecho punible cuyo autor haya fallecido o no pueda ser enjuiciado por hallarse en rebeldía o por incapacidad para comparecer en juicio
Si la causa seguida contra el encausado rebelde o persona con la capacidad modificada judicialmente continuara para el enjuiciamiento de uno o más encausados, podrá acumularse en la misma causa la acción de decomiso autónomo contra los primeros

Legitimación
Activa→ será ejercitada exclusivamente por el Mº. Fiscal
(art. 803 ter h LECrim)
Pasiva→ Todos los sujetos contra los que se dirija la acción de decomiso ejercitada por el Fiscal, a quienes les serán exigibles, para comparecer y actuar válidamente, los mismos presupuestos de representación y defensa exigidos para el encausado
(art. 803 ter i-j LECrim)

Requisitos (art.127 ter CP)
Podrá dirigirse contra:
-Quien haya sido formalmente acusado
-El imputado con relación al que existan indicios racionales de criminalidad
Cuando se hubiera impedido la continuación del procedimiento penal

Competencia (art.803 ter f LECrim)
-Cuando se llegue al procedimiento por reserva expresa del Mº. Fiscal realizada al calificar el hecho delictivo→ Juez o Tribunal que hubiera dictado la sentencia firme que ponga fin al proceso penal
-Cuando se inste el procedimiento porque el encausado haya fallecido o no pueda ser enjuiciado por razón de rebelde o incapacidad sobrevenida→ Juez o Tribunal que estuviera conociendo de la causa penal al tiempo del fallecimiento, de la declaración de rebeldía o incapacidad procesal
-Cuando el proceso penal no hubiere llegado a ser incoado→ Juez o Tribunal que resulte ser el competente para el enjuiciamiento de los hechos y de sus responsables penales

Procedimiento (art.803 ter k g LECrim)
Serán aplicables al procedimiento las normas que regulan el juicio verbal regulado en el Título III del Libro II de la LEC en lo que no sean contradictorias con las establecidas en la LECrim

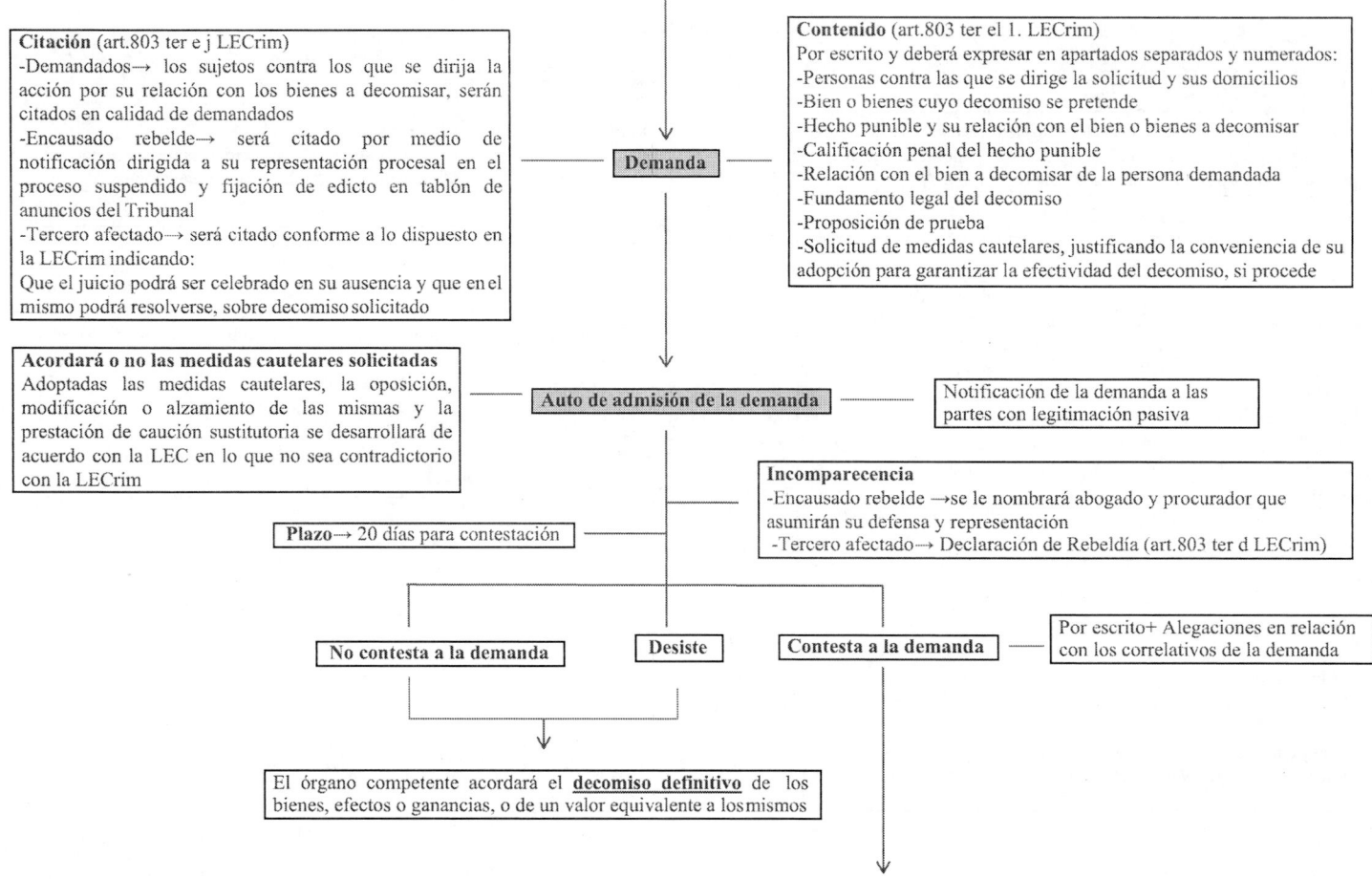

Citación (art.803 ter e j LECrim)
-Demandados→ los sujetos contra los que se dirija la acción por su relación con los bienes a decomisar, serán citados en calidad de demandados
-Encausado rebelde→ será citado por medio de notificación dirigida a su representación procesal en el proceso suspendido y fijación de edicto en tablón de anuncios del Tribunal
-Tercero afectado→ será citado conforme a lo dispuesto en la LECrim indicando:
Que el juicio podrá ser celebrado en su ausencia y que en el mismo podrá resolverse, sobre decomiso solicitado

Demanda

Contenido (art.803 ter el 1. LECrim)
Por escrito y deberá expresar en apartados separados y numerados:
-Personas contra las que se dirige la solicitud y sus domicilios
-Bien o bienes cuyo decomiso se pretende
-Hecho punible y su relación con el bien o bienes a decomisar
-Calificación penal del hecho punible
-Relación con el bien a decomisar de la persona demandada
-Fundamento legal del decomiso
-Proposición de prueba
-Solicitud de medidas cautelares, justificando la conveniencia de su adopción para garantizar la efectividad del decomiso, si procede

Acordará o no las medidas cautelares solicitadas
Adoptadas las medidas cautelares, la oposición, modificación o alzamiento de las mismas y la prestación de caución sustitutoria se desarrollará de acuerdo con la LEC en lo que no sea contradictorio con la LECrim

Auto de admisión de la demanda

Notificación de la demanda a las partes con legitimación pasiva

Incomparecencia
-Encausado rebelde →se le nombrará abogado y procurador que asumirán su defensa y representación
 -Tercero afectado→ Declaración de Rebeldía (art.803 ter d LECrim)

Plazo→ 20 días para contestación

No contesta a la demanda   **Desiste**   **Contesta a la demanda**

Por escrito+ Alegaciones en relación con los correlativos de la demanda

El órgano competente acordará el **decomiso definitivo** de los bienes, efectos o ganancias, o de un valor equivalente a los mismos

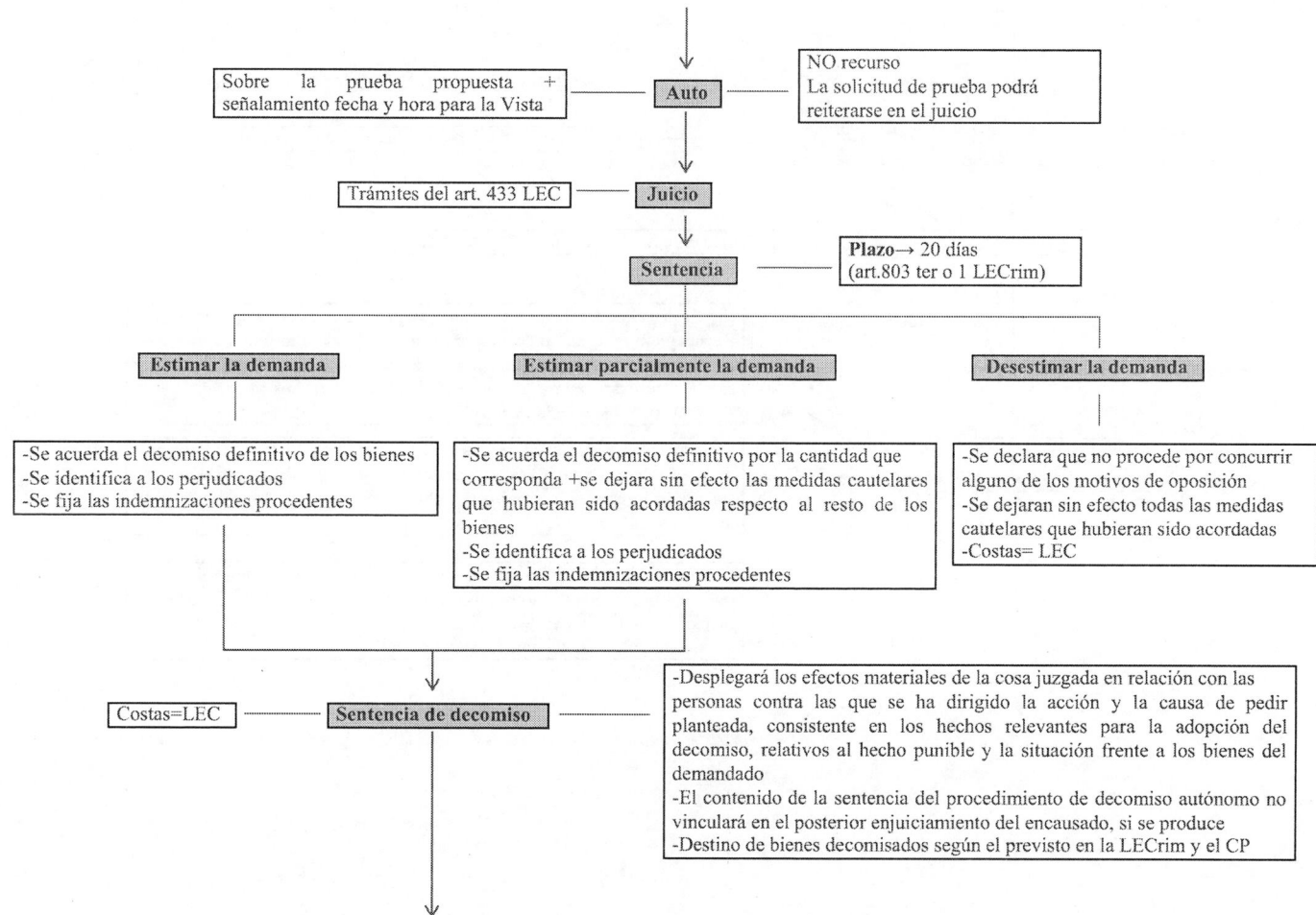

Sobre la prueba propuesta + señalamiento fecha y hora para la Vista → **Auto**

Auto ---- NO recurso
La solicitud de prueba podrá reiterarse en el juicio

Trámites del art. 433 LEC → **Juicio**

Sentencia ---- **Plazo**→ 20 días
(art.803 ter o 1 LECrim)

Estimar la demanda

Estimar parcialmente la demanda

Desestimar la demanda

-Se acuerda el decomiso definitivo de los bienes
-Se identifica a los perjudicados
-Se fija las indemnizaciones procedentes

-Se acuerda el decomiso definitivo por la cantidad que corresponda +se dejara sin efecto las medidas cautelares que hubieran sido acordadas respecto al resto de los bienes
-Se identifica a los perjudicados
-Se fija las indemnizaciones procedentes

-Se declara que no procede por concurrir alguno de los motivos de oposición
-Se dejaran sin efecto todas las medidas cautelares que hubieran sido acordadas
-Costas= LEC

Costas=LEC ---- **Sentencia de decomiso**

-Desplegará los efectos materiales de la cosa juzgada en relación con las personas contra las que se ha dirigido la acción y la causa de pedir planteada, consistente en los hechos relevantes para la adopción del decomiso, relativos al hecho punible y la situación frente a los bienes del demandado
-El contenido de la sentencia del procedimiento de decomiso autónomo no vinculará en el posterior enjuiciamiento del encausado, si se produce
-Destino de bienes decomisados según el previsto en la LECrim y el CP

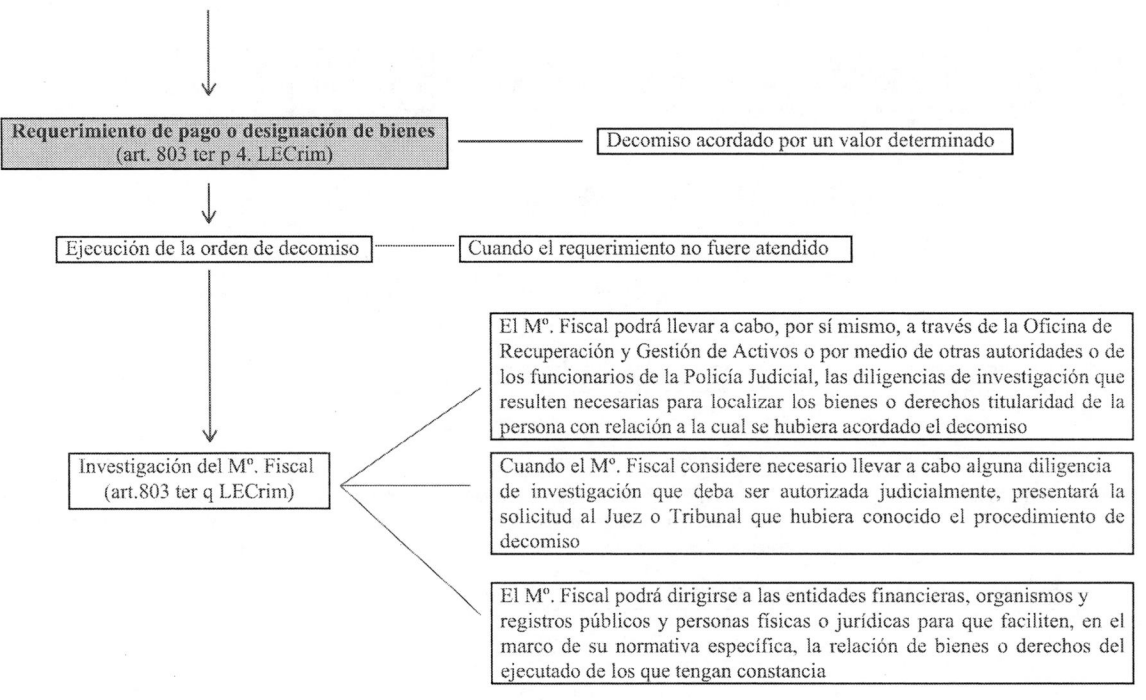

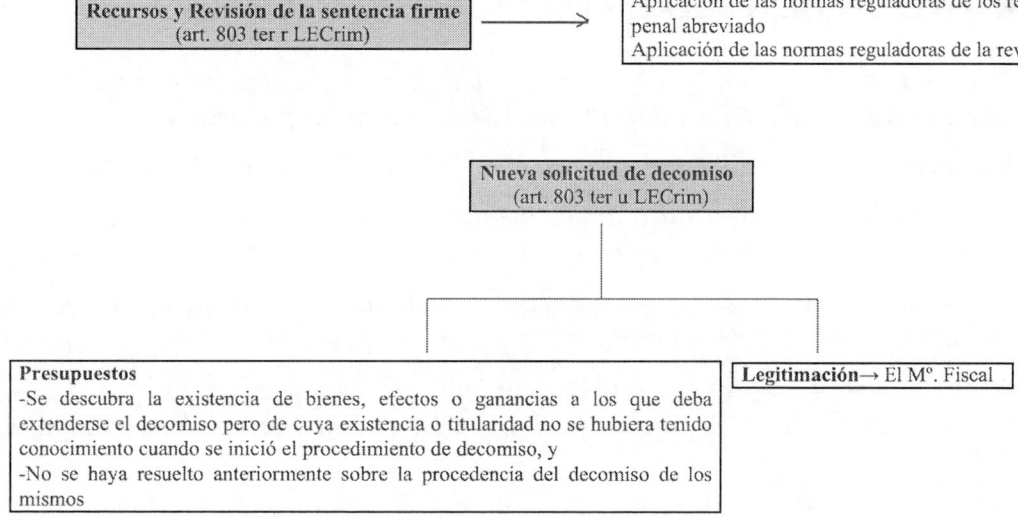

Recursos y Revisión de la sentencia firme
(art. 803 ter r LECrim)

⟶

Aplicación de las normas reguladoras de los recursos aplicables al proceso penal abreviado
Aplicación de las normas reguladoras de la revisión de sentencias firmes

Nueva solicitud de decomiso
(art. 803 ter u LECrim)

Presupuestos
-Se descubra la existencia de bienes, efectos o ganancias a los que deba extenderse el decomiso pero de cuya existencia o titularidad no se hubiera tenido conocimiento cuando se inició el procedimiento de decomiso, y
-No se haya resuelto anteriormente sobre la procedencia del decomiso de los mismos

Legitimación⟶ El Mº. Fiscal

8.8. INTERVENCIÓN DE TERCERO AFECTADO POR DECOMISO

El art. 122 del CP establece que *"el que por título lucrativo hubiere participado de los efectos de un delito o de una falta, está obligado a la restitución de la cosa o al resarcimiento del daño hasta la cuantía de su participación"*.

En nuestro CP el decomiso de bienes de terceros se encuentra previsto en el art. 127 quáter CP, que dispone:

"Los Jueces y Tribunales podrán acordar también el decomiso de los bienes, efectos y ganancias a que se refieren los artículos anteriores que hayan sido transferidos a terceras personas, o de un valor equivalente a los mismos, en los siguientes casos:

En el caso de los efectos y ganancias, cuando los hubieran adquirido con conocimiento de que proceden de una actividad ilícita o cuando una persona diligente 18 habría tenido motivos para sospechar, en las circunstancias del caso, de su origen ilícito.

En el caso de otros bienes, cuando los hubieran adquirido con conocimiento de que de este modo se dificultaba su decomiso o cuando una persona diligente habría tenido motivos para sospechar, en las circunstancias del caso, que de ese modo se dificultaba sudecomiso.

Se presumirá, salvo prueba en contrario, que el tercero ha conocido o ha tenido motivos para sospechar que se trataba de bienes procedentes de una actividad ilícita o que eran transferidos para evitar su decomiso, cuando los bienes o efectos le hubieran sido transferidos a título gratuito o por un precio inferior al real de mercado."

Con este procedimiento se pretende posibilitar el acceso al proceso penal y la intervención directa en el mismo de aquellas personas que se puedan ver afectadas por una decisión de decomiso.

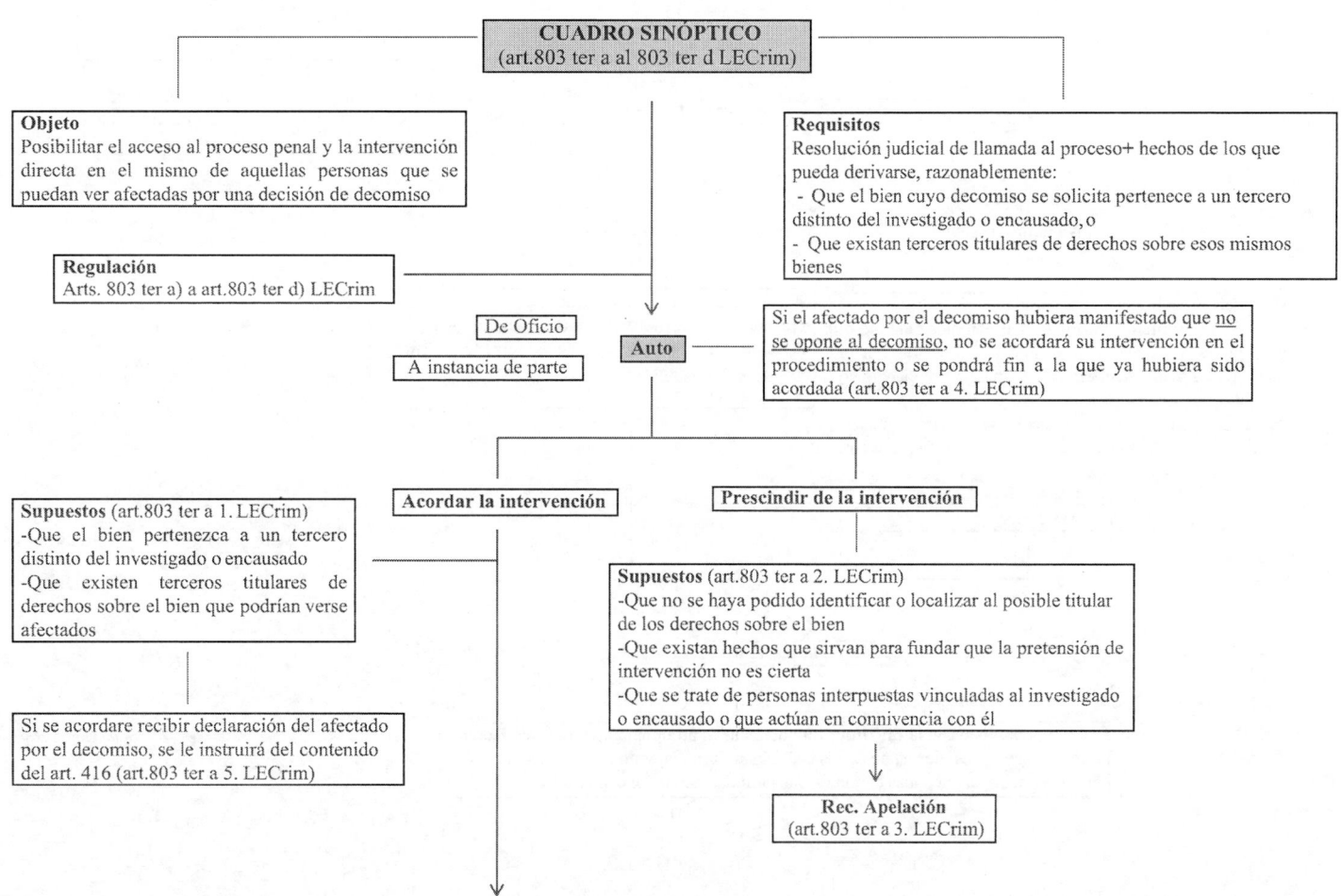

CUADRO SINÓPTICO
(art.803 ter a al 803 ter d LECrim)

Objeto
Posibilitar el acceso al proceso penal y la intervención directa en el mismo de aquellas personas que se puedan ver afectadas por una decisión de decomiso

Requisitos
Resolución judicial de llamada al proceso+ hechos de los que pueda derivarse, razonablemente:
- Que el bien cuyo decomiso se solicita pertenece a un tercero distinto del investigado o encausado, o
- Que existan terceros titulares de derechos sobre esos mismos bienes

Regulación
Arts. 803 ter a) a art.803 ter d) LECrim

De Oficio

A instancia de parte

Auto

Si el afectado por el decomiso hubiera manifestado que <u>no se opone al decomiso</u>, no se acordará su intervención en el procedimiento o se pondrá fin a la que ya hubiera sido acordada (art.803 ter a 4. LECrim)

Supuestos (art.803 ter a 1. LECrim)
-Que el bien pertenezca a un tercero distinto del investigado o encausado
-Que existen terceros titulares de derechos sobre el bien que podrían verse afectados

Acordar la intervención

Prescindir de la intervención

Supuestos (art.803 ter a 2. LECrim)
-Que no se haya podido identificar o localizar al posible titular de los derechos sobre el bien
-Que existan hechos que sirvan para fundar que la pretensión de intervención no es cierta
-Que se trate de personas interpuestas vinculadas al investigado o encausado o que actúan en connivencia con él

Si se acordare recibir declaración del afectado por el decomiso, se le instruirá del contenido del art. 416 (art.803 ter a 5. LECrim)

Rec. Apelación
(art.803 ter a 3. LECrim)

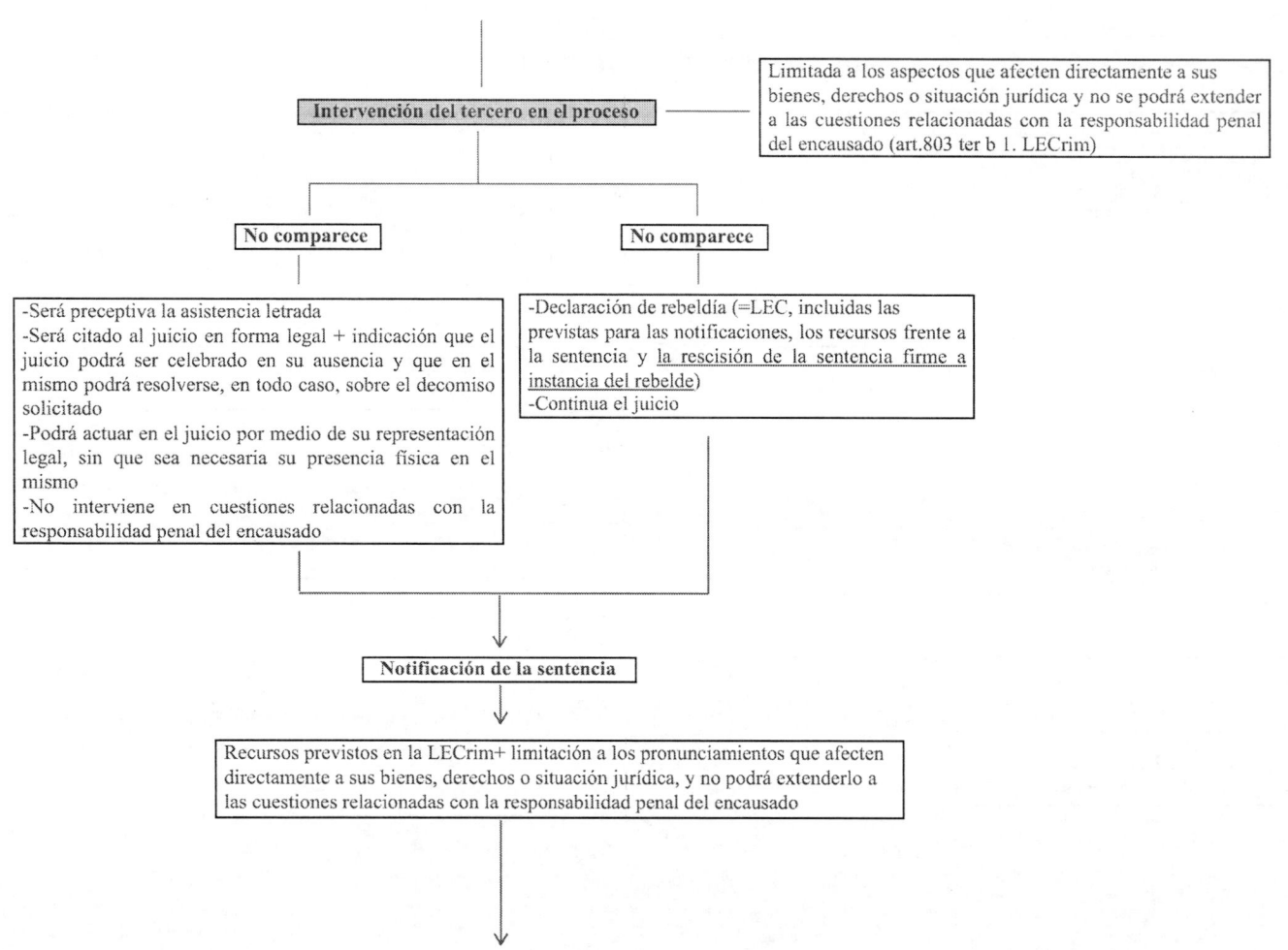

Intervención del tercero en el proceso

Limitada a los aspectos que afecten directamente a sus bienes, derechos o situación jurídica y no se podrá extender a las cuestiones relacionadas con la responsabilidad penal del encausado (art.803 ter b 1. LECrim)

No comparece

No comparece

-Será preceptiva la asistencia letrada
-Será citado al juicio en forma legal + indicación que el juicio podrá ser celebrado en su ausencia y que en el mismo podrá resolverse, en todo caso, sobre el decomiso solicitado
-Podrá actuar en el juicio por medio de su representación legal, sin que sea necesaria su presencia física en el mismo
-No interviene en cuestiones relacionadas con la responsabilidad penal del encausado

-Declaración de rebeldía (=LEC, incluidas las previstas para las notificaciones, los recursos frente a la sentencia y la rescisión de la sentencia firme a instancia del rebelde)
-Continúa el juicio

Notificación de la sentencia

Recursos previstos en la LECrim+ limitación a los pronunciamientos que afecten directamente a sus bienes, derechos o situación jurídica, y no podrá extenderlo a las cuestiones relacionadas con la responsabilidad penal del encausado

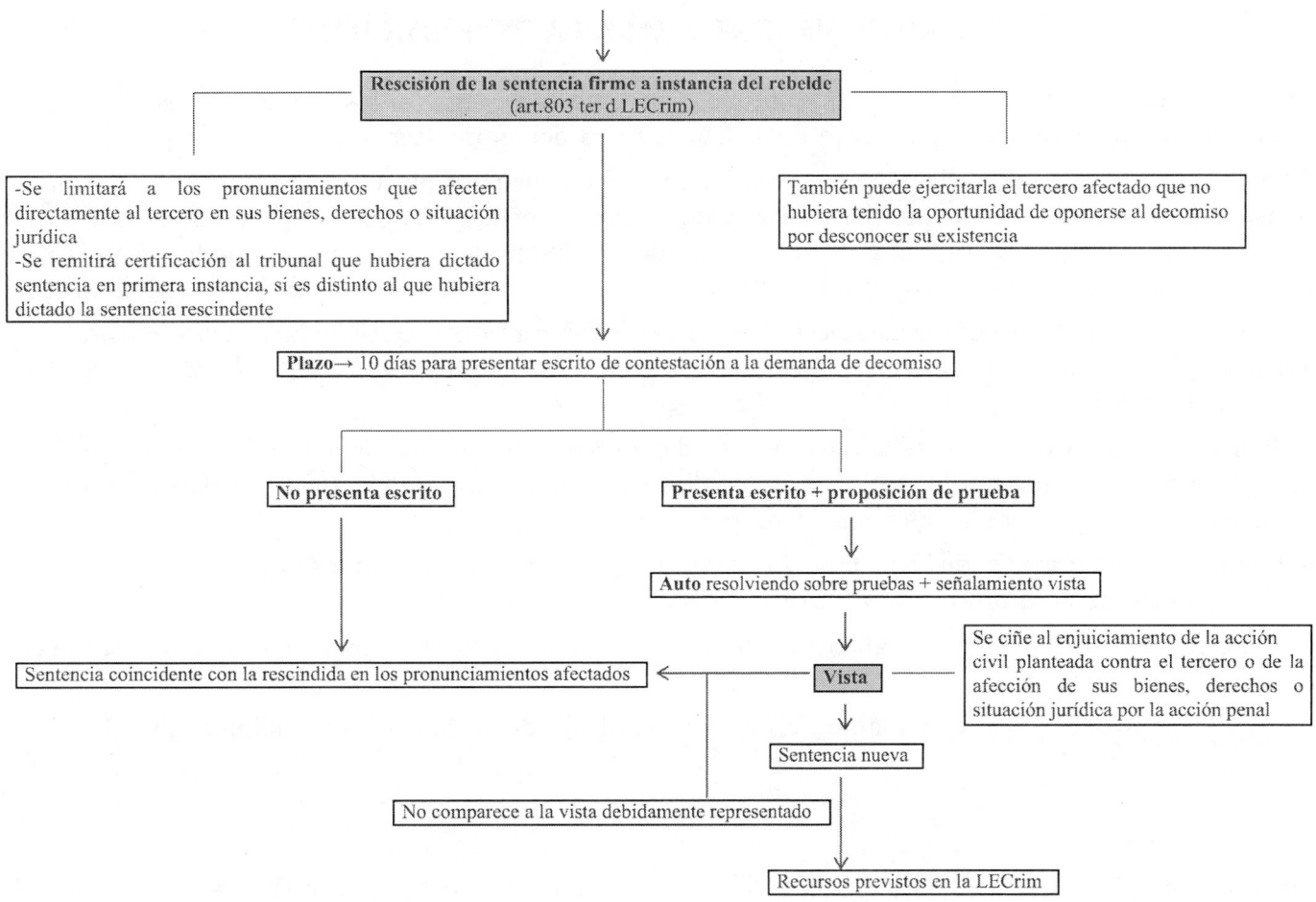

Rescisión de la sentencia firme a instancia del rebelde
(art.803 ter d LECrim)

-Se limitará a los pronunciamientos que afecten directamente al tercero en sus bienes, derechos o situación jurídica
-Se remitirá certificación al tribunal que hubiera dictado sentencia en primera instancia, si es distinto al que hubiera dictado la sentencia rescindente

También puede ejercitarla el tercero afectado que no hubiera tenido la oportunidad de oponerse al decomiso por desconocer su existencia

Plazo→ 10 días para presentar escrito de contestación a la demanda de decomiso

No presenta escrito

Presenta escrito + proposición de prueba

Auto resolviendo sobre pruebas + señalamiento vista

Sentencia coincidente con la rescindida en los pronunciamientos afectados

Vista

Se ciñe al enjuiciamiento de la acción civil planteada contra el tercero o de la afección de sus bienes, derechos o situación jurídica por la acción penal

Sentencia nueva

No comparece a la vista debidamente representado

Recursos previstos en la LECrim

8.9. PROCEDIMIENTO PARA LA EXTRADICIÓN

La cooperación jurisdiccional consiste en el auxilio que deben prestarse entre sí los órganos jurisdiccionales de distintos territorios para la ejecución de los actos que hayan de realizarse fuera del ámbito territorial que le es propio.

Podemos definir la extradición como el conjunto de actuaciones que tienen por objeto la entrega de una persona a la que se le atribuye la comisión de un hecho delictivo, por parte de las autoridades del Estado en el que se encuentra a las autoridades de otro Estado al objeto de ser juzgada por los órganos jurisdiccionales de este último (extradición para enjuiciamiento) o, si ya lo fue y resultó condenada para que cumpla la pena o medida de seguridad que se le impuso (extradición para cumplimiento de condena).

El art. 13.3 de la Constitución española establece que *"la extradición sólo se concederá en cumplimiento de un tratado o de la ley, atendiendo al principio de reciprocidad. Quedan excluidos de la extradición los delitos políticos, no considerándose como tales los actos de terrorismo".*

En el ámbito de la Unión Europea, las solicitudes de extradición han sido sustituidas por la Orden Europea de Detención y Entrega (OEDE), la cuál, fue creada por la Decisión Marco de 13 de junio de 2002 del Consejo de la Unión Europea, denominada procedimientos de entrega entre los Estados miembros.

En la actualidad, la Orden Europea de Detención y Entrega se encuentra regulada en los art. 34 a 59 de Ley 23/2014, de 20 de noviembre, de reconocimiento mutuo de resoluciones penales en la Unión Europea.

Los arts. 824 y siguientes de la LECrim, regulan el procedimiento de extradición activa (cuando es el Estado español el que solicita la extradición a otro Estado).

La extradición pasiva se encuentra regulada por la Ley 4/1985, de 21 de marzo de Extradición Pasiva (LEP).

CLASES

ACTIVA → es aquella por la que el Estado español reclama a otro Estado la entrega de una persona para su enjuiciamiento en España, o para que cumpla la condena impuesta en nuestro país.

PASIVA → es aquella por la que un Estado extranjero solicita la entrega de una persona al Estado español.

Como se indica en la sentencia STS, Contencioso, Sección 5ª, del 17 de septiembre de 2018, rec. 311/2017 (ROJ: STS 3121/2018), una constante jurisprudencia del Tribunal Supremo (sentencia de 16 de marzo de 2015, 22 de noviembre de 2002, 20 de enero de 2003 y 7 de noviembre de 2006) ha abordado la naturaleza del procedimiento de extradición, considerando que se trata de "... *un procedimiento mixto, de naturaleza administrativa y judicial, en el que se pueden distinguir tres fases: dos gubernativas, la primera y la última, estando en medio la decisiva fase judicial. Estas tres fases están perfectamente delimitadas por la Ley, siendo por otro lado totalmente independientes aunque se subsigan unas y otras*".

La primera de las fases está regulada en los arts. 7 a 11 de la Ley 4/85, de 21 de Marzo, de Extradición Pasiva, y tiene la finalidad de iniciar el procedimiento de extradición, ante las solicitudes deducidas por el país extranjero que corresponda y de decidir si ha lugar o no, a continuar el procedimiento en vía judicial sobre la base de los arts. 2 a 5 de dicho texto legal y los Tratados de extradición en su caso suscritos por España con el país requirente.

La segunda, es la fase judicial, prevista en los arts. 12 a 18 de la Ley 4/85, en esta fase, como recuerda también esta Sala en las sentencias arriba reseñadas, "no se decide acerca de la hipotética culpabilidad o inocencia del sujeto reclamado, ni se realiza un pronunciamiento condenatorio, sino simplemente se verifica el cumplimiento de los requisitos y garantías previstos en las normas para acordar la entrega del sujeto afectado".

La tercera fase, está contemplada en el art. 18 en relación al art. 6 de la Ley de Extradición Pasiva, se concreta a la actuación del Gobierno decidiendo la entrega física de la persona reclamada o a la denegación de la extradición, una vez que se le ha comunicado el auto del Tribunal declarando procedente la extradición. Esta denegación, sin embargo, se limita a los supuestos específicamente previstos en el párrafo segundo del citado art. 6 de la Ley 4/85, esto es: "Atendiendo al principio de reciprocidad, o a razones de seguridad, orden público o demás intereses esenciales para España".

EN TRÁNSITO → cuando para ejecutarse la extradición, y ser entregada al Estado requirente, la persona reclamada debe atravesar un tercer Estado, que debe autorizar la extradición.

Se somete a los mismos requisitos y condiciones que si se tratara de una petición de extradición.

REEXTRADICIÓN → consiste en la entrega del extraditado por el Estado requirente que la obtuvo a un tercer Estado que lo reclama Exige la autorización del Estado de refugio que fue en primer lugar requerido.

PRINCIPIOS

- De doble incriminación → Es necesario que los hechos por los que se solicita la extradición sean constitutivos de delito tanto en la legislación del Estado requirente como en la legislación del Estado requerido.

- De especialidad → El Estado requirente solo puede juzgar o condenar por los delitos concretos que dieron lugar a la extradición, y no por otros distintos, salvo que el Estado que accedió a la extradición autorizara la ampliación de sus efectos a otros delitos (art. 21 LEP).

- De exclusión de los delitos políticos y militares → No se considerarán tales los actos de terrorismo, los crímenes contra la humanidad previstos por el Convenio para la Prevención y Penalización del Crimen del Genocidio por la Asamblea General de las Naciones Unidas, ni el atentado contra la vida de un Jefe de Estado o de un miembro de su familia (art. 4 LEP).

- De exclusión del nacional → No se concede la extradición de los españoles, ni de los extranjeros por delitos que corresponda conocer a los Tribunales españoles, según el ordenamiento nacional (art. 3 LEP).

- De legalidad → Solo puede concederse la extradición en los supuestos previstos en la Ley y los Tratados.

- De prohibición de violación del principio *non bis in idem* → No se concede la extradición si el delito ha sido objeto o es ya objeto de enjuiciamiento en el Estado requerido, en los casos en que este último sea competente para juzgarlo con arreglo a sus leyes (art. 4 LEP).

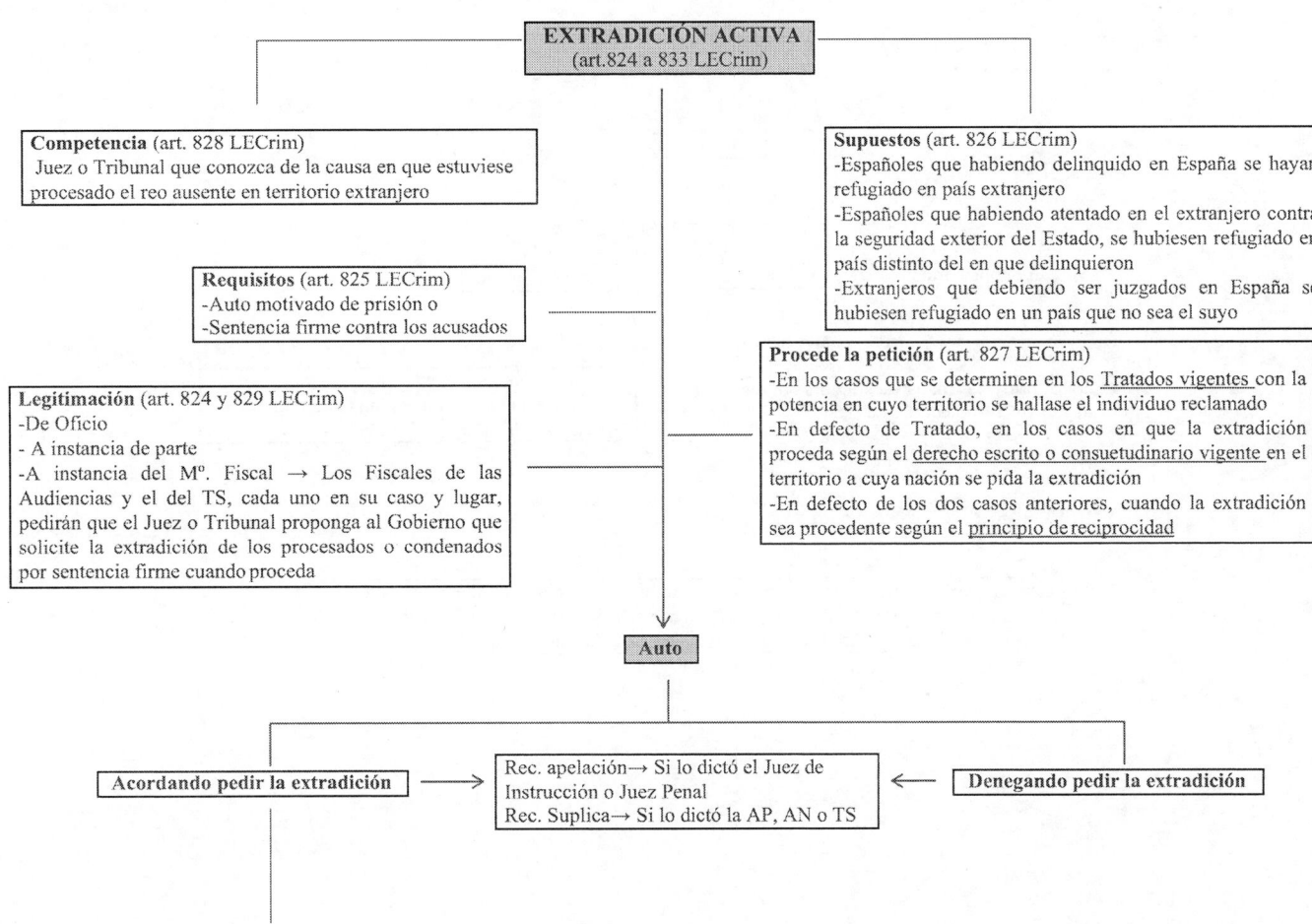

EXTRADICIÓN ACTIVA
(art.824 a 833 LECrim)

Competencia (art. 828 LECrim)
Juez o Tribunal que conozca de la causa en que estuviese procesado el reo ausente en territorio extranjero

Supuestos (art. 826 LECrim)
-Españoles que habiendo delinquido en España se hayan refugiado en país extranjero
-Españoles que habiendo atentado en el extranjero contra la seguridad exterior del Estado, se hubiesen refugiado en país distinto del en que delinquieron
-Extranjeros que debiendo ser juzgados en España se hubiesen refugiado en un país que no sea el suyo

Requisitos (art. 825 LECrim)
-Auto motivado de prisión o
-Sentencia firme contra los acusados

Procede la petición (art. 827 LECrim)
-En los casos que se determinen en los Tratados vigentes con la potencia en cuyo territorio se hallase el individuo reclamado
-En defecto de Tratado, en los casos en que la extradición proceda según el derecho escrito o consuetudinario vigente en el territorio a cuya nación se pida la extradición
-En defecto de los dos casos anteriores, cuando la extradición sea procedente según el principio de reciprocidad

Legitimación (art. 824 y 829 LECrim)
-De Oficio
- A instancia de parte
-A instancia del Mº. Fiscal → Los Fiscales de las Audiencias y el del TS, cada uno en su caso y lugar, pedirán que el Juez o Tribunal proponga al Gobierno que solicite la extradición de los procesados o condenados por sentencia firme cuando proceda

Auto

Acordando pedir la extradición

Rec. apelación→ Si lo dictó el Juez de Instrucción o Juez Penal
Rec. Suplica→ Si lo dictó la AP, AN o TS

Denegando pedir la extradición

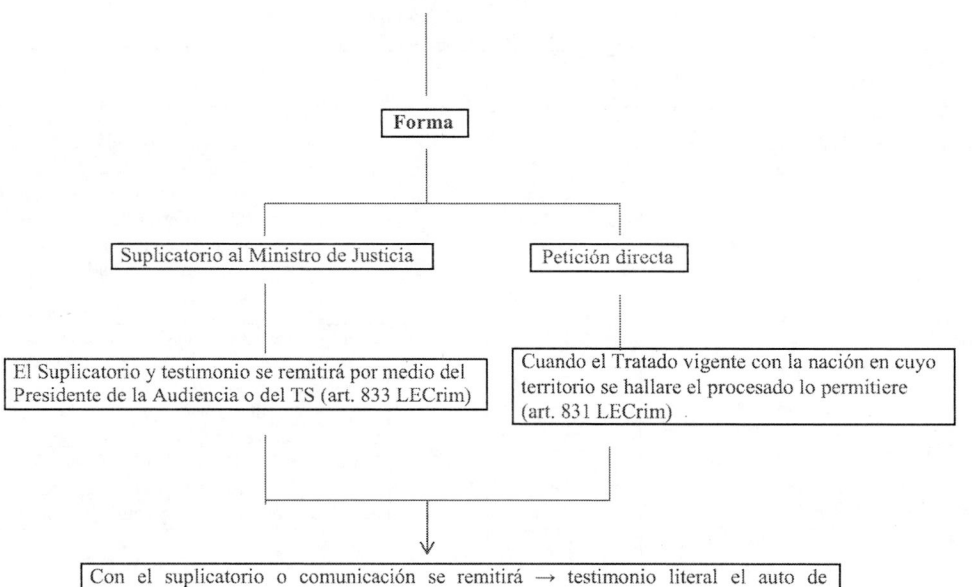

Forma

Suplicatorio al Ministro de Justicia

Petición directa

El Suplicatorio y testimonio se remitirá por medio del Presidente de la Audiencia o del TS (art. 833 LECrim)

Cuando el Tratado vigente con la nación en cuyo territorio se hallare el procesado lo permitiere (art. 831 LECrim)

Con el suplicatorio o comunicación se remitirá → testimonio literal el auto de extradición + pretensión o dictamen fiscal en que se haya pedido + todas las diligencias de la causa necesarias para justificar la procedencia de la extradición (art. 832 LECrim)

EXTRADICIÓN PASIVA

Regulación (art. 1 LEP)
Tratados en los que España sea parte
Ley 4/85 de Extradición Pasiva

Presupuesto (art. 1 LEP) → Sólo se concederá atendiendo al principio de reciprocidad
El Gobierno podrá exigir una garantía de reciprocidad al Estado requirente

Competencia
Fase Judicial:
-Los Juzgados Centrales de Instrucción→ Tramitación de expedientes
- La Sala de lo Penal de la AN→ Enjuiciamiento
Fase Gubernativa:
El Gobierno y el Mº. de Justicia

Requisitos (art.2 LEP)
• Hechos para los que las Leyes españolas y las de la parte requirente:
- Señalen una pena o medida de seguridad cuya duración no sea inferior a un año de privación de libertad en su grado máximo o a una pena más grave
-Si la reclamación tiene por objeto el cumplimiento de condena a una pena o medida de seguridad no inferior a cuatro meses de privación de libertad por hechos también tipificados en la legislación española
- Cuando la solicitud de extradición se refiera a varios hechos, si en alguno de ellos no concurren los requisitos de duración mínima de las penas o medidas de seguridad aludidos, puede concederse la extradición respecto de todos, incluidos los de penalidad inferior
•La extradición se limita a la persecución de los hechos objeto de la misma, sin que puedan extenderse sus efectos y proceder por hechos anteriores y distintos de los que la motivaron
Excep.→ España autorice la ampliación a otros delitos, para lo que habrá que presentar una nueva solicitud, que se tramita como nueva demanda de extradición

No se concederá la extradición
- De españoles, ni de los extranjeros por los delitos que corresponda conocer a los Tribunales españoles, según el ordenamiento nacional (art. 3.1 LEP)
- Cuando a la persona reclamada le hubiese sido reconocida la condición de asilado (art.4.8 LEP)
- Cuando la persona reclamada sea menor de dieciocho años en el momento de la demanda de extradición y tuviera su residencial habitual en España, se considere que la extradición puede impedir su reintegración social (art.5.2 LEP)
- Cuando el delito se hubiere cometido fuera del territorio del país que solicite la extradición, si la legislación española no autoriza la persecución de un delito del mismo género cometido fuera de España (art.3.3 LEP)
- Cuando se trate de delitos:
- Políticos, no se consideran como tales los actos de terrorismo, los crímenes contra la Humanidad previstos en el Convenio para la prevención y penalización del crimen de genocidio, ni el atentado contra la vida de un Jefe de Estado o de un miembro de su familia (art. 4.1 LEP)
- Militares tipificados por la legislación española, sin perjuicio de lo dispuesto en los Convenios suscritos por España
- Cometidos a través de los medios de comunicación social en el ejercicio de la libertad de expresión
- Delitos solo perseguibles a instancia de parte, salvo los delitos contra la libertad sexual (art.4.2 LEP)
- Cuando la persona reclamada deba ser juzgada por un Tribunal de excepción (art. 4.3 LEP)
- Cuando la persona reclamada haya sido juzgada o lo esté siendo en España por los mismos hechos (art. 4.5 LEP)
- Cuando el Estado requirente no diera la garantía de que la persona reclamada de extradición no será ejecutada o que no será sometida a penas que atenten a su integridad corporal o a tratos inhumanos o degradantes (art. 4.6 LEP)
- Cuando se tuvieran razones fundadas para creer que la solicitud, motivada por un delito común, se presenta para perseguir o castigar a una persona por motivos de raza, religión, nacionalidad u opiniones políticas, o que la situación de dicha persona pudiera de agravarse por tales consideraciones (art. 5.1 LEP)
- Cuando la solicitud se base en sentencia dictada en rebeldía del reclamado, en la que se le imponga una pena que, con según la legislación española, no pueda imponerse a quien no esté presente en el acto del juicio oral (art. 2.3 LEP)
- Cuando se hubiere extinguido la responsabilidad criminal (art. 4.4 LEP)

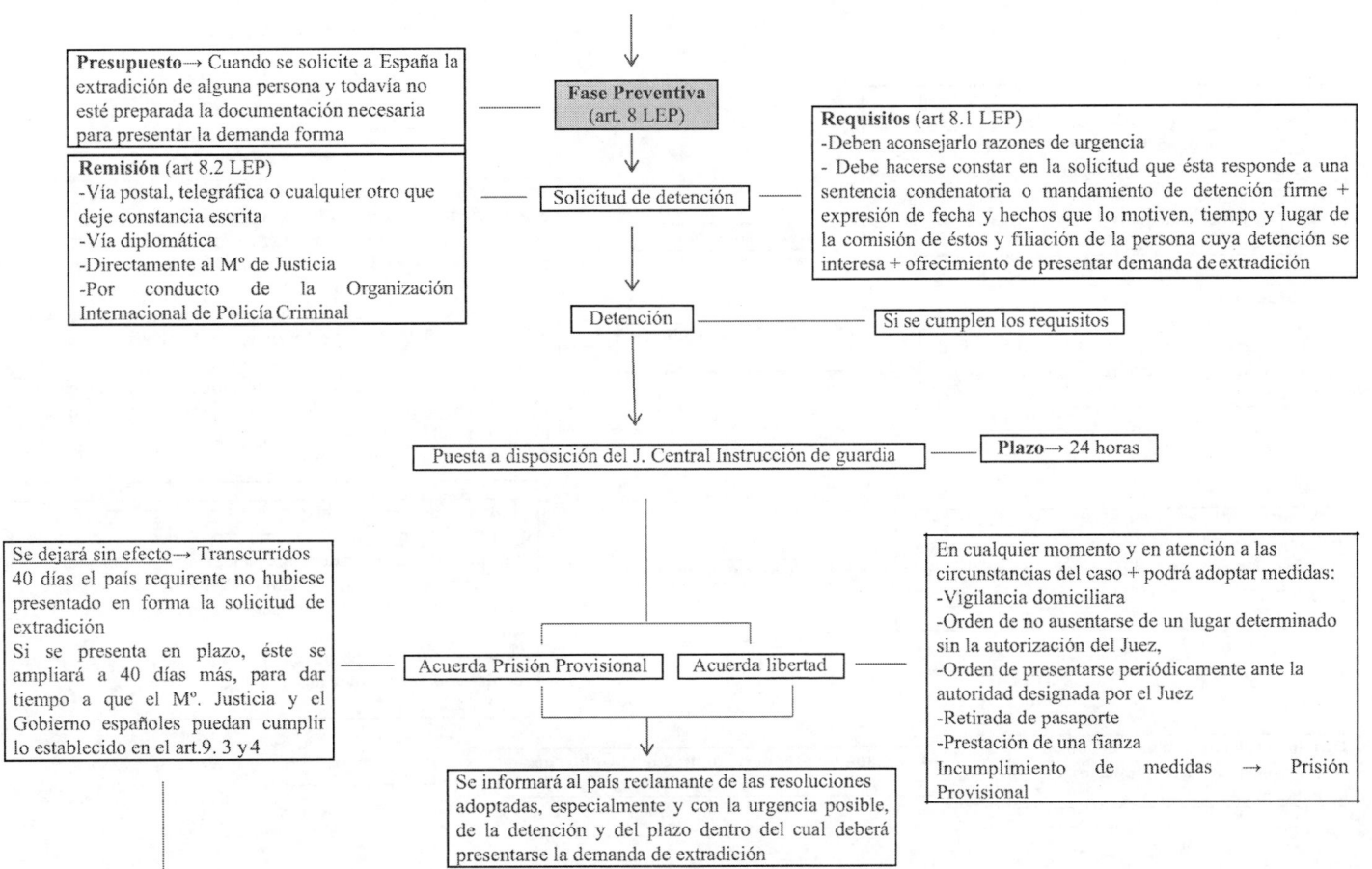

Presupuesto→ Cuando se solicite a España la extradición de alguna persona y todavía no esté preparada la documentación necesaria para presentar la demanda forma

Remisión (art 8.2 LEP)
-Vía postal, telegráfica o cualquier otro que deje constancia escrita
-Vía diplomática
-Directamente al Mº de Justicia
-Por conducto de la Organización Internacional de Policía Criminal

Fase Preventiva (art. 8 LEP)

Requisitos (art 8.1 LEP)
-Deben aconsejarlo razones de urgencia
- Debe hacerse constar en la solicitud que ésta responde a una sentencia condenatoria o mandamiento de detención firme + expresión de fecha y hechos que lo motiven, tiempo y lugar de la comisión de éstos y filiación de la persona cuya detención se interesa + ofrecimiento de presentar demanda de extradición

Solicitud de detención

Detención — Si se cumplen los requisitos

Puesta a disposición del J. Central Instrucción de guardia — **Plazo**→ 24 horas

Se dejará sin efecto→ Transcurridos 40 días el país requirente no hubiese presentado en forma la solicitud de extradición
Si se presenta en plazo, éste se ampliará a 40 días más, para dar tiempo a que el Mº. Justicia y el Gobierno españoles puedan cumplir lo establecido en el art.9. 3 y 4

Acuerda Prisión Provisional | Acuerda libertad

En cualquier momento y en atención a las circunstancias del caso + podrá adoptar medidas:
-Vigilancia domiciliara
-Orden de no ausentarse de un lugar determinado sin la autorización del Juez,
-Orden de presentarse periódicamente ante la autoridad designada por el Juez
-Retirada de pasaporte
-Prestación de una fianza
Incumplimiento de medidas → Prisión Provisional

Se informará al país reclamante de las resoluciones adoptadas, especialmente y con la urgencia posible, de la detención y del plazo dentro del cual deberá presentarse la demanda de extradición

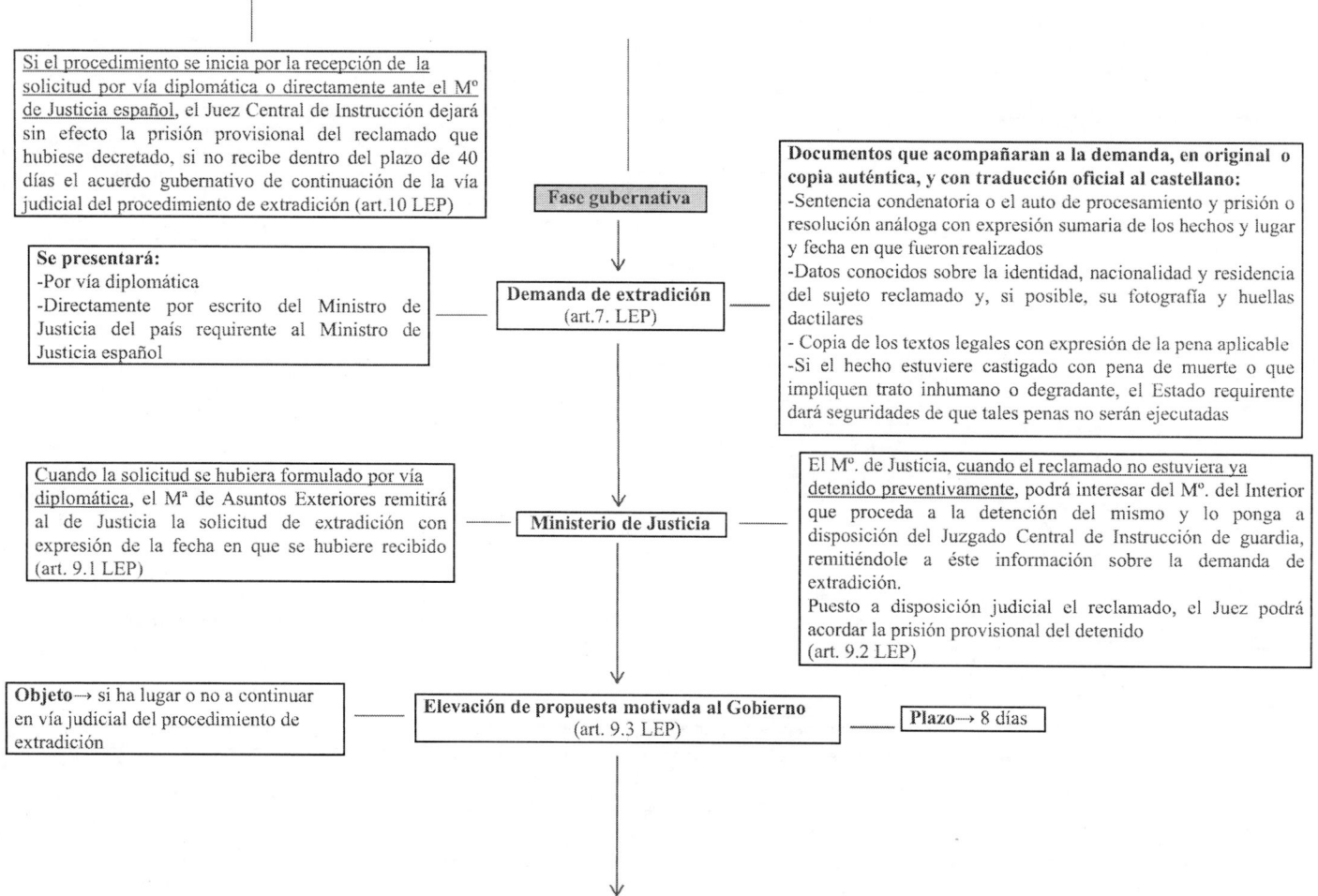

Si el procedimiento se inicia por la recepción de la solicitud por vía diplomática o directamente ante el Mº de Justicia español, el Juez Central de Instrucción dejará sin efecto la prisión provisional del reclamado que hubiese decretado, si no recibe dentro del plazo de 40 días el acuerdo gubernativo de continuación de la vía judicial del procedimiento de extradición (art.10 LEP)

Se presentará:
-Por vía diplomática
-Directamente por escrito del Ministro de Justicia del país requirente al Ministro de Justicia español

Cuando la solicitud se hubiera formulado por vía diplomática, el Mª de Asuntos Exteriores remitirá al de Justicia la solicitud de extradición con expresión de la fecha en que se hubiere recibido (art. 9.1 LEP)

Objeto⟶ si ha lugar o no a continuar en vía judicial del procedimiento de extradición

Fase gubernativa

Demanda de extradición
(art.7. LEP)

Documentos que acompañaran a la demanda, en original o copia auténtica, y con traducción oficial al castellano:
-Sentencia condenatoria o el auto de procesamiento y prisión o resolución análoga con expresión sumaria de los hechos y lugar y fecha en que fueron realizados
-Datos conocidos sobre la identidad, nacionalidad y residencia del sujeto reclamado y, si posible, su fotografía y huellas dactilares
- Copia de los textos legales con expresión de la pena aplicable
-Si el hecho estuviere castigado con pena de muerte o que impliquen trato inhumano o degradante, el Estado requirente dará seguridades de que tales penas no serán ejecutadas

Ministerio de Justicia

El Mº. de Justicia, cuando el reclamado no estuviera ya detenido preventivamente, podrá interesar del Mº. del Interior que proceda a la detención del mismo y lo ponga a disposición del Juzgado Central de Instrucción de guardia, remitiéndole a éste información sobre la demanda de extradición.
Puesto a disposición judicial el reclamado, el Juez podrá acordar la prisión provisional del detenido (art. 9.2 LEP)

Elevación de propuesta motivada al Gobierno
(art. 9.3 LEP)

Plazo⟶ 8 días

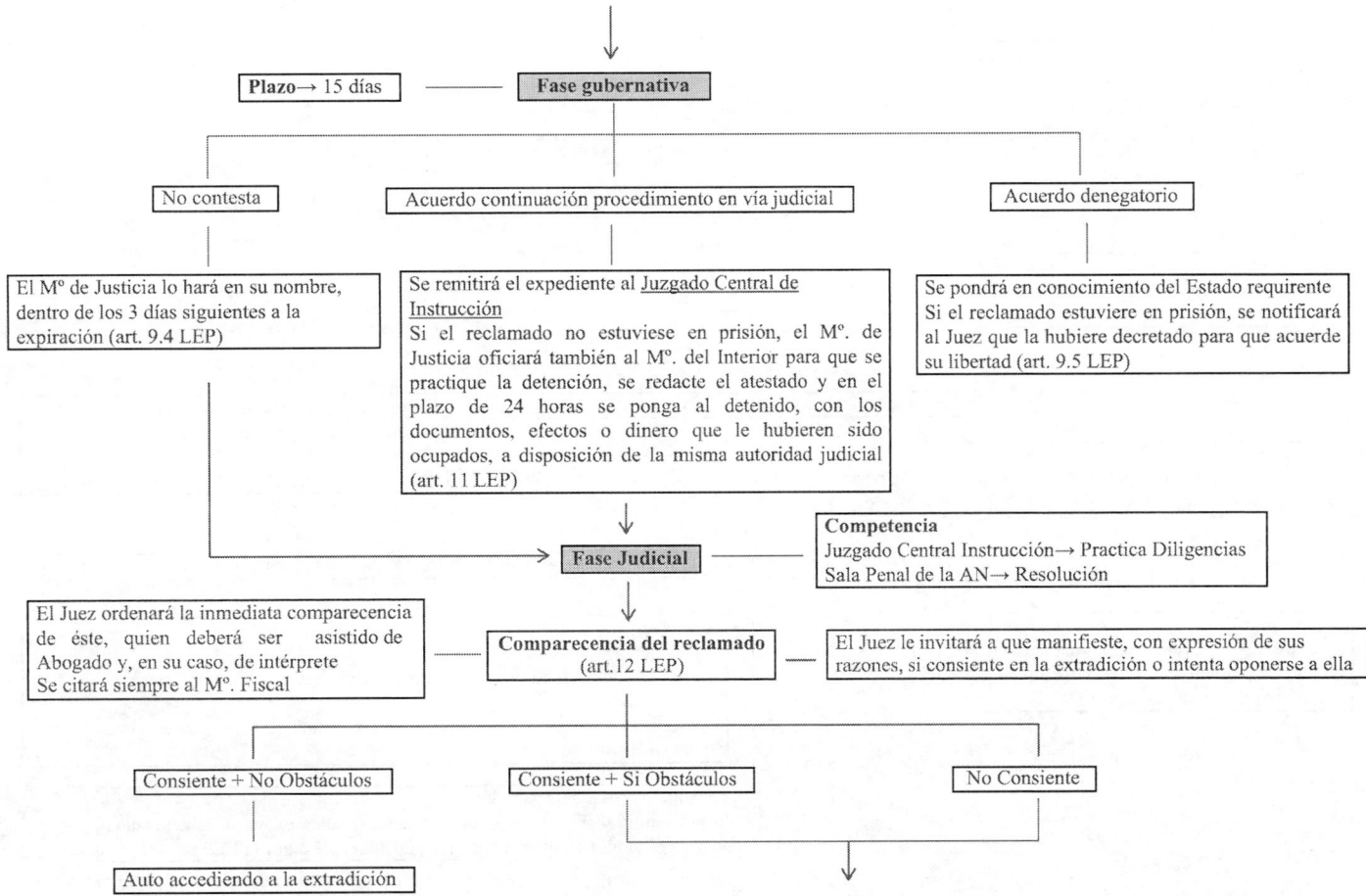

Plazo→ 15 días ——— **Fase gubernativa**

No contesta | Acuerdo continuación procedimiento en vía judicial | Acuerdo denegatorio

El Mº de Justicia lo hará en su nombre, dentro de los 3 días siguientes a la expiración (art. 9.4 LEP)

Se remitirá el expediente al Juzgado Central de Instrucción
Si el reclamado no estuviese en prisión, el Mº. de Justicia oficiará también al Mº. del Interior para que se practique la detención, se redacte el atestado y en el plazo de 24 horas se ponga al detenido, con los documentos, efectos o dinero que le hubieren sido ocupados, a disposición de la misma autoridad judicial (art. 11 LEP)

Se pondrá en conocimiento del Estado requirente
Si el reclamado estuviere en prisión, se notificará al Juez que la hubiere decretado para que acuerde su libertad (art. 9.5 LEP)

Fase Judicial ———

Competencia
Juzgado Central Instrucción→ Practica Diligencias
Sala Penal de la AN→ Resolución

El Juez ordenará la inmediata comparecencia de éste, quien deberá ser asistido de Abogado y, en su caso, de intérprete
Se citará siempre al Mº. Fiscal

Comparecencia del reclamado
(art.12 LEP)

El Juez le invitará a que manifieste, con expresión de sus razones, si consiente en la extradición o intenta oponerse a ella

Consiente + No Obstáculos | Consiente + Si Obstáculos | No Consiente

Auto accediendo a la extradición

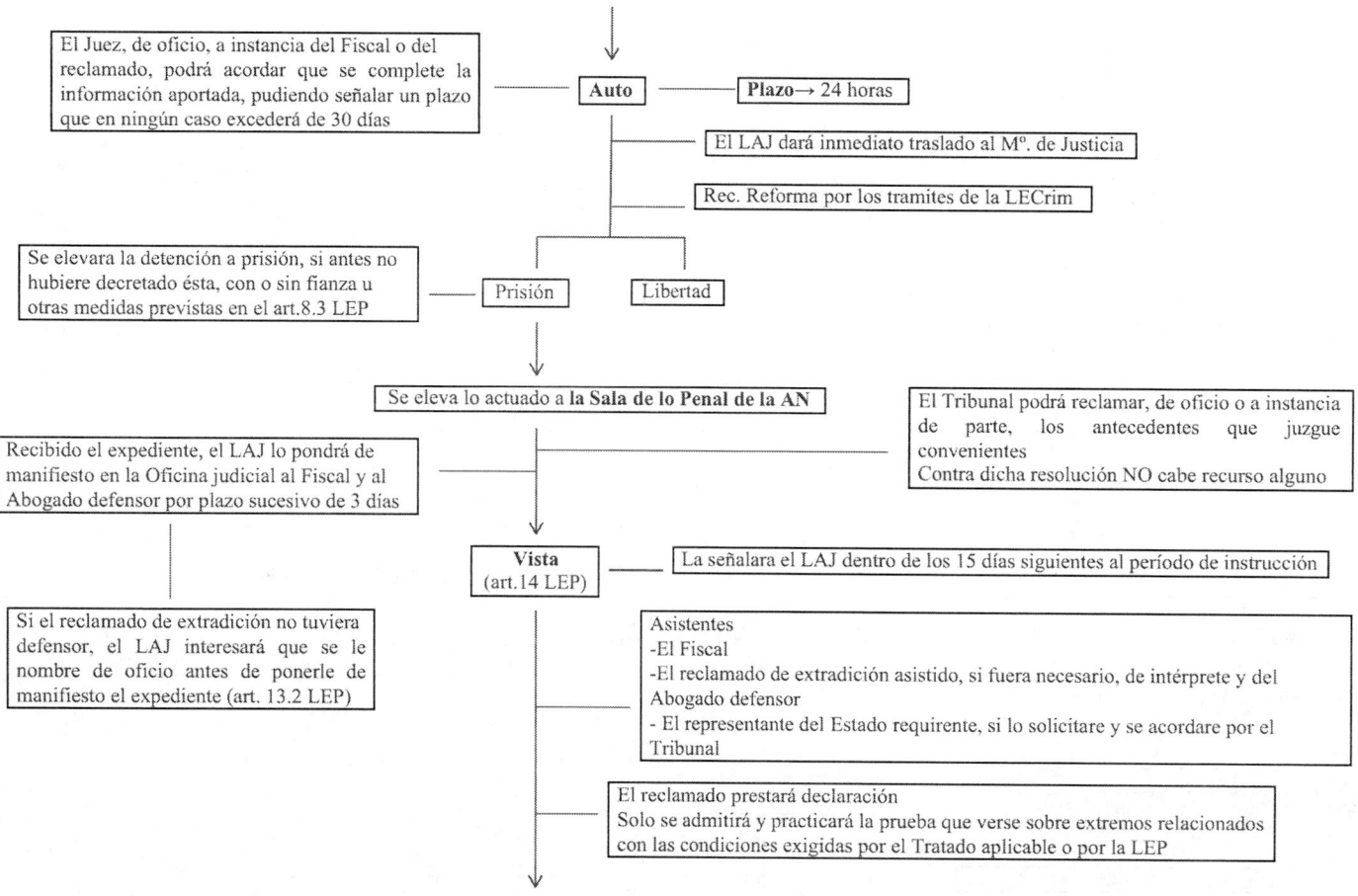

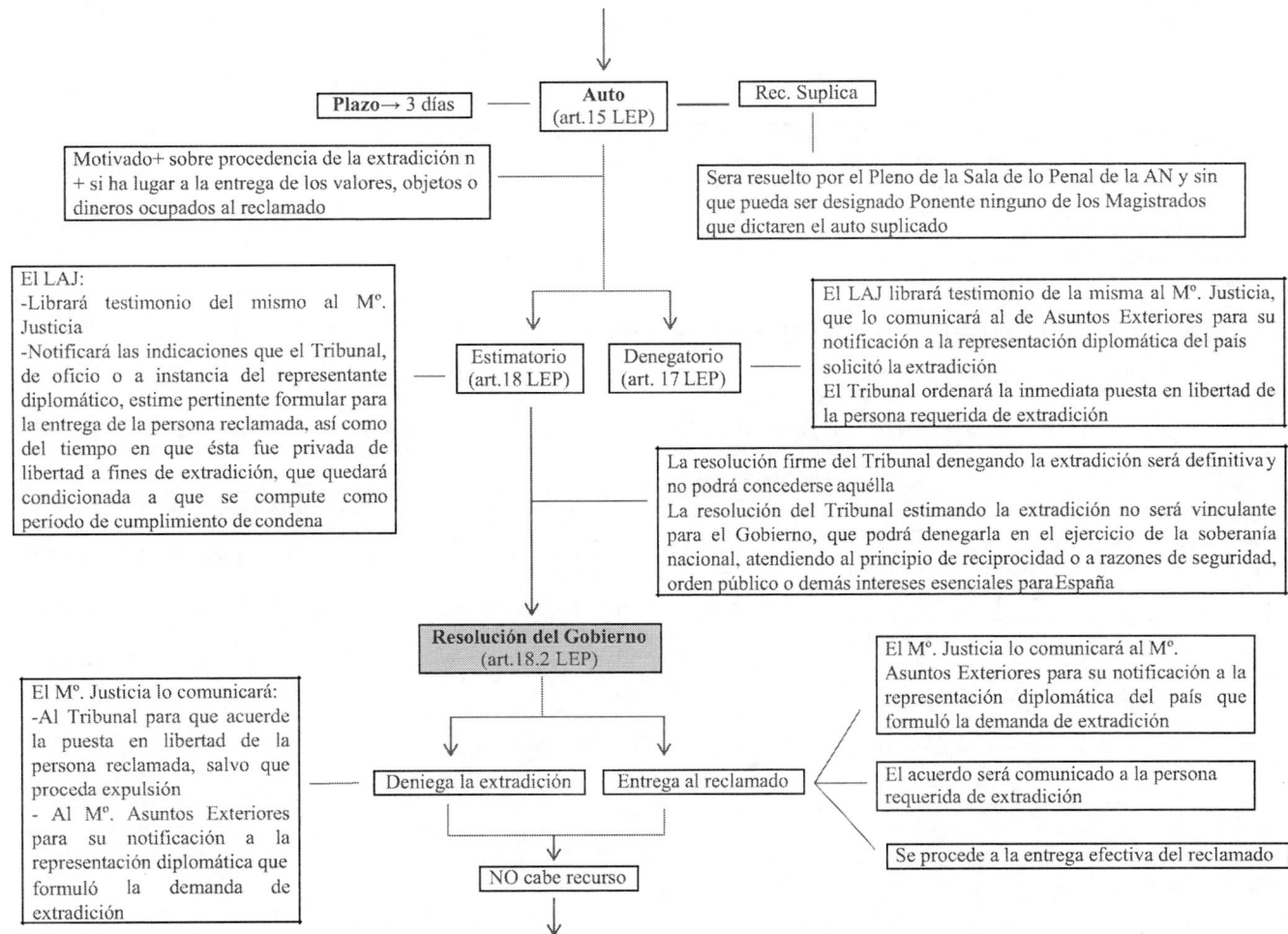

Plazo→ 3 días

Auto (art.15 LEP)

Rec. Suplica

Motivado+ sobre procedencia de la extradición n + si ha lugar a la entrega de los valores, objetos o dineros ocupados al reclamado

Sera resuelto por el Pleno de la Sala de lo Penal de la AN y sin que pueda ser designado Ponente ninguno de los Magistrados que dictaren el auto suplicado

El LAJ:
-Librará testimonio del mismo al Mº. Justicia
-Notificará las indicaciones que el Tribunal, de oficio o a instancia del representante diplomático, estime pertinente formular para la entrega de la persona reclamada, así como del tiempo en que ésta fue privada de libertad a fines de extradición, que quedará condicionada a que se compute como período de cumplimiento de condena

Estimatorio (art.18 LEP)

Denegatorio (art. 17 LEP)

El LAJ librará testimonio de la misma al Mº. Justicia, que lo comunicará al de Asuntos Exteriores para su notificación a la representación diplomática del país solicitó la extradición
El Tribunal ordenará la inmediata puesta en libertad de la persona requerida de extradición

La resolución firme del Tribunal denegando la extradición será definitiva y no podrá concederse aquélla
La resolución del Tribunal estimando la extradición no será vinculante para el Gobierno, que podrá denegarla en el ejercicio de la soberanía nacional, atendiendo al principio de reciprocidad o a razones de seguridad, orden público o demás intereses esenciales para España

Resolución del Gobierno (art.18.2 LEP)

El Mº. Justicia lo comunicará:
-Al Tribunal para que acuerde la puesta en libertad de la persona reclamada, salvo que proceda expulsión
- Al Mº. Asuntos Exteriores para su notificación a la representación diplomática que formuló la demanda de extradición

Deniega la extradición

Entrega al reclamado

El Mº. Justicia lo comunicará al Mº. Asuntos Exteriores para su notificación a la representación diplomática del país que formuló la demanda de extradición

El acuerdo será comunicado a la persona requerida de extradición

Se procede a la entrega efectiva del reclamado

NO cabe recurso

Si se solicitó la Extradición por varios Estados, por el mismo hecho o por diferentes, el
Gobierno decide teniendo en cuenta todas las circunstancias concurrentes y, especialmente:
-La existencia o no de Tratado
-La gravedad relativa
-El lugar de comisión del delito.
-Fechas de las respectivas solicitudes
-Nacionalidad de la persona reclamada
-Posibilidad de una posterior extradición a otro Estado
Cada demanda de extradición da lugar a la tramitación de un expediente autónomo

Entrega
(art. 19 LEP)

Se realizará por <u>agente de la autoridad española</u>,
previa notificación del lugar y fecha fijados,
observándose la legislación nacional
Se entregarán a las autoridades o agentes del
Estado requirente acreditados a tal fin los
documentos, efectos y dinero que deban ser
igualmente puestos a su disposición

<u>Si la entrega del reclamado no puede efectuarse</u>, se procederá a la
entrega de documentos, efectos y dinero, quedando a salvo, en todo
caso, los derechos que pudieran corresponder sobre los mismos a otros
interesados
Si <u>no puede realizarse la entrega o recepción de la persona por causa
de fuerza mayor</u>, la parte interesada informa de ello a las autoridades
españolas→ Ambas partes convendrán en una nueva fecha de entrega

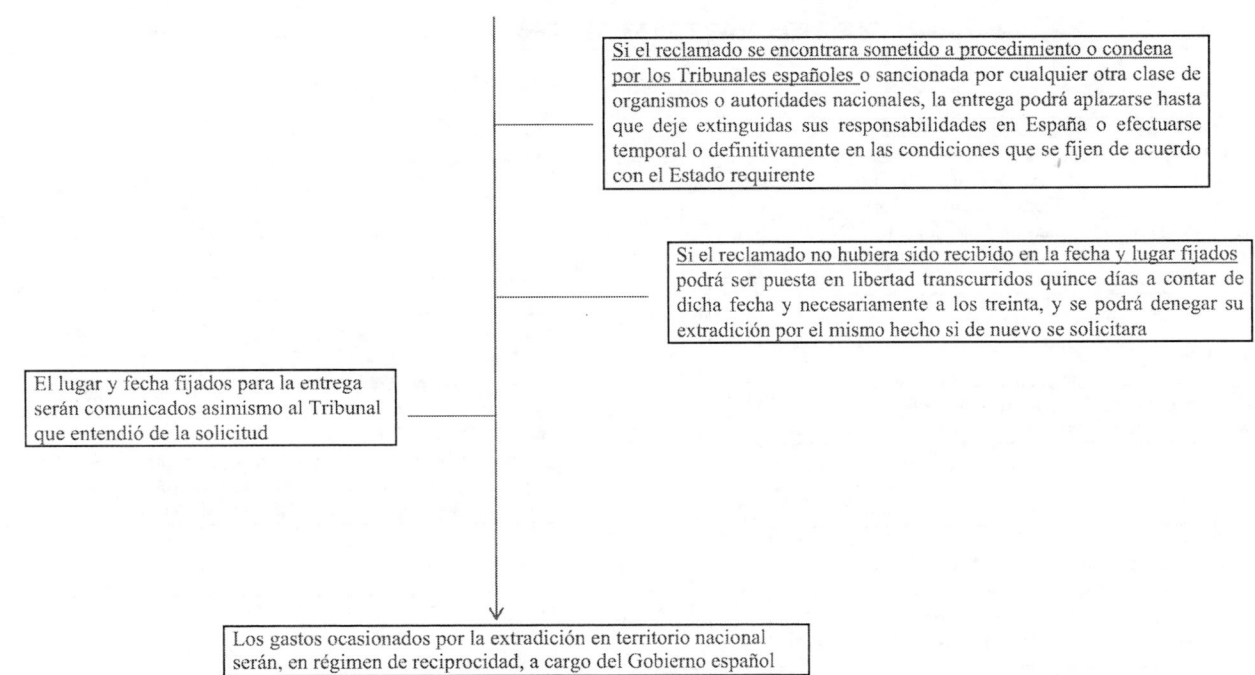

Si el reclamado se encontrara sometido a procedimiento o condena por los Tribunales españoles o sancionada por cualquier otra clase de organismos o autoridades nacionales, la entrega podrá aplazarse hasta que deje extinguidas sus responsabilidades en España o efectuarse temporal o definitivamente en las condiciones que se fijen de acuerdo con el Estado requirente

Si el reclamado no hubiera sido recibido en la fecha y lugar fijados podrá ser puesta en libertad transcurridos quince días a contar de dicha fecha y necesariamente a los treinta, y se podrá denegar su extradición por el mismo hecho si de nuevo se solicitara

El lugar y fecha fijados para la entrega serán comunicados asimismo al Tribunal que entendió de la solicitud

Los gastos ocasionados por la extradición en territorio nacional serán, en régimen de reciprocidad, a cargo del Gobierno español

ORDEN EUROPEA DE DETENCIÓN

Concepto → resolución judicial dictada por un Estado miembro de la UE para obtener la detención y la entrega por otro Estado miembro de una persona a la que se reclama para el ejercicio de acciones penales o para la ejecución de una pena o una medida de seguridad privativas de libertad o medida de internamiento en centro de menores (art. 34 L 23/2014)

Competencia (art. 35 L 23/2014)
Emisión→ Juez o Tribunal que conozca de la causa
Ejecución→ Jueces Centrales de Instrucción de la AN
Cuando la orden se refiera a un menor →Juez Central de Menores

Cuando la persona reclamada ejerza en el Estado de ejecución su derecho a designar abogado en España para asistir al abogado en el Estado de ejecución, se garantizará el ejercicio de este derecho y, en su caso, del derecho a la asistencia jurídica gratuita, en los términos que legalmente proceda conforme al Derecho español
La petición deberá tramitarse por la autoridad judicial española con carácter inmediato y la designación de profesionales por el Colegio de Abogados tendrá carácter preferente y urgente

Contenido (art. 36 L 23/2014)
Se documentara en el formulario que figura en el Anexo I de la Ley 23/2014, de 20 de Noviembre + mención expresa:
-Identidad y nacionalidad de la persona reclamada
-Nombre, la dirección, el nº de teléfono y de fax y la dirección de correo electrónico de la autoridad judicial de emisión
-Indicación de la existencia de una sentencia firme, de una orden de detención o de cualquier otra resolución judicial ejecutiva que tenga la misma fuerza
-Naturaleza y tipificación legal del delito
-Descripción de las circunstancias en que se cometió el delito (momento, el lugar y el grado de participación en el mismo de la persona reclamada)
-Pena dictada, si hay una sentencia firme, o bien, la escala de penas que establece la legislación para ese delito
- Si es posible, otras consecuencias del delito

El formulario se traducirán a la lengua oficial o a una de las lenguas oficiales del Estado miembro al que se dirija o, en su caso, a una lengua oficial de las instituciones comunitarias que hubiera aceptado dicho Estado, salvo que disposiciones convencionales permitan, en relación con ese Estado, su remisión en español (art.7.3 L 23/2014)

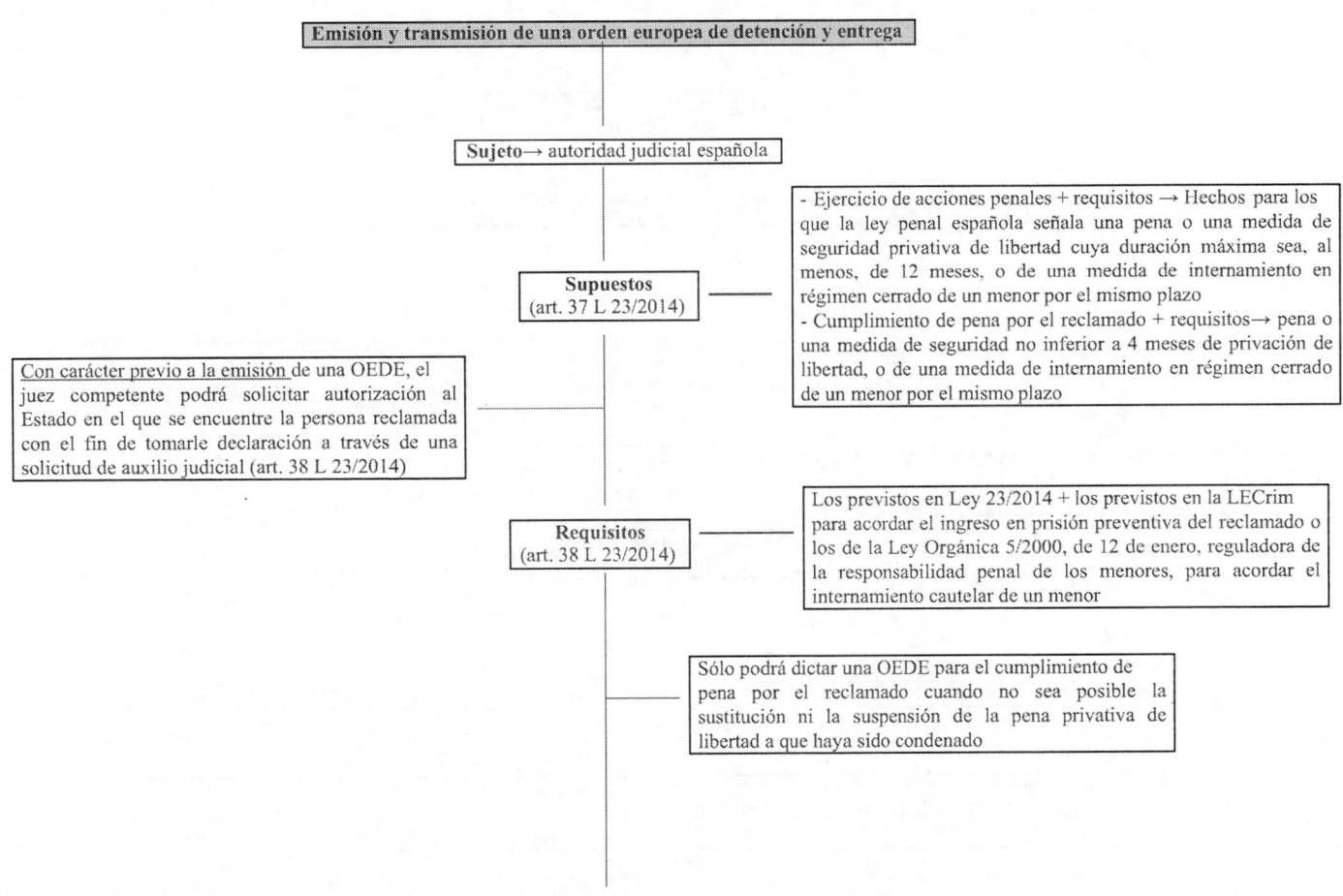

Emisión y transmisión de una orden europea de detención y entrega

Sujeto→ autoridad judicial española

Supuestos
(art. 37 L 23/2014)

- Ejercicio de acciones penales + requisitos → Hechos para los que la ley penal española señala una pena o una medida de seguridad privativa de libertad cuya duración máxima sea, al menos, de 12 meses, o de una medida de internamiento en régimen cerrado de un menor por el mismo plazo
- Cumplimiento de pena por el reclamado + requisitos→ pena o una medida de seguridad no inferior a 4 meses de privación de libertad, o de una medida de internamiento en régimen cerrado de un menor por el mismo plazo

Con carácter previo a la emisión de una OEDE, el juez competente podrá solicitar autorización al Estado en el que se encuentre la persona reclamada con el fin de tomarle declaración a través de una solicitud de auxilio judicial (art. 38 L 23/2014)

Requisitos
(art. 38 L 23/2014)

Los previstos en Ley 23/2014 + los previstos en la LECrim para acordar el ingreso en prisión preventiva del reclamado o los de la Ley Orgánica 5/2000, de 12 de enero, reguladora de la responsabilidad penal de los menores, para acordar el internamiento cautelar de un menor

Sólo podrá dictar una OEDE para el cumplimiento de pena por el reclamado cuando no sea posible la sustitución ni la suspensión de la pena privativa de libertad a que haya sido condenado

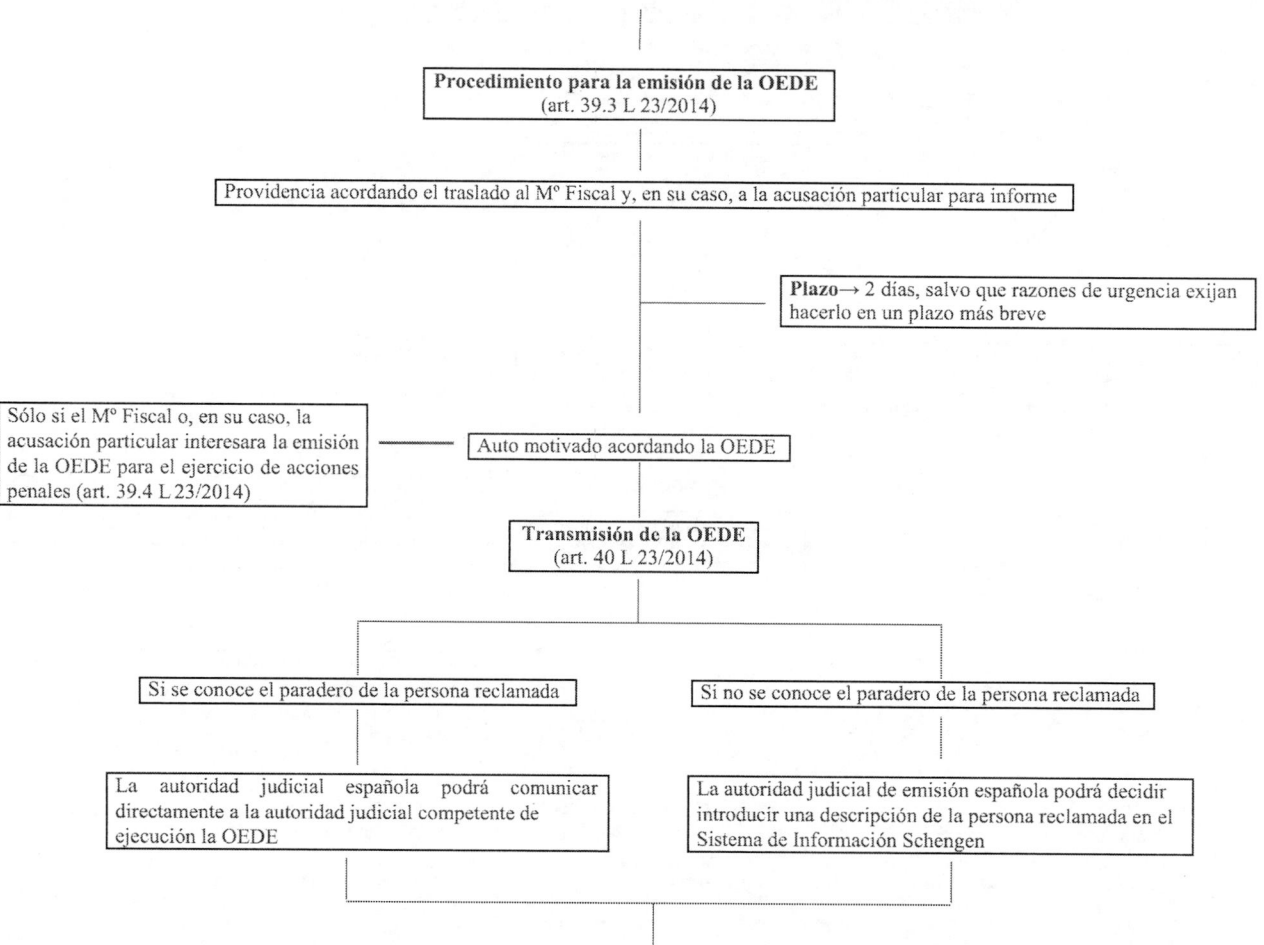

Procedimiento para la emisión de la OEDE
(art. 39.3 L 23/2014)

Providencia acordando el traslado al Mº Fiscal y, en su caso, a la acusación particular para informe

Plazo→ 2 días, salvo que razones de urgencia exijan hacerlo en un plazo más breve

Sólo si el Mº Fiscal o, en su caso, la acusación particular interesara la emisión de la OEDE para el ejercicio de acciones penales (art. 39.4 L 23/2014)

Auto motivado acordando la OEDE

Transmisión de la OEDE
(art. 40 L 23/2014)

Si se conoce el paradero de la persona reclamada

Si no se conoce el paradero de la persona reclamada

La autoridad judicial española podrá comunicar directamente a la autoridad judicial competente de ejecución la OEDE

La autoridad judicial de emisión española podrá decidir introducir una descripción de la persona reclamada en el Sistema de Información Schengen

La autoridad judicial española podrá decidir, en cualquier circunstancia, introducir una descripción de la persona reclamada en el Sistema de Información Schengen

Si no es posible recurrir al Sistema de Información Schengen, la autoridad judicial española podrá recurrir a los servicios de Interpol para la comunicación de la OEDE
La autoridad judicial española remitirá una copia de las OEDE enviadas al Mº. Justicia
El Mª del Interior comunicará al Mº Justicia las detenciones y las entregas practicadas en ejecución de las OEDE

Remisión de información complementaria
(art.41 L 23/2014)

Con posterioridad a la transmisión de la OEDE, la autoridad judicial española de emisión podrá remitir a la autoridad judicial de ejecución cuanta información complementaria sea de utilidad para proceder a su ejecución, ya sea de oficio, a instancia del Mº Fiscal o, en su caso, de la acusación particular, así como a instancia de la propia autoridad de ejecución que así lo interese

Cuando la autoridad judicial española emita una OEDE podrá solicitar a las autoridades de ejecución que, de conformidad con su derecho interno, entreguen los objetos que constituyan medios de prueba o efectos del delito y que se adopten las medidas de aseguramiento pertinentes
La descripción de los objetos solicitados se hará constar en el Sistema de Información Schengen

Solicitud de entrega de objetos
(art.42 L 23/2014)

Solicitud de entregas temporales y de toma de declaración en el Estado de ejecución
(art.43 L 23/2014)

Supuestos
- Para el ejercicio de acciones penales contra el reclamado, sin que sea posible para que el reclamado cumpla en España una pena ya impuesta.
-Se podrá solicitar la entrega temporal antes de que la autoridad de ejecución se haya pronunciado sobre la entrega definitiva, para llevar a cabo la práctica de diligencias penales o la celebración de la vista oral
-Si la autoridad de ejecución, tras haber acordado la entrega de la persona reclamada, decidiera suspender la misma por estar pendiente en el Estado de ejecución la celebración de juicio o el cumplimiento de una pena impuesta por un hecho distinto del que motivare la OEDE

Presupuesto→ la autoridad de ejecución condicionara la entrega de su nacional o residente a que el mismo sea devuelto al Estado de ejecución para el cumplimiento de la pena o medida de seguridad privativa de libertad o de la medida de internamiento de un menor que pudieran pronunciarse contra él en España + la autoridad judicial española de emisión fuese requerida para comprometerse en tal sentido

Entrega condicionada
(art.44 L 23/2014)

El auto que comprometiese a transmitir al otro Estado la ejecución de la pena o medida privativa de libertad será vinculante para todas las autoridades judiciales que, en su caso, resulten competentes en las fases ulteriores del procedimiento penal español

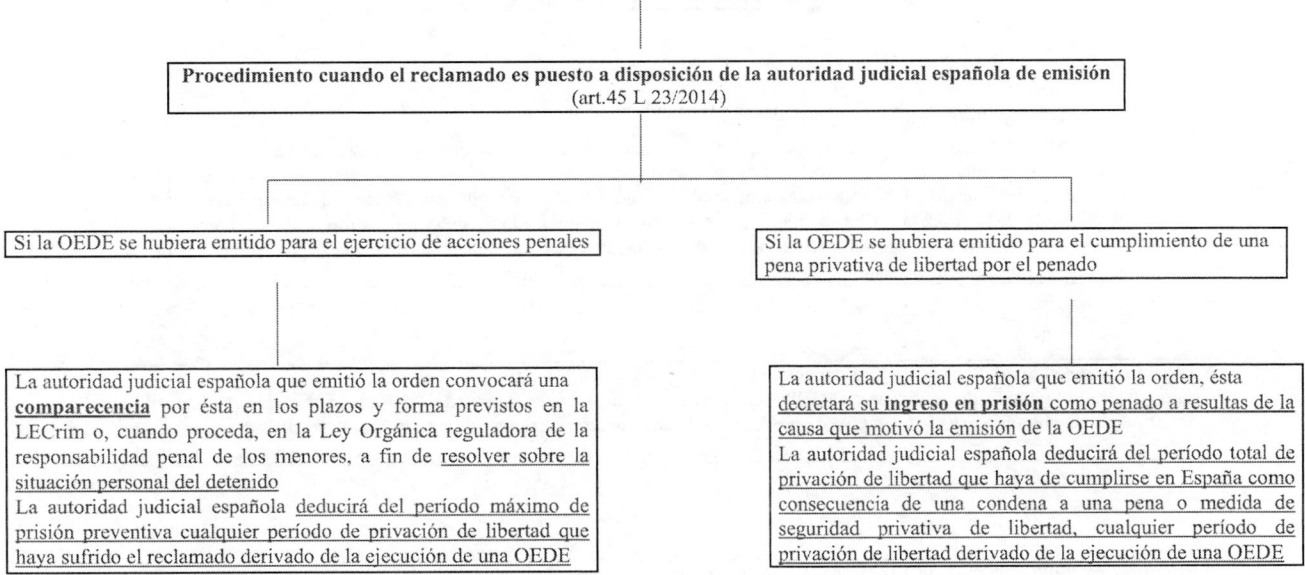

Procedimiento cuando el reclamado es puesto a disposición de la autoridad judicial española de emisión
(art.45 L 23/2014)

Si la OEDE se hubiera emitido para el ejercicio de acciones penales

Si la OEDE se hubiera emitido para el cumplimiento de una pena privativa de libertad por el penado

La autoridad judicial española que emitió la orden convocará una **comparecencia** por ésta en los plazos y forma previstos en la LECrim o, cuando proceda, en la Ley Orgánica reguladora de la responsabilidad penal de los menores, a fin de resolver sobre la situación personal del detenido
La autoridad judicial española deducirá del período máximo de prisión preventiva cualquier período de privación de libertad que haya sufrido el reclamado derivado de la ejecución de una OEDE

La autoridad judicial española que emitió la orden, ésta decretará su **ingreso en prisión** como penado a resultas de la causa que motivó la emisión de la OEDE
La autoridad judicial española deducirá del período total de privación de libertad que haya de cumplirse en España como consecuencia de una condena a una pena o medida de seguridad privativa de libertad, cualquier período de privación de libertad derivado de la ejecución de una OEDE

La autoridad judicial española comunicará al Mº. Justicia los incumplimientos de plazos en la entrega del detenido que fueran imputables al Estado de ejecución, así como las denegaciones o dificultades reiteradas al reconocimiento y ejecución de las OEDE emitidas por España
El Mº. Justicia comunicará a Eurojust los supuestos de incumplimiento reiterado en las ejecuciones de OEDE emitidas por España
(art. 46 L 23/2014)

Ejecución de una orden europea de detención y entrega

Exigencia de la doble tipificación (art.47.2 L 23/2014)
Siempre que estén castigados en el Estado de emisión con una pena o medida de seguridad privativa de libertad o con una medida de internamiento en régimen cerrado de un menor cuya duración máxima sea, al menos, de 12 meses o, cuando la reclamación tuviere por objeto el cumplimiento de condena a una pena o medida de seguridad no inferior a 4 meses de privación de libertad, la entrega podrá supeditarse al requisito de que los hechos que justifiquen la emisión de la OEDE sean constitutivos de un delito conforme a la legislación española, con independencia de los elementos constitutivos o la calificación del mismo

No necesidad del control de la doble tipificación de los hechos (art.47.2 L 23/2014)
Cuando la OEDE hubiera sido emitida por un delito que pertenezca a una de las categorías de delitos enumeradas en el apt.ado 1 del art. 20 + dicho delito estuviera castigado en el Estado de emisión con una pena o una medida de seguridad privativa de libertad o con una medida de internamiento en régimen cerrado de un menor cuya duración máxima sea, al menos, de 3 años

Denegación obligatoria (art.48.1 L 23/2014)
-Supuestos previstos en los arts. 32 y 33
- La persona reclamada haya sido indultada en España de la pena impuesta por los mismos hechos en que se funda la OEDE y éste fuera perseguible por la jurisdicción española
- Se haya acordado el sobreseimiento libre en España por los mismos hechos
-Sobre la persona que fuere objeto de la OEDE haya recaído en otro Estado miembro de la Unión Europea una resolución definitiva por los mismos hechos que impida definitivamente el posterior ejercicio de diligencias penales
-La persona objeto de la OEDE haya sido juzgada definitivamente por los mismos hechos en un tercer Estado no miembro de la Unión Europea, siempre que, en caso de condena, la sanción haya sido ejecutada o esté en esos momentos en curso de ejecución o ya no pueda ejecutarse en virtud del Derecho del Estado de condena
-La persona que sea objeto de la OEDE aún no pueda ser, por razón de su edad, considerada responsable penalmente de los hechos en que se base dicha orden, con arreglo al Derecho español

Denegación potestativa (art.48.2 L 23/2014)

-La persona que fuere objeto de la OEDE esté sometida a un procedimiento penal en España por el mismo hecho que haya motivado la orden europea de detención y entrega

-La OEDE se haya dictado a efectos de ejecución de una pena o medida de seguridad privativa de libertad, siendo la persona reclamada de nacionalidad española, salvo que consienta en cumplir la misma en el Estado de emisión En otro caso, deberá cumplir la pena en España

-La OEDE se refiera a hechos que se hayan cometido fuera del Estado emisor y el Derecho español no permita la persecución de dichas infracciones cuando se hayan cometido fuera de su territorio

Denegación de la ejecución de una OEDE por haberse dictado en ausencia del imputado (art.49 L 23/2014), salvo que en la OEDE conste, de acuerdo con los demás requisitos previstos en la legislación procesal del Estado de emisión, que no se notificó personalmente al imputado la resolución pero se le notificará sin demora tras la entrega, momento en el que será informado de su derecho a un nuevo juicio o a interponer un recurso, con indicación de los plazos previstos para ello, con la posibilidad de que de ese nuevo proceso en el que tendría derecho a comparecer, derivase una resolución contraria a la inicial

Si la OEDE se emite con el fin de ejecutar una pena privativa de libertad o una orden de detención con arreglo a estas condiciones y el interesado no haya recibido con anterioridad información oficial sobre la existencia de una acción penal contra él, dicha persona, al ser informada del contenido de la OEDE, podrá solicitar a efectos meramente informativos recibir una copia de la sentencia con carácter previo a su entrega

La autoridad de emisión, a través de la autoridad judicial española, proporcionará al interesado la copia de la sentencia con carácter inmediato, sin que la solicitud de la copia pueda en ningún caso demorar el procedimiento de entrega ni la decisión de ejecutar la OEDE

En caso de que una persona sea entregada en estas condiciones y haya solicitado un nuevo proceso o interpuesto un recurso, se revisará su detención, ya sea periódicamente o a solicitud del interesado, de acuerdo con la legislación del Estado de emisión, a los efectos de determinar su posible suspensión o interrupción, hasta que las actuaciones hayan finalizado

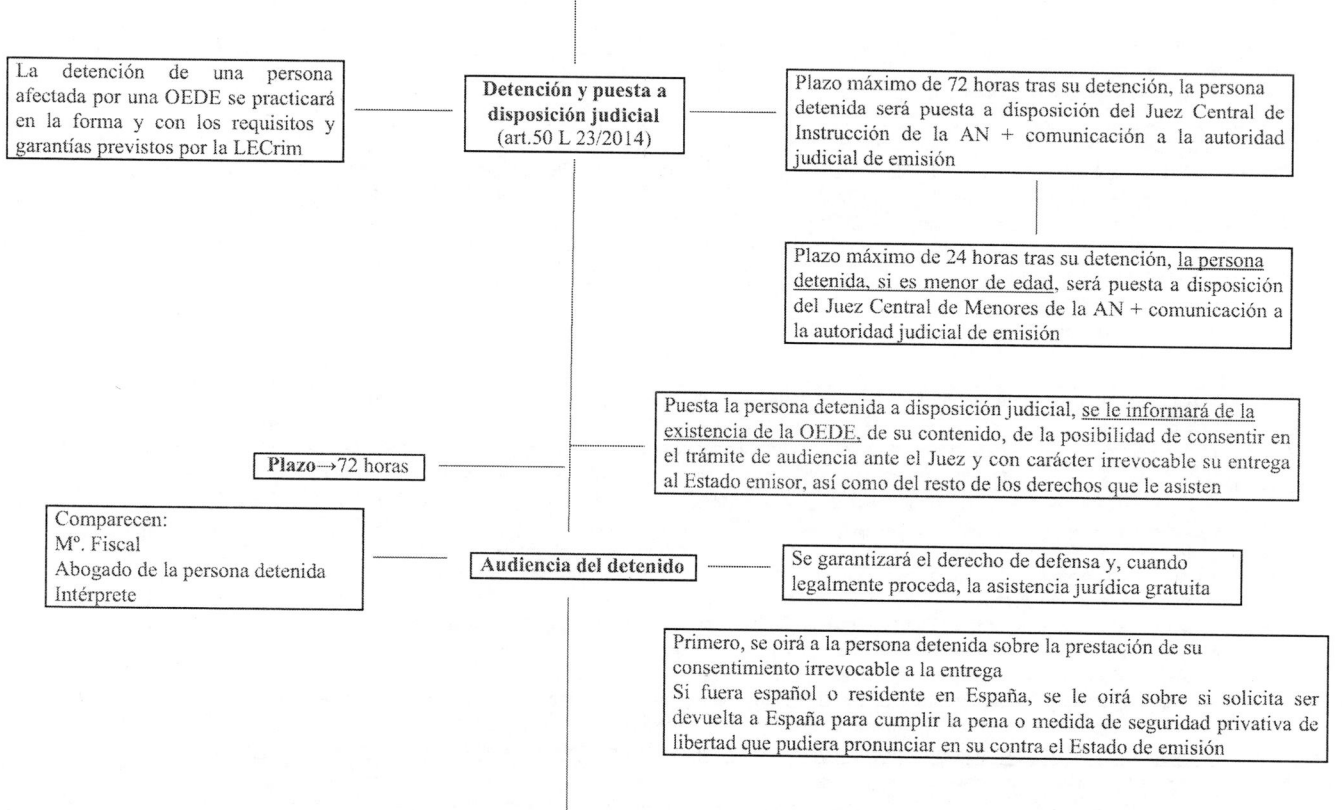

La detención de una persona afectada por una OEDE se practicará en la forma y con los requisitos y garantías previstos por la LECrim

Detención y puesta a disposición judicial
(art.50 L 23/2014)

Plazo máximo de 72 horas tras su detención, la persona detenida será puesta a disposición del Juez Central de Instrucción de la AN + comunicación a la autoridad judicial de emisión

Plazo máximo de 24 horas tras su detención, la persona detenida, si es menor de edad, será puesta a disposición del Juez Central de Menores de la AN + comunicación a la autoridad judicial de emisión

Puesta la persona detenida a disposición judicial, se le informará de la existencia de la OEDE, de su contenido, de la posibilidad de consentir en el trámite de audiencia ante el Juez y con carácter irrevocable su entrega al Estado emisor, así como del resto de los derechos que le asisten

Plazo→72 horas

Comparecen:
Mº. Fiscal
Abogado de la persona detenida
Intérprete

Audiencia del detenido

Se garantizará el derecho de defensa y, cuando legalmente proceda, la asistencia jurídica gratuita

Primero, se oirá a la persona detenida sobre la prestación de su consentimiento irrevocable a la entrega
Si fuera español o residente en España, se le oirá sobre si solicita ser devuelta a España para cumplir la pena o medida de seguridad privativa de libertad que pudiera pronunciar en su contra el Estado de emisión

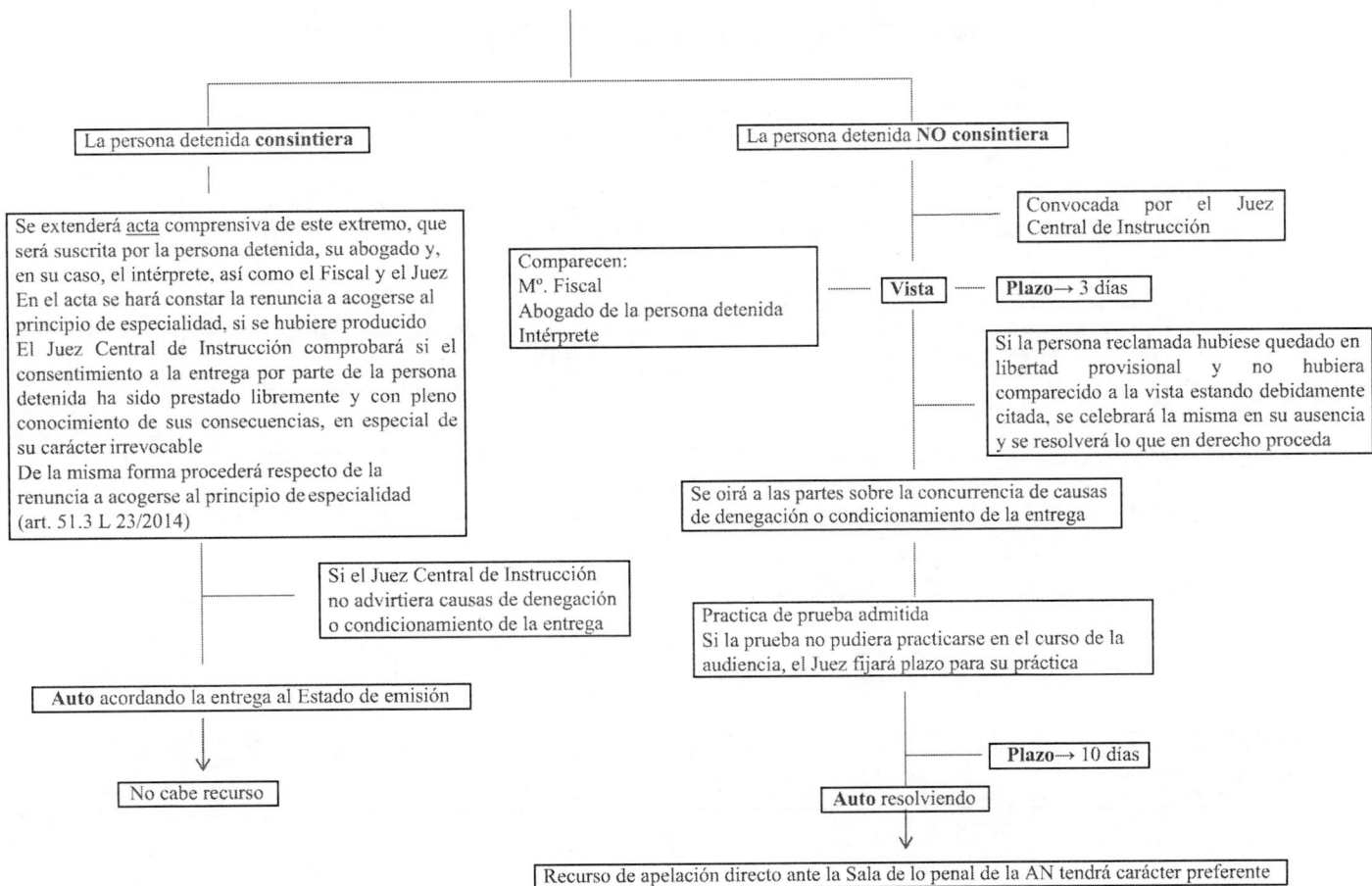

La persona detenida **consintiera**

La persona detenida **NO consintiera**

Se extenderá <u>acta</u> comprensiva de este extremo, que será suscrita por la persona detenida, su abogado y, en su caso, el intérprete, así como el Fiscal y el Juez
En el acta se hará constar la renuncia a acogerse al principio de especialidad, si se hubiere producido
El Juez Central de Instrucción comprobará si el consentimiento a la entrega por parte de la persona detenida ha sido prestado libremente y con pleno conocimiento de sus consecuencias, en especial de su carácter irrevocable
De la misma forma procederá respecto de la renuncia a acogerse al principio de especialidad (art. 51.3 L 23/2014)

Convocada por el Juez Central de Instrucción

Comparecen:
Mº. Fiscal
Abogado de la persona detenida
Intérprete

Vista — **Plazo**→ 3 días

Si la persona reclamada hubiese quedado en libertad provisional y no hubiera comparecido a la vista estando debidamente citada, se celebrará la misma en su ausencia y se resolverá lo que en derecho proceda

Se oirá a las partes sobre la concurrencia de causas de denegación o condicionamiento de la entrega

Si el Juez Central de Instrucción no advirtiera causas de denegación o condicionamiento de la entrega

Practica de prueba admitida
Si la prueba no pudiera practicarse en el curso de la audiencia, el Juez fijará plazo para su práctica

Auto acordando la entrega al Estado de emisión

Plazo→ 10 días

No cabe recurso

Auto resolviendo

Recurso de apelación directo ante la Sala de lo penal de la AN tendrá carácter preferente

Decisión sobre el traslado temporal o toma de declaración de la persona reclamada

Presupuesto → OEDE emitida para el ejercicio de acciones penales + autoridad judicial de emisión lo solicita

Procedimiento →el Juez Central de Instrucción acordará, oído el Mº. Fiscal por plazo de tres días, que se tome declaración a la persona reclamada o que se la traslade temporalmente al Estado de emisión

Toma de declaración → se llevará a cabo por la autoridad judicial de emisión que se traslade a España, con la asistencia en su caso de la persona que designe de conformidad con el Derecho del Estado de emisión, debiendo designarse intérprete a fin de que se traduzcan al español los aspectos esenciales de la diligencia

Deberá practicarse en presencia de la autoridad judicial española, que velará porque la misma se practique según lo previsto por la ley española y en las condiciones pactadas entre ambas autoridades judiciales, que podrán incluir el respeto a los requisitos y formalidades exigidos por la legislación del Estado de emisión siempre y cuando no sean contrarios a los principios fundamentales de nuestro ordenamiento jurídico
Se respetará el derecho a la asistencia letrada del detenido, su derecho a no declarar contra sí mismo y a no confesarse culpable, así como a ser asistido de un intérprete

En esta diligencia se contará también con presencia del LAJ

El traslado temporal de la persona detenida→ se llevará a cabo en las condiciones y con la duración que se acuerde con la autoridad judicial de emisión
En todo caso, la persona reclamada deberá volver a España para asistir a las vistas que le conciernan en el marco del procedimiento de entrega

Situación personal de la persona reclamada
(art. 53 L 23/2014)

En el curso de la audiencia o de la vista, el Juez Central de Instrucción, oído el Mº. Fiscal, decretará la prisión provisional o la libertad provisional, adoptando medidas cautelares que resulten necesarias y proporcionadas para asegurar la plena disponibilidad del reclamado (= LECrim)
El Juez resolverá atendiendo a las circunstancias del caso y la finalidad de asegurar la ejecución de la OEDE
En cualquier momento del procedimiento, el Juez, oído el Mº. Fiscal, podrá acordar que cese la situación de prisión provisional, pero en tal caso deberá adoptar alguna o algunas de las medidas cautelares referidas

Contra las resoluciones judiciales a que se refiere este artículo cabrá recurso de apelación ante la Sala de lo Penal de la AN
Procederá la celebración de vista cuando lo solicite alguna de las partes

Plazos para la ejecución de una OEDE
(art. 54 L 23/2014)

La OEDE se tramitará y ejecutará con carácter de urgencia.
La persona reclamada consiente la entrega→ la resolución judicial deberá adoptarse en los 10 días siguientes a la celebración de la audiencia
La persona reclamada no consiente la entrega→ el plazo máximo para adoptar una resolución firme será de 60 días desde que se produjera la detención
Cuando por razones justificadas no se pueda adoptar la decisión en los plazos señalados, éstos podrán prorrogarse por otros treinta días
Se comunicará a la autoridad judicial de emisión tal circunstancia y sus motivos y se mantendrán entretanto las condiciones necesarias para la entrega

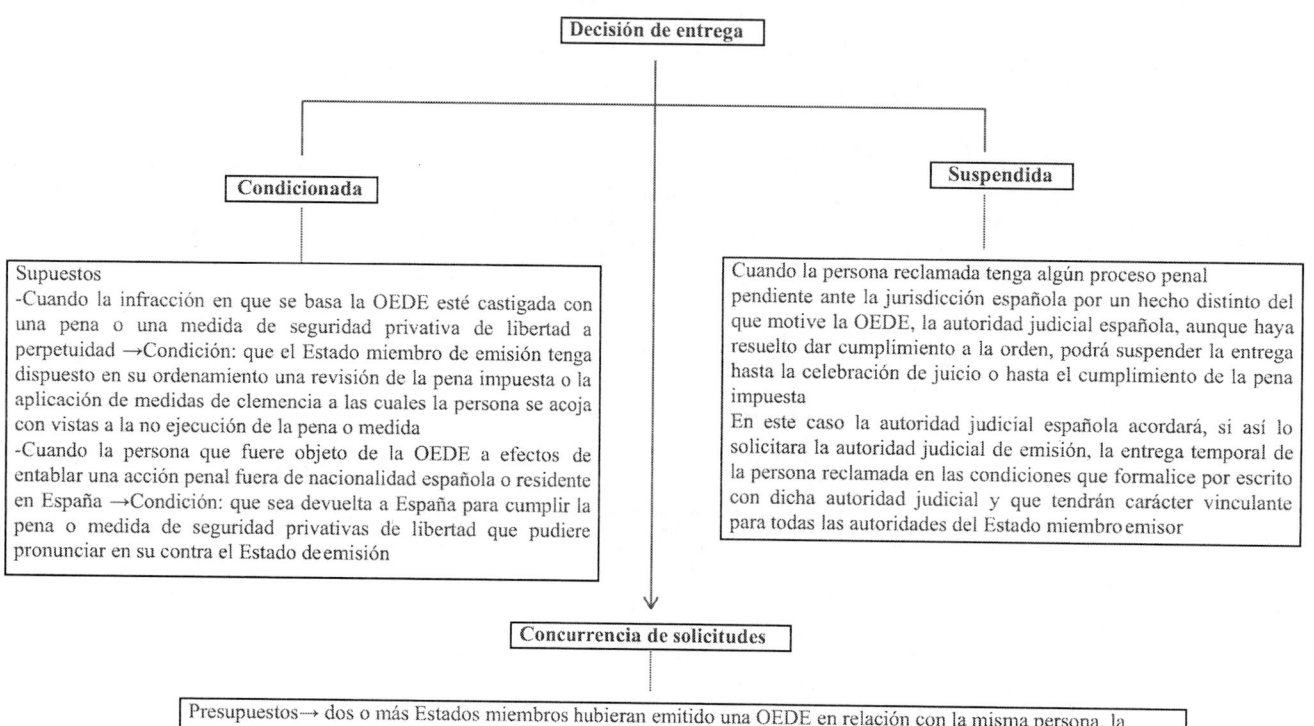

Decisión de entrega

Condicionada

Supuestos
-Cuando la infracción en que se basa la OEDE esté castigada con una pena o una medida de seguridad privativa de libertad a perpetuidad →Condición: que el Estado miembro de emisión tenga dispuesto en su ordenamiento una revisión de la pena impuesta o la aplicación de medidas de clemencia a las cuales la persona se acoja con vistas a la no ejecución de la pena o medida
-Cuando la persona que fuere objeto de la OEDE a efectos de entablar una acción penal fuera de nacionalidad española o residente en España →Condición: que sea devuelta a España para cumplir la pena o medida de seguridad privativas de libertad que pudiere pronunciar en su contra el Estado de emisión

Suspendida

Cuando la persona reclamada tenga algún proceso penal pendiente ante la jurisdicción española por un hecho distinto del que motive la OEDE, la autoridad judicial española, aunque haya resuelto dar cumplimiento a la orden, podrá suspender la entrega hasta la celebración de juicio o hasta el cumplimiento de la pena impuesta
En este caso la autoridad judicial española acordará, si así lo solicitara la autoridad judicial de emisión, la entrega temporal de la persona reclamada en las condiciones que formalice por escrito con dicha autoridad judicial y que tendrán carácter vinculante para todas las autoridades del Estado miembro emisor

Concurrencia de solicitudes

Presupuestos→ dos o más Estados miembros hubieran emitido una OEDE en relación con la misma persona, la decisión sobre la prioridad de ejecución será adoptada por el Juez Central de Instrucción, previa audiencia del Mº. Fiscal, teniendo en cuenta todas las circunstancias y, en particular, el lugar y la gravedad relativa de los delitos, las respectivas fechas de las órdenes, así como el hecho de que la orden se haya dictado a efectos de la persecución penal o a efectos de ejecución de una pena o una medida de seguridad privativas de libertad

En caso de concurrencia entre una OEDE y una solicitud de extradición presentada por un tercer Estado, la autoridad judicial española suspenderá el procedimiento y remitirá toda la documentación al Mº. de Justicia

La propuesta de decisión sobre si debe darse preferencia a la OEDE o a la solicitud de extradición se elevará por el Mº. de Justicia al Consejo de Ministros

Este trámite se regirá por lo dispuesto en la Ley 4/1985, de 21 de marzo, de Extradición Pasiva

En caso de que se decida otorgar preferencia a la solicitud de extradición, se notificará a la autoridad judicial española, que lo pondrá en conocimiento de la autoridad judicial de emisión

En caso de que se decida otorgar preferencia a la OEDE, se notificará a la autoridad judicial española al objeto de que se continúe con el procedimiento en el trámite en el que se suspendió

Entrega de la persona reclamada
(art. 58 L 23/2014)

Se hará efectiva por agente de la autoridad española, previa notificación a la autoridad designada al efecto por la autoridad judicial de emisión del lugar y fechas fijados, siempre dentro de los 10 días siguientes a la decisión judicial de entrega

Excepcionalmente, la autoridad judicial podrá suspender provisionalmente la entrega por motivos humanitarios graves, pero ésta deberá realizarse en cuanto dichos motivos dejen de existir

La entrega se verificará en los 10 días siguientes a la nueva fecha que se acuerde cuando dichos motivos dejen de existir

Si por causas ajenas al control de alguno de los Estados de emisión o de ejecución no pudiera verificarse en este plazo, las autoridades judiciales implicadas se pondrán en contacto inmediatamente para fijar una nueva fecha, dentro de un nuevo plazo de 10 días desde la fecha inicialmente fijada

En caso de que hubiere de ser suspendida o aplazada la entrega de la persona reclamada por tener algún proceso penal pendiente en España y estuviese privado de libertad, deberá garantizarse que la autoridad judicial española que conoce del procedimiento de la OEDE recibe la información sobre la futura puesta en libertad del reclamado para que adopte inmediatamente la decisión que corresponda sobre su situación personal a efectos de su entrega a la autoridad de ejecución

Si la persona reclamada estuviera cumpliendo condena→ el centro penitenciario deberá poner en conocimiento de la autoridad judicial española que conozca del procedimiento de la orden europea de detención y entrega la fecha efectiva de cumplimiento con, al menos, quince días de antelación, para que éste pueda adoptar la decisión que corresponda sobre su situación personal.

Si la persona reclamada se encuentra en prisión provisional en una causa abierta en España→ el Tribunal que conozca de ese procedimiento deberá poner inmediatamente al reclamado a disposición de la autoridad judicial española que conozca del procedimiento de OEDE, comunicando con antelación suficiente su decisión de acordar la libertad en su procedimiento, para que se adopte en el plazo de 72 horas la decisión sobre su situación personal para garantizar la ejecución de la entrega

Entrega de objetos
(art. 59 L 23/2014)

A petición de la autoridad judicial emisora o por propia iniciativa, el Juez Central de Instrucción intervendrá y entregará, de conformidad con el Derecho interno, los objetos que constituyan medio de prueba o efectos del delito, sin perjuicio de los derechos que el Estado español o terceros puedan haber adquirido sobre los mismos

En este caso, una vez concluido el juicio, se procederá a su restitución

Dichos objetos deberán entregarse aun cuando la OEDE no pueda ejecutarse debido al fallecimiento o la evasión de la persona reclamada

Los bienes que estén sujetos a embargo o decomiso en España, la autoridad judicial española podrá denegar su entrega o efectuarla con carácter meramente temporal, si ello es preciso para el proceso penal pendiente

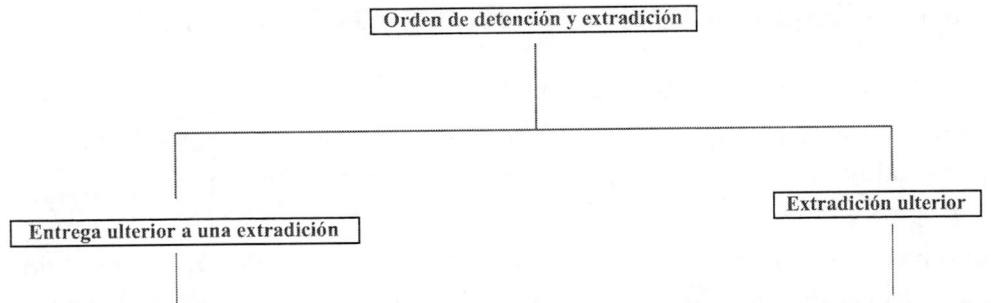

Orden de detención y extradición

Entrega ulterior a una extradición

En caso de que la persona reclamada haya sido extraditada a España desde un tercer Estado, y de que la misma estuviere protegida por disposiciones del acuerdo en virtud del cual hubiere sido extraditada relativas al principio de especialidad→ la autoridad judicial española de ejecución solicitará la autorización del Estado que la haya extraditado para que pueda ser entregada al Estado de emisión
Los plazos contemplados en el art. 54 empezarán a contar en la fecha en que dichas reglas relativas al principio de especialidad dejen de aplicarse
En tanto se tramita la autorización, la autoridad judicial española de ejecución garantizará que siguen dándose las condiciones materiales necesarias para una entrega efectiva

Extradición ulterior

Cuando una persona haya sido entregada a España en virtud de una OEDE, si es solicitada posteriormente su extradición por un Estado que no sea miembro de la Unión Europea, no podrá otorgarse dicha extradición sin el consentimiento de la autoridad judicial de ejecución que acordó la entrega, a cuyo efecto el Juez Central de Instrucción cursará la pertinente solicitud
Si las autoridades judiciales españolas hubieran acordado la entrega de una persona a otro Estado miembro de la Unión Europea, en virtud de una OEDE, y les fuera solicitado su consentimiento por las autoridades judiciales de emisión con el fin de proceder a su extradición a un tercer Estado no miembro de la Unión Europea, dicho consentimiento se prestará de conformidad con los convenios bilaterales o multilaterales en los que España sea parte, teniendo la petición de autorización la consideración de demanda de extradición a estos efectos

8.10. PROCEDIMIENTO CONTRA REOS AUSENTES

Es el último de los procedimientos especiales previstos legalmente.

La LECrim, desde su promulgación consagró como la regla general la imposibilidad de proceder a la celebración del juicio oral sin que al mismo asistiera personalmente el acusado, pues en el proceso penal rige el principio general del derecho conforme al cual nadie puede ser condenado sin haber sido previamente oído.

Esta situación legal se mantuvo hasta la promulgación de la Ley 3/1967, de 8 de abril, que introdujo en la Ley de Enjuiciamiento Criminal los denominados *"procedimientos de urgencia para determinados delitos"*, en la que se reguló en el procedimiento conocido como "diligencias preparatorias" la posibilidad de enjuiciamiento oral de delitos sin la necesaria presencia del sujeto acusado y lo mismo sucedió con la Ley Orgánica 10/1980, de 11 de noviembre, sobre enjuiciamiento oral de delitos dolosos, menos graves y flagrantes, cuyos artículos 7.I y 10.2°.II venían a reproducir lo establecido sobre el enjuiciamiento de acusados ausentes en el procedimiento de diligencias preparatorias.

Sin embargo, el verdadero reconocimiento legal del juicio en ausencia del acusado tuvo lugar con la Ley Orgánica 7/1988, de 28 de diciembre, reformadora de la LOPJ y de la LECrim, por la que se incorporaba el nuevo "proceso penal abreviado", en cuyo seno se vino a reconocer positivamente la posibilidad de celebración del juicio oral sin la presencia del acusado, optando así el legislador por permitir la celebración de juicios en ausencia regulando seguidamente un medio para purgar tal situación de ausencia.

La declaración de rebeldía se hace a través de un procedimiento denominado "procedimiento contra reos ausentes", el cual se puede aplicar tanto en la fase de instrucción como en la del juicio.

Si estamos en esta primera fase, el sumario o instrucción judicial continúa hasta su conclusión, suspendiéndose en ese momento Paralelamente a esta instrucción se tramitará el procedimiento contra "reos ausentes".

Si nos encontramos en la fase de juicio oral debe suspenderse ésta hasta que sea hallado el rebelde.

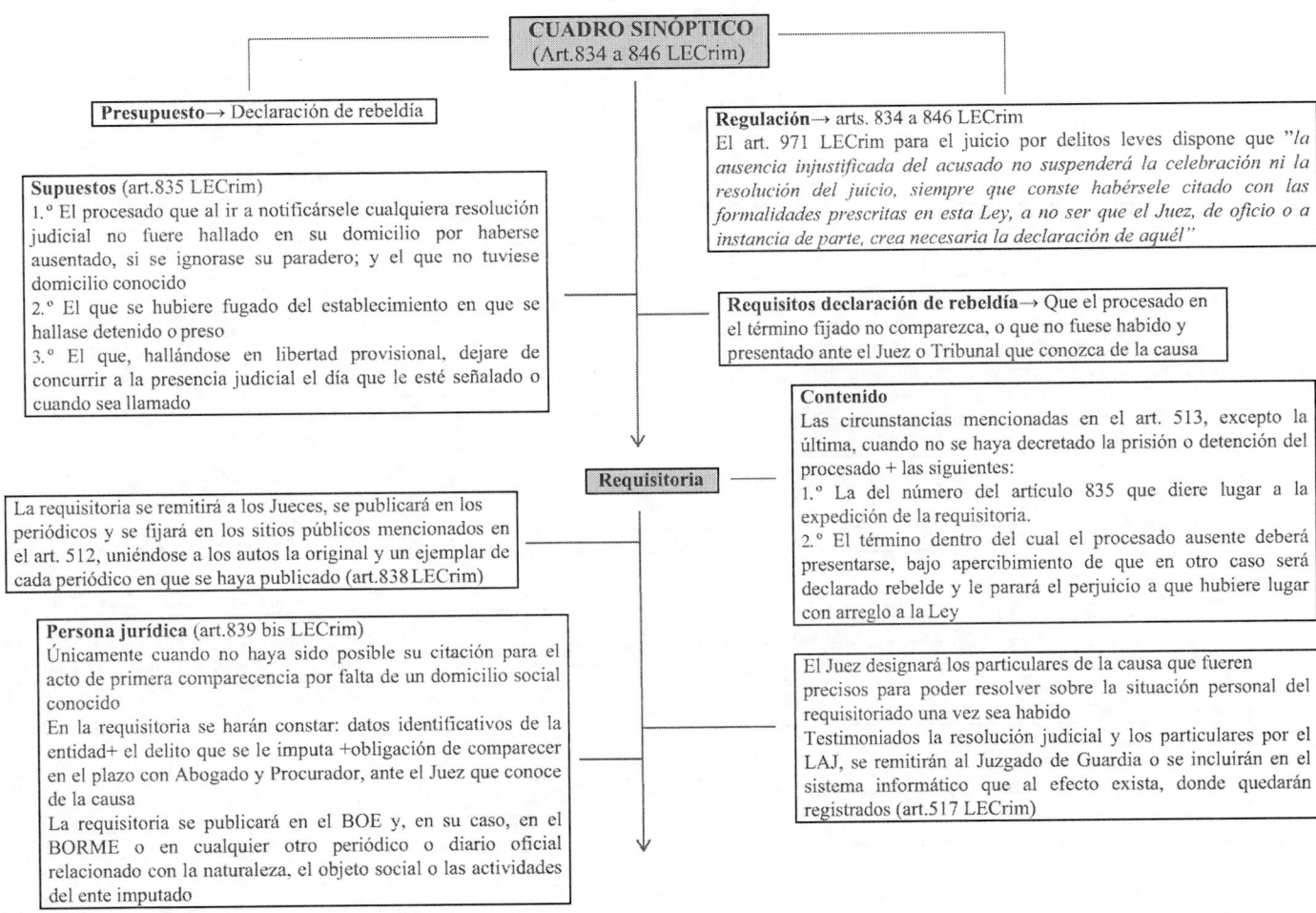

CUADRO SINÓPTICO
(Art.834 a 846 LECrim)

Presupuesto→ Declaración de rebeldía

Regulación→→ arts. 834 a 846 LECrim
El art. 971 LECrim para el juicio por delitos leves dispone que *"la ausencia injustificada del acusado no suspenderá la celebración ni la resolución del juicio, siempre que conste habérsele citado con las formalidades prescritas en esta Ley, a no ser que el Juez, de oficio o a instancia de parte, crea necesaria la declaración de aquél"*

Supuestos (art.835 LECrim)
1.º El procesado que al ir a notificársele cualquiera resolución judicial no fuere hallado en su domicilio por haberse ausentado, si se ignorase su paradero; y el que no tuviese domicilio conocido
2.º El que se hubiere fugado del establecimiento en que se hallase detenido o preso
3.º El que, hallándose en libertad provisional, dejare de concurrir a la presencia judicial el día que le esté señalado o cuando sea llamado

Requisitos declaración de rebeldía→ Que el procesado en el término fijado no comparezca, o que no fuese habido y presentado ante el Juez o Tribunal que conozca de la causa

Requisitoria

Contenido
Las circunstancias mencionadas en el art. 513, excepto la última, cuando no se haya decretado la prisión o detención del procesado + las siguientes:
1.º La del número del artículo 835 que diere lugar a la expedición de la requisitoria.
2.º El término dentro del cual el procesado ausente deberá presentarse, bajo apercibimiento de que en otro caso será declarado rebelde y le parará el perjuicio a que hubiere lugar con arreglo a la Ley

La requisitoria se remitirá a los Jueces, se publicará en los periódicos y se fijará en los sitios públicos mencionados en el art. 512, uniéndose a los autos la original y un ejemplar de cada periódico en que se haya publicado (art.838 LECrim)

Persona jurídica (art.839 bis LECrim)
Únicamente cuando no haya sido posible su citación para el acto de primera comparecencia por falta de un domicilio social conocido
En la requisitoria se harán constar: datos identificativos de la entidad+ el delito que se le imputa +obligación de comparecer en el plazo con Abogado y Procurador, ante el Juez que conoce de la causa
La requisitoria se publicará en el BOE y, en su caso, en el BORME o en cualquier otro periódico o diario oficial relacionado con la naturaleza, el objeto social o las actividades del ente imputado

El Juez designará los particulares de la causa que fueren precisos para poder resolver sobre la situación personal del requisitoriado una vez sea habido
Testimoniados la resolución judicial y los particulares por el LAJ, se remitirán al Juzgado de Guardia o se incluirán en el sistema informático que al efecto exista, donde quedarán registrados (art.517 LECrim)

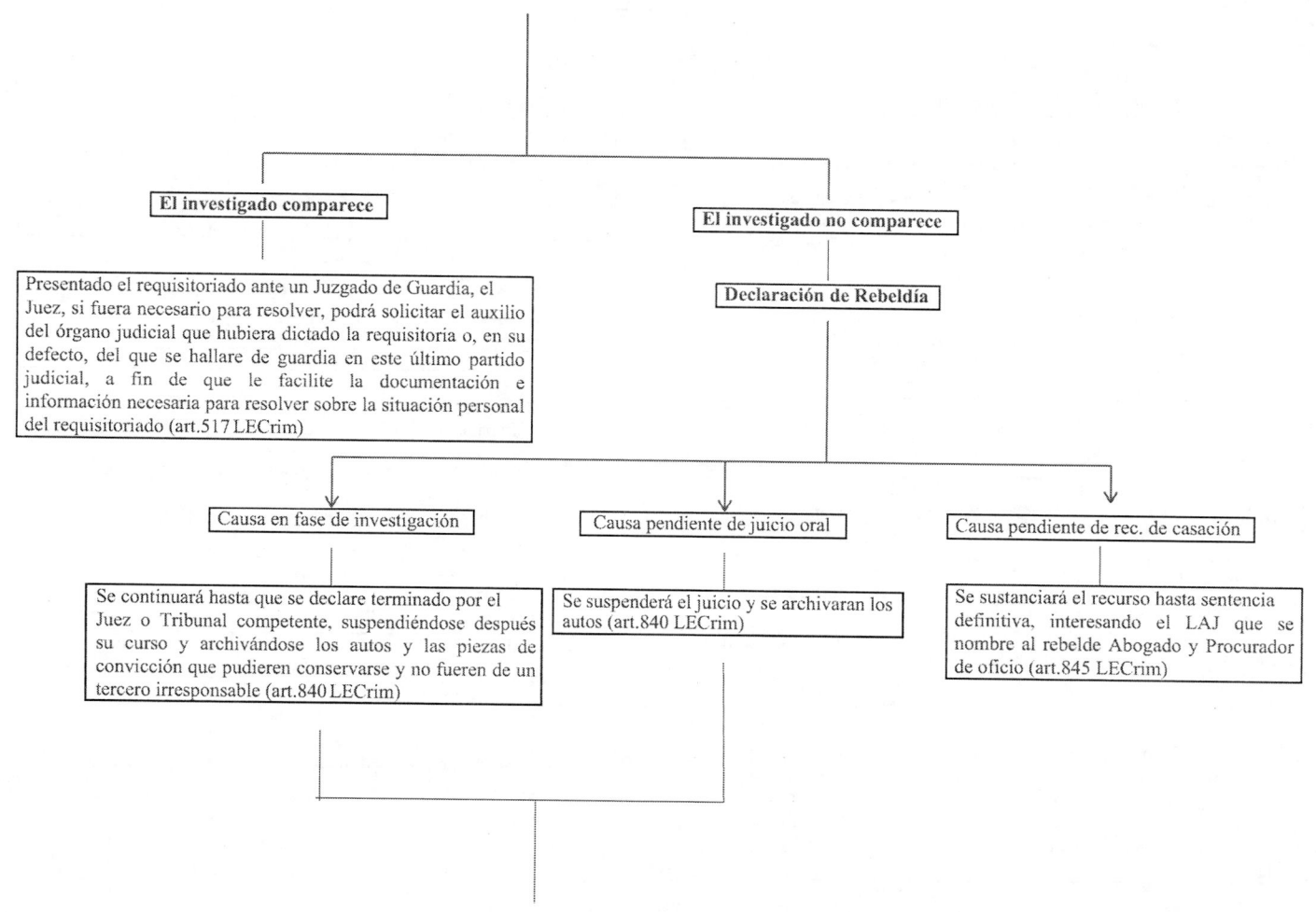

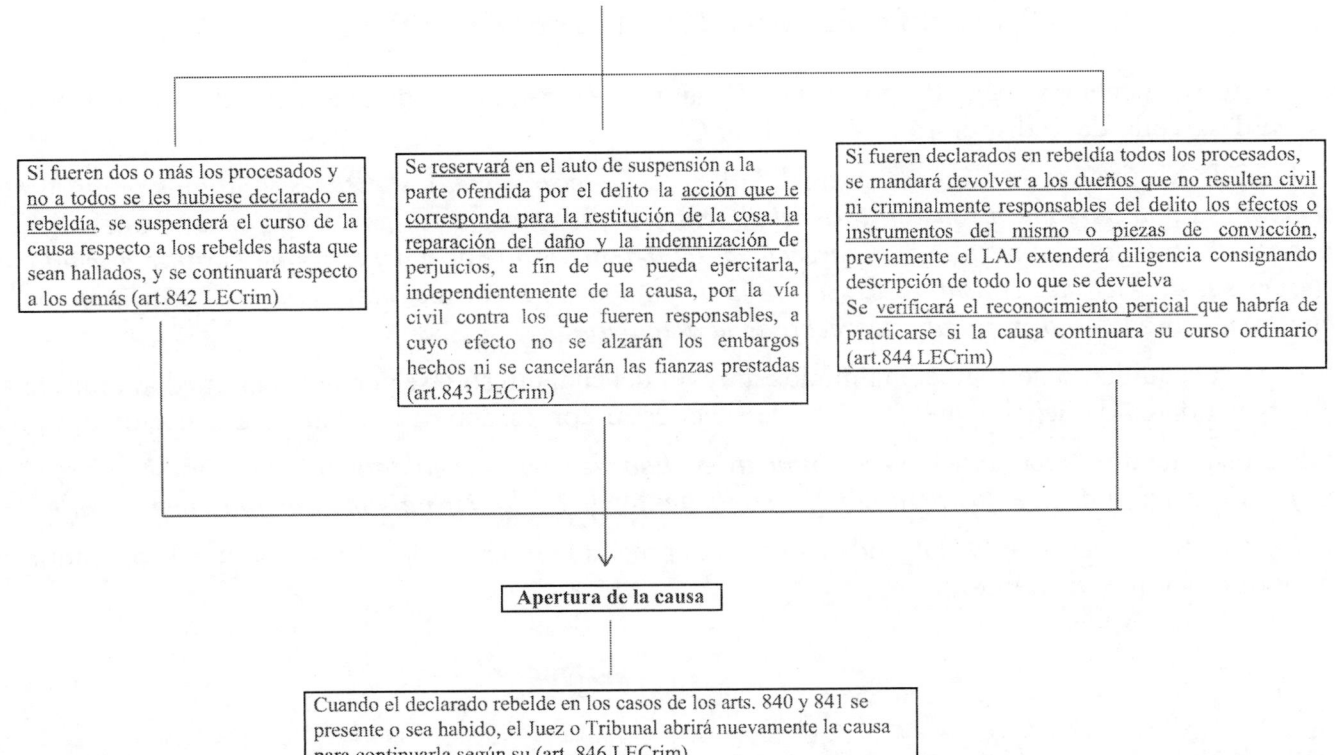

Si fueren dos o más los procesados y no a todos se les hubiese declarado en rebeldía, se suspenderá el curso de la causa respecto a los rebeldes hasta que sean hallados, y se continuará respecto a los demás (art.842 LECrim)

Se reservará en el auto de suspensión a la parte ofendida por el delito la acción que le corresponda para la restitución de la cosa, la reparación del daño y la indemnización de perjuicios, a fin de que pueda ejercitarla, independientemente de la causa, por la vía civil contra los que fueren responsables, a cuyo efecto no se alzarán los embargos hechos ni se cancelarán las fianzas prestadas (art.843 LECrim)

Si fueren declarados en rebeldía todos los procesados, se mandará devolver a los dueños que no resulten civil ni criminalmente responsables del delito los efectos o instrumentos del mismo o piezas de convicción, previamente el LAJ extenderá diligencia consignando descripción de todo lo que se devuelva
Se verificará el reconocimiento pericial que habría de practicarse si la causa continuara su curso ordinario (art.844 LECrim)

Apertura de la causa

Cuando el declarado rebelde en los casos de los arts. 840 y 841 se presente o sea habido, el Juez o Tribunal abrirá nuevamente la causa para continuarla según su (art. 846 LECrim)

8.11. PROCEDIMIENTO DE *HABEAS CORPUS*

Este procedimiento se encuentra regulado por la Ley Orgánica 6/1984, de 24 de mayo, reguladora del procedimiento de Habeas Corpus, en desarrollo de lo dispuesto en el art. 17.4 CE.

En su Exposición de Motivos se recoge que su finalidad es *"establecer remedios eficaces y rápidos para los eventuales supuestos de detenciones de la persona no justificados legalmente, o que transcurran en condiciones ilegales. Por consiguiente, el «Habeas Corpus» se configura como una comparecencia del detenido ante el Juez; (...) que permite al ciudadano, privado de libertad, exponer sus alegaciones contra las causas de la detención o las condiciones de la misma, al objeto de que el Juez resuelva, en definitiva, sobre la conformidad a Derecho de la detención"*.

Estamos ante un procedimiento de cognición limitada a través del cual tan sólo se persigue la inmediata puesta a disposición judicial de una persona detenida ilegalmente, al efecto de hacer cesar con carácter inmediato esa situación antijurídica.

El art. 1, LOHC dispone que *"mediante el procedimiento de habeas corpus regulado en la presente Ley, se podrá obtener la inmediata puesta a disposición de la Autoridad judicial competente, de cualquier persona detenida ilegalmente"*.

En cuanto a la postulación, el art. 4, LOHC indica que no es precisa la intervención de Abogado y Procurador El plazo para su sustanciación y resolución es de 24 horas

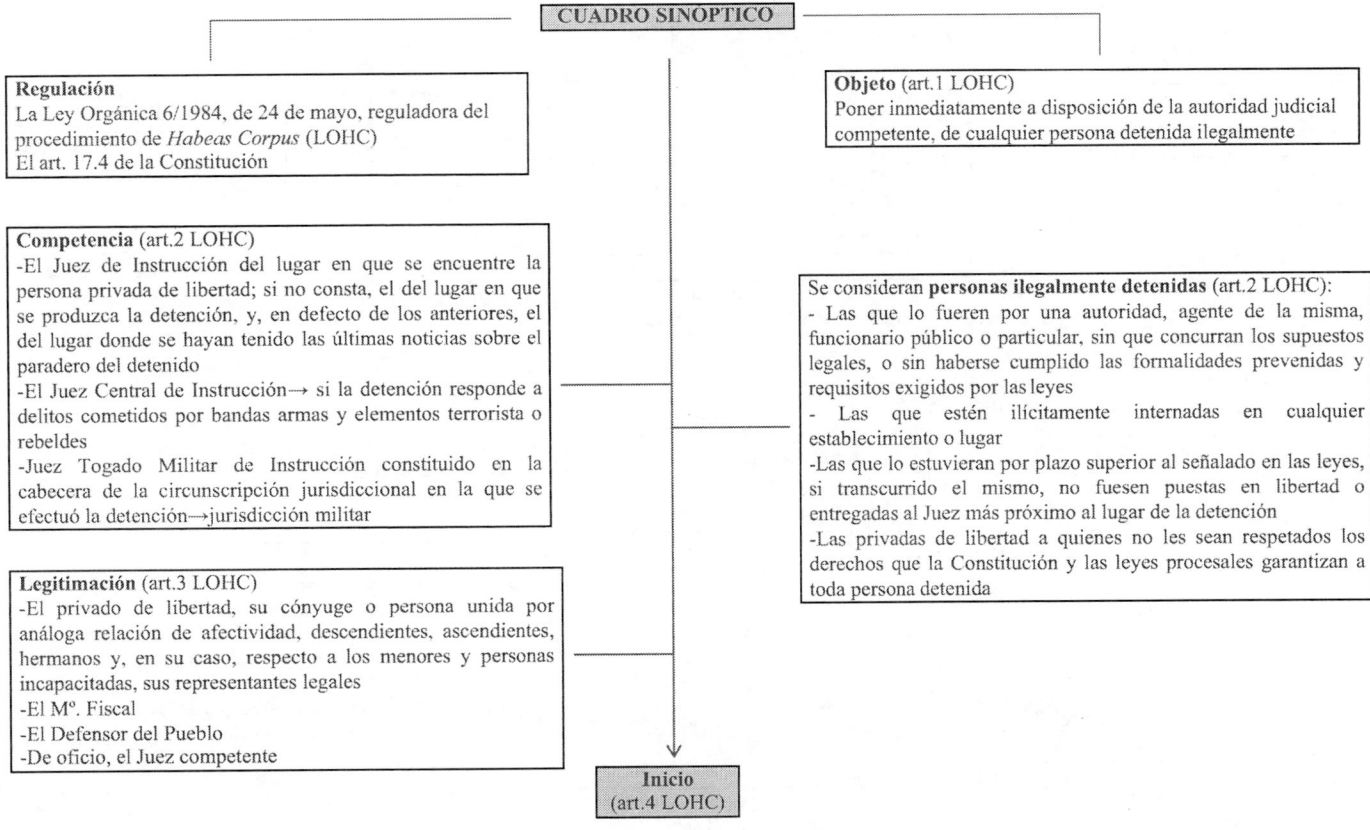

CUADRO SINOPTICO

Regulación
La Ley Orgánica 6/1984, de 24 de mayo, reguladora del procedimiento de *Habeas Corpus* (LOHC)
El art. 17.4 de la Constitución

Objeto (art.1 LOHC)
Poner inmediatamente a disposición de la autoridad judicial competente, de cualquier persona detenida ilegalmente

Competencia (art.2 LOHC)
-El Juez de Instrucción del lugar en que se encuentre la persona privada de libertad; si no consta, el del lugar en que se produzca la detención, y, en defecto de los anteriores, el del lugar donde se hayan tenido las últimas noticias sobre el paradero del detenido
-El Juez Central de Instrucción→ si la detención responde a delitos cometidos por bandas armas y elementos terrorista o rebeldes
-Juez Togado Militar de Instrucción constituido en la cabecera de la circunscripción jurisdiccional en la que se efectuó la detención→jurisdicción militar

Se consideran **personas ilegalmente detenidas** (art.2 LOHC):
- Las que lo fueren por una autoridad, agente de la misma, funcionario público o particular, sin que concurran los supuestos legales, o sin haberse cumplido las formalidades prevenidas y requisitos exigidos por las leyes
- Las que estén ilícitamente internadas en cualquier establecimiento o lugar
-Las que lo estuvieran por plazo superior al señalado en las leyes, si transcurrido el mismo, no fuesen puestas en libertad o entregadas al Juez más próximo al lugar de la detención
-Las privadas de libertad a quienes no les sean respetados los derechos que la Constitución y las leyes procesales garantizan a toda persona detenida

Legitimación (art.3 LOHC)
-El privado de libertad, su cónyuge o persona unida por análoga relación de afectividad, descendientes, ascendientes, hermanos y, en su caso, respecto a los menores y personas incapacitadas, sus representantes legales
-El Mº. Fiscal
-El Defensor del Pueblo
-De oficio, el Juez competente

Inicio
(art.4 LOHC)

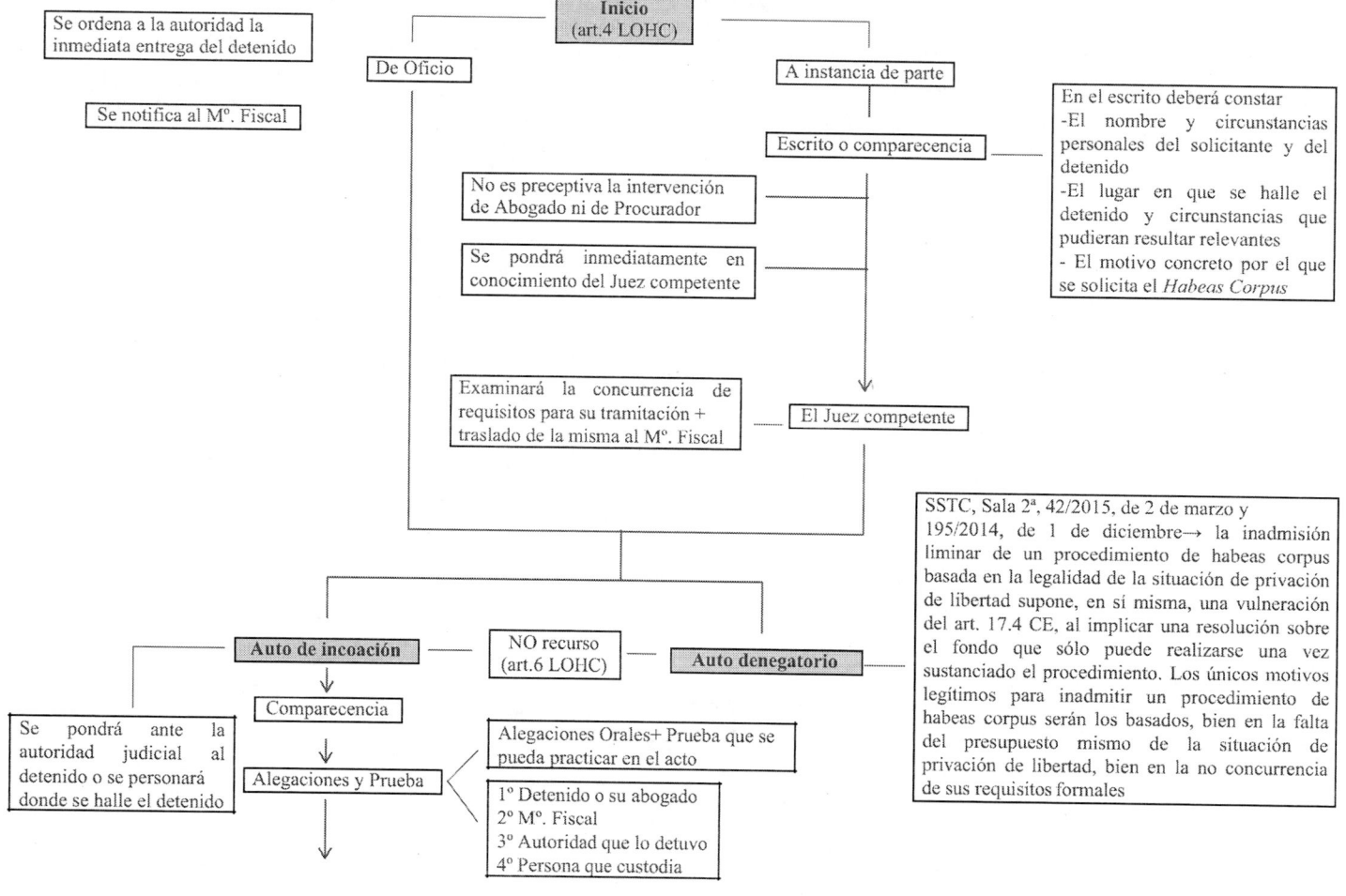

Inicio
(art.4 LOHC)

De Oficio

A instancia de parte

Se ordena a la autoridad la inmediata entrega del detenido

Se notifica al Mº. Fiscal

Escrito o comparecencia

En el escrito deberá constar
-El nombre y circunstancias personales del solicitante y del detenido
-El lugar en que se halle el detenido y circunstancias que pudieran resultar relevantes
- El motivo concreto por el que se solicita el *Habeas Corpus*

No es preceptiva la intervención de Abogado ni de Procurador

Se pondrá inmediatamente en conocimiento del Juez competente

Examinará la concurrencia de requisitos para su tramitación + traslado de la misma al Mº. Fiscal

El Juez competente

Auto de incoación

NO recurso
(art.6 LOHC)

Auto denegatorio

Comparecencia

Se pondrá ante la autoridad judicial al detenido o se personará donde se halle el detenido

Alegaciones y Prueba

Alegaciones Orales+ Prueba que se pueda practicar en el acto

1º Detenido o su abogado
2º Mº. Fiscal
3º Autoridad que lo detuvo
4º Persona que custodia

SSTC, Sala 2ª, 42/2015, de 2 de marzo y 195/2014, de 1 de diciembre→ la inadmisión liminar de un procedimiento de habeas corpus basada en la legalidad de la situación de privación de libertad supone, en sí misma, una vulneración del art. 17.4 CE, al implicar una resolución sobre el fondo que sólo puede realizarse una vez sustanciado el procedimiento. Los únicos motivos legítimos para inadmitir un procedimiento de habeas corpus serán los basados, bien en la falta del presupuesto mismo de la situación de privación de libertad, bien en la no concurrencia de sus requisitos formales

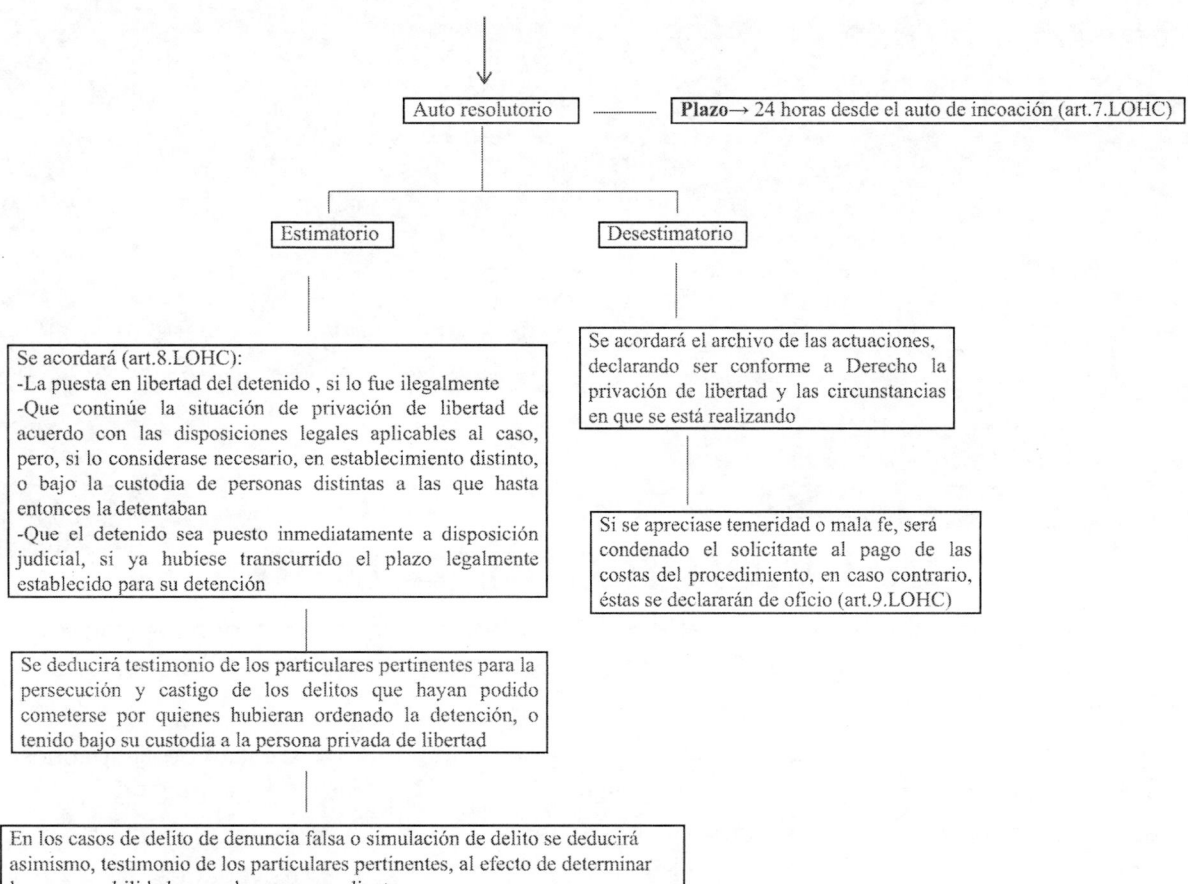

Auto resolutorio ---------- **Plazo**→ 24 horas desde el auto de incoación (art.7.LOHC)

Estimatorio

Desestimatorio

Se acordará (art.8.LOHC):
-La puesta en libertad del detenido , si lo fue ilegalmente
-Que continúe la situación de privación de libertad de acuerdo con las disposiciones legales aplicables al caso, pero, si lo considerase necesario, en establecimiento distinto, o bajo la custodia de personas distintas a las que hasta entonces la detentaban
-Que el detenido sea puesto inmediatamente a disposición judicial, si ya hubiese transcurrido el plazo legalmente establecido para su detención

Se acordará el archivo de las actuaciones, declarando ser conforme a Derecho la privación de libertad y las circunstancias en que se está realizando

Si se apreciase temeridad o mala fe, será condenado el solicitante al pago de las costas del procedimiento, en caso contrario, éstas se declararán de oficio (art.9.LOHC)

Se deducirá testimonio de los particulares pertinentes para la persecución y castigo de los delitos que hayan podido cometerse por quienes hubieran ordenado la detención, o tenido bajo su custodia a la persona privada de libertad

En los casos de delito de denuncia falsa o simulación de delito se deducirá asimismo, testimonio de los particulares pertinentes, al efecto de determinar las responsabilidades penales correspondientes